Guía práctica
de la VIVIENDA
PROTEGIDA en ESPAÑA

Autor coordinador
Ángel M.ª de Sancha Bech

Coautores
Ángel Rafael Pacheco Rubio
Gonzalo Fernández-Rubio y Hornillos

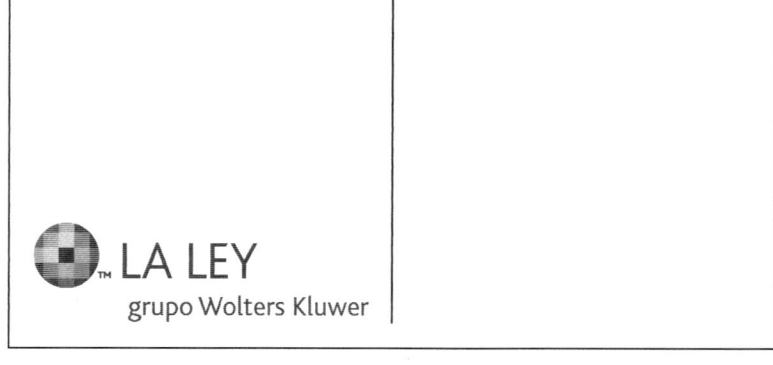

LA LEY
grupo Wolters Kluwer

GUÍA PRÁCTICA DE LA VIVIENDA PROTEGIDA EN ESPAÑA

AUTOR COORDINADOR
Ángel M.ª de Sancha Bech
Abogado
Máster en Asesoría Jurídica de Empresas por el Instituto de Empresas

COAUTORES
Ángel Rafael Pacheco Rubio
Abogado

Gonzalo Fernández-Rubio y Hornillos
Licenciado en Derecho
Executive Máster en Gestión Pública por el Instituto de Empresa

Director General de LA LEY: Alberto Larrondo Ilundain
Director de Publicaciones: José Ignacio San Román Hernández
Coordinación editorial: Gloria Hernández Catalán
César Abella Fernández
Miriam Barca Soler
Diseño de cubierta: Raquel Fernández Cestero

1.ª edición: Enero 2010

Edita: LA LEY
Edificio La Ley
C/ Collado Mediano, 9
28230 – Las Rozas (Madrid)
Tel.: 902 25 05 00 – Fax: 902 25 05 02
http://www.laley.es

ISBN: 978-84-8126-279-7
Depósito Legal:
Printed in Spain.
Impreso en España por: Nueva Imprenta, S.A.
Avda. de la Industria, 50
28108 Alcobendas (Madrid)

*En memoria de mi madre, quien me animó
a hacer este libro y no pudo verlo hecho realidad*

ÍNDICE SISTEMÁTICO

I.   VIVIENDA Y ESTADO AUTONÓMICO   17

   1.   Derecho a una vivienda en la Constitución y en los Estatutos de Autonomía   17

        1.1.   La vivienda en la Constitución   17
        1.2.   El derecho a la vivienda en los Estatutos de Autonomía. Los títulos competenciales   24

               1.2.1.   El derecho a la vivienda en los Estatutos de Autonomía   24
               1.2.2.   Los títulos competenciales   28

   2.   La relación entre los Planes Autonómicos y el Plan Estatal de Vivienda   30
   3.   La excepcionalidad de Navarra y el País Vasco   31

II. EL REAL DECRETO 2066/2008, DE 12 DE DICIEMBRE. CONSIDERACIONES GENERALES   31

   1.   Razón de ser del Real Decreto   31
   2.   Estructura   35

III. LA VIVIENDA PROTEGIDA. ELEMENTOS OBJETIVOS   35

   1.   Actuaciones protegidas   35
   2.   Vivienda protegida   38
   3.   Vivienda usada   39
   4.   Superficie   41

        4.1.   La vivienda   42
        4.2.   El garaje, los trasteros y anejos   43
        4.3.   Los locales   43
        4.4.   Los elementos comunes   43

5.   Calificación   44

    5.1.   Calificación provisional   44
    5.2.   Calificación definitiva...   45

6.   Destino y ocupación de las viviendas   45
7.   Limitaciones a la facultad de disponer   46

    7.1.   Derechos de tanteo y retracto................................   48
    7.2.   Duración del régimen de protección   48
    7.3.   Inscripción registral...   48

8.   La determinación del precio de la vivienda....................   49

    8.1.   El Módulo Básico Estatal.......................................   49
    8.2.   Los precios máximos de venta y de referencia para
            el alquiler...   50
    8.3.   Los ámbitos territoriales de precio máximo superior   53

9.   Financiación...   61

    9.1.   Los préstamos convenidos   61
    9.2.   Subsidiaciones   63
    9.3.   Subvenciones...   64
    9.4.   Ayuda directa a la entrada....................................   66
    9.5.   Aranceles notariales y registrales   67
    9.6.   IVA reducido   69
    9.7.   Subvención a la vivienda de protección oficial de pro-
            moción pública   70

IV.   LOS ELEMENTOS SUBJETIVOS EN EL PLAN DE VIVIENDA......   70

1.   Beneficiarios...   70
2.   Requisitos generales de la Ley General de Subvenciones...   74
3.   Condiciones generales de los demandantes de vivienda y fi-
        nanciación...   79

    3.1.   Acreditación de los ingresos familiares.   82

4.   Agentes intervinientes en la promoción..........................   84

    4.1.   El promotor..   84
    4.2.   El proyectista   87
    4.3.   El constructor..   87
    4.4.   El director de la obra   89
    4.5.   El director de la ejecución de las obras   90

	4.6.	Las entidades y los laboratorios de control de calidad de la edificación	91
	4.7.	Los suministradores de productos	91
	4.8.	El gestor	92
	4.9.	El adquirente/arrendatario	93
	4.10.	Las Entidades de Crédito	94
5.		Los órganos para el seguimiento del Plan	95
	5.1.	Los Registros Públicos de demandantes	101
	5.2.	Las bases de datos de actuaciones protegidas	103

V. LOS ELEMENTOS TEMPORALES DEL PLAN DE VIVIENDA 104

1.	Duración. Entrada en vigor de convenios, aprobación normativa autonómica		104
2.	Actuaciones entre planes		105
3.	Medidas transitorias para hacer frente a la coyuntura económica del sector		106

VI. ADQUISICIÓN Y URBANIZACIÓN DE SUELO PARA VIVIENDA PROTEGIDA | 111

1.	Objetivos		111
2.	Clases (Áreas de Urbanización y Áreas de Urbanización Prioritarias)		113
3.	Requisitos		114
4.	Financiación		116
	4.1.	Préstamos convenidos	116
	4.2.	Subvenciones	117
5.	SEPES. El operador público de suelo		118

VII. LAS VIVIENDAS PROTEGIDAS PARA ALQUILER | 119

1.	Tipología		119
2.	Duración del régimen de alquiler		121
3.	Determinación de las rentas máximas		121
4.	Financiación		122
	4.1.	Préstamos convenidos	122
	4.2.	Subsidiaciones	123
	4.3.	Subvenciones	124
	4.4.	Ayudas a la eficiencia energética	125

	4.4.1. Objeto	125
	4.4.2. Subvención	125
5.	La venta de las viviendas promovidas para alquiler	125
	5.1. Las viviendas protegidas para alquiler con opción de compra	126
6.	La gestión de las viviendas en alquiler	126
7.	La cofinanciación de las viviendas de promoción pública destinadas al alquiler	128
8.	El programa de promoción de alojamientos protegidos para colectivos especialmente vulnerables y otros colectivos específicos	128
	8.1. Características básicas y superficie	128
	8.2. Condiciones de uso o gestión	130
	8.3. Financiación de la promoción	131
VIII.	EL PROGRAMA DE AYUDAS A LOS INQUILINOS	132
1.	Beneficiarios: condiciones y preferencias	132
2.	Cuantía de la ayuda	134
3.	Duración de las ayudas y límites temporales	134
4.	Gestión de la ayuda	135
5.	Renta básica de emancipación	135
IX.	LA VIVIENDA PROTEGIDA PARA VENTA	143
1.	Tipología de las viviendas protegidas	143
2.	Determinación de precio	144
3.	Financiación a los promotores de vivienda	147
	3.1. Préstamos convenidos	147
	3.2. Ayudas a la eficiencia energética	148
4.	Ayudas a los adquirentes de nuevas viviendas protegidas	149
	4.1. Beneficiarios	149
	4.2. Financiación	150
	4.2.1. Préstamos convenidos	150
	4.2.2. Subsidiaciones	153
	4.2.3. La Ayuda Estatal Directa a la Entrada (AEDE)	155
X.	LAS VIVIENDAS USADAS LIBRES O PROTEGIDAS PARA EL ALQUILER O VENTA	156
1.	Tipología	156

2. Duración del régimen legal de protección 157
3. Determinación de precio.. 157
4. Ayudas a adquirentes de viviendas usadas 157

    4.1. Beneficiarios 157
    4.2. Financiación 159

        4.2.1. Préstamos convenidos.............................. 159
        4.2.2. Subsidiaciones.. 160
        4.2.3. Ayuda Estatal Directa a la Entrada (AEDE)... 162

XI. ÁREAS DE REHABILITACIÓN INTEGRAL Y RENOVACIÓN URBANA 164

1. Áreas de Rehabilitación Integral de centros históricos, centros urbanos, barrios degradados y municipios rurales (ARIS) 164

    1.1. Concepto 164
    1.2. Condiciones... 166
    1.3. Beneficiarios 167
    1.4. Procedimiento de concesión.................................. 169
    1.5. Financiación 171

        1.5.1. Los préstamos convenidos........................ 172
        1.5.2. Las subvenciones 172

2. Áreas de Rehabilitación Urbana (ARUS)............................ 173

    2.1. Concepto 173
    2.2. Condiciones... 174
    2.3. Beneficiarios 175
    2.4. Procedimiento de concesión.................................. 176
    2.5. Financiación 178

        2.5.1. Préstamos convenidos.............................. 178
        2.5.2. Subvenciones 180
        2.5.3. Financiación de las nuevas viviendas protegidas en ARUS 181

3. Programa de ayudas para la erradicación del chabolismo.. 182

    3.1. Concepto 182
    3.2. Beneficiarios de las ayudas.................................... 182
    3.3. Procedimiento de concesión.................................. 183
    3.4. Financiación: subvenciones 184

XII. AYUDAS RENOVE A LA REHABILITACIÓN 184

    1.   Ayudas RENOVE a la rehabilitación 184

        1.1.   Concepto 184
        1.2.   Beneficiarios 187
        1.3.   Financiación de edificios de viviendas 188

                1.3.1. Préstamos convenidos 189
                1.3.2. Subsidiaciones 189
                1.3.3. Subvenciones 190

        1.4.   Financiación de viviendas 190

                1.4.1. Subvenciones 190

XIII. AYUDAS A INSTRUMENTOS DE INFORMACIÓN Y GESTIÓN DEL PLAN 191

    1.   Ayudas a la gestión de los Planes de Vivienda en información al ciudadano 191

        1.1.   Concepto 191
        1.2.   Beneficiarios 193
        1.3.   Financiación 193

XIV. RESUMEN DE AYUDAS DEL REAL DECRETO 2066/2008, DE 12 DE DICIEMBRE, POR EL QUE SE REGULA EL PLAN ESTATAL DE VIVIENDA Y REHABILITACIÓN 2009-2012 194

XV. PLANES DE VIVIENDA AUTONÓMICOS 227

    1.   Programa de Vivienda Protegida del Plan Concertado 2008-2012, en Andalucía 227
    2.   Programa de Vivienda Protegida del Plan Aragonés 2009-2012 290
        Programa de vivienda garantizada del Plan de Dinamización Aragonés 319
    3.   Plan Asturiano de Vivienda prorrogado por Resolución 2 de octubre de 2009 326
    4.   Programa de Vivienda de Canarias para el período 2009-2012 369
    5.   Plan Cántabro de Vivienda 423
    6.   IV Plan de Vivienda Protegida y Rehabilitación de Castilla-La Mancha 2009-2012 476
    7.   Plan Director de Vivienda y Suelo 2002-2009 de la Junta de Castilla y León 583

8. Plan del Derecho a la Vivienda 2004-2007 de la Generalitat de Catalunya 638
9. Programa de Vivienda Protegida de Ceuta 672
10. Plan de Vivienda, Rehabilitación y Suelo de Extremadura 2009-2012................ 705
11. Plan de Vivienda de Galicia 2009-2012............ 759
12. Programa de Vivienda Protegida de las Islas Baleares 835
13. Plan de Vivienda de la Rioja 2009-2012 875
14. Plan de Vivienda de la Comunidad de Madrid.............. 919
15. Plan de Vivienda de la Ciudad Autónoma de Melilla 2009-2012................ 971
16. Plan de Vivienda Protegida de la Región de Murcia.......... 999
17. Programa de Vivienda Protegida de Navarra 1032
18. Programa de Vivienda del Plan Director 2006/2009 del País Vasco 1093
19. Plan Autonómico de Vivienda de la Comunidad Valencia 2009-2012................ 1145

I. VIVIENDA Y ESTADO AUTONÓMICO

1. Derecho a una vivienda en la Constitución y en los Estatutos de Autonomía

1.1. La vivienda en la Constitución

Nuestra Carta Magna contiene numerosos preceptos que se refieren, de forma más o menos directa, a la vivienda. En unos se alude a la configuración del Estado como social y democrático de Derecho (art. 1.1 CE), se hace referencia a la remoción por los poderes públicos de todos los obstáculos que impidan lograr una libertad e igualdad efectivas (art. 9 CE), al derecho a la propiedad (art. 33.1 CE), a la libertad de empresa (38 CE), la redistribución de la riqueza (art. 40 CE), el derecho al medio ambiente (art. 45 CE), el derecho a la vivienda (art. 47 CE), la integración de las personas con discapacidad (art. 49 CE), el bienestar de la tercera edad (art. 50 CE), la defensa de consumidores y usuarios (art. 51 CE), la riqueza (art. 128 CE) o los títulos competenciales (art. 148 CE), siendo los preceptos que más van a caracterizar el régimen de la vivienda en nuestro sistema constitucional.

De todos estos artículos la regulación más específica discurre en tres preceptos, que resultan clave para comprender la situación actual y el futuro de la vivienda en España. Nos estamos refiriendo al art. 47 CE, el 50 CE y el art. 148.1.3 CE. A estos dos últimos dedicaremos una especial atención en las próximas páginas.

Este art. 47 está incluido dentro del Capítulo dedicado a los principios rectores de la política económica y social y es el precepto constitucional que presta más atención a la vivienda. En el mismo se proclama que «todos los españoles tienen derecho a disfrutar de una vivienda digna y adecuada. Los poderes públicos promoverán las condiciones necesarias y establecerán las normas pertinentes para hacer efectivo este derecho, regulando la utilización del suelo de acuerdo con el interés general para impedir la especulación». Más adelante se señala que «la comunidad participará en las plusvalías que genere la acción urbanística de los entes públicos»[1].

El Tribunal Constitucional se ha pronunciado en varias ocasiones en torno a este derecho a una vivienda digna y adecuada, subrayando que no es un derecho susceptible de recurso de amparo constitucional, ya que no se trata de un verdadero derecho, sino de un principio rector de la política económica y social (ATC de 20 de julio de 1983)[2]. No constituye, por tanto, como se verá más adelante, un título competencial autónomo a favor del Estado y que la función de garantizar el derecho a disfrutar de una vivienda digna debe ser ejercido por el Estado, al amparo de los títulos competenciales del art. 149.1.11 y 13 CE (SSTC 113/1989, de 22 de junio de 1989, y 59/1995, de 17 de marzo de 1995).

El art. 47 CE no genera por sí mismo un derecho susceptible de reclamación, ya que se trata de una invitación a los poderes públicos para que faciliten dicho disfrute dentro de las posibilidades económicas (ASTC 18 enero de 2005 y de 24 de mayo de 2005). Resultan interesantes estos pronunciamientos, relativamente recientes, en un momento político en el que se plantea reconocer el derecho a la vivienda como un auténtico

---

(1)   De todos los productos finales posibles del urbanismo (calles, oficinas, infraestructuras…), la Constitución sólo ha entendido pertinente referirse a una sola: la vivienda. No se hace mención al concreto título que hay que tener para disfrutar de una vivienda digna y adecuada, es decir, propiedad o arrendamiento. Véase, en este sentido, MONEREO PÉREZ, J. L., MOLINA NAVARRETE, C., MORENO VIDA, M. N. (Dirs.), *Comentario a la Constitución socio-económica de España*, Comares, Granada, 2002, pág. 1713.
Sobre el art. 47 CE, véase BASSOLS COMA, M., «Consideraciones sobre el derecho a la vivienda en la Constitución Española de 1978», en *Revista de Derecho Urbanístico y Medio Ambiente*, núm. 85, 1983, págs. 13-42; PULIDO QUECEDO, M., *La Constitución Española con la Jurisprudencia del Tribunal Constitucional,* Aranzadi, Pamplona, 1986, págs. 1097-1102.

(2)   Por tanto, los poderes públicos, a través de este artículo se comprometen a establecer las condiciones necesarias para poder disfrutar de una vivienda, pero no existe el derecho exigible ante los Tribunales de disfrutar de una vivienda. En este sentido, LALAGUNA Y DURÁN, P., «Sobre la interpretación del derecho a la vivienda», en *Revista General del Derecho,* núm. 630, pág. 1882.

derecho que es exigible a los poderes públicos[3]. El ciudadano está privado de exigir del Estado, o de cualquier otro ente público, que se le ponga materialmente en el uso y disfrute de una vivienda digna y adecuada. La obligación de los poderes públicos es promover las condiciones necesarias para que puedan los ciudadanos disfrutar de una vivienda, dicho con otras palabras, conseguir la efectividad de ese disfrute[4].

El derecho a la vivienda, tal y como está recogido en nuestra Constitución, contiene un mandato que ha de informar la actuación de todos los poderes públicos (SSTC 113/1989, de 22 de junio de 1989, y 59/1995, de 17 de marzo de 1995) y obliga a los poderes públicos, por un lado, al despliegue de la correspondiente acción administrativa prestacional y, por otro lado, a desarrollar la acción normativa que resulte necesaria para asegurar el cumplimiento del mandato constitucional (STC 113/1989, de 22 de junio de 1989).

Con arreglo a estos pronunciamientos, se puede afirmar que el Tribunal Constitucional subraya el hecho de que no estamos ante un derecho a la vivienda, ante un auténtico derecho subjetivo que vincula a los poderes públicos, sino más bien ante una expectativa de actuación. Pero ello no obsta a que las Administraciones Públicas no pueden estar inactivas, sino que deben actuar e intervenir para que los ciudadanos puedan disfrutar y beneficiarse de su derecho a la vivienda[5].

En función de este art. 47 CE, el Tribunal Supremo ha concluido que los poderes públicos van a intervenir en las tres esferas de la acción administrativa (STS de 10 de febrero de 1989)[6].

En primer lugar, se puede hablar de un servicio público en vivienda, entendiéndose como el conjunto de medios humanos, materiales y económicos que tiene la Administración para satisfacer una necesidad pública

---

(3)   El art. 47 CE, en sus distintas redacciones a lo largo de la elaboración del texto constitucional, llegó a reconocer el derecho de los españoles a que se les facilitara el acceso a una vivienda digna y adecuada. En este sentido, GARRIDO FALLA, F. (Dir.), *Comentarios a la Constitución*, Civitas, Madrid, 1985, pág. 830.

(4)   En este sentido, GARRIDO FALLA, F., *Comentarios a la...*, *op. cit.*, pág. 832.

(5)   En el mismo sentido, BURÓN CUADRADO, J., «El impacto del art. 47 de la Constitución en la normativa vasca de vivienda», en *Revista de Derecho Urbanístico y Medio Ambiente*, 2002, número 230, pág. 196.

(6)   En este mismo sentido, BURÓN CUADRADO, J., «El impacto...», *op. cit.*, págs. 197-200.

a través de la prestación de bienes y servicios en régimen de monopolio y sometida a Derecho público. Este servicio público puede llevarse a cabo mediante sistemas de gestión directa (centralizada, organismos autónomos, empresas públicas) o mediante sistemas de gestión indirecta.

En segundo lugar, habría que hablar de una actividad de fomento a la vivienda, es decir, la actividad administrativa que orienta la actividad privada hacia el interés general mediante incentivos públicos. Este fomento se materializa en préstamos con un tipo de interés privilegiado, subvenciones y exenciones y bonificaciones fiscales.

En tercer lugar, podría hablarse de una policía administrativa en materia de vivienda, que se concreta en los regímenes sancionadores, en las que van a tener un destacado papel las inspecciones a las viviendas protegidas, bien por defectos constructivos denunciados por los interesados, bien por inspecciones de oficio para comprobar que las viviendas están habitadas y constituyen el domicilio habitual y permanente de los titulares de la vivienda.

Directamente relacionado con este art. 47 CE está el art. 53 CE, según el cual los principios rectores de la política económica y social del Capítulo II del Título I de la Carta Magna, entre los que se incluye este derecho a una vivienda digna y adecuada, informarán la legislación positiva, la práctica judicial y la actuación de los poderes públicos.

El art. 50 CE está también está incluido dentro del Capítulo dedicado a los principios rectores de la política económica y social. Este artículo se refiere a los derechos de la tercera edad. En el mismo se consagra que corresponde a los poderes públicos promover un sistema de servicios sociales, que atenderán sus problemas específicos, citándose, entre otros, el de la vivienda.

Cabe incidir en que la finalidad perseguida por el régimen de viviendas protegidas aparece directamente conectada a la efectividad del derecho a disfrutar de la vivienda digna y adecuada a la que hace referencia el art. 47 CE (STSJ País Vasco 7 de junio de 2002). No obstante, la vivienda protegida deberá ser digna y adecuada; si bien éstos son conceptos jurídicos indeterminados, una vivienda digna y adecuada debe ser una vivienda segura, salubre, habitable y de calidad.

Una vez que se ha estudiado el contenido y el alcance del derecho constitucional a la vivienda, vamos a determinar ahora cuáles son las competencias del Estado en materia de vivienda[7].

El Tribunal Constitucional, de forma muy temprana, se tuvo que manifestar sobre cuáles eran las competencias del Estado en esta materia, es decir, sobre la base de qué títulos competenciales podía el Estado intervenir en el ámbito de la vivienda.

El Tribunal, a través de la Sentencia de 20 de junio de 1988, estudia cuatro posibles títulos competenciales del Estado en materia de vivienda[8].

Para el Tribunal, la política de vivienda, junto a su dimensión económica, tiene un señalado acento social, en atención al principio rector de la política económica y social que recoge el art. 47 CE, siendo uno y otro aspecto difícilmente separables. Sin embargo, este artículo no constituye por sí mismo un título competencial autónomo a favor del Estado, sino un mandato o directriz constitucional que ha de informar la actuación de todos los poderes públicos en el ejercicio de sus competencias (STC 152/1988, de 20 de junio: FJ 2.º).

La segunda posibilidad sería la que ofrece el art. 149.1.1 CE, según el cual el Estado tiene competencia exclusiva en lo relativo a la regulación de las condiciones básicas que garanticen la igualdad de todos los españoles en el ejercicio de los derechos y en el cumplimiento de los deberes constitucionales. Según el alto Tribunal, este precepto faculta al Estado para regular las condiciones que establecen y garantizan la igualdad sustancial de todos los españoles en el ejercicio de los derechos constitucio-

---

(7)   Sobre la distribución de competencias, véase: STC, de 20 de julio de 1988, BELTRÁN DE FELIPE, M., La intervención administrativa de la vivienda: aspectos competenciales, de policía y de financiación de las viviendas de protección oficial», Lex Nova, Valladolid, 2000; GARCÍA MAZAS, R. B., «El marco jurídico de la Vivienda de Protección Oficial en la Comunidad Autónoma del País Vasco tras la aprobación del Plan Director de Vivienda 2000-2003», en *Revista Vasca de Administración Pública,* núm. 64, 2002, págs. 260-261; QUINTANA LÓPEZ, T., «Régimen competencial del urbanismo, vivienda y rehabilitación urbana», en *Revista Vasca de Administración Pública,* núm. 21, 1988, págs. 77-94, y QUINTANA LÓPEZ, T., «La actual distribución de competencias en materia de ordenación del territorio, urbanismo y vivienda» en *Autonomies: Revista Catalana de Derecho público,* núm. 15, 1992, págs. 179-190.

(8)   Sobre esta resolución, véase GARCÍA MACHO, R., SOLER VILAR, A., MUÑOZ CASTILLO, J., *Legislación sobre la vivienda,* Tecnos, Madrid, 2003, págs. 14-17.

---

nales. Pero esta función de garantía básica, en lo que atañe al derecho a disfrutar de una vivienda digna, es la que puede y debe desempeñar el Estado al instrumentar sus competencias sobre las bases y coordinación de la planificación económica del subsector vivienda y sobre las bases de la ordenación del crédito (STC 152/1988, de 20 de junio: FJ 2.º).

En tercer lugar, el Tribunal Constitucional estudia el art. 149.1.11 CE, según el cual el Estado tiene competencia exclusiva en materia de bases de ordenación del crédito. De acuerdo con este título, el Tribunal entiende que el Estado puede aportar recursos vinculados al ejercicio de sus competencias materiales y en garantía de su efectividad. Por el contrario, no está legitimado para fomentar cualquier actividad en materia de vivienda, regulándola directamente, sino en tanto en cuanto las medidas de fomento se justifican, por razón de sus atribuciones, sobre las bases de la planificación y la coordinación de la actividad económica. Si se admitiera una competencia general e indeterminada de fomento de actividades productivas por parte del Estado, se produciría una alteración del sistema competencial y una distorsión del sistema financiero ordinario de financiación autonómica (STC 152/1988, de 20 de junio: FJ 3.º).

Por último, el Tribunal Constitucional estudia el alcance del art. 149.1.13 CE, por el cual el Estado tiene competencia exclusiva en materia de bases y coordinación de la planificación general de la actividad económica. En relación con este título, la sentencia del constitucional hace referencia a la capacidad del Estado para planificar determinadas actuaciones de construcción y rehabilitación de viviendas protegidas, lo que justifica la regulación por el Estado de los correspondientes instrumentos de financiación en el ámbito definido como tal, ya que con ello se trata de asegurar el mantenimiento de unas inversiones fundamentales desde el punto de vista de la política económica general que, en otro caso, se revelaría difícilmente viable. La planificación y coordinación en el sector económico de la vivienda legitima una intervención del Estado que condiciona, en parte, la política de vivienda de cada Comunidad Autónoma. Por tanto, esa intervención estatal no puede extenderse, so pretexto de un absoluto igualitarismo, a la regulación de elementos de detalle de las condiciones de financiación que la priven de toda operatividad en determinadas zonas del territorio nacional (STC 152/1988, de 20 de junio: FJ 4).

Después de todo lo analizado cabría preguntarse: ¿Carece el Estado de títulos competenciales para regular la vivienda?

Teniendo en cuenta la dimensión económica de la vivienda, y los efectos del subsector de la vivienda sobre la economía general, el Estado está legitimado para intervenir en las bases y coordinación de la planificación general de la actividad económica (art. 149.1.13 CE) y en la ordenación del crédito (art. 149.1.11 CE).

Estos dos títulos son los que permitirán al Estado definir una política de vivienda que establezca actuaciones protegibles y fórmulas de financiación, siempre que lo haga con cargo a los Presupuestos Generales del Estado. Hay que tener en cuenta que la facultad de gasto público en manos del Estado no es un título competencial autónomo que pueda desconocer, desplazar o limitar las competencias materiales que correspondan a las Comunidades Autónomas. Es decir, el ejercicio de competencias estatales, anejas al gasto o a la subvención, sólo se justifica en los casos en que, por razón de la materia sobre la que opera dicho gasto o subvención, la Constitución o, en su caso, los Estatutos de Autonomía, hayan reservado al Estado la titularidad de tales competencias sobre la materia subvencionada (STC 59/1995, de 17 de marzo: FJ 2.º).

La Disposición Final Primera del Real Decreto 2066/2006, de 12 de diciembre, por el que se regula el Plan Estatal de Vivienda y Rehabilitación 2009-2012, indica que se aprueba al amparo de lo dispuesto en el art. 149.1.13.ª CE, excepto del art. 7 RD y la Disposición Adicional Cuarta, que se dictan al amparo de lo dispuesto en el art. 149.1.8 CE que atribuye al Estado la competencia exclusiva de ordenación de los registros e instrumentos públicos.

Con carácter general, los Estatutos de Autonomía de las distintas Comunidades Autónomas hacen referencia a que sus competencias están limitadas por la competencia del Estado sobre las bases y coordinación de la planificación general de la actividad económica y sobre las bases de la ordenación del crédito, es decir, de la dirección general de la economía que queda en poder del Estado. Dentro de esta competencia de dirección de la actividad económica general tienen cobijo las normas estatales que fijan las previsiones de acción o medidas singulares que sean necesarias para alcanzar los fines propuestos dentro de la ordenación de cada sector (STC 152/1988, de 20 de junio: FJ 2.º).

Este razonamiento también es aplicable al sector de la vivienda y de la actividad promocional, dada su muy estrecha relación con la política económica general, en razón de la incidencia que el impulso de la construcción tiene como factor de desarrollo económico y, en especial, como elemento generador de empleo. Además, en cuanto que esta actividad de fomento de la construcción de viviendas queda vinculada a la movilización de recursos financieros no sólo públicos, sino también privados, no puede hacerse abstracción de las competencias estatales sobre las bases de la ordenación del crédito.

1.2. El derecho a la vivienda en los Estatutos de Autonomía. Los títulos competenciales

Al referirnos a las Comunidades Autónomas y a la vivienda, interesa a los efectos de esta obra ver cómo se está regulando el derecho a la vivienda en los Estatutos de Autonomía y la competencia que corresponde a las Comunidades Autónomas en materia de vivienda.

1.2.1. El derecho a la vivienda en los Estatutos de Autonomía

La reforma estatuaria que se realiza durante los años 2007 y siguientes ha tenido como una de las principales novedades la inclusión de cartas de derechos y libertades.

En el presente epígrafe se trata de abordar la regulación del derecho a la vivienda en los Estatutos de Autonomía, si bien no tenemos intención de entrar a estudiar la constitucionalidad o inconstitucionalidad de la inclusión de tales derechos en los Estatutos de Autonomía[9].

---

(9)   Al respecto, véase la STC 247/2007, de 12 de diciembre. Sobre las cartas de derechos y libertades, véase ÁLVAREZ CONDE, E., *Reforma constitucional y reformas estatutarias,* Iustel, Madrid, 2007, págs. 340-370. Sobre la misma materia, véase CATALÁ I BAS, A. H., «La inclusión de una carta de derechos en los Estatutos de Autonomía», en *Revista española de la Función Consultiva,* núm. 4, 2005, págs. 181-204; PORTERO MOLINA, J. A., «Consejos Consultivos y reformas estatutarias», en *Revista española de la Función Consultiva,* núm. 7, 2007, págs. 197-202.

En la actualidad son seis los Estatutos de Autonomía que han recogido en su articulado el derecho a la vivienda. Las Comunidades Autónomas en cuyos Estatutos se incorpora este derecho a la vivienda[10] son Andalucía, Aragón, Castilla y León, Cataluña, Islas Baleares y Comunidad Valenciana. Cataluña y Comunidad Valenciana fueron las Comunidades Autónomas que primero incluyen en sus Estatutos este derecho, en concreto en el año 2006[11]. Las demás Comunidades lo hicieron el año siguiente[12].

Los Estatutos de Autonomía han recogido, por primera vez, un derecho prestacional de nuevo cuño[13], que tendría su precedente en el derecho a la vivienda del art. 47 CE.

---

(10) Hay dos proyectos de Estatuto de Autonomía en la que se hacen referencia a vivienda. La propuesta de reforma de Estatuto de Autonomía de Canarias (*BOCG*, de 22 de septiembre de 2006) plantea dentro de los principios rectores de la igualdad (art. 10 ECn) la promoción de la igualdad entre hombres y mujeres en materia de vivienda. En el ámbito de la política de juventud se incluyen las actividades dirigidas a conseguir el acceso de los jóvenes a la vivienda (art. 115 ECn). Esta propuesta decayó con la última disolución de las Cortes. Sobre el proyecto de Estatuto canario, *vid.* SUAY RINCÓN, J., «Estatuto de Autonomía de Canarias: perspectivas de reforma», en *Modelo de Estado y reforma de los estatutos*, Fundación Manuel Broseta, Valencia, 2007, págs. 365-392. El otro proyecto es la Propuesta de Reforma de Estatuto de Autonomía de Castilla-La Mancha (*BOCG*, de 17 de octubre de 2008). Entre los derechos económicos y sociales se recoge el derecho de acceso a una vivienda digna y a la implantación de medidas que aseguren su protección y disfrute, en especial, por los jóvenes y los sectores sociales más desfavorecidos (art. 21 ECM). Los distintos mecanismos para garantizar estos derechos están en el art. 22 ECM (medidas presupuestarias, mecanismos judiciales, mecanismos administrativos como el Defensor del Pueblo de la Comunidad Autónoma, del Consejo Económico y Social...). Estos artículos reiteran el contenido de la anterior Propuesta de Reforma de Estatuto de Autonomía de Castilla-La Mancha (*BOCG*, de 9 de febrero de 2007).

(11) La Comunidad Valenciana, a través de la Ley Orgánica 1/2006, de 10 de abril (*BOE*, de 11 de abril), y Cataluña, a través de la Ley Orgánica 6/2006, de 19 de julio (*BOE*, de 20 de julio).

(12) Islas Baleares, a través de la Ley Orgánica 1/2007, de 28 de febrero (*BOE*, de 1 de marzo); Andalucía, a través de la Ley Orgánica 2/2007, de 19 de marzo (*BOE*, de 20 de marzo); Aragón, a través de la Ley Orgánica 5/2007, de 20 de abril (*BOE*, de 23 de abril), y Castilla y León, a través de la Ley Orgánica 14/2007, de 30 de noviembre (*BOE*, de 1 de diciembre).

(13) El Consejo Consultivo Asturiano, en su informe de 15 de junio de 2006 (págs. 56-57 y 60), afirma que son derechos de naturaleza prestacional, que requieren de la previa intervención del legislador (carecen de eficacia directa, no son inmediatamente aplicables, no directamente alegables ante los Tribunales) y de la existencia de crédito presupuestario. *Cit.* PORTERO MOLINA, J. A., «Consejos Consultivos y reformas estatutarias» en *Revista española de la Función Consultiva*, núm. 7, 2007, pág. 202. En un sentido parecido, Consejo Consultivo castellano-leonés, en informe de 14 de septiembre de

La práctica totalidad de los Estatutos reconocen un derecho a la vivienda. En ocasiones, los Estatutos incorporan algún adjetivo y se refieren a la vivienda como digna y adecuada. Algunos Estatutos añaden al derecho a la vivienda algún verbo, como del derecho a disfrutar o a acceder a una vivienda.

La siguiente pregunta a la que tratan de dar respuesta los Estatutos de Autonomía es a quién va referido este derecho a la vivienda. Por lo general, los Estatutos, si bien reconocen este derecho a toda la colectividad, se refieren específicamente a grupos especialmente vulnerables. En esos grupos se situarían los jóvenes, las personas sin medios o con recursos insuficientes, las mujeres maltratadas, las personas dependientes y, en general, los colectivos más necesitados o en los que por alguna otra razón se encuentre justificada su protección[14].

En algunos Estatutos, al hacer referencia a estos colectivos, se incorpora la idea del derecho a la vivienda como medio para lograr la integración social. No obstante, estos beneficios se encontrarían destinados normalmente a los ciudadanos residentes en la correspondiente Comunidad Autónoma[15].

2006 (págs. 43, 44, 49 y 51). Portero Molina, J. A., *op. cit.,* pág. 199. Biglino Campos, P., «Los espejismos de la tabla de derechos», en *Derechos, deberes y principios en el nuevo Estatuto de Autonomía de Cataluña,* Centro de Estudios Políticos y Constitucionales, Madrid, 2006, págs. 41, 50 y 53-54, considera que estos derechos no crean facultades subjetivas: son más bien políticas públicas, necesitadas de desarrollo legislativo, que generarán expectativas en los ciudadanos que no podrán ser satisfechas hasta que no haya un desarrollo legislativo. Véase en este mismo sentido, Solozábal, J. J., *Tiempo de reformas: el Estado autonómico en cuestión,* Biblioteca Nueva, Madrid, 2006, pág. 156, al considerar que estos derechos no dan lugar a una acción concreta accionable por los particulares, pero demandan una actividad de concretización normativa por parte de los poderes públicos.

(14) Algunos informes de Consejos Consultivos de Comunidades Autónoma (Andalucía, de 10 de marzo de 2006, y de Castilla y León, de 14 de septiembre de 2006) aluden al art. 10.1 del Pacto Internacional de Derechos Humanos, Civiles y Políticos, al art. 16 de la Carta Social Europea, y al art. 33 de la Carta de Derechos Fundamentales de la Unión Europea. Todos ellos consagran la protección integral a la familia y, en concreto, la Carta Social Europea introduce la necesidad de apoyar la construcción de viviendas adaptadas a las necesidades de las familias. Sin embargo, los nuevos Estatutos no se refieren a la familia y a su derecho a la vivienda.

(15) El Consejo Consultivo castellano-leonés, en su informe de 14 de septiembre de 2006, critica que estos derechos se reconozcan la titularidad de derechos únicamente a los ciudadanos de la Comunidad Autónoma. Portero Molina, J. A., *op. cit.,* pág. 199.

La normativa no sólo se preocupa de las personas y colectivos a los que se trata de proteger, sino que también consagra que ese acceso debe producirse en condiciones de igualdad.

Por otro lado, se recogen de forma genérica las obligaciones que tienen los poderes públicos en relación con el derecho a la vivienda, siendo los poderes públicos a los que les corresponde garantizar, promover, facilitar y favorecer este derecho, el ejercicio del derecho o el acceso a una vivienda incluyendo, dos Estatutos, el adjetivo de «efectiva» o de «eficaz» al aludir esa actividad de promoción.

Por tanto, para algunos Estatutos no bastará con que se lleve a cabo esa actividad de garantizar o promover este derecho, sino que dicha garantía o promoción deberá ser eficaz o efectiva. No obstante, hay Estatutos que precisan que ese derecho a acceder o disfrutar de una vivienda no tiene que ser necesariamente en régimen de propiedad, siendo posible que ese acceso o disfrute a una vivienda sea en alquiler.

En este sentido, los Estatutos llegan a delimitar los poderes públicos a los que les corresponde esa garantía o promoción. Se hace, por ejemplo, referencia a la Administración Autonómica, a los poderes públicos de la Comunidad Autónoma o a las Administraciones Públicas de la Comunidad Autónoma.

Junto a estas obligaciones genéricas, los Estatutos recogen medidas concretas, que deberán recogerse, por lo general, en una Ley. Entre las mismas se pueden citar las relativas a las distintas ayudas públicas, las referidas a la generación de suelo y a la utilización racional del mismo, y a la promoción de vivienda pública o protegida, que es consagrada por algún Estatuto como una obligación de los poderes públicos.

Analizado el objeto, y los elementos subjetivos de este derecho, resta por hacer alguna referencia al régimen de protección que fijan los Estatutos de Autonomía. En algún caso se encuentra limitada a reproducir el contenido del art. 53.3 CE. En otros supuestos se reitera el contenido de los arts. 9 y 138 CE.

No faltan las regulaciones que abordan la tutela de este derecho desde una perspectiva constitucional, haciendo especial hincapié en que este derecho no supone alteración del régimen de distribución de competencias, ni creación de títulos competenciales nuevos, ni modificación de los existentes y que la interpretación, desarrollo o aplicación no puede suponer una limitación o reducción de derechos reconocidos constitucionalmente.

Sin embargo, uno de los Estatutos estudiados ha llegado más lejos, al reconocer a este derecho la tutela por un órgano estatuario. Por último, se señala en dos de los Estatutos analizados que las vulneraciones de este derecho serían susceptibles de recurso ante la Jurisdicción ordinaria, y que este derecho vincula a los poderes públicos.

1.2.2. Los títulos competenciales

El art. 148.1.3 de la Constitución Española reconoce que las Comunidades Autónomas podrán asumir competencias en materia de ordenación del territorio, urbanismo y vivienda. Basándose en esta previsión constitucional, las Comunidades, en primer lugar, a través de sus Estatutos de Autonomía y, posteriormente, por medio de los correspondientes Reales Decretos de traspaso de funciones y servicios de la Administración del Estado, han ido asumiendo la materia de patrimonio arquitectónico, control de la calidad de la edificación y vivienda[16].

Las Comunidades Autónomas, según el Tribunal Constitucional, en función de los títulos competenciales que recogen sus Estatutos de Autonomía, ostentan la titularidad de la competencia en materia de vivienda. Esta competencia faculta a las Comunidades Autónomas para desarrollar una política propia en dicha materia, incluido el fomento y la promoción de la construcción de viviendas, que es, en buena medida, el tipo de actuaciones públicas mediante las que se concreta el desarrollo de aquella política (STC 152/1988, de 20 de julio: FJ 2.º) y la materialización del derecho a la vivienda.

Esta consideración del Tribunal Constitucional permite afirmar que la normativa estatal, que regula el régimen de vivienda, no es legislación aplicable en las Comunidades Autónomas que han asumido la vivienda como competencia exclusiva, cuando éstas se han dotado de una normativa propia.

---

(16)   Sobre la competencia de las Comunidades Autónomas en materia de vivienda, véase GARCÍA MAZA, R. B., «El marco jurídico de la Vivienda de Protección Oficial en la Comunidad Autónoma del País Vasco tras la aprobación del Plan Director de Vivienda 2000-2003», en *Revista Vasca de Administración Pública,* núm. 64, 2002, págs. 260-261.

En efecto, las Comunidades Autónomas pueden definir y llevar a cabo una política de vivienda propia, complementando las actuaciones de protección y promoción previstas por el Estado, con cargo a sus propios recursos.

Además, para la ejecución de la normativa estatal reguladora de las actuaciones protegibles, que les corresponde a las Comunidades Autónomas, éstas deben, con un margen de libertad de decisión, tener la posibilidad de aplicar las medidas estatales, adaptándolas a las peculiares circunstancias de su territorio, sin perjuicio del respeto debido a los elementos indispensables que las normas estatales arbitran, para alcanzar los fines de política económica general propuestos.

Por tanto, a las Comunidades Autónomas les corresponde integrar, en su política general de vivienda, las ayudas reguladas por el Estado para el cumplimiento de las finalidades a que responden, con capacidad suficiente para adaptar («modalizar» es el término empleado por el TC), en su caso, las reglas generales, al objeto de conseguir una sustancial igualdad de resultados (STC 152/1988, de 20 de julio: FJ 2.º).

De esta manera, junto a la política de vivienda que desarrolla el Estado, las Comunidades Autónomas, en atención a la competencia asumida por sus Estatutos de Autonomía, y con cargo a sus presupuestos, pueden mantener sus propias políticas de vivienda, sin que resulte necesario que éstas sean más o menos parecidas a las desarrolladas en otras Comunidades Autónomas. En cualquier caso, las distintas Comunidades serán competentes, tanto para regular las cuestiones de vivienda protegida como para regular su propio régimen sancionador en materia de vivienda.

Por otro lado, resulta reveladora la doctrina emanada por el Tribunal Constitucional, que ha tenido una nueva ocasión para pronunciarse sobre las competencias del Estado y las Comunidades Autónomas en materia de vivienda, con ocasión de los derechos de tanteo y de retracto sobre las viviendas protegidas (STC 207/1999, de 11 de noviembre: FJ 5)[17].

En este sentido, los derechos de tanteo y retracto se instrumentan al servicio de finalidades constitucionales, que son ínsitas a la normativa

---

(17)   Sobre los derechos de tanteo y retracto, véase GONZÁLEZ-VARAS IBÁÑEZ, S., «Los derechos de tanteo y retracto en la legislación administrativa y urbanística», en *Actualidad Administrativa*, núm. 9, 2005, págs. 1028-1034.

sobre urbanismo y vivienda. De esta forma, se configuran como un mecanismo o técnica jurídica establecida con el fin de combatir la especulación, haciendo viable la construcción de viviendas que, por su régimen de protección pública, sean asequibles al sector más desfavorecido de la población (STC 207/1999, de 11 de noviembre: FJ 5).

En efecto, estos derechos pueden constituirse a favor de las Administraciones Públicas, para servir finalidades públicas con un adecuado espaldo constitucional. En este caso, son regulados por la correspondiente legislación administrativa y se insertan en las competencias de titularidad autonómica, cuando las Comunidades Autónomas han asumido, en sus Estatutos, las competencias normativas sobre la materia en la que esos derechos reales incardinan. Un claro ejemplo de lo indicado, conforme a la jurisprudencia constitucional, se constata en la normativa medioambiental (STC 207/1999, de 11 de noviembre: FJ 5).

En suma, la inclusión o incorporación de los derechos de tanteo y de retracto en las normativas autonómicas sobre vivienda, se puede considerar que queda cubierto por la competencia que tienen las Comunidades Autónomas, precisamente en materia de ordenación del territorio, urbanismo y vivienda que les son propios (STC 207/1999, de 11 de noviembre: FJ 5).

2. La relación entre los Planes Autonómicos y el Plan Estatal de Vivienda

Conforme a lo señalado hasta ahora, el Estado aprueba Planes dirigidos a financiar actuaciones como la adquisición y urbanización de suelo para vivienda protegida, la promoción de viviendas protegidas para venta o alquiler o a la rehabilitación urbana. Igualmente, las Comunidades Autónomas aprueban sus propios Planes de vivienda, en los que, entre otros extremos, van a establecer sus políticas de financiación.

Sin embargo, los Planes estatales y autonómicos no se aprueban simultáneamente, lo que obliga a regular regímenes transitorios. También los Planes autonómicos determinan si se admite o no la doble financiación, es decir, si una actuación financiada con arreglo al Plan autonómico puede obtener o no financiación prevista en el Plan estatal y a la inversa, es decir, si una actuación financiada con arreglo al Plan estatal puede obtener o no financiación prevista en el Plan autonómico.

Además, las Comunidades Autónomas deberán dictar las normas procedimentales necesarias para resolver las solicitudes que reciba en relación con el Plan estatal.

La obtención de fondos con cargo a este Plan requiere la previa celebración del oportuno convenio de colaboración con cada Comunidad Autónoma y Ciudad Autónoma. La duración del convenio coincidirá con la vigencia del Plan y en el mismo se recogerán, de acuerdo con el art. 16 del Real Decreto, los objetivos totales convenidos; los mecanismos de seguimiento y control del cumplimientos de los objetivos, así como los de comunicación e información; la creación de las correspondientes comisiones bilaterales de seguimiento; los compromisos presupuestarios a asumir y los compromisos en materia de gestión del Plan; los protocolos de información y comunicación a los ciudadanos y el suministro de la información sobre el Plan para su incorporación a la base de datos de actuaciones.

3. La excepcionalidad de Navarra y el País Vasco

El Real Decreto 2066/2008, de 12 de diciembre, nace con una vocación nacional y el título del mismo es el de «Plan Estatal de Vivienda y Rehabilitación 2009-2012». Sin embargo, la aplicación del Plan en las distintas Comunidades Autónomas y Ciudades Autónomas se articula en torno a convenios que se suscriben entre éstas y el Estado. En este orden de cosas, nos encontramos con que hay dos Comunidades Autónomas —País Vasco y Navarra— que desarrollan sus propias políticas de vivienda con cargo a sus presupuestos, sin «acogerse» a las medidas que se recogen en los Planes estatales de Vivienda, fundamentalmente como consecuencia del régimen de concierto con el que se financian estas Comunidades Autónomas.

II. EL REAL DECRETO 2066/2008, DE 12 DE DICIEMBRE. CONSIDERACIONES GENERALES

1. Razón de ser del Real Decreto

El Estado ha venido publicando en las últimas décadas distintos Planes de Vivienda dirigidos a financiar actuaciones protegibles en materia de vivienda, suelo y rehabilitación, pudiéndose citar, como ejemplo, el Real Decreto 2455/1980, de 7 de noviembre, sobre financiación y de seguimiento del programa 1981-1983 de construcción de viviendas de protección oficial[18]; el Real Decreto 3280/1983, de 14 de diciembre, sobre financiación de actuaciones protegibles en materia de vivienda[19]; el Real Decreto 1494/1987, de 4 de diciembre, sobre medidas de financiación de actuaciones protegibles en materia de vivienda[20]; el Real Decreto 224/1989, de 3 de marzo, sobre medidas de financiación de actuaciones protegibles en materia de vivienda[21]; el Real Decreto 1932/1991, de 20 de diciembre, sobre medidas de financiación de actuaciones protegibles en materia de vivienda del Plan 1992-1995[22]; el Real Decreto 2190/1995, de 28 de diciembre, sobre medidas de financiación de actuaciones protegibles en materia de vivienda y suelo para el período 1996-1999[23]; el Real Decreto 1186/1998, de 12 de junio, sobre medidas de financiación de actuaciones protegidas en materia de vivienda y suelo del Plan 1998-2001[24]; el Real Decreto 1/2002, de 11 de enero, sobre medidas de financiación de actuaciones protegidas de vivienda y suelo del Plan 2002-2005[25]; el Real Decreto 801/2005, de 1 de julio, por el que se aprueba el Plan Estatal 2005-2008, para favorecer el acceso de los ciudadanos a la vivienda[26], y el Real Decreto 2066/2008, de 12 de diciembre, por el que se regula el Plan Estatal de Vivienda y Rehabilitación 2009-2012[27].

Cada uno de estos Reales Decretos se ha aprobado con la intención de alcanzar diversos objetivos. El Real Decreto 2066/2008 nace con una doble perspectiva. Desde un punto de vista estructural, pretende establecer unas bases estables de referencia a largo plazo de los instrumentos de política de vivienda dirigidos a mejorar el acceso y uso de la vivienda a los ciudadanos con dificultades. Desde un punto de vista coyuntural, aborda la realidad concreta en la que se halla inmerso el ciclo de la vivienda, que, por un lado, exige medidas coyunturales decididas para evitar un mayor deterioro de la situación, pero, por otro lado, brinda la oportunidad de

---

(18)   *BOE*, de 13 de noviembre.
(19)   *BOE*, de 5 de enero.
(20)   *BOE*, de 12 de diciembre.
(21)   *BOE*, de 8 de marzo.
(22)   *BOE*, de 14 de enero.
(23)   *BOE*, de 30 de diciembre.
(24)   *BOE*, de 26 de junio.
(25)   *BOE*, de 12 de enero.
(26)   *BOE*, de 13 de julio.
(27)   *BOE*, de 24 de diciembre.

lograr una asignación eficiente de los recursos, destinando la producción sobrante de viviendas a cubrir las necesidades de la población.

Con base en aspectos de carácter estructural, se pretende asegurar una producción suficiente de viviendas para las necesidades de alojamiento de la población. Para ello, deben establecerse actuaciones tendentes a evitar estrangulamientos de oferta a medio y largo plazo en el sector, el impulso de la rehabilitación urbana, prestando una especial atención a los barrios vulnerables o desfavorecidos dentro del contexto global de la ciudad, una mejora de la eficiencia energética y de la accesibilidad de los edificios existentes y, finalmente, articular el alquiler con opción de compra.

Entre los aspectos de carácter coyuntural para hacer frente a las dificultades por las que atraviesa el sector de inmobiliario estarían las disposiciones del Plan dirigidas a reconvertir viviendas libres en protegidas.

Los objetivos políticos del Plan serían los siguientes:

1. Garantizar a todas las familias y ciudadanos la libertad de elegir el modelo de acceso a la vivienda que mejor se adapte a sus circunstancias, preferencias, necesidades o a su capacidad económica, estableciendo que el alquiler sea posible para los mismos niveles de renta que los definidos para el acceso a la propiedad.

2. Lograr que el esfuerzo de las familias para acceder a una vivienda no supere la tercera parte de sus ingresos.

3. Facilitar que la vivienda protegida se pueda obtener tanto por nueva promoción, como por rehabilitación del parque existente, permitiendo la calificación como vivienda protegida de aquella que está desocupada y tiene un régimen jurídico de origen libre, o fomentando la rehabilitación de viviendas existentes con voluntad de destinarlas a vivienda protegida.

4. Conseguir que del total de actuaciones relacionadas con la oferta de vivienda protegida —de nueva producción, o de reconversión del parque existente— no menos del 40% sea destinada al alquiler.

5. Establecer las condiciones que garanticen a los ciudadanos el acceso a la vivienda en condiciones de igualdad, impulsando la creación de

registros públicos de demandantes de vivienda acogida a algún régimen de protección pública y que toda la producción de viviendas protegidas sea adjudicada con criterios de transparencia, publicidad y concurrencia, controlados por la Administración pública.

6. Mantener un régimen jurídico de la protección pública de las viviendas (y, por lo tanto, de control de precios y adjudicaciones), de larga duración, que, en el caso de los suelos públicos o de reserva obligatoria para vivienda de protección que exige el Texto Refundido de la Ley del Suelo, y las diversas leyes que en su caso han establecido las Comunidades Autónomas, será permanente y estará vinculado a la calificación del suelo, con un plazo no menor de treinta años.

7. Alentar la participación e implicación de los ayuntamientos en el Plan de Vivienda, contribuyendo, entre otros aspectos, con la oferta de suelos dotacionales para la construcción de alojamientos para colectivos específicos y especialmente vulnerables, el fomento de áreas de rehabilitación y de renovación urbana, y la potenciación de las actuaciones prioritarias de urbanización de suelo con destino a la construcción preferente de viviendas protegidas en alquiler.

8. Reforzar la actividad de rehabilitación y mejora del parque de viviendas ya construido, singularmente en aquellas zonas que presentan mayores elementos de debilidad, como son los centros históricos, los barrios y centros degradados o con edificios afectados por problemas estructurales, los núcleos de población en el medio rural, y contribuir, con las demás Administraciones, a la erradicación de la infravivienda y el chabolismo.

9. Orientar todas las intervenciones tanto en la construcción de nuevas viviendas protegidas como en actuaciones de rehabilitación sobre el parque de viviendas construido hacia la mejora de su eficiencia energética y de sus condiciones de accesibilidad.

10. Garantizar que la atención pormenorizada a los ciudadanos en su relación con el acceso o la rehabilitación de sus viviendas se haga extensiva a todos los rincones del territorio, mediante el establecimiento de oficinas o ventanillas de información y de ayuda en la gestión, coordinadas por las Comunidades Autónomas.

2. Estructura

Los 70 artículos del Real Decreto se organizan en torno a dos Títulos. El primero establece las condiciones generales del Plan Estatal de Vivienda y Rehabilitación 2009-2012 (arts. 1-20), en el que se regulan aspectos como los beneficiarios (art. 1), las actuaciones protegidas (art. 2), las condiciones generales de los demandantes de vivienda y financiación (art. 3), la determinación y acreditación de los ingresos familiares (art. 4), el destino y ocupación de la vivienda y las limitaciones de disponer y los derechos de tanteo y retracto (art. 5), la duración de la protección y la inscripción registral del régimen de protección (arts. 6 y 7), la superficie (art. 8), el precio (arts. 9 a 11), los préstamos convenidos (art. 12), las ayudas financieras del Plan (arts. 13 a 15), los convenios de colaboración con las Comunidades Autónomas y ciudades de Ceuta y Melilla y los convenios de colaboración con las entidades de crédito (arts. 16 y 18), la participación de los Ayuntamientos (art. 17), la financiación del Plan (art. 20) y los órganos de seguimiento del Plan (art. 19).

El Título II desmenuza el contenido concreto del Plan Estatal de Vivienda y Rehabilitación 2009-2012.

Además, el Real Decreto tiene siete Disposiciones Adicionales en el que se contemplan aspectos como la cuantía del Módulo Básico Estatal, los aranceles notariales y registrales a aplicar en las transmisiones de viviendas protegidas; ocho Disposiciones Transitorias; una Disposición Derogatoria, y tres Disposiciones Finales.

III. LA VIVIENDA PROTEGIDA. ELEMENTOS OBJETIVOS

1. Actuaciones protegidas

El Real Decreto 2066/2008, de 12 de diciembre, establece las actuaciones protegidas que pueden beneficiarse del sistema de ayudas que establece el Plan de Vivienda estatal. Deben entenderse como actuaciones protegidas las categorías o tipologías a las que el Plan les concede la opción de acogerse al mismo, de forma que al declararse protegidas se le incorporan un conjunto de derechos y limitaciones que se determinan en el Plan de Vivienda.

De acuerdo con el art. 2 del Real Decreto 2066/2008, de 12 de diciembre, podrán ser actuaciones protegidas y, por tanto, acogerse a los beneficios del mismo cuando cumplan las condiciones y requisitos del Plan, las siguientes:

1. La promoción de viviendas protegidas de nueva construcción, o procedentes de la rehabilitación, destinadas a la venta, el uso propio o el alquiler, incluidas, en este último supuesto, las promovidas en régimen de derecho de superficie o de concesión administrativa, así como la promoción de alojamientos protegidos para grupos especialmente vulnerables y otros grupos específicos.

2. El alquiler de viviendas nuevas o usadas, libres o protegidas, así como la adquisición de viviendas protegidas de nueva construcción para venta, y la de viviendas usadas, para su utilización como vivienda habitual del adquirente.

3. La rehabilitación de conjuntos históricos, centros urbanos, barrios degradados y municipios rurales; la renovación de áreas urbanas y la erradicación de la infravivienda y del chabolismo.

4. La mejora de la eficiencia energética y de la accesibilidad y la utilización de energías renovables, ya sea en la promoción, en la rehabilitación o en la renovación de viviendas y edificios.

5. La adquisición y urbanización de suelo para vivienda protegida.

6. La gestión del Plan y la información a los ciudadanos sobre el mismo.

Todas estas actuaciones protegidas se instrumentan a través de los ejes y programas que se relacionan en el art. 21 de este Real Decreto 2066/2008, de 12 de diciembre. En el citado artículo se detallan las diferentes categorías o ejes y los correspondientes programas en los que se subdividen cada categoría o eje. El Plan consta de 6 ejes básicos y 12 programas:

1. Promoción de viviendas protegidas

a) Promoción de vivienda protegida para alquiler.

b) Promoción de vivienda protegida para venta.

c) Promoción de alojamientos para colectivos especialmente vulnerables y otros colectivos específicos.

2. Ayudas a demandantes de vivienda

a) Ayudas a inquilinos.

b) Ayudas a adquirentes de nuevas viviendas protegidas y de viviendas usadas.

3. Áreas de Rehabilitación Integral y renovación urbana

a) Áreas de rehabilitación integral de centros históricos, centros urbanos, barrios degradados y municipios rurales (en adelante, ARIS).

b) Áreas de Renovación Urbana (en adelante, ARUS).

c) Programa de ayudas para la erradicación del chabolismo.

4. Ayudas RENOVE a la rehabilitación y eficiencia energética

a) Ayudas RENOVE a la rehabilitación.

b) Ayudas a la eficiencia energética en la promoción de viviendas.

5. Ayudas para adquisición y urbanización de suelo para vivienda protegida

6. Ayudas a instrumentos de información y gestión del Plan

Ayudas a la gestión de los Planes de Vivienda e información al ciudadano.

Se incluyen, por tanto, diferentes categorías que conviene reclasificar:

Desde el punto de vista del tipo de actuación:

a) Promoción de viviendas para compra o alquiler.

b) Ayudas para compra o alquiler.

c) Ayudas para rehabilitación.

d) Ayudas de gestión para las administraciones colaboradoras.

Por la persona:

a) Ayudas para el promotor de viviendas nuevas en compra o alquiler.

b) Ayudas para el comprador de viviendas nuevas o usadas.

c) Ayudas para el inquilino.

d) Ayudas para el rehabilitador, promotor, o propietario.

e) Ayudas para las Administraciones.

2. Vivienda protegida

La definición de vivienda protegida se incluye en el glosario que como anexo se incorpora en el Real Decreto 2066/2008, de 12 de diciembre. De acuerdo con el mismo son viviendas protegidas las calificadas por el órgano competente de las Comunidades Autónomas y ciudades de Ceuta y Melilla como viviendas de protección oficial o, más en general, como viviendas protegidas, siempre que cumplan los requisitos establecidos en el Real Decreto 2066/2008, de 12 de diciembre.

Las viviendas protegidas podrán destinarse a la venta o al alquiler y han de constituir el domicilio o residencia habitual y permanente de sus ocupantes, salvo en aquellos supuestos que determine expresamente el propio Real Decreto 2066/2008, de 12 de diciembre. Con independencia de otras posibles denominaciones por parte de las Comunidades Autónomas y ciudades de Ceuta y Melilla en cumplimiento de su normativa propia, las viviendas protegidas de nueva construcción, para venta o alquiler, podrán calificarse o declararse, a efectos de las condiciones y ayudas del Real Decreto 2066/2008, de 12 de diciembre, como viviendas de protección oficial (VPO) de régimen especial, viviendas protegidas de régimen general y concertado.

Por tanto, las viviendas protegidas son reconocidas como tales no por la Administración del Estado, sino por la Administración Autonómica, «por el órgano competente» de la citada Administración. Por ello, todas las viviendas protegidas que se financian con cargo al Plan estatal son viviendas reconocidas como tales por las Comunidades Autónomas y las ciudades de Ceuta y Melilla, aunque no todas las viviendas protegidas calificadas por las Comunidades Autónomas y las ciudades de Ceuta y Melilla se financian por el Plan estatal, porque pueden existir viviendas protegidas que no cumplan los requisitos establecidos en el Real Decreto de financiación del Ministerio de Vivienda respecto a precios, superficies, limitaciones en la transmisión, etc.

Las condiciones y requisitos para definir a qué clase de vivienda se le puede otorgar la calificación de vivienda protegida son establecidos por las Comunidades Autónomas y las ciudades de Ceuta y Melilla, Administraciones competentes en exclusiva en materia de vivienda. El Estado subvenciona aquella parte de esas viviendas protegidas que cumplan los requisitos que establece el Real Decreto 2066/2008, de 12 de diciembre, por el que se aprueba el Plan de Vivienda.

Entre esos requisitos establecidos, se dispone:

1.º Las viviendas protegidas podrán destinarse a la venta o al alquiler.

2.º Deben destinarse a residencia habitual y permanente de sus destinatarios, salvo los supuestos excepcionales definidos en el propio Real Decreto 2066/2008, de 12 de diciembre.

Las viviendas protegidas son tales, con independencia de su terminología o denominación, por otorgamiento de la Comunidad Autónoma correspondiente.

3. Vivienda usada

El concepto de vivienda usada viene recogido en el glosario anexo del Real Decreto 2066/2008, de 12 de diciembre.

Son las viviendas libres cuya adquisición a título oneroso, en segunda o posterior transmisión, se considera protegida si se cumplen determinadas condiciones establecidas en el Real Decreto 2066/2008, de 12 de diciembre, y cuyo precio de venta, en siguientes transmisiones, está limitado durante los plazos establecidos en el mismo.

Nos encontramos, por tanto, ante unas viviendas que inicialmente no fueron concebidas ni calificadas como protegidas en el proceso de construcción de las mismas y se adquieren en una segunda o posterior transmisión. En una primera transmisión se calificarían como viviendas libres nuevas, salvo lo dispuesto en el apartado b) o en las propias disposiciones transitorias del Real Decreto 2066/2008, de 12 de diciembre.

Se equipara al concepto de viviendas usadas y, por tanto, podrán obtener las mismas ayudas financieras que las viviendas usadas, las siguientes modalidades de viviendas:

a) Viviendas sujetas a regímenes de protección pública, adquiridas en segunda o posterior transmisión.

Aunque efectivamente nos encontramos ante una vivienda usada, la diferencia con la regla general es que aquélla se construyó como vivienda libre y ésta lo ha sido como vivienda protegida.

A estos efectos, se considerarán asimismo segundas transmisiones las que tengan por objeto viviendas protegidas que se hubieran destinado con anterioridad al alquiler.

La primera transmisión de una vivienda destinada al alquiler se considera como vivienda usada. Por tanto, la enajenación de viviendas arrendadas en el ejercicio de la opción de compra, tendrá esta calificación.

b) Viviendas libres de nueva construcción, adquiridas cuando haya transcurrido un plazo de un año como mínimo entre la expedición de la licencia de primera ocupación, el certificado final de obra o la cédula de habitabilidad, según proceda, y la fecha del contrato de opción de compra o de compraventa.

En este caso nos encontramos ante una definición de vivienda nueva, que es transmitida por primera vez. La diferencia con la adquisición de una vivienda nueva es el plazo de un año desde la expedición de la licencia de primera ocupación, el certificado final de obra, o la cédula de habitabilidad hasta la fecha del contrato de opción de compra o de compraventa.

c) Viviendas rurales usadas, en las condiciones que determinen las Comunidades Autónomas y Ciudades de Ceuta y Melilla.

La diferencia de estas viviendas radica en las condiciones que determinen las Comunidades Autónomas y Ciudades de Ceuta y Melilla. En el Real Decreto 801/2005 nacen desde la diferencia en la superficie. Ahora las condiciones son las que se establezcan por parte de las Comunidades Autónomas y Ciudades de Ceuta y Melilla, en función de las características de las viviendas existentes en el medio rural.

d) Viviendas libres a las que se refiere la Disposición Transitoria Primera. La citada disposición transitoria, en su párrafo c), establece que no será aplicable el período mínimo de un año [que es el período establecido en el apartado b)], a partir de la expedición de la licencia de primera ocupación, el certificado final de obras o la cédula de habitabilidad, según corresponda, para considerar como adquisición de vivienda usada, a efectos de las ayudas al adquirente, la de una vivienda libre, cuando dichos actos o documentos hubieran sido emitidos con anterioridad al día de publicación del Real Decreto del Plan de Vivienda en el *Boletín Oficial del Estado* y la vivienda cumpla las características a que se refiere la letra a) del apartado 2, de la Disposición Transitoria Primera, salvo la de plazos mínimos de protección, así como el plazo de limitación de precios máximos de venta establecido en el apartado 2 del art. 6.

Las características a las que se refiere este apartado son las que establezca la normativa de las Comunidades Autónomas y Ciudades de Ceuta y Melilla en desarrollo del Plan Estatal bajo cuya vigencia se haya obtenido la licencia, en cuanto a los máximos referentes a superficies, precios por metro cuadrado útil, niveles de ingresos de los adquirentes y plazos mínimos de protección.

Por tanto, estamos calificando como vivienda usada a aquella vivienda nueva que haya obtenido licencia de primera ocupación, certificado final de obra o cédula de habitabilidad antes de la entrada en vigor del Real Decreto 2066/2008, de 12 de diciembre, esto es, el 25 de diciembre de 2008, con independencia de que el contrato de compraventa o de opción de compra se haya realizado inmediatamente después. Se trata de una calificación de vivienda usada para favorecer la actividad del mercado inmobiliario, dando salida al *stock* de viviendas existente en ese momento. Las condiciones respecto a superficies, precios, niveles de ingresos y plazos de protección son las establecidas por la normativa autonómica.

4. Superficie

El concepto y descripción de la superficie de las viviendas y sus anejos, ya sean vinculados o no, es determinante para el cálculo de las ayudas financieras previstas en el Real Decreto 2066/2008, de 12 de diciembre, por el que se regula el Plan Estatal de Vivienda y Rehabilitación 2009-2012.

En todo el articulado del meritado Real Decreto se hace referencia a la superficie útil; por tanto, es preciso determinar este concepto antes de continuar con la concreción de superficies mínimas y máximas.

4.1. La vivienda

El art. 8 del Real Decreto 2066/2008, de 12 de diciembre, remite a la definición que para la superficie útil se residencia en el art. 4 del Real Decreto 3148/1978, que señala: «se entiende por superficie útil la del suelo de la vivienda, cerrada por el perímetro definido por la cara interior de sus cerramientos con el exterior o con otras viviendas o locales de cualquier uso».

Asimismo, incluye la mitad de la superficie de suelo de los espacios exteriores de uso privativo de la vivienda, tales como terrazas, miradores, tendederos u otros, hasta un máximo del 10% de la superficie útil cerrada.

Del cómputo de superficie útil queda excluida la superficie ocupada en la planta por los cerramientos interiores de la vivienda, fijos o móviles, por los elementos estructurales verticales y por las canalizaciones o conductos con sección horizontal superior al 100 cm^2, así como la superficie de suelo en la que la altura libre sea inferior a 1,50 metros.

Cuando se trate de viviendas iguales y dispuestas en columna vertical, dentro de un mismo edificio, para el cómputo de las superficies ocupadas en planta por los elementos estructurales verticales y por las canalizaciones o conductos con sección horizontal superior a 100 cm^2, se toma la media aritmética de los valores correspondientes a las viviendas situadas en las plantas inferior y superior de la columna siempre que la divergencia entre aquellos valores no sea superior al 100%.

En el caso de las edificaciones a las que se extienda la protección oficial, se entiende por superficie útil la que resulte de multiplicar la superficie construida por 0,80.

Por consiguiente, la definición de la superficie útil de la vivienda la precisaríamos como la proyección horizontal de los espacios cubiertos y cerrados, determinado por el perímetro definido por la cara interior de sus cerramientos, descontando la superficie ocupada en planta por cerramientos y particiones interiores, fijos o móviles, por los elementos estructurales y por las canalizaciones o conductos verticales. Además de éstos se considerará superficie útil el 50% de las superficies en proyección horizontal de los espacios exteriores privativos de la vivienda.

4.2. El garaje, los trasteros y anejos

Las Ordenanzas provisionales de viviendas de protección oficial, que resultan aplicables en defecto de normativa propia autonómica, establecen que la superficie útil de los garajes es de 20 m^2 por vehículo, incluida en ella la que corresponde a aceras, pasillos de maniobras, etc., pero no la destinada a servicios sanitarios, si los hay, u otros (como almacenillos, vestíbulo de llegada de ascensores, etc.).

La superficie útil máxima es la de 30 m^2 por vehículo. Asimismo, se establece una dimensión mínima por plaza, sin considerar accesos, etc., de 2,30 × 4,50 metros.

La superficie útil de los garajes y trasteros será la constituida por la superficie conformada por la delimitación de la propia plaza más la parte proporcional de las superficies útiles comunes que correspondan a viales de acceso y circulación.

Señalado lo anterior, la superficie útil es un elemento esencial para la determinación de las ayudas recogidas en el Real Decreto 2066/2008, de 12 de diciembre, por el que se regula el Plan Estatal de Vivienda y Rehabilitación 2009-2012.

4.3. Los locales

La definición de la superficie útil de los locales es idéntica a la que hemos detallado con anterioridad para la superficie útil de la vivienda.

4.4. Los elementos comunes

Los elementos comunes, siguiendo lo preceptuado en el Código Civil, en su art. 396, son todos los necesarios para el adecuado uso y disfrute de los diferentes pisos y locales de un edificio, tales como el suelo, vuelo, cimentaciones y cubiertas; elementos estructurales, y entre ellos los pilares, vigas, forjados y muros de carga; las fachadas, con los revestimientos exteriores de terrazas, balcones y ventanas, incluyendo su imagen o configuración, los elementos de cierre que las conforman y sus revestimientos exteriores; el portal, las escaleras, porterías, corredores, pasos, muros, fosos, patios, pozos y los recintos destinados a ascensores, depósitos, contadores, telefonías o a otros servicios o instalaciones comunes, incluso aquellos que fueren de uso privativo; los ascensores y las instalaciones, conducciones y canalizaciones para el desagüe y para el suministro de agua, gas o electricidad, incluso las de aprovechamiento de energía solar; las de agua caliente sanitaria, calefacción, aire acondicionado, ventilación o evacuación de humos; las de detección y prevención de incendios; las de portero electrónico y otras de seguridad del edificio, así como las de antenas colectivas y demás instalaciones para los servicios audiovisuales o de telecomunicación, todas ellas hasta la entrada al espacio privativo; las servidumbres y cualesquiera otros elementos materiales o jurídicos que por su naturaleza o destino resulten indivisibles.

5. Calificación

El Glosario del Real Decreto 2066/2008, de 12 de diciembre, define la calificación de una vivienda o actuación como protegida como el acto administrativo emanado del órgano competente de las Comunidades Autónomas o de las Ciudades de Ceuta y Melilla en virtud del cual se declara la protección de las viviendas o actuaciones reguladas en el Real Decreto 2066/2008, de 12 de diciembre. La calificación puede ser provisional o definitiva.

5.1. Calificación provisional

La calificación provisional tendrá por objeto supervisar el proyecto básico o de ejecución, la personalidad jurídica del promotor y la titularidad de los terrenos. La principal consecuencia de la obtención de la calificación provisional, a los efectos de este trabajo, será la posibilidad de que se reconozca el derecho a la obtención del préstamo convenido[28].

---

(28)   Sobre la calificación provisional, véase IGLESIAS GONZÁLEZ, F., *Régimen jurídico de la Protección a la Promoción y Adquisición de Viviendas*, Pamplona, Aranzadi, 2000, págs. 206-233.

5.2. Calificación definitiva

La calificación definitiva implica el mero reconocimiento, el cotejo del proyecto inicialmente aprobado y demás condiciones fijadas en la cédula de calificación provisional —y, en su caso, de las modificaciones autorizadas con las obras realizadas (SSTS de 7-6-1988, 8-10-1984)—, teniendo la cédula de calificación definitiva un valor prevalente respecto de la calificación provisional (STS de 23-10-1979). La obtención de la calificación definitiva permitirá que el régimen de Vivienda con Protección Pública se consolide y se pueda hablar en sentido estricto de la existencia de una vivienda protegida (SSTS de 16-12-1980 y de 15-6-1983). Obtenida la calificación definitiva, comienza el plazo de duración de protección[29].

6. Destino y ocupación de las viviendas

Entre las obligaciones que conlleva la calificación de una vivienda como protegida aparece la del destino a residencia habitual y la ocupación permanente de sus destinatarios.

La obligación de residencia habitual se establece para las viviendas adquiridas para uso propio, las viviendas promovidas o rehabilitadas para uso propio y para el alquiler. Por tanto, todos los diferentes tipos de viviendas conllevan la obligación por parte de los propietarios o de los inquilinos de residir habitual y permanentemente en ellas.

La ocupación deberá producirse en los plazos marcados por la legislación aplicable. Las normativas de las Comunidades Autónomas y Ciudades de Ceuta y Melilla establecerán los plazos en los que deben ocuparse las viviendas para no ser considerada una infracción al régimen legal de las viviendas protegidas.

Se exceptúan de este régimen las viviendas destinadas por las Administraciones Públicas y organizaciones sin ánimo de lucro al alojamiento temporal de colectivos especialmente vulnerables determinados por las Comunidades Autónomas y Ciudades de Ceuta y Melilla, y a realojos temporales derivados de actuaciones de transformación urbanística. Real-

---

(29) Sobre la calificación definitiva, véase IGLESIAS GONZÁLEZ, F., *Régimen jurídico...*, *op. cit.*, págs. 234-269.

mente estamos ante una ocupación diferente, puesto que en este caso los propietarios o promotores de las viviendas las construyen para una finalidad determinada, que no es otra que el alojamiento temporal o los realojos temporales, por lo que las viviendas podrían no cumplir el requisito de residencia habitual y permanente, requisito que se otorgará a otro domicilio. Por ejemplo, nos encontraremos con los alojamientos temporales de universitarios o de mayores o en el caso de realojos de chabolistas mientras se construyen viviendas destinadas a la residencia habitual de los mismos.

Por primera vez en la normativa estatal aparece el concepto de ocupación máxima de la vivienda. Esa ocupación máxima únicamente se establece para las viviendas más pequeñas, de forma que se establece un módulo aproximado de 15 metros por cada persona que conviva en el domicilio.

Así, el art. 8 del Real Decreto 2066/2008, de 12 de diciembre, establece las condiciones sobre superficie mínima y máxima de las viviendas relacionadas con la ocupación máxima de las mismas. Cuando no se establezca una superficie útil mínima por las Comunidades Autónomas y Ciudades de Ceuta y Melilla se establece que será de 30 m² para un máximo de dos personas, ampliable 15 m² por cada persona adicional que conviva en ellas.

7. Limitaciones a la facultad de disponer

La calificación de la vivienda como protegida conlleva un régimen de beneficios y limitaciones de la vivienda, limitaciones que se mantendrán durante un período de tiempo definido en función de la tipología de cada vivienda y que serán inscritas en el Registro de la Propiedad.

Las limitaciones que se establecen son las siguientes:

1. Antes de los 10 años desde la compraventa: Para transmitir la vivienda intervivos o mediante cesión del uso de las viviendas y de sus anejos, por cualquier título, antes del transcurso de 10 años desde la fecha de la formalización de la adquisición, deberá solicitarse autorización de las Comunidades Autónomas y Ciudades de Ceuta y Melilla, que podrá otorgarse en los supuestos y según las condiciones y procedimientos establecidos por éstas.

Se exceptúa de este régimen cuando se produzca subasta y adjudicación de la vivienda por ejecución judicial del préstamo, lo que no significa que la vivienda así adquirida pueda venderse a un precio superior al establecido por la normativa que le sea de aplicación, según señala el art. 6 del propio Real Decreto 2066/2008, 12 de diciembre.

Para que se pueda producir la autorización, se requerirá la previa cancelación del préstamo y, si se hubieran obtenido ayudas financieras, el reintegro de las mismas a la Administración concedente, más los intereses legales.

2. Transcurridos los 10 primeros años: La transmisión intervivos o la cesión del uso de las viviendas, una vez transcurridos 10 años desde la formalización de la adquisición, conllevará que el préstamo pierda su condición de convenido y que la entidad concedente pueda resolverlo. En este caso, no se reintegrarían las ayudas financieras concedidas.

En ambos casos, la compraventa deberá realizarse por un precio no superior al establecido como máximo para cada tipología de vivienda protegida. De acuerdo con el art. 34 del Real Decreto, el precio máximo de venta de las viviendas protegidas de nueva construcción, en segundas y ulteriores transmisiones, mientras esté vigente el régimen legal de protección será el que corresponda, en el momento de la venta, a una vivienda protegida calificada provisionalmente, del mismo régimen y en la misma ubicación, en las condiciones que establezcan las Comunidades Autónomas y Ciudades de Ceuta y Melilla.

Igualmente, en el caso de las viviendas usadas, la ayuda para la adquisición protegida de las mismas conllevará la limitación de sus precios máximos de venta en las sucesivas transmisiones, durante el período que establezcan las Comunidades Autónomas y Ciudades de Ceuta y Melilla, que no podrá ser inferior a 15 años desde la fecha de adquisición, o a la duración del préstamo convenido, si fuera superior.

Además, la venta y adjudicación de las viviendas sólo podrá efectuarse a demandantes inscritos en los registros públicos previstos al efecto por las Comunidades Autónomas y ciudades de Ceuta y Melilla, sin perjuicio de lo dispuesto en la Disposición Transitoria Sexta del Real Decreto.

7.1. Derechos de tanteo y retracto

Durante el régimen legal de protección, las viviendas acogidas a la financiación del Plan Estatal estarán sometidas, en su caso, a los derechos de adquisición preferente y demás limitaciones determinadas por las Comunidades Autónomas y Ciudades de Ceuta y Melilla, que pueden materializarse en derechos de tanteo y de retracto.

7.2. Duración del régimen de protección

De acuerdo con el art. 6 del Real Decreto 2066/2008, de 12 de diciembre, las viviendas y alojamientos que se acojan a la financiación del Plan Estatal, deberán estar sujetos a un régimen de protección pública, que excluya la descalificación voluntaria, incluso en el supuesto de subasta y adjudicación de las viviendas por ejecución judicial del préstamo, de la siguiente duración:

a) De carácter permanente mientras subsista el régimen del suelo, si las viviendas y alojamientos hubieran sido promovidos en suelo destinado por el planeamiento a vivienda protegida, o en suelo dotacional público, y, en todo caso, durante un plazo no inferior a 30 años.

b) De 30 años, al menos, si las viviendas y alojamientos hubieran sido promovidos en otros suelos.

Esta delimitación del régimen de protección supone un avance respecto de la normativa anterior en cuanto a su mayor coherencia con la inclusión en los textos legales del régimen del suelo realizado por la mayoría de las Comunidades Autónomas y Ciudades de Ceuta y Melilla y por la propia Ley de Suelo Estatal respecto a las reservas obligatorias de suelo para vivienda protegida. En tanto y en cuanto persista la calificación de suelo para vivienda protegida, es lógico que se establezca una duración permanente de la calificación. A ello se le añade la necesidad de que las subvenciones y beneficios otorgados por las Administraciones a las viviendas protegidas tengan una limitación temporal para que puedan ser enajenadas como viviendas libres.

7.3. Inscripción registral

De acuerdo con el art. 7, las limitaciones establecidas en los arts. 5 y 6 se harán constar expresamente en los títulos por los que se lleve a cabo la compraventa, la adjudicación o la obra nueva, en el supuesto de la promoción individual para uso propio. Cuando dichos actos se formalicen mediante escritura pública u otro documento público, se acompañará copia testimoniada o compulsada de la calificación definitiva de la vivienda. Asimismo se acompañará la copia referida a la escritura pública de formalización del préstamo hipotecario, en su caso. De esta forma se pretende evitar la transmisión de viviendas protegidas al margen de las limitaciones impuestas para su enajenación, a lo que hay que añadir otros instrumentos de control regulados en distintos artículos del Real Decreto 2066/2008, de 12 de diciembre, constituyendo una preocupación fundamental la lucha contra el fraude en las viviendas protegidas.

En los casos citados, dichas limitaciones se inscribirán en el Registro de la Propiedad, por medio de nota marginal, que producirá los efectos a los que se refiere el apartado 3 del art. 53 de la Ley de Suelo, Texto Refundido aprobado por Real Decreto Legislativo 2/2008, de 20 de junio, y sus disposiciones complementarias de carácter registral.

8. La determinación del precio de la vivienda

8.1. El Módulo Básico Estatal

Una de las características principales de la vivienda protegida es la intervención administrativa en el precio de la misma. A diferencia de la vivienda libre, que está regulada por el mercado, la protegida está regulada por la Administración, con independencia de que los precios máximos son determinados por las Comunidades Autónomas y las Ciudades de Ceuta y Melilla.

El Estado es quien establece el llamado Módulo Básico Estatal (MBE) del que parten todas las operaciones matemáticas para definir los precios máximos de venta y renta en toda promoción de vivienda protegida.

El Módulo Básico Estatal viene regulado por el art. 9 del Real Decreto 2066/2008, de 12 de diciembre, que lo define como «la cuantía en euros por metro cuadrado de superficie útil, que sirve como referencia para la determinación de los precios máximos de venta, adjudicación y renta de las viviendas objeto de las ayudas previstas en este Real Decreto 2066/2008, de 12 de diciembre, asimismo de los presupuestos protegidos máximos de las actuaciones de rehabilitación de viviendas y edificios y en áreas de rehabilitación integral y renovación urbana».

Más adelante señala que:

«El Módulo Básico Estatal será establecido por acuerdo del Consejo de Ministros, a iniciativa del Ministerio de Vivienda y a propuesta de la Comisión Delegada del Gobierno para Asuntos Económicos, en el mes de diciembre de los años 2009, 2010 y 2011.

Hasta diciembre de 2009, el Módulo Básico Estatal se establece en 758 euros por metro cuadrado de superficie útil según dispone la Disposición Adicional Segunda del Real Decreto 2066/2008, de 12 de diciembre.»

8.2. Los precios máximos de venta y de referencia para el alquiler

Como hemos indicado anteriormente, el Módulo Básico Estatal es el índice de referencia a partir del cual se van a establecer por las Comunidades Autónomas y las Ciudades de Ceuta y Melilla los precios máximos de venta y de referencia para el alquiler (art. 10.1).

Como se señala en el art. 10 del Real Decreto 2066/2008, de 12 de diciembre, el precio máximo de venta será referido a la superficie útil de la vivienda, como la hemos definido en el Capítulo III.4.º.a), y pueden incluir el de un garaje vinculado o anejo y un trastero con las siguientes limitaciones en ambos:

Garaje: superficie máxima computable 25 m², con independencia de que las superficies reales de los mismos sean superiores.

Trastero: superficie máxima computable 8 m², con independencia de que las superficies reales de los mismos sean superiores.

Para las superficies computables de garajes y trasteros el precio máximo será el 60% del correspondiente al metro cuadrado útil de la vivienda.

El precio máximo total de venta o de referencia para las viviendas de alquiler podrá incluir una superficie adicional computable de hasta el 30%, siempre que la superficie útil inicial no exceda de 45 m², destinada a servicios comunitarios y vinculados a dichas viviendas, en la forma que sean reguladas por las Comunidades Autónomas y Ciudades de Ceuta y Melilla, en el ejercicio de sus competencias en materia de vivienda. Para estos supuestos este 30% de superficie adicional computable tendrá un precio máximo igual al correspondiente a la vivienda.

Para determinar el precio máximo cuando se trata de promociones de viviendas para uso propio, se seguirá el siguiente requisito:

El precio máximo de adjudicación vendrá determinado por el valor de la edificación más el valor del suelo que figura en la Declaración de Obra Nueva, e incluirá los pagos que efectúe el promotor individual o el cooperativista o el comunero, por ser necesarios para llevar a cabo la promoción y la individualización física y jurídica de ésta. A estos valores se añadirán los siguientes gastos necesarios:

— Honorarios de gestión.

— Escrituración.

— Inscripción registral del suelo.

— Inscripción registral de la Declaración de Obra Nueva y División Horizontal.

— Inscripción registral del préstamo hipotecario.

— Seguros de percepción de cantidades a cuenta.

Están expresamente excluidas de estos gastos las aportaciones a capital, las cuotas sociales y las de participación en otras actividades que puedan desarrollar las Sociedades Cooperativas o Comunidades de Propietarios.

Por tanto, los precios máximos de venta y de referencia para el alquiler serán los obtenidos partiendo del Módulo Básico Estatal, según los siguientes parámetros:

1. VIVIENDA PROTEGIDA DE RÉGIMEN ESPECIAL EN VENTA

El precio máximo de venta por metro cuadrado útil será 1,50 veces el Módulo Básico Estatal (MBE) = 758 euros para 2009 (833,8 euros para Canarias). Este precio se incrementará si la vivienda se encuentra en una localidad situada en un Ámbito Territorial de Precio Máximo Superior (ATPMS).

2. VIVIENDA PROTEGIDA DE RÉGIMEN GENERAL EN VENTA

El precio máximo de venta por metro cuadrado útil será 1,60 veces el Módulo Básico Estatal (MBE) = 758 euros para 2009 (833,8 euros para Canarias). Este precio se incrementará si la vivienda se encuentra en una localidad situada en un Ámbito Territorial de Precio Máximo Superior (ATPMS).

3. VIVIENDA PROTEGIDA DE RÉGIMEN CONCERTADO

El precio máximo de venta por metro cuadrado útil será 1,80 veces el Módulo Básico Estatal (MBE) = 758 euros para 2009 (833,8 euros para Canarias). Este precio se incrementará si la vivienda se encuentra en una localidad situada en un Ámbito Territorial de Precio Máximo Superior (ATPMS).

4. VIVIENDA PROTEGIDA DE RÉGIMEN ESPECIAL PARA EL ALQUILER

El precio máximo de referencia por metro cuadrado útil será 1,50 veces el Módulo Básico Estatal (MBE) = 758 euros para 2009 (833,8 euros para Canarias). Este precio se incrementará si la vivienda se encuentra en una localidad situada en un Ámbito Territorial de Precio Máximo Superior (ATPMS). Sirve para determinar la renta a pagar por el inquilino.

5. VIVIENDA PROTEGIDA DE RÉGIMEN GENERAL PARA EL ALQUILER

El precio máximo de referencia por metro cuadrado útil será 1,60 veces el Módulo Básico Estatal (MBE) = 758 euros para 2009 (833,8 euros para Canarias). Este precio se incrementará si la vivienda se encuentra en una localidad situada en un Ámbito Territorial de Precio Máximo Superior (ATPMS). Sirve para determinar la renta a pagar por el inquilino.

6. VIVIENDA PROTEGIDA DE RÉGIMEN CONCERTADO PARA EL ALQUILER

El precio máximo de referencia por metro cuadrado útil será 1,80 veces el Módulo Básico Estatal (MBE) = 758 euros para 2009 (833,8 euros para Canarias). Este precio se incrementará si la vivienda se encuentra en una localidad situada en un Ámbito Territorial de Precio Máximo Superior (ATPMS). Sirve para determinar la renta a pagar por el inquilino.

8.3. Los ámbitos territoriales de precio máximo superior

El Glosario de conceptos incluidos en el anexo del Real Decreto 2066/2008, de 12 de diciembre, define los ámbitos territoriales de precio máximo superior, como aquellas agrupaciones de municipios, municipios o ámbitos intraurbanos en los que, debido a las tensiones de precio de la vivienda libre o a otras circunstancias justificadas, se admite la posibilidad de que los precios máximos de las viviendas protegidas, y de las usadas adquiridas en el marco de este Real Decreto 2066/2008, de 12 de diciembre, se incrementen por encima de lo que correspondería según las reglas generales de fijación de precios máximos.

El Ministerio de Vivienda, de acuerdo con las Comunidades Autónomas y las Ciudades de Ceuta y Melilla, determinarán los ámbitos territoriales sobre los que se aplicará el precio máximo superior (art. 11). En la Orden del Ministerio de Vivienda VIV/1952/2009, de 2 de julio, se declaran los ámbitos territoriales de precio máximo superior para el año 2009:

Grupo A: Tomando como base el Módulo Básico Estatal, establecido en la Disposición Adicional Segunda (758 €/m² de superficie útil), se incrementarán hasta un 60% para las viviendas protegidas de nueva construcción, quedando exceptuadas las de precio concertado; y el incremento podrá ser de hasta un 120% para las viviendas libres usada y las viviendas protegidas de precio concertado.

Los municipios incluidos en este Grupo son los siguientes:

Comunidad Autónoma de las Illes Balears: Alcúdia, Andratx, Artà, Banyalbufar, Búger, Bunyola, Calvià, Campos, Capdepera, Ciutadella, Deià, Eivissa, Es Castell, Escorca, Es Migjorn, Esporles, Estellencs, Formentera, Fornalutx, Llubí, Llucmajor, Maó, Marratxí, Montuïri, Palma, Pollença, Puigpunyent, Sa Pobla, Santa Eulàlia, Santa Margalida, Sant Antoni, Santanyí, Sant Llorenç, Sant Lluís, Selva, Ses Salines, Sóller, Son Servera y Valldemossa.

Comunidad Autónoma de Cataluña: Alella, Arenys de Mar, Arenys de Munt, Argentona, Badalona, Badia del Vallès, Barberà del Vallès, Barcelona, Cabrera de Mar, Cabrils, Caldes d'Estrac, Caldes de Montbui, Castellar del Vallès, Castelldefels, Cerdanyola del Vallès, Cornellà de Llobregat, Dosrius, Esplugues de Llobregat, Gavà, Girona, Granollers, l'Hospitalet de Llobregat, la Llagosta, Martorelles, el Masnou, Matadepera, Mataró, Molins de Rei, Mollet del Vallès, Montcada i Reixac, Montgat, Montmeló, Montornès del Vallès, Òrrius, Pallejà, el Papiol, Parets del Vallès, Polinyà, el Prat de Llobregat, Premià de Dalt, Premià de Mar, Ripollet, la Roca del Vallès, Rubí, Sabadell, Sant Adrià de Besòs, Sant Andreu de la Barca, Sant Andreu de Llavaneres, Sant Boi de Llobregat, Sant Cugat del Vallès, Sant Feliu de Llobregat, Sant Fost de Campsentelles, Sant Joan Despí, Sant Just Desvern, Sant Pere de Ribes, Sant Quirze del Vallès, Sant Vicenç de Montalt, Santa Coloma de Cervelló, Santa Coloma de Gramenet, Santa Maria de Martorelles, Santa Perpètua de Mogoda, Sentmenat, Sitges, Tarragona, Teià, Terrassa, Tiana, Vallromanes, Viladecans, Vilanova del Vallès, Vilanova i la Geltrú, Vilassar de Dalt y Vilassar de Mar.

Comunidad de Madrid: Alcobendas, Las Rozas de Madrid, Madrid, Majadahonda, Pozuelo de Alarcón y San Sebastián de los Reyes.

Comunidad Valenciana: Alicante, Castellón y Valencia.

Grupo B: Tomando como base el Módulo Básico Estatal, establecido en la Disposición Adicional Segunda (758 €/m² de superficie útil), se incrementarán hasta un 30% para las viviendas protegidas de nueva construcción, quedando exceptuadas las de precio concertado; y el incremento podrá ser de hasta un 60% para las viviendas libres usadas y las viviendas protegidas de precio concertado.

Los municipios incluidos en este Grupo son los siguientes:

Comunidad Autónoma de Aragón: Aísa, Canfranc, Chía, Benasque, Hoz de Jaca, Jaca, Panticosa, Sallent de Gallego, San Juan de Plan, Sesué, Santa Cruz de las Seros, Vilanova y Zaragoza.

Comunidad Autónoma del Principado de Asturias: Avilés, Gijón, Llanera, Oviedo y Siero.

Comunidad Autónoma de las Illes Balears: Alaior, Alaró, Algaida, Binissalem, Campanet, Costitx, Consell, Es Mercadal, Felanitx, Ferreries, Inca, Lloret, Lloseta, Manacor, Mancor, Maria de la Salut, Muro, Porreres, Santa Maria, Sant Joan Labritja, Sant Josep, Sencelles y Sineu.

Comunidad de Castilla-La Mancha: Guadalajara.

Comunidad de Castilla y León: Burgos, Salamanca, Segovia y Valladolid.

Ciudad de Ceuta: Ceuta.

Comunidad Autónoma de Cataluña: Abrera, Albatàrrec, Alcarràs, Alcoletge, Almacelles, Alp, Alpicat, Altafulla, l'Ametlla del Vallès, l'Ampolla, Amposta, Balaguer, Banyoles, Begues, Begur, Bell-lloc d'Urgell, Bellpuig, Bellver de Cerdanya, Berga, la Bisbal d'Empordà, Blanes, les Borges Blanques, Cadaqués, Calafell, Calella, Calonge, Cambrils, Canet de Mar, Canovelles, Cardedeu, Cassà de la Selva, Castellbisbal, Castelló d'Empúries, Castell-Platja d'Aro, Castellví de Rosanes, Celrà, Cervelló, Cervera, Corbera de Llobregat, Creixell, Cubelles, Cunit, l'Escala, Esparreguera, Falset, Figueres, Fornells de la Selva, les Franqueses del Vallès, Gandesa, la Garriga, Gelida, Igualada, Llançà, Lleida, Lliçà d'Amunt, Lliçà de Vall, Llinars del Vallès, Lloret de Mar, Malgrat de Mar, Manlleu, Manresa, Martorell, Mollerussa, Montblanc, Mont-roig del Camp, Móra d'Ebre, Naut Aran, Navarcles, Olesa de Montserrat, Olot, Palafolls, Palafrugell, Palamós, Palau Solità i Plegamans, els Pallaresos, Pals, Piera, Pineda de Mar, la Pobla de Montornès, el Pont de Suert, el Port de la Selva, Puigcerdà, Quart, Reus, la Riera de Gaià, Ripoll, Roda de Barà, Roses, Sallent, Salou, Salt, Sant Cebrià de Vallalta, Sant Celoni, Sant Climent de Llobregat, Sant Esteve Sesrovires, Sant Feliu de Guíxols, Sant Fruitós de Bages, Sant Gregori, Sant Iscle de Vallalta, Sant Llorenç d'Hortons, Sant Pol de Mar, Sant Sadurní d'Anoia, Sant Vicenç dels Horts, Santa Coloma de Farners, Santa Cristina d'Aro, Santa Eulàlia de Rançana, Santa Margarida de Montbui, Santa Margarida i els Monjos, Santa Susanna, Santpedor, Sarrià de Ter, la Seu d'Urgell, Solsona, Sort, Tàrrega, Tordera, Torelló, Torredembarra, Torrefarrera, Torrelles de Llobregat, Torre-serona, Torroella de Montgrí, Tortosa, Tossa de Mar, Tremp, Ullastrell, Vacarisses, Vallgorguina, Vallirana, Valls, el Vendrell, Vic, Vielha e Mijaran, Vilablareix, Viladecavalls, Vilafant, Vilafranca del Penedès, Vilalba Sasserra y Vilaseca.

Comunidad de Madrid: Ajalvir, Alcalá de Henares, Alcorcón, Algete, Aranjuez, Arganda del Rey, Arroyomolinos, Boadilla del Monte, Brunete, Ciempozuelos, Cobeña, Collado Villalba, Colmenar Viejo, Colmenarejo, Coslada, El Escorial, Fuenlabrada, Fuente El Saz de Jarama, Galapagar,

Getafe, Humanes de Madrid, Leganés, Mejorada del Campo, Moraleja de Enmedio, Móstoles, Navalcarnero, Paracuellos del Jarama, Parla, Pinto, Rivas-Vaciamadrid, San Fernando de Henares, San Lorenzo de El Escorial, San Martín de la Vega, Torrejón de Ardoz, Torrelodones, Tres Cantos, Valdemoro, Velilla de San Antonio, Villanueva de la Cañada, Villanueva del Pardillo y Villaviciosa de Odón.

Comunidad Autónoma de la Región de Murcia: Cartagena, Lorca y Murcia.

Comunidad Valenciana: Alboraia, Benicassim, Benidorm, Burriana, El Campello, Elx, Gandía, Manises, Mislata, Mutxamel, Paterna, Picanya, Quart de Poblet, San Joan, San Vicent del Raspeig, Sagunt, Sedaví, Torrent, Vilareal y Xirivella.

Grupo C: Tomando como base el Módulo Básico Estatal, establecido en la Disposición Adicional Segunda (758 €/m² de superficie útil) se incrementarán hasta un 15%, para las viviendas protegidas de nueva construcción, quedando exceptuadas las de precio concertado; y el incremento podrá ser de hasta un 30% para las viviendas libres usadas y las viviendas protegidas de precio concertado.

Los municipios incluidos en este Grupo son los siguientes:

Comunidad Autónoma de Andalucía: Alcalá de Guadaira, Algeciras, Alhaurín de la Torre, Almería, Antequera, Arcos de la Frontera, Benalmádena, Cádiz, Camas, Carmona, Chiclana de la Frontera, Córdoba, Coria del Río, Dos Hermanas, El Ejido, El Puerto de Santa María, Estepona, Fuengirola, Granada, Huelva, Jaén, Jerez de la Frontera, La Línea de la Concepción, Linares, Mairena de Aljarafe, Málaga, Marbella, Mijas, Motril, Níjar, Puerto Real, Rincón de la Victoria, Ronda, Roquetas de Mar, Rota, San Fernando, San Roque, Sanlúcar de Barrameda, Sevilla, Torremolinos y Vélez-Málaga.

Comunidad Autónoma de Aragón: Biescas, Borau, Broto, Campo, Castejón de Sos, Cuarte de Huerva, Huesca, Jasa, La Puebla de Alfidén, Laspaules, Laspuña, Perdiguera, Puente la Reina, Sahún, Seira, Teruel, Utebo, Villanúa y Villanueva de Gallego.

Comunidad Autónoma del Principado de Asturias: Aller, Cangas de Onís, Cangas del Narcea, Caravia, Carreño, Castrillón, Castropol, Coaña, Colunga, Corvera, Cudillero, El Franco, Gozón, Grado, Langreo, Laviana,

Lena, Llanes, Mieres, Morcín, Muros de Nalón, Nava, Navia, Noreña, Parres, Piloña, Pravia, Ribadedeva, Ribadesella, Ribera de Arriba, Sariego, San Martín del Rey Aurelio, Soto del Barco, Tapia de Casariego, Tineo, Valdés, Vegadeo y Villaviciosa.

Comunidad Autónoma de las Illes Balears: Ariany, Petra, Santa Eugènia, Sant Joan y Villafranca.

Comunidad Autónoma de Canarias: Adeje, Arona, Arrecife, Granadilla de Abona, Las Palmas de Gran Canaria, Mogán, Puerto del Rosario, San Cristóbal de La Laguna, San Bartolomé de Tirajana, Santa Cruz de Tenerife y Telde.

Comunidad Autónoma de Cantabria: Alfoz de Lloredo, Ampuero, Argoños, Arnuero, Bárcena de Cicero, Bareyo, Camargo, Castro Urdiales, Colindres, Comillas, El Astillero, Escalante, Guriezo, Laredo, Liendo, Limpias, Marina de Cudeyo, Medio Cudeyo, Meruelo, Miengo, Noja, Piélagos, Polanco, Ribamontán al Mar, Ribamontán al Monte, Ruiloba, San Vicente de la Barquera, Santa Cruz de Bezana, Santander, Santillana del Mar, Santoña, Suances, Torrelavega, Val de San Vicente, Valdáliga, Villaescusa, y Voto.

Comunidad de Castilla-La Mancha: Albacete, Ciudad Real, Cuenca, Toledo, Azuqueca de Henares, Illescas y Talavera de la Reina.

Comunidad de Castilla y León: Ávila, León, Miranda de Ebro, Palencia y San Andrés de Rabanedo.

Comunidad Autónoma de Cataluña: Àger, Agramunt, Agullana, Aiguafreda, Aiguamúrcia, Aiguaviva, Aitona, els Alamús, Albanyà, Albesa, l'Albi, Albinyana, l'Albiol, Albons, Alcanar, Alcoletge, Alcover, l'Aldea, Aldover, l'Aleixar, Alfara de Carles, Alfarràs, Alforja, Algerri, Alguaire, Alins, Alió, Almatret, Almenar, Almoster, Alpens, Alt Àneu, Amer, l'Ametlla de Mar, Anglès, Anglesola, Arbeca, l'Arboç, Arbúcies, Argelaguer, l'Armentera, Arnes, Artés, Artesa de Lleida, Artesa de Segre, Ascó, Avià, Avinyó, Avinyonet de Puigventós, Avinyonet del Penedès, Bagà, Baix Pallars, Balenyà, Balsareny, Banyeres del Penedès, Barbens, Barberà de la Conca, Bàscara, Batea, Belianes, Bellcaire d'Empordà, Bellcaire d'Urgell, Bellmunt d'Urgell, Bellvei, Bellvís, Benavent de Segrià, Benifallet, Benissanet, Besalú, Bescanó, Bigues i Riells, la Bisbal del Penedès, Blancafort, Boadella i les Escaules, Bolvir, Bonastre, es Bòrdes, Bordils, les Borges del Camp, Borrassà, Borredà, Bossòst,

Botarell, Bràfim, Breda, el Bruc, el Brull, Brunyola, Cabanes, les Cabanyes, Cabra del Camp, Cabrera d'Anoia, Calaf, Calders, Caldes de Malavella, Calldetenes, Callús, Camarasa, Camarles, Camós, Campdevànol, Campelles, Campins, Campllong, Camprodon, Canejan, Canet d'Adri, Cànoves i Samalús, Cantallops, Canyelles, Capafonts, Capellades, Capmany, Cardona, Carme, Casserres, Castellar de N'Hug, Castellbell i el Vilar, Castellcir, Castelldans, Castellet i la Gornal, Castellfollit de la Roca, Castellfollit del Boix, Castellgalí, Castellnou de Bages, Castellnou de Seana, Castelló de Farfanya, Castellolí, Castellserà, Castellterçol, Castellvell del Camp, Castellví de la Marca, el Catllar, la Cellera de Ter, Centelles, Cercs, Cervià de les Garrigues, Cervià de Ter, Cistella, Colera, Coll de Nargó, Collbató, Collsuspina, la Coma i la Pedra, Constantí, Copons, Corbera d'Ebre, Corbins, Corçà, Cornellà del Terri, Cornudella de Montsant, Cruïlles, Monells i Sant Sadurní de l'Heure, Cubells, Darnius, Das, Deltebre, Duesaigües, Espinelves, l'Espluga de Francolí, Espolla, Espot, l'Estany, Esterri d'Àneu, Esterri de Cardós, el Far d'Empordà, la Fatarella, Figaró-Montmany, Fígols i Alinyà, la Figuera, Figuerola del Camp, Flaçà, Flix, Fogars de la Selva, Fogars de Montclús, Folgueroles, Fondarella, Fonollosa, Fontanals de Cerdanya, Fontanilles, Fontcoberta, Font-rubí, Foradada, Forallac, Fortià, la Fuliola, la Galera, Gallifa, Garcia, Garrigàs, Garriguella, Ger, Gimenells i Pla de la Font, Ginestar, Gironella, Golmés, Gósol, la Granada, la Granadella, Granera, Gualba, Gualta, Guardiola de Berguedà, els Guiamets, Guils de Cerdanya, la Guingueta d'Aneu, Guissona, Gurb, Horta de Sant Joan, els Hostalets de Pierola, Hostalric, Isona i Conca Dellà, Isòvol, Ivars d'Urgell, Jafre, la Jonquera, Jorba, Juneda, Les, Linyola, la Llacuna, Lladó, Llagostera, Llambilles, Llanars, Llavorsí, Llers, Lles de Cerdanya, Llívia, Llorenç del Penedès, Maçanet de Cabrenys, Maçanet de la Selva, Maià de Montcal, Maials, Malla, Mas de Barberans, Masdenverge, les Masies de Roda, les Masies de Voltregà, Masllorenç, Maspujols, Masquefa, Massalcoreig, Massanes, Mediona, Menàrguens, Meranges, Miralcamp, Moià, Molló, Monistrol de Calders, Monistrol de Montserrat, Montagut i Oix, Montbrió del Camp, Montellà i Martinet, Montesquiu, Montferrer i Castellbó, Montferri, Montgai, Montmajor, el Montmell, Montoliu de Lleida, Mont-ras, Montseny, Móra la Nova, el Morell, Muntanyola, Mura, Navàs, Navata, la Nou de Gaià, Nulles, Òdena, Ogassa, Olèrdola, Olesa de Bonesvalls, Oliana, Olius, Olivella, Olost, Olvan, Ordis, Organyà, Orís, Os de Balaguer, Osor, Pacs del Penedès, el Palau d'Anglesola, Palau-sator, Palau-saverdera, la Palma de Cervelló, Palol de Revardit, Pardines, Parlavà, Pau, Pedret i

Marzà, la Pera, Perafita, Perafort, Peralada, Peramola, el Perelló, les Piles, el Pinell de Brai, Pira, el Pla de Santa Maria, el Pla del Penedès, les Planes d'Hostoles, Planoles, el Poal, la Pobla de Claramunt, la Pobla de Lillet, la Pobla de Mafumet, la Pobla de Segur, el Pont d'Armentera, Pont de Molins, el Pont de Vilomara i Rocafort, Pontons, Ponts, Porqueres, Portbou, la Portella, Prades, Pratdip, Prats de Lluçanès, els Prats de Rei, Prats i Sansor, Preixana, les Preses, Prullans, Puigdàlber, Puigpelat, Puig-reig, Puigverd de Lleida, Pujalt, Queralbs, Querol, Rajadell, Rasquera, Regencós, Rellinars, Renau, Rialp, la Riba, Riba-roja d'Ebre, Ribera d'Ondara, Ribera d'Urgellet, Ribes de Freser, Riells i Viabrea, Riu de Cerdanya, Riudarenes, Riudaura, Riudecanyes, Riudecols, Riudellots de la Selva, Riudoms, Riumors, Roda de Ter, Rodonyà, Roquetes, Rosselló, el Rourell, Rupit i Pruit, Salàs de Pallars, Saldes, Salomó, Sant Aniol de Finestres, Sant Antoni de Vilamajor, Sant Bartomeu del Grau, Sant Boi de Lluçanès, Sant Carles de la Ràpita, Sant Climent Sescebes, Sant Cugat Sesgarrigues, Sant Esteve de Palautordera, Sant Feliu de Buixalleu, Sant Feliu de Codines, Sant Feliu de Pallerols, Sant Feliu Sasserra, Sant Guim de Freixenet, Sant Hilari Sacalm, Sant Hipòlit de Voltregà, Sant Jaume de Llierca, Sant Jaume dels Domenys, Sant Jaume d'Enveja, Sant Joan de les Abadesses, Sant Joan de Mollet, Sant Joan de Vilatorrada, Sant Joan les Fonts, Sant Jordi Desvalls, Sant Julià de Cerdanyola, Sant Julià de Ramis, Sant Julià de Vilatorta, Sant Julià del Llor i Bonmatí, Sant Llorenç de la Muga, Sant Llorenç de Morunys, Sant Llorenç Savall, Sant Martí de Centelles, Sant Martí de Llémena, Sant Martí de Tous, Sant Martí Sarroca, Sant Martí Sesgueioles, Sant Mateu de Bages, Sant Miquel de Fluvià, Sant Mori, Sant Pau de Segúries, Sant Pere de Riudebitlles, Sant Pere de Torelló, Sant Pere de Vilamajor, Sant Pere Pescador, Sant Quintí de Mediona, Sant Quirze de Besora, Sant Quirze Safaja, Sant Salvador de Guardiola, Sant Vicenç de Castellet, Sant Vicenç de Torelló, Santa Bàrbara, Santa Coloma de Queralt, Santa Eugènia de Berga, Santa Eulàlia de Riuprimer, Santa Fe del Penedès, Santa Llogaia d'Àlguema, Santa Maria de Corcó, Santa Maria de Palautordera, Santa Maria d'Oló, Santa Oliva, Santa Pau, Sarral, Sarroca de Bellera, Saus, Camallera i Llampaies, Savallà del Comtat, la Secuita, la Selva de Mar, la Selva del Camp, la Sénia, Senterada, la Sentiu de Sió, Serinyà, Seròs, Setcases, Seva, Sidamon, Sils, Solivella, Soriguera, Soses, Subirats, Sudanell, Sunyer, Súria, Tagamanent, Talamanca, Talarn, la Tallada d'Empordà, Taradell, Tavertet, Térmens, Terrades, Tiurana, Tivenys, Tivissa, Tona, Torà, Tornabous, la Torre de Cabdella, la Torre de Claramunt, Torrefeta i Florejacs, Torregrossa, Torrelameu, Torrelavit, Torrelles de Foix,

Torrent, Torres de Segre, Torroella de Fluvià, Tortellà, Ullà, Ulldecona, Ulldemolins, Urús, la Vall de Bianya, la Vall de Boí, Vall de Cardós, la Vall d'en Bas, Vallbona d'Anoia, Vallcebre, Vallfogona de Balaguer, Vall-llobrega, Vallmoll, les Valls d'Aguilar, les Valls del Valira, Vandellòs i l'Hospitalet de l'Infant, Ventalló, Verdú, Verges, Vespella de Gaià, Vidrà, Vidreres, Vilabertran, Vilada, Viladamat, Vilademuls, Viladrau, Vilagrassa, Vilajuïga, Vilaller, Vilallonga de Ter, Vilallonga del Camp, Vilamacolum, Vilamalla, Vilamaniscle, Vilamòs, Vilanant, Vilanova de Bellpuig, Vilanova de la Barca, Vilanova de Meià, Vilanova de Sau, Vilanova de Segrià, Vilanova del Camí, Vilanova d'Escornalbou, Vilaplana, Vila-rodona, Vila-sacra, Vila-sana, Vilaür, Vilaverd, Vilobí del Penedès, Vilobí d'Onyar, Vilopriu, Vimbodí i Poblet, Vinaixa, Vinebre, Vinyols i els Arcs y Xerta.

Comunidad Autónoma de Galicia: A Coruña, Ourense, Pontevedra, Santiago de Compostela y Vigo.

Comunidad de Madrid: Alpedrete, Camarma de Esteruelas, Collado Mediano, Daganzo, El Molar, Griñón, Hoyo de Manzanares, Loeches, Meco, Moralzarzal, San Agustín de Guadalix, Torrejón de la Calzada y Valdetorres del Jarama.

Comunidad Autónoma de la Región de Murcia: Alcantarilla y Molina de Segura.

Comunidad Autónoma de La Rioja: Calahorra, Lardero, Logroño y Villamediana de Iregua.

Comunidad Valenciana: Alaquàs, Albal, Albalat dels Sorells, Albuixech, Alcàcer, Alcoi, Aldaia, Alfafar, Alfara del Patriarca, Algemesí, Almàssera, Almazora, Almoradí, Altea, Alquerias Niño Perdido, Alzira, Aspe, Benaguasil, Benetússer, Benicarló, Beniparell, Bonrepòs i Miralbell, Bétera, Borriol, Burjassot, Calp, Castalla, Catarroja, Crevillent, Cullera, Dénia, El Puig, Elda, Emperador, Godella, Guardamar del Segura, Ibi, Jávea, La Vall d´Uixó, La Pobla de Vallbona, L´Eliana, Lliria, Nules, Lloc Nou de la Corona, Massalfassar, Massamagrell, Massanassa, Meliana, Moncada, Moncofa, Monforte del Cid, Museros, Novelda, Oliva, Onda, Onil, Ontinyent, Orihuela, Paiporta, Petrer, Picassent, Pobla de Farnals, Puzol, Rafelbunyol, Requena, Riba-Roja del Túria, Rocafort, San Antonio de Benagéber, Santa Pola, Segorbe, Silla, Sueca, Tavernes Blanques, Tavernes de la Valldigna, Tavernes Foios, Torrevieja, Utiel, Villajoiosa, Villena, Vinalesa, Vinaròs y Xàtiva.

La Disposición Transitoria Segunda del Real Decreto 2066/2008, de 12 de diciembre, señala que hasta en tanto las Comunidades Autónomas y ciudades de Ceuta y Melilla no establezcan los precios máximos de las actuaciones protegidas, según su propia normativa y de conformidad con lo establecido en este Real Decreto, seguirán teniendo la consideración de Ámbitos Territoriales de Precio Máximo Superior los así declarados en el marco del Plan Estatal de Vivienda 2005-2008.

9. Financiación

a) Préstamos convenidos.

b) Subsidiaciones.

c) Subvenciones.

d) Ayuda directa a la entrada.

e) Aranceles notariales y registrales.

f) IVA reducido.

g) Subvención a la vivienda de protección oficial de promoción pública.

La financiación de la vivienda protegida, tanto en su fase de promoción, como en la fase de adquisición se realiza por la Administración del Estado a través de la regulación de diferentes instrumentos que de forma directa o indirecta suponen una aportación de dinero o de reducción de costes para el beneficiario.

Las diferentes ayudas para financiar la promoción y adquisición de las viviendas protegidas son las siguientes:

9.1. Los préstamos convenidos

Son aquellos concedidos por las entidades de crédito públicas y privadas, en el ámbito de los convenios de colaboración suscritos entre el Ministerio de Vivienda y las referidas entidades. Actualmente la práctica totalidad de las entidades de crédito tienen convenio con el Ministerio de Vivienda. No existe en este momento ninguna restricción para las entidades de crédito por volumen de préstamo para la entidad individualmente, sino globalmente para los cupos establecidos para cada Comunidad Autónoma y Ciudades de Ceuta y Melilla por cada tipología.

Los préstamos convenidos tendrán las siguientes características generales, con independencia de las cuantías y plazos de carencia y de amortización que, en cada caso, se establezcan para las diferentes actuaciones protegidas:

1. Serán concedidos por entidades de crédito que hayan suscrito con el Ministerio de Vivienda el correspondiente convenio de colaboración y dentro del ámbito y las condiciones que en el mismo se establezcan.

2. No se podrá aplicar comisión alguna por ningún concepto.

3. El tipo de interés efectivo podrá ser variable o fijo, en función del acuerdo con la entidad de crédito colaboradora. El tipo de interés efectivo para cada préstamo convenido a interés variable será igual al Euribor a 12 meses publicado por el Banco de España en el *Boletín Oficial del Estado*, el mes anterior al de la fecha de formalización más un diferencial de 65 puntos básicos.

El tipo de interés efectivo para cada préstamo convenido a interés variable se revisará cada 12 meses, tomando como referencia el Euribor a 12 meses publicado por el Banco de España en el *Boletín Oficial del Estado* el mes anterior al de la fecha de formalización.

En el supuesto de préstamos convenidos a interés fijo, el tipo de interés efectivo se determinará en los convenios de colaboración, partiendo de un *swap* de plazo equivalente a la duración del préstamo, más un diferencial que se establecerá en la Orden del Ministerio de Vivienda, de convocatoria y selección de las Entidades de Crédito con las que se vaya a suscribir dichos convenios de colaboración, previo acuerdo de la Comisión Delegada del Gobierno para Asuntos Económicos.

4. Las cuotas a pagar a la entidad de crédito serán constantes a lo largo de la vida del préstamo, dentro de cada uno de los períodos de amortización a los que corresponda un mismo tipo de interés.

5. Los préstamos serán garantizados con hipoteca, salvo cuando recaigan sobre actuaciones protegidas en materia de rehabilitación o de promoción de alojamientos protegidos, en cuyo caso dicha garantía sólo

podrá exigirse si, a juicio de la entidad de crédito, fuera necesario, dadas la cuantía del préstamo solicitado y la garantía personal del solicitante.

Podrán modificarse por acuerdo del Consejo de Ministros las condiciones de los préstamos protegidos, cuando se modifiquen sustancialmente las condiciones existentes en el mercado hipotecario, en cuyo caso podrán las entidades dar por finalizado el acuerdo de financiación existente.

9.2. Subsidiaciones

El Ministerio de Vivienda abonará a cada beneficiario a quien se le conceda una cantidad para ayudar al pago del préstamo convenido. De acuerdo con ello, la subsidiación del préstamo convenido es una ayuda financiera estatal destinada a facilitar al prestatario el pago de la amortización del préstamo y sus intereses (o sólo intereses, en el período de carencia), y que consiste en el abono, por parte del Ministerio de Vivienda, de una cuantía fija, que se descontará de los pagos que la entidad facture al prestatario.

La cuantía de la subsidiación se cifrará en un número de euros anuales por cada 10.000 euros de préstamo convenido, extendiéndose proporcionalmente a fracciones de dicha cantidad, y dependerá de la cuantía del préstamo convenido, sea la inicial o la resultante de una amortización anticipada parcial, del nivel de ingresos familiares del prestatario y de la modalidad de actuación protegida.

La cuantía anual de la subsidiación será descontada previamente por la entidad de crédito de las cuotas que corresponderían en concepto de amortización de capital e intereses, o sólo de intereses en el período de carencia, cuando proceda, en la parte prorrateada que corresponda a cada vencimiento. Posteriormente el Ministerio de Vivienda abonará a la entidad de crédito las cantidades ya descontadas previamente de las cuotas de los prestatarios.

El Consejo de Ministros podrá acordar, excepcionalmente, a iniciativa del Ministerio de Vivienda y a propuesta de la Comisión Delegada del Gobierno para Asuntos Económicos, una modificación de las cuantías de las subsidiaciones, incluso para préstamos convenidos en proceso de amortización, si la modificación resultara favorable a los prestatarios.

La subsidiación del préstamo convenido será efectiva a partir de la fecha de la escritura de formalización del mismo o de la subrogación en él por parte del destinatario de la subsidiación, una vez obtenida la preceptiva autorización o, en su caso, el reconocimiento previo del derecho a la subsidiación por parte de las Comunidades Autónomas y Ciudades de Ceuta y Melilla y la conformidad del Ministerio de Vivienda a la condición de préstamo convenido.

La subsidiación de préstamos formalizados antes de la autorización o reconocimiento administrativo del derecho, requerirá la resolución de las Comunidades Autónomas y Ciudades de Ceuta y Melilla y la conformidad del Ministerio de Vivienda a la condición de préstamo convenido, y será efectiva a partir de la fecha de recepción de dicha resolución por el Ministerio de Vivienda.

En el caso del promotor individual para uso propio, la subsidiación tendrá efectividad cuando se inicie la amortización del préstamo.

La subsidiación de préstamos se concederá por el período que en cada caso se determina en el Real Decreto 2066/2008, de 12 de diciembre.

9.3. Subvenciones

Aunque de acuerdo con la Ley 38/2003, de 17 de noviembre, General de Subvenciones, tanto las subsidiaciones como las ayudas directas a la entrada tienen el concepto de subvención, el Real Decreto 2066/2008, de 12 de diciembre, utiliza el concepto de subvenciones para referirse a las ayudas económicas directas que son concedidas por las Comunidades Autónomas y ciudades de Ceuta y Melilla, con cargo al Plan Estatal de Vivienda, no incluidas entre las ayudas económicas directas a la entrada ni a las subsidiaciones. Son, por tanto, disposiciones dinerarias realizadas por las Comunidades Autónomas y Ciudades de Ceuta y Melilla, con cargo al Plan Estatal, a favor de las personas públicas (Ayuntamientos, consorcios...) o personas privadas (particulares o empresas promotoras) destinadas a favorecer la promoción de viviendas en alquiler, la rehabilitación o la adquisición o urbanización del suelo para vivienda protegida.

Al contrario que las subsidiaciones o la ayuda estatal directa a la entrada, las subvenciones se pagan directamente por las Comunidades Autónomas y Ciudades de Ceuta y Melilla a los beneficiarios de las ayudas. En el caso de las subsidiaciones y de las ayudas directas a la entrada, el abono se realiza directamente por el Ministerio de Vivienda a la entidad de crédito que descuenta del crédito protegido acordado con el particular la cantidad subvencionada.

De acuerdo con la Ley General de Subvenciones, la gestión de las subvenciones se realizará de acuerdo con los principios de publicidad, transparencia, concurrencia, objetividad, igualdad y no discriminación.

Igualmente deberán cumplirse las circunstancias establecidas en el art. 13 de la Ley 38/2003, de 17 de noviembre, General de Subvenciones, no pudiendo obtener la condición de beneficiario o entidad colaboradora de las subvenciones reguladas las personas o entidades en quienes concurra alguna de las circunstancias siguientes, salvo que por la naturaleza de la subvención se exceptúe por su normativa reguladora, bien disposición normativa estatal o autonómica:

1. Haber sido condenadas mediante sentencia firme a la pena de pérdida de la posibilidad de obtener subvenciones o ayudas públicas.

2. Haber solicitado la declaración de concurso, haber sido declarados insolventes en cualquier procedimiento, hallarse declarados en concurso, estar sujetos a intervención judicial o haber sido inhabilitados conforme a la Ley Concursal sin que haya concluido el período de inhabilitación fijado en la sentencia de calificación del concurso.

3. Haber dado lugar, por causa de la que hubiesen sido declarados culpables, a la resolución firme de cualquier contrato celebrado con la Administración.

4. Estar incursa la persona física, los administradores de las sociedades mercantiles o aquellos que ostenten la representación legal de otras personas jurídicas, en alguno de los supuestos de la Ley 12/1995, de 11 de mayo, de Incompatibilidades de los Miembros del Gobierno de la Nación y de los Altos Cargos de la Administración General del Estado (LA LEY 1815/1995), de la Ley 53/1984, de 26 de diciembre, de Incompatibilidades del Personal al Servicio de las Administraciones Públicas (LA LEY 2769/1984), o tratarse de cualquiera de los cargos electivos regulados en la Ley Orgánica 5/1985, de 19 de junio, del Régimen Electoral General (LA

LEY 1596/1985), en los términos establecidos en la misma o en la normativa autonómica que regule estas materias.

5. No hallarse al corriente en el cumplimiento de las obligaciones tributarias o frente a la Seguridad Social impuestas por las disposiciones vigentes, en la forma que se determine reglamentariamente.

6. Tener la residencia fiscal en un país o territorio calificado reglamentariamente como paraíso fiscal.

7. No hallarse al corriente de pago de obligaciones por reintegro de subvenciones en los términos que reglamentariamente se determinen.

8. Haber sido sancionado mediante resolución firme con la pérdida de la posibilidad de obtener subvenciones según esta Ley o la Ley General Tributaria.

No podrán acceder a la condición de beneficiarios las agrupaciones previstas en el segundo párrafo del apartado 3 del art. 11 de la Ley cuando concurra alguna de las prohibiciones anteriores en cualquiera de sus miembros.

En la justificación de estar al corriente de las obligaciones tributarias o frente a la Seguridad Social, la Audiencia Nacional, Sala de lo Contencioso-Administrativo, Sección 5.ª, Sentencia de 21 May. 2008, rec. 168/2007, estima que cuando se justifique en período de subsanación, será plenamente válida, siempre que se haga antes de la resolución.

La justificación por parte de las personas o entidades de no estar incursos en las prohibiciones para obtener la condición de beneficiario señaladas en el art. 13 de la Ley 38/2003, de 17 de noviembre, General de Subvenciones, podrá realizarse mediante declaración responsable que habrá de acompañarse a la solicitud de ayuda económica, salvo que se establezca expresamente la justificación mediante prueba documental.

9.4. *Ayuda directa a la entrada*

La ayuda estatal directa a la entrada consiste en el abono, en pago único, y con cargo a los presupuestos del Ministerio de Vivienda, de una cantidad fija en euros, determinada por el nivel de ingresos y otras circunstancias personales y familiares del beneficiario, destinada a facilitar el pago de la parte no financiada por préstamo convenido, del precio de venta o adjudicación de la vivienda, o de la suma de los valores de la edificación y del suelo, en caso del promotor para uso propio.

A diferencia de las subvenciones, que se pagan directamente por las Comunidades Autónomas y Ciudades de Ceuta y Melilla a los beneficiarios, el pago de la ayuda directa a la entrada se efectuará por la entidad de crédito colaboradora concedente del préstamo convenido, en el momento de formalización de la escritura pública de compraventa y de la de constitución de la hipoteca de la vivienda. La cuantía abonada le será reintegrada por el Ministerio de Vivienda a dicha entidad de crédito al contado y sin intereses, según se determine en los convenios de colaboración con ella, con independencia de cualesquiera circunstancias personales que puedan afectar al destinatario de la citada ayuda estatal.

La concesión se realiza por las Comunidades Autónomas y Ciudades de Ceuta y Melilla en virtud de los Convenios de Colaboración suscritos entre el Ministerio de la Vivienda y éstas.

Se aplican las condiciones y requisitos generales de las subvenciones relacionadas anteriormente en el apartado de las subvenciones.

9.5. *Aranceles notariales y registrales*

Entre los beneficios otorgados a las viviendas de protección pública se encuentran también determinadas reducciones respecto a los aranceles notariales y registrales.

Los honorarios de notarios y registradores de la propiedad relativos a todos los actos o negocios jurídicos necesarios para que las viviendas de protección oficial o declaradas protegidas queden disponibles para su primera transmisión o adjudicación, así como los relativos a los préstamos hipotecarios correspondientes a dichas viviendas, que hayan obtenido el carácter de convenidos en el ámbito del Real Decreto, tendrán la reducción establecida en el art. 8 de la Ley 41/1980, de 5 de julio, modificado por el Real Decreto-Ley 6/2000, de 23 de junio.

La primera transmisión o adjudicación, así como, en su caso, la subrogación en el préstamo hipotecario cualificado, de cada una de dichas viviendas, gozará de la mencionada reducción de los derechos de matriz, primera copia e inscripción; y, tratándose de viviendas cuya superficie útil no exceda de 90 m², tendrán los derechos arancelarios que se indican a continuación:

1. Los derechos arancelarios de los Notarios aplicables a la primera transmisión o adjudicación de dichas viviendas serán, por todos los conceptos, los siguientes:

a) Primera transmisión o adjudicación de la vivienda: 60,047119 euros.

b) Cuando la vivienda lleve vinculada en proyecto y registralmente plaza de garaje y, en su caso, trastero u otros anejos, la cantidad señalada se incrementará, por todos los conceptos, en los siguientes importes: 9,015182 y 6,010121 euros, respectivamente.

c) Cuando se constituya garantía real en el mismo acto de la primera transmisión o adjudicación para asegurar el precio aplazado, la cantidad señalada se incrementará, por todos los conceptos, en el siguiente importe: 30,020555 euros.

2. Los derechos arancelarios de los Registradores aplicables a la primera transmisión o adjudicación de las referidas viviendas serán, por todos los conceptos, los siguientes:

a) Primera transmisión o adjudicación: 24,016444 euros.

b) Cuando la vivienda lleve vinculada en proyecto y registralmente plaza de garaje y, en su caso, trastero u otros anejos, la cantidad señalada se incrementará, por todos los conceptos, en los siguientes importes: 6,010121 y 3,005061 euros, respectivamente.

c) Cuando se constituya garantía real, la cantidad señalada se incrementará, por todos los conceptos, en el siguiente importe: 12,008222 euros.

Para gozar de las bonificaciones correspondientes a la primera transmisión o adjudicación, así como, en su caso, a la subrogación en el préstamo hipotecario cualificado, se precisará que sea la única vivienda del comprador, salvo que hayan sido privados de su uso por causas no imputables a los interesados, y se destine a su residencia habitual y permanente. Éste es un requisito intrínseco al propio acceso a la vivienda protegida, por cuanto que no es posible que ningún ciudadano sea propietario de dos o más viviendas protegidas y que no sea destinada la vivienda a residencia habitual y permanente.

En todo caso, los beneficios a que se refiere la disposición adicional cuarta se entienden sin perjuicio de los que fueran más favorables, en función de la legislación a cuyo tenor se obtuvo la calificación de las viviendas.

9.6. IVA reducido

A la adquisición de viviendas protegidas se le aplica el tipo reducido de IVA del 7%, al igual que a la adquisición del resto de viviendas.

A la rehabilitación de viviendas se le aplica, con carácter general, el tipo de IVA del 16%.

Sin embargo, al objeto de promover la construcción de viviendas protegidas destinadas a la adquisición por parte de la población con menores ingresos, se le aplica un IVA del 4% a determinadas viviendas protegidas calificadas como de protección oficial de régimen especial.

La disposición séptima del Real Decreto 2066/2008, de 12 de diciembre, establece conforme al art. 32.1.a) del mismo texto legal, en el que se definen las viviendas de régimen especial, y a los efectos establecidos en el art. 91.dos.1.6.º de la Ley 37/1992, de 28 de diciembre, del Impuesto sobre el Valor Añadido, o de los impuestos que se aplican en lugar de aquél, en el caso de la Comunidad Autónoma de Canarias y de las Ciudades de Ceuta y Melilla, se incluyen bajo la denominación de viviendas de protección oficial de régimen especial, las viviendas de nueva construcción, o procedentes de la rehabilitación, así calificadas y destinadas exclusivamente a familias o personas cuyos ingresos familiares no excedan de 2,5 veces el Indicador Público de Renta de Efectos Múltiples (IPREM) siempre que su precio máximo de venta por metro cuadrado de superficie útil no exceda de 1,50 veces el Módulo Básico Estatal.

Con objeto de aclarar qué se entiende por vivienda de protección oficial de Régimen especial, la norma aplica el beneficio fiscal a las viviendas que bien por sus destinatarios, o bien por el precio, el Plan las considera como viviendas de régimen especial, con independencia de la modificación puntual de la denominación. Se añade a la vivienda protegida contemplada en la Ley reguladora del impuesto, como ya se había hecho en la modificación del Plan Estatal 2002-2005, mediante el Real Decreto 1/2002, las viviendas protegidas para alquiler, de régimen especial y general.

9.7. *Subvención a la vivienda de protección oficial de promoción pública*

Una modalidad de vivienda de protección pública es la promovida por la Administración Pública, considerada como vivienda de promoción pública. Este tipo de viviendas es un supuesto excepcional que se limita a determinadas operaciones de sustitución de viviendas protegidas construidas en los años sesenta y setenta, y aquellas operaciones de enajenación de viviendas con pago aplazado.

El reconocimiento y la regulación se produce por las Comunidades Autónomas y Ciudades de Ceuta y Melilla, que con esta norma aplica la reducción del tipo impositivo, siendo el Ministerio de Vivienda quien satisface, con cargo a sus presupuestos, una subvención personal y especial a los compradores en primera transmisión de viviendas de protección oficial de promoción pública, vendidas en las condiciones de precio y aplazamiento de pago establecidas en el Real Decreto 3148/1978, de 10 de noviembre, y disposiciones complementarias, así como en las normas de las Comunidades Autónomas y Ciudades de Ceuta y Melilla, siempre que el aplazamiento suponga al menos el 80% del pago total a efectuar por la vivienda. El importe de la subvención coincidirá con el que resulte de aplicar al precio de la vivienda el tipo impositivo del Impuesto sobre el Valor Añadido que grave la transmisión de estas viviendas o, en el caso de la Comunidad Autónoma de Canarias y de las de Ciudades de Ceuta y Melilla, el tipo impositivo de los Impuestos que se aplican en lugar de aquél.

IV. LOS ELEMENTOS SUBJETIVOS EN EL PLAN DE VIVIENDA

1. Beneficiarios

El Real Decreto 2066/2008, de 12 de diciembre, señala como beneficiarios con protección preferente de las ayudas del Plan Estatal a los siguientes colectivos:

a) Unidades familiares con ingresos que no excedan de 1,5 veces el Indicador Público de Renta de Efectos Múltiples (IPREM), a efectos del acceso en alquiler a la vivienda, y de 2,5 veces el mismo indicador, a efectos del acceso en propiedad a la vivienda.

Se entiende por unidad familiar tal y como resulta definida por el art. 82, de la Ley reguladora del Impuesto sobre la Renta de las Personas Físicas:

1. La integrada por los cónyuges no separados legalmente y, si los hubiera:

a) Los hijos menores, con excepción de los que, con el consentimiento de los padres, viven independientes de éstos.

b) Los hijos mayores de edad incapacitados judicialmente sujetos a patria potestad prorrogada o rehabilitada.

2. En los casos de separación legal, o cuando no existiera vínculo matrimonial, la formada por el padre o la madre y todos los hijos que convivan con uno u otro y que reúnan los requisitos señalados en los puntos a) y b). También, se considera unidad familiar, las constituidas por las parejas de hecho reconocidas legalmente.

b) Personas que acceden por primera vez a la vivienda.

c) Jóvenes, menores de 35 años.

d) Personas mayores de 65 años.

e) Mujeres víctimas de la violencia de género. Sus derechos están reconocidos en la Ley Orgánica 1/2004, de 28 de diciembre, de medidas de protección integral contra la violencia de género, que señala en su art. 28 que las mujeres víctimas de violencia de género serán consideradas colectivos prioritarios en el acceso a viviendas protegidas y residencias públicas para mayores, en los términos que determine la legislación vigente.

f) Víctimas del terrorismo. Sus derechos están regulados en la Ley 32/1999, de 8 de octubre, de solidaridad con las víctimas del terrorismo. Dicha Ley, en su art. 3.º, define como beneficiarios a: 1. Las víctimas de actos de terrorismo o de hechos perpetrados por persona o personas integradas en bandas o grupos armados o que actuarán con la finalidad de alterar gravemente la paz y seguridad ciudadana. 2. En el supuesto de fallecimiento de las víctimas: a) las personas que hubiesen sido designadas derechohabientes en la correspondiente sentencia firme o sus herederos; b) cuando no hubiera recaído sentencia, el cónyuge no separado legalmente o, en su caso, la persona que hubiere venido conviviendo con la víctima de forma permanente con análoga relación de afectividad a la del cónyuge, durante al menos los dos años anteriores al momento del fallecimiento, salvo que hubieran tenido descendencia en común, en cuyo caso, bastará la mera convivencia, y los herederos en línea recta descendente o ascendente hasta el segundo grado de parentesco. El Real Decreto 288/2003, de 7 de marzo, por el que se aprueba el reglamento de ayudas y resarcimientos a la víctimas de delitos de terrorismo, entre los objetivos del mismo, reconoce a las víctimas de delitos de terrorismo el derecho a obtener un alojamiento provisional con cargo a los Presupuestos Generales del Estado, mientas se efectúan las obras de reparación de sus viviendas habituales. Más adelante, en su art. 25, señala: «La Administración General del estado podrá contribuir a sufragar los gastos que origine el alojamiento provisional de aquellas personas que, como consecuencia de un atentado terrorista, tengan que abandonar temporalmente su vivienda y mientras se efectúan las obras de reparación [...]», más adelante, el mismo artículo recoge: «[...] cuando la subvención concedida se dedique al alquiler de una vivienda, no podrá superar la cuantía máxima de 1.502,53 euros mensuales por unidad familiar».

g) Afectados por situaciones catastróficas.

h) Familias numerosas. Están definidas por la Ley 40/2003, de 18 de noviembre, de protección a las familias numerosas, desarrollada por el Real Decreto 1621/2005, de 30 de diciembre. Se entiende por familia numerosa a la integrada por uno o dos ascendientes con tres o más hijos, sean o no comunes. Además, la Ley contempla una serie de supuestos que equipara a la familia numerosa, como son:

— Uno o dos ascendientes con dos hijos, sean o no comunes, siempre que al menos uno de éstos sea discapacitado o esté incapacitado para trabajar.

— Dos ascendientes, cuando ambos fueran discapacitados, o, al menos, uno de ellos tuviera un grado de discapacidad igual o superior al 65%, o estuvieran incapacitados para trabajar, con dos hijos, sean o no comunes.

— El padre o la madre separados o divorciados, con tres o más hijos, sean o no comunes, aunque estén en distintas unidades familiares, siempre que se encuentren bajo su dependencia económica, aunque no vivan en el domicilio conyugal.

— Dos o más hermanos huérfanos de padre y madre sometidos a tutela, acogimiento o a guarda que convivan con el tutor, acogedor o guardador, pero no se hallen a sus expensas.

— Tres o más hermanos huérfanos de padre y madre, mayores de 18 años, o dos, si uno de ellos es discapacitado, que convivan y tengan una dependencia económica entre ellos.

i) Familias monoparentales. Son las constituidas por el padre o la madre y el o los hijos.

j) Personas dependientes o con discapacidad oficialmente reconocida, y las familias que las tengan a su cargo. Se entiende por personas con discapacidad, las referidas en el art. 1.2 de la Ley 51/2003, de 2 de diciembre, de igualdad de oportunidades, no discriminación y accesibilidad universal de las personas con discapacidad. Tienen la consideración de personas con discapacidad las que tengan un grado de minusvalía igual o superior al 33%. En particular, se considerará acreditado un grado de minusvalía igual o superior al 33% en el caso de los pensionistas de la Seguridad Social que tengan reconocida una pensión de incapacidad permanente, total, absoluta, o gran invalidez y en el caso de los pensionistas de clases pasivas que tengan reconocida una pensión de jubilación o retiro por incapacidad permanente para el servicio o inutilidad, Igualmente se considerará acreditado un grado de minusvalía igual o superior al 65%, cuando se trate de personas cuya incapacidad sea declarada judicialmente, aunque no alcance dicho grado.

k) Personas separadas o divorciadas, al corriente del pago de pensiones alimenticias y compensatorias, en su caso, cuando medie sentencia firme en el proceso de separación o de divorcio.

l) Personas sin hogar o procedentes de operaciones de erradicación del chabolismo.

m) Otros colectivos en situación o riesgo de exclusión social determinados por las Comunidades Autónomas y Ciudades de Ceuta y Melilla.

2. Requisitos generales de la Ley General de Subvenciones

Los colectivos anteriormente señalados en el punto 1.º, podrán acceder a las ayudas previstas en el Real Decreto 2066/2008, de 12 de diciembre, siempre que no incurran en las siguiente prohibiciones que vienen señaladas en la Ley 38/2003, de 17 de noviembre, General de Subvenciones, en su art. 13:

a) Haber sido condenadas mediante sentencia firma a la pena de pérdida de la posibilidad de obtener subvenciones o ayudas públicas.

b) Haber solicitado la declaración de concurso, haber sido declarados insolventes en cualquier procedimiento, hallarse declarados en concurso, estar sujetos a intervención judicial o haber sido inhabilitados conforme a la Ley Concursal, sin que haya concluido el período de inhabilitación fijado en la sentencia de calificación del concurso.

c) Haber dado lugar, por causa de la que hubiesen sido declarados culpables, a la resolución firme de cualquier contrato celebrado con la Administración.

d) Estar incursa la persona física, los administradores de las sociedades mercantiles o aquellos que ostenten la representación legal de otras personas jurídicas, en alguno de los supuestos de la Ley 12/1995, de 11 de mayo, de Incompatibilidades de los Miembros del Gobierno de la Nación y de los Altos Carlos de la Administración General del Estado, de la Ley 53/1984, de 26 de diciembre, de Incompatibilidades del Personal al Servicio de las Administraciones Públicas, o tratarse de cualquiera de los altos electivos regulados en la Ley Orgánica 5/1985, de 19 de junio, del Régimen Electoral General, en los términos establecidos en la misma o en la normativa autonómica que regule estas materias.

e) No hallarse al corriente en el cumplimiento de las obligaciones tributarias o frente a la Seguridad Social impuestas por las disposiciones vigentes, en la forma que se determine reglamentariamente.

f) Tener la residencia fiscal en un país o territorio calificado reglamentariamente como paraíso fiscal.

g) No hallarse al corriente de pago de obligaciones por reintegro de subvenciones en los términos que reglamentariamente se determinen.

h) Haber sido sancionado mediante resolución firme con la pérdida de la posibilidad de obtener subvenciones según esta Ley o la Ley General Tributaria.

No podrán acceder a la condición de beneficiarios las agrupaciones previstas en el segundo párrafo del apartado 3 del art. 11 de esta Ley[30] cuando concurra alguna de las prohibiciones anteriores en cualquiera de sus miembros.

3. En ningún caso, podrán obtener la condición de beneficiario o entidad colaboradora de las subvenciones reguladas en esta Ley las asociaciones incursas en las causas de prohibición previstas en los apartados 5 y 6 del art. 4 de la Ley Orgánica 1/2002, de 22 de marzo, reguladora del Derecho de Asociación[31].

---

(30) El segundo párrafo del apartado 3 del art. 11 señala que cuando se trate de agrupaciones de personas físicas o jurídicas, públicas o privadas sin personalidad, deberán hacerse constar expresamente, tanto en la solicitud como en la resolución de concesión, los compromisos de ejecución asumidos por cada miembro de la agrupación, así como el importe de subvención a aplicar por cada uno de ellos, que tendrán igualmente la consideración de beneficiarios. En cualquier caso, deberá nombrarse un representante o apoderado único de la agrupación, con poderes bastantes para cumplir las obligaciones que, como beneficiario, corresponden a la agrupación. No podrá disolverse la agrupación hasta que haya transcurrido el plazo de prescripción previsto en los *arts. 39* y *65 de esta Ley.*

(31) Los apartados 5 y 6 del art. 4 indican que:
5. Los poderes públicos no facilitarán ningún tipo de ayuda a las asociaciones que en su proceso de admisión o en su funcionamiento discriminen por razón de nacimiento, raza, sexo, religión, opinión o cualquier otra condición o circunstancia personal o social.
6. Los poderes públicos no facilitarán ayuda alguna, económica o de cualquier otro tipo, a aquellas asociaciones que con su actividad promuevan o justifiquen el odio o la violencia contra personas físicas o jurídicas, o enaltezcan o justifiquen por cualquier medio los delitos de terrorismo o de quienes hayan participado en su ejecución, o la

---

Tampoco podrán obtener la condición de beneficiario o entidad colaboradora las asociaciones respecto de las que se hubiera suspendido el procedimiento administrativo de inscripción por encontrarse indicios racionales de ilicitud penal, en aplicación del os dispuesto en el art. 30.4 de la Ley Orgánica 1/2002, en tanto no recaiga resolución judicial firme en cuya virtud pueda practicarse la inscripción en el correspondiente registro[32].

4. Las prohibiciones contenidas en los párrafos b, d, e, f y g descritas anteriormente se apreciarán de forma automática y subsistirán mientras concurran las circunstancias que, en cada caso, las determinen.

5. Las prohibiciones contenidas en los párrafos a y h del apartado 2 de este artículo se apreciarán de forma automática[33]. El alcance la prohibición será el que determine la sentencia o resolución firme. En su defecto, el alcance se fijará de acuerdo con el procedimiento determinado reglamentariamente, sin que pueda exceder de cinco años en caso de que la prohibición no derive de sentencia firme.

6. La apreciación y alcance de la prohibición contenida en el párrafo c del apartado 2 de este artículo se determinará de acuerdo con lo establecido en el art. 21, en relación con el art. 20.c) del Texto Refundido de la Ley de Contratos de las Administraciones Públicas, aprobado por el Real Decreto Legislativo 2/2002, de 16 de junio[34].

7. La justificación por parte de las personas o entidades de no estar incursos en las prohibiciones para obtener la condición de beneficiario o

---

realización de actos que entrañen descrédito, menosprecio o humillación de las víctimas de los delitos terroristas o de sus familiares.

(32)   Artículo 30.4 de la Ley Orgánica 1/2002. Cuando se encuentren indicios racionales de ilicitud penal en la constitución de la entidad asociativa, por el órgano competente se dictará resolución motivada, dándose traslado de toda la documentación al Ministerio Fiscal o al órgano jurisdiccional competente, y comunicando esta circunstancia a la entidad interesada, quedando suspendido el procedimiento administrativo hasta tanto recaiga resolución judicial firme.

(33)   a. Haber sido condenadas mediante sentencia firma a la pena de pérdida de la posibilidad de obtener subvenciones o ayudas públicas.
h. Haber sido sancionado mediante resolución firme con la pérdida de la posibilidad de obtener subvenciones según esta Ley o la Ley General Tributaria.

(34)   Art. 20.c) del Texto Refundido de la Ley de Contratos de las Administraciones Públicas, aprobado por el Real Decreto Legislativo 2/2002, de 16 de junio. «Haber dado lugar, por causa de la que hubiesen sido declarados culpables, a la resolución firme de cualquier contrato celebrado con la Administración».

entidad colaboradora, señaladas en los apartados 2 y 3 de este artículo, podrá realizarse mediante testimonio judicial, certificados telemáticos o transmisiones de datos de acuerdo con lo establecido en la normativa reglamentariamente que regule la utilización de técnicas autónomas o certificación administrativa, según los casos, y cuando dicho documento no pueda ser expedido por la autoridad competente, podrá ser sustituido por una declaración responsable otorgada ante una autoridad administrativa o notario público.

Los beneficiarios que puedan acogerse a las ayudas establecidas en el Real Decreto 2066/2008, de 12 de diciembre, han de cumplir para la obtención de las mismas, las obligaciones señaladas en el art. 14 de la Ley General de Subvenciones:

a) Cumplir el objetivo, ejecutar el proyecto, realizar la actividad o adoptar el comportamiento que fundamenta la concesión de las subvenciones.

b) Justificar ante el órgano concedente o la entidad colaboradora, en su caso, el cumplimiento de los requisitos y condiciones, así como la realización de la actividad y el cumplimiento de la finalidad que determinen la concesión o disfrute de la subvención.

c) Someterse a las actuaciones de comprobación, a efectuar por el órgano concedente o la entidad colaboradora, en su caso, así como cualesquiera otras de comprobación y control financiero que puedan realizar los órganos de control competentes, tanto nacionales como comunitarios, aportando cuanta información le sea requerida en el ejercicio de las actuaciones anteriores.

d) Comunicar al órgano concedente o la entidad colaboradora la obtención de otras subvenciones, ayudas, ingresos o recursos que financien las actividades subvencionadas. Esta comunicación deberá efectuarse tan pronto como se conozca y, en todo caso, con anterioridad a la justificación de la aplicación dada a los fondos percibidos.

e) Acreditar con anterioridad a dictarse la propuesta de resolución de concesión que se halla al corriente en el cumplimiento de sus obligaciones tributarias y frente a la Seguridad Social, en la forma que se determine reglamentariamente, y sin perjuicio de lo establecido en la disposición adicional decimoctava de la Ley 30/1992, de 26 de noviembre, de Régimen Jurídico de las Administraciones Públicas y del Procedimiento Administrativo Común.

f) Disponer de los libros contables, registros diligenciados y demás documentos debidamente auditados en los términos exigidos por la legislación mercantil y sectorial aplicable al beneficiario en cada caso, así como cuantos estados contables y registros específicos sean exigidos por las bases reguladoras de las subvenciones, con la finalidad de garantizar el adecuado ejercicio de las facultades de comprobación y control.

g) Conservar los documentos justificativos de la aplicación de los fondos recibidos, incluidos los documentos electrónicos, en tanto puedan ser objeto de las actuaciones de comprobación y control.

h) Adoptar las medidas de difusión contenidas en el apartado 4 del art. 18 de esta Ley[35].

i) Proceder al reintegro de los fondos percibidos en los supuestos contemplados en el art. 37 de esta Ley[36].

---

(35) Apartado 4 del *art. 18 de esta Ley*. Los beneficiarios deberán dar la adecuada publicidad del carácter público de la financiación de programas, actividades, inversiones o actuaciones de cualquier tipo que sean objeto de subvención, en los términos reglamentariamente establecidos

(36) Art. 37. Causas de reintegro.
1. También procederá el reintegro de las cantidades percibidas y la exigencia del interés de demora correspondiente desde el momento del pago de la subvención hasta la fecha en que se acuerde la procedencia del reintegro, en los siguientes casos:
Obtención de la subvención falseando las condiciones requeridas para ello u ocultando aquellas que lo hubieran impedido.
Incumplimiento total o parcial del objetivo, de la actividad, del proyecto o la no adopción del comportamiento que fundamentan la concesión de la subvención.
Incumplimiento de la obligación de justificación o la justificación insuficiente, en los términos establecidos en el *art. 30 de esta Ley,* y en su caso, en las normas reguladoras de la subvención.
Incumplimiento de la obligación de adoptar las medidas de difusión contenidas en el apartado 4 del *art. 18 de esta Ley*.
Resistencia, excusa, obstrucción o negativa a las actuaciones de comprobación y control financiero previstas en los *arts. 14 y 15 de esta Ley,* así como el incumplimiento de las obligaciones contables, registrales o de conservación de documentos cuando de ello se derive la imposibilidad de verificar el empleo dado a los fondos percibidos, el cumplimiento del objetivo, la realidad y regularidad de las actividades subvencionadas, o la concurrencia de subvenciones, ayudas, ingresos o recursos para la misma finalidad, procedentes de cualesquiera Administraciones o entes públicos o privados, nacionales, de la Unión Europea o de organismos internacionales.
Incumplimiento de las obligaciones impuestas por la Administración a las entidades colaboradoras y beneficiarios, así como de los compromisos por éstos asumidos, con motivo de la concesión de la subvención, siempre que afecten o se refieran al modo

La rendición de cuentas de los perceptores de subvenciones, a que se refiere el art. 34.3 de la Ley 7/1988, de 5 de abril, de Funcionamiento del Tribunal de Cuentas[37], se instrumentará a través del cumplimiento de la obligación de justificación al órgano concedente o entidad colaboradora, en su caso, de la subvención.

3. Condiciones generales de los demandantes de vivienda y financiación

El art. 3 del Real Decreto 2066/2008, de 12 de diciembre, establece los requisitos que han de cumplirse por los demandantes de vivienda y financiación para disfrutar los beneficios de las ayudas públicas:

1. Los demandantes de viviendas y financiación acogidas a este Real Decreto 2066/2008, de 12 de diciembre, deberán reunir las siguientes condiciones generales, sin perjuicio de las que puedan establecer adicionalmente las Comunidades Autónomas y Ciudades de Ceuta y Melilla:

a) No ser titulares del pleno dominio o de un derecho real de uso o de disfrute sobre alguna vivienda sujeta a protección pública en España, salvo que la vivienda resulte sobrevenidamente inadecuada para sus circunstancias personales o familiares, y siempre que se garantice que no poseen simultáneamente más de una vivienda protegida. Tampoco podrán ser titulares de una vivienda

---

en que se han de conseguir los objetivos, realizar la actividad, ejecutar el proyecto o adoptar el comportamiento que fundamenta la concesión de la subvención.

Incumplimiento de las obligaciones impuestas por la Administración a las entidades colaboradoras y beneficiarios, así como de los compromisos por éstos asumidos, con motivo de la concesión de la subvención, distintos de los anteriores, cuando de ello se derive la imposibilidad de verificar el empleo dado a los fondos percibidos, el cumplimiento del objetivo, la realidad y regularidad de las actividades subvencionadas, o la concurrencia de subvenciones, ayudas, ingresos o recursos para la misma finalidad, procedentes de cualesquiera Administraciones o entes públicos o privados, nacionales, de la Unión Europea o de organismos internacionales.

La adopción, en virtud de lo establecido en los *arts. 87 a 89 del Tratado de la Unión Europea*, de una decisión de la cual se derive una necesidad de reintegro.

En los demás supuestos previstos en la normativa reguladora de la subvención.

(37)   *Art. 34.3 de la Ley 7/1988, de 5 de abril, de Funcionamiento del Tribunal de Cuentas.* Los perceptores o beneficiarios de ayudas con cargo a los Presupuestos Generales del Estado o procedentes de entidades integrantes del sector público, tales como subvenciones, créditos o avales, sean personas físicas o jurídicas, públicas o privadas, así como los particulares que administren, recauden o custodien fondos o valores del Estado, Comunidades Autónomas y Corporaciones Locales, hayan sido o no intervenidas la respectivas operaciones, estarán obligados a rendir las cuentas que la Ley establece.

libre, salvo que hayan sido privados de su uso por causas no imputables a los interesados, o cuando el valor de la vivienda, o del derecho del interesado sobre la misma, determinado de acuerdo con la normativa del Impuesto sobre Transmisiones Patrimoniales, exceda del 40% del precio de la vivienda que se pretende adquirir. Este valor se elevará al 60% en los supuestos a los que se refieren las letras d, e, f, h, i, j y k del apartado 2 del art. 1[38]. Si la normativa propia de las Comunidades Autónomas y Ciudades de Ceuta y Melilla así lo dispone, los demandantes habrán de aportar una certificación catastral descriptiva y gráfica de que no reúnen la condición de titulares de inmuebles en todo el territorio de régimen común. Estar inscrito en un registro público de demandantes, creado y gestionado de conformidad con lo que disponga la normativa de las Comunidades Autónomas y Ciudades de Ceuta y Melilla sin perjuicio de lo dispuesto en la Disposición Transitoria Sexta.

b) Disponer de unos ingresos familiares mínimos que exijan, en su caso, las Comunidades Autónomas y Ciudades de Ceuta y Melilla.

c) No superar los ingresos familiares máximos establecidos en cada programa de este Real Decreto 2066/2008, de 12 de diciembre, respecto a las ayudas financieras estatales, y, en el siguiente cuadro, respecto del tipo de viviendas protegidas:

Tipos de viviendas protegidas para venta, alquiler y alquiler con opción de compra	Ingresos familiares máximos de los adquirentes e inquilinos [en número de veces el Indicador Público de Rentas de Efectos Múltiples (IPREM)]
Régimen especial	2,5
Régimen general	4,5
Régimen concertado	6,5

---

(38)   d. Personas mayores de 65 años.

e. Mujeres víctimas de la violencia de género.

f. Víctimas del terrorismo.

h. Familias numerosas.

i. Familias monoparentales con hijos.

j. Personas dependientes o con discapacidad oficialmente reconocida, y las familias que las tengan a su cargo.

k. Personas separadas o divorciadas, al corriente del pago de pensiones alimenticias y compensatorias, en su caso.

d) Que la actuación para la que se solicita financiación haya sido calificada como protegida, por las Comunidades Autónomas y Ciudades de Ceuta y Melilla, en el marco de este Real Decreto 2066/2008, de 12 de diciembre.

e) No haber obtenido ayudas financieras ni préstamo convenido para el mismo tipo de actuación, al amparo de planes estatales o autonómicos de vivienda, durante los diez años anteriores a la solicitud actual. Se entenderá que se ha obtenido préstamo convenido cuando el mismo haya sido formalizado. Y que se han obtenido ayudas financieras, cuando se haya expedido la resolución administrativa reconociendo el derecho a las mismas.

Las Comunidades Autónomas y Ciudades de Ceuta y Melilla podrán establecer excepciones a esta norma, en supuestos en los que la nueva solicitud de financiación responda a motivos suficientemente fundamentados. En todo caso, la obtención de nueva financiación requerirá la cancelación previa o simultánea del préstamo anteriormente obtenido, y la devolución de las ayudas financieras percibidas.

2. Las condiciones incluidas en el apartado 1 deberán cumplirse en el momento que determine la normativa propia de las Comunidades Autónomas y Ciudades de Ceuta y Melilla o, en su defecto, cuando el interesado se inscriba en el registro de demandantes, sin perjuicio de que pueda comprobarse nuevamente en el momento de la adjudicación de la vivienda o de la solicitud de las ayudas.

3. Los siguientes grupos de demandantes se regirán por las condiciones específicas que se establecen en los correspondientes programas:

a) Los inquilinos acogidos a los supuestos de cesión temporal establecidos en el Real Decreto 2066/2008, de 12 de diciembre.

b) Los inquilinos incluidos en programas de alojamientos para colectivos especialmente vulnerables y otros colectivos específicos.

c) Los solicitantes de ayudas para actuaciones de rehabilitación.

Las Comunidades Autónomas y las Ciudades de Ceuta y Melilla regularán el momento en que deben cumplirse dichas condiciones.

No obstante ello, hay que diferenciar entre los requisitos de acceso y los requisitos para obtener ayudas económicas y financieras.

Los tiempos son distintos, pues los demandantes de vivienda han de cumplir los requisitos en el momento de su solicitud e inscripción en el correspondiente registro de demandantes.

Las ayudas económicas públicas para facilitar la adjudicación, compra o alquiler de una vivienda protegida, han de cumplirse en el momento de la solicitud de dichas ayudas.

3.1. Acreditación de los ingresos familiares

El art. 4 del Real Decreto 2066/2008, de 12 de diciembre, regula cómo se determinan los ingresos familiares que den el acceso a la concesión de las ayudas financieras, su acreditación y el cumplimiento en el tiempo para las ponderaciones que son de aplicación:

1. La determinación de la cuantía de los ingresos familiares se efectuará del modo siguiente:

a) Se partirá de la cuantía de la base imponible general y del ahorro, regulada en los arts. 48 y 49 respectivamente, de la Ley 35/2006, de 28 de noviembre, del Impuesto sobre la Renta de las Personas Físicas, correspondiente a la declaración o declaraciones presentadas por cada uno de los miembros de la unidad familiar relativa al último período impositivo con plazo de presentación vencido, en el momento de la solicitud de préstamo convenido o ayudas financieras a la vivienda. Si el solicitante no hubiera presentado declaración, por no estar obligado a ello, las Comunidades Autónomas y Ciudades de Ceuta y Melilla podrán solicitar otras informaciones, incluyendo una declaración responsable del solicitante, que les permitan evaluar los ingresos familiares.

b) La cuantía resultante se convertirá en número de veces el Indicador Público de Renta de Efectos Múltiples (IPREM) en vigor durante el período al que se refieran los ingresos evaluados.

c) El número de veces del Indicador Público de Renta de Efectos Múltiples (IPREM) resultante podrá ser ponderado mediante la aplicación, por parte de las Comunidades Autónomas o Ciudades de Ceuta y Melilla, de un coeficiente multiplicador único, comprendido entre 0,70 y 1, en función de:

1. El número de miembros de la unidad familiar, en especial, si se trata de alguno de los grupos a que se refieren las letras h, i y j del apartado 2 del art. 1[39].

2. La ubicación de la vivienda en un Ámbito Territorial de Precio Máximo Superior.

3. Otros factores determinados por las Comunidades Autónomas y Ciudades de Ceuta y Melilla.

4. Cuando se trate de promotores para uso propio agrupados en cooperativas o en comunidades de propietarios, para adquisición de viviendas, el solicitante individual tendrá que acreditar de nuevo sus ingresos, en la forma indicada, al solicitar la subsidiación del préstamo que le corresponda directamente o por subrogación en el obtenido por la cooperativa o comunidad de propietarios a la que pertenezca.

A estos efectos, se considerará que cumple las condiciones para obtener ayudas financieras, si los ingresos familiares nuevamente acreditados no superan en más de un 20% a los que se determinan en el Real Decreto 2066/2008, de 12 de diciembre, para cada tipo y tramo de ayudas financieras. En el supuesto de que se superara dicho porcentaje, el solicitante individual podrá adquirir y ocupar la vivienda en cuestión, sin derecho a ayudas económicas directas.

Respecto de los restantes demandantes de vivienda y financiación que sean objeto de la nueva comprobación prevista en el apartado 2 del artículo 3.º, (nueva comprobación del cumplimiento de los requisitos en el momento de adjudicación o de la solicitud de las ayudas), se considerará que cumplen las condiciones para acceder a la vivienda y obtener ayudas financieras, si los ingresos familiares nuevamente acreditados no superan en más de un 10% a los que se determinan en el Real Decreto 2066/2008, de 12 de diciembre, para cada tipo de vivienda y tramo de ayuda financiera.

5. La solicitud de ayudas financieras habilitará a la Administración pública competente para solicitar toda la información necesaria, en

---

(39)   h. Familias numerosas.
        i. Familias monoparentales con hijos.
        j. Personas dependientes o con discapacidad oficialmente reconocida, y las familias que las tengan a su cargo.

particular la de carácter tributario o económico que fuera legalmente pertinente, en el marco de la colaboración que se establezca con la Agencia Estatal de Administración Tributaria o con otras Administraciones Públicas competentes.

6. Las referencias a la unidad familiar a efectos de ingresos se hacen extensivas a las personas que no estén integradas en una unidad familiar, así como a las parejas de hecho reconocidas legalmente según la normativa establecida al respecto, así como a las familias monoparentales.

4. Agentes intervinientes en la promoción

4.1. El promotor[40]

La figura del promotor inmobiliario podríamos definirla como la persona, física o jurídica, pública o privada, que, individual o colectivamente, decide, impulsa, programa y financia, con recursos propios o ajenos, las obras de edificación para sí o para su posterior enajenación, entrega o cesión a terceros bajo cualquier título, todo ello, según lo señalado en el art. 9.1 de la Ley 38/1999, de 5 de noviembre, de Ordenación de la Edificación.

La jurisprudencia ha definido al promotor con independencia de su denominación, como toda persona física o jurídica que, a tenor, del contrato o de su intervención decisoria en la promoción, actúen como tales promotores bajo la forma jurídica de promotor o gestor de cooperativas o de comunidades de propietarios u otras figuras análogas (Sentencia de la Audiencia Provincial de Madrid de 16 de septiembre de 2004).

Son obligaciones del promotor a tenor de lo dispuesto en el apartado 2 del artículo 9 de la Ley de Ordenación de la Edificación, las siguientes:

a) Ostentar sobre el solar la titularidad de un derecho que le faculte para construir en él.

b) Facilitar la documentación e información previa necesaria para la redacción del proyecto, así como autorizar al director de obra las posteriores modificaciones del mismo.

---

(40) Sobre el concepto de promotor, *vid.* CARRASCO PERERA, A., CORDERO LOBATO, E., GONZÁLEZ CARRASCO, M. C., *Comentarios a la Ley de Ordenación de la Edificación*, Elcano, Aranzadi, 2001, págs. 197-213.

c) Gestionar y obtener las preceptivas licencias y autorizaciones administrativas, así como suscribir el acta de recepción de la obra.

d) Suscribir los seguros previstos en el art. 19[41].

---

(41)   Art. 19. Garantías por daños materiales ocasionados por vicios y defectos de la construcción.

1. El régimen de garantías exigibles para las obras de edificación comprendidas en el *art. 2 de esta Ley* se hará efectivo de acuerdo con la obligatoriedad que se establezca en aplicación de la *disposición adicional segunda*, teniendo como referente a las siguientes garantías:

Seguro de daños materiales o seguro de caución, para garantizar, durante un año, el resarcimiento de los daños materiales por vicios o defectos de ejecución que afecten a elementos de terminación o acabado de las obras, que podrá ser sustituido por la retención por el promotor de un 5% del importe de la ejecución material de la obra.

Seguro de daños materiales o seguro de caución, para garantizar, durante tres años, el resarcimiento de los daños causados por vicios o defectos de los elementos constructivos o de las instalaciones que ocasionen el incumplimiento de los requisitos de habitabilidad del apartado 1, letra c), del *art. 3*.

Seguro de daños materiales o seguro de caución, para garantizar, durante diez años, el resarcimiento de los daños materiales causados en el edificio por vicios o defectos que tengan su origen o afecten a la cimentación, los soportes, las vigas, los forjados, los muros de carga u otros elementos estructurales, y que comprometan directamente la resistencia mecánica y estabilidad del edificio.

2. Los seguros de daños materiales reunirán las condiciones siguientes:

Tendrá la consideración de tomador del seguro el constructor en el supuesto a) del apartado 1 y el promotor, en los supuestos b) y c) del mismo apartado, y de asegurados el propio promotor y los sucesivos adquirentes del edificio o de parte del mismo. El promotor podrá pactar expresamente con el constructor que éste sea tomador del seguro por cuenta de aquél.

La prima deberá estar pagada en el momento de la recepción de la obra. No obstante, en caso de que se hubiera pactado el fraccionamiento en períodos siguientes a la fecha de recepción, la falta de pago de las siguientes fracciones de prima no dará derecho al asegurador a resolver el contrato, ni éste quedará extinguido, ni la cobertura del asegurador suspendida, ni éste liberado de su obligación, caso de que el asegurado deba hacer efectiva la garantía.

No será de aplicación la normativa reguladora de la cobertura de riesgos extraordinarios sobre las personas y los bienes contenida en el *art. 4 de la Ley 21/1990, de 19 de diciembre*.

3. Los seguros de caución reunirán las siguientes condiciones:

Las señaladas en los apartados 2.a) y 2.b) de este artículo. En relación con el apartado 2.a), los asegurados serán siempre los sucesivos adquirentes del edificio o de parte del mismo.

El asegurador asume el compromiso de indemnizar al asegurado al primer requerimiento.

---

e) Entregar al adquirente, en su caso, la documentación de obra ejecutada, o cualquier otro documento exigible por las Administraciones competentes.

El asegurador no podrá oponer al asegurado las excepciones que puedan corresponderle contra el tomador del seguro.

4. Una vez tomen efecto las coberturas del seguro, no podrá rescindirse ni resolverse el contrato de mutuo acuerdo antes del transcurso del plazo de duración previsto en el apartado 1 de este artículo.

5. El importe mínimo del capital asegurado será el siguiente:

El 5% del coste final de la ejecución material de la obra, incluidos los honorarios profesionales, para las garantías del apartado 1.a) de este artículo.

El 30% del coste final de la ejecución material de la obra, incluidos los honorarios profesionales, para las garantías del apartado 1.b) de este artículo.

El 100% del coste final de la ejecución material de la obra, incluidos los honorarios profesionales, para las garantías del apartado 1.c) de este artículo.

6. El asegurador podrá optar por el pago de la indemnización en metálico que corresponda a la valoración de los daños o por la reparación de los mismos.

7. El incumplimiento de las anteriores normas sobre garantías de suscripción obligatoria implicará, en todo caso, la obligación de responder personalmente al obligado a suscribir las garantías.

8. Para las garantías a que se refiere el apartado 1.a) de este artículo no serán admisibles cláusulas por las cuales se introduzcan franquicias o limitación alguna en la responsabilidad del asegurador frente al asegurado.

En el caso de que en el contrato de seguro a que se refieren los apartados 1.b) y 1.c) de este artículo se establezca una franquicia, ésta no podrá exceder del 1% del capital asegurado de cada unidad registral.

9. Salvo pacto en contrario, las garantías a que se refiere esta Ley no cubrirán:

Los daños corporales u otros perjuicios económicos distintos de los daños materiales que garantiza la Ley.

Los daños ocasionados a inmuebles contiguos o adyacentes al edificio.

Los daños causados a bienes muebles situados en el edificio.

Los daños ocasionados por modificaciones u obras realizadas en el edificio después de la recepción, salvo las de subsanación de los defectos observados en la misma.

Los daños ocasionados por mal uso o falta de mantenimiento adecuado del edificio.

Los gastos necesarios para el mantenimiento del edificio del que ya se ha hecho la recepción.

Los daños que tengan su origen en un incendio o explosión, salvo por vicios o defectos de las instalaciones propias del edificio.

Los daños que fueran ocasionados por caso fortuito, fuerza mayor, acto de tercero o por el propio perjudicado por el daño.

Los siniestros que tengan su origen en partes de la obra sobre las que haya reservas recogidas en el acta de recepción, mientras que tales reservas no hayan sido subsanadas y las subsanaciones queden reflejadas en una nueva acta suscrita por los firmantes del acta de recepción.

4.2. El proyectista

Está regulada su intervención en el proceso edificatorio en el art. 10 de la Ley 38/1999, de 5 de noviembre, de Ordenación de la Edificación, que lo define como el agente que, por encargo del promotor y con sujeción a la normativa técnica y urbanística correspondiente, redacta el proyecto. Podrán redactar proyectos parciales del proyecto, o partes que lo complementen, otros técnicos, de forma coordinada con el autor de éste.

Cuando el proyecto se desarrolle o complete mediante proyectos parciales u otros documentos técnicos según lo previsto en el apartado 2 del art. 4 de esta Ley, cada proyectista asumirá la titularidad de su proyecto.

Son obligaciones del proyectista:

a) Estar en posesión de la titulación académica y profesional habilitante de arquitecto, arquitecto técnico, ingeniero o ingeniero técnico, según corresponda, y cumplir las condiciones exigibles para el ejercicio de la profesión. En caso de personas jurídicas, designar al técnico redactor del proyecto que tenga la titulación profesional habilitante. Cuando el proyecto a realizar tenga por objeto la construcción de edificios para los usos indicados en el grupo a) del apartado 1 del art. 2[42], la titulación académica y profesional habilitante será la de arquitecto.

b) Redactar el proyecto con sujeción a la normativa.

4.3. El constructor

La figura del constructor esta regulada en la Ley 38/1999, de 5 de noviembre, de Ordenación de la Edificación que, en su art. 11, lo define como el agente que asume, contractualmente ante el promotor, el compromiso de ejecutar con medios humanos y materiales, propios o ajenos, las obras o parte de las mismas con sujeción al proyecto y al contrato.

---

(42)   El grupo a) del apartado 1 del art. 2 de la Ley de Ordenación de la Edificación a edificios de carácter permanente, públicos o privados, cuyo uso principal sea el administrativo, sanitario, religioso, residencial en todas sus formas, docente o cultural.

Son obligaciones del constructor:

a) Ejecutar la obra con sujeción al proyecto, a la legislación aplicable y a las instrucciones del director de obra y del director de la ejecución de la obra, a fin de alcanzar la calidad exigida en el proyecto.

b) Tener la titulación o capacitación profesional que habilita para el cumplimiento de las condiciones exigibles para actuar como constructor. Obviamente, se está refiriendo a la capacitación profesional, puesto que no existe titulación habilitante académica para el ejercicio de la profesión de constructor. Los únicos documentos exigibles al constructor es estar al corriente de pago en sus obligaciones tributarias y para con la seguridad social.

c) Designar al jefe de obra que asumirá la representación técnica del constructor en la obra y que por su titulación o experiencia deberá tener la capacitación adecuada de acuerdo con las características y la complejidad de la obra.

d) Asignar a la obra los medios humanos y materiales que su importancia requiera.

e) Formalizar las subcontrataciones de determinadas partes o instalaciones de la obra dentro de los límites establecidos en el contrato.

f) Firmar el acta de replanteo o de comienzo y el acta de recepción de la obra.

g) Facilitar al director de obra los datos necesarios para la elaboración de la documentación de la obra ejecutada.

h) Suscribir las garantías previstas en el art. 19[43].

La Sentencia del Tribunal Supremo de fecha 6 de marzo de 1990, define al constructor como aquella persona física o jurídica que asume la representación y las facultades del propietario o promotor en el conjunto total de la construcción, es decir, recibe el encargo constructivo de la obra y todo el resto del proceso constructivo gira bajo su dirección, control y responsabilidad.

---

(43)   Véase nota 41.

4.4. El director de la obra

La definición del director de la obra podríamos convenir que es la persona que con habilitación profesional competente, y formando parte de la dirección facultativa, dirige el desarrollo de la obra en sus aspectos técnicos, estéticos, urbanísticos y medioambientales, todo ello, de conformidad con el proyecto de ejecución definido, la licencia de edificación otorgada y la cédula de calificación provisional autorizada por las Comunidades Autónomas y Ciudades de Ceuta y Melilla.

Su cometido está regulado en el artículo 12 de la Ley 38/1999, de 5 de noviembre, de Ordenación de la Edificación. Debe estar en posesión de la titulación académica y profesional habilitante de arquitecto, cuando como es el caso, se corresponde con la construcción de edificios para los usos indicados en el grupo a) del apartado 1 del art. 2[44], como hemos señalado anteriormente para las obligaciones del proyectista.

Son obligaciones del director de la obra:

a) Verificar el replanteo y la adecuación de la cimentación y de la estructura proyectada a las características geotécnicas del terreno.

b) Resolver las contingencias que se produzcan en la obra y consignar en el Libro de Órdenes y Asistencias las instrucciones precisas para la correcta interpretación del proyecto.

c) Elaborar, a requerimiento del promotor o con su conformidad, eventuales modificaciones del proyecto, que vengan exigidas por la marcha de la obra siempre que las mismas se adapten a las disposiciones normativas contempladas y observadas en la redacción del proyecto.

d) Suscribir el acta de replanteo o de comienzo de obra y el certificado final de obra, así como conformar las certificaciones parciales y la liquidación final de las unidades de obra ejecutadas, con los visados que en su caso fueran preceptivos.

e) Elaborar y suscribir la documentación de la obra ejecutada para entregarla al promotor, con los visados que en su caso fueran preceptivos.

(44)   Véase nota 42.

En aquellos casos en los que el director de la obra y el director de la ejecución de la obra sea el mismo profesional, si fuera ésta la opción elegida, además de las obligaciones antes citadas se encontrarían las propias de la figura del director de la ejecución de las obras.

4.5. El director de la ejecución de las obras

Las titulaciones habilitantes para esta figura, para el caso de edificación de obra nueva, pueden ser las de Arquitecto y Arquitecto Técnico.

Sus obligaciones básicas reguladas en el art. 13 de la LOE, son, en síntesis, las siguientes:

a) Verificar la recepción en obra de los productos de construcción, ordenando la realización de ensayos y pruebas precisas.

b) Dirigir la ejecución material de la obra comprobando los replanteos, los materiales, la correcta ejecución y disposición de los elementos constructivos y de las instalaciones, de acuerdo con el proyecto y con las instrucciones del director de obra.

c) Consignar en el Libro de Órdenes y Asistencias las instrucciones precisas.

d) Suscribir el acta de replanteo o de comienzo de obra y el certificado final de obra, así como elaborar y suscribir las certificaciones parciales y la liquidación final de las unidades de obra ejecutadas.

e) Colaborar con los restantes agentes en la elaboración de la documentación de la obra ejecutada, aportando los resultados del control realizado.

La figura del proyectista y director de la obra parece claro que debe ser ejercida por arquitecto superior, aunque no está regulado con precisión. Es un requisito básico de los colegios profesionales y de verificación también de las autoridades municipales determinar si el proyecto redactado lo ha sido por técnico competente. Veremos más adelante cómo ambas instituciones son complementarias en la determinación de la competencia del autor del proyecto como requisito esencial para el otorgamiento del visado colegial y el posterior otorgamiento de la licencia de obras.

4.6. *Las entidades y los laboratorios de control de calidad de la edificación*

Son entidades de control de calidad de la edificación aquellas capacitadas para prestar asistencia técnica en la verificación de la calidad del proyecto, de los materiales y de la ejecución de la obra y sus instalaciones de acuerdo con el proyecto y la normativa aplicable. Deben estar acreditadas para tal fin por las Comunidades Autónomas y las Ciudades de Ceuta y Melilla.

Son laboratorios de ensayos para el control de calidad de la edificación, los capacitados para prestar asistencia técnica, mediante la realización de ensayos o pruebas de servicio de los materiales, sistemas o instalaciones de una obra de edificación.

Son obligaciones de las entidades y de los laboratorios de control de calidad:

a) Prestar asistencia técnica y entregar los resultados de su actividad al agente autor del encargo y, en todo caso, al director de la ejecución de las obras.

b) Justificar la capacidad suficiente de medios materiales y humanos necesarios para realizar adecuadamente los trabajos contratados, en su caso, a través de la correspondiente acreditación oficial otorgada por las Comunidades Autónomas con competencia en la materia.

4.7. *Los suministradores de productos*

Se consideran suministradores de productos a los fabricantes, almacenistas, importadores o vendedores de productos de construcción.

Se entiende por producto de construcción aquel que se fabrica para su incorporación permanente en una obra incluyendo materiales, elementos semielaborados, componentes y obras o parte de las mismas, tanto terminadas como en proceso de ejecución.

Son obligaciones del suministrador:

a) Realizar las entregas de los productos de acuerdo con las especificaciones del pedido, respondiendo de su origen, identidad y calidad, así como del cumplimiento de las exigencias que, en su caso, establezca la normativa técnica aplicable.

b) Facilitar, cuando proceda, las instrucciones de uso y mantenimiento de los productos suministrados, así como las garantías de calidad correspondientes, para su inclusión en la documentación de la obra ejecutada.

4.8.   El gestor

Son escasas las notas que facilita la normativa que nos permitan definir al gestor. Del Preámbulo del Real Decreto 2028/1995, de 22 de diciembre, se podría definir al gestor de cooperativas y comunidades de propietarios como la empresa cuyo objeto social es la gestión profesionalizada de las cooperativas y comunidades de propietarios. Por tanto, dos ideas claves: en primer lugar, es una persona jurídica, que, según el Preámbulo, realiza una actividad de gestión desde fuera de la cooperativa o comunidad de propietarios y, en segundo lugar, el hecho de que la actividad de gestión es profesional y, por tanto, remunerada.

Tanto la jurisprudencia, como el Ordenamiento jurídico (art. 17.4 de la Ley 38/1999) se han hecho eco de la figura del promotor-gestor de cooperativas o comunidades propietarios, es decir, en determinados supuestos, se considera que el gestor de cooperativas o comunidades de propietarios es realmente el promotor. Se trata de supuestos en los que la entidad gestora se encarga de formar la comunidad de propietarios para llevar a cabo la edificación, ha suscrito una opción de compra sobre el solar, tiene hecho el proyecto de edificación, elige y contrata a los técnicos y se reserva la gestión de la comunidad o la entidad promotora, para lo cual se le otorgan poderes irrevocables. La supuesta entidad gestora suele establecer como funciones propias de su cometido las financieras, la contratación de la obra, el asesoramiento jurídico, la terminación de la obra y supervisión de los trabajos y, en general, la gestión, control y dirección de la promoción, informando posteriormente de todo lo que se vaya haciendo a la Comisión Delegada o de Vigilancia (en caso de Comunidad de Propietarios) o Consejo Rector (en caso de Cooperativas) de la promotora (SSTS 25 de febrero de 1985 y 16 de diciembre de 2004). Por tanto, en estos supuestos, el gestor actúa como promotor, ya que organiza la construcción, establece el programa de actuación, contrata a las personas encargadas de hacer ese plan de actuación, busca los medios financieros para llevar a cabo la edificación.

En el caso del gestor-promotor, el gestor realiza los actos destinados a promocionar la construcción de las viviendas sin permitir la participación efectiva de los compradores, cuya única función se limita a pagar el precio, otorgar el poder y recibir las llaves cuando las casas estén terminadas, es decir, las propias de cualquier comprador ajeno al proceso de promoción (SAP Madrid 27 de febrero de 2004). El gestor-promotor hace el resto, encargándose de localizar terrenos edificables, buscar capitales, facilitar compradores..., y lo hace en base a amplios poderes otorgados por los adquirentes (SAP Madrid 3 de noviembre de 2006).

En el ámbito de la normativa estatal, el Real Decreto 2028/1995 [art. 1.b)] prohíbe las cláusulas de irrevocabilidad del mandato a favor del gestor y la exoneración de responsabilidad del gestor[45].

4.9. El adquirente/arrendatario

El adquirente es el comprador y el socio de la cooperativa o miembro de la comunidad de propietarios a partir del momento en que se les adjudique la propiedad de una vivienda individualizada.

Tanto el Consejo de Estado (dictámenes de 30 de enero de 1997, de 6 de marzo de 1997 y de 18 de enero de 2001), como el Tribunal Supremo (SSTS de 12 de junio de 1982 y de 7 de enero de 1992) han venido señalando que la adjudicación de la vivienda por una cooperativa o una comu-

---

(45)   En el supuesto de que las cooperativas otorguen mandatos o poderes de representación para el desarrollo de la gestión de la promoción, tales mandatos o poderes deberán ser expresos y conferidos por escrito, los mandatarios o apoderados actuarán siempre en nombre y por cuenta de la cooperativa y de acuerdo con las instrucciones de ésta, deberá constar expresamente en el contrato la prohibición del mandante de que el mandatario nombre sustituto y no podrán admitirse cláusulas de irrevocabilidad del mandato o poder, ni de exoneración de la responsabilidad del mandatario o apoderado.
Si se suscriben contratos de alquiler de servicios u otros análogos con la misma finalidad expresada en el párrafo anterior, la indemnización que, en su caso, proceda por resolución de los contratos a instancia de la cooperativa, se limitará únicamente a los perjuicios que se hubieren ocasionado al prestador de los servicios, sin que sea admisible en los contratos cláusula penal alguna.
Las facultades establecidas en los mencionados mandatos, poderes o contratos deberán referirse sólo a los actos de administración propios de la gestión de la promoción, sin que, en ningún caso, puedan extenderse a actos de dominio o a aquellos en los que sea preceptivo el acuerdo del Consejo rector o de la Asamblea general de la cooperativa [apartado b) del art. 1 del Real Decreto 2028/1995].

nidad de propietarios es una verdadera compraventa y no una atribución de cuota. No obstante, esta idea tan claramente manifestada por el Consejo de Estado y el Tribunal Supremo hay que ligarla con el concepto de primera transmisión. En el caso de una compraventa, el promotor hace la primera transmisión. Sin embargo, en el supuesto de construcción de viviendas por los particulares en comunidad de propietarios o por cooperativa, y a efectos de la liquidación del Impuesto de Transmisiones y Actos Jurídicos Documentados, la adjudicación por la comunidad a los miembros de la comunidad no constituye una verdadera transmisión y sólo se podrá hablar de primera transmisión cuando el miembro de la comunidad transmita la vivienda a un tercero (STS 25 de marzo de 1994, 27 de octubre de 1994, 23 de mayo de 1998 y 28 de junio de 1999).

Indicar que en el caso del promotor individual para uso propio, es decir, la persona que siendo titular del suelo, promueve la construcción de una vivienda protegida familiar para él estaríamos al mismo tempo ante un promotor y ante un adquirente.

El arrendatario es la persona a la que el promotor (arrendador) cede el uso de una Vivienda con Protección Pública para alquiler, a cambio de una renta.

La normativa no sólo trata de dar una definición de adquirente y de arrendatario sino que además fija toda una serie de derechos y obligaciones a los mismos. Derechos como a que las cantidades que se anticipen a los promotores a cuenta del precio de la vivienda se avalen o garanticen según lo preceptuado en la Ley 57/1968, de 27 de julio, o la posibilidad de que los adquirentes puedan obtener autorización para vender sus viviendas protegidas antes de la finalización del período de protección.

4.10. Las Entidades de Crédito

Las Entidades de Crédito o Financieras son aquellas que colaboran en el cumplimiento del Plan Estatal, previa suscripción con el Ministerio de Vivienda el correspondiente convenio de colaboración y con sujeción al contenido del mismo. Su actuación viene regulada en los arts. 12, 14 y 18 del Real Decreto 2066/2008, de 12 de diciembre.

Las relaciones del Ministerio de Vivienda con las entidades de crédito para la ejecución del Plan, se formalizarán mediante convenios de colaboración que garantizarán una oferta suficiente de préstamos convenidos y la gestión del pago de la subsidiación de dichos préstamos y de la AEDE, a los prestatarios a los que correspondan estas ayudas financieras.

Las Entidades de Crédito serán seleccionadas según los criterios establecidos por la Ley 38/2003, de 17 de noviembre, General de Subvenciones.

El incumplimiento grave o reiterado de las obligaciones establecidas en el convenio por parte de una entidad de crédito colaboradora habilitará al Ministerio de Vivienda para resolver dicho convenio.

Excepcionalmente, constatada una insuficiencia significativa de la financiación concedida por las Entidades de Crédito a las actuaciones protegidas del Plan, el Ministerio de Vivienda, a efectos de garantizar dicha financiación y su gestión eficiente, podrá rescindir unilateralmente los convenios de colaboración, con el preaviso y demás garantías necesarias que se hayan previsto en ellos. En tal caso, el Ministerio podrá atribuir en exclusiva a una Entidad de Crédito o a un grupo reducido de las mismas la financiación convenida de las actuaciones protegidas, según los criterios de selección de entidades colaboradoras previstos en la Ley General de Subvenciones.

A través de la Orden VIV/1971/2009, de 15 de julio, se ha hecho pública la relación de entidades de crédito colaboradoras para la financiación del presente Plan Estatal de Vivienda y Rehabilitación (Ver ANEXO V).

5. Los órganos para el seguimiento del Plan

El sistema de competencias en materia de vivienda hace que sea necesaria una coordinación absoluta entre las Administraciones competentes, bien por razón de la propia materia, vivienda, bien por razón de la planificación económica. Esa coordinación se garantiza desde la propia exposición de motivos:

«El diseño de los planes de vivienda de alcance estatal sólo puede concebirse hoy a partir de un diálogo fructífero entre Comunidades Autónomas y ciudades de Ceuta y Melilla y el Gobierno del Estado, compartiendo objetivos y responsabilidad. El reconocimiento de la diversidad territorial y la ductilidad de los instrumentos generales o de su procedimiento de aplicación para adaptarse a los que las Comunidades Autónomas y ciudades de Ceuta y Melilla han ido estableciendo, constituyen dos principios orientadores de la normativa estatal, para asegurar la máxima eficacia social de las políticas de vivienda en cada comunidad y por tanto en el conjunto del territorio del Estado».

El Plan Estatal de Vivienda y Rehabilitación 2009-2012, consciente de esta situación, ha sido diseñado y elaborado en intensa colaboración entre el Ministerio de Vivienda, las Comunidades Autónomas y Ciudades de Ceuta y Melilla, a partir de un debate sobre la determinación de cuáles deben ser los parámetros que garanticen la igualdad de oportunidades efectiva de todos los ciudadanos ante la vivienda, adecuando los medios a las diferentes realidades existentes en el Estado. También, sobre la forma de gestión interna del propio Plan que permita la máxima flexibilidad entre actuaciones, con el fin de que los objetivos fijados por cada comunidad puedan cubrirse de forma ágil en el tiempo.

Pero, además, esa coordinación es necesaria con otros actores del Plan: desde las propias entidades financieras, que sustentan una de las bases que hacen viable el Plan de Vivienda, como se ha demostrado en la crisis financiera de los meses en los que se elaboraba y ponía en funcionamiento el Plan de Vivienda 2009-2012, hasta los propios Ayuntamientos que de forma muy relevante han pasado a ocupar un papel importante en el desarrollo del Plan, o las propias entidades representativas de los promotores de vivienda o de determinados colectivos.

Por ello se establecen diversos sistemas de coordinación para realizar un seguimiento del plan de vivienda durante toda la vigencia del mismo y desde que se firman los Convenios de Colaboración previstos en el propio Real Decreto 2066/2008, de 12 de diciembre.

Así el art. 19 determina los órganos de seguimiento del Plan:

a) La Conferencia Sectorial de Vivienda.

La Conferencia Sectorial de Vivienda es un órgano ya creado al margen el Plan de Vivienda en el que el Gobierno de España y los gobiernos autonómicos coordinan las actuaciones en materia de vivienda. Al estar obviamente el Plan Estatal de Vivienda entre las actuaciones que se desarrollan en materia de vivienda, entra dentro del objeto de la propia Conferencia Sectorial.

La regulación de las conferencias sectoriales se realiza por el art. 5, apartados 3, 4 y 5, de la Ley 30/1992, de 26 de noviembre, de régimen jurídico de las Administraciones Públicas y del procedimiento administrativo común, modificada por la Ley 4/1999, de 13 de enero, y tal y como manifiesta la propia norma «consisten en órganos de cooperación de composición multilateral y de ámbito sectorial que reúnen a miembros del Gobierno, en representación de la Administración General del Estado, y a miembros del Consejo de Gobierno, en representación de las Administraciones de las Comunidades Autónomas y Ciudades de Ceuta y Melilla. Cada Conferencia Sectorial establecerá su propio régimen en el correspondiente acuerdo de institucionalización y en su reglamento interno».

b) La Comisión Multilateral de Vivienda.

Órgano que viene definido en el propio Anexo terminológico del Real Decreto 2066/2008, de 12 de diciembre, como «Órgano colegiado preparatorio de las reuniones de la Conferencia Sectorial de Vivienda, que realiza funciones de seguimiento del Plan, y está constituido por los Directores Generales responsables de la gestión de los planes de vivienda de cada una de las Comunidades Autónomas y Ciudades de Ceuta y Melilla que suscriban convenio para el Plan con el Ministerio de Vivienda, bajo la presidencia del titular de la Secretaría General de Vivienda del Ministerio de Vivienda, o, mediante delegación, por el titular de la Dirección General de Arquitectura y Política de Vivienda, de dicho Ministerio».

Al contrario que la propia Conferencia Sectorial, la Comisión Multilateral de Vivienda no está regulada en la Ley 30/1992, sino que debe entenderse como una regulación propia en materia de vivienda. De acuerdo con sus funciones se distinguen entre las que se destinan a preparar las reuniones de la Conferencia Sectorial, y por tanto alcanzan, con carácter general, a todas las Comunidades Autónomas y Ciudades de Ceuta y Melilla, y aquellas dirigidas a realizar las funciones de seguimiento del Plan de Vivienda. Por ello, no la forman todas las Comunidades Autónomas y Ciudades de Ceuta y Melilla, sino que, cuando se discutan asuntos relacionados con el plan de vivienda, sólo la conformarán aquellas Comunidades Autónomas y Ciudades de Ceuta y Melilla que hayan suscrito los Convenios para el Plan con el Ministerio de Vivienda, que al ser de carácter voluntario, puede que no sea firmado por todas. De hecho, las Comunidades Autónomas del País

Vasco y Navarra no han firmado los Convenios de Gestión de los últimos Planes de Vivienda.

c) Comisiones Bilaterales de Seguimiento del Plan.

Teniendo en cuenta que el Plan de Vivienda se gestiona por cada una de las Comunidades Autónomas y Ciudades de Ceuta y Melilla, es lógico que la concreción de la coordinación entre el Ministerio de Vivienda y las distintas las Comunidades Autónomas y Ciudades de Ceuta y Melilla lo realice una Comisión de Seguimiento bilateral. Por tanto, estas comisiones de seguimiento se celebran entre el Ministerio de Vivienda y cada una de las Comunidades Autónomas y Ciudades de Ceuta y Melilla que participen en el Plan, en el marco de los convenios de colaboración suscritos por ambas partes.

Pero a esta Comisión de Seguimiento bilateral se suman los Ayuntamientos para acordar determinadas líneas de financiación concreta en el ámbito de los propios Ayuntamientos. Así, en el propio art. 17, se establece que en el marco de las Comisiones bilaterales de seguimiento se adoptarán acuerdos específicos con las Comunidades Autónomas y Ciudades de Ceuta y Melilla, con la participación de los ayuntamientos en cuyo término se vaya a actuar, para financiar actuaciones protegidas en áreas de urbanización prioritaria de suelo; áreas de rehabilitación integral; áreas de renovación urbana; ayudas para la erradicación del chabolismo; y promoción de alojamientos para colectivos especialmente vulnerables u otros colectivos específicos en suelo de titularidad municipal.

d) Consejo del Plan Estatal de Vivienda y Rehabilitación.

De acuerdo con el art. 19.2 del Real Decreto el Consejo del Plan Estatal de Vivienda y Rehabilitación es un órgano participación social y de seguimiento del Plan Estatal de Vivienda y Rehabilitación 2009-2012, constituido por representantes de las Administraciones Públicas y de los principales agentes económicos y sociales relacionados con el Plan, con la finalidad de garantizar la participación social durante la vigencia del Plan.

El Consejo estará presidido por el titular del Ministerio de Vivienda, y en él participarán representantes de las Administraciones Públicas y de los principales agentes económicos y sociales relacionados con dicho Plan.

Por Orden se establecerá la composición y normas de funcionamiento de dicho Consejo.

De acuerdo con la Disposición Transitoria Octava, mientras no se proceda a la regulación específica de la composición y funcionamiento, se regirá por la Orden VIV/2668/2006, de 27 de julio, que regula el Consejo del Plan Estatal de Vivienda 2005-2008.

En dicha Orden se establece en su art. 3 que la composición del Consejo Estatal es la siguiente:

a) Presidente: el titular del Ministerio de Vivienda.

b) Vicepresidente: el titular de la Secretaría General de Vivienda del mismo Ministerio.

c) Vocales: serán vocales del Consejo del Plan Estatal de Vivienda:

1. En representación de la Administración General del Estado:

El Director General de Arquitectura y Política de Vivienda, del Ministerio de Vivienda.

El Director General de Urbanismo y Política de Suelo del Ministerio de Vivienda.

Un representante del Ministerio de Economía y Hacienda, con rango, al menos, de Director General.

Un representante del Ministerio de Administraciones Públicas con rango, al menos, de Director General.

2. En representación de otras Administraciones Públicas:

Un representante de cada una de las Comunidades Autónomas y de las Ciudades de Ceuta y Melilla que decidan incorporarse al Consejo.

Un representante de la asociación de entidades locales de ámbito estatal con mayor implantación.

3. En representación de los agentes económicos y sociales relacionados con el Plan:

Un representante de la Asociación Española de Promotores Públicos de Vivienda y Suelo, y otro de la Asociación de Promotores Constructores de España.

Un representante del sector de cooperativas de viviendas y otro representante de las gestoras de las cooperativas, nombrados por las asociaciones mayoritarias.

Un representante de cada una de las principales organizaciones de las entidades financieras colaboradoras del Plan 2005-2008 (Confederación Española de Cajas de Ahorro, Asociación Española de Banca y Unión Nacional de Cooperativas de Crédito).

Un representante de cada uno de los sindicatos Unión General de Trabajadores (UGT) y Comisiones Obreras (CC.OO.).

El Presidente o un representante de los siguientes órganos: Consejo de la Juventud de España, Consejo Estatal de las Personas mayores, Consejo de Consumidores y Usuarios, Foro para la Integración Social de los Inmigrantes y Consejo de la Discapacidad.

d) El Director General de la Entidad Pública Empresarial de Suelo (SEPES).

e) El Presidente de la Sociedad Pública de Alquiler.

f) Secretario: el Titular de la Dirección General de Arquitectura y Política de Vivienda del Ministerio de Vivienda.

También podrán participar en las tareas del Consejo, ya sea puntualmente o con carácter habitual, con voz pero sin voto, un representante de otras organizaciones sociales que, a juicio de la Presidencia del Consejo, puedan contribuir a los fines del mismo, especialmente cuando se trate de aquellas que hayan participado en la elaboración del Plan 2005-2008.

Igualmente, podrán participar en el Consejo, con voz pero sin voto, expertos en las materias a tratar atendiendo al orden del día fijado, que sean propuestos por sus miembros y aceptados por la Presidencia, valoradas las circunstancias del caso, en atención a las especiales condiciones de experiencia o conocimiento que concurran en ellos.

5.1. Los Registros Públicos de demandantes

La importancia que el Plan concede a los registros públicos de demandantes se percibe desde la propia exposición de motivos, donde se señala como uno de los objetivos políticos de primera magnitud «establecer las condiciones que garanticen a los ciudadanos el acceso a la vivienda en condiciones de igualdad, impulsando la creación de registros públicos de demandantes de vivienda acogida a algún régimen de protección pública y que toda la producción de viviendas protegidas sea adjudicada con criterios de transparencia, publicidad y concurrencia, controlados por la administración pública».

Por tanto, el objetivo declarado de los registros públicos de demandantes de vivienda no es otro que el de que la adjudicación de viviendas protegidas se realice con criterios de transparencia, publicidad y concurrencia, como un mecanismo de lucha contra el fraude, entendiendo que el acceso a una vivienda protegida no es sino un acto de la Administración que supone unos beneficios respecto de quien no accede y que por tanto debe sujetarse a los principios generales de actuación de la Administración cuando lo hace como distribuidora de recursos públicos, también escasos y, por tanto, no universales.

Por ello, el propio glosario de términos que incluye el Real Decreto 2066/2008, de 12 de diciembre, en su Anexo define los registros públicos de demandantes como «sistemas de inscripción obligatoria de los demandantes de viviendas acogidas a este Real Decreto, sea en propiedad o en alquiler, que garanticen la adjudicación de las viviendas protegidas según los principios de igualdad, concurrencia y publicidad, bajo control de la administración pública».

El art. 3 del Real Decreto 2066/2008, de 12 de diciembre, al establecer las condiciones de acceso a las viviendas protegidas y a su financiación, sitúa el requisito de estar inscrito en un registro público en el mismo rango que la prohibición de disponer de una vivienda protegida o libre, de tener unos ingresos mínimos o unos ingresos máximos. Así, el art. 3 dispone que los demandantes de viviendas y financiación deberán reunir una serie de condiciones generales, sin perjuicio de las que puedan establecer adicionalmente las Comunidades Autónomas y Ciudades de Ceuta y Melilla, entre los que se encuentra «estar inscrito en un registro público de demandantes, creado y gestionado de conformidad con lo que disponga la normativa de las Comunidades Autónomas y Ciudades de Ceuta y Melilla sin perjuicio de lo dispuesto en la Disposición Transitoria sexta».

De ello se desprenden las siguientes conclusiones:

1. Se trata de un requisito obligatorio, no disponible por las Comunidades Autónomas y Ciudades de Ceuta y Melilla, que podrán añadir nuevos requisitos, pero en ningún caso eliminar o ignorar los que se establecen en el citado artículo.

2. La existencia por tanto de los registros públicos es obligatoria y absolutamente necesaria para la financiación estatal del Plan de Vivienda.

3. La creación y gestión de los registros es autonómica, y, por tanto, será la normativa autonómica la que establezca el funcionamiento de los mismos, el acceso, la permanencia, la exclusión o la selección de los mismos.

4. Deben estar creados y vigentes en el plazo de un año desde la publicación del Real Decreto 2066/2008, de 12 de diciembre, del Plan de Vivienda y Rehabilitación, esto es, el 24 de diciembre de 2009.

Se dispone en la Disposición Transitoria Sexta que mientras se produce esa regulación, la venta y adjudicación de las viviendas en primera y posteriores transmisiones se regulará por lo que disponga la normativa propia de las Comunidades Autónomas y Ciudades de Ceuta y Melilla que, en todo caso, deberá garantizar los principios de igualdad, publicidad y concurrencia e impedir el fraude en las primeras y posteriores transmisiones.

La importancia de la inscripción es tal que, además, en defecto de regulación por las Comunidades Autónomas y Ciudades de Ceuta y Melilla, el momento de la inscripción es en el que deben cumplirse las condiciones para el acceso la vivienda. Así lo dice el propio art. 3.2:

> «Las condiciones incluidas en el apartado 1 deberán cumplirse en el momento que determine la normativa propia de las Comunidades Autónomas y ciudades de Ceuta y Melilla o, en su defecto, cuando el interesado se inscriba en el registro de demandantes, sin perjuicio de que pueda comprobarse nuevamente en el momento de la adjudicación de la vivienda o de la solicitud de las ayudas».

Por tanto, el momento de la inscripción puede ser el momento en el que deban cumplirse las condiciones referidas al propio demandante de vivienda sobre disposición de otras viviendas, ingresos mínimos y máximos y período en el que no ha percibido otras ayudas para vivienda.

Esta necesidad de inscripción se reitera en el art. 5.1.d), cuando se refiere a las condiciones en cuanto a las viviendas para obtener financiación «la venta y adjudicación de las viviendas solo podrá realizarse a demandantes inscritos en los registros públicos».

La colaboración en la financiación de los mismos es uno de los aspectos a los que se refiere el art. 16 cuando regula los Convenios de colaboración con las Comunidades Autónomas y Ciudades de Ceuta y Melilla. Entre los contenidos que obligatoriamente debe recoger el Convenio se establece la financiación del funcionamiento de los registros públicos de demandantes, para lo cual deberán preverse las subvenciones que se otorgarán por el Ministerio de Vivienda a las Comunidades Autónomas y Ciudades de Ceuta y Melilla. Así, se contemplan en el Eje 6, entre las actuaciones que podrán recibir ayudas junto a otros instrumentos de información y gestión del Plan, la financiación de los registros públicos de demandantes, para lo que se aportarán las subvenciones que se determinen en los propios Convenios de Colaboración.

5.2. Las bases de datos de actuaciones protegidas

La necesidad de ejercer el control por parte de las Administración del Estado de las actuaciones financiadas con cargo al Plan de Vivienda hace que también se regule lo que en el Real Decreto 2066/2008, de 12 de diciembre, se denomina «Base de datos de actuaciones protegidas», que viene a sustituir a lo que el Plan anterior denominaba Registro de Viviendas Protegidas. También en la Disposición Adicional sexta del Real Decreto 801/2005, se establecía que «el titular del Ministerio de Vivienda, mediante Orden, establecerá un Registro de Viviendas Protegidas acogidas a este Plan, en el que se incluirán, al menos, los promotores de las viviendas protegidas de nueva construcción y los beneficiarios de las ayudas económicas directas estatales».

De acuerdo con la Disposición Adicional Sexta del Real Decreto 2066/2008, el Ministerio de Vivienda, mediante Orden, establecerá una

Base de Datos de Actuaciones Protegidas acogidas al Plan, en la que se incluirán, al menos, los promotores de las viviendas protegidas y los beneficiarios de las ayudas financieras desagregados por modalidades de actuaciones protegidas, con el objeto de hacer posible el seguimiento y control del Plan y como fuente de información agregada de las actuaciones que se desarrollan para su ejecución en el conjunto del Estado. El suministro de datos a la base se sujetará a lo que se acuerdo con las Comunidades Autónomas y Ciudades de Ceuta y Melilla mediante convenios de colaboración.

Por ello se incorpora en el art. 16 como uno de los aspectos que deberán incluir los convenios de colaboración entre el Ministerio de Vivienda y las Comunidades Autónomas y Ciudades de Ceuta y Melilla.

En el anterior Plan de Vivienda, lo que en aquel Plan se denominaba Registro de Viviendas Protegidas se reguló por la Orden VIV/3149/2006, de 3 de octubre, por la que se crea y regula el Registro de Viviendas Protegidas, publicada en el *BOE* el 16 de octubre de 2006.

V. LOS ELEMENTOS TEMPORALES DEL PLAN DE VIVIENDA

1. Duración. Entrada en vigor de convenios, aprobación normativa autonómica

Los límites temporales del Plan Estatal de Vivienda y Rehabilitación 2009-2012 se encuentran recogidos en la Disposición Transitoria Quinta del Real Decreto 2066/2008, de 12 de diciembre.

DISPOSICIÓN TRANSITORIA QUINTA. Límites temporales a la concesión de ayudas financieras.

1. Con posterioridad al 31 de diciembre del año 2012, no podrán concederse préstamos a promotores ni préstamos convenidos directos a adquirentes al amparo de este Real Decreto 2066/2008, de 12 de diciembre.

2. Las ayudas económicas directas condicionadas a la previa obtención de préstamo convenido, sólo podrán reconocerse respecto de las actuaciones protegidas reguladas en este Real Decreto 2066/2008, de 12 de diciembre, que hubieran obtenido préstamo convenido hasta el 31

de diciembre del año 2012, siempre que el Ministerio de Vivienda preste su conformidad al mismo. El plazo máximo para solicitar dichas ayudas económicas directas finalizará el 31 de diciembre del año 2016, y podrán ser reconocidas, en su caso, siempre que se refieran a actuaciones que no excedan de la cifra máxima de objetivos acordados para el programa anual correspondiente del Plan Estatal de Vivienda y Rehabilitación 2009-2012.

3. Las subvenciones no condicionadas a la previa obtención de préstamo cualificado, podrán reconocerse, en su caso, si hubieran sido solicitadas hasta el 31 de diciembre del año 2012, siempre que el número de subvenciones reconocidas no exceda de la cifra máxima de objetivos acordados para el programa anual correspondiente del Plan.

4. En el caso de las viviendas protegidas de nueva construcción promovidas sobre suelos cuya financiación haya sido calificada como actuación protegida al amparo de la normativa del Plan, deberán ser, necesariamente, incluidas por las Comunidades Autónomas y Ciudades de Ceuta y Melilla, mediante la correspondiente reserva y con prioridad a otras actuaciones protegidas, entre los objetivos susceptibles de ayudas financieras del Plan, en su caso, que correspondan a dichas Comunidades y Ciudades en el año en que, según la memoria técnico-financiera, esté prevista la calificación definitiva de las viviendas como protegidas.

Las cuantías y condiciones de los préstamos convenidos para la financiación de estas viviendas, así como las ayudas financieras que, en su caso, correspondan, se regirán por la normativa del Plan regulado por este Real Decreto 2066/2008, de 12 de diciembre.

2. Actuaciones entre planes

DISPOSICIÓN TRANSITORIA TERCERA. Inclusión en el Plan de actuaciones calificadas a las que no se haya concedido préstamo convenido.

1. Las actuaciones calificadas provisionalmente como protegidas, que no hubieran obtenido préstamo convenido con anterioridad a la fecha en que se publique en el Boletín Oficial del Estado la Orden a que se refiere el apartado 1 de la Disposición Transitoria Primera, podrán acogerse a este Real Decreto 2066/2008, de 12 de diciembre, durante el año 2009, siempre que sus características se adecuen a las establecidas en el mismo, mediante la oportuna diligencia, en su caso, por parte de las Comunidades Autónomas y Ciudades

de Ceuta y Melilla. En dicha diligencia se expresarán tanto las modalidades y cuantías de ayudas financieras a las que se reconozca el derecho en cada caso como la conversión de los ingresos declarados, cuando ello proceda, a número de veces el Indicador Público de Renta de Efectos Múltiples (IPREM) del año al que se refieren dichos ingresos.

2. Las actuaciones protegidas que se acojan a lo dispuesto en el apartado anterior, se computarán como parte de los objetivos acordados entre el Ministerio de Vivienda y la Comunidad Autónoma correspondiente o las Ciudades de Ceuta y Melilla, en el programa anual en el que obtengan préstamo cualificado, dentro del Plan Estatal de Vivienda y Rehabilitación 2009-2012.

DISPOSICIÓN TRANSITORIA CUARTA. Ayudas financieras para actuaciones derivadas de planes y programas anteriores.

1. A partir de la entrada en vigor de este Real Decreto 2066/2008, de 12 de diciembre, y sin perjuicio de lo establecido en las restantes disposiciones transitorias, el Ministerio de Vivienda no dará conformidad a concesiones de préstamos convenidos, ni admitirá ninguna propuesta o reconocimiento de nuevos derechos a ayudas económicas directas, en aplicación de planes y programas anteriores de vivienda, salvo cuando se haga en cumplimiento de plazos temporales concretos establecidos en la normativa reguladora de dichos planes y programas.

2. La concesión y los beneficios de todos los préstamos directos a adquirentes de viviendas protegidas cuya promoción esté acogida a normativas anteriores, que se otorguen entre la fecha de publicación en el *Boletín Oficial del Estado* de la Orden Ministerial a que se refiere el apartado 1 de la Disposición Transitoria Primera y el 31 de diciembre del año 2012, se ajustarán a lo establecido en este Real Decreto 2066/2008, de 12 de diciembre.

3. Medidas transitorias para hacer frente a la coyuntura económica del sector

El Real Decreto 2066/2008, de 12 de diciembre, recoge unas medidas de carácter excepcional y transitorio para hacer frente a la situación económica en que se encuentra el sector de la vivienda en España.

DISPOSICIÓN TRANSITORIA PRIMERA. Medidas para hacer frente a la coyuntura económica del sector.

1. Hasta el día de la publicación en el *Boletín Oficial del Estado* de una Orden del Ministerio de Vivienda por la que se disponga la aplicación del nuevo sistema de financiación establecido en este Real Decreto 2066/2008, de 12 de diciembre, y se deje sin efectos lo dispuesto en este apartado, se podrán seguir realizando las siguientes actuaciones:

Conceder ayudas financieras a actuaciones de promoción de viviendas protegidas, adquisición de las mismas y de otras viviendas existentes, que hayan obtenido los préstamos a que se refiere la letra b de este apartado; urbanización de suelo, salvo en el caso previsto en la letra c, y subvenciones a inquilinos y para actuaciones de rehabilitación aislada de edificios y viviendas. Las actuaciones deberán haber sido calificadas o visadas, o el derecho a las subvenciones deberá haber sido reconocido, según sea el caso, por las Comunidades Autónomas y Ciudades de Ceuta y Melilla de conformidad con lo dispuesto en el Real Decreto 801/2005, de 1 de julio, del Plan Estatal de Vivienda 2005-2008, modificado por el Real Decreto 14/2008, de 11 de enero. El número de actuaciones protegidas financiadas no podrá exceder el 30% de las cifras de objetivos convenidos, en estas líneas, de los Programas 2007 y 2008 de dicho Plan, salvo las actuaciones de rehabilitación de viviendas y edificios de viviendas existentes con ayudas RENOVE, cuyo límite será el número máximo de actuaciones a financiar previsto por el Plan para el año 2009.

a) conceder préstamos convenidos a promotores y préstamos directos a adquirentes, de conformidad con el citado Real Decreto 801/2005, de 1 de julio, modificado por el Real Decreto 14/2008, de 11 de enero, salvo por lo que se refiere al tipo de interés efectivo aplicable, que se regirá por lo establecido al efecto en este Real Decreto. El plazo máximo para solicitar las ayudas económicas directas condicionadas a la previa obtención de dichos préstamos, siempre que los mismos hayan obtenido la conformidad del Ministerio de Vivienda, finalizará el 31 de diciembre del año 2012.

b) Suscribir acuerdos en las comisiones bilaterales de seguimiento, correspondientes a áreas de rehabilitación integral, áreas de renovación urbana y áreas de urbanización prioritaria de suelo, siempre que el número de actuaciones protegidas financiadas no supere el 30% de las cifras de objetivos convenidos, en estas líneas, de los Programas 2007 y 2008 del Plan Estatal de Vivienda 2005-2008.

Las cuantías de las ayudas financieras para las actuaciones a las que se refiere este apartado serán las establecidas en este Real Decreto 2066/2008, de 12 de diciembre, desde el momento de la entrada en vigor de la normativa de desarrollo de la Comunidad Autónoma y Ciudades de Ceuta y Melilla que se precise para su aplicación.

2. Hasta el 31 de diciembre de 2009, período prorrogable mediante acuerdo del Consejo de Ministros:

a) Los promotores de viviendas libres que hubieran obtenido una licencia de obras previa al 1 de septiembre de 2008, podrán solicitar su calificación como viviendas protegidas, para venta o alquiler, si éstas cumplen las características exigidas por la normativa de las Comunidades Autónomas y Ciudades de Ceuta y Melilla en desarrollo del Plan Estatal bajo cuya vigencia se haya obtenido la licencia, en cuanto a los máximos referentes a superficies, precios por metro cuadrado útil, niveles de ingresos de los adquirentes y plazos mínimos de protección. Si son calificadas por las Comunidades Autónomas y Ciudades de Ceuta y Melilla como viviendas protegidas en alquiler, a 10 o a 25 años, podrán obtener las subvenciones correspondientes a la promoción de vivienda protegida de nueva construcción de esa naturaleza. Y si obtuvieran préstamo convenido, será subsidiado en las mismas condiciones.

b) Sin perjuicio de lo establecido en la letra d del apartado 1 del art. 3 de este Real Decreto 2066/2008, de 12 de diciembre[46], podrán adquirir

---

(46)   Art. 3. Condiciones generales de los demandantes de vivienda y financiación.
1. Los demandantes de viviendas y financiación acogidas a este Real Decreto, deberán reunir las siguientes condiciones generales, sin perjuicio de las que puedan establecer adicionalmente las Comunidades Autónomas y Ciudades de Ceuta y Melilla:
No superar los ingresos familiares máximos establecidos en cada programa de este Real Decreto, respecto a las ayudas financieras estatales, y, en el siguiente cuadro, respecto del tipo de viviendas protegidas:

Tipos de viviendas protegidas para venta, alquiler y alquiler con opción de compra	Ingresos familiares máximos de los adquirentes e inquilinos [en número de veces el Indicador Público de Rentas de Efectos Múltiples (en adelante, IPREM)]
Régimen especial	2,5
Régimen general	4,5
Régimen concertado	6,5

viviendas protegidas calificadas como de régimen concertado aquellos adquirentes con ingresos familiares que no excedan de 7 veces el Indicador Público de Renta de Efectos Múltiples (IPREM).

c) No será aplicable el período mínimo de un año a partir de la expedición de la licencia de primera ocupación, el certificado final de obras o la cédula de habitabilidad, según corresponda, para considerar como adquisición de vivienda usada, a efectos de las ayudas al adquirente, la de una vivienda libre, cuando dichos actos o documentos hubieran sido emitidos con anterioridad al día de publicación de este Real Decreto 2066/2008, de 12 de diciembre, en el *Boletín Oficial del Estado* y la vivienda cumpla las características a que se refiere la letra a de este apartado, salvo la de plazos mínimos de protección, así como el plazo de limitación de precios máximos de venta establecido en el apartado 2 del art. 6[47].

d) Las viviendas a que se refiere la letra anterior podrán ser adquiridas mediante una forma de acceso diferido a la propiedad, en un plazo máximo de 5 años, durante el cual el vendedor de la vivienda podrá cobrar una renta del 5,5% del precio máximo de una vivienda protegida de precio concertado, calificada como tal en la misma ubicación y el mismo día en que se vise el contrato de compraventa. El precio máximo de venta de la vivienda, transcurrido el período de 5 años, será de 1,18 veces el citado precio máximo tomado como referencia para el cálculo de la renta máxima. Al menos el 30% de los alquileres satisfechos se descontarán, sin actualizaciones, del precio a hacer efectivo en el momento de la compra de la vivienda.

e) Las cuantías de las subvenciones a la promoción de viviendas protegidas para alquiler, así como las correspondientes a áreas de urbanización prioritaria (AUP) que obtengan préstamo convenido con la conformidad

---

(47) Art. 6. Duración del régimen de protección de las viviendas y alojamientos protegidos y limitación del precio de las viviendas usadas.
2. La ayuda para la adquisición protegida de las viviendas usadas conllevará la limitación de sus precios máximos de venta en las sucesivas transmisiones, durante el período que establezcan las Comunidades Autónomas y Ciudades de Ceuta y Melilla, que no podrá ser inferior a 15 años desde la fecha de adquisición, o a la duración del préstamo convenido, si fuera superior.

del Ministerio de Vivienda, y se acuerden en dicho plazo, se incrementarán en un 20%.

f) El período de tres anualidades antes de poder proceder a una interrupción del período de amortización, a que se refiere el apartado 5 del art. 42[48], se reducirá a una anualidad para aquellos préstamos directos concedidos durante 2009 con la conformidad del Ministerio de Vivienda, así como para los prestatarios subrogados en préstamos concedidos, con la misma conformidad, a promotores de viviendas protegidas para venta durante el mismo año.

3. Si fuera necesario, a los efectos de los apartados anteriores, el Ministerio de Vivienda podrá ampliar las cifras máximas de préstamos convenidos a conceder por las entidades de crédito colaboradoras, establecidas para los Programas 2007 y 2008 del Plan Estatal de Vivienda 2005-2008, sin superar, junto con los préstamos convenidos concedidos en el resto del Plan, el máximo global autorizado por el Consejo de Ministros en el apartado tercero de su Acuerdo de 29 de julio de 2005.

4. Las actuaciones protegidas que se acojan a lo establecido en esta disposición transitoria se computarán como parte de los objetivos que se acuerden en el Programa 2009 del Plan Estatal de Vivienda y Rehabilitación 2009-2012 en los convenios de colaboración establecidos entre el Ministerio de Vivienda y las Comunidades Autónomas y Ciudades de Ceuta y Melilla.

La Orden Ministerial fue publicada con fecha 5 de octubre de 2009 (*BOE* 240) que transcribimos en su integridad por su brevedad y claridad:

La Disposición transitoria primera del Real Decreto 2066/2008, de 12 de diciembre, por el que se regula el Plan Estatal de Vivienda y Rehabilitación 2009-2012, dispone en su apartado 1 que hasta el día de la publicación en el *Boletín Oficial del Estado* de una Orden del Ministerio de Vivienda por la que se disponga la aplicación del nuevo sistema de financiación

---

(48)   Art. 42. Préstamos convenidos a los adquirentes.
   5. Los adquirentes en primer acceso a una vivienda en propiedad podrán ampliar el plazo de amortización de sus préstamos convenidos hasta un máximo de tres años, de acuerdo con la entidad de crédito, en caso de encontrarse en situación de desempleo que pudiera motivar la interrupción temporal en el pago de la cuota correspondiente.

establecido en este Real Decreto, y se deje sin efecto lo dispuesto en este apartado, se podrán seguir realizando las actuaciones que se concretan en el mismo.

Suscritos ya los convenios de colaboración con Comunidades autónomas y ciudades de Ceuta y Melilla (CC.AA.), así como con las entidades de crédito colaboradoras, procede aplicar el nuevo sistema de financiación, mediante la presente Orden, dejando sin efecto lo previsto en el referido apartado 1 de la citada Disposición transitoria, en relación con las actuaciones que hasta dicho momento podían seguir realizándose.

En su virtud, dispongo:

Artículo único. Aplicación del nuevo sistema de financiación del Plan Estatal de Vivienda y Rehabilitación 2009-2012.

1. Se dispone la aplicación del sistema de financiación establecido en el *Real Decreto 2066/2008, de 12 de diciembre, por el que se regula el Plan Estatal de Vivienda y Rehabilitación 2009-2012*, el día de la publicación de la presente Orden.

2. Se deja sin efecto, el día de la publicación de la presente Orden, la previsión contenida en el apartado 1 de la disposición transitoria primera del Real Decreto 2066/2008, en relación con las actuaciones que hasta dicho momento podían seguir realizándose.

DISPOSICIÓN FINAL ÚNICA. *Entrada en vigor.*

Esta Orden entrará en vigor el día de su publicación en el *Boletín Oficial del Estado.*

Madrid, 28 de septiembre de 2009.

VI. ADQUISICIÓN Y URBANIZACIÓN DE SUELO PARA VIVIENDA PROTEGIDA

1. Objetivos

Las ayudas para adquisición y urbanización de suelo para viviendas protegidas se recogen en el Eje 5, y por tanto es una de las actuaciones protegidas que se recogen en el art. 2 del Real Decreto 2066/2008, de 12 de diciembre, por el que se regula el Plan Estatal de Vivienda y Rehabilitación 2009-2012.

Son actuaciones protegidas en cuanto a urbanización y, en su caso, adquisición de suelo, aquellas que vayan dirigidas a la urbanización y adquisición de suelo para su inmediata edificación y destinado mayoritariamente a la promoción de viviendas protegidas en el marco del Real Decreto o según normativa propia de las Comunidades Autónomas y Ciudades de Ceuta y Melilla, siempre que cumplan los requisitos exigidos a aquéllas por lo que se refiere a superficie útil máxima, precio máximo de venta por metro cuadrado de superficie útil, niveles máximos de ingresos de los adquirentes y período mínimos de calificación de las viviendas.

Por tanto, de acuerdo con la anterior definición:

1. Las operaciones que se incluyen entre las actuaciones protegidas de este Eje 5 son:

a) La urbanización de suelo.

b) La adquisición onerosa de suelo, cuando se realice en las Áreas de Urbanización Prioritaria, siempre que no se haya adquirido antes de que se soliciten las ayudas.

Respecto de las operaciones de urbanización, de acuerdo con el art. 14.1.a) de la Ley de Suelo, cuando nos referimos a las de nueva urbanización, son aquellas que suponen el paso de un ámbito de suelo de la situación de suelo rural a la de urbanizado para crear, junto con las correspondientes infraestructuras y dotaciones públicas, una o más parcelas aptas para la edificación o uso independiente y conectadas funcionalmente con la red de los servicios exigidos por la ordenación territorial y urbanística.

2. La urbanización de suelo se realiza para su inmediata edificación, de acuerdo con los plazos que en el propio Real Decreto 2066/2008, de 12 de diciembre, se establecen. No es posible urbanizar un suelo y que no se edifique en el plazo de tiempo establecido, puesto que en este caso deberán devolverse las cantidades ingresadas como subvención por urbanización o adquisición de suelo.

3. El destino debe ser mayoritario para la construcción de viviendas protegidas. Conforme al apartado 2 del art. 64, al menos el 50% de la

edificabilidad residencial de la unidad de actuación deberá destinarse a vivienda protegida.

4. Las viviendas protegidas deben estar calificadas como tales por el propio Plan estatal de Vivienda, cumpliendo por tanto todos y cada uno de los requisitos establecidos o, en su defecto, deberán ser calificadas como protegidas de acuerdo con la normativa autonómica siempre que cumplan los requisitos exigidos a las viviendas protegidas conforme al Plan Estatal por lo que se refiere a superficie útil máxima, precio máximo de venta por metro cuadrado de superficie útil, niveles máximos de ingresos de los adquirentes y período mínimos de calificación de las viviendas. Si faltara cualquiera de estos requisitos en las viviendas protegidas, las viviendas a los efectos de la actuación serán consideradas como no protegidas y no computarán para obtener los porcentajes necesarios para su consideración como urbanización protegida normal o prioritaria.

5. Como requisito procedimental, conforme al art. 17, para que se produzca la financiación de la actuación protegida debe ser acordada en el ámbito de la Comisión Bilateral con la participación del Ayuntamiento en cuyo término municipal se encuentre la actuación.

2. Clases (Áreas de Urbanización y Áreas de Urbanización Prioritarias)

De acuerdo con lo dispuesto en el art. 64 podemos distinguir tres tipos de áreas de urbanización:

1. Áreas de Urbanización Genéricas: Son aquellas en las que la edificabilidad residencial para viviendas protegidas se sitúa entre el 50% y el 75%.

2. Áreas de Urbanización Prioritarias: Son aquellas en las que la edificabilidad residencial para viviendas protegidas es mayor al 75%.

3. Áreas de Urbanización Prioritarias de patrimonios públicos: Cuando el suelo forme parte de patrimonios públicos de suelo, se considerará que dicho suelo constituye un Área de Urbanización Prioritaria (AUP) cuando al menos el 50% de la edificabilidad residencial total se destine a viviendas protegidas para alquiler, o a viviendas calificadas como protegidas de régimen especial o de promoción pública. Esta afectación del suelo a dichas finalidades deberá inscribirse registralmente. Por tanto, en el caso de la

urbanización en patrimonios públicos de suelo, la exigencia de una mayor edificabilidad se elimina siempre que las viviendas protegidas sean destinadas a alquiler, a viviendas protegidas de régimen especial o a viviendas de promoción pública. Esta menor exigencia viene justificada por el destino de las viviendas protegidas a aquellas figuras con un menor beneficio, además de asegurar un menor agrupamiento de viviendas protegidas destinadas a colectivos más desfavorecidos.

La calificación como una de estas clases de áreas de urbanización otorga diferentes ayudas públicas siendo también diferente el procedimiento de aprobación.

3. Requisitos

Los requisitos que se establecen para la financiación de las actuaciones de urbanización y adquisición de suelo son los siguientes:

a) **Respecto de la propiedad del suelo,** se debe acreditar que se tiene previamente la propiedad del suelo o bien una opción de compra, un derecho de superficie o un concierto formalizado con quien ostente la titularidad del suelo o cualquier otro título o derecho que conceda facultades para efectuar la urbanización. El momento en el que se debe poseer este requisito y, por tanto, alguna de las acreditaciones de disponibilidad del suelo consideradas es previamente a la solicitud de las ayudas. Debe tenerse en cuenta que para optar a las ayudas para adquisición de suelo en el caso de Áreas de Urbanización Prioritarias, no puede haberse adquirido el suelo previamente a la solicitud, por lo que en este caso deberemos entender que existe algún tipo de opción de compra o contrato de reserva.

b) **Requisito de edificabilidad inmediata.** Para ello debe suscribirse el compromiso de iniciar, dentro del plazo máximo de 3 años, por sí, o mediante concierto con promotores de viviendas, la construcción de, al menos, un 30% de las viviendas protegidas de nueva construcción. El cómputo del plazo se iniciará a partir de la conformidad del Ministerio de Vivienda a la concesión de la subvención, salvo que el planeamiento vigente o la legislación urbanística aplicable establezcan otro plazo diferente.

c) **Memoria de viabilidad técnica financiera y urbanística.** Deberá adjuntarse a la solicitud de financiación una memoria de viabilidad técnico-financiera y urbanística del proyecto, en la que se especificará la aptitud del suelo objeto de actuación para los fines perseguidos, los costes de la actuación protegida, la edificabilidad residencial, y el número de viviendas a construir, ya sean libres o protegidas, según tipología y otras características que puedan dar lugar a la obtención de las subvenciones establecidas en esta materia. Asimismo, la memoria deberá contener la programación temporal pormenorizada de la urbanización y edificación, el precio de venta de las viviendas protegidas y demás usos previstos del suelo, el desarrollo financiero de la operación, así como los criterios de sostenibilidad que se aplicarán a la urbanización.

d) **No haber obtenido el préstamo convenido, ni haber recibido previamente cualquier tipo de ayudas financieras con cargo a otros Planes.** No se podrá obtener financiación para las actuaciones en materia de suelo cuando la solicitud de las mismas sea presentada con posterioridad a la obtención del préstamo convenido correspondiente a las viviendas protegidas de nueva construcción a edificar en dicho suelo. En definitiva, que las viviendas protegidas no hayan solicitado y obtenido la financiación, al objeto de asegurar que el proceso de solicitud y financiación se realiza de acuerdo a la ejecución de las obras. Obviamente, tampoco podrán obtenerse ayudas financieras cuando la unidad de ejecución, o parte de la misma, ya las hubiera recibido, incluso en el marco de planes estatales anteriores.

e) **Inscripción de la afectación del suelo en el registro de la Propiedad.** Deberá inscribirse en el Registro de la Propiedad la afectación del suelo objeto de financiación a la finalidad establecida, por lo que se refiere a número de viviendas protegidas previstas, incluyendo sus tipologías y otras características que puedan dar lugar a la obtención de las subvenciones establecidas.

f) **Formalización de Acuerdo de Colaboración.** Como requisito específico para las Áreas de Urbanización Prioritarias, para poder acogerse a la financiación correspondiente a las Áreas de Urbanización Prioritarias será necesario que se formalice un acuerdo de colaboración, en el marco de las comisiones bilaterales de seguimiento, con la participación del Ayuntamiento en cuyo término municipal se ubique la actuación de urbanización.

En este acuerdo, se incluirá el número de objetivos en cuanto a viviendas protegidas que se financien y el volumen de recursos estatales convenidos y se concretarán las condiciones de financiación y, en su caso, los compromisos y aportaciones financieras de la Comunidad Autónoma y del municipio correspondiente, así como el sistema de seguimiento y evaluación de las actuaciones acordadas.

4. Financiación

Los promotores de las actuaciones protegidas de urbanización y adquisición de suelo para vivienda protegida podrán obtener las siguientes ayudas:

4.1. Préstamos convenidos

Además de las condiciones generales de los préstamos convenidos establecidas en el art. 12 del Real Decreto 2066/2008, de 12 de diciembre, las condiciones específicas de los préstamos convenidos para la urbanización y adquisición de suelo son las siguientes:

1. La cuantía del préstamo convenido no podrá exceder del producto de la superficie edificable, según figure en la memoria de viabilidad técnico-financiera del proyecto, multiplicada por el 20% del Módulo Básico Estatal vigente en el momento de la calificación de la actuación como protegida, y sin exceder del coste total de la actuación.

2. La suma de los períodos de amortización y, en su caso, de carencia, que será como máximo de 2 años, no podrá superar los 4 años.

3. No será necesaria garantía hipotecaria, salvo que la entidad de crédito colaboradora lo considere necesario. Si el préstamo tuviera garantía hipotecaria, quedará vencido anticipadamente en el supuesto de que antes de concluir los plazos determinados en el párrafo b), el prestatario transmitiera a título oneroso el suelo objeto de la financiación, salvo que el adquirente de dicho suelo se subrogara en dicho préstamo.

4. El préstamo concedido a una actuación de suelo vencerá anticipadamente cuando se obtuviera un nuevo préstamo para financiar la promoción de viviendas que acometa el prestatario por sí mismo o mediante concierto con un promotor.

La escritura de préstamo para suelo podrá prever que si el promotor de suelo, antes de haber concluido el plazo de amortización del préstamo correspondiente, obtiene la calificación provisional de viviendas protegidas, podrá adaptar las características de dicho préstamo a las del préstamo a promotores de viviendas protegidas de nueva construcción, y por una cuantía máxima que no exceda de la establecida para estas viviendas.

4.2. Subvenciones

Además del acceso al préstamo protegido, el promotor podrá acceder a las ayudas económicas establecidas. El Ministerio de Vivienda subvencionará al promotor, por cada vivienda protegida a construir en la Unidad de Actuación, en función de:

1. El porcentaje de edificabilidad residencial destinado a viviendas protegidas.

2. El porcentaje previsto de viviendas protegidas que van a ser calificadas para alquiler o viviendas protegidas de régimen especial, dentro del conjunto de las viviendas protegidas, en los grupos siguientes:

Grupo 1, cuando se destine un porcentaje de viviendas superior al 40%.

Grupo 2, cuando se destine un porcentaje de viviendas entre el 20% y el 40%.

Grupo 3, cuando se destine un porcentaje de viviendas inferior al 20%.

3. La adquisición onerosa, del suelo, en su caso.

4. La ubicación del suelo en alguno de los Ámbitos Territoriales de Precio Máximo Superior.

Porcentaje de edificabilidad residencial para viviendas protegidas	Subvención general (€/ vivienda protegida)	Subvención adicional en ATPMS (€/ vivienda protegida)			Subvención adicional por vivienda protegida destinada a alquiler y/o a régimen especial (€/vivienda protegida)		
		A	B	C	Grupo 1	Grupo 2	Grupo 3
> 50% 75%							
> 75% (AUP)	700	300	235	115			

Porcentaje de edificabilidad residencial para viviendas protegidas	Subvención general (€/ vivienda protegida)	Subvención adicional en ATPMS (€/ vivienda protegida)			Subvención adicional por vivienda protegida destinada a alquiler y/o a régimen especial (€/vivienda protegida)		
Sin adquisición de suelo	1.700	700	470	225	1.700	1.500	300
Con adquisición de suelo	2.000						

Dichas subvenciones tendrán las siguientes cuantías máximas:

El abono de las subvenciones concedidas se realizará conforme a lo que determine el acuerdo de colaboración, en función del grado de desarrollo y justificación de la inversión y de las disponibilidades presupuestarias del Ministerio de Vivienda.

Cuando la programación temporal inicialmente establecida se modifique sin que las Comunidades Autónomas y Ciudades de Ceuta y Melilla lo hayan autorizado en el marco del convenio suscrito con el Ministerio de Vivienda, o cuando los retrasos en el cumplimiento de dicha programación, salvo causa justificada, pongan de manifiesto el incumplimiento del plazo máximo de construcción de viviendas protegidas establecido en el art. 65.1.b)[49], será de aplicación lo establecido en el Real Decreto 2066/2008, de 12 de diciembre, respecto a su incumplimiento.

5. SEPES. El operador público de suelo

Se establece en la norma reguladora del Plan Estatal de Vivienda y Rehabilitación una referencia al papel de un agente adscrito al Mi-

---

(49) El art. 65.1.b) señala lo siguiente: «suscribir el compromiso de iniciar, dentro del plazo máximo de 3 años, por sí, o mediante concierto con promotores de viviendas, la construcción de, al menos, un 30 por ciento de las viviendas protegidas de nueva construcción. El cómputo del plazo se iniciará a partir de la conformidad del Ministerio de Vivienda a la concesión de la subvención a la que se refiere el artículo siguiente, salvo que el planeamiento vigente o la legislación urbanística aplicable establezcan otro plazo diferente».

nisterio de Vivienda, como Entidad Pública Empresarial, a quien se le encarga el desarrollo de actuaciones urbanizadoras de suelo residencial e industrial.

De acuerdo con la norma y en función de sus propios Estatutos, la Entidad Pública Empresarial de Suelo (SEPES) podrá colaborar con el Ministerio de vivienda para:

a) La promoción de suelo urbano para uso residencial y otros usos compatibles.

b) La adquisición, por cualquier título, de terrenos destinados a la formación de reservas de suelo, preparación de solares o cualquier otra finalidad análoga.

c) La ejecución de planes y proyectos de urbanización, la creación de infraestructuras urbanísticas y las actuaciones protegidas en materia de vivienda que le encomienden las Administraciones competentes.

No se trata de una disposición innovadora, puesto que las opciones que se otorgan están incluidas dentro de sus Estatutos y normativa reguladora, sino es más bien la concesión de una autorización genérica al Ministerio de Vivienda, otorgándole además un papel activo en la ejecución del Plan de Vivienda a SEPES, que se refrenda con su incorporación al Consejo Estatal del Plan de Vivienda y Rehabilitación.

VII. LAS VIVIENDAS PROTEGIDAS PARA ALQUILER

1. Tipología

Podrán ser calificadas como viviendas protegidas para el arrendamiento, siguiendo el art. 22 del Real Decreto 2066/2008, de 12 de diciembre, las viviendas de nueva construcción o procedentes de la rehabilitación, y destinadas a alquiler que, según la normativa propia de las Comunidades Autónomas y Ciudades de Ceuta y Melilla, cumplan las condiciones a que se refiere el Título I del Real Decreto 2066/2008, de 12 de diciembre, y las específicas que sean de aplicación para cada uno de los regímenes que se establecen a continuación:

1. Régimen especial: Viviendas destinadas a inquilinos con ingresos familiares que no excedan de 2,5 veces el Indicador Público de Renta de Efectos Múltiples (IPREM), y cuyo precio máximo de referencia, por metro cuadrado de superficie útil computable a efectos de financiación, será de 1,50 veces el Módulo Básico Estatal (MBE).

2. Régimen general: Viviendas destinadas a inquilinos con ingresos familiares que no excedan de 4,5 veces el Indicador Público de Renta de Efectos Múltiples (IPREM), y cuyo precio máximo de referencia, por metro cuadrado de superficie útil computable a efectos de financiación será de 1,60 veces el Módulo Básico Estatal (MBE).

3. Régimen concertado: Viviendas destinadas a inquilinos con ingresos familiares que no excedan de 6,5 veces el Indicador Público de Renta de Efectos Múltiples (IPREM), y cuyo precio máximo de referencia, por metro cuadrado de superficie útil computable a efectos de financiación será de 1,80 veces el Módulo Básico Estatal (MBE).

Estos precios máximos se incrementarán en el porcentaje que corresponda si la vivienda se ubica en un ATPMS, según el régimen de protección al que pertenezcan.

Si la vivienda tuviera garaje o anejo, trastero y superficie adicional computable, para determinar su precio máximo de referencia se estará a lo dispuesto en los apartados 2 y 3 del art. 10[50].

---

(50)   Art. 10. Precios máximos de las viviendas protegidas.
2. Estos precios máximos estarán referidos a la superficie útil total de la vivienda, y podrán incluir el de un garaje o anejo y el de un trastero. Las superficies útiles computables serán, como máximo, de 25 m² para los garajes o anejos, y de 8 m² para los trasteros, con independencia de que las superficies reales fueran superiores. El precio máximo del metro cuadrado de superficie útil computable será del 60% del correspondiente al metro cuadrado útil de la vivienda.
3. El precio máximo total de venta o de referencia para las viviendas en alquiler, podrá incluir, además, la superficie adicional computable a que se refiere el apartado 4 del art. 8, que señala: «4. No obstante lo dispuesto en el apartado anterior, cuando la superficie útil no exceda de 45 m², podrá computarse, a efectos de financiación, una superficie útil adicional de hasta el 30% de dicha superficie útil, destinada a servicios comunitarios vinculados a dichas viviendas en los términos que establezca la normativa propia de las comunidades autónomas y ciudades de Ceuta y Melilla, con independencia de que la superficie real fuera superior».
El precio máximo del metro cuadrado de superficie útil computable será el mismo que el correspondiente a la vivienda.

Las viviendas protegidas a que se refiere este art. 22 podrán ser edificadas sobre suelos cedidos en derecho de superficie, en las condiciones establecidas por la normativa de las Comunidades Autónomas y Ciudades de Ceuta y Melilla.

2. Duración del régimen de alquiler

La duración mínima del alquiler de las viviendas a que se refiere este programa será de 10 o de 25 años contados desde su calificación definitiva.

3. Determinación de las rentas máximas

La renta máxima anual, por metro cuadrado de superficie útil, será el 4,5% o el 5,5% del precio máximo de referencia de la vivienda protegida en alquiler de que se trate, según la duración del contrato de alquiler sea de 25 o 10 años, respectivamente. Dicha renta máxima habrá de figurar en la calificación provisional de la vivienda.

La renta establecida deberá figurar en el visado del contrato de alquiler, expedido por las Comunidades Autónomas y Ciudades de Ceuta y Melilla, y podrá actualizarse anualmente en función de la evolución del Índice Nacional General del Sistema de Índices de Precios al Consumo.

No ser titulares del pleno dominio o de un derecho real de uso o de disfrute sobre alguna vivienda sujeta a protección pública en España, salvo que la vivienda resulte sobrevenidamente inadecuada para sus circunstancias personales o familiares, y siempre que se garantice que no poseen simultáneamente más de una vivienda protegida. Tampoco podrán ser titulares de una vivienda libre, salvo que hayan sido privados de su uso por causas no imputables a los interesados, o cuando el valor de la vivienda, o del derecho del interesado sobre la misma, determinado de acuerdo con la normativa del Impuesto sobre Transmisiones Patrimoniales, exceda del 40% del precio de la vivienda que se pretende adquirir. Este valor se elevará al 60% en los supuestos a los que se refieren las letras d, e, f, h, i, j y k, del apartado 2 del *art. 1*. Si la normativa propia de las Comunidades Autónomas y Ciudades de Ceuta y Melilla así lo dispone, los demandantes habrán de aportar una certificación catastral descriptiva y gráfica de que no reúnen la condición de titulares de inmuebles en todo el territorio de régimen común. Estar inscrito en un registro público de demandantes, creado y gestionado de conformidad con lo que disponga la normativa de las Comunidades Autónomas y Ciudades de Ceuta y Melilla sin perjuicio de lo dispuesto en la *Disposición Transitoria sexta*.

Además de la renta correspondiente, el arrendador podrá repercutir al inquilino los gastos que permita la Ley de Arrendamientos Urbanos (LAU).

4. Financiación

4.1. Préstamos convenidos

Los promotores de viviendas de nueva construcción para alquiler a 10 años, calificadas provisionalmente como protegidas, podrán obtener préstamos convenidos que, además de las características generales establecidas en el art. 12 del Real Decreto 2066/2008, de 12 de diciembre, reunirán las siguientes condiciones:

a) La cuantía máxima del préstamo será del 80% del precio máximo de referencia que corresponda, calculado a partir de la superficie útil computable a efectos de financiación.

b) El plazo de amortización de los préstamos será como mínimo de 10 años.

c) El período de carencia en el pago de intereses de los préstamos convenidos finalizará en la fecha de la calificación definitiva de la vivienda, y, como máximo, a los cuatros años desde la formalización del préstamo. Este período podrá prorrogarse hasta un total de 10 años con la autorización de la Comunidad Autónoma y Ciudades de Ceuta y Melilla y el acuerdo de la entidad de crédito colaboradora.

Los promotores de viviendas de nueva construcción para alquiler a 25 años, calificadas provisionalmente como protegidas, podrán obtener préstamos convenidos que, además de las características generales establecidas en el art. 12 del Real Decreto 2066/2008, de 12 de diciembre, reunirán las siguientes condiciones:

1. La cuantía máxima del préstamo será del 80% del precio máximo de referencia que corresponda, calculado a partir de la superficie útil computable a efectos de financiación.

2. El plazo de amortización de los préstamos será como mínimo de 25 años.

3. El período de carencia en el pago de intereses de los préstamos convenidos finalizará en la fecha de la calificación definitiva de la vivienda, y, como máximo, a los cuatros años desde la formalización del préstamo. Este período podrá prorrogarse hasta un total de 10 años con la autorización de la Comunidad Autónoma y Ciudades de Ceuta y Melilla (en adelante, CA) y el acuerdo de la entidad de crédito colaboradora.

4.2. Subsidiaciones

La subsidiación de los préstamos convenidos destinados a la promoción de viviendas protegidas para alquiler a 10 años se extenderá a toda la vida del préstamo, incluyendo el período de carencia, sin exceder de 10 años en el período de amortización, y responderá al siguiente baremo:

	Viviendas de régimen especial	Viviendas de régimen general	Viviendas de régimen concertado
Duración máxima de la subsidiación (años)	10	10	10
Cuantía de la subsidiación (euros/año/10.000 euros de préstamo)	350	250	100

La subsidiación de los préstamos convenidos destinados a la promoción de viviendas protegidas para alquiler a 25 años se extenderá a toda la vida del préstamo, incluido el período de carencia, sin exceder de 25 años, y se sujetará al siguiente baremo:

	Viviendas de régimen especial	Viviendas de régimen general	Viviendas de régimen concertado
Duración máxima de la subsidiación (años)	25	25	25

	Viviendas de régimen especial	Viviendas de régimen general	Viviendas de régimen concertado
Cuantía de la subsidiación (euros/año/10.000 euros de préstamo)	350	250	100

4.3. Subvenciones

Los promotores de viviendas de régimen especial y general que hayan obtenido préstamo convenido, podrán obtener una subvención, con las siguientes cuantías, que podrán incrementarse cuando las viviendas se ubiquen en un ATPMS:

Cuantía general (euros/m² útil)	Viviendas de régimen especial	Viviendas de régimen general
	250	200
Cuantías adicionales por ubicación de la vivienda en un ATPMS (euros/m² útil)	Grupo A	60
	Grupo B	30
	Grupo C	15

Los promotores de viviendas de régimen especial y general que hayan obtenido préstamo convenido, podrán obtener una subvención, con las siguientes cuantías, que podrán incrementarse cuando las viviendas se ubiquen en un ATPMS:

Cuantía general (euros/m² útil)		Viviendas de régimen especial	Viviendas de régimen general
		350	250
Cuantías adicionales por ubicación de la vivienda en un ATPMS (euros/m² útil)	Grupo A	60	
	Grupo B	30	
	Grupo C	15	

4.4. Ayudas a la eficiencia energética

4.4.1. Objeto

Se regulan en este programa incluido en el Eje 4, las ayudas dirigidas a fomentar la eficiencia energética en la promoción de viviendas, más allá de los requisitos obligatorios establecidos por el Código Técnico de la Edificación.

A través de él, recibirán una subvención los promotores de viviendas calificadas como protegidas cuyos proyectos obtengan una calificación energética de la clase A, B o C, según lo establecido en el Real Decreto 47/2007, de 19 de enero, por el que se aprueba el procedimiento básico para la certificación de eficiencia energética de edificios de nueva construcción.

Se incluyen en el programa las viviendas de nueva construcción que se construyan en Áreas de Rehabilitación Integral y en las Áreas de Renovación Urbanas.

4.4.2. Subvención

La subvención que podrán recibir será la siguiente, en función de los niveles de calificación energética que le corresponda:

Subvención (euros/vivienda)	Niveles de calificación energética		
	A	B	C
	3.500	2.800	2.000

Estas ayudas son incompatibles, siempre que se dirijan a la misma finalidad, con las correspondientes al Plan de Acción de Ahorro y Eficiencia Energética para el período 2008-2012, y al Plan de Energías Renovables 2005-2010, del Instituto para la Diversificación y Ahorro de la Energía (IDAE).

5. La venta de las viviendas promovidas para alquiler

Una vez transcurridos 25 años desde su calificación definitiva, y mientras continúen siendo protegidas, las viviendas de esta modalidad podrán venderse al precio máximo que corresponda a una vivienda protegida del mismo tipo y en la misma ubicación, calificada provisionalmente en el momento de la venta, y en las condiciones que establezcan las Comunidades Autónomas y Ciudades de Ceuta y Melilla.

Una vez transcurridos 10 años desde la calificación definitiva, y mientras continúen siendo protegidas, las viviendas de esta modalidad podrán venderse a un precio de hasta 1,5 veces el precio máximo de referencia establecido en la calificación provisional de la misma, y en las condiciones que establezcan las Comunidades Autónomas y Ciudades de Ceuta y Melilla.

Si el plazo de tenencia en régimen de alquiler hubiera de prolongarse por encima de 10 años, por exigencia de la legislación de arrendamientos urbanos, dicho precio máximo podrá actualizarse anualmente, a partir de ese momento, en función del IPC.

5.1. *Las viviendas protegidas para alquiler con opción de compra*

Las viviendas protegidas para alquiler a 10 años podrán ser objeto de un contrato de alquiler con opción de compra, en cuyo caso el inquilino podrá adquirirla a un precio de hasta 1,7 veces el precio máximo de referencia establecido en la calificación provisional. Del precio de venta se deducirá, en concepto de pagos parciales adelantados, al menos el 30% de la suma de los alquileres satisfechos por el inquilino, en las condiciones que establezcan las Comunidades Autónomas y Ciudades de Ceuta y Melilla.

Las cuantías máximas de las rentas establecidas en el Real Decreto 2066/2008, de 12 de diciembre, no incluyen la tributación indirecta que recaiga sobre las mismas, en su caso.

6. La gestión de las viviendas en alquiler

Los propietarios de viviendas protegidas para alquiler podrán ceder su gestión a organismos públicos, entidades sin ánimo de lucro o sociedades cuyo objeto social incluya expresamente el alquiler de viviendas, con la obligación, por parte de los gestores, de atenerse a las condiciones, compromisos, plazos y rentas máximas establecidas en el Real Decreto 2066/2008, de 12 de diciembre.

Los propietarios de viviendas protegidas para alquiler podrán enajenarlas por promociones completas a cualquiera de las personas a las que se refiere el apartado anterior. También podrán enajenar viviendas aisladas, cuando los adquirentes sean organismos públicos, empresas públicas o entidades sin ánimo de lucro.

Las enajenaciones podrán efectuarse en cualquier momento, sin sujeción a los precios máximos de referencia que correspondan, previa autorización de las Comunidades Autónomas y Ciudades de Ceuta y Melilla.

Los nuevos propietarios deberán cumplir las obligaciones inherentes a la calificación definitiva de las viviendas, y atenerse a las condiciones, compromisos, plazos y rentas máximas establecidos en el Real Decreto 2066/2008, de 12 de diciembre, subrogándose en los derechos y obligaciones de los transmitentes, y pudiendo subrogarse, total o parcialmente, en las ayudas financieras que éstos hubieran obtenido. Los antiguos propietarios a que se refiere este apartado podrán conservar la gestión de las viviendas o promociones enajenadas.

La recalificación de promociones completas de viviendas protegidas para venta como viviendas protegidas para alquiler, conllevará, para las viviendas, la adopción del régimen y condiciones propias de este uso, y para el propietario, la asunción de las obligaciones y responsabilidades propias de este régimen, así como la financiación correspondiente, incluyendo la subvención y subsidiación del préstamo convenido para el período de carencia restante desde la recalificación, y la subsidiación que corresponda durante el período de amortización.

La entidad de crédito colaboradora concedente del préstamo practicará la liquidación pertinente de los subsidios y la novación del mismo, para adaptarlo a las características de la nueva actuación protegida.

La recalificación de promociones completas de viviendas protegidas para alquiler como viviendas protegidas para venta, antes de su calificación definitiva, conllevará, para las viviendas, la adopción del régimen y condiciones propias de este uso, y para el propietario, la interrupción de las ayudas financieras y la devolución de las recibidas hasta la recalificación, actualizadas con los intereses de demora que correspondan.

La entidad de crédito colaboradora practicará la novación del préstamo convenido, para adaptarlo a las características de la nueva actuación protegida.

7. La cofinanciación de las viviendas de promoción pública destinadas al alquiler

Con el fin de incrementar el parque de viviendas públicas para alquiler, el Ministerio de Vivienda podrá cofinanciar, con la Comunidad Autónoma y Ciudades de Ceuta y Melilla que corresponda, la promoción pública de viviendas destinadas a este régimen, con las siguientes condiciones:

— Que se califiquen como viviendas de protección oficial de promoción pública.

— Que las viviendas estén vinculadas al régimen de alquiler protegido durante toda su vida útil y, al menos, por un plazo de 25 años.

— Que la superficie útil máxima de las viviendas no exceda de 90 m².

— Que los ingresos familiares máximos de los inquilinos y las rentas máximas aplicables, no excedan de los correspondientes a las viviendas protegidas para alquiler de régimen especial.

— La cuantía máxima de la subvención será del 30% del coste computable de edificación de las viviendas que, a estos efectos, no podrá exceder por metro cuadrado de superficie útil de 1,25 veces el Módulo Básico Estatal.

— El porcentaje de financiación a cargo de cada administración se establecerá mediante acuerdo en la correspondiente comisión bilateral de seguimiento del Plan.

8. El programa de promoción de alojamientos protegidos para colectivos especialmente vulnerables y otros colectivos específicos

8.1. Características básicas y superficie

El art. 35 del Real Decreto 2066/2008, de 12 de diciembre, señala que los alojamientos protegidos para colectivos especialmente vulnerables se han de destinar a albergar personas incluidas en algunos de los colectivos con derecho a protección preferente señalados en el art. 1 del Real Decreto 2066/2008, de 12 de diciembre[51]:

Los alojamientos protegidos para otros colectivos específicos se destinarán a albergar a personas relacionadas con la comunidad universitaria, o investigadores y científicos.

Los alojamientos acogidos a este programa deberán reunir las siguientes condiciones:

— La promoción podrá ser de iniciativa pública o privada, según dispongan las Comunidades Autónomas y Ciudades de Ceuta y Melilla.

— Podrán edificarse sobre suelo al que la ordenación urbanística atribuya cualquier uso compatible con los destinos de estos alojamientos.

— Los alojamientos tendrán las siguientes características:

• Deberán formar parte de edificios o conjuntos de edificios destinados en exclusiva y por completo a esta finalidad.

• El número de alojamientos por edificio estará determinado por la normativa propia de las Comunidades Autónomas y Ciudades de Ceuta y Melilla.

---

(51) — Unidades familiares con ingresos que no excedan de 1,5 veces el Indicador Público de Renta de Efectos Múltiples (IPREM), a efectos del acceso en alquiler a la vivienda, y de 2,5 veces el mismo indicador, a efectos del acceso en propiedad a la vivienda.
— Jóvenes, menores de 35 años.
— Personas mayores de 65 años.
— Mujeres víctimas de la violencia de género.
— Víctimas del terrorismo.
— Afectados por situaciones catastróficas.
— Personas dependientes o con discapacidad oficialmente reconocida, y las familias que las tengan a su cargo.
— Personas separadas o divorciadas, al corriente del pago de pensiones alimenticias y compensatorias, en su caso.
— Personas sin hogar o procedentes de operaciones de erradicación del chabolismo.
— Otros colectivos en situación o riesgo de exclusión social determinados por las Comunidades Autónomas y ciudades de Ceuta y Melilla.

• La superficie útil de cada alojamiento será como mínimo de 15 m²
por persona, con un máximo de 45 m². No obstante, un máximo del 25%
del total de los alojamientos de cada promoción podrá tener una superficie
útil máxima de 90 m², con el fin de poder alojar a unidades familiares o
grupos de personas que requieran una superficie mayor a la determinada
con carácter general.

• A efectos de financiación por el Plan, la superficie útil protegida destinada a servicios comunes o asistenciales de las personas alojadas, que
deberán estar integrados en el propio edificio o conjunto de edificios, no
podrá exceder del 30% del total de la superficie útil de los alojamientos,
con independencia de que la superficie real sea superior.

• A estos efectos, también podrán estar protegidas las plazas de garaje
vinculadas a los alojamientos, según la normativa municipal. Su superficie
útil máxima computable, así como su precio máximo de referencia, por
metro cuadrado de superficie útil, serán los establecidos para las de las
viviendas protegidas de nueva construcción, de régimen especial, cuando
se trate de alojamientos para colectivos especialmente vulnerables, o de
régimen general, en el caso de los colectivos específicos.

8.2. Condiciones de uso o gestión

El Real Decreto 2066/2008, de 12 de diciembre, establece las condiciones que deben de regir el régimen de ocupación, la duración, el destino,
las rentas máximas y la prestación de los servicios comunes o asistenciales
remitiendo a lo que dispongan a tal efecto las Comunidades Autónomas
y las Ciudades de Ceuta y Melilla, en base a los siguientes contenidos
esenciales.

1. El régimen de ocupación de estos alojamientos será el alquiler protegido, según lo dispuesto en el Real Decreto 2066/2008, de 12 de diciembre, o cualquier otro que autorizaran las Comunidades Autónomas y
Ciudades de Ceuta y Melilla.

2. En aquellos supuestos que, en su caso, determinen las Comunidades
Autónomas y Ciudades de Ceuta y Melilla, los ocupantes de los alojamientos podrán disponer de otra vivienda.

3. La duración del contrato de alquiler o la permanencia de los usuarios en estos alojamientos se atenderá a lo que las Comunidades Autónomas y Ciudades de Ceuta y Melilla dispongan al efecto.

4. Estos alojamientos deberán destinarse a albergar a colectivos especialmente vulnerables u otros colectivos específicos, según sea el caso, durante todo el plazo de duración del régimen de protección pública.

5. Las rentas máximas serán las de las viviendas protegidas de régimen especial para alquiler durante 25 años, cuando se trate de alojamientos para colectivos especialmente vulnerables, o de régimen general, para otros colectivos. Se imputará un máximo del 30% de la superficie destinada a servicios comunes o asistenciales, cuyo precio máximo de referencia, por metro cuadrado de superficie útil será el del régimen correspondiente.

6. La prestación de los servicios comunes o asistenciales que las Comunidades Autónomas y Ciudades de Ceuta y Melilla establezcan para los ocupantes de los alojamientos, podrá suponer un incremento de la renta hasta el máximo correspondiente a la vivienda protegida para alquiler a 25 años, de régimen concertado.

8.3. Financiación de la promoción

Los promotores de estos alojamientos podrán acogerse al mismo sistema de financiación que los promotores de viviendas protegidas para alquiler a 25 años, de régimen especial cuando se trate de alojamientos para colectivos especialmente vulnerables, o de régimen general para los alojamientos destinados a otros colectivos específicos.

Las cuantías de las subvenciones, por metro cuadrado de superficie útil, serán las siguientes:

	Alojamientos para colectivos vulnerables	Alojamientos para colectivos específicos
Cuantía de la subvención (euros/m² útil)	500	320

Salvo que la entidad de crédito colaboradora concedente del préstamo así lo exija, no será necesario que el préstamo convenido tenga garantía hipotecaria.

Los promotores podrán renunciar a la obtención de un préstamo convenido, sin perjuicio de la obtención de la subvención.

VIII. EL PROGRAMA DE AYUDAS A LOS INQUILINOS

1. Beneficiarios: condiciones y preferencias

Las condiciones que establece el Real Decreto 2066/2008, de 12 de diciembre, para obtener la consideración de beneficiarios y, por tanto, obtener las ayudas como inquilinos son las siguientes:

a) Ser titular de un contrato de alquiler de vivienda, formalizado en los términos de la Ley 29/1994, de 24 de noviembre, de Arrendamientos Urbanos.

b) Ocupar la vivienda como domicilio habitual y permanente, con las excepciones que establezcan, en su caso, las Comunidades Autónomas y Ciudades de Ceuta y Melilla.

c) Tener unos ingresos familiares que no excedan de 2,5 veces el Indicador Público de Renta de Efectos Múltiples (IPREM). A estos efectos, se computarán los ingresos de todos los titulares del contrato de alquiler.

En todo caso, tendrán preferencia en el acceso a estas ayudas los colectivos con derecho a protección preferente relacionados en el apartado 2 del art. 1 del Real Decreto 2066/2008, de 12 de diciembre[52], además

---

(52)   — Unidades familiares con ingresos que no excedan de 1,5 veces el Indicador Público de Renta de Efectos Múltiples (IPREM), a efectos del acceso en alquiler a la vivienda, y de 2,5 veces el mismo indicador, a efectos del acceso en propiedad a la vivienda.
— Jóvenes, menores de 35 años.
— Personas mayores de 65 años.
— Mujeres víctimas de la violencia de género.
— Víctimas del terrorismo.
— Afectados por situaciones catastróficas.
— Personas dependientes o con discapacidad oficialmente reconocida, y las familias que las tengan a su cargo.
— Personas separadas o divorciadas, al corriente del pago de pensiones alimenticias y compensatorias, en su caso.

de los determinen las Comunidades Autónomas y Ciudades de Ceuta y Melilla.

No podrá concederse la ayuda cuando el solicitante:

a) Sea titular de otra vivienda, con las excepciones que establece la letra a del apartado 1 del art. 3, y las que determinen las Comunidades Autónomas y Ciudades de Ceuta y Melilla.

b) Fuera ya beneficiario de esta ayuda, o de la renta básica de emancipación regulada en el Real Decreto 1472/ 2007, de 2 de noviembre.

c) Tuviera parentesco en primer o segundo grado de consanguinidad o de afinidad con el arrendador de su vivienda habitual.

d) Sea socio o partícipe de la persona jurídica que actúa como arrendador.

e) No ser titulares del pleno dominio o de un derecho real de uso o de disfrute sobre alguna vivienda sujeta a protección pública en España, salvo que la vivienda resulte sobrevenidamente inadecuada para sus circunstancias personales o familiares, y siempre que se garantice que no poseen simultáneamente más de una vivienda protegida. Tampoco podrán ser titulares de una vivienda libre, salvo que hayan sido privados de su uso por causas no imputables a los interesados, o cuando el valor de la vivienda, o del derecho del interesado sobre la misma, determinado de acuerdo con la normativa del Impuesto sobre Transmisiones Patrimoniales, exceda del 40% del precio de la vivienda que se pretende adquirir.

Este valor se elevará al 60% en los supuestos siguientes:

— Jóvenes, menores de 35 años.

— Mujeres víctimas de la violencia de género.

— Víctimas del terrorismo.

— Personas sin hogar o procedentes de operaciones de erradicación del chabolismo.
— Otros colectivos en situación o riesgo de exclusión social determinados por las Comunidades Autónomas y ciudades de Ceuta y Melilla.

— Familias numerosas.

— Familias monoparentales con hijos.

— Personas dependientes o con discapacidad oficialmente reconocida, y las familias que las tengan a su cargo.

— Personas separadas o divorciadas, al corriente del pago de pensiones alimenticias y compensatorias, en su caso.

f) Si la normativa propia de las Comunidades Autónomas y Ciudades de Ceuta y Melilla así lo dispone, los demandantes habrán de aportar una certificación catastral descriptiva y gráfica de que no reúnen la condición de titulares de inmuebles en todo el territorio de régimen común.

g) Estar inscrito en un registro público de demandantes, creado y gestionado de conformidad con lo que disponga la normativa de las Comunidades Autónomas y Ciudades de Ceuta y Melilla sin perjuicio de lo dispuesto en la Disposición Transitoria Sexta.

2. Cuantía de la ayuda

Las ayudas a los inquilinos consisten en una subvención cuya cuantía máxima anual es del 40% de la renta anual que se vaya a satisfacer y con un límite máximo de 3.200 euros por vivienda, con independencia del número de titulares del contrato de alquiler

3. Duración de las ayudas y límites temporales

La duración máxima de esta subvención es de 2 años, siempre que se mantengan las circunstancias que dieron lugar a su reconocimiento inicial.

No se puede obtener nuevamente esta subvención hasta transcurridos 5 años desde la fecha de su reconocimiento inicial, con independencia de la fecha de concesión de otras ayudas que se puedan establecer por las Comunidades Autónomas y Ciudades de Ceuta y Melilla, con cargo a sus propios presupuestos.

4. Gestión de la ayuda

La gestión de estas ayudas será competencia de las Comunidades Autónomas y Ciudades de Ceuta y Melilla, por si mismas o a través de la agencia o sociedad pública que se encargue de la gestión del alquiler en su caso.

5. Renta básica de emancipación

Mediante el Real Decreto 1472/2007, de 2 de noviembre, modificado parcialmente por el Real Decreto 366/2009, de 20 de marzo, se crea la renta básica de emancipación, consistente en un conjunto de ayudas directas del Estado destinadas al apoyo económico para el pago del alquiler de la vivienda que constituye su domicilio habitual y permanente, en las condiciones y con los requisitos que se establecen en este Real Decreto.

— Beneficiarios.

1. Podrán percibir la renta básica de emancipación todas aquellas personas que reúnan los siguientes requisitos:

a) Tener una edad comprendida entre los 22 años y hasta cumplir los 30 años.

b) Ser titular del contrato de alquiler de la vivienda en la que residan con carácter habitual y permanente.

c) Disponer de, al menos, una fuente regular de ingresos que le reporte unos ingresos brutos anuales inferiores a 22.000 euros.

A estos efectos, se entenderá que tienen una fuente regular de ingresos quienes estén trabajando por cuenta propia o ajena, el personal investigador en formación y los perceptores de una prestación social pública de carácter periódico, contributiva o asistencial, siempre que puedan acreditar una vida laboral de, al menos, seis meses de antigüedad, inmediatamente anteriores al momento de la solicitud, o una duración prevista de la fuente de ingresos de, al menos, seis meses contados desde el día de su solicitud.

d) Poseer la nacionalidad española o la de alguno de los Estados miembros de la Unión Europea, o del Espacio Económico Europeo o, en el caso de los extranjeros no comunitarios, tener residencia legal y permanente en España.

2. No obstante lo previsto en el apartado anterior, no podrán ser beneficiarios de las ayudas contempladas en el presente Real Decreto 2066/2008, de 12 de diciembre:

a) Quienes tengan parentesco en primer o segundo grado de consanguinidad o de afinidad con el arrendador de su vivienda habitual. El mismo criterio se aplicará a la relación entre el arrendador y el arrendatario, cuando el primero sea una persona jurídica respecto de cualquiera de sus socios o partícipes.

b) Quienes sean titulares de una vivienda, salvo que hayan sido privados de su uso y disfrute por causas no imputables al interesado.

c) Quienes sean titulares de bienes y derechos con un valor, determinado de acuerdo con la normativa del Impuesto sobre Transmisiones Patrimoniales y Actos Jurídicos Documentados, superior a 110.000 euros.

3. Cuando se trate de solicitantes de la renta básica de emancipación cuya fuente regular de ingresos consista en actividades empresariales, profesionales o artísticas, los ingresos anuales se computarán de conformidad con la forma prevista en el art. 5.c).2.

— Cuantía y condiciones de disfrute.

1. La renta básica de emancipación consistirá en las siguientes ayudas, con cargo a los presupuestos del Ministerio de Vivienda:

a) Una cantidad mensual de 210 euros con el fin de facilitar el pago de los gastos relacionados con el alquiler de la vivienda habitual.

b) Una cantidad de 120 euros, por una sola vez, si se constituye un aval con un avalista privado como garantía del alquiler.

c) Un préstamo sin intereses, de 600 euros, por una sola vez, reintegrable cuando se extinga la fianza prestada en garantía del alquiler, al finalizar el último de los contratos de alquiler sucesivamente formalizados en el plazo máximo de cuatro años desde el reconocimiento del derecho a esta ayuda, o, en todo caso, cuando se dejen de reunir los requisitos que habilitan para seguir percibiendo la ayuda de la letra a).

2. La ayuda establecida en la letra a) del apartado anterior se percibirá por meses completos, con efectos desde el mes siguiente al de su solicitud,

durante un máximo de cuatro años, sean o no consecutivos, o hasta aquel en el que se cumpla la edad de 30 años.

Sólo se podrán percibir las ayudas establecidas en las letras b) y c) del apartado primero de este artículo, si la solicitud de las mismas se efectúa en el plazo máximo de tres meses desde la fecha de firma del contrato de alquiler, salvo que el órgano competente de las Comunidades Autónomas y Ciudades de Ceuta y Melilla establezca un plazo inferior.

3. Para percibir la renta básica de emancipación serán requisitos imprescindibles:

a) La domiciliación bancaria de esta ayuda en alguna de las entidades de crédito colaboradoras del Ministerio de Vivienda.

b) La domiciliación bancaria del pago del alquiler.

c) Estar al corriente del pago periódico del pago del alquiler de la vivienda objeto del contrato de alquiler.

d) Estar al corriente en el cumplimiento de las obligaciones tributarias y con la Seguridad Social.

4. El mantenimiento de las ayudas a las que se refiere este artículo exigirá que se mantengan las condiciones que habilitan para el reconocimiento del derecho a esta ayuda. A efectos del cálculo del cumplimiento del requisito establecido en el art. 2.1.c), no se computará el importe de la renta básica de emancipación, percibida en la anualidad correspondiente.

El beneficiario deberá comunicar de inmediato al órgano que le reconoció el derecho a la ayuda cualquier modificación de las condiciones que motivaron el reconocimiento, para que resuelva lo que proceda y lo comunique al Ministerio de Vivienda.

5. En caso de que existan varios titulares del contrato de alquiler, las cuantías de las ayudas a cada uno de los que tengan derecho a las mismas serán el resultado de dividir las cantidades a que se refiere el apartado 1 por el número total de titulares del contrato.

— Procedimiento de concesión de la renta básica de emancipación.

1. La gestión de las ayudas objeto de este Real Decreto 2066/2008, de 12 de diciembre, se realizará conforme a lo que establezcan los convenios de colaboración que el Ministerio de Vivienda suscriba con las Comunidades Autónomas y Ciudades de Ceuta y Melilla, y de acuerdo con lo que se prevé en los apartados siguientes.

2. El órgano competente de la Comunidad Autónoma o Ciudades de Ceuta y Melilla donde se ubique la vivienda objeto del contrato de alquiler, instruirá y resolverá, en el plazo máximo de dos meses, sobre el reconocimiento del derecho a la renta básica de emancipación, incluyendo, en su caso, en la resolución el plazo máximo de duración de la ayuda a la que se refiere el art. 3.1.a).

3. Los interesados presentarán la solicitud de la renta básica de emancipación conforme a un modelo que contenga, al menos, los datos del que se adjunta como anexo.

4. El interesado podrá solicitar el reconocimiento provisional del derecho a la renta básica de emancipación antes de arrendar la vivienda. En tal caso, la resolución de reconocimiento provisional caducará a los tres meses de su notificación, plazo en el que el beneficiario habrá de presentar nueva solicitud aportando la documentación restante a que se refiere el art. 5 del Real Decreto 2066/2008, de 12 diciembre, para que el órgano competente de la Comunidad Autónoma o Ciudades de Ceuta y Melilla eleve a definitiva su resolución. En este caso, la ayuda se devengará desde el mes en el que se presente el contrato de alquiler, siempre que coincida con la fecha en que surta efectos el alquiler. En caso contrario, el mes de inicio será el correspondiente a esta última fecha.

5. La Comunidad Autónoma o Ciudad de Ceuta o Melilla notificará la resolución al interesado y la comunicará de forma simultánea al Ministerio de Vivienda a través de un sistema de comunicación automatizada. El Ministerio, previos los trámites que procedan, ordenará a la entidad de crédito colaboradora el pago de las ayudas.

6. El interesado presentará la resolución de reconocimiento definitivo del derecho a la renta básica de emancipación a la entidad de crédito colaboradora a través de la cual haya solicitado recibir dichas ayudas. La

entidad lo comunicará al Ministerio de Vivienda si no hubiera recibido previamente del mismo la autorización de pago, a efectos de recabarla, según los criterios que se acuerden al efecto con dicho Ministerio.

— Acreditación de requisitos.

En el expediente deberá acreditarse el cumplimiento de los siguientes requisitos:

a) Edad del solicitante.

b) Nacionalidad española o la de alguno de los Estados miembros de la Unión Europea o del Espacio Económico Europeo, o la residencia legal y permanente en España, en el caso de los extranjeros no comunitarios.

c) Una fuente regular de ingresos, según lo establecido en el art. 2.1. A estos efectos:

1. Si el solicitante trabaja por cuenta ajena, es personal investigador en formación, o percibe una prestación social pública de carácter periódico, contributiva o asistencial, la acreditación se realizará mediante la presentación del certificado de haberes del año en curso o de la resolución administrativa correspondiente.

No obstante, la presentación del certificado de haberes del año en curso podrá ser sustituida por la presentación de aquellos datos o informaciones que permitan a la Comunidad Autónoma y a las Ciudades de Ceuta y Melilla evaluar los ingresos del solicitante de forma suficiente, a efectos de su comparación con el límite establecido en el art. 2.1.c).

2. Si la fuente regular de ingresos del solicitante consistiera en actividades empresariales, profesionales o artísticas, la acreditación de ingresos se referirá al rendimiento neto de dicha actividad económica calculado con carácter previo a la aplicación de las reducciones previstas en el art. 32 de la Ley 35/2006, de 28 de noviembre, del Impuesto sobre la Renta de las Personas Físicas, y de modificación parcial de las Leyes de los Impuestos sobre Sociedades, sobre la Renta de No Residentes y sobre el Patrimonio, correspondientes a la declaración presentada por el solicitante, relativa al período impositivo inmediatamente anterior con plazo de presentación vencido a la solicitud de la renta básica de emancipación. Si el interesado no hubiera presentado declaración por no estar obligado a ello, la acre-

ditación de sus ingresos se efectuará mediante declaración responsable, o tomando como referencia las cantidades declaradas en concepto de Impuesto sobre el Valor Añadido y/o de las pagadas a cuenta del Impuesto sobre la Renta de las Personas Físicas de los trimestres vencidos del año en curso, todo ello sin perjuicio de la posible comprobación administrativa.

3. Si el solicitante de la renta básica de emancipación dispone de más de una fuente de ingresos a la que se refiere el art. 2.1.c) del Real Decreto 2066/2008, de 12 de diciembre, los ingresos computables serán la suma de los ingresos derivados de dichas fuentes.

d) Vida laboral.

e) En el supuesto del pago del alquiler mediante transferencia bancaria: Número de la cuenta del beneficiario a través de la que se efectuará el pago del alquiler y el número de la cuenta o cuentas bancarias para el cobro de las ayudas estatales, así como de la cuenta bancaria del arrendador a la que el beneficiario transferirá el pago mensual de la renta del alquiler.

Cuando el pago del alquiler se efectúe mediante recibos domiciliados, no será necesario reflejar la cuenta bancaria del arrendador y el solicitante habrá de aportar el último recibo domiciliado, en el que consten los datos de la domiciliación del recibo siguientes: NIF y sufijo que identifican al emisor del recibo, así como la referencia, a efectos de que las Comunidades Autónomas, o las Ciudades de Ceuta y Melilla, los incluya en la resolución definitiva.

f) Copia del contrato escrito de alquiler, en el que se incluyan, al menos, los contenidos a que se refiere el art. 37 de la Ley 29/1994, de 24 de noviembre, de Arrendamientos Urbanos. En cualquier caso, deberán hacerse constar en el impreso de solicitud la referencia catastral de la vivienda objeto de dicho contrato y el número del documento oficial de identificación fiscal del arrendador.

No obstante, si no existiera la referencia catastral de la vivienda objeto de contrato, el solicitante deberá aportar certificado emitido por el Catastro o referencia catastral del suelo o de la finca, siempre que, a juicio del órgano competente de la Comunidad Autónoma o de las Ciudades de Ceuta y Melilla, dichos documentos, complementados, en su caso, con otra información adicional, permitan verificar la identificación de la vivienda a efectos de control de la renta básica de emancipación.

g) Declaración responsable acerca del cumplimiento de los requisitos establecidos en el art. 2.2 del Real Decreto 2066/2008, de 12 de diciembre.

h) Referencia catastral, en su caso, de la vivienda a que se refiere la disposición adicional tercera.

— Verificación de datos.

La solicitud de la renta básica de emancipación implicará la autorización para que la Administración Pública competente pueda solicitar la información que resulte necesaria para acreditar el cumplimiento o mantenimiento de los requisitos a las Administraciones u organismos públicos competentes y entidades de crédito a las que se refiere el art. 8.

Cuando el órgano competente de las Comunidades Autónomas o de las Ciudades de Ceuta y Melilla disponga de la información relativa a alguna de las letras del art. 5 o tenga acceso a ella en la forma prevista en el párrafo anterior, no se exigirá a los interesados la aportación de la documentación correspondiente.

La solicitud de la renta básica de emancipación implicará igualmente la autorización de los interesados para que la Administración Pública competente pueda proceder al tratamiento de los datos de carácter personal en la medida que resulte necesaria para la gestión de las ayudas, incluyendo la posibilidad de encargar su tratamiento a terceros que actúen por cuenta de la Administración Pública responsable del fichero, con las garantías establecidas en la Ley 15/1999, de 13 de diciembre, de Protección de Datos de Carácter Personal y sus normas de desarrollo, especialmente en lo relativo a seguridad, secreto, comunicación y acceso a los datos.

Convenios de colaboración con las Comunidades Autónomas y Ciudades de Ceuta y Melilla.

1. Para la ejecución de lo previsto en el Real Decreto 2066/2008, de 12 de diciembre, el Ministerio de Vivienda suscribirá convenios de colaboración con las Comunidades Autónomas y Ciudades de Ceuta y Melilla.

2. En dichos convenios de colaboración, además de los requisitos exigidos en el art. 16 de la Ley 38/2003, de 17 de noviembre, General de Subvenciones, se recogerán al menos los siguientes contenidos:

a) Compromisos en materia de ejecución del Real Decreto 2066/2008, de 12 de diciembre, expresando los instrumentos y medidas a adoptar por parte de cada Administración para asegurar su eficacia, incluyendo campañas publicitarias, así como ventanillas únicas de gestión para presentación y tramitación de solicitudes.

b) Mecanismos de seguimiento y control de la ejecución del Real Decreto 2066/2008, de 12 de diciembre, incluyendo, en su caso, la implantación de sistemas informáticos y protocolos automatizados de comunicación entre las Administraciones implicadas.

c) Creación de Comisiones de Seguimiento, presididas por el Titular del Ministerio de Vivienda y el Titular de la Consejería o Departamento competente por parte de las Comunidades Autónomas y Ciudades de Ceuta y Melilla.

Dichos convenios han sido formalizados y publicados (Ver ANEXO III).

— Convenios de colaboración con entidades de crédito.

El Ministerio de Vivienda podrá celebrar convenios de colaboración con las entidades de crédito, públicas y privadas, que resulten seleccionadas bajo los principios de publicidad, concurrencia, igualdad y no discriminación, previa convocatoria y conforme al modelo de convenio que se publicará mediante Orden del Ministerio de Vivienda. En el *BOE* de 22 de mayo de 2009 se publica la Orden VIV/1290/2009, de 20 de mayo, sobre convocatoria para la selección de entidades de crédito colaboradoras con el Ministerio de Vivienda en la financiación de actuaciones protegidas del Plan Estatal de Vivienda y Rehabilitación 2009-2012, en la que se incluye además el modelo tipo de Convenio como Anexo (ver ANEXO IV).

Estos convenios tienen por objeto la gestión, seguimiento y control de los pagos de las ayudas establecidas en el Real Decreto 2066/2008, de 12 de diciembre, así como su eficacia en el cumplimiento de las finalidades perseguidas.

Los convenios de colaboración deberán contener, como mínimo, los extremos a los que se refiere el art. 16.3 de la Ley 38/2003, de 17 de noviembre, General de Subvenciones.

— Régimen jurídico. Compatibilidades.

1. La renta básica de emancipación es compatible con la aplicación, en su caso, de las deducciones que pudieran establecerse a favor de los inquilinos en la legislación del Impuesto sobre la Renta de las Personas Físicas, salvo que se establezca expresamente otra cosa.

También será compatible, de acuerdo con la normativa autonómica, con las subvenciones, ayudas, o beneficios fiscales que establezcan las Comunidades Autónomas y Ciudades de Ceuta y Melilla en el ejercicio de sus competencias.

2. Es incompatible la percepción simultánea de las ayudas reconocidas en este real decreto con la de ayudas al inquilino, para el pago de la renta, financiadas en el marco de planes estatales de vivienda.

3. El incumplimiento de las condiciones y requisitos para disfrutar de las ayudas reguladas en este real decreto dará lugar a la pérdida al derecho a las mismas y al reintegro de las cantidades percibidas, junto con los intereses de demora de las mismas, conforme a lo establecido en la Ley 38/2003, de 17 de noviembre, General de Subvenciones.

IX. LA VIVIENDA PROTEGIDA PARA VENTA

El Real Decreto 2066/2008, de 12 de diciembre, dedica los arts. 32 a 34 a regular la promoción de vivienda protegida para venta.

1. Tipología de las viviendas protegidas

Las tipologías de Vivienda protegida para venta aparecen reguladan en el art. 32 del Real Decreto 2066/2008, de 12 de diciembre.

Podrán ser calificadas como protegidas las viviendas de nueva construcción y destinadas a la venta que, según la normativa propia de las Comunidades Autónomas y Ciudades de Ceuta y Melilla, cumplan las condiciones a las que se refiere el Título I del Real Decreto 2066/2008, de 12 de diciembre, y las específicas que se establecen en el art. 32 del Real Decreto 2066/2008, de 12 de diciembre. Las tipologías de viviendas protegidas para venta que contempla el Real Decreto 2066/2008, de 12 de diciembre, son las siguientes:

a) Régimen especial.

b) Régimen general.

c) Régimen concertado.

La norma, a través del art. 32, establece dos requisitos en relación con cada una de estas tipologías de vivienda. Por un lado, que serán viviendas destinadas a adquirentes con ingresos familiares que no exceda de determinado número de veces el Indicador Público de Rentas de Efectos Múltiples (IPREM)[53], y por otro lado, que no podrán exceder de un determinado precio máximo de venta. En cuanto al primero de estos requisitos (el segundo es tratado en el siguiente epígrafe), la situación es la siguiente:

TIPOLOGÍA DE VIVIENDA PROTEGIDA PARA VENTA	INGRESOS FAMILIARES MÁXIMOS DE LOS ADQUIRENTES (NÚM. VECES IPREM)
Régimen especial	2,5
Régimen general	4,5
Régimen concertado	6,5

2. Determinación de precio

La determinación del precio máximo de venta, por metro cuadrado de superficie útil computable a efectos de financiación[54], para viviendas protegidas para venta está regulada en el art. 32 del Real Decreto 2066/2008, de 12 de diciembre.

Al objeto de determinar ese precio, hay que multiplicar el modulo básico estatal (Disposición Adicional Segunda y art. 9.3 del Real Decreto 2066/2008, de 12 de diciembre) por el porcentaje que corresponden a cada una de las tipologías de vivienda protegida para venta (art. 32) y, en su caso, por el porcentaje que corresponda en el supuesto de ámbitos territoriales declarados de precio superior[55].

---

(53) Sobre la determinación y acreditación de los ingresos familiares, véase el art. 4.

(54) Sobre el concepto de superficie, véase art. 8 del Real Decreto.

(55) Sobre el concepto de módulo básico estatal, de precio máximo de las viviendas protegidas y de ámbito territorial de precio máximo superior, véase arts. 9, 10 y 11 del Real Decreto.

La última disposición por la que se reguló los ámbitos territoriales de precio máximo superior fue la Orden 946/2008, de 31 de marzo. No obstante, de acuerdo con el art. 11 del Real Decreto, se deberá aprobar una nueva Orden en 2009 que, según este artículo, debería aprobarse en el primer trimestre de este año, lo que no se ha producido[56].

PRECIOS MÁXIMOS DE VENTA DE LAS VIVIENDAS (arts. 11, 32 y DA 2.ª)				
	ATPMS del GRUPO A	ATPMS del GRUPO B	ATPMS del GRUPO C	
RÉGIMEN ESPECIAL	1.819,2 euros (1,6 × 1,5 × 758 euros)	1.478,1 euros (1,3 × 1,5 × 758 euros)	1.307,55 euros (1,15 × 1,5 × 758 euros)	1.137 euros (1,5 × 758 euros)
RÉGIMEN GENERAL	1.940,48 euros (1,6 × 1,6 × 758 euros)	1.576,64 euros (1,3 × 1,6 × 758 euros)	1.394,72 euros (1,15 × 1,6 × 758 euros)	1.212,80 euros (1,6 × 758 euros)
RÉGIMEN CONCERTADO	3.001,68 euros (2,2 × 1,8 × 758 euros)	2.183,04 euros (1,6 × 1,8 × 758 euros)	1.773,72 euros (1,3 × 1,8 × 758 euros)	1.364,4 euros (1,8 × 758 euros)

PRECIOS MÁXIMOS DE VENTA DE LAS VIVIENDAS EN LAS ISLAS CANARIAS (arts. 9.3, 11 y 32)				
	ATPMS del GRUPO A	ATPMS del GRUPO B	ATPMS del GRUPO C	
RÉGIMEN ESPECIAL	2.001,12 euros (1,6 × 1,5 × 833,8 euros)	1.625,9 euros (1,3 × 1,5 × 833,8 euros)	1.438,305 euros (1,15 × 1,5 × 833,8 euros)	1.250,7 euros (1,5 × 833,8 euros)

---

(56) La Disposición Transitoria Segunda del Real Decreto señala que «seguirán teniendo la consideración de ATPMS los así declarados en el marco del Plan Estatal de Vivienda 2005-2008».

PRECIOS MÁXIMOS DE VENTA DE LAS VIVIENDAS EN LAS ISLAS CANARIAS (arts. 9.3, 11 y 32)			
	ATPMS del GRUPO A	**ATPMS del GRUPO B**	**ATPMS del GRUPO C**	
RÉGIMEN GENERAL	2.134,52 euros (1,6 × 1,6 × 833,8 euros)	1.734,304 euros (1,3 × 1,6 × 833,8 euros)	1.534,192 euros (1,15 × 1,6 × 833,8 euros)	1.334,08 euros (1,6 × 833,8 euros)
RÉGIMEN CONCERTADO	3.301,848 euros (2,2 × 1,8 × 833,8 euros)	2.400,19 euros (1,6 × 1,8 × 833,8 euros)	1.951,092 euros (1,3 × 1,8 × 833,8 euros)	1.500,84 euros (1,8 × 833,8 euros)

Si la vivienda tuviera garaje o anejo, trastero y superficie adicional computable, para determinar su precio máximo de referencia se estará a lo establecido en los apartados 2 y 3 del art. 10, es decir:

— Las viviendas podrán incluir un garaje o anejo y un trastero. A los efectos de determinar el precio máximo de venta, la superficie útil computable será, como máximo, de 25 m² para los garajes o anejos, y de 8 m² para los trasteros, con independencia de que las superficies reales fueran superiores. El precio máximo del metro cuadrado de superficie útil computable será del 60% del correspondiente al metro cuadrado de superficie útil de la vivienda.

— El precio máximo total de venta podrá incluir, además, la superficie adicional computable a que se refiere el apartado 4 del art. 8, con independencia de que la superficie real fuera superior. El precio máximo del metro cuadrado de superficie útil adicional computable será el mismo que el correspondiente a la vivienda.

En el supuesto de promotores para uso propio, el precio máximo de adjudicación, o la suma de los valores de la edificación y el suelo, si se trata de un promotor individual, tendrán los mismos límites que los establecidos en el apartado anterior.

Por otro lado, para conocer el precio máximo de venta las viviendas protegidas en segundas y posteriores transmisiones hay que acudir al art. 34 del Real Decreto. El precio máximo de venta de las viviendas protegidas de nueva construcción, en segundas y ulteriores transmisiones, será el que corresponda, en el momento de la venta, a una vivienda protegida calificada provisionalmente, del mismo régimen y en la misma ubicación, en las condiciones que establezcan las Comunidades Autónomas y Ciudades de Ceuta y Melilla.

Este precio máximo de venta será de aplicación mientras esté vigente el régimen legal de protección[57].

3. Financiación a los promotores de vivienda

El Real Decreto 2066/2008, de 12 de diciembre, al regular la financiación a la que puede acceder un promotor de vivienda protegida para venta, únicamente cita los préstamos convenidos. No obstante, una promoción de vivienda protegida para venta también podrá obtener las ayudas a la eficiencia energética.

3.1. Préstamos convenidos

El art. 33 regula la financiación de la promoción de viviendas protegidas para venta.

Los promotores de viviendas de nueva construcción destinadas a la venta y calificadas provisionalmente como protegidas podrán obtener préstamos convenidos que, además de las características generales establecidas en el art. 12 del Real Decreto 2066/2008, de 12 de diciembre, reunirán las siguientes condiciones:

a) La cuantía máxima del préstamo será del 80% del precio máximo de venta por metro cuadrados de superficie útil.

Si la vivienda tuviera garaje o anejo y trastero, vinculados en proyecto y registralmente, la cuantía global del préstamo podrá incrementarse para incluir hasta el 80% del precio máximo de los mismos.

En ningún caso será objeto de ayudas financieras la promoción de locales comerciales.

---

(57)   La duración del régimen de protección de las viviendas está regulada en el art. 6.1 del Real Decreto.

b) El plazo de amortización de los préstamos convenidos será de 25 años como mínimo.

c) El período de carencia en el pago de intereses de los préstamos convenidos finalizará en la fecha de la calificación definitiva de la vivienda, y, como máximo, a los cuatros años desde la formalización del préstamo. Este período podrá prorrogarse hasta un total de 10 años con la autorización de las Comunidades Autónomas y Ciudades de Ceuta y Melilla y el acuerdo de la Entidad de Crédito.

d) El promotor podrá convenir con la Entidad de Crédito el calendario de disposiciones del capital del préstamo, en función de la ejecución de la inversión y de la evolución de las compraventas o de las adjudicaciones de las viviendas, cuando esta condición sea aplicable.

Los promotores deberán efectuar la primera disposición del préstamo en un plazo no superior a 6 meses desde su formalización, no pudiendo transcurrir entre las restantes disposiciones más de 4 meses. El incumplimiento de estos plazos, salvo que medie justa causa, permitirá resolver el contrato, con la devolución anticipada de las cantidades dispuestas, en su caso.

3.2. Ayudas a la eficiencia energética

El art. 63 del Real Decreto 2066/2008, de 12 de diciembre, regula, dentro del programa de ayudas a la eficiencia energética en la promoción de vivienda, la ayuda en la promoción de vivienda protegida. Esta ayuda, como se verá inmediatamente, consiste en una subvención.

Los promotores de viviendas calificadas como protegidas cuyos proyectos obtengan una calificación energética de la clase A, B o C[58] podrán acceder a una subvención con las siguientes cuantías:

	Niveles de calificación energética		
	A	B	C
Subvención (euros/vivienda)	3.500 euros	2.800 euros	2.000 euros

---

(58)   A través del Real Decreto 47/2007, de 19 de enero, se aprueba el procedimiento básico para la certificación de eficiencia energética de edificios de nueva construcción, regulándose estas calificaciones A, B o C.

Estas mismas ayudas podrán obtenerse para la promoción de viviendas protegidas de nueva construcción en ARIS y ARUS.

Estas ayudas son incompatibles, siempre que se dirijan a la misma finalidad, con las correspondientes al Plan de Acción de Ahorro y Eficiencia Energética para el período 2008-2012, y al Plan de Energías Renovables 2005-2010, del Instituto para la Diversificación y Ahorro de la Energía (IDAE).

4. Ayudas a los adquirentes de nuevas viviendas protegidas

Las ayudas a los adquirentes de nuevas viviendas protegidas están reguladas en los arts. 40 a 44 del Real Decreto 2066/2008, de 12 de diciembre. Estos artículos recogen las ayudas a los adquirentes de viviendas protegidas de nueva construcción y de viviendas usadas. En el presente capítulo sólo se estudian las ayudas a adquirentes de viviendas protegidas de nueva construcción.

4.1. Beneficiarios

Los solicitantes de las ayudas destinadas a acceder en propiedad a las viviendas protegidas de nueva construcción, de acuerdo con el art. 40 del Real Decreto 2066/2008, de 12 de diciembre, habrán de cumplir las siguientes condiciones:

a) Tener unos ingresos familiares que no excedan de 6,5 veces el Indicador Público de Renta de Efectos Múltiples (IPREM), para poder obtener préstamos convenidos.

b) Tener unos ingresos familiares que no excedan de 4,5 veces el Indicador Público de Renta de Efectos Múltiples (IPREM) para acogerse a las ayudas financieras para el primer acceso a la vivienda en propiedad.

c) Las Comunidades Autónomas y Ciudades de Ceuta y Melilla podrán establecer requisitos adicionales a los beneficiarios y límites mínimos de ingresos familiares para acceder a las ayudas financieras y préstamos convenidos previstos en este Real Decreto 2066/2008, de 12 de diciembre.

En cualquier caso, las Comunidades Autónomas y Ciudades de Ceuta y Melilla establecerán las condiciones para garantizar que no se disfrute simultáneamente más de una vivienda.

Podrán acogerse a las ayudas financieras para facilitar el primer acceso a la vivienda en propiedad, aquellas personas que nunca han tenido una vivienda en propiedad, o que han sido privados de su uso por causas no imputables a los interesados, o cuando el valor de la vivienda, o del derecho sobre la misma, según lo establecido en la normativa del Impuesto sobre Transmisiones Patrimoniales, no exceda del 25% del precio de la vivienda que se pretende adquirir.

No obstante, el Real Decreto 2066/2008, de 12 de diciembre, establece algunas excepciones en relación a estos requisitos. Podrán acogerse a estas ayudas financieras, las personas que habiendo accedido a una vivienda en propiedad se trate de mujeres víctimas de violencia de género, víctimas del terrorismo o familias monoparentales sin hijos. Estas personas podrán obtener nuevamente ayudas financieras, sin haber transcurrido diez años desde la percepción de otras ayudas para el mismo tipo de actuación, siempre que el préstamo convenido se hubiera cancelado.

4.2. Financiación

La financiación para la adquisición de una vivienda podrá consistir, conforme al art. 41 del Real Decreto 2066/2008, de 12 de diciembre, en:

1. Préstamos convenidos.

2. Subsidiación de los préstamos convenidos.

3. Ayuda Estatal Directa a la Entrada (en adelante, AEDE).

Habría una cuarta ayuda, regulada en la Disposición Adicional Tercera del Real Decreto, que es la subvención a las viviendas de protección oficial de promoción pública y que es tratada en el capítulo de este trabajo dedicado a los elementos objetivos.

4.2.1. Préstamos convenidos

El art. 42 del Real Decreto 2066/2008, de 12 de diciembre, hace referencia a todo lo relativo de los préstamos convenidos a los adquirentes.

Los adquirentes de viviendas protegidas de nueva construcción podrán obtener préstamos convenidos, bien directamente o bien por subrogación en el préstamo convenido del promotor, una vez obtenida la calificación definitiva.

La cuantía máxima del préstamo será el 80% del precio fijado en la escritura pública de compraventa o de adjudicación, correspondiente a la superficie útil computable a efectos de financiación.

Cuando se trate de préstamos a promotores individuales para uso propio, la cuantía máxima será el 80% del valor conjunto de la edificación y del suelo determinado en la escritura de declaración de obra nueva, con el límite correspondiente a la superficie útil computable a efectos de financiación.

Si la vivienda tuviera garaje o anejo y trastero, vinculados en proyecto y registralmente, la cuantía global del préstamo podrá incrementarse para incluir hasta el 80% del precio máximo de venta de aquéllos, si se trata de préstamos al promotor, o hasta el 80% del precio de adjudicación o del valor de la edificación sumado al del suelo, si se trata de un promotor para uso propio.

El préstamo tendrá un plazo mínimo de amortización de 25 años, que podrá ampliarse previo acuerdo con la entidad de crédito. En el caso de los préstamos al promotor para uso propio, estará precedido de un período de carencia que finalizará en la fecha de la calificación definitiva de la vivienda y, como máximo, a los cuatro años de la formalización del préstamo.

Los préstamos a adquirentes podrán ser objeto de amortización anticipada total o parcial, a instancia del interesado y con el acuerdo de la entidad de crédito, según se establezca en los convenios con las entidades de crédito colaboradoras, y sin perjuicio de lo establecido en el apartado 2 del art. 44 de este Real Decreto 2066/2008, de 12 de diciembre.

Los adquirentes en primer acceso a una vivienda en propiedad podrán ampliar el plazo de amortización de sus préstamos convenidos hasta un máximo de tres años, de acuerdo con la entidad de crédito, en caso de encontrarse en situación de desempleo que pudiera motivar la interrupción temporal en el pago de la cuota correspondiente.

La primera interrupción no podrá tener lugar antes de la completa amortización de las 3 primeras anualidades.

En estos supuestos, la subsidiación de los préstamos convenidos se reanudará cada vez que se reinicie el período de amortización.

En caso de préstamo convenido al promotor, y salvo el supuesto de promoción individual para uso propio, el otorgamiento de la correspondiente escritura pública de compraventa o de adjudicación, interrumpirá el período de carencia y el devengo de intereses correspondiente a este período, y determinará el inicio del período de amortización.

A partir del otorgamiento de la escritura pública, el comprador o adjudicatario asumirá las responsabilidades derivadas del préstamo hipotecario que grava la vivienda, y deberá satisfacer las cuotas de amortización del principal e intereses. A tal efecto, se remitirá copia simple de dicho documento a la entidad de crédito, cuyos gastos correrán por cuenta del promotor.

Si de conformidad con lo dispuesto en el art. 118 de la Ley Hipotecaria, se hubiese pactado que el comprador o adjudicatario se subrogará, no sólo en las responsabilidades derivadas del préstamo hipotecario, sino también en la obligación personal con él garantizado, quedará además subrogado en esta obligación si la entidad de crédito prestase su consentimiento expreso o tácito.

La concesión de préstamo convenido directamente al comprador estará condicionada al cumplimiento de los siguientes requisitos:

a) Que la vivienda haya obtenido la calificación definitiva, cuando se trate de una vivienda protegida de nueva construcción.

b) Que se haya celebrado contrato de compraventa o adjudicación entre el comprador o adjudicatario y el promotor o vendedor de la vivienda, visado por el órgano competente de la Comunidad Autónoma y Ciudades de Ceuta y Melilla, acreditando el cumplimiento de los requisitos y condiciones necesarias para obtener la financiación establecida en este Real Decreto 2066/2008 de 12 de diciembre. Entre la firma de dicho contrato y la solicitud del visado no deberán transcurrir más de 4 meses.

c) Que entre el visado de dicho contrato y la solicitud del préstamo convenido a la entidad de crédito no hayan transcurrido más de 6 meses.

d) Que el promotor que hubiera recibido un préstamo convenido para la financiación de la vivienda lo cancele previa o simultáneamente a la formalización del préstamo con el comprador o adjudicatario de la misma.

4.2.2. Subsidiaciones

La subsidiación de préstamos convenidos a los adquirentes se regula en el art. 43 del Real Decreto 2066/2008, de 12 de diciembre.

El Ministerio de Vivienda subsidiará los préstamos convenidos obtenidos por los adquirentes para el primer acceso en propiedad a viviendas protegidas de nueva construcción de régimen especial y general.

La cuantía y los períodos de la subsidiación serán los que se indican a continuación:

Ingresos familiares de los adquirentes (núm. veces IPREM)	Subsidiación (euros/ 10.000 euros de préstamo)	Duración del período de subsidiación (años)
Menor o igual a 2,5	100	5 (renovable otros 5)
Entre 2,5 y 3,5	80	5 (renovable otros 5)
Mayor de 3,5 y menor o igual a 4,5	60	5 (renovable otros 5)

La subsidiación se concederá por un período inicial de 5 años, que podrá ser renovado durante otro período de igual duración y por la cuantía que corresponda, con las siguientes condiciones:

a) La renovación deberá solicitarse por el beneficiario de la subsidiación dentro del quinto año del período inicial, acreditando que sigue reuniendo las condiciones requeridas para la concesión de la ayuda según lo que establezcan las Comunidades Autónomas y Ciudades de Ceuta y Melilla.

b) No obstante, los ingresos familiares en el momento de la solicitud de renovación podrán ser diferentes de los acreditados inicialmente, siempre que no excedan de 4,5 veces el Indicador Público de Renta de Efectos Múltiples (IPREM).

La cuantía de la subsidiación podrá verse incrementada, como se puede ver en el siguiente cuadro, siempre y cuando se trate de alguno de los siguientes colectivos:

— Unidades familiares con ingresos que no exceda de 2,5 veces el Indicador Público de Renta de Efectos Múltiples (IPREM).

— Familias numerosas.

— Familias monoparentales con hijos.

— Personas dependientes o con discapacidad oficialmente reconocida y las familias que los tengan a su cargo.

Cuantía adicional de la subsidiación		
Ingresos familiares de los adquirentes (núm. veces IPREM)	Incremento de la subsidiación (euros/10.000 euros de préstamo)	Duración del período de incremento de subsidiación (años)
Menor o igual a 2,5	55 euros anuales	5 primeros años del período de amortización del préstamo convenido
Entre 2,5 y 4,5	33 euros anuales	5 primeros años del período de amortización del préstamo convenido

Las cuantías abonadas por las entidades de crédito colaboradoras en concepto de subsidiación de préstamos convenidos, serán reintegradas por el Ministerio de Vivienda a dichas entidades, al contado y sin intereses, según se determine en los convenios de colaboración con las mismas.

4.2.3. La Ayuda Estatal Directa a la Entrada (AEDE)

La Ayuda Estatal Directa a la Entrada, que está regulada en el art. 44 del Real Decreto 2066/2008, de 12 de diciembre, podrá ser obtenida por los adquirentes de viviendas protegidas de régimen especial o general en su primer acceso en propiedad.

La obtención de la AEDE requerirá que la cuantía del préstamo convenido no sea inferior al 60% del precio de la vivienda, y que esta cuantía no se reduzca por debajo de dicho porcentaje durante los 5 primeros años del período de amortización. En caso contrario, será obligatorio el reintegro de la AEDE, y de las restantes ayudas estatales financieras percibidas, incrementadas con los intereses de demora que correspondan desde su percepción, conforme a los arts. 37.1 y 38.2 de la Ley 38/2003, de 17 de diciembre, General de Subvenciones.

Se exceptúa el supuesto de fallecimiento de alguno de los titulares del préstamo convenido.

La cuantía de la AEDE dependerá de los ingresos familiares del solicitante y, en su caso, de otras circunstancias personales o familiares, correspondiendo, en cada caso, únicamente la más elevada de las siguientes:

Ingresos familiares de los adquirentes (núm. veces IPREM)	Cuantías generales	Jóvenes, menores de 35 años	— Familias numerosas. — Familias monoparentales con hijos. — Personas dependientes o con discapacidad oficialmente reconocida y las familias que las tengan a su cargo.	— Mujeres víctimas de la violencia de género. —Víctimas del terrorismo. — Personas separadas o divorciadas, al corriente de pago de pensiones alimenticias y compensatorias, en su caso.
Menor o igual 2,5	8.000 euros	9.000 euros	12.000 euros	11.000 euros
Entre 2,5 y 3,5	7.000 euros	8.000 euros	10.000 euros	9.000 euros
Mayor de 3,5 y menor o igual a 4,5	5.000 euros	6.000 euros	8.000 euros	7.000 euros

Cuando la vivienda estuviera ubicada en un Ámbito Territorial Precio Máximo Superior (en adelante, ATPMS), las cuantías de la AEDE se incrementarán en las siguientes cuantías:

Cuantía adicional de la AEDE por ubicación de la vivienda en un ATPMS		
A	B	C
1.200 euros	600 euros	300 euros

Cuando la vivienda estuviera ubicada en la Comunidad Autónoma de Canarias, por su condición de región ultraperiférica de la Unión Europea, la cuantía de la AEDE se incrementará en 220 euros adicionales, salvo que la vivienda se encuentre ubicada en un ATPMS, en cuyo caso se aplicará únicamente el incremento al que se acaba de hacer referencia. Por tanto, este incremento en la cuantía de 220 euros sólo se produce cuando la vivienda se encuentre ubicada en la Comunidad Autónoma de Canarias y la vivienda no se encuentre en un ATPMS.

No obstante, las cuantías de la AEDE podrán ser modificadas por el Consejo de Gobierno, con carácter excepcional, en función de la evolución y perspectivas de los mercados de vivienda y financieros.

X. LAS VIVIENDAS USADAS LIBRES O PROTEGIDAS PARA EL ALQUILER O VENTA

1. Tipología

El Real Decreto 2066/2008, de 12 de diciembre, establece dentro de las actuaciones protegidas, el alquiler de viviendas nuevas o usadas, libres o protegidas, así como la adquisición de viviendas protegidas de nueva construcción para venta, y la de viviendas usadas, para su utilización como vivienda habitual del adquirente.

Las tipologías a que hace referencia el Real Decreto 2066/2008, de 12 de diciembre, son las siguientes:

a) Viviendas libres o protegidas en segunda o posteriores transmisiones (incluidas las que se hubiesen destinado al alquiler).

b) Viviendas libres de nueva construcción adquiridas después de, al menos, 1 año desde la expedición de la licencia de primera ocupación, el certificado final de obra o la cédula de habitabilidad.

c) Viviendas libres de nueva construcción cuya licencia de primera ocupación, certificado final de obra o cédula de habitabilidad hayan sido emitida antes del 24/12/2008.

d) Viviendas rurales usadas según las condiciones que se establezcan por las Comunidades Autónomas y las Ciudades de Ceuta y Melilla.

La obtención de la ayuda conllevará la limitación de su precio máximo de venta en posteriores transmisiones, durante, al menos, 15 años desde la fecha de adquisición, o durante la duración del préstamo convenido, si fuera superior.

2. Duración del régimen legal de protección

La duración del régimen de protección de las viviendas usadas libres o protegidas, cuando se hubieran obtenido las ayudas recogidas en el Real Decreto 2066/2008, viene regulada en el artículo 6, que señala una extensión de la misma no inferior a 15 años desde la fecha de adquisición, o a la duración del préstamo convenido, si ésta fuera superior.

3. Determinación de precio

El precio por metro cuadrado de superficie útil aplicable a esta tipología de viviendas es el mismo que el determinado para las viviendas protegidas de Régimen General, en concreto, 1,60 veces el Módulo Básico Estatal (MBE) = 758 euros para 2009 (833,8 para Canarias). Este precio se incrementará si la vivienda se encuentra en una localidad situada en un Ámbito Territorial de Precio Máximo Superior (ATPMS).

4. Ayudas a adquirentes de viviendas usadas

4.1. Beneficiarios

Para obtener las ayudas destinadas a acceder en propiedad a las viviendas protegidas de nueva construcción y a las usadas a que se refiere este Real Decreto, los solicitantes habrán de cumplir las siguientes condiciones:

a) Tener unos ingresos familiares que no excedan de 6,5 veces el IPREM, para poder obtener préstamos convenidos.

b) Tener unos ingresos familiares que no excedan de 4,5 veces el IPREM para acogerse a las ayudas financieras para el primer acceso a la vivienda en propiedad.

Podrán establecerse requisitos adicionales a los beneficiarios y límites mínimos de ingresos familiares para acceder a las ayudas financieras y préstamos convenidos previstos en este Real Decreto, en los casos y según las condiciones que establezcan las Comunidades Autónomas y Ciudades de Ceuta y Melilla.

En cualquier caso, las Comunidades Autónomas y Ciudades de Ceuta y Melilla establecerán las condiciones para garantizar que no se disfrute simultáneamente más de una vivienda.

Podrán acogerse a las ayudas financieras para facilitar el primer acceso a la vivienda en propiedad, aquellas personas que nunca han tenido una vivienda en propiedad, o que han sido privados de su uso por causas no imputables a los interesados, o cuando el valor de la vivienda, o del derecho sobre la misma, según lo establecido en la normativa del Impuesto sobre Transmisiones Patrimoniales, no exceda del 25% del precio de la vivienda que se pretende adquirir.

No obstante lo previsto en el párrafo anterior, podrán acogerse a estas ayudas financieras las personas que habiendo accedido a una vivienda en propiedad, estén incluidas en las letras e, f y j, del apartado 2 del art. 1 del Real Decreto 2066/2008[59]. Estas personas podrán obtener nuevamente ayudas financieras, sin haber transcurrido diez años desde la percepción de otras ayudas para el mismo tipo de actuación, siempre que el préstamo convenido se hubiera cancelado.

(59)   e. Mujeres víctimas de la violencia de género.
        f. Víctimas del terrorismo.
        j. Personas dependientes o con discapacidad oficialmente reconocida, y las familias que las tengan a su cargo.

4.2. Financiación

4.2.1. Préstamos convenidos

Los adquirentes de viviendas protegidas de viviendas usadas, podrán obtener préstamos convenidos.

La cuantía máxima del préstamo será el 80% del precio fijado en la escritura pública de compraventa o de adjudicación, correspondiente a la superficie útil computable a efectos de financiación.

El préstamo tendrá un plazo mínimo de amortización de 25 años, que podrá ampliarse previo acuerdo con la entidad de crédito. Los préstamos a adquirentes podrán ser objeto de amortización anticipada total o parcial, a instancia del interesado y con el acuerdo de la entidad de crédito, según se establezca en los convenios con las entidades de crédito colaboradoras, y siempre que la cuantía del préstamo convenido no sea inferior al 60% del precio de la vivienda, durante los primeros 5 años de amortización.

Los adquirentes en primer acceso a una vivienda en propiedad podrán ampliar el plazo de amortización de sus préstamos convenidos hasta un máximo de tres años, de acuerdo con la entidad de crédito, en caso de encontrarse en situación de desempleo que pudiera motivar la interrupción temporal en el pago de la cuota correspondiente.

La primera interrupción no podrá tener lugar antes de la completa amortización de las 3 primeras anualidades.

En estos supuestos, la subsidiación de los préstamos convenidos se reanudará cada vez que se reinicie el período de amortización.

A partir del otorgamiento de la escritura pública, el comprador o adjudicatario asumirá las responsabilidades derivadas del préstamo hipotecario que grava la vivienda, y deberá satisfacer las cuotas de amortización del principal e intereses. A tal efecto, se remitirá copia simple de dicho documento a la entidad de crédito.

Si de conformidad con lo dispuesto en el art. 118 de la Ley Hipotecaria[60], se hubiese pactado que el comprador o adjudicatario se subrogará,

---

(60) Art. 118.
En caso de venta de finca hipotecada, si el vendedor y el comprador hubiesen pactado que el segundo se subrogará no sólo en las responsabilidades derivadas de la hipoteca,

no sólo en las responsabilidades derivadas del préstamo hipotecario, sino también en la obligación personal con él garantizado, quedará además subrogado en esta obligación si la entidad de crédito prestase su consentimiento expreso o tácito.

La concesión de préstamos convenidos directamente al comprador estará condicionada al cumplimiento de los siguientes requisitos:

a) Que se haya celebrado contrato de compraventa o adjudicación entre el comprador o adjudicatario y el promotor o vendedor de la vivienda, visado por el órgano competente de la Comunidad Autónoma y Ciudades de Ceuta y Melilla, acreditando el cumplimiento de los requisitos y condiciones necesarias para obtener la financiación establecida en este Real Decreto. Entre la firma de dicho contrato y la solicitud del visado no deberán transcurrir más de 4 meses.

b) Que entre el visado de dicho contrato y la solicitud del préstamo convenido a la entidad de crédito no hayan transcurrido más de 6 meses.

4.2.2. Subsidiaciones

Las subsidiaciones de los préstamos convenidos para la adquisición de viviendas usadas, cuyo precio de venta por metro cuadrado de superficie útil no exceda el de las viviendas de régimen general, calificadas en ese momento y en la misma ubicación, sin perjuicio del incremento de precio que corresponda por la ubicación de la vivienda en un Ámbito Territorial de Precio Máximo Superior, serán los que se indican a continuación:

Ingresos de los adquirentes (núm. veces IPREM)	Subsidiación (euros/10.000 euros de préstamo)	Duración período de subsidiación (años)
Menor o igual a 2,5	100	5 (renovables otros 5)

sino también en la obligación personal con ella garantizada, quedará el primero desligado de dicha obligación, si el acreedor prestare su consentimiento expreso o tácito. Si no se hubiere pactado la transmisión de la obligación garantizada, pero el comprador hubiere descontado su importe del precio de la venta, o lo hubiese retenido y al vencimiento de la obligación fuere ésta satisfecha por el deudor que vendió la finca, quedará subrogado éste en el lugar del acreedor hasta tanto que por el comprador se le reintegre el total importe retenido o descontado.

Ingresos de los adquirentes (núm. veces IPREM)	Subsidiación (euros/10.000 euros de préstamo)	Duración período de subsidiación (años)
Entre 2,5 y 3,5	80	5 (renovables otros 5)
Mayor de 3,5 y menor o igual a 4,5	60	5 (renovables otros 5)

La subsidiación se concederá por un período inicial de 5 años, que podrá ser renovado durante otro período de igual duración y por la cuantía que corresponda, con las siguientes condiciones:

a) La renovación deberá solicitarse por el beneficiario de la subsidiación dentro del quinto año del período inicial, acreditando que sigue reuniendo las condiciones requeridas para la concesión de la ayuda según lo que establezcan las Comunidades Autónomas y Ciudades de Ceuta y Melilla.

b) No obstante, los ingresos familiares en el momento de la solicitud de renovación podrán ser diferentes de los acreditados inicialmente, siempre que no excedan de 4,5 veces el IPREM.

Cuando se trate de colectivos incluidos en las letras a, h, i, j, del apartado 2 del art. 1 de este Real Decreto[61], la cuantía de subsidiación correspondiente se incrementará en 55 euros anuales por cada 10.000 euros de préstamo convenido, si los ingresos familiares no excedieran de 2,5 veces el IPREM, o en 33 euros anuales, si dichos ingresos superan 2,5 veces pero no exceden de 4,5 veces el citado indicador, durante los primeros cinco años del período de amortización del préstamo convenido.

Las cuantías abonadas por las entidades de crédito colaboradoras en concepto de subsidiación de préstamos convenidos serán reintegradas por el Ministerio de Vivienda a dichas entidades, al contado y sin intereses, según se determine en los convenios de colaboración con las mismas.

---

(61)   a) Unidades familiares con ingresos que no excedan de 1,5 veces el Indicador Público de Renta de Efectos Múltiples (en adelante, IPREM), a efectos del acceso en alquiler a la vivienda, y de 2,5 veces el mismo indicador, a efectos del acceso en propiedad a la vivienda.
       h) Familias numerosas.
       i) Familias monoparentales con hijos.
       j) Personas dependientes o con discapacidad oficialmente reconocida, y las familias que las tengan a su cargo.

4.2.3. Ayuda Estatal Directa a la Entrada (AEDE)

La Ayuda Estatal Directa a la Entrada podrá ser obtenida por los adquirentes de viviendas usadas, en su primer acceso en propiedad.

La obtención de la Ayuda Estatal Directa a la Entrada requerirá que la cuantía del préstamo convenido no sea inferior al 60% del precio de la vivienda, y que esta cuantía no se reduzca por debajo de dicho porcentaje durante los 5 primeros años del período de amortización. En caso contrario, será obligatorio el reintegro de la AEDE, y de las restantes ayudas estatales financieras percibidas, incrementadas con los intereses de demora que correspondan desde su percepción, previstos en los arts. 37.1 y 38.2 de la Ley 38/2003, de 17 de diciembre, General de Subvenciones[62]. Se

---

(62)   Art. 37. Causas de reintegro.
1. También procederá el reintegro de las cantidades percibidas y la exigencia del interés de demora correspondiente desde el momento del pago de la subvención hasta la fecha en que se acuerde la procedencia del reintegro, en los siguientes casos:
a. Obtención de la subvención falseando las condiciones requeridas para ello u ocultando aquellas que lo hubieran impedido.
b. Incumplimiento total o parcial del objetivo, de la actividad, del proyecto o la no adopción del comportamiento que fundamentan la concesión de la subvención.
c. Incumplimiento de la obligación de justificación o la justificación insuficiente, en los términos establecidos en el *art. 30 de esta Ley*, y en su caso, en las normas reguladoras de la subvención.
d. Incumplimiento de la obligación de adoptar las medidas de difusión contenidas en el apartado 4 del *art. 18 de esta Ley*.
e. Resistencia, excusa, obstrucción o negativa a las actuaciones de comprobación y control financiero previstas en los *arts. 14 y 15 de esta Ley*, así como el incumplimiento de las obligaciones contables, registrales o de conservación de documentos cuando de ello se derive la imposibilidad de verificar el empleo dado a los fondos percibidos, el cumplimiento del objetivo, la realidad y regularidad de las actividades subvencionadas, o la concurrencia de subvenciones, ayudas, ingresos o recursos para la misma finalidad, procedentes de cualesquiera Administraciones o entes públicos o privados, nacionales, de la Unión Europea o de organismos internacionales.
f. Incumplimiento de las obligaciones impuestas por la Administración a las entidades colaboradoras y beneficiarios, así como de los compromisos por éstos asumidos, con motivo de la concesión de la subvención, siempre que afecten o se refieran al modo en que se han de conseguir los objetivos, realizar la actividad, ejecutar el proyecto o adoptar el comportamiento que fundamenta la concesión de la subvención.
g. Incumplimiento de las obligaciones impuestas por la Administración a las entidades colaboradoras y beneficiarios, así como de los compromisos por éstos asumidos, con motivo de la concesión de la subvención, distintos de los anteriores, cuando de ello se derive la imposibilidad de verificar el empleo dado a los fondos percibidos, el cumplimiento del objetivo, la realidad y regularidad de las actividades subvencionadas, o

---

exceptúa el supuesto de fallecimiento de alguno de los titulares del préstamo convenido.

La cuantía de la AEDE dependerá de los ingresos familiares del solicitante y, en su caso, de otras circunstancias personales o familiares, correspondiendo en cada caso únicamente la más elevada de las siguientes:

Ingresos de los adquirentes (núm. veces IPREM)	Cuantías generales	Jóvenes, menores de 35 años	Familias incluidas en las letras h, i, j, del apartado 2 del art. 1(1)	Colectivos incluidos en las letras e, f, k del apartado 2 del art. 1(2)
2,5	8.000	9.000	12.000	11.000
> 2,5 3,5	7.000	8.000	10.000	9.000
> 3,5 4,5	5.000	6.000	8.000	7.000

Cuando la vivienda estuviera ubicada en un ATPMS, las cuantías de la AEDE se incrementarán en las siguientes cuantías:

Cuantía adicional de la AEDE por ubicación de la vivienda en un ATPMS		
A	B	C
1.200	600	300

---

la concurrencia de subvenciones, ayudas, ingresos o recursos para la misma finalidad, procedentes de cualesquiera Administraciones o entes públicos o privados, nacionales, de la Unión Europea o de organismos internacionales.
h. La adopción, en virtud de lo establecido en los *arts. 87 a 89 del Tratado de la Unión Europea*, de una decisión de la cual se derive una necesidad de reintegro.
i. En los demás supuestos previstos en la normativa reguladora de la subvención.
Art. 38. Naturaleza de los créditos a reintegrar y de los procedimientos para su exigencia.
2. El interés de demora aplicable en materia de subvenciones será el interés legal del dinero incrementado en un 25%, salvo que la Ley de Presupuestos Generales del Estado establezca otro diferente.

Con carácter excepcional, el Consejo de Ministros, a iniciativa del Ministerio de Vivienda y propuesta de la Comisión Delegada del Gobierno para Asuntos Económicos, podrá modificar las cuantías de la AEDE, en función de la evolución y perspectivas de los mercados de vivienda y financieros.

La cuantía de la AEDE para los adquirentes de viviendas usadas en la Comunidad Autónoma de Canarias, por su condición de región ultraperiférica de la Unión Europea, se incrementará en 220 euros adicionales, salvo que la vivienda se encuentre ubicada en un ATPMS, en cuyo caso se aplicará únicamente el incremento general (1.200, 600 y 330 euros).

XI. ÁREAS DE REHABILITACIÓN INTEGRAL Y RENOVACIÓN URBANA

1. Áreas de Rehabilitación Integral de centros históricos, centros urbanos, barrios degradados y municipios rurales (ARIS)

1.1. Concepto

Las Áreas de Rehabilitación Integral de Centros Históricos, centros urbanos, barrios degradados y municipios rurales son áreas delimitadas en el suelo urbano consolidado en el que se priorizan las actuaciones de rehabilitación al objeto de mejorar los tejidos residenciales en el medio urbano y rural de forma integral, recuperando funcionalmente conjuntos históricos, centros urbanos, barrios degradados y municipios rurales, que precisen la rehabilitación de sus edificios y viviendas, la superación de situaciones de infravivienda, y de intervenciones de urbanización o reurbanización de sus espacios públicos.

Nacen de la voluntad de las administraciones públicas, que delimitan una zona de actuación, zona en la que se determina la posibilidad de que los edificios y viviendas allí incluidos, puedan acceder a las ayudas que se establecen en el Plan de Vivienda. Son las tres administraciones las que intervienen en el proceso:

— El Ministerio de Vivienda, que financia las ayudas que establece el Plan.

— La Comunidad Autónoma que reconoce la ayuda, además de desarrollar la normativa.

— El Ayuntamiento, que es quien propone delimitación de la zona y en la mayoría de los casos gestiona, bien directa o indirectamente la operación rehabilitadora.

Conforme a la definición de las áreas de rehabilitación integral distinguimos cuatro clases:

1. ARIS de conjuntos históricos.

2. ARIS de centros urbanos.

3. ARIS de barrios degradados.

4. ARIS de municipios rurales.

Dentro de la zona determinada como Área de Rehabilitación Integral, se financian las siguientes actuaciones:

a) En elementos privativos de los edificios, es decir, en las viviendas, las obras de mejora de la habitabilidad, seguridad, accesibilidad y eficiencia energética.

b) En elementos comunes del edificio, las obras de mejora de la seguridad, estanqueidad, accesibilidad y eficiencia energética, y la utilización de energías renovables.

c) En espacios públicos, las obras de urbanización, reurbanización y accesibilidad universal, y el establecimiento de redes de climatización y agua caliente sanitaria centralizadas alimentadas con energías renovables.

Cuando así lo permitan las normas urbanísticas en las áreas de rehabilitación, podrán financiarse también la promoción de nuevas viviendas, que estará sujeta a las condiciones y sistema de financiación establecidas en el Real Decreto 2066/2008, de 12 de diciembre, incluyendo las ayudas para la eficiencia energética, definidas en el art. 63. Aunque esta posibilidad es más una opción urbanística que una actuación financiada con cargo al ARIS, puesto que no se computarán las viviendas como actuaciones del ARI, sino como actuaciones financiadas con cargo al Plan de Vivienda, sin ninguna ayuda adicional, salvo la posibilidad que se compute tanto el número de viviendas como el presupuesto para la determinación de la ayuda para la reurbanización del ARI.

1.2. Condiciones

Para que puedan ser financiadas las ARIS, éstas deberán cumplir una serie de condiciones generales y unas condiciones específicas en función del tipo de ARIS que se delimite.

Condiciones generales, aplicables a todas las Áreas de Rehabilitación Integral:

a) Deberán haber sido declaradas por las Comunidades Autónomas y Ciudades de Ceuta y Melilla. La declaración es un requisito necesario y previo al acuerdo de financiación de la Comisión Bilateral, adoptado con la participación del Ayuntamiento en cuyo término municipal se haya declarado el ARI.

b) El perímetro declarado del ARI habrá de incluir al menos 200 viviendas. Excepcionalmente, esta cifra podrá ser inferior en casos suficientemente motivados, acordados en las comisiones bilaterales de seguimiento. La decisión de un número inferior, por tanto, se adoptará en el momento de que se adopte el acuerdo de financiación, aunque deberá motivarse la causa por la que se permite un número de viviendas inferior a 200 viviendas.

El número de viviendas debe referirse al número de viviendas incluidas en el perímetro de la actuación, lo que no debe confundirse con el número de actuaciones financiadas previstas en el acuerdo, que se determinarán en función de los objetivos acordados y de la previsión que se realice por parte de las administraciones firmantes del acuerdo.

c) Las viviendas y edificios objeto de rehabilitación deberán tener una antigüedad superior a 10 años, excepto en supuestos suficientemente motivados y acordados en las comisiones bilaterales de seguimiento. Teniendo en cuenta que el acuerdo de financiación es un acuerdo general, la excepción en cuanto a la antigüedad de las viviendas parece que deba darse con carácter general, por cuanto que los solicitantes de las ayudas no se conocerán en el momento del acuerdo.

d) Se incluye el requisito general de que las viviendas que hayan obtenido ayudas, habrán de destinarse a domicilio habitual y permanente de su propietario, incluyendo la posibilidad de que el uso habitual o permanente sea realizado a través de alquiler, al menos durante 5 años tras la finalización de las obras de rehabilitación. Deben entenderse incluidas otras formas de posesión de las viviendas, que permitan el destino a domicilio habitual del ocupante.

Además de estas condiciones generales aplicables a todas las ARIS, en función de la clase de la misma, se exigen otras condiciones específicas:

1. En el supuesto de las ARIS en conjuntos históricos, para poder acceder a las ayudas, el conjunto histórico deberá reunir los siguientes requisitos:

a) Haber sido declarado como tal, o tener al menos expediente incoado al efecto, según la legislación estatal o autonómica.

b) Contar con un plan especial de conservación, protección y rehabilitación, o figura similar establecida por las Comunidades Autónomas y Ciudades de Ceuta y Melilla, y que cuente al menos con la aprobación inicial en el momento de la solicitud.

2. En el caso de las ARIS en municipios rurales, el municipio deberá contar de menos de 5.000 habitantes, conforme a lo establecido en la Ley 45/2007, para el Desarrollo Sostenible del Medio Rural. El art. 3 de la citada ley establece como municipio rural de pequeño tamaño el que posea una población residente inferior a los 5.000 habitantes y esté integrado en el medio rural. No obstante, las comisiones bilaterales de seguimiento podrán acordar la financiación de un área de rehabilitación integral en un municipio de mayor población, en casos suficientemente motivados. No se determinan los motivos ni la población que puede limitar la declaración de municipio rural, aunque la propia mención a la Ley de Desarrollo sostenible nos debería situar en un municipio situado en el medio rural.

1.3. Beneficiarios

Los beneficiarios de las ayudas podrán ser:

a) Los promotores de la actuación.

b) Los propietarios de las viviendas o edificios, inquilinos autorizados por el propietario, o comunidades de propietarios incluidos en el perímetro del ARI.

Los promotores de la actuación podrán ser personas físicas o jurídicas, públicas o privadas, que tengan encomendadas las funciones de rehabilitación del Área de Rehabilitación, especialmente las que se realicen en los espacios públicos, como, por ejemplo, las obras de urbanización, reurbanización y accesibilidad universal, y el establecimiento de redes de climatización y agua caliente sanitaria centralizadas alimentadas con energías renovables, así como las ayudas para la gestión.

Respecto de las viviendas, los beneficiarios de las ayudas serán los propietarios, con carácter general, y los inquilinos autorizados por los propietarios, conforme a la Ley de Arrendamientos Urbanos, y las Comunidades de Propietarios, respecto de las ayudas para los elementos comunes del edificio.

Respecto de los ingresos familiares de las personas físicas beneficiarias de las ayudas no podrán exceder de 6,5 veces el Indicador Público de Renta de Efectos Múltiples (IPREM), según determinen las Comunidades Autónomas y Ciudades de Ceuta y Melilla, cuando se trate de la rehabilitación, para uso propio, de las viviendas.

Cuando la rehabilitación tenga por objeto los elementos comunes del edificio, o la totalidad del mismo, para destinarlo a alquiler, las condiciones de los beneficiarios serán las que determinen las Comunidades Autónomas y Ciudades de Ceuta y Melilla. En este caso se tratará de determinar la incidencia de los ingresos familiares de las familias que componen la comunidad de propietarios, de tal forma que la Comunidad Autónoma podrá establecer porcentajes de familias que no excedan de un determinado límite, o no establecer ninguna limitación, o únicamente conceder las ayudas en la parte proporcional a las familias que tengan los ingresos establecidos.

El art. 48 establece un procedimiento para excepcionar en las áreas de rehabilitación integrada la cuantía de los ingresos máximos que podrían disponer los beneficiarios de la subvención. Así, si lo establece el acuerdo, la limitación a los 6,5 veces el Indicador Público de Renta de Efectos Múltiples (IPREM) podrá ser suprimido, permitiendo que quienes disponen de ingresos mayores, por ejemplo en el caso de los centros históricos, puedan acceder a las ayudas o en última instancia no impidan a los demás acceder a ellas, en virtud de la regulación autonómica que así lo haya establecido. Se trata de una decisión excepcional que deberá estar motivada y basada en razones de interés público. Además de los acuerdos que permitan eximir a los promotores de actuaciones de rehabilitación de cumplir las limitaciones relativas a niveles de ingresos de los solicitantes de ayudas financieras, también puede permitirse la exención respecto de los metros cuadrados computables a efectos del cálculo del presupuesto protegido.

1.4. Procedimiento de concesión

Antes de proceder al reconocimiento individual de la financiación de la rehabilitación en ARIS por parte de las Comunidades Autónomas y Ciudades de Ceuta y Melilla, es necesaria la adopción de un acuerdo en las Comisiones Bilaterales de Seguimiento con la participación del Ayuntamiento en cuyo término municipal se ubique el área de rehabilitación. Añade además el art. 48 del Real Decreto 2066/2008, de 12 de diciembre, de conformidad con lo que establece el art. 5.2 de la Ley 38/2003, de 17 de diciembre, General de Subvenciones.

Según el citado apartado, las subvenciones que se deriven de convenios formalizados se regularán, en este caso, por lo establecido en el propio Convenio que, en todo caso, deberá ajustarse a las disposiciones contenidas en la Ley General de Subvenciones. Aunque se realice esta referencia, lo cierto es que no nos encontramos ante un Convenio entre Administraciones, sino ante un acuerdo de financiación adoptado en el marco de un órgano bilateral, que en este caso, incorpora además al Ayuntamiento, y en el que se regulan las condiciones de financiación del Área de Rehabilitación Integral.

Por tanto, las subvenciones se regularán en la normativa estatal y autonómica, siendo el acuerdo de financiación un acuerdo que regula aspectos relativo a la financiación como número de objetivos, programación de anualidades, la aportación financiera de cada parte, el sistema de financiación, la forma de pago, así como los compromisos de las Administraciones intervinientes y las fórmulas de seguimiento para la liquidación efectiva de la subvención.

Establece además el art. 48 que los acuerdos podrán estar referidos a un ARI completo o, dentro de éste, a una fase o cifra adicional de objetivos a rehabilitar y financiar, sin que pueda superarse la cifra global de objetivos convenidos para cada Comunidad Autónoma y Ciudades de Ceuta y Melilla. Tratándose el acuerdo de una decisión de un órgano bilateral de seguimiento, en base al Convenio de colaboración entre el Ministerio de Vivienda y las Comunidades Autónomas y Ciudades de Ceuta y Melilla, aquél debe adaptarse al contenido básico del convenio y muy especialmente a las cláusulas incluidas referentes a la cifra de objetivos a rehabilitar.

Se puede, no obstante, acordar la ampliación de los objetivos a financiar en un área previamente acordada con el Ministerio de Vivienda, dentro de los objetivos totales convenidos, pero será necesario un nuevo acuerdo de la Comisión Bilateral de Seguimiento y la presentación previa de la documentación que complemente la inicialmente aportada.

La Comunidad Autónoma aportará al Ministerio de Vivienda para que pueda ser presentada a la Comisión de Seguimiento, y por tanto posibilitar su financiación, la siguiente documentación:

1. La **delimitación geográfica precisa del perímetro del ARI,** sobre un plano parcelario a escala adecuada, y la documentación gráfica y complementaria que recoja las determinaciones estructurales pormenorizadas del planeamiento vigente, así como todos los parámetros urbanísticos que afecten al área delimitada.

2. Una **Memoria-Programa** compuesta, al menos, por los siguientes documentos:

2.1. Una **Memoria justificativa de la situación de vulnerabilidad** social, económica y ambiental del ARI, debidamente justificada sobre la base de indicadores e índices estadísticos objetivos en relación con la media municipal, autonómica y estatal o, en su defecto, sobre la base de informes técnicos que avalen dicha situación. Esta Memoria incluirá asimismo un Diagnóstico de la situación existente y la enumeración de los objetivos de la actuación.

2.2. Un **Programa de Acciones Integradas** coherente con los objetivos enumerados en el Diagnóstico y que especifique de forma pormenorizada las instituciones públicas y privadas implicadas, la estimación de costes y las fuentes de financiación y subvenciones previstas, así como los compromisos establecidos para su puesta en marcha, desarrollo y seguimiento, con justificación de la viabilidad financiera de las operaciones propuestas.

El Programa de Acciones incluirá las medidas propuestas en los siguientes ámbitos: Socio-económico, educativo y cultural; dotaciones y equipamientos públicos; eficiencia energética y utilización de energías renovables; y mejora de la habitabilidad y accesibilidad del entorno urbano y de las viviendas y edificios incluidos en el área. El interés por remarcar la sostenibilidad de la operación lleva al Real Decreto 2066/2008, de 12 de diciembre, a condicionar la concesión de subvenciones para obras de urbanización o reurbanización dentro del ámbito delimitado, a la programación de actuaciones destinadas a la mejora de la calidad medioambiental y la utilización de energías renovables, a la recualificación de la urbanización y de los espacios públicos, y a la mejora de las infraestructuras urbanas.

Finalmente deberán incorporarse mecanismos de control y evaluación. Se incluirán en el Programa de Acciones Integradas un cuadro de indicadores de seguimiento, para verificar la incidencia de las actuaciones en la mejora de la situación de vulnerabilidad del área, y una Memoria que acredite la participación ciudadana en el diseño del mismo.

2.3. **Determinación del Presupuesto protegido,** a partir del presupuesto total de la actuación, que incluye el coste total de la rehabilitación de viviendas y edificios, la urbanización, y los equipos técnicos de gestión del ARI.

El presupuesto protegido es el coste máximo de ejecución de la rehabilitación de las viviendas y edificios, a cuyos efectos se computará una superficie útil máxima de 90 m² por vivienda.

2.4. El **Plan de realojo temporal y retorno** que corresponda, cuando legalmente sea necesario, con especificación de la programación temporal y económica de los realojos y de las medidas sociales complementarias para la población afectada.

1.5. *Financiación*

Las ayudas a la financiación de las actuaciones protegidas en ARIS consistirán:

— en préstamos convenidos, sin subsidiación,

— subvenciones, destinadas a los promotores y beneficiarios de las ayudas.

Las subvenciones se abonarán a través de las Comunidades Autónomas y Ciudades de Ceuta y Melilla o de la forma en que se acuerde con las mismas, pudiendo en su caso abonarse directamente a los promotores de la actuación, a fin de agilizar los trámites administrativos.

Por tanto, los tipos de ayudas que pueden recibirse en un Área de Urbanización Integral son:

1.5.1. Los préstamos convenidos

Préstamos al promotor: El promotor de la actuación podrá obtener un préstamo convenido, sin subsidiación, cuya cuantía podrá alcanzar la totalidad del presupuesto de aquélla, con un período máximo de amortización de 15 años, precedido de un período de carencia de hasta 3 años de duración. Podrá realizarse la subrogación de los citados préstamos por los propietarios u ocupantes de los edificios y viviendas afectados por las actuaciones de rehabilitación del ARI, momento a partir del cual se iniciará el período de amortización.

Préstamos a los propietarios y ocupantes: En el caso de que el promotor no hubiera obtenido préstamo convenido, dichos propietarios u ocupantes podrán obtener préstamos convenidos directos, sin subsidiación, cuya cuantía podrá alcanzar la diferencia entre la totalidad del presupuesto protegido de la rehabilitación de su vivienda o edificio y el importe de las subvenciones concedidas. El plazo de amortización, que se iniciará con la expedición de la calificación definitiva, será de 15 años como máximo, precedido de un período de carencia de hasta 2 años, ampliable a 3 con el acuerdo de la entidad de crédito, y la conformidad de las Comunidades Autónomas y Ciudades de Ceuta y Melilla.

En cualquier caso, en las calificaciones que éstas emitan deberá constar expresamente que la actuación para la que se reconoce el derecho a obtener préstamo convenido se encuentra incluida en un ARI.

1.5.2. Las subvenciones

El Ministerio de Vivienda podrá conceder las siguientes subvenciones para las actuaciones previstas en cada ARI, con independencia de otras posibles ayudas por parte de las Comunidades Autónomas y Ciudades de Ceuta y Melilla y los Ayuntamientos, y de otra financiación que pudiera obtenerse de organismos internacionales:

1. En las Áreas de Rehabilitación Integral de Centro Urbanos y zonas degradadas.

a) Una subvención para la rehabilitación de viviendas y edificios, y superación de situaciones de infravivienda, por un importe máximo del 40% del Presupuesto protegido, con una cuantía media máxima por vivienda rehabilitada de 5.000 euros.

b) Una subvención destinada a las obras de urbanización y reurbanización en el espacio público del ARI, por un importe máximo del 20% del presupuesto de dichas obras, con el límite del 20% de la subvención establecida para el ARI en el párrafo anterior.

c) Una subvención para la financiación parcial del coste de los equipos de información y gestión, cuyo importe máximo no podrá exceder del 50% de dicho coste, ni del 5% del presupuesto protegido total del ARI.

2. En ARIS de centros históricos y municipios rurales las subvenciones de las letras a) y b) del apartado anterior podrán alcanzar las siguientes cuantías:

a) La subvención media máxima se elevará a 6.600 euros, siempre que la cuantía global de las subvenciones no exceda del 50% del presupuesto protegido total del ARI.

b) La subvención para obras de urbanización y reurbanización tendrá un máximo del 30% del presupuesto de las obras, con el límite del 30% de la subvención.

2. Áreas de Rehabilitación Urbana (ARUS)

2.1. Concepto

Las áreas de renovación urbana son aquellas zonas que incluyen barrios o conjuntos de edificios de viviendas que precisan de actuaciones de demolición y sustitución de los edificios, de urbanización o reurbanización, de la creación de dotaciones y equipamientos, y de mejora de la accesibilidad de sus espacios públicos, incluyendo, en su caso, procesos de realojo temporal de los residentes.

Por tanto, el programa de ARUS incluido en el Eje 3 establece las condiciones básicas para obtener financiación del Plan para la renovación integral de aquellos barrios o conjuntos de edificios de viviendas que precisan actuaciones de demolición y sustitución de edificios, que pueden además contemplar zonas de urbanización y rehabilitación, como en las áreas de rehabilitación, y además la creación y mejora de las dotaciones y equipamientos públicos, incluyendo, si fuere el caso, los procesos de realojo temporal de los residentes mientras se realizan las labores de sustitución y edificación de los nuevos edificios.

Por consiguiente podrán obtener la financiación en el programa ARU, las siguientes actuaciones:

a) La demolición de las edificaciones existentes, es decir, el derribo de los edificios incluidos en el ARU.

b) La construcción de edificios destinados a viviendas protegidas, en los suelos disponibles, previa la demolición de las construcciones y edificaciones en mal estado.

c) La urbanización y reurbanización de los espacios públicos, al objeto de mejorar las dotaciones del entorno urbano.

d) Los programas de realojo temporal de los residentes, desde el momento en que se derriban los edificios, hasta que vuelven a construirse, en el caso de quien tenga derecho a una vivienda.

2.2. Condiciones

De acuerdo con el art. 50 del Real Decreto 2066/2008, de 12 de diciembre, las ARUS deberán cumplir las siguientes condiciones:

a) Deberán haber sido declaradas por las Comunidades Autónomas y Ciudades de Ceuta y Melilla. La declaración es previa por parte de la Comunidad Autónoma.

b) El perímetro declarado del área de renovación urbana incluirá un conjunto agrupado de más de 4 manzanas de edificios, o más de 200 viviendas. Excepcionalmente, el ámbito podrá ser menor, en casos suficientemente motivados acordados en las comisiones bilaterales de seguimiento.

c) Las viviendas objeto de las actuaciones de renovación deberán tener una antigüedad mayor de 30 años, excepto en casos suficientemente motivados acordados en las comisiones bilaterales de seguimiento.

Además, desde el punto de vista de las exigencias técnicas, se exige a las zonas el cumplimiento de los siguientes requisitos:

1. Condiciones de baja calidad de la edificación. La mayor parte de las viviendas incluidas en el ARU deberá encontrarse, respecto a los requisitos básicos de la edificación, por debajo de los estándares mínimos establecidos en la Ley 38/1999, de 5 de noviembre, de Ordenación de la Edificación, en el Real Decreto 314/2006, de 17 de marzo, por el que se aprueba el Código Técnico de la Edificación, y demás normativa que resulte de aplicación.

2. Agotamiento estructural: La mayor parte de los edificios deberá encontrarse en situación de agotamiento estructural y de sus elementos constructivos básicos, que exija la demolición y reconstrucción de los mismos. Serán daños computables a estos efectos no sólo aquellos cuya reparación se exija por razones de seguridad del edificio, sino también los que impidan una normal habitabilidad del mismo.

3. Edificabilidad residencial mayoritariamente: Al menos un 60% de la edificabilidad existente, o de la resultante según el planeamiento vigente para el ARU, deberá estar destinada a uso residencial.

4. Aprobación del Instrumento de equidistribución: Cuando el ARU esté incluida o vinculada a operaciones de reforma interior que hagan necesaria una nueva ordenación pormenorizada del ámbito, deberán contar, al menos, con la aprobación inicial del instrumento de ordenación urbanística o de ejecución necesario.

2.3. Beneficiarios

Los beneficiarios de este programa serán los promotores del ARU, personas físicas o jurídicas sobre las que recae el riesgo de la operación.

Los promotores deberán comprometerse a iniciar la construcción de, al menos, el 50% de las viviendas protegidas objeto de las ayudas, dentro del plazo máximo de 3 años desde el acuerdo de financiación en la comisión bilateral de seguimiento.

2.4. Procedimiento de concesión

El procedimiento, regulado en el art. 52 del RD, es similar al procedimiento establecido para las ARIS. Por tanto, para acceder a esta financiación deberán suscribirse los acuerdos correspondientes en las comisiones bilaterales de seguimiento, con la participación del ayuntamiento en cuyo término municipal se ubique el área de renovación urbana.

Asimismo, los acuerdos podrán estar referidos a un ARU completo o, dentro de ésta, a una fase o cifra adicional de objetivos a renovar y financiar, sin que pueda superarse la cifra global de objetivos convenidos para cada Comunidad Autónoma y Ciudades de Ceuta y Melilla. En dichos acuerdos se concretará, además del número de objetivos, el sistema de financiación adoptado, la aportación financiera de cada una de las partes y la forma de pago, así como los compromisos de las Administraciones intervinientes y las fórmulas de seguimiento para la liquidación efectiva de la subvención.

La ampliación de los objetivos a financiar en un área previamente acordada con el Ministerio de Vivienda, precisará un nuevo acuerdo de la comisión bilateral de seguimiento y la presentación previa de la documentación que complemente la inicialmente aportada. La documentación a la que se refiere el art. 50, que debe ser previamente aportada, tanto en su fase inicial como en las sucesivas ampliaciones es la siguiente:

a) La delimitación geográfica precisa del perímetro del ARU, sobre un plano parcelario a escala adecuada, y la documentación gráfica y complementaria que recoja las determinaciones estructurales pormenorizadas del planeamiento vigente, así como todos los parámetros urbanísticos que afecten al área delimitada.

b) Una Memoria-Programa que estará compuesta, al igual que en la tramitación de las ARIS, a cuya regulación el art. 54.4.b) se remite, al menos, por los siguientes documentos:

1. Una Memoria justificativa de la situación de vulnerabilidad social, económica y ambiental del ARU, debidamente justificada sobre la base de

indicadores e índices estadísticos objetivos en relación con la media municipal, autonómica y estatal o, en su defecto, sobre la base de informes técnicos que avalen dicha situación, incluyendo asimismo un Diagnóstico de la situación existente y la enumeración de los objetivos de la actuación.

2. Un Programa de Acciones Integradas coherente con los objetivos enumerados en el Diagnóstico y que especifique de forma pormenorizada las instituciones públicas y privadas implicadas, la estimación de costes y las fuentes de financiación y subvenciones previstas, así como los compromisos establecidos para su puesta en marcha, desarrollo y seguimiento, con justificación de la viabilidad financiera de las operaciones propuestas.

El Programa de Acciones incluirá las medidas propuestas en los siguientes ámbitos: Socio-económico, educativo y cultural; dotaciones y equipamientos públicos; eficiencia energética y utilización de energías renovables; y mejora de la habitabilidad y accesibilidad del entorno urbano y de las viviendas y edificios incluidos en el área. Finalmente deberán incorporarse mecanismos de control y evaluación. Se incluirán en el Programa de Acciones Integradas un cuadro de indicadores de seguimiento, para verificar la incidencia de las actuaciones en la mejora de la situación de vulnerabilidad del área, y una Memoria que acredite la participación ciudadana en el diseño del mismo.

3. Determinación del Presupuesto protegido. El presupuesto protegido es el coste máximo de construcción de las viviendas protegidas a sustituir, que será el 85% del precio máximo de una vivienda protegida del mismo régimen, calificada en el momento de suscripción del acuerdo de la comisión bilateral y en la misma ubicación, con una superficie útil máxima, a efectos de financiación, de 90 m². Si la actuación afectara a más de 500 viviendas, dicho porcentaje se reducirá al 80%.

También se incluirá el coste de la reurbanización, si fuere necesaria, los equipos técnicos de gestión del ARU y el coste de los realojos temporales.

4. El Plan de realojo temporal y retorno que corresponda, cuando legalmente sea necesario, con especificación de la programación temporal y económica de los realojos y de las medidas sociales complementarias para la población afectada.

2.5. Financiación

La financiación de las actuaciones protegidas en ARUS consistirá en préstamos convenidos, sin subsidiación, y subvenciones, destinadas a los promotores de estas actuaciones, que se abonarán a través de las Comunidades Autónomas y Ciudades de Ceuta y Melilla, o de la forma que se acuerde con las mismas, pudiendo, por tanto, abonarse por parte del Ministerio de la Vivienda.

2.5.1. Préstamos convenidos

El promotor de las actuaciones podrá obtener un préstamo convenido, sin subsidiación, cuya cuantía máxima será la diferencia entre el presupuesto de construcción de las viviendas protegidas en el ARU y la cuantía de las subvenciones concedidas, con el período máximo de carencia y amortización establecido con carácter general para la promoción de viviendas protegidas de nueva construcción.

Por tanto, las condiciones del préstamo serán las siguientes:

a) Serán concedidos por entidades de crédito que hayan suscrito con el Ministerio de Vivienda el correspondiente convenio de colaboración y dentro del ámbito y las condiciones que en el mismo se establezcan.

b) No se podrá aplicar comisión alguna por ningún concepto.

c) El tipo de interés efectivo podrá ser variable o fijo, en función del acuerdo con la entidad de crédito colaboradora. El tipo de interés efectivo para cada préstamo convenido a interés variable será igual al Euribor a 12 meses publicado por el Banco de España en el *Boletín Oficial del Estado*, el mes anterior al de la fecha de formalización más un diferencial de 65 puntos básicos.

El tipo de interés efectivo para cada préstamo convenido a interés variable se revisará cada 12 meses, tomando como referencia el Euribor a 12 meses publicado por el Banco de España en el *Boletín Oficial del Estado* el mes anterior al de la fecha de formalización.

En el supuesto de préstamos convenidos a interés fijo, el tipo de interés efectivo se determinará en los convenios de colaboración, partiendo de un *swap* de plazo equivalente a la duración del préstamo, más un diferencial que se establecerá en la Orden del Ministerio de Vivienda, de convocatoria y selección de las Entidades de Crédito con las que se vaya a suscribir dichos convenios de colaboración, previo acuerdo de la Comisión Delegada del Gobierno para Asuntos Económicos.

d) Las cuotas a pagar a la entidad de crédito serán constantes a lo largo de la vida del préstamo, dentro de cada uno de los períodos de amortización a los que corresponda un mismo tipo de interés.

e) Los préstamos serán garantizados con hipoteca, salvo cuando recaigan sobre actuaciones protegidas en materia de rehabilitación o de promoción de alojamientos protegidos, en cuyo caso dicha garantía sólo podrá exigirse si, a juicio de la entidad de crédito, fuera necesario, dadas la cuantía del préstamo solicitado y la garantía personal del solicitante.

Podrán modificarse por acuerdo del Consejo de Ministros las condiciones de los préstamos protegidos, cuando se modifiquen sustancialmente las condiciones existentes en el mercado hipotecario, en cuyo caso podrán las entidades dar por finalizado el acuerdo de financiación existente.

f) El plazo de amortización de los préstamos convenidos será de 25 años como mínimo.

g) El período de carencia en el pago de intereses de los préstamos convenidos finalizará en la fecha de la calificación definitiva de la vivienda, y, como máximo, a los cuatros años desde la formalización del préstamo. Este período podrá prorrogarse hasta un total de 10 años con la autorización de las Comunidades Autónomas y Ciudades de Ceuta y Melilla y el acuerdo de la Entidad de Crédito.

h) El promotor podrá convenir con la EC el calendario de disposiciones del capital del préstamo, en función de la ejecución de la inversión y de la evolución de las compraventas o de las adjudicaciones de las viviendas, cuando esta condición sea aplicable.

Los promotores deberán efectuar la primera disposición del préstamo en un plazo no superior a 6 meses desde su formalización, no pudiendo transcurrir entre las restantes disposiciones más de 4 meses. El incumplimiento de estos plazos, salvo que medie justa causa, permitirá resolver el contrato, con la devolución anticipada de las cantidades dispuestas, en su caso.

Los propietarios u ocupantes de las viviendas protegidas podrán subrogarse en dicho préstamo, momento a partir del cual se iniciará el período de amortización.

En cualquier caso, en las calificaciones que emitan las Comunidades Autónomas y Ciudades de Ceuta y Melilla deberá constar expresamente que la actuación para la que se reconoce el derecho a obtener préstamo convenido se encuentra incluida en un ARU.

2.5.2. Subvenciones

El Ministerio de Vivienda podrá conceder las siguientes subvenciones para la financiación de las actuaciones previstas en cada ARU, con independencia de otras posibles ayudas por parte de las Comunidades Autónomas y Ciudades de Ceuta y Melilla y los Ayuntamientos, y de otra financiación que pudiera obtenerse de organismos internacionales:

a) Una subvención para la sustitución de las viviendas existentes, por un importe máximo del 35% del presupuesto protegido del ARU (coste de construcción de las viviendas renovadas), con una cuantía máxima media por vivienda renovada de 30.000 euros, no extensible a otras nuevas viviendas, libres o protegidas, que ampliaran el número de las viviendas preexistentes. Por tanto, únicamente se subvencionan con cargo al ARU la sustitución de las viviendas existentes, accediendo el resto a las líneas de financiación de las viviendas protegidas previstas en el Real Decreto.

b) Una subvención destinada a las obras de urbanización en el espacio público del ARU por un importe máximo del 40% del presupuesto de dichas obras, con un límite del 40% de la subvención establecida para el ARU en el párrafo anterior.

A estos efectos, el coste máximo de construcción de las viviendas protegidas será del 85% del precio máximo de una vivienda protegida del mismo régimen, calificada en el momento de suscripción del acuerdo de la comisión bilateral y en la misma ubicación, con una superficie útil máxima, a efectos de financiación, de 90 m². Si la actuación afectara a más de 500 viviendas, dicho porcentaje se reducirá al 80%. Esta reducción viene justificada al no tener que adquirir el suelo, puesto que las viviendas previamente existentes ya incluían ese coste.

c) Una subvención para realojos temporales, con una cuantía media máxima por unidad familiar a realojar de 4.500 euros anuales, hasta la calificación definitiva de su nueva vivienda, sin exceder de un máximo de 4 años.

d) Una subvención para la financiación parcial del coste de los equipos de información y gestión, cuyo importe máximo no podrá exceder del 50% de dicho coste, ni del 7% del presupuesto protegido del ARU.

Como ya se ha dicho, la promoción de nuevas viviendas protegidas que ampliaran el número de las preexistentes en el ARU, podrá acogerse a la financiación establecida con carácter general en el Plan de Vivienda para cada tipología o en el propio Plan de la Comunidad Autónoma en el caso de contar con financiación diferente.

2.5.3. Financiación de las nuevas viviendas protegidas en ARUS

En todo caso, la condición imprescindible para poder acceder a las ayudas es que las viviendas estén sujetas a alguno de los regímenes de protección regulados en el Real Decreto 2066/2008, en las condiciones establecidas por las Comunidades Autónomas y Ciudades de Ceuta y Melilla.

De acuerdo con el régimen previsto para las viviendas promovidas en el ARU, las viviendas pueden ser de dos clases:

1. Viviendas sustituidas.

2. Viviendas nuevas construidas ampliando las existentes.

El precio máximo de la primera de ellas serán fijados por las Comunidades Autónomas y Ciudades de Ceuta y Melilla, con los límites máximos establecidos en el Real Decreto 2066/2008, de 12 de diciembre, para los diferentes regímenes de viviendas protegidas para venta o alquiler.

El precio de las viviendas restantes será el que corresponda a la tipología de las viviendas protegidas en las que se califiquen.

Los titulares de las viviendas sustituidas podrán acceder a los préstamos convenidos a los que se refiere el apartado 5 del art. 52, es decir, a la subrogación de los préstamos convenidos con el promotor por la diferencia entre el precio establecido y las subvenciones concedidas, mientras que los nuevos titulares de las viviendas protegidas de nueva construcción, que no fueran titulares de las viviendas sustituidas, podrán acceder a la financiación establecida con carácter general para los adquirentes de viviendas protegidas.

3. Programa de ayudas para la erradicación del chabolismo

3.1. Concepto

Dentro del Eje 3, en el Programa de Áreas de Rehabilitación Integral y Renovación Urbana, se incluye el programa de programa de ayudas para la erradicación del chabolismo, como una actuación vinculada a la renovación urbana, consistente en la eliminación de los poblados de chabolas existentes en muchas ciudades.

Establece el Real Decreto 2066/2008, de 12 de diciembre, que se entenderá por situación de chabolismo el asentamiento precario e irregular de población en situación o riesgo de exclusión social, con graves deficiencias de salubridad, hacinamiento de sus moradores y condiciones de seguridad y habitabilidad muy por debajo de los requerimientos mínimos aceptables.

Se trata de un programa novedoso en el ámbito de los Planes de Vivienda estatales, por cuanto que hasta el momento, todas las actuaciones sobre esta materia se realizaban directamente por las Comunidades Autónomas y Ciudades de Ceuta y Melilla o Ayuntamientos, en ocasiones acogiéndose a las líneas generales de financiación de las diferentes tipologías de viviendas protegidas.

El Programa incluye las ayudas para la gestión del programa, así como para el proceso de realojo temporal, sin perjuicio de las ayudas que pudieran corresponder para la promoción de viviendas en alojamientos definitivos, que serán en última instancia las viviendas definitivas de los colectivos objeto del programa y que no se incluyen en la financiación del programa.

3.2. Beneficiarios de las ayudas

Los beneficiarios de las ayudas podrán ser personas jurídicas, públicas o privadas, sin ánimo de lucro. Se trata, por tanto, de una actuación pública, aunque pueda estar gestionada a través de alguna institución sin ánimo de lucro.

3.3. Procedimiento de concesión

El procedimiento para la concesión de las ayudas previstas en este programa es similar al de las áreas de rehabilitación integral o áreas de renovación urbana.

Por tanto, para acceder a esta financiación, deberán suscribirse los acuerdos correspondientes en la comisión bilateral de seguimiento con la participación del ayuntamiento en cuyo término municipal se ubique el asentamiento.

Los acuerdos podrán estar referidos a un asentamiento completo o, dentro de éste, a una fase o número determinado de objetivos, sin que pueda superarse la cifra global de objetivos convenidos para cada Comunidad Autónoma y Ciudades de Ceuta y Melilla. En dichos acuerdos se concretarán, además del número de objetivos, el sistema de financiación adoptado, la aportación financiera de cada una de las partes y la forma de pago, así como los compromisos de las Administraciones intervinientes y las fórmulas de seguimiento para la liquidación efectiva de la subvención.

La ampliación de los objetivos a financiar en un área previamente acordada con el Ministerio de Vivienda, precisará un nuevo acuerdo de la comisión bilateral de seguimiento y la presentación previa de la documentación que complemente la inicialmente aportada.

Deberá ser aportada al Ministerio de Vivienda una Memoria-programa que incluya, al menos, los siguientes documentos:

a) La delimitación geográfica precisa del asentamiento.

b) Número de personas o de unidades familiares que lo componen.

c) Condiciones físicas del asentamiento.

d) Características socioeconómicas de la población.

e) Un Plan de realojos, que deberá incluir la programación temporal y económica de los mismos, la previsión de alojamiento y las medidas sociales.

f) Las fórmulas de participación y los compromisos de cada una de las Administraciones y agentes institucionales y sociales, públicos o privados, implicados en la erradicación del asentamiento.

3.4. Financiación: subvenciones

La financiación para las actuaciones protegidas consistirá en subvenciones, destinadas a las entidades públicas o privadas, sin ánimo de lucro, que dispongan de programas específicos o de colaboración para la erradicación de situaciones de chabolismo. Las ayudas se harán abonadas a través de las Comunidades Autónomas y Ciudades de Ceuta y Melilla o de la forma que se acuerde con las mismas.

Las ayudas irán destinadas al realojo de los ocupantes del asentamiento en viviendas en régimen de alquiler, y al acompañamiento social en los procesos de realojo, con las siguientes subvenciones:

a) Una subvención para el realojo de cada unidad familiar, cuya cuantía máxima será el 50% de la renta anual que se vaya a satisfacer, con un máximo de 3.000 euros anuales por vivienda.

La duración máxima de esta ayuda coincidirá con la del Plan de realojos previsto en la Memoria-programa presentada, sin que pueda exceder de 4 años, y condicionada a que se mantengan las circunstancias que dieron lugar al reconocimiento inicial del derecho a la ayuda.

b) Una subvención para la financiación parcial del coste de los equipos de gestión y de acompañamiento social, cuyo importe máximo será del 10% del importe total de las subvenciones al realojo de las unidades familiares del asentamiento citadas anteriormente.

XII. AYUDAS RENOVE A LA REHABILITACIÓN

1. Ayudas RENOVE a la rehabilitación

1.1. Concepto

Con el programa primero del Eje 4, Ayudas RENOVE a la rehabilitación, se pretenden financiar las actuaciones de rehabilitación no incluidas en las áreas de rehabilitación y están dirigidas a mejorar la eficiencia energética de los edificios y viviendas, la seguridad y estanqueidad y la accesibilidad.

Quedan excluidas de la financiación a través de este programa las actuaciones de rehabilitación de viviendas o edificios de viviendas incluidos en ARIS o ARUS.

Las actuaciones financiables son las referidas a los edificios de viviendas o únicamente a las viviendas. En función de la clase que sea, podrá acceder a un sistema u otro de financiación. Cuando se trate de una vivienda unifamiliar aislada que precisara de obras de rehabilitación, la financiación será la que corresponda a la actuación predominante, según dispongan las Comunidades Autónomas y Ciudades de Ceuta y Melilla.

Se consideran actuaciones protegidas, a efectos de su financiación por el Plan de Vivienda y Rehabilitación, las siguientes:

a) Actuaciones para mejorar la eficiencia energética, la higiene, salud y protección del medio ambiente en los edificios y viviendas, y la utilización de energías renovables.

b) Actuaciones para garantizar la seguridad y la estanqueidad de los edificios.

c) Actuaciones para mejora de la accesibilidad al edificio y/o a sus viviendas.

El art. 58 del Real Decreto 2066/2008, de 12 de diciembre, determina las actuaciones incluidas en cada una de los tipos generales, referidas con carácter general en los diferentes documentos básicos del Código Técnico de la Edificación:

1. Actuaciones para la mejora de la eficiencia energética, la higiene, salud y protección del medio ambiente en los edificios y viviendas y la utilización de energías renovables:

a) Instalación de paneles solares, a fin de contribuir a la producción de agua caliente sanitaria demandada por las viviendas, en un porcentaje, al menos, del 50% de la contribución mínima exigible para edificios nuevos, según lo establecido en la sección HE-4 «Contribución solar mínima de agua caliente sanitaria» del DB-HE del Código Técnico de la Edificación.

b) Mejora de la envolvente térmica del edificio para reducir su demanda energética, mediante actuaciones como el incremento del aislamiento térmico, la sustitución de carpinterías y acristalamientos de los huecos, u otras, siempre que se demuestre su eficacia energética, considerando factores como la severidad climática y las orientaciones.

c) Cualquier mejora en los sistemas de instalaciones térmicas que incrementen su eficiencia energética o la utilización de energías renovables.

d) Mejora de las instalaciones de suministro e instalación de mecanismos que favorezcan el ahorro de agua y, así como la realización de redes de saneamiento separativas en el edificio que favorezcan la reutilización de las aguas grises en el propio edificio y reduzcan el volumen de vertido al sistema público de alcantarillado.

e) Cuantas otras sirvan para cumplir los parámetros establecidos en los Documentos Básicos del Código Técnico de la Edificación DB-HE de ahorro de energía, DB-HS Salubridad, y DB-HS, protección contra el ruido.

2. Actuaciones para garantizar la seguridad y la estanqueidad de los edificios:

a) Cualquier intervención sobre los elementos estructurales del edificio tales como muros, pilares, vigas y forjados, incluida la cimentación, que esté destinada a reforzar o consolidar sus deficiencias con objeto de alcanzar una resistencia mecánica, estabilidad, y aptitud al servicio que sean adecuadas al uso del edificio.

b) Las instalaciones eléctricas, con el fin de adaptarlas a la normativa vigente.

c) Cualquier intervención sobre los elementos de la envolvente afectados por humedades, como cubiertas y muros, de forma que se minimice el riego de afección al edificio y a sus elementos constructivos y estructurales, por humedades provenientes de precipitaciones atmosféricas, de escorrentías, del terreno o de condensaciones.

3. Actuaciones para la mejora de la accesibilidad. Se consideran como tales las actuaciones tendentes a adecuar los edificios de viviendas o las viviendas a la Ley 49/1960, de 21 de junio, sobre Propiedad Horizontal, modificada por la Ley 51/2003, de 2 de diciembre, de igualdad de opor-

tunidades, no discriminación y accesibilidad universal de las personas con discapacidad, y lo regulado en desarrollo del Real Decreto 505/2007, de 20 de abril, por el que se aprueban las condiciones básicas de accesibilidad y no discriminación de las personas con discapacidad para el acceso y utilización de los espacios públicos urbanizados y edificaciones, o a la normativa autonómica en materia de promoción de la accesibilidad. En particular:

a) La instalación de ascensores o adaptación de los mismos a las necesidades de personas con discapacidad o a las nuevas normativas que hubieran entrado en vigor tras su instalación.

b) La instalación o mejora de rampas de acceso a los edificios, adaptadas a las necesidades de personas con discapacidad.

c) La instalación o mejora de dispositivos de acceso a los edificios, adaptados a las necesidades de persona con discapacidad sensorial.

d) La instalación de elementos de información que permitan la orientación en el uso de escaleras y ascensores de manera que las personas tengan una referencia adecuada de dónde se encuentran.

e) Obras de adaptación de las viviendas a las necesidades de personas con discapacidad o de personas mayores de 65 años.

1.2. Beneficiarios

El art. 57 del Real Decreto 2066/2008, de 12 de diciembre, determina quiénes pueden ser beneficiarios de las ayudas RENOVE a la rehabilitación. Los beneficiarios de las ayudas de este programa podrán ser los promotores de la actuación y los propietarios de las viviendas o edificios, inquilinos autorizados por el propietario, o las comunidades de propietarios.

Para poder acceder a las ayudas de este programa se determinan unos ingresos familiares máximos, 6,5 veces el Indicador Público de Renta de Efectos Múltiples (IPREM), de acuerdo con la regulación que las Comunidades Autónomas y Ciudades de Ceuta y Melilla establezcan, cuando se trate de rehabilitación para uso propio, de elementos privativos de los edificios, es decir, de las viviendas.

Cuando la rehabilitación tenga por objeto los elementos comunes del edificio, o la totalidad del mismo, para destinarlo a alquiler, las condiciones de los beneficiarios serán las que determinen las Comunidades Autónomas y Ciudades de Ceuta y Melilla, sin exceder los límites de ingresos determinados en el Real Decreto 2066/2008, de 12 de diciembre. De esta manera, las Comunidades Autónomas y las Ciudades de Ceuta y Melilla podrán por tanto definir los porcentajes de familias que deben tener unos ingresos determinados para que la comunidad de propietarios o el promotor de vivienda para alquiler deban tener. Esta posibilidad se encuentra, sin embargo, excesivamente limitada al hacer una referencia a que no podrán exceder a los límites de ingresos establecidos en el Real Decreto 2066/2008, de 12 de diciembre, sin hacer referencia a cuáles son los límites a los que se refiere.

1.3. Financiación de edificios de viviendas

Los beneficiarios de las actuaciones de rehabilitación de edificios de viviendas podrán acceder a préstamos convenidos, con o sin subsidiación y a las subvenciones, que se abonarán a través de las Comunidades Autónomas y Ciudades de Ceuta y Melilla o de la forma que se acuerde con las mismas.

El presupuesto protegido será el coste total de las obras a realizar sobre los elementos comunes e instalaciones generales, incluidas las necesarias sobre las partes afectadas en viviendas y locales comerciales.

Se computará un máximo de 90 m² útiles por vivienda resultante de la actuación o local afectado por ella y, para garajes o anejos y trasteros, la misma superficie máxima que en la promoción de viviendas protegidas, sin que la cuantía máxima del presupuesto protegido, por metro cuadrado útil, supere el 70 por 100 del módulo básico estatal vigente en el momento de la calificación provisional de la actuación.

No será objeto de ayudas financieras la rehabilitación de locales, sin perjuicio de la posibilidad de obtención de préstamo convenido cuando se trate de la rehabilitación de elementos comunes de edificios y los locales participen en los costes de ejecución.

Será condición necesaria para poder acceder a la financiación establecida en este programa, que al menos el 25% del presupuesto de las actuaciones protegidas esté dedicado a la utilización de energías renovables, la mejora de la eficiencia energética, la higiene, salud y protección del medio ambiente, y la accesibilidad del edificio.

1.3.1. Préstamos convenidos

Los préstamos convenidos, además de las características generales establecidas en este Real Decreto 2066/2008, de 12 de diciembre, tendrán las siguientes características:

a) El préstamo convenido podrá alcanzar la totalidad del presupuesto protegido.

b) El plazo de amortización, que se iniciará con la expedición de la calificación definitiva, será de quince años como máximo, precedido de un período de carencia de hasta 2 años, ampliable a 3 años, con el acuerdo de la entidad de crédito y a criterio de las Comunidades Autónomas y Ciudades de Ceuta y Melilla.

c) Podrán obtener préstamo convenido para financiar la actuación protegida de rehabilitación de un edificio, todos los propietarios u ocupantes de las viviendas, con independencia de sus ingresos familiares.

1.3.2. Subsidiaciones

La cuantía de la subsidiación de préstamos convenidos será la siguiente:

a) Cuando el titular del préstamo sea arrendatario, o propietario de una o varias viviendas en el edificio objeto de rehabilitación, y sus ingresos familiares no excedan de 6,5 veces el Indicador Público de Renta de Efectos Múltiples (IPREM), la subsidiación será de 140 euros anuales por cada 10.000 euros de préstamo convenido.

b) Cuando el titular del préstamo tuviera una o varias viviendas arrendadas con contrato de alquiler sujeto a prórroga forzosa celebrado con anterioridad a la entrada en vigor de la Ley 29/1994, de 24 de noviembre, de Arrendamientos Urbanos, no se exigirá el requisito relativo a límite de ingresos familiares y la subsidiación para el arrendador de dichas viviendas será de 175 euros anuales por cada 10.000 euros de préstamo convenido.

1.3.3. Subvenciones

A la comunidad de propietarios: La subvención a la rehabilitación de edificios solicitada por la comunidad de propietarios, será incompatible con la subsidiación del préstamo convenido, y tendrá una cuantía máxima del 10% del presupuesto protegido, a distribuir en función de los criterios que establezcan las Comunidades Autónomas y Ciudades de Ceuta y Melilla, y con un límite de 1.100 euros por vivienda.

A los propietarios u ocupantes: Además, podrán obtener una subvención los propietarios u ocupantes de las viviendas del edificio, promotores de la rehabilitación, cuyos ingresos familiares no excedan de 6,5 veces el Indicador Público de Renta de Efectos Múltiples (IPREM) y cuya cuantía máxima será del 15% del presupuesto protegido, con el límite de 1.600 euros con carácter general, o de 2.700 euros cuando tengan más de 65 años o se trate de personas con discapacidad y las obras se destinen a la eliminación de barreras o a la adecuación de la vivienda a sus necesidades específicas.

1.4. *Financiación de viviendas*

La rehabilitación de viviendas tendrá derecho a las subvenciones reguladas en el Real Decreto 2066/2008, de 12 de diciembre, abonadas a través de las Comunidades Autónomas y Ciudades de Ceuta y Melilla o de la forma que se acuerde con las mismas.

El presupuesto protegido, en las actuaciones sobre viviendas, será el coste total de la rehabilitación de las mismas.

Se computará un máximo de 90 m² útiles por vivienda resultante de la actuación o local afectado por ella.

Será condición necesaria para poder acceder a la financiación establecida en este programa, que al menos el 25% del presupuesto de las actuaciones protegidas esté dedicado a la utilización de energías renovables, la mejora de la eficiencia energética, la higiene, salud y protección del medio ambiente, y la accesibilidad del edificio.

1.4.1. Subvenciones

La financiación de la rehabilitación de viviendas consistirá en subvenciones, con las siguientes cuantías:

a) La cuantía máxima de la subvención por vivienda será del 25% del presupuesto protegido, con el límite de 2.500 euros con carácter general, o de 3.400 euros cuando los propietarios u ocupantes de las viviendas tengan más de 65 años o se trate de personas con discapacidad y las obras se destinen a la eliminación de barreras o a la adecuación de la vivienda a sus necesidades específicas.

b) En el supuesto de que el propietario u ocupante de una vivienda, promotor de su rehabilitación, la destine al alquiler durante un plazo mínimo de 5 años, en las condiciones establecidas por el Real Decreto 2066/2008, de 12 de diciembre, para las viviendas protegidas destinadas a dicho uso (es decir, con limitación de rentas), la cuantía de la subvención a la que se refiere la letra a) anterior será como máximo de 6.500 euros.

XIII. AYUDAS A INSTRUMENTOS DE INFORMACIÓN Y GESTIÓN DEL PLAN

1. Ayudas a la gestión de los Planes de Vivienda en información al ciudadano

1.1. Concepto

El sexto Eje básico del Plan Estatal de Vivienda y Rehabilitación son las Ayudas a instrumentos de información y gestión del Plan y es una de las grandes novedades del Plan. Este sexto Eje cuenta con un único programa dedicado a las Ayudas a la gestión de los Planes de Vivienda en Información al ciudadano y está regulado en los arts. 68 a 70 del Real Decreto 2066/2008. Como se va a ver a continuación se convierte este programa en una fórmula encaminada a ayudar o colaborar con las Administraciones Públicas en los gastos que se derivan de la ejecución del Plan estatal de Vivienda, como los relativos a la información a los ciudadanos o aplicaciones informáticas.

Este programa de ayudas está dirigido a financiar dos cuestiones. La primera es la creación y mantenimiento de sistemas de información a los ciudadanos. Según el glosario de la norma se estaría haciendo referencia a la creación y mantenimiento de sistemas o instrumentos destinados a informar al ciudadano, a las ventanillas únicas, a los programas de difusión del Plan y al Manual de imagen corporativa. La segunda es el control y gestión de las relaciones entre el Ministerio de Vivienda y las Comunidades Autónomas y Ciudades de Ceuta y Melilla en el desarrollo del Plan.

Una vez que la norma determina cuales son las líneas a financiar por este programa, el art. 68.2 del Real Decreto, determina las actuaciones concretas que podrán recibir ayudas, que serían:

— Los sistemas informáticos de gestión del Plan.

— Los registros de demandantes, que son sistemas de inscripción obligatoria de los demandantes de viviendas acogidas al Real Decreto, bien en propiedad o bien en alquiler, que deben garantizar que la adjudicación de las viviendas protegidas, se produzca con arreglo a los principios de igualdad, concurrencia y publicidad, bajo control de la administración pública[63].

Estos registros serán creados y gestionados de conformidad con lo que disponga la normativa de las Comunidades Autónomas y Ciudades Autónomas de Ceuta y Melilla (letra b del art. 3.1 del Real Decreto) y deberán de estar en funcionamiento en el plazo de un año desde la publicación del Real Decreto en el *Boletín Oficial del Estado,* es decir, como muy tarde, para el 24 de diciembre de 2009 (Disposición Transitoria Quinta del Real Decreto).

— Las ventanillas únicas de información y gestión sobre las ayudas del Plan y otras actuaciones de las políticas de vivienda. Estas ventanillas, conforme al Glosario del Real Decreto, tendrán por objeto informar de las ayudas disponibles, tanto del Plan Estatal como las ofrecidas, en su caso, por otras Administraciones y organismos públicos.

De otra parte, la financiación dirigida a la implantación y mantenimiento de ventanillas únicas de vivienda ya se estableció en el anterior Plan estatal de vivienda, a través del art. 80 del Real Decreto 801/2005, de 1 de julio.

— Los programas de difusión del Plan y de su desarrollo y ejecución.

No obstante, el Glosario de Real Decreto, al definir que se debe entender por información al ciudadano y las ayudas destinadas a la creación y mantenimiento de diversos instrumentos destinados a informar el ciudadano de las actuaciones del Plan recoge, junto a las ventanillas únicas y los programas de difusión, el manual de imagen corporativa que facilitará al

---

(63)   La definición es la del glosario del Real Decreto.

ciudadano la identificación de aquellas actuaciones protegidas financiadas por el Plan estatal. Por tanto, puede entenderse que, junto a estas cuatro actuaciones, estaría también la del manual de imagen corporativa.

1.2. Beneficiarios

Los beneficiarios de las ayudas de este programa no van a ser los ciudadanos, sino las administraciones y empresas públicas que lleven a cabo alguna de las cuatro actuaciones concretas a las que se acaba de hacer referencia en el anterior epígrafe (art. 69).

La norma alude como beneficiario a las administraciones en plural. De la propia lectura del artículo resulta claro que pueden resultar beneficiados por este programa la administración estatal, a través del Ministerio de Vivienda (a lo que se hará referencia a continuación), las Comunidades Autónomas y las Ciudades Autónomas de Ceuta y Melilla. Más dudas plantea que puedan ser beneficiarias directas de este programa la administración provincial y local. Igualmente se hace referencia a un único tipo de ente instrumental como son las empresas públicas, sin hacer alusión a otros como son los Organismos Autónomos o los Entes de Derecho público.

Entre estos beneficiarios está el propio Ministerio de Vivienda, que podrá emplear parte de los recursos presupuestarios asignados al Plan para dotarse de sistemas informáticos de seguimiento y gestión del mismo, que faciliten el intercambio de datos e información con los sistemas propios de las Comunidades Autónomas y Ciudades Autónomas de Ceuta y Melilla, así como para elaborar un manual de imagen institucional para la gestión e identificación ante el ciudadano de las actuaciones protegidas del Plan (art. 70). Este manual de imagen institucional debe ser el manual de imagen corporativa al que se hacía referencia en el epígrafe de objeto del programa.

1.3. Financiación

La financiación consistirá en subvenciones, cuya cuantía se determinará en los convenios de colaboración entre el Ministerio de Vivienda y las Comunidades Autónomas y Ciudades Autónomas de Ceuta y Melilla, a los que se hace referencia en el art. 16 del Real Decreto (art. 70). De esta manera, a diferencia de otros programas, en éste no se fija, ni una cuantía fija de subvención, ni la forma de determinar la cantidad, remitiéndose para ello a los convenios de colaboración.

XIV. RESUMEN DE AYUDAS DEL REAL DECRETO 2066/2008, DE 12 DE DICIEMBRE, POR EL QUE SE REGULA EL PLAN ESTATAL DE VIVIENDA Y REHABILITACIÓN 2009-2012

Programa Estatal de Vivienda Protegida

CONCEPTOS BÁSICOS

I. ACTUACIONES PROTEGIDAS

1. La promoción de viviendas protegidas de nueva construcción, o procedentes de la rehabilitación, destinadas a la venta, el uso propio o el arrendamiento, incluidas, en este último supuesto, las promovidas en régimen de derecho de superficie o de concesión administrativa, así como la promoción de alojamientos protegidos para grupos especialmente vulnerables y otros grupos específicos.

2. El alquiler de viviendas nuevas o usadas, libres o protegidas, así como la adquisición de viviendas protegidas de nueva construcción para venta, y la de viviendas usadas, para su utilización como vivienda habitual del adquirente.

3. La rehabilitación de conjuntos históricos, centros urbanos, barrios degradados y municipios rurales; la renovación de áreas urbanas y la erradicación de la infravivienda y del chabolismo.

4. La mejora de la eficiencia energética y de la accesibilidad y la utilización de energía renovables, ya sea en la promoción, en la rehabilitación o en la renovación de viviendas y edificios.

5. La adquisición y urbanización de suelo para vivienda protegida.

6. La gestión del Plan Estatal 2009-2012 y la información a los ciudadanos sobre el mismo.

II. SUPERFICIES MÁXIMAS Y MÍNIMAS DE LAS VIVIENDAS

La superficie útil mínima será establecida por las CC.AA. En su defecto, la superficie útil mínima será de 30 m², para un máximo de dos personas, ampliable 15 m² por cada persona adicional que conviva en ellas.

La superficie útil máxima será la establecida por las CC.AA. La superficie útil máxima, a efectos de la financiación establecida en este Plan, será de 90 m².

Cuando el programa correspondiente admita anejos a la vivienda, las superficies útiles máximas de los mismos serán de 8 m² útiles para el trastero y 25 para el garaje o anejo destinado a almacenamiento de útiles necesarios para el desarrollo de actividades productivas en el medio rural. Cuando la superficie útil no exceda de 45 m², podrá computarse, a efectos de financiación, una superficie útil adicional de hasta el 30 por ciento de dicha superficie útil, destinada a servicios comunitarios vinculados a dichas viviendas en los términos que establezca la normativa propia de las CC.AA.

III. PRECIOS MÁXIMOS DE LAS VIVIENDAS PROTEGIDAS

Tomando como referencia el MBE, las CC.AA. establecerán los precios máximos de venta y de referencia para el alquiler, para cada uno de los ámbitos territoriales que determinen, sin superar los precios máximos fijados para cada programa en este Real Decreto. Los precios se referirán a la superficie útil total de la vivienda, y podrán incluir el de un garaje o anejo y el de un trastero. Las superficies útiles computables serán, como máximo, de 25 m² para los garajes o anejos, y de 8 m² para los trasteros, con independencia de que las superficies reales fueran superiores. En estos anejos, el precio máximo del metro cuadrado de superficie útil computable será del 60 por ciento del correspondiente al metro cuadrado útil de la vivienda.

IV. EL MÓDULO BÁSICO ESTATAL (MBE)

El Módulo Básico Estatal (MBE) es la cuantía en euros por metro cuadrado de superficie útil, que sirve como referencia para la determinación de los precios máximos de venta, adjudicación y renta de las viviendas objeto de las ayudas previstas en este Real Decreto, así como de los presupuestos protegidos máximos de las actuaciones de rehabilitación de viviendas y edificios, y en áreas de rehabilitación integral y renovación urbana.

El MBE será establecido por acuerdo del Consejo de Ministros en el mes de diciembre de cada año y será publicado en el Boletín Oficial del Estado.

Para el año 2009 se fija en 758 euros (838,8 euros para Canarias).

V. ÁMBITOS TERRITORIALES DE PRECIO MÁXIMO SUPERIOR (ATPMS)

La declaración de nuevos ámbitos territoriales de precio máximo superior, o de modificación de los existentes, se realizará mediante Orden del Ministerio de Vivienda, a propuesta de las CC.AA. y previa solicitud, por parte de dichas Comunidades y Ciudades, de informe no vinculante a los ayuntamientos afectados, informe que tendrá en cuenta la capacidad económica de los demandantes de vivienda en sus municipios y su esfuerzo económico para acceder a la vivienda.

En los ámbitos territoriales declarados de precio máximo superior, las CC.AA. podrán incrementar el precio máximo general de venta de las viviendas, en los siguientes porcentajes máximos:

a) ATPMS del grupo A: hasta un 60 por ciento de incremento, para las viviendas protegidas de nueva construcción, salvo las de precio concertado; y hasta un 120 por ciento, para las viviendas libres usadas y las viviendas protegidas de precio concertado.

b) ATPMS del grupo B: hasta un 30 por ciento para las viviendas protegidas de nueva construcción, salvo las de precio concertado; y hasta un 60 por ciento, para las viviendas libres usadas y las viviendas protegidas de precio concertado.

c) ATPMS del grupo C: hasta un 15 por ciento para las viviendas protegidas de nueva construcción, salvo las de precio concertado; y hasta un 30 por ciento, para las viviendas libres usadas y las viviendas protegidas de precio concertado.

VI. TIPOLOGÍAS Y CARACTERÍSTICAS DE LOS DIFERENTES TIPOS DE VIVIENDAS.

1. COMPRA DE VIVIENDA DE NUEVA CONSTRUCCIÓN

A) VIVIENDA PROTEGIDA DE RÉGIMEN ESPECIAL

Características:

• El precio máximo de referencia por metro cuadrado útil será **1,50 veces** el Módulo Básico Estatal (MBE) = 758 euros para 2009 (833,8 para Canarias).

Este precio se incrementará si la vivienda se encuentra en una localidad situada en un Ámbito Territorial de Precio Máximo Superior (ATPMS).

• El régimen de protección será de al menos 30 años, y permanentemente mientras el suelo esté destinado a vivienda protegida o sea suelo dotacional público. Antes de los 10 años la vivienda no podrá venderse sin consentimiento de la CA y sin la devolución de las ayudas recibidas.

• Transcurridos 10 años podrá ser vendida a personas inscritas en los registros públicos de vivienda protegida.

Salvo normativa autonómica diferente, la superficie útil de la vivienda estará comprendida entre 30 m² (si viven 1 o 2 personas) y 90 m².

Requisitos de acceso:

1. Ingresos familiares no superiores a 2,5 veces el IPREM.

2. No ser titular de una vivienda protegida, ni de una libre cuyo valor, según el Impuesto sobre Transmisiones Patrimoniales, exceda del 40% del precio de la vivienda que se pretende adquirir (60% para personas mayores, mujeres víctimas de violencia de género, víctimas del terrorismo, familias numerosas o monoparentales con hijos, personas con discapacidad y separadas o divorciadas).

3. Estar inscrito en un registro público de demandantes de vivienda.

4. La actuación debe haber sido calificada como protegida por la CA.

5. La vivienda debe destinarse como residencia habitual del adjudicatario y ocuparse dentro de los plazos establecidos.

Características de la ayuda:

PRÉSTAMO CONVENIDO de hasta el 80% del precio de escritura o adjudicación a devolver en, al menos, 25 años. El tipo de interés podrá ser variable o fijo. En intereses variables será igual al Euribor a 12 meses publicado por el Banco de España en el *Boletín Oficial del Estado (BOE)*, el mes anterior al de la fecha de formalización, más un diferencial de 65 puntos básicos (Euribor + 0,65).

SUBSIDIOS A LOS PRÉSTAMOS. Cantidad anual por cada 10.000 euros de préstamo durante 5 años, renovables 5 más: 100 euros (155 euros para familias numerosas, monoparentales con hijos y discapacitados, durante los 5 primeros años).

AYUDA ESTATAL DIRECTA A LA ENTRADA (AEDE):

8.000 euros (9.000 euros en caso de jóvenes, 11.000 euros para mujeres víctimas de violencia de género, víctimas de terrorismo y personas separadas o divorciadas, y 12.000 euros para familias numerosas, monoparentales con hijos y discapacitados).

Cuando la vivienda estuviera en un Ámbito Territorial de Precio Máximo Superior se incrementarán las ayudas en 1.200 euros para vivienda situadas en ámbitos del Grupo A, 600 para el B y 300 para el C.

Requisitos de acceso ayuda:

1. La vivienda tiene que haber obtenido la calificación definitiva.

2. El contrato de compraventa tiene que haber sido visado por la CA. Entre las firmas del contrato y la solicitud del visado no debe pasar más de 4 meses.

3. Entre el visado del contrato y la solicitud del préstamo no debe pasar más de 6 meses.

4. No haber obtenido ayudas financieras ni préstamo convenido para el mismo tipo de actuación durante los 10 años anteriores.

5. No haber sido nunca antes titular de una vivienda en propiedad (salvo excepciones).

6. No haber sido nunca antes titular de una vivienda en propiedad (salvo excepciones).

7. La cuantía del préstamo convenido no será inferior al 60% del precio de la vivienda durante los 5 primeros años de amortización del préstamo.

B) VIVIENDA PROTEGIDA DE RÉGIMEN GENERAL

Características:

• El precio máximo de referencia por metro cuadrado útil será **1,60 veces** el Módulo Básico Estatal (MBE) = 758 euros para 2009 (833,8 para Canarias). Este precio se incrementará si la vivienda se encuentra en una localidad situada en un Ámbito Territorial de Precio Máximo Superior (ATPMS).

• El régimen de protección será de al menos 30 años, y permanentemente mientras el suelo esté destinado a vivienda protegida o sea suelo dotacional público. Antes de los 10 años la vivienda no podrá venderse sin consentimiento de la CA y sin la devolución de las ayudas recibidas. Transcurridos 10 años podrá ser vendida a personas inscritas en los registros públicos de vivienda protegida.

• Salvo normativa autonómica diferente, la superficie útil de la vivienda estará comprendida entre 30 m² (sólo si viven 1 o 2 personas) y 90 m².

Requisitos de acceso:

1. Ingresos familiares no superiores a 4,5 veces el IPREM.

2. No ser titular de una vivienda protegida, ni de una libre cuyo valor, según el Impuesto sobre Transmisiones Patrimoniales, exceda del 40% del precio de la vivienda que se pretende adquirir (60% para personas mayores, mujeres víctimas de violencia de género, víctimas del terrorismo, familias numerosas o monoparentales con hijos, personas con discapacidad y separadas o divorciadas).

3. Estar inscrito en un registro público de demandantes de vivienda.

4. La actuación debe haber sido calificada como protegida por la CA.

5. La vivienda debe destinarse como residencia habitual del adjudicatario y ocuparse dentro de los plazos establecidos.

Características de la ayuda:

PRÉSTAMO CONVENIDO de hasta el 80% del precio de escritura o adjudicación a devolver en, al menos, 25 años. El tipo de interés podrá ser variable o fijo. En intereses variables será igual al Euribor a 12 meses publicado por el Banco de España en el *Boletín Oficial del Estado (BOE)*, el mes anterior al de la fecha de formalización, más un diferencial de 65 puntos básicos (Euribor + 0,65).

SUBSIDIOS A LOS PRÉSTAMOS. Cantidad anual por cada 10.000 euros de préstamo durante 5 años, renovables 5 más:

— 100 euros para ingresos menores o iguales a 2,5 veces el IPREM (155 euros para familias numerosas, monoparentales con hijos y discapacitados, durante los 5 primeros años).

— 80 euros para ingresos entre 2,5 y 3,5 veces el IPREM (113 euros para familias numerosas, monoparentales con hijos y discapacitados durante los 5 primeros años).

— 60 euros para ingresos mayores de 3,5 y menores o iguales a 4,5 veces del IPREM (93 euros para familias numerosas, monoparentales con hijos y discapacitados durante los 5 primeros años

AYUDA ESTATAL DIRECTA A LA ENTRADA (AEDE):

— 8.000 euros para ingresos menores o iguales a 2,5 veces el IPREM (9.000 euros en caso de jóvenes, 11.000 euros para mujeres víctimas de violencia de género, víctimas de terrorismo y personas separadas o divorciadas, y 12.000 euros para familias numerosas, monoparentales con hijos y discapacitados).

— 7.000 euros para ingresos entre 2,5 y 3,5 veces el IPREM (8.000 euros en caso de jóvenes, 9.000 euros para mujeres víctimas de violencia de género, víctimas de terrorismo y personas separadas o divorciadas, y 10.000 euros para familias numerosas, monoparentales con hijos y discapacitados).

— 5.000 euros para ingresos mayores de 3,5 y menores o iguales a 4,5 veces del IPREM (6.000 euros en caso de jóvenes, 7.000 euros para mujeres víctimas de violencia de género, víctimas de terrorismo y personas separadas o divorciadas, y 8.000 euros para familias numerosas, monoparentales con hijos y discapacitados).

Cuando la vivienda estuviera en un Ámbito Territorial de Precio Máximo Superior se incrementarán las ayudas en 1.200 euros para vivienda situadas en ámbitos del Grupo A, 600 para el B y 300 para el comprador.

Requisitos de acceso ayuda:

1. La vivienda tiene que haber obtenido la calificación definitiva.

2. El contrato de compraventa tiene que haber sido visado por la CA. Entre las firmas del contrato y la solicitud del visado no debe pasar más de 4 meses.

3. Entre el visado del contrato y la solicitud del préstamo no debe pasar más de 6 meses.

4. No haber obtenido ayudas para el mismo tipo de actuación durante los 10 años anteriores

5. No haber sido nunca antes titular de una vivienda en propiedad (salvo excepciones)

6. No haber sido nunca antes titular de una vivienda en propiedad (salvo excepciones).

7. La cuantía del préstamo convenido no será inferior al 60% del precio de la vivienda durante los 5 primeros años de amortización del préstamo.

C) VIVIENDA PROTEGIDA DE RÉGIMEN CONCERTADO

Características:

• El precio máximo de referencia por metro cuadrado útil será **1,80 veces** el Módulo Básico Estatal (MBE) = 758 euros para 2009 (833,8 para Canarias). Este precio se incrementará si la vivienda se encuentra en una localidad situada en un Ámbito Territorial de Precio Máximo Superior (ATPMS).

• El régimen de protección será de al menos 30 años, y permanentemente mientras el suelo esté destinado a vivienda protegida o sea suelo dotacional público. Antes de los 10 años la vivienda no podrá venderse sin consentimiento de la CA y sin la devolución de las ayudas recibidas.

• Transcurridos 10 años podrá ser vendida a personas inscritas en los registros públicos de vivienda protegida.

• Salvo normativa autonómica diferente, la superficie útil de la vivienda estará comprendida entre 30 m² (sólo si viven 1 o 2 personas) y 90 m².

Requisitos de acceso:

1. Ingresos familiares no superiores a 6,5 veces el IPREM.

2. No ser titular de una vivienda protegida, ni de una libre cuyo valor, según el Impuesto sobre Transmisiones Patrimoniales, exceda del 40% del precio de la vivienda que se pretende adquirir (60% para personas mayores, mujeres víctimas de violencia de género, víctimas del terrorismo, familias numerosas o monoparentales con hijos, personas con discapacidad y separadas o divorciadas).

3. Estar inscrito en un registro público de demandantes de vivienda.

4. La actuación debe haber sido calificada como protegida por la CA.

5. La vivienda debe destinarse como residencia habitual del adjudicatario y ocuparse dentro de los plazos establecidos

Características de la ayuda:

PRÉSTAMO CONVENIDO de hasta el 80% del precio de escritura o adjudicación a devolver en, al menos, 25 años. El tipo de interés podrá ser variable o fijo. En intereses variables será igual al Euribor a 12 meses publicado por el Banco de España en el *Boletín Oficial del Estado (BOE),* el mes anterior al de la fecha de formalización, más un diferencial de 65 puntos básicos (Euribor + 0,65).

Requisitos de acceso ayuda:

1. La vivienda tiene que haber obtenido la calificación definitiva.

2. El contrato de compraventa tiene que haber sido visado por la CA. Entre las firmas del contrato y la solicitud del visado no debe pasar más de 4 meses.

3. Entre el visado del contrato y la solicitud del préstamo no debe pasar más de 6 meses.

4. No haber obtenido ayudas financieras ni préstamo convenido para el mismo tipo de actuación durante los 10 años anteriores.

2. COMPRA DE VIVIENDA USADA

Características:

Se consideran viviendas usadas:

a) Viviendas libres o protegidas en segunda o posteriores transmisiones (incluidas las que se hubiesen destinado al alquiler).

b) Viviendas libres de nueva construcción adquiridas después de, al menos, 1 año desde la expedición de la licencia de primera ocupación, el certificado final de obra o la cédula de habitabilidad.

c) Viviendas libres de nueva construcción cuya licencia de primera ocupación, certificado final de obra o cédula de habitabilidad hayan sido emitida antes del 24/12/2008.

d) Viviendas rurales usadas según las condiciones establecidas por las CC.AA.

La obtención de la ayuda conllevará la limitación de su precio máximo de venta en posteriores transmisiones, durante, al menos, 15 años desde la fecha de adquisición, o durante la duración del préstamo convenido, si fuera superior.

Salvo normativa autonómica diferente, la superficie útil de la vivienda estará comprendida entre 30 m² (sólo si viven 1 o 2 personas) y 90 m².

Requisitos de acceso:

1. Ingresos familiares no superiores a 6,5 veces el IPREM.

2. No ser titular de una vivienda protegida, ni de una libre cuyo valor, según el Impuesto sobre Transmisiones Patrimoniales, exceda del 40% del precio de la vivienda que se pretende adquirir (60% para personas mayores, mujeres víctimas de violencia de género, víctimas del terrorismo, familias numerosas o monoparentales con hijos, personas con discapacidad y separadas o divorciadas).

3. Estar inscrito en un registro público de demandantes de vivienda.

4. La actuación debe haber sido calificada como protegida por la CA.

5. La vivienda debe destinarse como residencia habitual del adjudicatario

Características de la ayuda:

PRÉSTAMO CONVENIDO de hasta el 80% del precio de escritura o adjudicación a devolver en, al menos, 25 años. El tipo de interés podrá ser variable o fijo. En intereses variables será igual al Euribor a 12 meses publicado por el Banco de España en el *Boletín Oficial del Estado (BOE)*, el mes anterior al de la fecha de formalización, más un diferencial de 65 puntos básicos (Euribor + 0,65).

SUBSIDIOS A LOS PRÉSTAMOS. Cantidad anual por cada 10.000 euros de préstamo durante 5 años, renovables 5 más:

— 100 euros para ingresos menores o iguales a 2,5 veces el IPREM (155 euros para familias numerosas, monoparentales con hijos y discapacitados, durante los 5 primeros años).

— 80 euros para ingresos entre 2,5 y 3,5 veces el IPREM (113 euros para familias numerosas, monoparentales con hijos y discapacitados durante los 5 primeros años).

— 60 euros para ingresos mayores de 3,5 y menores o iguales a 4,5 veces del IPREM (93 euros para familias numerosas, monoparentales con hijos y discapacitados durante los 5 primeros años).

AYUDA ESTATAL DIRECTA A LA ENTRADA (AEDE):

— 8.000 euros para ingresos menores o iguales a 2,5 veces el IPREM (9.000 euros en caso de jóvenes, 11.000 euros para mujeres víctimas de violencia de género, víctimas de terrorismo y personas separadas o divorciadas, y 12.000 euros para familias numerosas, monoparentales con hijos y discapacitados).

— 7.000 euros para ingresos entre 2,5 y 3,5 veces el IPREM (8.000 euros en caso de jóvenes, 9.000 euros para mujeres víctimas de violencia de género, víctimas de terrorismo y personas separadas o divorciadas, y 10.000 euros para familias numerosas, monoparentales con hijos y discapacitados).

— 5.000 euros para ingresos mayores de 3,5 y menores o iguales a 4,5 veces del IPREM (6.000 euros en caso de jóvenes, 7.000 euros para mujeres víctimas de violencia de género, víctimas de terrorismo y personas separadas o divorciadas, y 8.000 euros para familias numerosas, monoparentales con hijos y discapacitados).

Cuando la vivienda estuviera en un Ámbito Territorial de Precio Máximo Superior se incrementarán las ayudas en 1.200 euros para vivienda situadas en ámbitos del Grupo A, 600 para el B y 300 para el C.

Requisitos de acceso ayuda:

1. El contrato de compraventa tiene que haber sido visado por la CA. Entre las firmas del contrato y la solicitud del visado no debe pasar más de 4 meses.

2. Entre el visado del contrato y la solicitud del préstamo no debe pasar más de 6 meses.

3. No haber obtenido ayudas financieras ni préstamo convenido para el mismo tipo de actuación durante los 10 años anteriores.

4. No haber sido nunca antes titular de una vivienda en propiedad (salvo excepciones).

5. El precio de venta por metro cuadrado útil de la vivienda no excederá de 1,60 veces el Módulo Básico Estatal (MBE) = 758 euros para 2009 (833,8 para Canarias). Este precio se incrementará si la vivienda se encuentra en una localidad situada en un Ámbito Territorial de Precio Máximo Superior (ATPMS).

5. No haber sido nunca antes titular de una vivienda en propiedad (salvo excepciones).

6. La cuantía del préstamo convenido no será inferior al 60% del precio de la vivienda durante los 5 primeros años de amortización del préstamo.

3. ALQUILER

A) VIVIENDA PROTEGIDA DE RÉGIMEN ESPECIAL

Características:

• La duración mínima del alquiler de las viviendas será de 10 o de 25 años.

• El precio máximo de referencia por metro cuadrado útil será 1,50 veces el Módulo Básico Estatal (MBE) = 758 euros para 2009 (833,8 para Canarias). Este precio se incrementará si la vivienda se encuentra en una localidad situada en un Ámbito Territorial de Precio Máximo Superior (ATPMS). Sirve para determinar la renta a pagar por el inquilino.

• El régimen de protección será de al menos 30 años, y permanentemente mientras el suelo esté destinado a vivienda protegida o sea suelo dotacional público.

OPCIÓN A COMPRA:

• Las viviendas protegidas a 10 años podrán ser objeto de contrato de alquiler con opción a compra.

• El precio de compra será de hasta 1,7 veces el precio máximo de referencia.

• Del precio de venta se deducirá al menos el 30% de los alquileres pagados por el inquilino.

Requisitos de acceso:

1. Ingresos familiares no superiores a 2,5 veces el IPREM.

2. No ser titular de una vivienda protegida, ni de una libre cuyo valor, según el Impuesto sobre Transmisiones Patrimoniales, exceda del 40% del precio de la vivienda que se pretende adquirir (60% para personas mayores, mujeres víctimas de violencia de género, víctimas del terrorismo, familias numerosas o monoparentales con hijos, personas con discapacidad y separadas o divorciadas).

3. Estar inscrito en un registro público de demandantes de vivienda.

4. La actuación debe haber sido calificada como protegida por la CA.

5. La vivienda debe destinarse como residencia habitual del adjudicatario y ocuparse dentro de los plazos establecidos.

Características de la ayuda:

RENTA MÁXIMA anual por metro cuadrado de superficie útil del 4,5% del precio máximo de referencia para viviendas protegidas en alquiler a 25 años, o del 5,5% en caso de viviendas protegidas en alquiler a 10 años (se actualizará anualmente según el IPC). La renta establecida deberá figurar en la calificación provisional y definitiva de la vivienda, y en el visado del contrato de alquiler emitido por la CA.

Para este tipo de viviendas también pueden solicitarse las AYUDAS A INQUILINOS.

B) VIVIENDA PROTEGIDA DE RÉGIMEN GENERAL

Características:

• La duración mínima del alquiler de las viviendas será de 10 o de 25 años.

• El precio máximo de referencia por metro cuadrado útil será 1,60 veces el Módulo Básico Estatal (MBE) = 758 euros para 2009 (833,8 para Canarias). Este precio se incrementará si la vivienda se encuentra en una localidad situada en un Ámbito Territorial de Precio Máximo Superior (ATPMS). Sirve para determinar la renta a pagar por el inquilino.

• El régimen de protección será de al menos 30 años, y permanentemente mientras el suelo esté destinado a vivienda protegida o sea suelo dotacional público.

OPCIÓN A COMPRA:

• Las viviendas protegidas a 10 años podrán ser objeto de contrato de alquiler con opción a compra.

• El precio de compra será de hasta 1,7 veces el precio máximo de referencia.

• Del precio de venta se deducirá al menos el 30% de los alquileres pagados por el inquilino.

Requisitos de acceso:

1. Ingresos familiares no superiores a 4,5 veces el IPREM.

2. No ser titular de una vivienda protegida, ni de una libre cuyo valor, según el Impuesto sobre Transmisiones Patrimoniales, exceda del 40% del precio de la vivienda que se pretende adquirir (60% para personas mayores, mujeres víctimas de violencia de género, víctimas del terrorismo, familias numerosas o monoparentales con hijos, personas con discapacidad y separadas o divorciadas).

3. Estar inscrito en un registro público de demandantes de vivienda.

4. La actuación debe haber sido calificada como protegida por la CA.

5. La vivienda debe destinarse como residencia habitual del adjudicatario y ocuparse dentro de los plazos establecidos.

Características de la ayuda:

RENTA MÁXIMA anual por metro cuadrado de superficie útil del 4,5% del precio máximo de referencia para viviendas protegidas en alquiler a 25 años, o del 5,5% en caso de viviendas protegidas en alquiler a 10 años (se actualizará anualmente según el IPC). La renta establecida deberá figurar en la calificación provisional y definitiva de la vivienda, y en el visado del contrato de alquiler emitido por la CA.

Para este tipo de viviendas también pueden solicitarse las AYUDAS A INQUILINOS (ingresos inferiores a 2,5 veces el IPREM).

C) VIVIENDA PROTEGIDA DE RÉGIMEN CONCERTADO

Características:

• La duración mínima del alquiler de las viviendas será de 10 o de 25 años.

• El precio máximo de referencia por metro cuadrado útil será 1,80 veces el Módulo Básico Estatal (MBE) = 758 euros para 2009 (833,8 para Canarias). Este precio se incrementará si la vivienda se encuentra en una localidad situada en un Ámbito Territorial de Precio Máximo Superior (ATPMS). Sirve para determinar la renta a pagar por el inquilino.

• El régimen de protección será de al menos 30 años, y permanentemente mientras el suelo esté destinado a vivienda protegida o sea suelo dotacional público.

OPCIÓN A COMPRA:

• Las viviendas protegidas a 10 años podrán ser objeto de contrato de alquiler con opción a compra.

• El precio de compra será de hasta 1,7 veces el precio máximo de referencia.

• Del precio de venta se deducirá al menos el 30% de los alquileres pagados por el inquilino.

Requisitos de acceso:

1. Ingresos familiares no superiores a 6,5 veces el IPREM.

2. No ser titular de una vivienda protegida, ni de una libre cuyo valor, según el Impuesto sobre Transmisiones Patrimoniales, exceda del 40% del precio de la vivienda que se pretende adquirir (60% para personas mayores, mujeres víctimas de violencia de género, víctimas del terrorismo, familias numerosas o monoparentales con hijos, personas con discapacidad y separadas o divorciadas).

3. Estar inscrito en un registro público de demandantes de vivienda.

4. La actuación debe haber sido calificada como protegida por la CA.

5. La vivienda debe destinarse como residencia habitual del adjudicatario y ocuparse dentro de los plazos establecidos.

Características de la ayuda:

RENTA MÁXIMA anual por metro cuadrado de superficie útil del 4,5% del precio máximo de referencia para viviendas protegidas en alquiler a 25 años, o del 5,5% en caso de viviendas protegidas en alquiler a 10 años (se actualizará anualmente según el IPC). La renta establecida deberá figurar en la calificación provisional y definitiva de la vivienda, y en el visado del contrato de alquiler emitido por la CA.

Para este tipo de viviendas también pueden solicitarse las AYUDAS A INQUILINOS (ingresos inferiores a 2,5 veces el IPREM).

VII. AYUDAS ALQUILER AL INQUILINO

Características:

• La vivienda podrá ser libre o protegida (las CC.AA. podrán restringir la ayuda sólo a la vivienda libre, o a la vivienda libre más determinados tipos de vivienda protegida).

Características de la ayuda:

SUBVENCIÓN de hasta el 40% DE LA RENTA que se vaya a pagar, con un límite de 3.200 euros por vivienda (independientemente del número de titulares existentes en el contrato), durante un máximo de 2 años.

Requisitos de acceso ayuda:

1. Ingresos familiares no superiores a 2,5 veces el IPREM (se tendrán en cuenta los ingresos de todos los TITULARES del contrato de alquiler).

2. No ser titular de una vivienda protegida, ni de una libre cuyo valor, según el Impuesto sobre Transmisiones Patrimoniales, exceda del 40% del precio de la vivienda que se pretende adquirir (60% para personas mayores, mujeres víctimas de violencia de género, víctimas del terrorismo, familias numerosas o monoparentales con hijos, personas con discapacidad y separadas o divorciadas).

3. La vivienda debe destinarse como residencia habitual del inquilino.

4. Ser titular de un contrato de alquiler realizado según la Ley 29/1994 de Arrendamientos Urbanos.

5. No ser beneficiario de la ayuda de la Renta Básica de Emancipación.

6. No tener parentesco en primer o segundo grado de consanguinidad o de afinidad con el arrendador, ni ser socio del organismo o entidad que alquile la vivienda.

VIII. PROMOTORES

1. PROMOCIONES DE VIVIENDAS PROTEGIDAS EN ALQUILER

A) PROMOCIÓN PARA ALQUILER A 25 AÑOS

Características:

Las viviendas protegidas podrán ser:

a) Régimen especial: destinadas a inquilinos con ingresos que no superen 2,5 veces el IPREM, y cuyo precio máximo de referencia por m² útil será de 1,50 veces el MBE.

b) Régimen general: destinadas a inquilinos con ingresos que no superen 4,5 veces el IPREM, y cuyo precio máximo de referencia por m² útil será de 1,60 veces el MBE.

c) Régimen concertado: destinadas a inquilinos con ingresos que no superen 6,5 veces el IPREM, y cuyo precio máximo de referencia por m² útil será de 1,80 veces el MBE.

• Estos precios se incrementan según el ATPMS en el que se ubique la vivienda.

• La duración mínima del alquiler será de 25 años desde su calificación definitiva.

• La renta máxima anual por m² útil será el 4,5% del precio máximo.

• Mientras sigan siendo protegidas, estas viviendas podrán venderse transcurridos 25 años. El precio máximo de venta será el que corresponda a una vivienda protegida del mismo tipo y en la misma ubicación, calificada provisionalmente en el momento de la venta.

Características de la ayuda

PRÉSTAMO CONVENIDO de hasta el 80% del precio de escritura o adjudicación a devolver en, al menos, 25 años. El tipo de interés podrá ser variable o fijo. En intereses variables será igual al Euribor a 12 meses publicado por el Banco de España en el *Boletín Oficial del Estado (BOE)*, el mes anterior al de la fecha de formalización, más un diferencial de 65 puntos básicos. El período de carencia en el pago de intereses finalizará en la fecha de la calificación definitiva, con un límite de 4 años (10 años con el consentimiento de la CA).

SUBSIDIOS a los préstamos. Cantidad anual por cada 10.000 euros de préstamo durante 25 años:

— 350 euros para Viviendas de Régimen Especial.

— 250 euros para Viviendas de Régimen General.

— 100 euros para Viviendas de Régimen Concertado.

SUBVENCIÓN de 350 euros para la promoción de Viviendas de Régimen Especial y de 250 euros para Viviendas de Régimen General. Cuando la vivienda estuviera en un Ámbito Territorial de Precio Máximo Superior se incrementarán las ayudas en 60 euros para vivienda situadas en ámbitos del Grupo A, 30 para el B y 15 para el C.

Requisitos de acceso ayuda:

1. Haber obtenido el préstamo cualificado.

B) PROMOCIÓN PARA ALQUILER A 10 AÑOS

Características:

Las viviendas protegidas podrán ser:

a) Régimen especial: destinadas a inquilinos con ingresos que no superen 2,5 veces el IPREM, y cuyo precio máximo de referencia por m² útil será de 1,50 veces el MBE.

b) Régimen general: destinadas a inquilinos con ingresos que no superen 4,5 veces el IPREM, y cuyo precio máximo de referencia por m² útil será de 1,60 veces el MBE.

c) Régimen concertado: destinadas a inquilinos con ingresos que no superen 6,5 veces el IPREM, y cuyo precio máximo de referencia por m² útil será de 1,80 veces el MBE.

• Estos precios se incrementan según el ATPMS en el que se ubique la vivienda.

• La duración mínima del alquiler será de 10 años desde su calificación definitiva.

• La renta máxima anual por m² útil será el 5,5% del precio máximo.

• Mientras sigan siendo protegidas, estas viviendas podrán venderse transcurridos 10. El precio máximo de venta será de hasta 1,5 veces el precio máximo de referencia establecido en la calificación provisional.

• Las viviendas podrán ser objeto de un contrato de alquiler con opción de compra. El precio de venta será de hasta 1,7 veces el precio máximo de referencia establecido en la calificación provisional. Del precio de venta se deducirá, al menos, el 30% de los alquileres satisfechos por el inquilino.

Características de la ayuda:

PRÉSTAMO CONVENIDO de hasta el 80% del precio de escritura o adjudicación a devolver en, al menos, 10 años. El tipo de interés podrá ser variable o fijo. En intereses variables será igual al Euribor a 12 meses publicado por el Banco de España en el *Boletín Oficial del Estado (BOE)*, el mes anterior al de la fecha de formalización, más un diferencial de 65 puntos básicos. El período de carencia en el pago de intereses finalizará en la fecha de la calificación definitiva, con un límite de 4 años (10 años con el consentimiento de la CA).

SUBSIDIOS a los préstamos. Cantidad anual por cada 10.000 euros de préstamo durante 10 años:

— 350 euros para Viviendas de Régimen Especial.

— 250 euros para Viviendas de Régimen General.

— 100 euros para Viviendas de Régimen Concertado.

SUBVENCIÓN de 250 euros para la promoción de Viviendas de Régimen Especial y de 200 euros para Viviendas de Régimen General. Cuando la vivienda estuviera en un Ámbito Territorial de Precio Máximo Superior se incrementarán las ayudas en 60 euros para vivienda situadas en ámbitos del Grupo A, 30 para el B y 15 para el C.

Requisitos de acceso ayuda:

1. Haber obtenido el préstamo cualificado.

2. PROMOCIONES DE VIVIENDAS PARA VENTA O USO PROPIO (Cooperativas autopromoción)

Características:

Las viviendas protegidas podrán ser:

a) Régimen especial: destinadas a inquilinos con ingresos que no superen 2,5 veces el IPREM, y cuyo precio máximo de referencia por m² útil será de 1,50 veces el MBE.

b) Régimen general: destinadas a inquilinos con ingresos que no superen 4,5 veces el IPREM, y cuyo precio máximo de referencia por m² útil será de 1,60 veces el MBE.

c) Régimen concertado: destinadas a inquilinos con ingresos que no superen 6,5 veces el IPREM, y cuyo precio máximo de referencia por m² útil será de 1,80 veces el MBE.

• Para promotores para uso propio el precio máximo de adjudicación (o la suma de los valores de la edificación y el suelo si se trata de promotores individuales), tendrán los mismos límites que en el apartado anterior.

• Estos precios se incrementan según el ATPMS en el que se ubique la vivienda.

Características de la ayuda:

PRÉSTAMO CONVENIDO de hasta el 80% del precio de escritura o adjudicación a devolver en, al menos, 25 años. El tipo de interés podrá ser variable o fijo. En intereses variables será igual al Euribor a 12 meses publicado por el Banco de España en el *Boletín Oficial del Estado (BOE)*, el mes anterior al de la fecha de formalización, más un diferencial de 65 puntos básicos. El período de carencia en el pago de intereses finalizará en la fecha de la calificación definitiva, con un límite de 4 años (10 años con el consentimiento de la CA).

3. PROMOCIONES DE ALOJAMIENTOS PROTEGIDOS PARA COLECTIVOS ESPECIALMENTE VULNERABLES

Características:

• Alojarán a unidades familiares con ingresos no superiores a 1,5 veces el IPREM., jóvenes menores de 35 años, personas mayores de 65 años, mujeres víctimas de violencia de género, víctimas del terrorismo, afectados por situaciones catastróficas, discapacitados, personas sin hogar y otros colectivos en situación de exclusión social.

• Formarán parte de edificios o conjuntos de edificios destinados en exclusiva a estos colectivos.

• Se accederá a ellos mediante alquiler.

• La renta máxima anual por m² útil será el 4,5% del precio máximo de una Vivienda Protegida de Régimen Especial para Alquiler durante 25 años (1,50 veces el MBE). Se imputará un máximo del 30% de la superficie destinada a servicios comunes y asistenciales. La prestación de estos servicios podrá suponer un incremento de la renta.

• Superficie útil mínima de 15 m² por persona, con un máximo de 45 m² (el 25% del total de los alojamientos podrá tener hasta 90 m²).

• La superficie útil protegida destinada a servicios comunes y asistenciales no podrás ser superior al 30%.

Características de la ayuda:

PRÉSTAMO CONVENIDO de hasta el 80% del precio de escritura o adjudicación a devolver en, al menos, 25 años. El tipo de interés podrá ser variable o fijo. En intereses variables será igual al Euribor a 12 meses publicado por el Banco de España en el *Boletín Oficial del Estado (BOE)*, el mes anterior al de la fecha de formalización, más un diferencial de 65 puntos básicos. El período de carencia en el pago de intereses finalizará en la fecha de la calificación definitiva, con un límite de 4 años (10 años con el consentimiento de la CA).

SUBSIDIOS a los préstamos. Cantidad anual por cada 10.000 euros de préstamo durante 25 años: 350 euros

SUBVENCIÓN de 500 euros por m² de superficie útil.

4. PROMOCIONES DE ALOJAMIENTOS PROTEGIDOS PARA OTROS COLECTIVOS ESPECÍFICOS

Características:

• Alojarán a personas relacionadas con la comunidad universitaria, o investigadores o científicos.

- Formarán parte de edificios o conjuntos de edificios destinados en exclusiva a estos colectivos.

- Se accederá a ellos mediante alquiler.

- La renta máxima anual por m² útil será el 4,5% del precio máximo de una Vivienda Protegida de Régimen General para Alquiler durante 25 años (1,60 veces el MBE). Se imputará un máximo del 30% de la superficie destinada a servicios comunes y asistenciales. La prestación de estos servicios podrá suponer un incremento de la renta.

- El número de alojamientos lo determinarán las CC.AA.

- Superficie útil mínima de 15 m² por persona, con un máximo de 45 m² (el 25% del total de los alojamientos podrá tener hasta 90 m²).

- La superficie útil protegida destinada a servicios comunes y asistenciales no podrás ser superior al 30%.

Características de la ayuda:

PRÉSTAMO CONVENIDO de hasta el 80% del precio de escritura o adjudicación a devolver en, al menos, 25 años. El tipo de interés podrá ser variable o fijo. En intereses variables será igual al Euribor a 12 meses publicado por el Banco de España en el *Boletín Oficial del Estado (BOE)*, el mes anterior al de la fecha de formalización, más un diferencial de 65 puntos básicos. El período de carencia en el pago de intereses finalizará en la fecha de la calificación definitiva, con un límite de 4 años (10 años con el consentimiento de la CA).

SUBSIDIOS a los préstamos. Cantidad anual por cada 10.000 euros de préstamo durante 25 años: 250 euros.

SUBVENCIÓN de 320 euros por m² de superficie útil.

5. EFICIENCIA ENERGÉTICA EN LA PROMOCIÓN VIVIENDAS PROTEGIDAS

Características de la vivienda:

• Los proyectos de las viviendas calificadas como protegidas tendrán una calificación energética de la clase A, B o C, según lo establecido en el Real Decreto 47/2007.

Características de la ayuda:

SUBVENCIÓN de 3.500 euros por vivienda si se obtiene la calificación energética de la clase A, 2.800 euros si se obtiene la B y 2.000 euros si se obtiene la C.

Requisitos para acceder a la ayuda:

1. Estas ayudas son incompatibles con aquellas que tengan la misma finalidad establecidas en el Plan de Acción de Ahorro y Eficiencia Energética 2008-2012 y al Plan de Energías Renovables 2005-2010.

6. ADQUISICIÓN Y URBANIZACIÓN DE SUELO PARA VIVIENDA PROTEGIDA

Características de la ayuda:

PRÉSTAMOS CONVENIDOS a devolver hasta en 4 años por una cuantía no superior al producto de la superficie edificable multiplicada por el 20% del Módulo Básico Estatal (MBE), sin exceder el coste total de la actuación.

SUBVENCIÓN por cada vivienda protegida a construir en función de:

a) El porcentaje de edificabilidad residencial destinado a vivienda protegida.

b) El porcentaje previsto de viviendas protegidas de régimen especial o en alquiler dentro del conjunto de viviendas protegidas:

— mayor o igual al 40%, será Grupo 1.

— mayor o igual al 20% e inferior al 40%, será Grupo 2.

— Menor al 20%, será Grupo 3.

c) La adquisición del suelo.

d) La ubicación del suelo en alguno de los Ámbitos Territoriales de Precio Máximo Superior (ATPMS).

Porcentaje de edificabilidad residencial para viviendas protegidas	Subvención general (€/ vivienda protegida)	Subvención adicional en ATPMS (€/ vivienda protegida)			Subvención adicional por vivienda protegida destinada a alquiler y/o a régimen especial (€/vivienda protegida)		
> 50% ≤ 75% > 75% (AUP)		A	B	C	Grupo 1	Grupo 2	Grupo 3
	700	300	235	115			
Sin adquisición de suelo	1.700	700	470	225	1.700	1.500	300
Con adquisición de suelo	2.000						

Requisitos para acceder a la ayuda:

1. Al menos el 50% de la edificabilidad residencial deberá destinarse a vivienda protegida

2. Acreditar la propiedad del suelo.

3. Iniciar en el plazo máximo de 3 años la construcción de, al menos, un 30% de las viviendas protegidas.

4. Presentar una memoria de viabilidad técnico-financiera y urbanística del proyecto.

5. Presentar la solicitud de las ayudas antes de obtener el préstamo convenido de las viviendas protegidas a construir.

6. Realizar la correspondiente inscripción del suelo en el Registro de la Propiedad.

IX. REHABILITACIÓN

1. ÁREAS DE REHABILITACIÓN INTEGRAL (ARI) DE CONJUNTOS HISTÓRICOS, CENTROS URBANOS, BARRIOS DEGRADADOS Y MUNICIPIOS RURALES

Características del ámbito protegido:

• El ARI debe ser declarado como tal por la CA. Para ello habrá de incluir al menos 200 viviendas (salvo excepciones) y contar con un plan especial de rehabilitación. Los municipios rurales con ARIs tendrán menos de 5.000 habitantes (salvo excepciones).

• Las viviendas y edificios deben tener una antigüedad superior a 10 años (salvo excepciones).

Características de la ayuda:

PRÉSTAMO CONVENIDO por la cuantía del presupuesto protegido (coste máximo de ejecución de la rehabilitación de las viviendas y edificios que incluirá, como tope, una superficie útil de 90 m² por vivienda) a devolver en 15 años como máximo.

SUBVENCIÓN para:

— Rehabilitación de edificios y viviendas y situaciones de infravivienda, por un importe de hasta el 40% del presupuesto protegido, con un máximo de 5.000 euros por vivienda rehabilitada (6.600 euros en centros históricos y municipios rurales, si la subvención no excede del 50% del presupuesto protegido total).

— Obras de urbanización del ARI, por un importe de hasta el 20% de dichas obras, con un límite del 20% de la subvención del apartado anterior. En centros históricos y municipios rurales, la subvención será de hasta el 30% del presupuesto de las obras, con el límite 30% de la subvención.

— Financiar los costes de los equipos de información y gestión, por un importe que no excederá el 5% del presupuesto protegido total del ARI ni el 50% del coste de estos equipos.

Requisitos de acceso ayuda:

1. Ser promotor de la actuación de rehabilitación, propietario de vivienda o edificio, inquilino autorizado por el propietario o comunidad de propietario incluido dentro del ARI.

2. Cuando se trate de rehabilitación de viviendas para uso propio, los ingresos familiares de las personas beneficiarias no podrán superar 6,5 veces el IPREM.

3. Las viviendas que hayan obtenido ayudas habrán de destinarse como domicilio habitual de su propietario, o al alquiler, durante al menos 5 años.

2. ÁREAS DE RENOVACIÓN URBANA (ARU)

Características del ámbito protegido:

El ARU debe ser declarado como tal por la CA. Para ello habrá de incluir al menos 200 viviendas o su conjunto agrupar más de 4 manzanas de edificios (salvo excepciones).

• Las viviendas deben tener una antigüedad superior a 30 años (salvo excepciones).

• La situación de la mayor parte de las viviendas del ARU deben encontrarse por debajo de los estándares mínimos establecidos legalmente.

• La mayor parte de los edificios deben encontrarse en una situación que exija la demolición y reconstrucción de los mismos.

Al menos el 60% de la edificabilidad existente debe estar destinada a uso residencial.

Si es necesaria una nueva ordenación urbanística como consecuencia de las actuaciones a realizar, al menos se tendrá de contar con la aprobación inicial del instrumento urbanístico necesario para ello.

Características de la ayuda:

PRÉSTAMO CONVENIDO por la cuantía resultante de la diferencia entre el presupuesto de construcción de las viviendas protegida en el ARU y la cuantía de las subvenciones concedidas. El presupuesto protegido será el coste máximo de la construcción de las viviendas protegidas a sustituir, que será el 85% del precio máximo de una vivienda protegida del mismo régimen, con una superficie útil máxima de 90 m² (80% si la actuación afectara a más de 500 viviendas).

SUBVENCIÓN para:

Sustituir las viviendas existentes, por un importe máximo del 35% del presupuesto protegido, con un límite de 30.000 euros por vivienda renovada.

Obras de urbanización del ARU, por un importe máximo del 40% del presupuesto, con un límite del 40% de la subvención establecida en el apartado anterior.

Realojos temporales, por un importe máximo de 4.500 euros por unidad familiar a realojar, sin superar los 4 años.

Financiar los costes de los equipos de información y gestión, por un importe que no excederá el 7% del presupuesto protegido total del ARU ni el 50% del coste de estos equipos.

Promoción de nuevas vivienda protegidas que ampliaran las preexistentes, por las cuantías establecidas para cada vivienda protegida en este Plan.

Requisitos de acceso ayuda:

1. Los promotores deben iniciar la construcción de, al menos, el 50% de las viviendas protegidas objeto de las ayudas en los 3 primeros años.

3. ERRADICACIÓN DEL CHABOLISMO

Características del ámbito protegido:

• Situación de chabolismo: asentamiento precario e irregular de población en situación o riesgo de exclusión social, con graves deficiencias de salubridad, hacinamiento de sus moradores y condiciones de seguridad y habitabilidad muy por debajo de los requerimientos mínimos aceptables.

Características de la ayuda:

SUBVENCIÓN para el realojo de los ocupantes del asentamiento en viviendas en régimen de alquiler: hasta el 50% de la renta anual a pagar, con un máximo de 3.000 euros anuales por vivienda.

SUBVENCIÓN para financiar el coste de los equipos de gestión y de acompañamiento social: hasta el 10% del importe de las subvenciones del apartado anterior.

Requisitos de acceso ayuda:

1. Ser persona jurídica, pública o privada, sin ánimo de lucro.

2. Disponer de programas específicos o de colaboración para la erradicación de situaciones de chabolismo.

3. Suscribir los acuerdos correspondientes a este tipo de programas.

4. AYUDAS RENOVE A LA REHABILITACIÓN DE EDIFICIOS Y VIVIENDAS

Características de las actuaciones protegidas:

a) Actuaciones para la mejora de la eficiencia energética, la higiene, salud y protección del medio ambiente en los edificios y viviendas, y la utilización de energías renovables:

— Paneles solares para agua caliente.

— Envolvente térmica del edificio para reducir el consumo energético.

— Sistemas de instalaciones térmicas que incremente la eficiencia energética.

— Instalaciones de suministro y para el ahorro de agua.

— Otras establecidas en el Código Técnico de la Edificación.

b) Actuaciones para la mejora de la accesibilidad:

— Instalación de ascensores o adaptación de los mismos a las necesidades de discapacitados.

— Instalación y mejora de rampas de acceso.

— Instalación o mejora de dispositivos de acceso a los edificios, adaptados a las necesidades de discapacitados.

— Instalación de elementos de información y orientación.

— Adaptación de viviendas a las necesidades de personas con discapacidad o mayores de 65 años.

Características de la ayuda:

EDIFICIOS DE VIVIENDAS

PRÉSTAMOS CONVENIDOS de hasta el total del presupuesto protegido (coste total de las obras sobre los elementos comunes e instalaciones generales, incluidas las necesarias sobre las partes afectadas en viviendas y locales) a devolver hasta en 15 años. Podrán obtenerlo todos los propietarios u ocupantes de vivienda con independencia de sus ingresos.

SUBSIDIOS A LOS PRÉSTAMOS:

— Para inquilinos y propietarios de una o varias viviendas con ingresos no superiores a 6,5 veces el IPREM: 140 euros anuales por cada 10.000 euros de préstamo.

— Para propietarios de una o varias viviendas alquiladas con contrato sujeto a prórroga forzosa celebrado antes de la Ley 29/1994 de Arrendamientos Urbanos: 175 euros anuales por cada 10.000 euros de préstamo.

SUBVENCIONES:

— Para comunidades de propietarios: hasta el 10% del presupuesto protegido, sin superar los 1.100 euros por vivienda. Esta subvención será incompatible con la subsidiación.

— Además, para propietarios u ocupantes de las viviendas con ingresos no superiores a 6,5 veces el IPREM: hasta el 15% del presupuesto protegido, sin superar los 1.600 euros con carácter general, o los 2.700 euros cuando tengan más de 65 años o sean discapacitados y las obras se destinen a la eliminación de barreras o a la adecuación de la vivienda.

VIVIENDAS

SUBVENCIONES de hasta el 25% del presupuesto protegido (coste total de la rehabilitación de las viviendas, hasta un máximo de 90 m² útiles por vivienda afectada).

En el caso de que el PROPIETARIO DESTINE LA VIVIENDA AL ALQUILER durante, al menos, 5 años, la cuantía máxima de la subvención será de 6.500 euros.

Requisitos de acceso ayuda:

1. Ser promotor de la actuación, propietario de la vivienda o edificio, inquilino autorizado por el propietario o comunidad de propietarios.

2. Los edificios y viviendas no podrán estar situados en ARIs o ARUs.

3. Al menos el 25% del presupuesto protegido tendrá que estar dedicado al uso de energías renovables, la mejora de la eficiencia energética, la higiene, salud y protección del medio ambiente, y la accesibilidad del edificio.

REAL DECRETO 1961/2009, POR EL QUE SE INTRODUCEN NUEVAS MEDIDAS TRANSITORIAS EN EL PLAN ESTATAL DE VIVIENDA Y REHABILITACIÓN 2009-2012

1. PRÓRROGA Y MODIFICACIÓN DE LAS MEDIDAS TRANSITORIAS

1. Se prorroga hasta el 31 de diciembre de 2010 el apartado 2 de la Disposición Transitoria 1.ª del Real Decreto 2066/2008, por el que se regula el Plan Estatal de Vivienda y Rehabilitación 2009-2012, que queda de la siguiente manera:

«2. Hasta el 31-12-2010, período prorrogable mediante acuerdo del Consejo de Ministros:

a) Los promotores de viviendas libres que hubieran obtenido licencia de obras previa al 1-9-2009, o cualesquiera personas o entidades que hayan adquirido a los promotores dichas viviendas, podrán solicitar su calificación como viviendas protegidas, para venta o alquiler, si aquéllas cumplen la normativa de desarrollo de este Plan, en cuanto a los máximos referentes a superficies, precios por m² de superficie útil, niveles de ingresos de los adquirentes y plazos mínimos de protección. Si son calificadas como viviendas protegidas en alquiler a 10 o 25 años, podrán obtener las subvenciones a la promoción de vivienda protegida de nueva construcción en alquiler, y si obtuviesen préstamo convenido, podrán obtener la subsidiación correspondiente a este tipo de viviendas.

b) Sin perjuicio de lo establecido en la letra d) del apartado 1 del art. 3 de este Real Decreto, podrán adquirir viviendas protegidas calificadas como de régimen concertado aquellos adquirentes con ingresos familiares que no excedan de 7 veces el IPREM. Si se cumplen las restantes condiciones para el 1.er acceso a la vivienda en propiedad, y sin perjuicio de lo establecido en el apartado 1 del art. 40, podrán obtener préstamo convenido y sin subsidiación y AEDE, cuya cuantía dependerá de las siguientes circunstancias personales o familiares, correspondiendo en cada caso, únicamente la cuantía más elevada de las que a continuación se establecen:

— 4.500 euros para ingresos menores o iguales a 7 veces el IPREM (5.400 euros en caso de jóvenes menores de 35 años, 6.300 euros para mujeres víctimas de violencia de género, víctimas de terrorismo y personas separadas o divorciadas, y 7.200 euros para familias numerosas, monoparentales con hijos y discapacitados).

Cuando la vivienda estuviera en un Ámbito Territorial de Precio Máximo Superior se incrementarán las ayudas en 1.200 euros para vivienda situadas en ámbitos del Grupo A, 600 para el B y 300 para el comprador.

c) No será aplicable el período mínimo de 1 año a partir de la expedición de la licencia de 1.ª ocupación, el certificado final de obra o la cédula de habitabilidad, según corresponda, para considerar como adquisición de vivienda usada, a efectos de las ayudas al adquirente, la de una vivienda libre, cuando dichos actos o documentos hubieran sido emitidos con anterioridad al día 24-12-2009 y la vivienda cumpla las características a que se refiere la letra a) de este apartado, salvo los plazos mínimos de protección, así como el plazo de limitación de precios máximos de venta establecidos en apartado 2 del art. 6 de este Real Decreto.

d) Las viviendas a que se refiere la letra anterior podrán ser adquiridas mediante una forma de acceso diferido a la propiedad, en el plazo máximo de 5 años, durante el cual el vendedor de la vivienda podrá cobrar una renta del 5,5% del precio máximo de una vivienda protegida de precio concertado, calificada como tal en la misma ubicación y el mismo día en que se vise el contrato de compraventa. El precio máximo de venta de la vivienda, transcurrido el período de 5 años, será de 1,18 veces el citado precio máximo tomado como referencia para el cálculo de la renta máxima. Al menos el 30% de los alquileres satisfechos se descontarán, sin actualizaciones, del precio de compra de la vivienda.

e) El período de 3 anualidades antes de poder proceder a una interrupción del período de amortización, a que se refiere al apartado 5 del art. 42 de este Real Decreto, se reducirá a 1 anualidad para aquellos préstamos formalizados por adquirentes de viviendas durante 2009 y 2010, con la conformidad del Ministerio de Vivienda, en el marco de Planes Estatales de Vivienda.

f) Las personas jurídicas que hubieran adquirido viviendas protegidas, podrán subrogarse en el préstamo convenido que, en su caso, hubiera obtenido el promotor de las viviendas con la conformidad del Ministerio de Vivienda. En tal caso, tendrán la misma consideración que el promotor de las viviendas, a los efectos del Plan Estatal que les sea de aplicación.

g) Las comunidades autónomas podrán autorizar a los propietarios de las viviendas protegidas calificadas definitivamente para venta en el marco de planes estatales de vivienda, y que no hubieran sido vendidas a personas físicas, a que las pongan en arrendamiento. Las rentas máximas aplicables serán las establecidas en este Real Decreto para las viviendas protegidas en alquiler a 10 años. El precio de venta, transcurrido el plazo de tenencia en régimen de arrendamiento, será el que corresponda, en ese momento, a una vivienda protegida de nueva construcción, en la misma ubicación calificada para venta».

2. Hasta el 28 de febrero de 2010, período prorrogable mediante acuerdo del Consejo de Ministros:

a) Se mantendrá el incremento del 20% en las cuantías de las subvenciones a la promoción de viviendas protegidas para arrendamiento que obtengan préstamo convenido con la conformidad del Ministerio de Vivienda, así como las correspondientes a AUP que se acuerden en dicho período.

b) Se prorroga lo dispuesto en el apartado 1 de la Disposición Transitoria 3.ª del Real Decreto 2066/2008.

2. INTRODUCCIÓN DE UNA NUEVA DISPOSICIÓN ADICIONAL:

— Se introduce una Disposición Adicional 8.ª con la siguiente redacción:

«Disposición Adicional 8.ª. Aplicación de medidas del Plan a actuaciones protegidas de Planes anteriores.

La posibilidad de recalificación y financiación a que se refiere el apartado 3 del art. 30 de este Real Decreto, será aplicable a promociones de viviendas protegidas o a parte de dichas promociones, incluso las procedentes de Planes de Vivienda anteriores. Estas viviendas se computarán como objetivos financiados en el Plan Estatal de Vivienda y Rehabilitación 2009-2012».

RESOLUCIÓN DE 29 DE DICIEMBRE DE 2009 POR LA QUE SE PUBLICA EL ACUERDO DE CONSEJO DE MINISTROS DE 18 DE DICIEMBRE DE 2009 POR EL QUE SE ESTABLECE LA CUANTÍA DEL MÓDULO BÁSICO ESTATAL PARA 2010 (PLAN ESTATAL DE VIVIENDA Y REHABILITACIÓN 2009-2012) Y SE INTERPRETA EL PUNTO SEXTO.3 DEL ACUERDO DE CONSEJO DE MINISTROS DE 14 DE MAYO DE 2009

1. ESTABLECIMIENTO DEL MÓDULO BÁSICO ESTATAL

— Se fija en 758 euros por m² de superficie útil la cuantía del MBE para 2010, a los efectos previstos en el Real Decreto 2066/2008, por el que se regula el Plan Estatal de Vivienda y Rehabilitación 2009-2012.

— A efectos de la Comunidad Autónoma de Canarias, y atendiendo a su condición de insularidad ultraperiférica, en el ámbito de la Unión Europea, la cuantía aplicable de MBE será un 10% superior a la cuantía determinada con carácter general.

— El MBE fijado en este Acuerdo será de aplicación a las actuaciones en materia de vivienda y suelo calificadas o declaradas como protegidas en el marco del mencionado Plan Estatal a partir del día 01-1-2010.

2. INTERPRETACIÓN DEL PUNTO SEXTO.3 DEL ACUERDO DEL CONSEJO DE MINISTROS DE 14-5-2009

— La alusión del punto sexto.3 del Acuerdo del Consejo de Ministros de 14-5-2009 a los préstamos «concedidos en el marco del mencionado Plan 2009-2012» debe entenderse que incluye también los préstamos concedidos al amparo de la Disposición Transitoria 1.ª.1.b) del Real Decreto 2066/2008.

XV. PLANES DE VIVIENDA AUTONÓMICOS

1. Programa de Vivienda Protegida del Plan Concertado 2008-2012, en Andalucía

Decreto 395/2008, de 24 de junio, por el que se aprueba el Plan Concertado de Vivienda y Suelo en Andalucía 2008-2012, modificado por el Decreto 266/2009, de 9 de junio

CONCEPTOS BÁSICOS

I. ACTUACIONES PROTEGIDAS

1. Viviendas en propiedad.

2. Viviendas en alquiler.

3. Viviendas para jóvenes.

4. Viviendas para personas con riesgo de exclusión social.

5. Programas de rehabilitación de viviendas y edificios.

6. Actuaciones protegidas en materia de suelo.

II. INGRESOS FAMILIARES

1. A efectos de lo establecido en el presente Plan, los ingresos familiares se referirán a la unidad familiar tal y como resulta de las normas reguladoras del Impuesto sobre la Renta de las Personas Físicas, y se calcularán en la forma prevista en el correspondiente plan estatal en materia de vivienda. A tales efectos, las referencias a las unidades familiares se hacen extensivas a las personas que no estén integradas en una unidad familiar, ya sea un único destinatario o más que tengan intención de convivir, así como a las parejas de hecho reconocidas legalmente según la normativa establecida al respecto.

A los ingresos familiares les serán de aplicación los siguientes coeficientes ponderadores, sin que el coeficiente final de corrección pueda ser inferior a 0,70 ni superior a 1:

a) En función del número de miembros de la unidad familiar:

Núm. miembros	Coef.
1	1,00
2	0,90
3 o 4	0,85
5 o más	0,80

b) Cuando los ingresos sean percibidos por más de uno de los miembros de la unidad familiar, siempre que la aportación mayor no supere el 70% del total de los ingresos, se aplicará el coeficiente 0,90.

c) En caso de que alguno de los miembros de la unidad familiar esté incluido en alguno de los grupos de especial protección de los determinados por el Reglamento de Vivienda Protegida de la Comunidad Autónoma de Andalucía aprobado por Decreto 149/2006, de 25 de julio, o por el presente Plan, se aplicará el coeficiente 0,90, pudiendo acumularse por la pertenencia a más de un grupo, pero no acumularse por el número de los miembros que cumplan el mismo requisito.

d) En los municipios declarados de precio máximo superior se aplicará un coeficiente que es el resultado de dividir 1 entre el coeficiente del incremento de precio correspondiente a ese municipio.

III. SUPERFICIES MÁXIMAS Y MÍNIMAS DE LAS VIVIENDAS

La superficie útil máxima, a efectos de la financiación establecida en este Plan, será de 70 m², que podrá incrementarse hasta los 90 m² cuando los beneficiarios constituyan familia numerosa, e incluso a los 120 m² cuando en la familia existan personas en situación de dependencia y la mínima será de 60 m². Se exceptúa a los alojamientos, la superficie mínima será de 25 m² excluidos lo servicios comunes.

Cuando el programa correspondiente admita anejos a la vivienda, las superficies útiles máximas de los mismos serán de 8 m² útiles para el trastero y 25 para el garaje o anejo destinado a almacenamiento de útiles necesarios para el desarrollo de actividades productivas en el medio rural.

IV. PRECIOS MÁXIMOS DE LAS VIVIENDAS PROTEGIDAS

Precio de venta y renta de la vivienda, los alojamientos, los garajes y los trasteros.

1. El precio máximo de venta, adjudicación o precio de referencia para el alquiler de la vivienda y alojamientos protegidos y para la adquisición protegida de vivienda usada, se determina teniendo en cuenta el precio básico nacional, el coeficiente que se establece para cada programa, con el incremento, en su caso, por estar ubicada la vivienda en un municipio de precio máximo superior, y por la superficie útil de la vivienda.

2. Cuando la promoción de vivienda o alojamientos protegidos incluya garajes y trasteros, el precio máximo de venta, adjudicación o precio de referencia por metro cuadrado de superficie útil de éstos, no podrá exceder del 60% del precio máximo por metro cuadrado útil de la vivienda. *Sólo* se computarán como máximo 25 m² de superficie útil de garaje y 8 metros de superficie útil de trastero, con independencia de que su superficie real sea superior.

3. La persona promotora de alojamientos protegidos podrá repercutir, además de la renta, hasta un 1% en concepto de gestión y administración.

Si no pudiera repercutir de manera separada los gastos correspondientes a suministros de agua, gas y electricidad, podrá aplicar una repercusión máxima del 3%, por todos los conceptos indicados, incluida la gestión y administración de la promoción.

V. EL MÓDULO BÁSICO ESTATAL (MBE)

El Módulo Básico Estatal (MBE) es la cuantía en euros por metro cuadrado de superficie útil, que sirve como referencia para la determinación de los precios máximos de venta, adjudicación y renta de las viviendas objeto de las ayudas previstas en este Real Decreto, así como de los presupuestos protegidos máximos de las actuaciones de rehabilitación de viviendas y edificios, y en áreas de rehabilitación integral y renovación urbana.

El MBE será establecido por acuerdo del Consejo de Ministros en el mes de diciembre de cada año y será publicado en el Boletín Oficial del Estado.

Para el año 2009 se fija en 758 euros.

VI. ÁMBITOS TERRITORIALES DE PRECIO MÁXIMO SUPERIOR (ATPMS)

1. Para la aplicación de los precios máximos de venta y renta, los municipios andaluces se incluyen en los siguientes ámbitos territoriales:

a) ÁMBITO TERRITORIAL PRIMERO: Comprende aquellos municipios de mayor dimensión demográfica, grado de necesidad de vivienda y mayor dinamismo económico y de población.

Provincia de Almería: Adra, Albox, Benahadux, Berja, Carboneras, Cuevas de Almanzora, Dalías, Enix, Gádor, Garrucha, Huércal de Almería, Huércal-Overa, La Mojonera, Mojácar, Pechina, Pulpí, Rioja, Vera, Viator, Vícar.

Provincia de Cádiz: Barbate, Castellar de la Ftra., Chipiona, Conil de la Ftra., Jimena de la Ftra., Los Barrios, Medina-Sidonia, Tarifa, Ubrique, Vejer Ftra., Villamartín.

Provincia de Córdoba: Aguilar de la Ftra, Baena, Cabra, La Carlota, La Colonia de Fuente Palmera, Lucena, Montilla, Palma del Río, Peñarroya-Pueblo Nuevo, Pozoblanco, Priego de Córdoba, Puente Genil, Rute, Villanueva de Córdoba.

Provincia de Granada: Albolote, Albondón, Albuñol, Alfacar, Alhedín, Almuñecar, Armilla, Atarfe, Baza, Cájar, Cenes de la Vega, Chauchina, Churriana, Cijuela, Cúllar Vega, Dílar, Fuente Vaqueros, Gójar, Guadix, Gualchos, Güevéjar, Huétor Vega, Illora Jun, Láchar, La Zubia, Las Gabias, Loja, Maracena, Monachil, Ogíjares, Otura, Peligros, Pinos Genil, Pinos Puente, Polopos, Pulianas, Rubite, Salobreña, Santa Fe, Sorvilán, Vegas del Genil, Víznar.

Provincia de Huelva: Aljaraque, Almonte, Aracena, Ayamonte, Bollullos Par del Condado, Cartaya, Gibraleón, Isla Cristina, Lepe, Lucena del Puerto, Moguer, Palos de la Ftra., Punta Umbría, San Juan del Puerto, Trigueros, Valverde del Camino.

Provincia de Jaén: Alcalá la Real, Alcaudete, Andujar, Baeza, Bailén, Cazorla, La Carolina, La Guardia, Los Villares, Jamilena, Jódar, Mancha Real, Martos, Mengíbar, Torre del Campo, Torredonjimeno, Ubeda, Villacarrillo.

Provincia de Málaga: Algarrobo, Alhaurín el Grande, Almogía, Alora, Cártama, Casabermeja, Casares, Coín, Manilva, Nerja, Torrox, Totalán.

Provincia de Sevilla: Almensilla, Arahal, Bormujos, Brenes, Castilleja de la Cuesta, Castilleja de Guzmán, Écija, Espartinas, El Viso del Alcor, Estepa, Gelves, Gines, La Algaba, La Puebla de Cazalla, La Puebla del Río, La Rinconada, Las Cabezas de San Juan, Lebrija, Lora del Río, Los Palacios y Villafranca, Mairena del Alcor, Marchena, Morón de la Frontera, Osuna, Palomares, Pilas, Puebla del Río, Salteras, San Juan de Aznalfarache, Sanlúcar la Mayor, Santiponce, Tomares, Utrera, Valencina de la Concepción.

b) ÁMBITO TERRITORIAL SEGUNDO: Comprende aquellos municipios no incluidos en el Ámbito Territorial Primero.

c) ÁMBITO TERRITORIAL DE PRECIO MÁXIMO SUPERIOR: Comprende los municipios del Ámbito Territorial Primero así declarados o que se puedan declarar de acuerdo con lo que disponga en el correspondiente Plan estatal en materia de vivienda y suelo.

Provincia de Almería: Almería, El Ejido, Níjar, Roquetas de Mar.

Provincia de Cádiz: Algeciras, Arcos de la Frontera., Cádiz, Chiclana de la Frontera, El Puerto de Santa María, Jerez de la Frontera, La Línea de la Concepción, Puerto Real, Rota, San Fernando, San Roque, Sanlúcar de Barrameda.

Provincia de Córdoba: Córdoba.

Provincia de Granada: Granada, Motril.

Provincia de Huelva: Huelva.

Provincia de Jaén: Jaén, Linares.

Provincia de Málaga: Alhaurín de la Torre, Antequera, Benalmádena, Estepona, Fuengirola, Málaga, Marbella, Mijas, Rincón de la Victoria, Ronda, Torremolinos, Vélez-Málaga.

Provincia de Sevilla: Alcalá de Guadaira, Camas, Carmona, Coria del Río, Dos Hermanas, Mairena del Aljarafe, Sevilla.

*LOS PRECIOS MÁXIMOS DE VENTA Y RENTA APARECEN DETALLADOS EN CADA TIPOLOGÍA DE VIVIENDA

VII. TIPOLOGÍAS Y CARACTERÍSTICAS DE LOS DIFERENTES TIPOS DE VIVIENDAS

1. COMPRA DE VIVIENDA DE NUEVA CONSTRUCCIÓN

A) VIVIENDA PROTEGIDA DE RÉGIMEN ESPECIAL

Características:

• El precio máximo de referencia por metro cuadrado útil será **1,50 veces** el Precio Básico Nacional = 758 euros para 2009. Este precio se incrementará si la vivienda se encuentra en una localidad situada en un Ámbito Territorial de Precio Máximo Superior (ATPMS), será el resultado de multiplicar el Precio Básico Nacional por el coeficiente **1,45**, e incrementado en un **15%**.

Municipio de precio máximo superior	1.263,97 por m²	Coeficiente 1,45 + 15%
Municipio de ámbito territorial primero	1.137,00 por m²	Coeficiente 1,50
Municipio de ámbito territorial segundo	1.137,00 por m²	Coeficiente 1,50

• El régimen de protección será de al menos 30 años, y permanentemente mientras el suelo esté destinado a vivienda protegida o sea suelo dotacional público. Antes de los 10 años la vivienda no podrá venderse sin consentimiento de la Comunidad Autónoma y sin la devolución de las ayudas recibidas.

• Transcurridos 10 años podrá ser vendida a personas inscritas en los registros públicos de vivienda protegida.

• La vivienda tipo tendrá una superficie máxima de 70 m² que podrá incrementarse hasta los 90 m² cuando los beneficiarios constituyan familia numerosa, e incluso a los 120 m² cuando en la familia existan personas en situación de dependencia. Se permite hasta un 5% de las viviendas de la promoción con 90 m² para familias numerosas.

• El 70% de las viviendas irán destinadas a jóvenes.

Requisitos de acceso:

1. Ingresos familiares no superiores a 2,5 veces el IPREM. Preferentemente se destinarán a familias con ingresos inferiores a 1,5 veces el mencionado Indicador.

2. No ser titular del pleno dominio de alguna otra vivienda protegida o libre o estar en posesión de la misma en virtud de un derecho real de goce o disfrute vitalicio.

3. Estar inscrito en un registro público de demandantes de vivienda.

4. La actuación debe haber sido calificada como protegida por la Comunidad Autónoma

5. La vivienda debe destinarse como residencia habitual del adjudicatario y ocuparse dentro de los plazos establecidos.

Características de la ayuda:

1. Financiación cualificada para persona promotora y la adquirente de las viviendas será la prevista del **PLAN ESTATAL**:

PRÉSTAMO CONVENIDO de hasta el 80% del precio de escritura o adjudicación a devolver en, al menos, 25 años. El tipo de interés podrá ser variable o fijo. En intereses variables será igual al Euribor a 12 meses publicado por el Banco de España en el *Boletín Oficial del Estado (BOE)*, el mes anterior al de la fecha de formalización, más un diferencial de 65 puntos básicos (Euribor + 0,65).

SUBSIDIOS A LOS PRÉSTAMOS. Cantidad anual por cada 10.000 euros de préstamo durante 5 años, renovables 5 más: 100 euros (155 euros para familias numerosas, monoparentales con hijos y discapacitados, durante los 5 primeros años).

AYUDA ESTATAL DIRECTA A LA ENTRADA (AEDE):

8.000 euros (9.000 euros en caso de jóvenes, 11.000 euros para mujeres víctimas de violencia de género, víctimas de terrorismo y personas separadas o divorciadas, y 12.000 euros para familias numerosas, monoparentales con hijos y discapacitados).

Cuando la vivienda estuviera en un Ámbito Territorial de Precio Máximo Superior se incrementarán las ayudas en 1.200 euros para vivienda situadas en ámbitos del Grupo A, 600 para el B y 300 para el C.

2. Financiación **AUTONÓMICA**:

Se subsidia el PRÉSTAMO necesario para la adquisición en una cuantía que varía entre los 65 y los 300 Euros por cada 10.000 euros de préstamo. Ayudas que se otorgarán por un período inicial de cinco años prorrogables por otros cinco años más si se mantienen las condiciones que justificaron las ayudas.

Se conceden SUBVENCIONES A LA ENTRADA para familias con menores ingresos que varían entre los 3.600 y los 9.000 Euros.

1. Las familias con ingresos anuales inferiores a 1,5 veces el IPREM, podrán recibir una SUBSIDIACIÓN de 250 euros anuales por cada 10.000 euros de préstamo cualificado. Representa un ahorro de casi el 35% de las cuotas mensuales del préstamo[(*)].

Cuando se trate de unidades familiares con 5 o más miembros o tengan a su cargo una persona en situación de dependencia o con discapacidad de movilidad reducida, esta subsidiación se elevará a los 300 euros. Representa un ahorro del 42% de las cuotas mensuales del préstamo.

2. Una subsidiación de 65 euros anuales por cada 10.000 euros de préstamo cuando los ingresos anuales sean iguales o superiores a 1,5 veces e inferiores a 1,7 el IPREM. Representa un ahorro del 11,5% de las cuotas mensuales del préstamo.

Cuando se trate de unidades familiares con 5 o más miembros o tengan a su cargo una persona en situación de dependencia o con discapacidad de movilidad reducida, esta subsidiación se incrementará hasta los 115 euros. Representa un ahorro de casi el 16,25% de las cuotas mensuales del préstamo.

Estas subsidiaciones se concederán por un período de cinco años, prorrogables por otro período de igual duración siempre que las familias cumplan las mismas condiciones que determinaron su concesión.

3. Las unidades familiares con ingresos inferiores a 1,5 veces el IPREM, podrán recibir una subvención de 3.600 euros. Esta subvención será de 5.000 euros cuando la vivienda adquirida esté ubicada en un municipio de precio máximo superior.

(*)   La repercusión de las subsidiaciones sobre la cuota mensual del préstamo se calcula considerando un importe del préstamo del 80% sobre el precio de referencia, un interés anual del 5,1% y un plazo de amortización de 25 años.

4. Cuando se trate de unidades familiares con 5 o más miembros cuyos ingresos sean inferiores a 1,7 veces el IPREM, la subvención será de 7.000 euros. Esta subvención será de 9.000 euros cuando la vivienda adquirida esté ubicada en un municipio de precio máximo superior.

Reserva para jóvenes

El 70% de las viviendas de cada promoción se destinarán a jóvenes salvo que el plan municipal prevea un porcentaje diferente o no hubiera solicitudes suficientes para cubrir el cupo. Los beneficiarios con menos de 35 años podrán además beneficiarse de la Ayuda Joven por un importe de 1.200 euros y el 3% del importe de la compra con destino al abono del IVA de la vivienda, así como de las ayudas a la financiación establecidas por la Administración Central.

Requisitos de acceso ayuda:

1. La vivienda tiene que haber obtenido la calificación definitiva.

2. El contrato de compraventa tiene que haber sido visado por la Comunidad. Entre las firmas del contrato y la solicitud del visado no debe pasar más de 4 meses.

3. Entre el visado del contrato y la solicitud del préstamo no debe pasar más de 6 meses.

4. No haber obtenido ayudas financieras ni préstamo convenido para el mismo tipo de actuación durante los 10 años anteriores.

5. No haber sido nunca antes titular de una vivienda en propiedad.

6. No haber sido nunca antes titular de una vivienda en propiedad.

7. La cuantía del préstamo convenido no será inferior al 60% del precio de la vivienda durante los 5 primeros años de amortización del préstamo.

B) VIVIENDA PROTEGIDA DE RÉGIMEN GENERAL

Características:

• El precio máximo de referencia por metro cuadrado útil será **1,60 veces** el Precio Básico Nacional = 758 euros para 2009. Este precio se incrementará si la vivienda se encuentra en una localidad situada en un

Ámbito Territorial de Precio Máximo Superior (ATPMS), será el resultado de multiplicar el Precio Básico Nacional por el coeficiente **1,60**, e incrementado en un **15%.**

Municipio de precio máximo superior	1.394,72 por m²	Coeficiente 1,60+15%
Municipio de ámbito territorial primero	1.212,80 por m²	Coeficiente 1,60
Municipio de ámbito territorial segundo	1.212,80 por m²	Coeficiente 1,60

• El régimen de protección será de al menos 30 años, y permanentemente mientras el suelo esté destinado a vivienda protegida o sea suelo dotacional público. Antes de los 10 años la vivienda no podrá venderse sin consentimiento de la CA y sin la devolución de las ayudas recibidas.

• Transcurridos 10 años podrá ser vendida a personas inscritas en los registros públicos de vivienda protegida.

• La vivienda tipo tendrá una superficie máxima de 90 m² que podrá incrementarse hasta los 120 m² cuando los beneficiarios constituyan familia numerosa o en la familia existan personas en situación de dependencia. Se permite hasta un 5% de las viviendas de la promoción con 120 m² para familias numerosas.

Requisitos de acceso:

1. Ingresos familiares no superiores a 3,5 veces el IPREM, o en el supuesto de ser familias numerosas con 5 o más miembros o tengan a su cargo una persona en situación de dependencia, no superen 4,5 veces el IPREM.

2. No ser titular del pleno dominio de alguna otra vivienda protegida o libre o estar en posesión de la misma en virtud de un derecho real de goce o disfrute vitalicio.

3. Estar inscrito en un registro público de demandantes de vivienda.

4. La actuación debe haber sido calificada como protegida por la CA.

5. La vivienda debe destinarse como residencia habitual del adjudicatario y ocuparse dentro de los plazos establecidos.

Características de la ayuda:

1. Financiación cualificada para persona promotora y la adquirente de las viviendas será la prevista del **PLAN ESTATAL**:

PRÉSTAMO CONVENIDO de hasta el 80% del precio de escritura o adjudicación a devolver en, al menos, 25 años. El tipo de interés podrá ser variable o fijo. En intereses variables será igual al Euribor a 12 meses publicado por el Banco de España en el *Boletín Oficial del Estado (BOE)*, el mes anterior al de la fecha de formalización, más un diferencial de 65 puntos básicos (Euribor + 0,65).

SUBSIDIOS A LOS PRÉSTAMOS. Cantidad anual por cada 10.000 euros de préstamo durante 5 años, renovables 5 más:

— 100 euros para ingresos menores o iguales a 2,5 veces el IPREM (155 euros para familias numerosas, monoparentales con hijos y discapacitados, durante los 5 primeros años).

— 80 euros para ingresos entre 2,5 y 3,5 veces el IPREM (113 euros para familias numerosas, monoparentales con hijos y discapacitados durante los 5 primeros años).

— 60 euros para ingresos mayores de 3,5 y menores o iguales a 4,5 veces del IPREM (93 euros para familias numerosas, monoparentales con hijos y discapacitados durante los 5 primeros años

AYUDA ESTATAL DIRECTA A LA ENTRADA (AEDE):

— 8.000 euros para ingresos menores o iguales a 2,5 veces el IPREM (9.000 euros en caso de jóvenes, 11.000 euros para mujeres víctimas de violencia de género, víctimas de terrorismo y personas separadas o divorciadas, y 12.000 euros para familias numerosas, monoparentales con hijos y discapacitados).

— 7.000 euros para ingresos entre 2,5 y 3,5 veces el IPREM (8.000 euros en caso de jóvenes, 9.000 euros para mujeres víctimas de violencia de género, víctimas de terrorismo y personas separadas o divorciadas, y 10.000 euros para familias numerosas, monoparentales con hijos y discapacitados).

— 5.000 euros para ingresos mayores de 3,5 y menores o iguales a 4,5 veces del IPREM (6.000 euros en caso de jóvenes, 7.000 euros para mujeres víctimas de violencia de género, víctimas de terrorismo y personas separadas o divorciadas, y 8.000 euros para familias numerosas, monoparentales con hijos y discapacitados).

Cuando la vivienda estuviera en un Ámbito Territorial de Precio Máximo Superior se incrementarán las ayudas en 1.200 euros para vivienda situadas en ámbitos del Grupo A, 600 para el B y 300 para el comprador.

2. Financiación **AUTONÓMICA:**

Las familias con ingresos anuales iguales o superiores a 1,5 veces e inferiores a 1,7 el IPREM, podrán recibir una SUBSIDIACIÓN de 100 euros anuales por cada 10.000 euros de préstamo cualificado. Representa un ahorro del 14% de las cuotas mensuales del préstamo.

Cuando se trate de unidades familiares con 5 o más miembros o tengan a su cargo una persona en situación de dependencia o con discapacidad de movilidad reducida, esta SUBSIDIACIÓN podrá concederse a familias con ingresos anuales iguales o superiores a 1,5 veces o inferiores a 2 veces el citado Indicador, y se incrementará en 50 euros. Representa un ahorro del 21% de las cuotas mensuales del préstamo. Esta subsidiación se concederá por un período de cinco años, prorrogable por otro período de igual duración siempre que las familias cumplan las mismas condiciones que determinaron su concesión.

Las unidades familiares con 5 o más miembros cuyos ingresos familiares iguales o superiores a 1,5 veces e inferiores a 2 veces el IPREM, podrán recibir una subvención de 3.600 euros. Esta subvención será de 5.000 euros cuando la vivienda adquirida esté ubicada en un municipio de precio máximo superior.

Los beneficiarios con menos de 35 años podrán además beneficiarse de la Ayuda Joven por un importe de 1.200 euros.

Requisitos de acceso ayuda:

1. La vivienda tiene que haber obtenido la calificación definitiva.

2. El contrato de compraventa tiene que haber sido visado por la CA. Entre las firmas del contrato y la solicitud del visado no debe pasar más de 4 meses.

3. Entre el visado del contrato y la solicitud del préstamo no debe pasar más de 6 meses.

4. No haber obtenido ayudas para el mismo tipo de actuación durante los 10 años anteriores

5. No haber sido nunca antes titular de una vivienda en propiedad.

6. No haber sido nunca antes titular de una vivienda en propiedad.

7. La cuantía del préstamo convenido no será inferior al 60% del precio de la vivienda durante los 5 primeros años de amortización del préstamo.

C) VIVIENDA PROTEGIDA DE INICIATIVA MUNICIPAL Y AUTONÓMICA

Características:

• El precio máximo de referencia por metro cuadrado útil será **2,00 veces** el Precio Básico Nacional = 758 euros para 2009. Este precio se incrementará si la vivienda se encuentra en una localidad situada en un Ámbito Territorial de Precio Máximo Superior (ATPMS), será el resultado de multiplicar el Precio Básico Nacional por el coeficiente **2,00**, e incrementado en un **15%.**

Municipio de precio máximo superior	1.743,40 por m²	Coeficiente 2,00 + 15%
Municipio de ámbito territorial primero	1.516,00 por m²	Coeficiente 2,00
Municipio de ámbito territorial segundo	1.364,40 por m²	Coeficiente 1,80

• El plazo del régimen legal de protección concluirá al transcurrir el período establecido para la amortización del préstamo cualificado contado desde su calificación definitiva, con un mínimo de 15 años.

• Durante este período legal de protección, las viviendas no podrán ser enajenadas a un precio superior del establecido por la Consejería de obras Públicas y Transportes y estarán sujetas a los derechos de tanteo y retracto legales a favor de la EPSA.

• La vivienda tipo tendrá una superficie máxima de 90 m² que podrá incrementarse hasta los 120 m² cuando los beneficiarios constituyan familia numerosa o en la familia existan personas en situación de dependencia o discapacidad.

Requisitos de acceso:

1. Ingresos familiares no superiores a 5,5 veces el IPREM.

2. No ser titular del pleno dominio de alguna otra vivienda protegida o libre o estar en posesión de la misma en virtud de un derecho real de goce o disfrute vitalicio.

3. Estar inscrito en un registro público de demandantes de vivienda.

4. La actuación debe haber sido calificada como protegida por la CA.

5. La vivienda debe destinarse como residencia habitual del adjudicatario y ocuparse dentro de los plazos establecidos.

Características de la ayuda:

1. Financiación **AUTONÓMICA**

PRÉSTAMO CUALIFICADO, concedido por las entidades de crédito que hayan suscrito convenio con las Consejerías de Economía y Hacienda y de Vivienda y Ordenación del Territorio. El tipo de interés efectivo anual será fijado en los convenios y su revisión se efectuará en forma y condiciones previstos en los mismos.

Los beneficiarios con menos de 35 años podrán además beneficiarse de la Ayuda Joven por un importe de 1.200 euros

Requisitos de acceso ayuda:

1. La vivienda tiene que haber obtenido la calificación definitiva.

2. El contrato de compraventa tiene que haber sido visado por la CA. Entre las firmas del contrato y la solicitud del visado no debe pasar más de 4 meses.

3. Entre el visado del contrato y la solicitud del préstamo no debe pasar más de 6 meses.

D) COMPRA DE VIVIENDA USADA

Características:

Se consideran viviendas usadas:

a) Viviendas libres o protegidas en segunda o posteriores transmisiones (incluidas las que se hubiesen destinado al alquiler).

b) Viviendas libres de nueva construcción adquiridas después de, al menos, 1 año desde la expedición de la licencia de primera ocupación, el certificado final de obra o la cédula de habitabilidad.

c) Viviendas libres de nueva construcción cuya licencia de primera ocupación, certificado final de obra o cédula de habitabilidad hayan sido emitida antes del 24/12/2008.

d) Viviendas rurales usadas según las condiciones establecidas por las CC.AA.

La obtención de la ayuda conllevará la limitación de su precio máximo de venta en posteriores transmisiones, durante, al menos, 15 años desde la fecha de adquisición, o durante la duración del préstamo convenido, si fuera superior.

Salvo normativa autonómica diferente, la superficie útil de la vivienda estará comprendida entre 30 m² (sólo si viven 1 o 2 personas) y 90 m².

El precio máximo de referencia por metro cuadrado útil será **1,60 veces** el Precio Básico Nacional = 758 euros para 2009. Este precio se incrementará si la vivienda se encuentra en una localidad situada en un Ámbito Territorial de Precio Máximo Superior (ATPMS), será el resultado de multiplicar el Precio Básico Nacional por el coeficiente **1,60**, e incrementado en un **30%**.

Municipio de precio máximo superior	1.576,64 por m²	Coeficiente 1,60+30%
Municipio de ámbito territorial primero	1.212,80 por m²	Coeficiente 1,60
Municipio de ámbito territorial segundo	1.212,80 por m²	Coeficiente 1,60

Requisitos de acceso:

1. Ingresos familiares no superiores a 5,5 veces el IPREM.

2. No ser titular del pleno dominio de alguna otra vivienda protegida o libre o estar en posesión de la misma en virtud de un derecho real de goce o disfrute vitalicio.

3. Estar inscrito en un registro público de demandantes de vivienda.

4. La actuación debe haber sido calificada como protegida por la CA.

5. La vivienda debe destinarse como residencia habitual del adjudicatario

Características de la ayuda:

1. Financiación **PLAN ESTATAL**:

PRÉSTAMO CONVENIDO de hasta el 80% del precio de escritura o adjudicación a devolver en, al menos, 25 años. El tipo de interés podrá ser variable o fijo. En intereses variables será igual al Euribor a 12 meses publicado por el Banco de España en el *Boletín Oficial del Estado (BOE)*, el mes anterior al de la fecha de formalización, más un diferencial de 65 puntos básicos (Euribor + 0,65).

SUBSIDIOS A LOS PRÉSTAMOS. Cantidad anual por cada 10.000 euros de préstamo durante 5 años, renovables 5 más:

— 100 euros para ingresos menores o iguales a 2,5 veces el IPREM (155 euros para familias numerosas, monoparentales con hijos y discapacitados, durante los 5 primeros años).

— 80 euros para ingresos entre 2,5 y 3,5 veces el IPREM (113 euros para familias numerosas, monoparentales con hijos y discapacitados durante los 5 primeros años).

— 60 euros para ingresos mayores de 3,5 y menores o iguales a 4,5 veces del IPREM (93 euros para familias numerosas, monoparentales con hijos y discapacitados durante los 5 primeros años).

AYUDA ESTATAL DIRECTA A LA ENTRADA (AEDE):

— 8.000 euros para ingresos menores o iguales a 2,5 veces el IPREM (9.000 euros en caso de jóvenes, 11.000 euros para mujeres víctimas de violencia de género, víctimas de terrorismo y personas separadas o divorciadas, y 12.000 euros para familias numerosas, monoparentales con hijos y discapacitados).

— 7.000 euros para ingresos entre 2,5 y 3,5 veces el IPREM (8.000 euros en caso de jóvenes, 9.000 euros para mujeres víctimas de violencia de género, víctimas de terrorismo y personas separadas o divorciadas, y 10.000 euros para familias numerosas, monoparentales con hijos y discapacitados).

— 5.000 euros para ingresos mayores de 3,5 y menores o iguales a 4,5 veces del IPREM (6.000 euros en caso de jóvenes, 7.000 euros para mujeres víctimas de violencia de género, víctimas de terrorismo y personas separadas o divorciadas, y 8.000 euros para familias numerosas, monoparentales con hijos y discapacitados).

Cuando la vivienda estuviera en un Ámbito Territorial de Precio Máximo Superior se incrementarán las ayudas en 1.200 euros para vivienda situadas en ámbitos del Grupo A, 600 para el B y 300 para el C.

2. Financiación **AUTONÓMICA:**

Los beneficiarios con menos de 35 años podrán además beneficiarse de la Ayuda Joven por un importe de 1.200 euros

Requisitos de acceso ayuda:

1. El contrato de compraventa tiene que haber sido visado por la CA. Entre las firmas del contrato y la solicitud del visado no debe pasar más de 4 meses.

2. Entre el visado del contrato y la solicitud del préstamo no debe pasar más de 6 meses.

3. No haber obtenido ayudas financieras ni préstamo convenido para el mismo tipo de actuación durante los 10 años anteriores.

4. No haber sido nunca antes titular de una vivienda en propiedad.

6. La cuantía del préstamo convenido no será inferior al 60% del precio de la vivienda durante los 5 primeros años de amortización del préstamo.

E) FOMENTO DE LA ADQUISICIÓN DESDE EL ALQUILER

1. Financiación **AUTONÓMICA:**

Se concederá una SUBVENCIÓN de 9.000 euros a los adjudicatarios de una vivienda de promoción pública en alquiler de la comunidad autónoma de Andalucía que adquieran una vivienda en propiedad, siempre que estén al corriente del pago de las mensualidades, renuncien al derecho de uso y disfrute que tienen sobre la vivienda de promoción pública y la entreguen en buen estado de uso a la Administración de la Junta de Andalucía.

2. ALQUILER

A) VIVIENDAS DE RENTA BÁSICA

Características:

• La duración mínima del alquiler de las viviendas será de **25 años.**

• RENTA ANUAL INICIAL 3,5% (25 años) del precio máximo de referencia en el momento de calificación definitiva por la superficie útil de la vivienda.

• El régimen de protección será de al menos 30 años, y permanentemente mientras el suelo esté destinado a vivienda protegida o sea suelo dotacional público.

• La vivienda tipo tendrá una superficie máxima de 70 m² que podrá incrementarse hasta los 90 m² cuando los beneficiarios constituyan familia numerosa o en la familia existan personas en situación de dependencia o discapacidad.

Requisitos de acceso:

1. Ingresos familiares no superiores a 2,5 veces el IPREM.

2. No ser titular del pleno dominio de alguna otra vivienda protegida o libre o estar en posesión de la misma en virtud de un derecho real de goce o disfrute vitalicio.

3. Estar inscrito en un registro público de demandantes de vivienda.

4. La actuación debe haber sido calificada como protegida por la CA.

5. La vivienda debe destinarse como residencia habitual del adjudicatario y ocuparse dentro de los plazos establecidos.

Características de la ayuda:

1. Financiación cualificada para EL PROMOTOR de las viviendas será la prevista del **PLAN ESTATAL:**

PRÉSTAMO CONVENIDO de hasta el 80% del precio de escritura o adjudicación a devolver en, al menos, 25 años. El tipo de interés podrá ser variable o fijo. En intereses variables será igual al Euribor a 12 meses publicado por el Banco de España en el *Boletín Oficial del Estado (BOE)*, el mes anterior al de la fecha de formalización, más un diferencial de 65 puntos básicos. El período de carencia en el pago de intereses finalizará en la fecha de la calificación definitiva, con un límite de 4 años (10 años con el consentimiento de la CA).

SUBSIDIOS a los préstamos. Cantidad anual por cada 10.000 € de préstamo durante 25 años:

— 350 € para Viviendas de Régimen Especial.

SUBVENCIÓN de 350 € para la promoción de Viviendas de Régimen Especial. Cuando la vivienda estuviera en un Ámbito Territorial de Precio Máximo Superior se incrementarán las ayudas en 60 euros para vivienda situadas en ámbitos del Grupo A, 30 para el B y 15 para el C.

2. Financiación **AUTONÓMICA:**

Los inquilinos tendrán derecho a la SUBVENCIÓN de un porcentaje variable de la renta comprendido entre el 15% y el 40% pudiendo incrementarse éstas en otro 5% cuando se traten de familias con 5, o más miembros, o bien tengan a su cargo una persona en situación de dependencia o discapacidad. Las subvenciones continuarán abonándose durante todo el período de alquiler siempre que se mantengan las condiciones y requisitos que motivaron su concesión.

Las familias con ingresos anuales inferiores a 1,5 veces el IPREM podrán recibir una SUBVENCIÓN de una cantidad equivalente al 40% de la renta mensual. Si la familia está compuesta por 5 o más miembros o tiene a su cargo una persona en situación de dependencia o con discapacidad de movilidad reducida, y ocupa una vivienda con superficie superior a los 70 m², el porcentaje será del 50%.

Cuando los ingresos familiares sean iguales o superiores a 1,5 veces e inferiores a 1,7 veces el IPREM, podrán percibir una SUBVENCIÓN de una cantidad equivalente al 15% de la renta mensual. Si la familia está compuesta por 5 o más miembros o tiene a su cargo una persona en situación de dependencia o con discapacidad de movilidad reducida, y ocupa una vivienda con superficie superior a los 70 m², el porcentaje será del 20%.

B) VIVIENDA PROTEGIDA CON OPCIÓN A COMPRA

Características:

• La duración mínima del alquiler de las viviendas será de **10 años, con opción a compra, de régimen general o régimen especial.**

• El precio máximo de venta de la vivienda en el momento de ejercerse la **opción de compra,** será de 1,5 veces el precio máximo de referencia actualizado según la evolución del IPC desde la fecha de calificación provisional hasta la de compra, minorado en una cuantía equivalente al 50% de las rentas de alquiler abonadas por la persona que ejerce la opción a compra.

Municipio de precio máximo superior	1.394,72 por m²	Coeficiente 1,60+15%
Municipio de ámbito territorial primero	1.212,80 por m²	Coeficiente 1,60
Municipio de ámbito territorial segundo	1.212,80 por m²	Coeficiente 1,60

• El régimen de protección será de al menos 30 años, y permanentemente mientras el suelo esté destinado a vivienda protegida o sea suelo dotacional público.

• La vivienda tipo tendrá una superficie máxima de 70 m², se podrán incluir viviendas de hasta 90 m² destinadas a familias con personas en situación de dependencia, y hasta un 5 por ciento, de las viviendas de la promoción, destinadas a familias numerosas que podrá incrementarse hasta los 90 m² cuando los beneficiarios constituyan familia numerosa o en la familia existan personas en situación de dependencia o discapacidad.

Requisitos de acceso:

1. Ingresos familiares no superiores a 3,5 veces el IPREM para viviendas de régimen general y 2,5 veces el IPREM para viviendas de régimen especial.

2. No ser titular del pleno dominio de alguna otra vivienda protegida o libre o estar en posesión de la misma en virtud de un derecho real de goce o disfrute vitalicio.

3. Estar inscrito en un registro público de demandantes de vivienda.

4. La actuación debe haber sido calificada como protegida por la CA.

5. La vivienda debe destinarse como residencia habitual del adjudicatario y ocuparse dentro de los plazos establecidos.

Características de la ayuda:

1. Financiación cualificada para EL PROMOTOR de las viviendas será la prevista del **PLAN ESTATAL:**

PRÉSTAMO CONVENIDO de hasta el 80% del precio de escritura o adjudicación a devolver en, al menos, 10 años. El tipo de interés podrá ser variable o fijo. En intereses variables será igual al Euribor a 12 meses publicado por el Banco de España en el *Boletín Oficial del Estado (BOE),* el mes anterior al de la fecha de formalización, más un diferencial de 65 puntos básicos. El período de carencia en el pago de intereses finalizará en la fecha de la calificación definitiva, con un límite de 4 años (10 años con el consentimiento de la CA).

SUBSIDIOS a los préstamos. Cantidad anual por cada 10.000 € de préstamo durante 10 años:

— 350 € para Viviendas de Régimen Especial.

— 250 € para Viviendas de Régimen General.

SUBVENCIÓN de 250 € para la promoción de Viviendas de Régimen Especial y de 200 € para Viviendas de Régimen General. Cuando la vivienda estuviera en un Ámbito Territorial de Precio Máximo Superior se incrementarán las ayudas en 60 € para vivienda situadas en ámbitos del Grupo A, 30 para el B y 15 para el C.

2. Financiación **AUTONÓMICA** para EL PROMOTOR:

SUBSIDIOS a los préstamos. Cantidad anual por cada 10.000 euros de préstamo durante 10 años:

— Del 1.º al 5.º año: 300 euros

— Del 6.º al 10.º año: 300 euros

C) ALOJAMIENTOS PROTEGIDOS

Características:

• Son viviendas de renta básica a 25 años.

• Alojarán a unidades familiares con ingresos no superiores a 2,5 veces el IPREM., jóvenes menores de 35 años, personas mayores de 65 años, mujeres víctimas de violencia de género, víctimas del terrorismo, afectados por situaciones catastróficas, discapacitados, personas sin hogar y otros colectivos en situación de exclusión social, o a trabajadores temporales que necesiten trasladarse de su municipio de residencia por motivos laborales.

• Formarán parte de edificios o conjuntos de edificios destinados en exclusiva a estos colectivos.

Se accederá a ellos mediante alquiler.

• RENTA ANUAL INICIAL, será igual o inferior a 2,5% del precio máximo de referencia vigente en el momento de la calificación provisional.

• El régimen de protección será de al menos 30 años, y permanentemente mientras el suelo esté destinado a vivienda protegida o sea suelo dotacional público.

• Los alojamientos protegidos tendrán una superficie mínima de 45 m² más un 30% de superficies comunes al servicio del conjunto de los residentes.

• El régimen de protección será de al menos 30 años, y permanentemente mientras el suelo esté destinado a vivienda protegida o sea suelo dotacional público.

Requisitos de acceso:

1. Ingresos familiares no superiores a 2,5 veces el IPREM.

2. No ser titular de una vivienda protegida, ni de una libre cuyo valor, según el Impuesto sobre Transmisiones Patrimoniales, exceda del 40% del precio de la vivienda que se pretende adquirir (60% para personas mayores, mujeres víctimas de violencia de género, víctimas del terrorismo, familias numerosas o monoparentales con hijos, personas con discapacidad y separadas o divorciadas).

3. La actuación debe haber sido calificada como protegida por la CA.

4. La vivienda debe destinarse como residencia habitual del adjudicatario y ocuparse dentro de los plazos establecidos.

Características de la ayuda:

1. Financiación cualificada para EL PROMOTOR será la prevista de las viviendas protegidas en alquiler, de renta básica, con financiación a 25 años del **PLAN ESTATAL:**

PRÉSTAMO CONVENIDO de hasta el 80% del precio de escritura o adjudicación a devolver en, al menos, 25 años. El tipo de interés podrá ser variable o fijo. En intereses variables será igual al Euribor a 12 meses publicado por el Banco de España en el *Boletín Oficial del Estado (BOE),* el mes anterior al de la fecha de formalización, más un diferencial de 65 puntos básicos (Euribor + 0,65).

SUBSIDIOS a los préstamos. Cantidad anual por cada 10.000 € de préstamo durante 25 años:

— 350 € para Viviendas de Régimen Especial.

SUBVENCIÓN de 350 € para la promoción de Viviendas de Régimen Especial. Cuando la vivienda estuviera en un Ámbito Territorial de Precio Máximo Superior se incrementarán las ayudas en 60 euros para vivienda situadas en ámbitos del Grupo A, 30 para el B y 15 para el C.

2. Financiación **AUTONÓMICA** para EL PROMOTOR:

SUBSIDIOS a los préstamos. Cantidad anual por cada 10.000 euros de préstamo durante 25 años:

— Del 1.º al 5.º año: 200 euros

— Del 6.º al 10.º año: 200 euros

SUBSIDIOS a los préstamos en alojamientos en alquiler < 2.5 IPREM.

— Del 1.º al 5.º año: 220 euros

— Del 6.º al 10.º año: 250 euros

— Del 11.º al 15.º año: 250 euros

— Del 16.º al 20.º año: 250 euros.

D) FOMENTO DEL ALQUILER DEL PARQUE RESIDENCIAL DESOCUPADO

Características:

• El objeto es incorporar al mercado de alquiler el parque residencial no protegido que se encuentre desocupado, estableciendo medidas de fomento para las Agencias de Fomento del Alquiler, los inquilinos y propietarios.

Características de la ayuda:

Las Agencias de Fomento del Alquiler estarán homologadas como Agentes Colaboradores de Fomento de Alquiler y recibirán una ayuda de 860 euros anuales por vivienda efectivamente alquilada durante un período máximo de 2 años.

La renta anual del alquiler no podrá superar el 9 por ciento del precio máximo de referencia establecido para viviendas protegidas en alquiler con opción de compra de Régimen General, y con un límite máximo de 8.400 euros. Los inquilinos podrán recibir una ayuda del 40% de la renta anual satisfecha, con un tope máximo de 2.880 euros al año durante un máximo de dos años siempre que los ocupantes de la vivienda posean unos ingresos inferiores a 2,5 veces el IPREM.

Las personas que adquieran viviendas existentes para destinarlas al alquiler recibirán las ayudas establecidas en el **PLAN ESTATAL:** En el caso de que el PROPIETARIO DESTINE LA VIVIENDA AL ALQUILER durante, al menos, 5 años, la cuantía máxima de la subvención será de 6.500 euros.

3. VIVIENDAS PARA JÓVENES

A) EN VENTA

Características:

• El objeto es facilitar el acceso a la propiedad de la vivienda protegida de régimen general, para jóvenes de hasta 35 años.

• El precio máximo de referencia por metro cuadrado útil será **1,50 veces** el Precio Básico Nacional = 758 euros para 2009. Este precio se incrementará si la vivienda se encuentra en una localidad situada en un Ámbito Territorial de Precio Máximo Superior (ATPMS), será el resultado de multiplicar el Precio Básico Nacional por el coeficiente **1,45**, e incrementado en un **15%.**

Municipio de precio máximo superior	1.263,97 por m²	Coeficiente 1,45+15%
Municipio de ámbito territorial primero	1.137,00 por m²	Coeficiente 1,50
Municipio de ámbito territorial segundo	1.137,00 por m²	Coeficiente 1,50

La vivienda tipo tendrá una superficie máxima de 70 m²

Requisitos de acceso:

1. Ingresos familiares no superiores a 2,5 veces el IPREM.

2. No ser titular del pleno dominio de alguna otra vivienda protegida o libre o estar en posesión de la misma en virtud de un derecho real de goce o disfrute vitalicio.

3. Estar inscrito en un registro público de demandantes de vivienda.

4. La actuación debe haber sido calificada como protegida por la Comunidad Autónoma

5. La vivienda debe destinarse como residencia habitual del adjudicatario y ocuparse dentro de los plazos establecidos.

Características de la ayuda:

1. Financiación cualificada para la persona promotora y adquirente, será la prevista de las viviendas de precio general del **PLAN ESTATAL:**

PRÉSTAMO CONVENIDO de hasta el 80% del precio de escritura o adjudicación a devolver en, al menos, 25 años. El tipo de interés podrá ser variable o fijo. En intereses variables será igual al Euribor a 12 meses publicado por el Banco de España en el *Boletín Oficial del Estado (BOE),* el mes anterior al de la fecha de formalización, más un diferencial de 65 puntos básicos (Euribor + 0,65).

SUBSIDIOS A LOS PRÉSTAMOS. Cantidad anual por cada 10.000 euros de préstamo durante 5 años, renovables 5 más:

— 100 euros para ingresos menores o iguales a 2,5 veces el IPREM (155 euros para familias numerosas, monoparentales con hijos y discapacitados, durante los 5 primeros años).

— 80 euros para ingresos entre 2,5 y 3,5 veces el IPREM (113 euros para familias numerosas, monoparentales con hijos y discapacitados durante los 5 primeros años).

— 60 euros para ingresos mayores de 3,5 y menores o iguales a 4,5 veces del IPREM (93 euros para familias numerosas, monoparentales con hijos y discapacitados durante los 5 primeros años

AYUDA ESTATAL DIRECTA A LA ENTRADA (AEDE):

— 8.000 euros para ingresos menores o iguales a 2,5 veces el IPREM (9.000 euros en caso de jóvenes, 11.000 euros para mujeres víctimas de violencia de género, víctimas de terrorismo y personas separadas o divorciadas, y 12.000 euros para familias numerosas, monoparentales con hijos y discapacitados).

— 7.000 euros para ingresos entre 2,5 y 3,5 veces el IPREM (8.000 euros en caso de jóvenes, 9.000 euros para mujeres víctimas de violencia de género, víctimas de terrorismo y personas separadas o divorciadas, y 10.000 euros para familias numerosas, monoparentales con hijos y discapacitados).

— 5.000 euros para ingresos mayores de 3,5 y menores o iguales a 4,5 veces del IPREM (6.000 euros en caso de jóvenes, 7.000 euros para mujeres víctimas de violencia de género, víctimas de terrorismo y personas separadas o divorciadas, y 8.000 euros para familias numerosas, monoparentales con hijos y discapacitados).

Cuando la vivienda estuviera en un Ámbito Territorial de Precio Máximo Superior se incrementarán las ayudas en 1.200 euros para vivienda situadas en ámbitos del Grupo A, 600 para el B y 300 para el comprador.

2. Financiación **AUTONÓMICA**:

1. SUBSIDIACIÓN de 250 euros anuales por cada 10.000 euros de préstamo cuando los ingresos anuales sean inferiores a 1,5 veces el IPREM.

Cuando se trate de unidades familiares con 5 o más miembros o tengan a su cargo una persona en situación de dependencia o con discapacidad de movilidad reducida, esta SUBSIDIACIÓN se elevará a los 300 euros.

2. Una SUBSIDIACIÓN de 65 euros anuales por cada 10.000 euros de préstamo cuando los ingresos anuales sean iguales o superiores a 1,5 veces e inferiores a 1,7 el IPREM.

Cuando se trate de unidades familiares con 5 o más miembros o tengan a su cargo una persona en situación de dependencia o con discapacidad de movilidad reducida, esta subsidiación se incrementará hasta los 115 euros.

Estas subsidiaciones se concederán por un período de cinco años, prorrogables por otro período de igual duración siempre que las familias cumplan las mismas condiciones que determinaron su concesión.

3. Las unidades familiares con ingresos inferiores a 1,5 veces el IPREM, podrán recibir una subvención de 3.600 euros. Esta subvención será de 5.000 euros cuando la vivienda adquirida esté ubicada en un municipio de precio máximo superior.

4. Cuando se trate de unidades familiares con 5 o más miembros cuyos ingresos sean inferiores a 1,7 veces el IPREM, la subvención será de 7.000 euros. Esta subvención será de 9.000 euros cuando la vivienda adquirida esté ubicada en un municipio de precio máximo superior.

A estas ayudas se suma la ayuda, es lo que se llama MEDIDA PARA LA ADQUISICIÓN: Se concederá una ayuda de 1.200 euros para hacer frente a los gastos inherentes de adquisición de vivienda y 3% del importe de la compra con destino al abono del IVA de la vivienda.

B) EN ALQUILER CON OPCIÓN A COMPRA JÓVENES

Características:

• El régimen de protección será de 10 años desde calificación definitiva.

• La vivienda tipo tendrá una superficie máxima de 70 m².

• La renta anual inicial máxima será el 7% del precio máximo de referencia vigente en el momento de la calificación definitiva.

• La opción a compra se podrá ejercer en el séptimo año a contar desde la fecha de la Calificación Definitiva, sea éste la persona arrendataria inicial o no.

• El precio máximo de venta de la vivienda en el momento de ejercerse la opción de compra será el resultado de multiplicar el precio máximo de referencia por metro cuadrado de superficie útil que figure en la calificación definitiva de la vivienda, por un coeficiente de actualización que será igual a 2, minorado en una cuantía equivalente al 50% de las rentas de alquiler abonadas por la persona que ejerce la opción a compra.

• Prohibición de transmisión por precio superior en los próximos 3 años.

Requisitos de acceso:

1. Ingresos familiares no superiores a 2,5 veces el IPREM.

2. No ser titular del pleno dominio de alguna otra vivienda protegida o libre o estar en posesión de la misma en virtud de un derecho real de goce o disfrute vitalicio.

3. Estar inscrito en un registro público de demandantes de vivienda.

4. La actuación debe haber sido calificada como protegida por la Comunidad Autónoma

5. La vivienda debe destinarse como residencia habitual del adjudicatario y ocuparse dentro de los plazos establecidos.

Características de la ayuda:

1. Financiación **AUTONÓMICA:**

PRÉSTAMO CUALIFICADO, concedido por las entidades de crédito que hayan suscrito convenio con las Consejerías de Economía y Hacienda y de Vivienda y Ordenación del Territorio. El tipo de interés efectivo anual será fijado en los convenios y su revisión se efectuará en forma y condiciones previstos en los mismos, con un plazo de amortización de 7 años.

SUBVENCIÓN durante los 7 primeros años, de la siguiente cuantía:

1. Del 55% de la renta que se vaya a satisfacer por el alquiler, cuando los ingresos anuales sean inferiores a 1,5 veces el IPREM.

2. Del 30% de la renta que se vaya a satisface por el alquiler, cuando los ingresos de la familia sean inferiores a 1,7 veces el IPREM.

3. Del 20% de la renta que se vaya a satisfacer por el alquiler, cuando los ingresos de la familia sean inferiores a 2 veces el IPREM.

*Estas subvenciones quedarán condicionadas a que se siga manteniendo el nivel de ingresos que motivó su concesión y son compatibles con otras que concedan otras Administraciones Públicas siempre que el importe total de las ayudas no sea superior a la mitad de la cantidad que se abona en concepto de renta.

RENTA BÁSICA DE EMANCIPACIÓN

La Renta Básica de Emancipación es una ayuda dirigida a los jóvenes con el objeto de facilitar el alquiler de una vivienda.

Los jóvenes con edades comprendidas entre los 22 y 30 años que podrán optar a las siguientes ayudas:

1. 210 euros mensuales para el pago del alquiler de su vivienda habitual durante un máximo de cuatro años, o cuarenta y ocho mensualidades sean o no consecutivas.

2. 600 euros de préstamo que se puede utilizar para la fianza. Al finalizar el contrato de alquiler o cuando dejes de recibir la renta de emancipación, deberás devolver esta cantidad.

3. Si se necesita aval, 120 euros para los gastos de su tramitación.

C) ALOJAMIENTOS PROTEGIDOS PARA UNIVERSITARIOS

Características:

• Para dar respuesta a las particulares necesidades de la comunidad universitaria el Plan Concertado de Vivienda y Suelo promueve los Alojamientos Protegidos para Universitarios.

• Los alojamientos serán promovidos por universidades o promotores públicos y destinados a aquellas personas de la comunidad universitaria, jóvenes de hasta 35 años.

• La vivienda tipo tendrá una superficie máxima de 45 m².

• La renta anual inicial máxima será el 2,5% del precio máximo de venta vigente en el momento de la calificación provisional.

• El precio máximo de referencia por metro cuadrado útil será **1,60 veces** el Precio Básico Nacional = 758 euros para 2009. Este precio se incrementará si la vivienda se encuentra en una localidad situada en un Ámbito Territorial de Precio Máximo Superior (ATPMS), será el resultado de multiplicar el Precio Básico Nacional por el coeficiente **1,60**, e incrementado en un **15%**.

Municipio de precio máximo superior	1.394,72 por m²	Coeficiente 1,60+15%
Municipio de ámbito territorial primero	1.212,80 por m²	Coeficiente 1,60
Municipio de ámbito territorial segundo	1.212,80 por m²	Coeficiente 1,60

Requisitos de acceso:

1. Ingresos familiares no superiores a 2,5 veces el IPREM.

2. No ser titular del pleno dominio de alguna otra vivienda protegida o libre o estar en posesión de la misma en virtud de un derecho real de goce o disfrute vitalicio.

4. La actuación debe haber sido calificada como protegida por la Comunidad Autónoma

5. La vivienda debe destinarse como residencia habitual del adjudicatario y ocuparse dentro de los plazos establecidos.

Características de la ayuda:

1. Financiación cualificada para la persona promotora, será la prevista de las viviendas en alquiler para jóvenes a 25 años del **PLAN ESTATAL**:

PRÉSTAMO CONVENIDO de hasta el 80% del precio de escritura o adjudicación a devolver en, al menos, 25 años. El tipo de interés podrá ser variable o fijo. En intereses variables será igual al Euribor a 12 meses publicado por el Banco de España en el *Boletín Oficial del Estado (BOE)*, el mes anterior al de la fecha de formalización, más un diferencial de 65 puntos básicos. El período de carencia en el pago de intereses finalizará en la fecha de la calificación definitiva, con un límite de 4 años (10 años con el consentimiento de la CA).

SUBSIDIOS a los préstamos. Cantidad anual por cada 10.000 € de préstamo durante 25 años:

— 250 € para Viviendas de Régimen General.

SUBVENCIÓN de 250 € para la promoción de Viviendas de Régimen General. Cuando la vivienda estuviera en un Ámbito Territorial de Precio

Máximo Superior se incrementarán las ayudas en 60 euros para vivienda situadas en ámbitos del Grupo A, 30 para el B y 15 para el C.

1. Financiación **AUTONÓMICA:**

SUBSIDIOS a los préstamos. Cantidad anual por cada 10.000 euros de préstamo:

— Del 1.º al 5.º año: 220 euros

— Del 6.º al 10.º año: 250 euros

— Del 11.º al 15.º año: 250 euros

— Del 16.º al 20.º año: 250 euros

4. VIVIENDAS PARA PERSONAS CON RIESGO DE EXCLUSIÓN SOCIAL

A) VIVIENDAS DE PROMOCIÓN PÚBLICA

Características:

• La Vivienda para la Integración Social permite el acceso a una vivienda protegida en régimen de alquiler a las familias cuyos ingresos no superan el IPREM, o que, superando este valor se encuentran en situación de exclusión social por la imposibilidad de acceso a la vivienda.

• Estas viviendas se financian íntegramente con fondos públicos, reservándose el 30% de cada promoción a familias con ingresos inferiores al IPREM, y el resto, a familias con rentas inferiores a 2,5 veces este indicador.

• Las familias en estas circunstancias podrán disfrutar de una vivienda de 70 m², o de 90 m² cuando constituyan familia numerosa o existan personas en situación de dependencia.

• Su régimen es será alquiler, los contratos serán pactados libremente sin que pueda ser superior a 5 años. Si fuese menor se prorrogará hasta alcanzar los 5 años, siempre que cumplan los requisitos de adjudicación.

• La renta anual inicial máxima será el 3,5% del precio máximo de referencia vigente en el momento de la calificación provisional. Se podrá adecuar a las posibilidades reales de los adjudicatarios.

• El precio máximo de referencia por metro cuadrado útil será **1,50 veces** el Precio Básico Nacional = 758 euros para 2009. Este precio se incrementará si la vivienda se encuentra en una localidad situada en un Ámbito Territorial de Precio Máximo Superior (ATPMS), será el resultado de multiplicar el Precio Básico Nacional por el coeficiente **1,50**, e incrementado en un **15%**.

Municipio de precio máximo superior	1.394,72 por m²	Coeficiente 1,50+15%
Municipio de ámbito territorial primero	1.212,80 por m²	Coeficiente 1,50
Municipio de ámbito territorial segundo	1.212,80 por m²	Coeficiente 1,50

• El Ayto. u organización sin ánimo de lucro recibirá una subvención del 50% de la renta señalada anteriormente del porcentaje de viviendas destinadas a la integración social.

Características de la ayuda:

A) AYUDAS AL PROMOTOR:

Estas promociones se financiarán en su totalidad con fondos públicos procedentes de la Comunidad Autónoma o, en su caso, complementando la financiación cualificada establecida en el Plan Estatal para viviendas en alquiler a 25 años, de renta básica, los siguientes SUBSIDIOS:

1. Financiación **ESTATAL**:

PRÉSTAMO CONVENIDO de hasta el 80% del precio de escritura o adjudicación a devolver en, al menos, 25 años. El tipo de interés podrá ser variable o fijo. En intereses variables será igual al Euribor a 12 meses publicado por el Banco de España en el *Boletín Oficial del Estado (BOE)*, el mes anterior al de la fecha de formalización, más un diferencial de 65 puntos básicos. El período de carencia en el pago de intereses finalizará en la fecha de la calificación definitiva, con un límite de 4 años (10 años con el consentimiento de la CA).

SUBSIDIOS a los préstamos. Cantidad anual por cada 10.000 € de préstamo durante 25 años:

— 350 € para Viviendas de Régimen Especial.

SUBVENCIÓN de 350 € para la promoción de Viviendas de Régimen Especial. Cuando la vivienda estuviera en un Ámbito Territorial de Precio Máximo Superior se incrementarán las ayudas en 60 euros para vivienda situadas en ámbitos del Grupo A, 30 para el B y 15 para el C.

2. Financiación **AUTONÓMICA:**

SUBSIDIOS a los préstamos. Cantidad anual por cada 10.000 euros de préstamo:

— Del 1.º al 5.º año: 220 euros

— Del 6.º al 20.º año: 250 euros

— Del 20.º al 25.º año: 460 euros

*Estas ayudas son incompatibles con cualquier otra ayuda pública que tenga por finalidad la ejecución de esta promoción de viviendas.

B) AYUDAS A LOS BENEFICIARIOS:

Las familias que tengan ingresos anuales comprendidos entre 1 y 1,3 veces el IPREM, podrán recibir una SUBVENCIÓN de una cantidad equivalente al 25% de la renta mensual.

La familia que sea adjudicataria de una vivienda con superficie útil superior a 70 m² y que esté compuesta por 5 o más miembros, o esté alguno de ellos en situación de dependencia, y los ingresos familiares sean inferiores a 1,5 veces el IPREM, podrá percibir una SUBVENCIÓN de una cantidad equivalente al 35% de la renta mensual.

En ambos casos, la subvención continuará abonándose en tanto se mantengan las condiciones y requisitos que motivaron su concesión.

A) ALOJAMIENTOS DE PROMOCIÓN PÚBLICA

Características:

• Los alojamientos permite el acceso a una vivienda protegida en régimen de alquiler a las familias cuyos ingresos no superan el IPREM, o que, superando este valor se encuentran en situación de exclusión social por la imposibilidad de acceso a la vivienda.

• Las unidades habitacionales tendrán una superficie de 45 m² excluida la superficie útil de servicios comunes. Dichos servicios no superarán el 30%.

• La renta anual inicial que se fije será igual o inferior al 1% del precio máximo de venta por la superficie útil de la vivienda.

• El precio máximo de referencia por metro cuadrado útil será **1,50 veces** el Precio Básico Nacional = 758 euros para 2009. Este precio se incrementará si la vivienda se encuentra en una localidad situada en un Ámbito Territorial de Precio Máximo Superior (ATPMS), será el resultado de multiplicar el Precio Básico Nacional por el coeficiente **1,50**, e incrementado en un **15%.**

Municipio de precio máximo superior	1.394,72 por m²	Coeficiente 1,50+15%
Municipio de ámbito territorial primero	1.212,80 por m²	Coeficiente 1,50
Municipio de ámbito territorial segundo	1.212,80 por m²	Coeficiente 1,50

• Las viviendas deberán ser promovidas sobre suelo público, por promotor público, o privado cuando actúe por concesión administrativa. Los promotores públicos podrán promover suelos dotacionales, de equipamientos o de servicios.

• Se podrán establecer convenios con la Consejería de Igualdad y Bienestar Social para la adecuada tutela de estos alojamientos.

Características de la ayuda:

A) AYUDAS AL PROMOTOR:

Estas promociones se financiarán en su totalidad con fondos públicos procedentes de la Comunidad Autónoma o, en su caso, complementando la financiación cualificada establecida en el Plan Estatal para viviendas en alquiler a 25 años, de renta básica, los siguientes SUBSIDIOS:

1. Financiación **ESTATAL:**

PRÉSTAMO CONVENIDO de hasta el 80% del precio de escritura o adjudicación a devolver en, al menos, 25 años. El tipo de interés podrá ser variable o fijo. En intereses variables será igual al Euribor a 12 meses publicado por el Banco de España en el *Boletín Oficial del Estado (BOE)*, el mes anterior al de la fecha de formalización, más un diferencial de 65 puntos básicos. El período de carencia en el pago de intereses finalizará en la fecha de la calificación definitiva, con un límite de 4 años (10 años con el consentimiento de la CA).

SUBSIDIOS a los préstamos. Cantidad anual por cada 10.000 euros de préstamo durante 25 años:

— 350 euros para Viviendas de Régimen Especial.

SUBVENCIÓN de 350 euros para la promoción de Viviendas de Régimen Especial. Cuando la vivienda estuviera en un Ámbito Territorial de Precio Máximo Superior se incrementarán las ayudas en 60 euros para vivienda situadas en ámbitos del Grupo A, 30 para el B y 15 para el C.

2. Financiación **AUTONÓMICA:**

SUBSIDIOS a los préstamos. Cantidad anual por cada 10.000 euros de préstamo:

— Del 1.º al 5.º año: 220 euros

— Del 6.º al 20.º año: 250 euros

— Del 20.º al 25.º año: 460 euros

SUBVENCIÓN: 2.800 euros por alojamiento.

*Estas ayudas son incompatibles con cualquier otra ayuda pública que tenga por finalidad la ejecución de esta promoción de viviendas.

B) AYUDAS A LOS BENEFICIARIOS:

Las familias que tengan ingresos anuales comprendidos entre 1 y 1,3 veces el IPREM, podrán recibir una SUBVENCIÓN de una cantidad equivalente al 25% de la renta mensual.

La familia que sea adjudicataria de una vivienda con superficie útil superior a 70 m² y que esté compuesta por 5 o más miembros, o esté alguno de ellos en situación de dependencia, y los ingresos familiares sean inferiores a 1,5 veces el IPREM, podrá percibir una SUBVENCIÓN de una cantidad equivalente al 35% de la renta mensual.

En ambos casos, la subvención continuará abonándose en tanto se mantengan las condiciones y requisitos que motivaron su concesión.

5. PROGRAMAS DE REHABILITACIÓN DE VIVIENDAS Y EDIFICIOS

Características de los programas:

• Estar calificadas urbanísticamente dentro de ordenación, con la posibilidad por ello de obtener licencia municipal de obras.

• La superficie de las viviendas objeto de las obras debe ser como mínimo de 24 m² o conseguir 36 m² después de la intervención. Si se actúa sobre elementos comunes de un edificio, éstos deben tener una superficie útil mínima destinada a viviendas del 80% de la superficie útil total.

• Tener una antigüedad superior a 10 años (excepto obras acogidas al programa de transformación de infravivienda y aquellas que tengan como objeto la adecuación funcional para personas con discapacidad).

• Presentar unas condiciones suficientes en cuanto a seguridad estructural y constructiva para poder realizar la actuación o que se consigan como resultado de la intervención.

• Las obras a realizar deben tener alguna o varias de las siguientes finalidades:

1. Alcanzar condiciones suficientes de seguridad estructural o constructiva.

2. Mejorar la protección contra la presencia de agua y humedades.

3. Mejorar la iluminación natural y la ventilación interior.

4. Mejorar las instalaciones de los suministros de agua, gas, electricidad y saneamiento.

5. Mejorar las condiciones de accesibilidad, mediante la supresión de barreras arquitectónicas y la adecuación funcional a las necesidades de personas con discapacidad.

6. Mejorar las condiciones de eficiencia energética.

7. Mejorar el acceso a los servicios de telecomunicación, audiovisuales y de información.

8. Mejorar la disposición y las dimensiones de los espacios interiores, en el caso de la rehabilitación de viviendas.

9. La instalación, renovación y mejora de los ascensores y sus condiciones de seguridad, en el caso de la rehabilitación de los elementos comunes de los edificios.

• Los destinatarios de las ayudas serán con carácter general los andaluces y andaluzas cuyos ingresos familiares anuales no excedan de 5,5 veces el Indicador Público de Renta de Efectos Múltiples (IPREM) Según los diferentes programas este límite desciende hasta incluso una vez el IPREM.

A) TRANSFORMACIÓN DE INFRAVIVIENDA

Características:

• Tener la consideración de infravivienda y encontrarse en una Zona de Actuación de Infravivienda declarada o solicitada como tal, en cualquier municipio de la Comunidad Autónoma.

• La persona promotora de la actuación deberá ser la propietaria residente en la vivienda o arrendataria con autorización.

• Los ingresos de la persona promotora no serán superiores al IPREM. El presupuesto de ejecución material máximo será de 30.000 euros.

• Los Ayuntamientos aportarán el trabajo social de apoyo a la gestión de la actuación y asumirán las tasas por licencias de obras correspondientes a las obras.

• Este Programa se puede aplicar en las áreas de Rehabilitación de Barrios y Centros Históricos, en este caso las personas propietarias de inmuebles en los que residan familias que en su mayoría tengan unos ingresos familiares inferiores a 2,5 veces el IPREM o bien que se encuentren desocupadas, podrán percibir una subvención máxima equivalente a 30.000 euros por cada una de las viviendas resultantes de la actuación.

• En el caso de edificios en alquiler o desocupados, el propietario aportará al menos el 30% del coste total de la actuación, pudiendo solicitar para ello un Préstamo Cualificado.

• En caso de resultar viviendas vacías tras la actuación, se destinarán a alquiler, por un período de 10 años, y se reservarán a inquilinos con ingresos menores a 2,5 el Indicador Público de Rentas de Efectos Múltiples.

Características de la ayuda:

Las personas beneficiarias de este programa percibirán:

ASISTENCIA TÉCNICA para la redacción del proyecto o documentos técnicos necesarios y para la dirección de las obras.

Una SUBVENCIÓN por el importe del presupuesto de ejecución de las obras, hasta un máximo de 30.000 euros por vivienda.

Posibilidad de solicitar un PRÉSTAMO CUALIFICADO para propietarios que promuevan mediante este programa actuaciones de rehabilitación integral en áreas de Rehabilitación de Barrios y Centros Históricos y se actúe en inmuebles cedidos en alquiler o desocupados.

B) REHABILITACIÓN AUTONÓMICA

Características:

• Las familias deben ser propietarias residentes en la vivienda o inquilinos con autorización.

• Los ingresos familiares de la persona promotora no serán superiores a 2,5 veces el Indicador Público de Rentas de Efectos Múltiples (IPREM).

• Se actuará en municipios que hayan sido declarados como Municipio de Rehabilitación Autonómica.

• El presupuesto máximo de ejecución material de las obras es de 12.000 euros cuando las obras no afecten a la estructura, o 18.000 euros en los demás casos.

Características de la ayuda:

ASISTENCIA TÉCNICA para la redacción del proyecto y dirección de obras.

Una SUBVENCIÓN equivalente al 50% del presupuesto de ejecución material. Cuando la persona promotora sea mayor de 65 años (Tarjeta Oro), la SUBVENCIÓN se incrementa hasta un 70% del presupuesto de ejecución material.

Un PRÉSTAMO CUALIFICADO de acuerdo a lo establecido en el Título IV del Plan Concertado de Vivienda y Suelo 2008-2012.

Listado de municipios declarados de Rehabilitación Autonómica por provincias:

Provincia de Almería: Albanchez, Alcudia de Monteagud, Alhama de Almería, Álmería, Almócita, Alsodux, Antas, Armuña de Almanzora, Bacares, Bédar, Beires, Benizalón, Benizalón, Bentarique, Berja, Canjávar, Carboneras, Cóbdar, Chercos, Chirivel, Ejido (El), Enix, Felix, Fines, Fondón, Gallardos (Los), Garrucha, Huécija, Huércal de Almería, Illar, Institución, Lubrín, Lucainena de las Torres, Lúcar, Mojácar, Mojonera(La), Nacimiento, Níjar, Paludes, Paterna del Río, Purchena, Rágol, Roquetas de Mar, Santa Cruz de Marchena, Santa Fe de Mondújar, Sorbas, Suflí, Terque, Turre, Turrillas, Urrácal, Vícar.

Provincia de Cádiz: Alcalá del Valle, Algar, Algeciras, Algodonales, Arcos de la Frontera, Barbate, Benalup-Casas Viejas, Benaocaz, Bornos, Bosque (El), Castellar de la Ftra., Chiclana de la Ftra., Chipiona, Conil de la Ftra, Espera, Gastor (El), Grazalema, Jerez de la Frontera, Jimena de la Ftra., Medina-Sidonia, Olvera, Paterna, Prado del Rey, Puerta de Santa María (El), Puerto Real, Puerto Serrano, Rota, San Fernando, San José del Valle, Sanlúcar de Barrameda, Setenil de las Bodegas, Tarifa, Torrealhaquime, Trebujena, Ubrique, Vejer de la Ftra., Villaluenga del Rosario, Villamartín, Zahara de la Sierra.

Provincia de Córdoba: Adamuz, Aguilar de la Ftra., Alcaracejos, Almedinilla, Baena, Belalcázar, Belmez, Benamejí, Blázquez (Los), Bujalance, Cabra, Cañete de las Torres, Carcabuey, Cardeña, Carlota (La), Carpio (El), Castro del Río, Córdoba, Doña Mencía, Dos Torres, Encinas Reales, Espejo, Espiel, Fernán-Nunez, Fuente Obejuna, Fuente Palmera, Granjuela (La), Guadalcazar, Hinojosa del Duque, Iznájar, Lucena, Luque, Montalbán, Montemayor, Montilla, Monturque, Moriles, Nueva Carteya, Palenciana, Palma del Río, Pedro Abad, Pedroche, Peñarroya-Pueblonuevo, Posadas, Pozoblanco, Priego de Córdoba, Puente Genil, Rambla (La), Rute, Santaella, Valsequillo, Victoria (La), Villa del Río, Villafranca de Córdoba, Villaharta, Villanueva de Córdoba, Villanueva del Duque, Villaralto, Villaviciosa de Córdoba, Zuheros.

Provincia de Granada: Alamedilla, Albolote, Albondón, Albuñol, Albuñuelas, Algarinejo, Alhama de Granada, Almegíjar, Almuñecar, Alpujarra de la Sierra, Alquije, Arenas del Rey, Armilla, Baza, Beas de Granada, Benalúa de las Villas, Benamaurel, Bérchules, Bubión, Busquístar, Cacín, Cadiar, Cájar, Calahorra (La), Campotéjar, Caniles, Cáñar, Capileira, Cástaras, Castilléjar, Castril, Chauchina, Chimeneas, Churriana de la Vega, Cogollos de Guadix, Colomera, Cortes de Baza, Cuevas del Campo, Cúllar, Darro, Dehesas de Guadix, Deifontes, Diezma, Dílar, Dólar, Dúcar, Dúrcal, Escúzar, Frerreira, Freila, Fuente Vaqueros, Gabias (Las), Galera, Gobernador, Gójar, Gorade, Granada, Guadahortuna, Guadix, Guájares (Los), Güevéjar, Huéneja, Huéscar, Huétor Santillán, Huétor Tájar, Illora, Itrabo, Iznalloz, Jerez del Marquesado, Láchar, Lanjarón, Lanteira, Lecrín, Lentegí, Loja, Lugros, Lújar, Malahá (La), Macarena, Moclín, Molvízar, Montefrio, Montejícar, Montillana, Moraleda de Zafayona, Morelábor, Murtas, Nigüelas, Orce, Otívar, Otura, Padul, Pampaneira, Peza (La), Pinar, el, Pinos Genil, Pinos Puente, Píñar, Pórtugos, Puebla de Don Fadrique, Purullena, Quéntar, Rubite, Salar, Salobreña, Santa Cruz del Comercio, Soportújar, Sorvilán, Tahá (La), Torre Cardela, Trovizcón Trevélez, Turón, Ugíjar, Valle del Zabalí, Valle (El), Válor, Vegas del Genil, Ventas de Huelma, Villanueva Mesía, Zafarraya, Zagra, Zújar.

Provincia de Huelva: Alájar, Aljaraque, Almendro (El), Almonaster la Real, Almonte, Alosno, Aracena, Aroche, Arroyomolinos de León, Ayamonte, Beas, Berroacal, Bollullos Par del Condado, Bonares, Cabezas Rubias, Cala, Calañas, Campillo (El), Campofrío, Cañaveral de León, Cartaya, Castaño del Robledo, Cerro de Andevalo (El), Corteconcepción, Cortegana, Cortelazor, Cumbres de En medio, Cumbres de San Bartolomé, Cumbres mayores, Chucena, Encinasola, Escacena del Campo, Fuenteheridos, Galaroza, Gibraleón, Granado (El), Granada de Río Tinto (La), Higuera de la Sierra, Hinojales, Hinojos, Huelva, Isla Cristina, Jabugo, Lepe, Linares de la Sierra, Lucena del Puerto, Manzanilla, Marines (Los), Minas de Riotinto, Moguer, Nava (La), Nerva, Niebla, Palma del Condado (La), Palos de la Frontera, Paterna del Campo, Paymogo, Punta Umbría, Puebla de Guzmán, Puerto Moral, Rosal de la Frontera, Rociana del Condado, San Bartolomé de la Torre, San Juan del Puerto, San Silvestre de Guzmán, Sanlúcar de Guadiana, Santa Ana la Real, Santa Bárbara de Casa, Santa Olalla del Cala, Trigueros, Valdelarco, Valverde del Camino, Villablanca, Villalba del Alcor, Villanueva de las Cruces, Villanueva de los Castillejos, Villarrasa, Zalamea la Real, Zufre.

Provincia de Jaén: Albanchez de Mágina, ALcalá la Real, Alcaudete, Aldeaquemada, Andujar, Arjona, Arjonilla, Arquillos, Arroyo del Ojanco, Baeza, Bailén, Baños de la Encina, Bedmar-Garcíez, Begíjar, Bélmez de la Moraleda, Cabra del Santo Cristo, Cambil, Campillo de Arenas, Canena, Carboneros, Cárcheles, Carolina (La), Castellar, Castillo de Locubín, Cazalilla, Cazorla, Chicalana de Segura, Escañuela, Espelúy, Frailes, Fuerte del Rey, Génave, Guardia (La), Higuera de Calatrava, Huelma, Huesa, Iznatoraf, Jabalquinto, Jaén, Jimena, Jódar, Lahiguera, Larva, Linares, Lopera, Lupión, Mancha Real, Martos, Mengíbar, Navas de San Juan, Peal de Becerro, Pegalajar, Porcuna, Puente Genave, Puerta de Segura (La), Quesada, Rus, Santa Elena, Santiago de Calatrava, Santisteban del Puerto, Santo Tomé, Sorihuela del Guadalimar, Torreblacopedro, Torredelcampo, Torredelcampo, Torredeonjimeno, Torres, Torreperogil, Úbeda, Vilches, Villacarrillo, Villares (Los), Villarrodrigo, Villanueva del Arzobispo.

Provincia de Málaga: Alameda, Alcaucín, Alfarnate, Alfarnatejo, Algarrobo, Algatocín, Alhaurín de la Torre, Alhaurín el Grande, Almáchar, Almargen, Almogía, Álora, Alozaina, Alpandeire, Antequera, Antequera (Villanueva de la Concepción), Árchez, Archidona, Ardales, Arriate, Atajate, Benadalid, Benalauría, Benalmádena, Benamargosa, Benamocarra, Benaoján, Benarrabá, Borge (El), Burgo (El), Campillos, Canillas de Aceituno, Canillas de Albaida, Cañete la Real, Carratraca, Cartajima, Cártama, Casabermeja, Casarabonela, Coín, Colmenar, Comares, Cómpeta, Cortes de la Frontera, Cuevas Bajas, Cuevas de San Marcos, Cuevas de Becerro, Cútar, Estepona, Faraján, Frigiliana, Fuengirola, Gaucín, Genalguacil, Guaro, Hunilladero, Igualeja, Istán, Iznate, Jimera de Líbar, Jubrique, Júzcar, Macharavieja, Marbella, Mijas, Moclinejo, Mollina, Monda, Montejaque, Nerja, Ojén, Parauta, Periana, Pizarra, Pujerra, Rincón de la Victoria, Riogordo, Ronda, Ronda (Montecorto), Ronda (Serrato), Salares, Sayalonga, Sedella, Sierra De yeguas, Teba, olox, Torremolinos, Torrox, Totalán, Valle de Addalajís, Vélez-Málaga, Villanueva de Algaidas, Villanueva de Tapia, Villanueva del Rosario, Villanueva del Trabuco, Viñuela, Yunquera.

Provincia de Sevilla: Aguadulce, Alanís, Albaida del Aljarafe, Alcalá de Guadaira, Alcalá del Río, Alcolea del Río, Algaba (La), Algámitas, Almadén de la Plata, Almensilla, Arahal (El), Aznalcóllar, Badolatosa, Benacazón, Bormujos, Brenes, Burguillos, Cabezas de San Juan (Las), Cabezas de San Juan (Las) (Las marismillas), Camas, Campana (La), Cantillana, Cañada Rosal, Carmona, Casariche, Castilblanco de los Arroyos, Castillejo de Guzmán, Castilleja de la Cuesta, Castilleja del Campo, Castillo de las Guardas (El), Cazalla de la Sierra, Constantina, Coria del Río, Coripe, Coronil (El), Corrales (Los), Cuervo El, de Sevilla, Dos Hermanas, Écija, Espartinas, Estepa, Fuentes de Andalucía, Garrobo (El), Gelves, Gerena, Gilena, Gines, Guadalcanal, Guillena, Herrera, Huévar, Isla mayor, Lantejuela (La), Lebrija, Lora del Río, Luisiana La, Madroño (El), Mairena del Alcor, Marchena, Marinaleda, Martín de la Jara, Molares (Los), Montellano, Morón de la Frontera, Navas de la Concepción (Las), Olivares, Osuna, Palacios y Villafranca (Los), Palomares del Río, Paradas, Pedrera, Pedroso (El), Peñaflor, Pilas, Pruna, Puebla de Cazalla, Puebla de los Infantes (La), Puebla del Río (La), Real de la Jara (El), Rinconada (La), Roda de Andalucía (La), Ronquillo (El), Rubio (El), Salteras, San Juan de Aznalfarache, San Nicolás del Puerto, Sanlúcar la Mayor, Santiponce, Saucejo (El), Sevilla, Tocina, Umbrete, Utrera, Utrera (El Palmar), Valencina de la Concepción, Villamanrique de la Condesa, Villanueva de San Juan, Villanueva del Ariscal, Viso del Alcor (El).

C) REHABILITACIÓN INDIVIDUALIZADA:

Características:

• Facilitar la financiación para realizar actuaciones de rehabilitación en viviendas.

• La persona promotora de la actuación debe ser la propietaria de la vivienda o arrendataria con autorización.

• Sus ingresos familiares no serán superiores a 5,5 veces el IPREM.

• El presupuesto máximo protegido será hasta 73.222 euros (equivalente a: Superficie útil (hasta 120 m²) × 50% Precio Máximo Venta Viviendas Protegidas Régimen Especial).

Características de la ayuda:

Se podrá solicitar una SUBVENCIÓN de hasta un 25% del Presupuesto Protegible (como máximo 3.000 euros), cuando los ingresos familiares no excedan de 3,5 veces el IPREM.

Se podrá solicitar una SUBVENCIÓN de hasta un 40% del Presupuesto Protegible (como máximo 4.800 euros), cuando los ingresos familiares no excedan de 2,5 veces el IPREM, o la persona sea mayor de 65 años o con discapacidad.

Se podrá solicitar un PRÉSTAMO CUALIFICADO por un importe máximo de la cantidad que resulte de deducir el importe de la subvención del presupuesto protegible, cuando los ingresos familiares no excedan de 5,5 veces el IPREM.

D) REHABILITACIÓN DE EDIFICIOS

Características:

• Fomentar la rehabilitación de los elementos comunes de edificios, mediante ayudas a comunidades de propietarios o a propietarios de edificios destinados al alquiler.

• Cuando el promotor sea la comunidad de propietarios, el 50% de ellos deben tener ingresos familiares inferiores a 2,5 veces el IPREM.

• Cuando el promotor sea el propietario de un edificio en alquiler, las viviendas alquiladas a familias con ingresos inferiores a 2,5 veces el IPREM junto con las desocupadas, deben alcanzar el 50% de la totalidad de las viviendas del edificio.

• El presupuesto protegible no superará un total de 10.000 euros / Vda. o de 14.000 euros / Vda., en el caso de obras de adecuación estructural.

Características de la ayuda:

ASISTENCIA TÉCNICA para la redacción de los proyectos o documentos técnicos necesarios, así como para la dirección de las obras.

Una SUBVENCIÓN del 75% del presupuesto protegible (7.500 euros/ Vda. o 10.500 euros/Vda., en el caso de obras de adecuación estructural).

Se podrá solicitar un PRÉSTAMO CUALIFICADO por un importe máximo de la cantidad que resulte de deducir el importe de la subvención del presupuesto protegible, cuando los ingresos familiares no excedan de 5,5 veces el IPREM

E) REHABILITACIÓN SINGULAR

Características:

• Protección y financiación de actuaciones específicas no contempladas de forma expresa en los Programas del Plan Concertado, así como la reparación de los daños causados en viviendas y edificios residenciales por fenómenos naturales sobrevenidos.

• En función del tipo de actuación se establecerá mediante Orden de la Consejería de Vivienda y Ordenación del Territorio y, excepcionalmente, mediante convenios a suscribir con los agentes que intervengan.

F) ADECUACIÓN FUNCIONAL BÁSICA

Características:

• Concesión de subvenciones destinadas a sufragar el coste de las obras y, en su caso, de la asistencia técnica necesaria, para la adaptación o adecuación funcional y/o mejora de seguridad de algunos elementos de la vivienda habitual y permanente de personas mayores o personas con discapacidad y movilidad reducida.

• Ser titular de la Tarjeta Andalucía-Junta sesenta y cinco o tener reconocido un grado de minusvalía igual o superior al 40% y movilidad reducida.

• Que los ingresos de la unidad familiar de la persona solicitante no superen 2,5 veces el Indicador-Público de Renta de Efectos Múltiples. (Calculado conforme a lo establecido en el Plan Andaluz de Vivienda y Suelo).

• Residir, de forma habitual y permanente en la vivienda objeto de las mejoras.

• Las personas que soliciten esta subvención no deberían haber recibido subvención de este mismo programa durante los últimos tres años.

Características de la ayuda:

La Junta de Andalucía pagará el 70% del coste de las obras hasta un presupuesto máximo de 2.000 euros incluidos los impuestos y tasas Municipales (aunque las obras podrán superar esta cantidad).

Si la reforma lo requiere y en el caso de que fuera preceptivo la intervención de un profesional cualificado (Arquitecto, Aparejador, Perito…), la Junta de Andalucía también pagará el 70% de sus honorarios siempre con un presupuesto máximo de 600 euros.

Las personas que soliciten esta subvención no deberían haber recibido subvención de este mismo programa durante los últimos tres años.

G) MEJORA DE LA EFICIENCIA ENERGÉTICA DE VIVIENDAS Y EDIFICIOS

Características:

• El objeto es fomentar la utilización de energías renovables, la mejora de la eficiencia energética, la higiene, salud y protección del medio ambiente, así como la accesibilidad del parque residencial existente, mediante ayudas a las personas que promuevan la rehabilitación de sus viviendas o edificios de viviendas.

• Los proyectos de las viviendas calificadas como protegidas tendrán una calificación energética de la clase A, B o C, según lo establecido en el Real Decreto 47/2007.

Características de la ayuda:

SUBVENCIÓN de 3.500 euros por vivienda si se obtiene la calificación energética de la clase A, 2.800 euros si se obtiene la B y 2.000 euros si se obtiene la C.

Requisitos para acceder a la ayuda:

1. Estas ayudas son incompatibles con aquellas que tengan la misma finalidad establecidas en el Plan de Acción de Ahorro y Eficiencia Energética 2008-2012 y al Plan de Energías Renovables 2005-2010.

H) ÁREAS DE REHABILITACIÓN DE BARRIOS Y DE CENTROS HISTÓRICOS

Características y delimitación

• La delimitación de las áreas de Rehabilitación corresponde a la Consejería de Vivienda y Ordenación del Territorio y ésta se podrá realizar de oficio o a instancia de los Ayuntamientos que justificadamente lo soliciten.

• Una vez delimitada el área, la Empresa Pública de Suelo de Andalucía se encargará de la redacción del Programa de Actuación, que definirá el contenido de las actuaciones a desarrollar, su viabilidad y su programación económica y temporal, también le corresponde a esta Empresa la gestión y tramitación de los programas que en materia de vivienda y suelo desarrolle la Administración de la Junta de Andalucía en el área de Rehabilitación declarada.

• Corresponde a las Direcciones Generales de Vivienda y Arquitectura y de Urbanismo aprobar el Programa de Actuación y elevar propuesta conjunta de declaración del área de Rehabilitación, al titular de dicha Consejería.

• Las áreas son declaradas mediante Orden de la Consejería de Vivienda y Ordenación del Territorio.

• Para el desarrollo de la actuación es fundamental la figura de la *Oficina Técnica de Gestión*, que la Empresa Pública de Suelo de Andalucía instala en cada área y que actúa ante los vecinos como ventanilla única.

• Estas Oficinas tienen una composición multidisciplinar, atendiendo las diferentes necesidades que se presentan en este tipo de intervenciones integradas, combinando para ello labores urbanísticas, arquitectónicas y de trabajo social, procurando la participación y coordinación permanente con el movimiento vecinal, fundamental para garantizar el éxito de la actuación en su conjunto.

I) ÁREAS DE REHABILITACIÓN CONCERTADA DE INICIATIVA MUNICIPAL

Características y delimitación

• Mediante este programa se desarrollarán actuaciones de rehabilitación integral en ámbitos urbanos, gestionadas por los respectivos Ayuntamientos.

• El objetivo final de este Programa es en cierto modo, similar al de áreas de Rehabilitación, ya que se trata de un instrumento también de intervención integrada de un ámbito urbano degradado, en el que se hacen coincidir los diferentes Programas instrumentados en el Plan Concertado junto con otros competencia de la Administración Local.

• Papel activo del Ayuntamiento en las distintas fases del proceso: iniciativa de la actuación, coordinación y gestión de las actuaciones.

• La delimitación de los ámbitos urbanos en los que desarrollar actuaciones de Rehabilitación Concertada de iniciativa Municipal, le corresponde a la Consejería de Vivienda y Ordenación del Territorio, a instancia de los Ayuntamientos, tomando como bases las propuestas que se realicen en los Planes Municipales de Vivienda o en su defecto, en las solicitudes justificadas y documentadas técnicamente.

• Para su desarrollo se formalizarán Convenios entre la Consejería y los respectivos Ayuntamientos, en los que se especificarán las convocatorias, los procedimientos y plazos de gestión y de financiación de los distintos Programas del Plan Concertado de Vivienda y Suelo que se pretendan aplicar.

• Corresponde a los Ayuntamientos la coordinación de la gestión de los Programas del Plan Concertado a aplicar en el ámbito de actuación, pudiendo participar como entidad colaboradora.

J) ÁREAS DE RENOVACIÓN URBANA

Características del ámbito protegido:

• El ARU debe ser declarado como tal por la CA. Para ello habrá de incluir al menos 200 viviendas o su conjunto agrupar más de 4 manzanas de edificios (salvo excepciones).

• Las viviendas deben tener una antigüedad superior a 30 años (salvo excepciones).

• La situación de la mayor parte de las viviendas del ARU deben encontrarse por debajo de los estándares mínimos establecidos legalmente.

• La mayor parte de los edificios deben encontrarse en una situación que exija la demolición y reconstrucción de los mismos.

Al menos el 60% de la edificabilidad existente debe estar destinada a uso residencial.

Si es necesaria una nueva ordenación urbanística como consecuencia de las actuaciones a realizar, al menos se tendrá de contar con la aprobación inicial del instrumento urbanístico necesario para ello.

Características de la ayuda:

PRÉSTAMO CONVENIDO por la cuantía resultante de la diferencia entre el presupuesto de construcción de las viviendas protegida en el ARU y la cuantía de las subvenciones concedidas. El presupuesto protegido será el coste máximo de la construcción de las viviendas protegidas a sustituir, que será el 85% del precio máximo de una vivienda protegida del mismo régimen, con una superficie útil máxima de 90 m² (80% si la actuación afectara a más de 500 viviendas).

SUBVENCIÓN para:

Sustituir las viviendas existentes, por un importe máximo del 35% del presupuesto protegido, con un límite de 30.000 euros por vivienda renovada.

Obras de urbanización del ARU, por un importe máximo del 40% del presupuesto, con un límite del 40% de la subvención establecida en el apartado anterior.

Realojos temporales, por un importe máximo de 4.500 euros por unidad familiar a realojar, sin superar los 4 años.

Financiar los costes de los equipos de información y gestión, por un importe que no excederá el 7% del presupuesto protegido total del ARU ni el 50% del coste de estos equipos.

Promoción de nuevas vivienda protegidas que ampliaran las preexistentes, por las cuantías establecidas para cada vivienda protegida en este Plan.

Requisitos de acceso ayuda:

1. Los promotores deben iniciar la construcción de, al menos, el 50% de las viviendas protegidas objeto de las ayudas en los 3 primeros años.

K) ÁREAS DE REHABILITACIÓN INTEGRAL (ARI) DE CONJUNTOS HISTÓRICOS, CENTROS URBANOS, BARRIOS DEGRADADOS Y MUNICIPIOS RURALES

Características del ámbito protegido:

El ARI debe ser declarado como tal por la CA. Para ello habrá de incluir al menos 200 viviendas (salvo excepciones) y contar con un plan especial de rehabilitación. Los municipios rurales con ARIs tendrán menos de 5.000 habitantes (salvo excepciones).

Las viviendas y edificios deben tener una antigüedad superior a 10 años (salvo excepciones).

Características de la ayuda:

PRÉSTAMO CONVENIDO por la cuantía del presupuesto protegido (coste máximo de ejecución de la rehabilitación de las viviendas y edificios que incluirá, como tope, una superficie útil de 90 m² por vivienda) a devolver en 15 años como máximo.

SUBVENCIÓN para:

— Rehabilitación de edificios y viviendas y situaciones de infravivienda, por un importe de hasta el 40% del presupuesto protegido, con un máximo de 5.000 euros por vivienda rehabilitada (6.600 euros en centros históricos y municipios rurales, si la subvención no excede del 50% del presupuesto protegido total).

— Obras de urbanización del ARI, por un importe de hasta el 20% de dichas obras, con un límite del 20% de la subvención del apartado anterior. En centros históricos y municipios rurales, la subvención será de hasta el 30% del presupuesto de las obras, con el límite 30% de la subvención.

— Financiar los costes de los equipos de información y gestión, por un importe que no excederá el 5% del presupuesto protegido total del ARI ni el 50% del coste de estos equipos.

Requisitos de acceso ayuda:

1. Ser promotor de la actuación de rehabilitación, propietario de vivienda o edificio, inquilino autorizado por el propietario o comunidad de propietario incluido dentro del ARI.

2. Cuando se trate de rehabilitación de viviendas para uso propio, los ingresos familiares de las personas beneficiarias no podrán superar 6,5 veces el IPREM.

3. Las viviendas que hayan obtenido ayudas habrán de destinarse como domicilio habitual de su propietario, o al alquiler, durante al menos 5 años.

6. ACTUACIONES PROTEGIDAS EN MATERIA DE SUELO

Características de los programas:

• Al menos, las dos terceras partes de las viviendas protegidas incluidas en la actuación se destinan a familias cuyos ingresos no superen 2,5 veces el IPREM, o el porcentaje que determine el plan municipal de vivienda, siendo obligatorio que, al menos, un 35% de las viviendas protegidas, estén acogidas a los Programas de Régimen Especial, Alquiler para Jóvenes con Opción a compra y Alquiler de Renta Básica.

• La urbanización de los suelos donde se localice el 10% de cesión de aprovechamiento medio del área de reparto a favor de los Ayuntamientos, no tendrán ayudas.

A) ACTUACIONES AUTONÓMICAS DE SUELO

Características:

• El objeto es fomentar la urbanización de suelos donde al menos las dos terceras partes de las viviendas protegidas incluidas en la actuación se destinan a familias cuyos ingresos no superen 2,5 veces el IPREM.

• También es objeto de este Programa fomentar la construcción de viviendas protegidas en suelos en los que, estando urbanizados o en proceso de urbanización, se desarrollen actuaciones cuyas dos terceras partes de las viviendas protegidas incluidas en la actuación se destinen a familias cuyos ingresos familiares no superen 2,5 veces el citado Indicador.

• Las personas promotoras que ejecuten estas actuaciones recibirán una ayuda de 3.000 euros por vivienda protegida, incrementada en un 20% para cada vivienda protegida que supere el número de las que, según el planeamiento urbanístico, deban construirse.

Características de la ayuda:

1. SUELOS A URBANIZAR

Las personas promotoras que ejecuten estas actuaciones podrán obtener las siguientes ayudas:

Un PRÉSTAMO CUALIFICADO para la urbanización.

Una SUBVENCIÓN cuya cuantía total, por cada vivienda protegida a construir en el ámbito de urbanización dependerá de:

1.º El porcentaje de edificabilidad residencial del ámbito de urbanización que se destine a viviendas protegidas.

2.º Que se construya un mayor número de viviendas protegidas de las que son obligatorias por el planeamiento urbanístico, en cuyo caso se aumentará un 20% el importe de la subvención para cada vivienda protegida que supere el número establecido por el planeamiento.

La cuantía total de la subvención será:

Porcentaje de edificabilidad para viviendas protegidas sobre el total de edificabilidad	Cuantía por VP obligatoria	Cuantía por VP sin obligación de destino de suelo VP
De 0 a 50%	4.000	4.800
mayor de 50% y menor de 75%	6.000	7.200
mayor de 75%	8.000	9.600

2. SUELOS YA URBANIZADOS

Las personas promotoras que ejecuten estas actuaciones recibirán una AYUDA de 3.000 euros por vivienda protegida, incrementada en un 20% para cada vivienda protegida que supere el número de las que, según el planeamiento urbanístico, deban construirse.

B) ADQUISICIÓN DE SUELO PARA SU INCORPORACIÓN A LOS PATRIMONIOS PÚBLICOS DE SUELO

Características:

• El objeto es colaborar con los Ayuntamientos en su obligación de constitución o ampliación del Patrimonio Municipal de Suelo mediante la ayuda para la adquisición de terrenos sin urbanizar que se incorporen a aquél, con la finalidad de incrementar la oferta de suelo con destino a la promoción de viviendas protegidas, facilitar la ejecución de los instrumentos de planeamiento y conseguir una intervención pública en el mercado del suelo que incida en la formación de los precios.

• Que al menos los dos terceras partes de las viviendas protegidas se destinen a familias con ingresos menores a 2,5 veces el IPREM.

• Que al menos el 35% de las viviendas protegidas pertenezcan a programas de Régimen Especial, Alquiler para Jóvenes con opción a compra y Alquiler de renta Básica.

• Se destine más del 50% de la edificabilidad prevista a la construcción de viviendas protegidas.

• Que el 70% de la edificabilidad sea puesto en el mercado para su enajenación a promotores de viviendas.

Características de la ayuda:

Las personas promotoras podrán obtener de la Consejería de Vivienda y Ordenación del Territorio:

Una AYUDA de 2.000 euros por vivienda protegida (2.300 euros cuando se ubique en un municipio de precio máximo superior).

Un PRÉSTAMO CUALIFICADO.

C) GESTIÓN PÚBLICA URBANÍSTICA

• El objeto del presente programa, dirigido a los Ayuntamientos, es fomentar la mejora en la gestión de los instrumentos urbanísticos, así como en la ejecución de los mismos y, en su caso, la urbanización, con el objetivo de obtener suelo para posibilitar la edificación de viviendas protegidas en los casos de reservas de terrenos y/o expropiación para incorporar al Patrimonio Municipal, cambio de sistema de compensación al de cooperación o expropiación.

• Que al menos los dos terceras partes de las viviendas protegidas se destinen a familias con ingresos menores a 2,5 veces el IPREM.

• Que al menos el 35% de las viviendas protegidas pertenezcan a programas de Régimen Especial, Alquiler para Jóvenes con opción a compra y Alquiler de renta Básica.

• Se destine más del 30% de la edificabilidad prevista a la construcción de viviendas protegidas.

• Que la edificabilidad residencial sea al menos el 70% de la edificabilidad total.

• Que el instrumento de gestión se apruebe en un máximo de dos años.

Características de la ayuda:

Si se realiza una reserva de terrenos y expropiación para destinarlo al Patrimonio Municipal de Suelo, una ayuda de 200 euros por vivienda protegida a edificar.

Si la actuación consiste en el cambio de sistema de compensación a cooperación o expropiación, una ayuda de 100 euros por vivienda protegida a edificar.

Si la actuación es realizada por gestión indirecta mediante la intervención de agente urbanizador, una ayuda de 100 euros por vivienda protegida a edificar.

VIVIENDAS LIBRES EN *STOCK:* NUEVA MEDIDA DE IMPULSO ECONÓMICO Y DE ACCESO A LA VIVIENDA

Esta medida tiene dos *objetivos fundamentales:*

1. Facilitar a los andaluces el acceso a una vivienda en condiciones ventajosas.

2. Reactivar la economía con la venta del elevado número de viviendas disponibles en el mercado.

Su puesta en marcha ha sido posible gracias al entendimiento y la colaboración de tres partes que comparten un mismo objetivo: recuperar la normalidad en el funcionamiento del mercado inmobiliario:

La Junta de Andalucía, que ha diseñado una fórmula innovadora para superar las dificultades de acceso a créditos de financiación con que se encuentran los ciudadanos, y la ha dotado con una importante partida económica.

Las entidades financieras que han suscrito el convenio con la Junta de Andalucía para asumir este nuevo producto financiero y aplicarlo a sus clientes.

Los promotores inmobiliarios que van a poner parte de su oferta de viviendas a disposición de este programa aceptando una importante reducción del precio de venta.

Características de las viviendas

• Las viviendas deben ser objeto de su primera transmisión por parte del promotor o bien, si se trata de transmisiones ulteriores, el transmitente debe ser una entidad financiera o sociedad filial de la misma dedicada al negocio inmobiliario, que hubiera adquirido la vivienda directamente del promotor.

• El precio de venta de la vivienda, sin incluir impuestos, deberá cumplir dos condiciones simultáneas: No podrá superar los 245.000 euros ni tampoco podrá superar el importe del préstamo concedido por esa vivienda al promotor.

En los supuestos en los que no hubiera existido préstamo hipotecario al promotor o el importe del préstamo hipotecario fuera inferior al 80% de la tasación inicial, el precio de venta de la vivienda podrá fijarse como máximo en el 80% de la nueva tasación que se realice a estos efectos, sin que en ningún caso se pueda superar el importe máximo de 245.000 euros.

Para el supuesto de transmisión ulterior, en los que el transmitente es la entidad financiera o su sociedad filial se tomará como referencia para la aplicación del límite del importe del préstamo concedido al promotor, el que en su día le concediera la entidad financiera para esa vivienda, sin que en ningún caso se pueda superar el importe máximo de 245.000 euros.

Entrada y vigencia de la medida

La concesión de las medidas se extenderá desde el día 1 de enero de 2010 hasta el 31 de diciembre de 2010, siendo aplicable a todas aquellas transmisiones de viviendas que cumplan los requisitos establecidos y que atendiendo a la fecha de firma de su escritura pública de compraventa, se hayan realizado en el referido período. La medida también será aplicable a aquellas escrituras públicas formalizadas durante el primer trimestre del año 2011 siempre que las solicitudes se hayan realizado en el último trimestre de 2010.

No obstante, dejarán de aplicarse las medidas si se alcanzara con anterioridad a la finalización del período establecido el importe total destinado a los préstamos reintegrables que otorga la Junta de Andalucía.

Entidades financieras que participan del programa

Podrán participar en el programa las entidades financieras que tengan oficina operativa en el territorio de la Comunidad Autónoma de Andalucía y que previamente hayan firmado el Convenio de colaboración entre las

EE.FF., la Confederación de Empresarios de Andalucía y la Junta de Andalucía, aprobado en Consejo de Gobierno de 22 de diciembre de 2009.

Las entidades firmantes del Convenio este 22 de diciembre de 2009 han sido: Cajasol; Cajasur; Caja Granada; Caja de Jaén; Unicaja; Cajamar; Caja Rural del Sur; Caja Rural de Granada; Caja Rural de Cordoba; Caja Rural de Jaén, Barcelona y Madrid; Caja Rural de Utrera; Caja Rural Nuestra Señora del Rosario (Nueva Carteya); Caja Rural Nuestra Señora del Campo (Cañete de las Torres); Caja Rural Nuestra Señora Madre del Sol (Adamuz); Caja Rural de Baena; La Caixa; Ibercaja; Caja de Ahorro Inmaculada; Caja Murcia; Caja de Badajoz; Banco Santander; Banco Bilbao Vizcaya Argentaria; Banco Español de Crédito; Banco Popular Español; Bankinter; Banco Sabadell; Banco Guipuzcoano.

Además de las entidades que participan en el Convenio desde su fecha de formalización, podrán adherirse al mismo otras entidades que manifiesten su deseo de incorporarse durante el período de aplicación de las medidas, a cuyo efecto deberán presentar su solicitud ante la Comisión de Seguimiento.

Características de los préstamos:

• Los préstamos hipotecarios que se formalicen al amparo del presente programa, se ajustarán a las siguientes características generales:

El importe autorizado del préstamo será el resultado de la suma de estas dos componentes:

1. Importe solicitado por el comprador que podrá alcanzar el 100% del precio de venta de la vivienda, hasta un máximo de 245.000 impuestos excluidos.

2. Importe total del préstamo reintegrable concedido al comprador por la Junta de Andalucía, al que se sumarán los intereses devengados por las disposiciones mensuales previstas, el tipo de interés aplicable será fijo para toda la vida de la operación y equivalente al tipo de interés inicial que se fije para el préstamo hipotecario concedido por la entidad financiera.

• El plazo del préstamo será como mínimo de 9 años y como máximo de 30 años, que incluye los tres iniciales de carencia, en los que sólo se devengarán intereses.

• Las amortizaciones parciales del préstamo que se produzcan hasta la finalización del año natural en que deba realizarse el reintegro del préstamo personal a la Junta de Andalucía, sólo podrán afectar al plazo de duración del préstamo hipotecario sin que en ningún caso se puedan ver reducidas las cuotas mensuales a pagar por el adquirente.

• El tipo de interés máximo será el equivalente a sumar un diferencial de un uno por ciento (1%) al Euribor a un año, con revisiones anuales a partir de la fecha de formalización del préstamo. No obstante, a solicitud del comprador se podrá acordar un tipo de interés fijo para la operación de financiación, tanto si abarca el período completo o sólo una parte de él.

• Las entidades financieras no podrán aplicar comisiones a las operaciones necesarias de formalización y disposición del préstamo hipotecario, en concepto de novación, subrogación, estudio, apertura o disponibilidad. Igualmente, no podrán aplicarse comisiones por amortización del préstamo hipotecario hasta que termine el año natural en que deba producirse el reintegro del préstamo personal a la Junta de Andalucía.

• El importe total concedido del préstamo se dispondrá en dos momentos distintos, pero concretados desde la fecha de su formalización:

En el momento de la firma de la escritura pública de compraventa se dispondrá de la cantidad correspondiente al precio de venta de la vivienda.

El resto del importe concedido se dispondrá el primer día hábil del mes nonagésimo séptimo del plazo total de vida del préstamo hipotecario, a los efectos de realizar el pago de dicha cantidad a la Tesorería General de la Junta de Andalucía en concepto de abono de las cuantías debidas por el préstamo reintegrable otorgado por la Junta de Andalucía.

Cuantía de los préstamos:

Los adquirentes de viviendas comprendidas dentro del ámbito de aplicación de este programa podrán obtener, con carácter general, un préstamo reintegrable por importe de nueve mil euros (9.000 euros).

Los adquirentes podrán obtener un incremento del importe del préstamo establecido en el apartado anterior en las siguientes cantidades y de forma acumulativa, cuando se produzcan las siguientes circunstancias:

Los adquirentes que sean menores de 35 años, personas con discapacidad, víctimas de violencia de género o que integren una familia numerosa o monoparental, dos mil euros adicionales (2.000 euros) máximos.

Los adquirentes que tengan niveles de renta inferiores a 5,5 veces el IPREM, dos mil euros adicionales (2.000 euros). Alternativamente, si su nivel de renta fuera superior al límite indicado, pero inferior a 7,5 veces el IPREM, se incrementará en mil euros adicionales (1.000 euros).

Los adquirentes que destinen la vivienda a su residencia habitual, dos mil euros adicionales (2.000 euros).

En consecuencia, el importe total del préstamo reintegrable podrá alcanzar una cuantía máxima de quince mil euros (15.000 euros) por cada operación de compraventa si se cumplen simultáneamente en el adquirente los tres supuestos enumerados anteriormente y el segundo de ellos en su importe máximo.

Los requisitos establecidos para determinar el importe del préstamo reintegrable serán exigibles en el momento de presentación de la solicitud del adquirente.

El importe se dispondrá mensualmente por sesentavas partes iguales, comenzando en el mes trigésimo séptimo desde la formalización del préstamo hipotecario. Dichas disposiciones sólo podrán realizarse por la entidad financiera cuando verifique que el adquirente ha realizado el abono de la parte de la cuota del préstamo hipotecario que le corresponde.

Procedimiento y solicitud del préstamo:

Acordado el precio de la vivienda, el promotor y el adquirente interesados en su transmisión, pondrán de manifiesto y acreditarán, en su caso, ante la entidad financiera, mediante la solicitud de financiación que realizará el comprador, el cumplimiento de las circunstancias objetivas sobre la vivienda que determinen la aplicación de lo establecido en el presente programa.

Analizadas las condiciones financieras, la entidad financiera autorizará, en su caso, la formalización del préstamo hipotecario, la subrogación o la novación del mismo en los términos previstos en este Convenio y remitirá telemáticamente a la empresa pública con su autorización, la solicitud presentada por el adquirente para la obtención del préstamo reintegrable de la Junta de Andalucía.

Los préstamos reintegrables se tramitarán a solicitud del interesado, por las entidades financieras colaboradoras telemáticamente ante EPSA, en atención a la mera concurrencia de los requisitos necesarios para la obtención de los mismos.

A la Empresa Pública de Suelo de Andalucía le corresponde la tramitación, gestión, resolución y control de los préstamos reintegrables.

Presentación de la solicitud: La solicitud se presenta telemáticamente ante EPSA por las EE.FF. colaboradoras. En primer lugar, se rellenarán los campos que aparecen en pantalla, posteriormente, dichos campos se volcarán en la solicitud que se generará automáticamente por el sistema para poder imprimirla en sede de la EE.FF., en segundo lugar será firmada por todas las partes y se subirá al sistema escaneada, dando validez de la operación la firma digital de la EE.FF.

Junto con la solicitud se tienen que aportar todos los documentos que se exigen en la misma.

Autorización de EPSA, la Empresa Pública de Suelo de Andalucía, tras comprobar la integridad de la información recibida y verificar el cumplimiento de las condiciones impuestas para la obtención del préstamo reintegrable, resolverá sobre su concesión, en el plazo de un mes desde la recepción de las solicitudes y documentación completa.

La resolución de concesión de la empresa pública estará condicionada a la formalización de la escritura pública de compraventa.

La entidad financiera remitirá telemáticamente a la Empresa Pública de Suelo de Andalucía mediante soporte informático la formalización de la escritura pública de préstamo hipotecario y compraventa, mediante una copia simple de la escritura pública de compraventa o documentación acreditativa en su caso y nota simple acreditativa de su debida inscripción registral.

En caso de incumplimiento, la entidad financiera se obliga a comunicar a EPSA el incumplimiento del adquirente en su obligación de pago del préstamo hipotecario en el plazo máximo de tres meses.

Cuando se produzca el referido incumplimiento del prestatario de sus obligaciones de pago derivadas del préstamo hipotecario entre los años cuarto y noveno desde su formalización, la entidad financiera dispondrá de la parte determinada (del importe total del préstamo reintegrable concedido al comprador por la Junta de Andalucía, al que se sumarán los intereses devengados por las disposiciones mensuales previstas), en la cuantía necesaria para reembolsar íntegramente a la Tesorería General de la Junta de Andalucía lo abonado en concepto de préstamo reintegrable e intereses devengados.

La empresa pública transferirá trimestralmente a la cuenta bancaria habilitada en cada entidad financiera, como entidad colaboradora, los importes que correspondan del préstamo reintegrable para dar cumplimiento a las normas de disposición del mismo que se establecen en la cláusula decimoctava del presente Convenio. A este efecto, la empresa deberá indicar el nombre del beneficiario y la cantidad que, en cada caso, le corresponda.

La entidad financiera se obliga a aplicar estos importes a la reducción de las cuotas mensuales que el adquirente debe abonar por el préstamo hipotecario otorgado por la entidad, desde el año cuarto al octavo de la operación de financiación, cuando verifique que el adquirente ha realizado el abono de la parte de la cuota del préstamo hipotecario que le corresponde.

Concesión de las medidas previstas se extenderá desde el día 1 de enero de 2010 hasta el 31 de diciembre de 2010. La medida también será aplicable a aquellas escrituras públicas formalizadas durante el primer trimestre del año 2011 siempre que las solicitudes se hayan realizado en el último trimestre de 2010.

La entidad financiera deberá aprobar o denegar la operación en un plazo no superior a un mes, contado a partir de la recepción de toda la documentación que debe presentar el solicitante, salvo que concurran circunstancias especiales, que deberán quedar acreditadas en el expediente.

La Empresa Pública de Suelo de Andalucía resolverá expresamente en el plazo de un mes desde la recepción de la comunicación y documentación completa.

La entidad financiera se obliga a comunicar a EPSA el incumplimiento del adquirente en su obligación de pago del préstamo hipotecario en el plazo máximo de tres meses.

Requisitos de los adquirentes:

En relación con los grupos contemplados en el Plan Concertado de Vivienda y Suelo 2008-2012 de especial protección y a los efectos del programa para el impulso a la vivienda como para el cálculo del IPREM, se considerarán:

Jóvenes, aquellas personas que no hayan cumplido 35 años.

Mayores, aquellas personas que hayan cumplido los 65 años.

Familias numerosas, las definidas como tales por la Ley 40/2003, de 18 de noviembre, de protección de las familias numerosas.

Familia monoparental, la integrada por el padre o la madre y los hijos con los que convivan o, en su caso, el tutor legal y los menores sujetos a tutela debidamente acreditada.

Víctimas de violencia de género, aquellas que acrediten tener dicha condición, por cualquiera de los medios previstos en el art. 30.1 de la Ley 13/2007, de 26 de noviembre, de medidas de prevención y protección integral contra la violencia de género.

Víctimas de terrorismo, aquellas que acrediten tener dicha condición mediante certificado de la Dirección General de Apoyo a Víctimas del Terrorismo del Ministerio del Interior.

Personas procedentes de ruptura de la unidad familiar que se encuentren al corriente del pago de pensiones alimenticias y compensatorias en su caso, aquellas que acrediten documentalmente que tras un proceso de separación legal, divorcio, anulación de matrimonio o disolución de pareja de hecho legalmente inscrita, se encuentren privados del uso de la vivienda familiar por adjudicación al otro cónyuge mediante resolución judicial y declaren responsablemente estar al corriente en dichas pensiones o que no les corresponden estos pagos.

Emigrantes retornados, aquellas que acrediten tener dicha condición mediante certificación emitida por las áreas o Dependencias Provinciales de Trabajo y Asuntos Sociales de las Delegaciones o Subdelegaciones del Gobierno, respectivamente, correspondientes al domicilio del solicitante.

Personas con discapacidad, aquellas que acrediten documentalmente estar comprendidas en el art. 1.2 de la Ley 51/2003, de 2 de diciembre, de igualdad de oportunidades, no discriminación y accesibilidad universal de las personas con discapacidad.

Familias en situación o riesgo de exclusión social, aquellas respecto de las cuales desde los Servicios Sociales se indiquen carencias personales, económicas, laborales o de otra índole que, en su conjunto, provoquen una situación de exclusión social o el riesgo de acceder a ella.

Unidades familiares con personas en situación de dependencia, aquellas que hayan obtenido el reconocimiento de la situación de dependencia en los términos establecidos en el Decreto 168/2007, de 12 de junio, por el que se regula el procedimiento para el reconocimiento de la situación de dependencia y del derecho a las prestaciones del Sistema para la Autonomía y Atención a la Dependencia, así como los órganos competentes para su valoración.

2. Programa de Vivienda Protegida del Plan Aragonés 2009-2012

Decreto 60/2009, de 14 de abril, del Gobierno de Aragón, por el que se regula el Plan aragonés para facilitar el acceso a la vivienda y fomentar la rehabilitación 2009-2012

CONCEPTOS BÁSICOS

I. ACTUACIONES PROTEGIDAS

1. Viviendas de nueva construcción en venta.

2. Adquisición de vivienda usada.

3. Viviendas de nueva construcción en alquiler, viviendas de promoción pública para arrendamiento y alojamientos protegidos en arrendamiento.

4. Programa de ayudas a inquilinos y propietarios.

5. Programas de rehabilitación.

6. Actuaciones protegidas en materia de suelo.

II. INGRESOS DE LA UNIDAD DE CONVIVENCIA

1. Los ingresos familiares se acreditarán de conformidad con lo establecido en el Real Decreto 2066/2008, de 12 de diciembre, por el que se regula el Plan Estatal de vivienda y rehabilitación 2009-2012. Salvo que expresamente se disponga lo contrario, todas las referencias a ingresos de este Decreto se considerarán relativas a ingresos ponderados conforme a lo establecido en el mismo.

2. Cuando se trate de promotores para uso propio agrupados en cooperativas o en comunidades de propietarios, se considerará que los solicitantes individuales cumplen las condiciones para obtener ayudas financieras si los ingresos familiares, que deberán acreditar nuevamente con la solicitud si han transcurrido 6 meses desde la adjudicación definitiva, no superan en más de un veinte por ciento a los que se determinan en este Decreto para cada tipo de ayudas financieras.

3. Respecto de los restantes demandantes de vivienda y financiación que sean objeto de nueva comprobación de sus ingresos, se considerará que cumplen las condiciones para acceder a la vivienda y obtener ayudas financieras, si los ingresos familiares nuevamente acreditados no superan en más de un diez por ciento a los que se determinan en este Decreto para cada tipo de ayudas financieras.

4. En el ámbito de la Comunidad Autónoma de Aragón, el coeficiente multiplicativo corrector a que se refiere el Plan Estatal de vivienda y rehabilitación 2009-2012, para la ponderación de los ingresos familiares será el siguiente:

Número de miembros de la unidad de convivencia	Coeficiente
1	0,09
2 o más	0,7

A estos efectos, a las unidades de convivencia en la que uno de sus miembros sea una persona con discapacidad en las condiciones establecidas en la normativa del impuesto sobre la renta de las personas físicas se les aplicará un coeficiente de 0,7.

III. SUPERFICIES MÁXIMAS Y MÍNIMAS

La superficie de la vivienda no debe superar los 90 m² útiles, pudiendo llegar a los 108 m² útiles en el supuesto de viviendas protegidas adaptadas para personas con discapacidad, con movilidad reducida permanente y a 120 m² útiles para las familias numerosas.

Cada vivienda podrá tener vinculado un garaje (dos para el caso de unifamiliares) de superficie útil máxima 25 m² y un trastero de máximo 8 m² útiles.

IV. PRECIOS Y RENTAS MÁXIMOS DE LAS VIVIENDAS PROTEGIDAS

Los precios máximos de venta así como la renta máxima de las viviendas protegidas deberán figurar en la calificación provisional y no podrán modificarse, salvo las actualizaciones previstas en este mismo Decreto.

1. Se establecen los siguientes precios máximos de venta, adjudicación o promoción individual para uso propio de las viviendas protegidas, ya sean de nueva construcción o en segundas transmisiones, y de las viviendas usadas, sin perjuicio del incremento adicional de precios que pueda corresponder a las viviendas ubicadas en ámbitos territoriales de precio máximo superior:

a) Viviendas protegidas de Aragón de *régimen especial*, el precio de venta máximo por metro cuadrado útil no excederá de **1,45** veces el valor del módulo básico aragonés.

b) Viviendas protegidas de Aragón de *régimen general*, el precio de venta máximo por metro cuadrado útil no excederá de **1,6** veces el valor del módulo básico aragonés.

c) Viviendas protegidas de Aragón de *régimen tasado y viviendas usadas*, el precio de venta máximo por metro cuadrado útil no excederá de **1,8** veces el valor del módulo básico aragonés.

2. El precio de la renta de las viviendas destinadas a **alquiler durante veinticinco años** se establece en el **4%** sobre el precio máximo de venta establecido en el apartado anterior, y el **5%**, cuando lo sean durante **diez años**. Esta renta inicial, podrá actualizarse anualmente en función de las variaciones porcentuales del Índice Nacional General del Sistema de Índi-

ces de Precios al Consumo, siempre que la renta no supere la que resulte de aplicar el 4 o el 5 por ciento, según proceda, al precio máximo de venta vigente de la vivienda El arrendador podrá realizar las repercusiones previstas en la Ley de Arrendamientos Urbanos.

3. El precio de venta y renta de los locales de negocio es libre, sin perjuicio de lo dispuesto en el art. 10.2 de la Ley 24/2003, de 26 de diciembre, de medidas urgentes de política de vivienda protegida.

4. Los precios máximos de las viviendas calificadas de promoción pública al amparo del Real Decreto-ley 31/1978, de 31 de octubre, y normativa de desarrollo, que obtengan calificación provisional a partir de la entrada en vigor de este Decreto, serán los siguientes:

a) Venta: el precio de venta máximo por metro cuadrado de superficie útil no excederá de 1,25 veces el valor del módulo básico aragonés.

b) Arrendamiento: la renta anual máxima inicial será el 3,5 por ciento del precio legal máximo de venta. Dicha renta podrá actualizarse anualmente, en el cincuenta por ciento de las variaciones porcentuales del Índice Nacional general del sistema de índices de precios al consumo. La administración pública arrendadora podrá percibir, además de la renta inicial o revisada que corresponda, el coste real de los servicios de que disfrute el inquilino y se satisfagan por el arrendador, así como las demás repercusiones previstas en la vigente Ley de Arrendamientos Urbanos y demás legislación aplicable.

5. Los precios máximos establecidos en este Decreto tendrán en los ámbitos territoriales de precio máximo superior los incrementos porcentuales siguientes:

	GRUPO A	GRUPO B	GRUPO C
VPP/VPA	15%	2%	2%
VPA RG	20%	15%	5%
VPA RT	30%	25%	15%
VIVIENDA USADA	80%	60%	30%

*Los incrementos de los precios máximos de venta establecidos en el apartado anterior serán igualmente de aplicación para el cálculo de la renta de las viviendas protegidas.

6. Precios máximos de garajes y trasteros.

1. Cuando las promociones de viviendas protegidas o las viviendas usadas de Aragón incluyan garajes y trasteros, estén o no vinculados a las viviendas, el precio máximo de alquiler o venta por metro cuadrado de superficie útil de los mismos no podrá exceder del 60% de los siguientes precios máximos:

a) Si estuvieren vinculadas, del precio máximo de venta por metro cuadrado de superficie útil de la vivienda a la que se vinculen. Sólo podrá vincularse un garaje o trastero a cada vivienda, salvo en el caso de las viviendas unifamiliares, en el que podrán vincularse dos garajes y un trastero.

b) Si no estuvieren vinculadas y se enajenasen a favor de adquirente o adjudicatario de vivienda en la promoción, del precio máximo de venta por metro cuadrado de su vivienda.

c) Si no estuvieren vinculadas y se enajenasen a favor de tercero no adquirente ni adjudicatario de vivienda en la promoción, del precio máximo de venta por metro cuadrado de la vivienda de mayor precio de la promoción, incrementado en un 30 por ciento.

2. Sólo serán computables, a efectos de determinación del precio máximo total de venta, como máximo, ocho metros cuadrados de superficie útil de trastero y veinticinco metros cuadrados de superficie útil de garaje, con independencia de que su superficie real sea mayor.

3. Cuando las viviendas protegidas de nueva construcción sean promovidas por promotores individuales para uso propio en el medio rural, que comprende todos los municipios de Aragón menos las capitales de provincia, podrán incluir, además de garajes y trasteros, anejos para sus actividades económicas. En este supuesto, el valor máximo de la edificación sumado al del suelo que figure en la declaración de obra nueva, por metro cuadrado de superficie útil, de todas estas dependencias, vinculadas o no a la vivienda, no podrá exceder del 60% del precio máximo de venta por metro cuadrado de superficie útil de la vivienda.

Dicho precio figurará en la calificación o declaración provisional de la vivienda. Estas mismas normas serán asimismo aplicables a las viviendas usadas de las mismas zonas rurales.

A efectos de determinación de dicho valor máximo total se incluirá, en su caso, además de un garaje y un trastero, bajo las condiciones generales al efecto, el de uno de dichos otros anejos, vinculado en proyecto y registralmente a la vivienda objeto de financiación, computando, como máximo, 25 m² de superficie útil, con independencia de que su superficie real sea superior.

4. La limitación de precio deberá hacerse constar en la escritura pública de compraventa.

7. Los precios y rentas máximos que resulten de aplicación podrán incrementarse, por razones de interés público, para sectores o unidades de ejecución determinados mediante pacto expreso incluido en los convenios a los que se refiere el apartado segundo del art. 7 de la Ley 24/2003, de 26 de diciembre, de medidas urgentes sobre política de vivienda protegida. El incremento podrá alcanzar como máximo el inferior de los dos siguientes:

a) Un 10 por ciento aplicado sobre los precios o rentas máximos vigentes para las diferentes tipologías en el ámbito de que se trate.

b) El máximo que pudiera fijarse conforme a la normativa estatal en el ámbito de que se trate considerando, en su caso, su inclusión en ámbitos declarados de precio máximo superior.

V. EL MÓDULO BÁSICO ESTATAL (MBE)

La cuantía del Módulo Básico Aragonés se fija en **758 euros** por metro cuadrado de superficie útil. Por Orden del Consejero competente en materia de vivienda se podrá modificar este parámetro, así como los demás parámetros numéricos referenciales de este Decreto, previa consulta a la Comisión de participación y seguimiento.

Cuando se revise el Módulo Básico Aragonés deberá incorporarse, como mínimo, la variación del índice general del sistema de índices de precios al consumo acumulada desde la inmediatamente anterior salvo que, como consecuencia de su aplicación, se superasen los máximos vigentes previstos en la normativa estatal para cada tipo de actuación protegida.

VI. ÁMBITOS TERRITORIALES DE PRECIO MÁXIMO SUPERIOR (ATPMS)

El Departamento competente en materia de vivienda instará al Ministerio de Vivienda, en el primer período hábil para ello conforme a la normativa estatal, la declaración de los ámbitos territoriales de precio máximo superior.

El *Área Geográfica I* incluye los siguientes Municipios:

1. Para la aplicación de los precios máximos de venta y renta, los municipios de Aragón, se incluyen en los siguientes ámbitos territoriales:

a) ÁMBITO TERRITORIAL PRIMERO: Comprende aquellos municipios de mayor dimensión demográfica, grado de necesidad de vivienda y mayor dinamismo económico y de población.

Provincia de Huesca: GENERAL: Barbastro, Castiello de Jaca, Monzón, Plan, Sabiñánigo, Torla, Yesero. GRUPO B: Aísa, Benasque, Canfranc, Chía, Hoz de Jaca, Jaca, Panticosa, Sallent de Gallego, San Juan de Plan, Santa Cruz de las Seros, Sesué, Vilanova. GRUPO C: Biescas, Borau, Broto, Campo, Castejón de Sos, Huesca, Jasa, Laspaules, Laspuña, Puente la Reina, Sahún, Seira, Villanúa.

Provincia de Teruel: GENERAL: Alcalá de la Selva, Alcañiz, Calamocha, San Agustín. GRUPO C: Teruel.

Provincia de Zaragoza: GENERAL: Alfajarín, Añón de Moncayo, Botorrita, Cadrete, Calatayud, El Burgo de Ebro, La Muela, María de Huerva, Pinseque, Zuera. GRUPO B: Zaragoza. GRUPO C: Cuarte de Huerva, La Puebla de Alfindén, Perdiguera, Utebo, Villanueva de Gallego.

2. *Área Geográfica II* incluye el resto de Municipios de Aragón.

VII. TIPOLOGÍAS Y CARACTERÍSTICAS DE LOS DIFERENTES TIPOS DE VIVIENDAS

1. COMPRA DE VIVIENDA DE NUEVA CONSTRUCCIÓN EN VENTA

A) VIVIENDA DE PROMOCIÓN PÚBLICA (VPA): Son las promovidas directamente, en el marco de la programación pública de vivienda, por la

Administración de la Comunidad Autónoma y las Entidades Locales, así como por los organismos públicos que de ella dependan

B) VIVIENDA DE PROMOCIÓN PRIVADA CONCERTADA: 1. Las impulsadas por las Administraciones competentes mediante la adjudicación de suelo a su promotor o la constitución a su favor de un derecho de superficie, a través de cualquier procedimiento. 2. Las promovidas sobre suelo urbanizado con ayudas públicas. 3. Las de viviendas en régimen de alquiler cuando para su construcción hayan recibido subvenciones a fondo perdido.

C) VIVIENDAS DE PROMOCIÓN PRIVADA CONVENIDA: Son aquellas que no siendo de promoción privada concertada, resulten de convenios celebrados entre la Administración de la Comunidad Autónoma y los promotores y que reciban ayudas o beneficios distintos de los enumerados anteriormente en el marco de los planes estatales y aragoneses de vivienda y suelo.

D) VIVIENDAS DE PROMOCIÓN PRIVADA GENERAL: Son aquellas que no siendo de promoción privada convenida, ni de promoción privada concertada son realizadas por una entidad privada en un suelo de naturaleza privada.

Las viviendas protegidas de promoción privada deberán ser calificadas: Régimen Especial (VPA RE).

Régimen General (VPA RG).

Régimen Tasado (RT).

• Las promociones de viviendas protegidas deberán ejecutarse al amparo de un único expediente y calificación provisional.

• La calificación definitiva en la promoción por fases, se otorgará, en su caso, independientemente, para cada una de las fases. Cada fase deberá cumplir el porcentaje que legalmente proceda de reserva de viviendas para minusválidos sin que el número final de viviendas reservadas en el conjunto de las fases resulte inferior al que hubiera procedido si se hubiesen promovido conjuntamente.

• El número máximo de viviendas de régimen tasado que pueden calificarse en una promoción no podrá superar el 50 por ciento y, en todo caso, estará limitado al cumplimiento de alguno de los condicionantes siguientes:

a) Que el precio medio de la superficie de las viviendas calificadas destinadas a la venta no supere en más de un 5 por ciento el precio máximo del metro cuadrado útil de la vivienda protegida de régimen general en el mismo ámbito territorial.

b) Que el precio medio de la superficie de las viviendas calificadas no supere en más de un 10 por ciento el precio máximo del metro cuadrado útil de la vivienda protegida de régimen general en el mismo ámbito territorial, cuando las viviendas no calificadas como régimen tasado sean destinadas al arrendamiento.

• A los efectos de lo previsto en el punto anterior, y previa autorización de la Dirección General competente en materia de vivienda, una promoción podrá realizarse sobre dos parcelas diferentes en el mismo municipio, cumpliendo las siguientes condiciones:

a) En una de las parcelas, al menos, las viviendas deberán destinarse a arrendamiento.

b) El promotor deberá solicitar para ambas parcelas de forma simultánea las calificaciones correspondientes.

• Las promociones reguladas en este artículo se atendrán a las siguientes reglas:

a) Sólo podrá combinarse la vivienda protegida de régimen tasado con otra tipología de vivienda protegida conforme a los apartados anteriores. No podrán combinarse en la misma promoción viviendas protegidas de régimen tasado con viviendas libres.

b) Deberán identificarse las diferentes tipologías de viviendas protegidas en la declaración de obra nueva para su constancia en el Registro de la Propiedad.

c) Siempre que fuese posible las diferentes tipologías de viviendas protegidas deberán ubicarse en plantas consecutivas o en núcleos de escalera con accesos independientes.

Características:

• Que la vivienda no supere los 90 m² útiles, sin perjuicio de que en el caso de familias numerosas, personas con discapacidad o dependientes y municipios rurales la superficie útil sea de hasta 120 m².

• El régimen de protección será de al menos 30 años, y permanentemente mientras el suelo esté destinado a vivienda protegida o sea suelo dotacional público. Antes de los 10 años la vivienda no podrá venderse sin consentimiento de la CA y sin la devolución de las ayudas recibidas.

Requisitos de acceso:

1. Inscripción en el Registro de solicitantes de Vivienda Protegida de Aragón (TOC-TOC).

2. Ingresos familiares no excedan de 2,5 veces el IPREM (24.960 euros y sus ingresos mínimos sen de 6.988 euros) para VIVIENDAS DE RÉGIMEN ESPECIAL.

3. Ingresos familiares no excedan de 4,5 veces el IPREM (44.928 euros) y sus ingresos mínimos sean de 10.483 euros) para VIVIENDAS DE RÉGIMEN GENERAL.

4. Ingresos familiares no excedan de 6,5 veces el IPREM (64.896 euros y sus ingresos mínimos sean de 13.977 euros) para VIVIENDAS DE PRECIO TASADO.

5. Además de los ingresos referidos, deberán acreditar que su unidad de convivencia cuenta con una fuente regular de ingresos, y en todo caso con los con los ingresos anuales mínimos previstos en el Reglamento del Registro de solicitantes y de adjudicación de vivienda protegidas de Aragón.

6. La vivienda debe destinarse como residencia habitual del adjudicatario y ocuparse dentro de los plazos establecidos.

7. Tener necesidad de vivienda.

Características de la ayuda:

PRÉSTAMO HIPOTECARIO de hasta el 80% del precio de escritura o adjudicación a devolver en, al menos, 25 años. El tipo de interés será variable igual al último Euribor a 12 meses, más un diferencial de 0,65 puntos

SUBSIDIOS A LOS PRÉSTAMOS. Cantidad anual por cada 10.000 euros de préstamo, se subsidiará, en función del nivel de ingresos durante 5 años, renovables 5 más: 100 euros (155 euros para familias numerosas, monoparentales con hijos y discapacitados, durante los 5 primeros años).

AYUDA ESTATAL DIRECTA A LA ENTRADA (AEDE):

Podrá ser obtenida por los compradores de viviendas protegidas de régimen especial o general, en el caso que se trate de primer acceso. Oscila entre los 5.000 y los 12.600 euros según régimen y niveles de ingresos.

Requisitos de acceso ayuda:

• La actuación debe haber sido calificada o declarada como protegida por el órgano competente en materia de vivienda de la Comunidad Autónoma.

• Que el solicitante y resto de los miembros esté al corriente en el cumplimiento de sus obligaciones tributarias.

• Tener unos ingresos familiares que no excedan de 6,5 veces el Indicador Público de Renta de Efectos Múltiples para poder obtener préstamos convenidos.

• Tener unos ingresos familiares que no excedan de 4,5 veces el Indicador Público de Renta de Efectos Múltiples para ser beneficiarios de la subsidiación del préstamo convenido y de ayudas económicas estatales directas y acogerse al sistema específico de financiación concertada para el primer acceso a la vivienda en propiedad. En este último caso se podrán obtener las ayudas siempre que, pudiendo acceder a la propiedad de la vivienda, se cumplan los requisitos establecidos en el Real Decreto

2066/2008, de 12 de diciembre, por el que se regula el Plan Estatal de Vivienda y Rehabilitación 2009-2012.

• No haber obtenido previamente ayudas financieras por el mismo concepto, al amparo de planes de vivienda, durante los diez años anteriores a la solicitud actual de la misma, salvo en los supuestos tasados previstos en la presente norma.

Se entenderá que se han obtenido ayudas financieras a la vivienda, a los efectos de este Decreto, cuando se haya formalizado el préstamo convenido.

No obstante, no será preciso cumplir esta condición en los siguientes casos:

a) mujeres víctimas de violencia de género,

b) víctimas del terrorismo,

c) personas dependientes o con discapacidad oficialmente reconocida, y las familias que las tengan a su cargo.

En estos supuestos será necesaria la previa cancelación del préstamo convenido anteriormente obtenido. En todo caso, la obtención de nueva financiación requerirá la previa cancelación del préstamo anteriormente obtenido y la devolución de las ayudas financieras estatales.

• Sólo se financiarán 90 m² útiles como máximo. En el supuesto de que la superficie útil de la vivienda no exceda de 45 m², podrá computarse una superficie útil adicional del 30%, destinada a servicios comunitarios.

2. ADQUISICIÓN DE VIVIENDA USADA

Características:

• Se considera adquisición protegida de viviendas usadas la efectuada a título oneroso, de viviendas libres en segunda o posteriores transmisiones, en las condiciones establecidas en este Decreto.

• Se considerarán viviendas usadas las siguientes:

a) Viviendas sujetas a regímenes de protección pública, adquiridas en segunda o posterior transmisión.

A estos efectos, se considerarán asimismo segundas transmisiones, las que tengan por objeto viviendas protegidas que se hubieran destinado con anterioridad a arrendamiento.

b) Viviendas libres de nueva construcción, adquiridas cuando haya transcurrido un plazo de un año como mínimo entre la expedición de la licencia de primera ocupación, el certificado final de obra o la cédula de habitabilidad, según proceda, y la fecha del contrato de opción de compra o compraventa.

c) Viviendas rurales usadas, con una superficie útil que no exceda de 120 metros cuadrados y sean adquiridas en todos los municipios o núcleos de población aragoneses menos las capitales de provincia.

d) Viviendas libres a que se refiere la disposición transitoria primera, 2.c) del Real Decreto 2066/2008, de 12 de diciembre, por el que se regula el Plan Estatal de Vivienda y Rehabilitación.

Requisitos de acceso:

1. Inscripción en el Registro de solicitantes de Vivienda Protegida de Aragón (TOC-TOC).

2. Ingresos familiares no excedan de 6,5 veces el IPREM (64.986 euros) y sus ingresos mínimos sean de 13.978 euros)

3. Además de los ingresos referidos, deberán acreditar que su unidad de convivencia cuenta con una fuente regular de ingresos, y en todo caso con los con los ingresos anuales mínimos previstos en el Reglamento del Registro de solicitantes y de adjudicación de vivienda protegidas de Aragón.

4. La vivienda debe destinarse como residencia habitual del adjudicatario y ocuparse dentro de los plazos establecidos.

5. Tener necesidad de vivienda.

Características de la ayuda:

PRÉSTAMO HIPOTECARIO de hasta el 80% del precio de escritura o adjudicación a devolver en, al menos, 25 años. El tipo de interés será variable igual al último Euribor a 12 meses, más un diferencial de 0,65 puntos

SUBSIDIOS A LOS PRÉSTAMOS, siempre que el precio de venta por metro cuadrado no exceda el de las viviendas de Régimen General (1.212,80 y 1.940 euros el metro cuadrado útil). Cantidad anual por cada 10.000 euros de préstamo, se subsidiará, en función del nivel de ingresos durante 5 años, renovables 5 más: 100 euros (155 euros para familias numerosas, monoparentales con hijos y discapacitados, durante los 5 primeros años).

AYUDA ESTATAL DIRECTA A LA ENTRADA (AEDE):

Podrá ser obtenida por los compradores de en el caso que se trate de primer acceso. Oscila entre los 5.000 y los 12.600 euros según régimen y niveles de ingresos.

Requisitos de acceso ayuda:

• La actuación debe haber sido calificada o declarada como protegida por el órgano competente en materia de vivienda de la Comunidad Autónoma.

• Que el solicitante y resto de los miembros esté al corriente en el cumplimiento de sus obligaciones tributarias.

• Tener unos ingresos familiares que no excedan de 6,5 veces el Indicador Público de Renta de Efectos Múltiples para poder obtener préstamos convenidos.

• Tener unos ingresos familiares que no excedan de 4,5 veces el Indicador Público de Renta de Efectos Múltiples para ser beneficiarios de la subsidiación del préstamo convenido y de ayudas económicas estatales directas y acogerse al sistema específico de financiación concertada para el primer acceso a la vivienda en propiedad. En este último caso se podrán obtener las ayudas siempre que, pudiendo acceder a la propiedad de la vivienda, se cumplan los requisitos establecidos en el Real Decreto 2066/2008, de 12 de diciembre, por el que se regula el Plan Estatal de Vivienda y Rehabilitación 2009-2012.

• No haber obtenido previamente ayudas financieras por el mismo concepto, al amparo de planes de vivienda, durante los diez años anteriores a la solicitud actual de la misma, salvo en los supuestos tasados previstos en la presente norma.

Se entenderá que se han obtenido ayudas financieras a la vivienda, a los efectos de este Decreto, cuando se haya formalizado el préstamo convenido.

No obstante, no será preciso cumplir esta condición en los siguientes casos:

a) mujeres víctimas de violencia de género,

b) víctimas del terrorismo,

c) personas dependientes o con discapacidad oficialmente reconocida, y las familias que las tengan a su cargo.

En estos supuestos será necesaria la previa cancelación del préstamo convenido anteriormente obtenido. En todo caso, la obtención de nueva financiación requerirá la previa cancelación del préstamo anteriormente obtenido y la devolución de las ayudas financieras estatales.

• Sólo se financiarán 90 m² útiles como máximo. En el supuesto de que la superficie útil de la vivienda no exceda de 45 m², podrá computarse una superficie útil adicional del 30%, destinada a servicios comunitarios.

3. A) VIVIENDAS DE NUEVA CONSTRUCCIÓN EN ALQUILER

Características:

• Las viviendas destinadas al arrendamiento habrán de mantener dicho régimen de uso durante 10 o 25 años.

ARRENDAMIENTO A 10 AÑOS: 1. Las viviendas protegidas destinadas a arrendamiento a diez años podrán venderse, una vez transcurrido dicho plazo desde la calificación definitiva, por un precio máximo de 1,5 veces el determinado en la calificación provisional, y todo ello con independencia del mantenimiento de su condición de protegidas; o de 1,7 veces, en el caso de viviendas protegidas en arrendamiento a 10 años con opción de compra.

2. Finalizado el período previsto en un contrato de alquiler, el último inquilino tendrá preferencia para la firma de un nuevo contrato, siempre que cumpla los requisitos de acceso a una vivienda protegida de arrendamiento.

3. Los contratos de arrendamiento de las viviendas protegidas de nueva construcción con destino a arrendamiento a diez años podrán incluir una cláusula de OPCIÓN DE COMPRA, a favor del inquilino que permanezca al menos cinco años en la vivienda protegida.

OPCIÓN DE COMPRA:

1. Podrá ejercitarse, una vez transcurridos diez años desde la calificación definitiva, por el inquilino que haya permanecido al menos los cinco últimos años en la vivienda.

2. Los inquilinos de los primeros cinco años desde la calificación definitiva de las viviendas protegidas de nueva construcción con destino a arrendamiento a diez años podrán prorrogar su contrato de forma obligatoria para el arrendador hasta que puedan ejercer su derecho a la opción de compra por haber transcurrido el plazo inicial de diez años desde la calificación definitiva.

3. El inquilino que desee ejercer la opción de compra deberá manifestarlo por escrito al arrendador y remitir copia al Registro de solicitantes de vivienda protegida y de adjudicación de viviendas protegidas de Aragón dentro del último año de los cinco necesarios para generar tal derecho, salvo que se prorrogue el arrendamiento, en cuyo caso deberá manifestarlo durante el último año de la prórroga.

4. Si el comprador fuera el inquilino de la vivienda, se deducirá del precio a satisfacer, en concepto de pagos parciales adelantados el treinta por ciento de la suma de los alquileres satisfecho por el inquilino y sin actualizaciones.

AYUDAS ESTATALES

PRÉSTAMO CONVENIDO de hasta el 80% del precio de escritura o adjudicación a devolver en, al menos, 10 años. El tipo de interés podrá ser variable o fijo. En intereses variables será igual al euribor a 12 meses publicado por el Banco de España en el *Boletín Oficial del Estado (BOE)*, el mes anterior al de la fecha de formalización, más un diferencial de 65 puntos básicos. El periodo de carencia en el pago de intereses finalizará en la fecha de la calificación definitiva, con un límite de 4 años (10 años con el consentimiento de la CA).

SUBSIDIOS a los préstamos. Cantidad anual por cada 10.000 € de préstamo durante 10 años:

— 350 € para Viviendas de Régimen Especial.

— 250 € para Viviendas de Régimen General.

— 100 € para Viviendas de Régimen Tasado.

SUBVENCIÓN de 250 € para la promoción de Viviendas de Régimen Especial y de 200 € para Viviendas de Régimen General. Cuando la vivienda estuviera en un Ámbito Territorial de Precio Máximo Superior se incrementarán las ayudas en 60 € para vivienda situadas en ámbitos del Grupo A, 30 para el B y 15 para el C.

ARRENDAMIENTO A 25 AÑOS: 1. Las viviendas protegidas destinadas a arrendamiento a 25 años podrán venderse, una vez transcurrido dicho plazo desde la calificación definitiva, por un precio correspondiente al de una vivienda protegida del mismo tipo y calificada provisionalmente en el momento de la venta.

• Tendrán preferencia para adquirir las viviendas los inquilinos que hayan permanecido al menos cinco años en régimen de arrendamiento en dichas viviendas. En el caso de no cumplir los requisitos de acceso de vivienda en propiedad no tendrán derecho a la financiación concertada. No será exigible el plazo mínimo de cinco años de alquiler para aquellos inquilinos que hayan accedido a la vivienda mediante sorteo público.

• El régimen de protección será de al menos 30 años, y permanentemente mientras el suelo esté destinado a vivienda protegida o sea suelo dotacional público.

• La vivienda debe destinarse como residencia habitual del adjudicatario y ocuparse dentro de los plazos establecidos.

AYUDAS ESTATALES

PRÉSTAMO CONVENIDO de hasta el 80% del precio de escritura o adjudicación a devolver en, al menos, 25 años. El tipo de interés podrá ser variable o fijo. En intereses variables será igual al euribor a 12 meses

publicado por el Banco de España en el *Boletín Oficial del Estado (BOE),* el mes anterior al de la fecha de formalización, más un diferencial de 65 puntos básicos. El periodo de carencia en el pago de intereses finalizará en la fecha de la calificación definitiva, con un límite de 4 años (10 años con el consentimiento de la CA).

SUBSIDIOS a los préstamos. Cantidad anual por cada 10.000 € de préstamo durante 25 años:

— 350 € para Viviendas de Régimen Especial.

— 250 € para Viviendas de Régimen General.

— 100 € para Viviendas de Régimen Tasado.

SUBVENCIÓN de 350 € para la promoción de Viviendas de Régimen Especial y de 250 € para Viviendas de Régimen General. Cuando la vivienda estuviera en un Ámbito Territorial de Precio Máximo Superior se incrementarán las ayudas en 60 € para vivienda situadas en ámbitos del Grupo A, 30 para el B y 15 para el C.

B) VIVIENDAS DE PROMOCIÓN PÚBLICA PARA ARRENDAMIENTO

Características:

• Incrementar parque de viviendas con las siguientes condiciones:

1. Calificadas como promoción pública.

2. Vinculadas al régimen de arrendamiento protegido durante toda su vida útil, por un plazo de 25 años.

3. Que la superficie útil no exceda de 90 m².

Características de las ayudas:

30% del coste computable de edificación de las viviendas, que no exceder por metro cuadrado de superficie útil d e1, 25 veces el MBE.

C) ALOJAMIENTOS PROTEGIDOS EN ARRENDAMIENTO PARA COLECTIVOS ESPECÍFICOS

Características:

• Se podrán promover alojamientos protegidos sobre suelos a los que la ordenación urbanística atribuya un uso compatible con el destino de estos alojamientos, con los siguientes requisitos:

a) La superficie útil mínima será de 15 m² por persona. No podrán superar los 45 m².

b) Un máximo del 25 por ciento de la superficie destinada a alojamiento podrá dedicarse a alojamientos de hasta 90 m².

c) La superficie útil de servicios generales, comunes o asistenciales susceptible de financiación no podrá exceder del 30 por ciento de la superficie útil de los alojamientos, con independencia de que la superficie real sea superior.

d) También podrán estar protegidas las plazas de garaje que se vinculen a los alojamientos.

• Estos alojamientos podrán destinarse a colectivos relacionados con la comunidad universitaria, personal investigador y científico y otros similares, debiendo aprobar la Dirección General competente en materia de vivienda las concretas condiciones de acceso a los mismos.

• La renta máxima será la determinada en este Decreto para las viviendas de régimen general. A estos efectos, se imputará un máximo del 30 por ciento de la superficie destinada a servicios generales, comunes o asistenciales. Los servicios comunes se facturarán con independencia de la renta de alquiler, en el caso de su utilización voluntaria por cada inquilino. El precio de estos servicios sumado a la renta que pague el inquilino no podrá ser superior al máximo correspondiente a la renta de una vivienda protegida para arrendamiento a 25 años de régimen tasado.

• Los PROMOTORES de estos alojamientos podrán acogerse a la financiación prevista para las viviendas de alquiler de régimen general a 25 años, siendo la cuantía de estas subvenciones la específica para estos alojamientos.

Características de las ayudas:

PRÉSTAMO HIPOTECARIO de hasta el 80% del precio de escritura o adjudicación a devolver en, al menos, 25 años. El tipo de interés será variable igual al último Euribor a 12 meses, más un diferencial de 0,65 puntos.

SUBSIDIOS A LOS PRÉSTAMOS. Cantidad anual por cada 10.000 euros de préstamo, durante 25 años: 250 euros.

SUBVENCIÓN: 250 euros por metro cuadrado útil.

D) ALOJAMIENTOS PROTEGIDOS EN ARRENDAMIENTO PARA COLECTIVOS ESPECÍFICOS ESPECIALMENTE PROTEGIDOS

• Se podrán promover alojamientos protegidos con las mismas características determinadas en el artículo anterior para colectivos especialmente protegidos.

• Tienen la consideración de colectivos especialmente protegidos:

a) Mujeres víctimas de la violencia de género.

b) Víctimas del terrorismo.

c) Familias, jóvenes de hasta 35 años, personas separadas y divorciadas, con ingresos familiares que no excedan de 1´5 veces el IPREM.

d) mayores de 65 años, familias constituidas por el padre o la madre y los hijos, con ingresos familiares que no excedan de 2,5 veces el IPREM.

e) Familias en las que uno de sus miembros tenga discapacidad reconocida oficialmente superior al 33 por ciento, con ingresos familiares que no excedan de 4,5 veces el IPREM.

f) Afectados por situaciones catastróficas.

g) Personas sin hogar o procedentes de actuaciones de erradicación del chabolismo.

• La renta máxima del alojamiento no podrá exceder de la prevista para las viviendas de alquiler de régimen especial.

• Los PROMOTORES de estos alojamientos podrán acogerse a la financiación prevista para las viviendas de alquiler de régimen especial, siendo la cuantía de las subvenciones la específica para estos alojamientos.

Características de las ayudas:

PRÉSTAMO HIPOTECARIO de hasta el 80% del precio de escritura o adjudicación a devolver en, al menos, 25 años. El tipo de interés será variable igual al último Euribor a 12 meses, más un diferencial de 0,65 puntos.

SUBSIDIOS A LOS PRÉSTAMOS. Cantidad anual por cada 10.000 euros de préstamo, durante 25 años: 350 euros.

SUBVENCIÓN: 350 euros por metro cuadrado útil.

4. PROGRAMA DE AYUDAS A INQUILINOS Y PROPIETARIOS

Características de las ayudas al INQUILINO de vivienda protegida y libre:

40% de la RENTA, con un máximo de 3.200 euros anuales, cuando los ingresos no excedan de 1,5 veces el IPREM (14.976 euros).

20% de la RENTA, con un máximo de 1.600 euros anuales, cuando los ingresos se encuentran entre 1,5 veces y 2,5 veces el IPREM (24.976 euros).

La duración de la ayuda tiene un límite de 5 años en le caso de las ayudas a inquilinos de vivienda protegida o aquellas incluidas en Bolsas Públicas de Alquiler.

Requisitos de acceso ayuda:

• La actuación debe haber sido calificada o declarada como protegida por el órgano competente en materia de vivienda de la Comunidad Autónoma.

• Que el solicitante y resto de los miembros esté al corriente en el cumplimiento de sus obligaciones tributarias.

• Que los ingresos no excedan de 2,5 veces el IPREM (24.960 euros).

• Que la RENTA no exceda: 4% si es alquiler a 25 años y 5% si es alquiler a 10 años.

• En el caso de vivienda libre, que la RENTA no exceda del 5% del precio máximo de vivienda usada.

RENTA DE EMANCIPACIÓN:

Características de las ayudas:

210 euros mensuales durante cuatro años.

600 euros de préstamos de interés reintegrable cuando se extinga la fianza del último contrato de arrendamiento.

Posibilidad de solicitar 120 euros para el aval.

Requisitos de acceso ayuda:

• Haber cumplido seis meses de trabajo previo y continuado, o tener seis meses de contrato por delante en el momento de la solicitud. (Basta con la documentación que habitualmente proporciona la Seguridad Social).

Características de las ayudas al PROPIETARIO de vivienda libre:

SUBVENCIÓN a fondo perdido para el acondicionamiento de la vivienda de hasta 6.500 euros.

La administración garantiza que el propietario percibirá la RENTA mediante la contratación de una póliza multirriesgo, que también abarca la conservación de la vivienda.

Requisitos de acceso ayuda:

• La vivienda no puede ser superior a 120 m² útiles, que reúna condiciones adecuadas de habitabilidad.

• Cederla a la bolsa pública de alquiler por 5 años.

• Que la renta no supere el 5% anual del precio de la vivienda usada.

5. PROGRAMAS DE REHABILITACIÓN.

A) ÁREAS DE REHABILITACIÓN INTEGRAL DE BARRIOS DEGRADADOS, CONJUNTOS HISTÓRICOS, CENTROS URBANOS Y MUNICIPIOS RURALES (ARIS)

Características y requisitos:

• Se trata de delimitaciones de calles en los centros urbanos, barrios degradados, conjuntos históricos y municipios de menos de 5.000 habitantes que han de obtener esta denominación por parte del Gobierno de Aragón.

• Deberán incluir al menos 200 viviendas con una antigüedad, al menos de 10 años. Las viviendas deberán destinarse a domicilio habitual y permanente de su propietario a al arrendamiento al menos durante 10 años.

• Los ingresos familiares no podrán superar las 6,5 veces el IPREM (64.896 euros).

Características de las ayudas:

• Las ayudas van destinadas a los propietarios que lleven a cabo actuaciones de mejora de sus viviendas en las calles que tengan la calificación de Áreas de Rehabilitación Integral (ARI).

• Una de las novedades del Plan Vivienda 2009-2012 es que el propietario puede obtener un PRÉSTAMO, cuya cuantía podrá alcanzar la totalidad del presupuesto, con un período máximo de amortización de 15 años.

• Si la obra se ejecuta en 2009, la SUBVENCIÓN se incrementa en un 10%.

SUBVENCIONES Y AYUDAS EN BARRIOS DEGRADADOS Y CENTROS URBANOS		
Nivel de ingresos (núm. de veces IPREM)	VIVIENDA	EDIFICIO
	60% Presupuesto Protegido	60% Presupuesto de la obra
Hasta 6,5	7.000 euros	11.000 euros (por vivienda o local)
Hasta 2,5	5.000 euros	
SUBVENCIONES EN CENTROS HISTÓRICOS Y MUNICIPIOS RURALES		
Nivel de ingresos (núm. de veces IPREM	VIVIENDA	EDIFICIO
	60% Presupuesto Protegido	60% Presupuesto de la obra
Hasta 2,5	7.000 euros	11.000 euros (por vivienda o local)
Hasta 6,5	5.000 euros	

B) ÁREAS DE RENOVACIÓN URBANA (ARU)

Características y requisitos:

• Actuaciones en barrios o conjuntos de edificios que precisan de intervenciones de demolición y sustitución de los edificios sobre los que no son posibles adecuadas las intervenciones de rehabilitación.

• Estas áreas deberán ser declaradas por el Gobierno de Aragón e incluir al menos 200 viviendas con una antigüedad mínima de 30 años.

• Los PROMOTORES de estas áreas deberán suscribir el compromiso de iniciar dentro del plazo máximo de 3 años la construcción de, al menos, un 50% de las viviendas protegidas de nueva construcción.

Características de las ayudas:

Un PRÉSTAMO CONVENIDO sin subsidiación ni subvenciones, destinado a los promotores de estas actuaciones.

Una SUBVENCIÓN para sustitución de edificios, por un importe máximo del 40% del presupuesto protegido, con una cantidad máxima por vivienda protegida, incluida la urbanización, de 45.000 euros.

Una SUBVENCIÓN para la reurbanización de área que no podrá superar ni el 40% del presupuesto ni el 40% de la subvención a la sustitución de edificios.

Una SUBVENCIÓN del 40% para realojos temporales con una cuantía máxima del 100% de la renta anual a satisfacer con un máximo de 6.000 euros anuales por un período máximo de 4 años.

También podrán otorgarse las ayudas a la rehabilitación de las viviendas y edificios establecidas para las Áreas de Rehabilitación Integral (ARIs).

C) ERRADICACIÓN DEL CHABOLISMO

Características y requisitos:

• Se entenderá por situación de chabolismo el asentamiento precario e irregular de población en situación o riesgo de exclusión social, con graves deficiencias de salubridad, hacinamiento de sus moradores y condiciones de seguridad y habitabilidad muy por debajo de los requerimientos mínimos aceptables.

• Los beneficiarios de las ayudas podrán ser personas jurídicas, públicas o privadas, sin ánimo de lucro

• Deberán suscribirse los acuerdos correspondientes en la Comisión Bilateral de seguimiento con la participación del ayuntamiento en cuyo término municipal se ubique el asentamiento en los que se concretarán el número de objetivos, el sistema de financiación adoptado, la aportación financiera de cada una de las partes y la forma de pago, así como los compromisos de las Administraciones intervinientes y las fórmulas de seguimiento para la liquidación efectiva de la subvención.

Características de las ayudas

Se podrá obtener una SUBVENCIÓN para el realojo de cada unidad familiar, cuya cuantía máxima será el 100 por cien de la renta anual que se vaya a satisfacer, con un máximo de 6.000 euros anuales por vivienda.

La duración máxima de esta ayuda no podrá exceder de los 4 años y estará condicionada a que se mantengan las circunstancias que dieron lugar al reconocimiento inicial del derecho a la ayuda.

El ente gestor de la actuación podrá recibir una SUBVENCIÓN para la financiación parcial del coste de los equipos de información y gestión, cuando ésta proceda.

D) REHABILITACIÓN AISLADA DE EDIFICIOS Y VIVIENDAS

Características y requisitos:

1. EDIFICIOS:

• La antigüedad del edificio debe ser superior a 30 años.

• La rehabilitación debe llevarse a cabo por la comunidad de propietarios o, en el supuesto de las viviendas destinadas al alquiler, la persona física o jurídica propietaria del edificio.

• Que el valor medio de las viviendas no debe superar el de una vivienda usada o superficie equivalente.

2. VIVIENDAS:

• La antigüedad de las viviendas deben tener una antigüedad mínima de 30 años.

• Los ingresos familiares ponderados no podrán superar el 4,5 del IPREM (44.928 euros).

Características de las ayudas

1. EDIFICIOS

SUBVENCIONES con una cuantía del 40% del presupuesto protegido, con un límite de 7.500 euros por número de vivienda y locales.

La SUBVENCIÓN se incrementa, si la obra se ejecuta en el 2009.

2. VIVIENDAS

La SUBVENCIÓN para la rehabilitación de viviendas puede alcanzar el 40% del presupuesto protegido, con un límite de 4.000 euros. Se incrementará hasta el 50% del presupuesto protegido y 5.000 euros cuando las obras tengan por objeto la mejora de accesibilidad de personas mayores de 65 años, personas con discapacidad o dependientes en cuyos casos no será exigible el requisito de antigüedad de las viviendas.

Si la obra se ejecuta en 2009, la SUBVENCIÓN se incrementará en un 10%.

D) OTRAS ACTUACIONES

1. REHABILITACIÓN INTEGRAL DE EDIFICIOS DESTINADAS A VENTA O ARRENDAMIENTO

Características:

Si el promotor de la rehabilitación integral de un edificio completo no solicitara las ayudas financieras establecidas en este Decreto para la rehabilitación podrá optar por alguna de las siguientes alternativas:

a) Solicitar para la vivienda o viviendas que vayan a resultar tras la rehabilitación, su calificación o declaración como viviendas protegidas de nueva construcción para venta siempre que dichas viviendas cumplan la normativa que les sea aplicable, así como las condiciones establecidas en este Decreto, a cuyo sistema de ayudas financieras podrán acogerse el promotor y los compradores.

b) Solicitar la financiación concertada establecida en este Decreto para la promoción de viviendas en arrendamiento, cuando la totalidad de las viviendas resultantes de la rehabilitación vayan a ser destinadas a dicho uso y cumplan todas las condiciones respecto a superficies, rentas máximas y vinculación temporal mínima al régimen de arrendamiento.

2. Se entenderá que la totalidad de las viviendas van a ser destinadas a arrendamiento aunque el propietario del edificio tenga en el mismo su domicilio habitual.

2. REHABILITACIÓN DE VIVIENDA PARA CESIÓN EN ARRENDAMIENTO

Características:

El titular de una vivienda, promotor de su rehabilitación en las condiciones establecidas en este Decreto para la rehabilitación aislada, que vaya a ser cedida a una bolsa pública de alquiler, durante un plazo mínimo de cinco años podrá obtener una subvención de 100 por cien del presupuesto protegido, con un límite de 6.500 euros.

3. REHABILITACIÓN DE VIVIENDA PROTEGIDA DE PROMOCIÓN PÚBLICA

Características:

De acuerdo con el Convenio suscrito con el Ministerio de Vivienda, la Administración de la Comunidad Autónoma de Aragón podrá cofinanciar la rehabilitación, bajo cualquier modalidad, de viviendas protegidas de los patrimonios públicos, siempre que se mantengan las condiciones del régimen inicial de protección

4. EFICIENCIA ENERGÉTICA EN LA PROMOCIÓN Y RENOVACIÓN DE VIVIENDAS

Características:

Los PROMOTORES de viviendas calificadas como protegidas cuyos proyectos obtengan una calificación energética de la clase A, B o C, según lo establecido en la normativa vigente en materia de certificación de eficiencia energética, podrán acceder a una subvención, una vez concedida la calificación provisional, con las siguientes cuantías:

	Niveles de calificación energética		
	A	B	C
SUBVENCIÓN (Euros/ vivienda)	4.500	3.500	2.000

Las mismas ayudas podrán obtenerse para la promoción de viviendas protegidas de nueva construcción en ARI y ARU.

Estas ayudas son incompatibles, siempre que se dirijan a la misma finalidad, con las correspondientes al Plan de Acción de Ahorro y Eficiencia Energética para el período 2008-2012, y al Plan de Energías Renovables 2005-2010, del Instituto para la Diversificación y Ahorro de la Energía (IDAE).

6. ACTUACIONES EN MATERIA DE SUELO

Características de la ayuda:

PRÉSTAMOS CONVENIDOS a devolver hasta en 4 años por una cuantía no superior al producto de la superficie edificable multiplicada por el 20% del Módulo Básico Estatal (MBE), sin exceder el coste total de la actuación.

SUBVENCIÓN por cada vivienda protegida a construir en función de:

a) El porcentaje de edificabilidad residencial destinado a vivienda protegida.

b) El porcentaje previsto de viviendas protegidas de régimen especial o en alquiler dentro del conjunto de viviendas protegidas:

— Mayor o igual al 40%, será Grupo 1.

— Mayor o igual al 20% e inferior al 40%, será Grupo 2.

— Menor al 20%, será Grupo 3.

c) La adquisición del suelo.

d) La ubicación del suelo en alguno de los Ámbitos Territoriales de Precio Máximo Superior (ATPMS).

Porcentaje de edificabilidad residencial para viviendas protegidas	Subvención general (euros/ vivienda protegida)	Subvención adicional en ATPMS (euros/ vivienda protegida)			Subvención adicional por vivienda protegida destinada a alquiler y/o a régimen especial (euros/vivienda protegida)		
> 50% ≤ 75% > 75% (AUP)		A	B	C	Grupo 1	Grupo 2	Grupo 3
	700	300	235	115			
Sin adquisición de suelo	1.700	700	470	225	1.700	1.500	300
Con adquisición de suelo	2.000						

Requisitos para acceder a la ayuda

1. Al menos el 50% de la edificabilidad residencial deberá destinarse a vivienda protegida

2. Acreditar la propiedad del suelo.

3. Iniciar en el plazo máximo de 3 años la construcción de, al menos, un 30% de las viviendas protegidas.

4. Presentar una memoria de viabilidad técnico-financiera y urbanística del proyecto.

5. Presentar la solicitud de las ayudas antes de obtener el préstamo convenido de las viviendas protegidas a construir.

6. Realizar la correspondiente inscripción del suelo en el Registro de la Propiedad.

PROGRAMA DE VIVIENDA GARANTIZADA DEL PLAN DE DINAMIZA-CIÓN ARAGONÉS

Decreto-Ley 1/2009, de 14 de abril, del Gobierno de Aragón, por el que se aprueba el Plan especial de dinamización del sector de la vivienda y se autoriza la prestación de avales por el Gobierno de Aragón

Características:

• Regular el plan especial de dinamización del sector de la vivienda.

• Autorizar al Gobierno de Aragón para la prestación de avales en los supuestos en él establecidos a favor de los adquirentes o inquilinos de las viviendas que se incluyan en el mismo.

• Regular el régimen transitorio de calificación de determinadas viviendas libres como protegidas o autorizar ayudas a sus adquirentes como viviendas usadas a los efectos de los planes estatal y aragonés de vivienda.

• Podrán declararse viviendas garantizadas, las siguientes:

a) Viviendas libres cuyas obras se iniciaron en virtud de licencia de obras obtenida con posterioridad al 1 de enero de 2006 y antes de la entrada en vigor del Decreto Ley 1/2009, de 14 de abril, del Gobierno de Aragón, por el que se aprueba el Plan especial de dinamización del sector de la vivienda y se autoriza la prestación de avales por el Gobierno de Aragón. que en esta última fecha no hayan sido objeto de primera transmisión.

b) Viviendas libres que constituyan o hayan constituido residencia habitual de unidades familiares que adquirieron con posterioridad al 1 de enero de 2006 y antes de la entrada en vigor del decreto-ley otra vivienda para trasladar directamente a la misma su residencia habitual siempre que el producto de la venta de la vivienda originaria haya de reinvertirse en la compra de la segunda.

2. Las viviendas protegidas de Aragón o viviendas acogidas a las ayudas para la adquisición de vivienda usada adquiridas durante la vigencia del decreto-ley.

3. Las viviendas garantizadas deberán estar ubicadas en el territorio de la Comunidad Autónoma de Aragón y destinarse a domicilio habitual y permanente de sus adquirentes durante el período de garantía. Si se trans-

mitiesen antes podrá revocarse la garantía prestada por la administración de la Comunidad Autónoma cuando, a su juicio, se alteren sustancialmente las condiciones de solvencia en las que fue otorgado.

4. La declaración de vivienda garantizada deberá constar expresamente en los instrumentos públicos que documenten la primera y ulteriores transmisiones y en su inscripción registral.

• Las viviendas de nueva construcción podrán considerarse viviendas usadas, a los efectos de obtención de las ayudas y subvenciones previstas en los planes de vivienda, en los siguientes supuestos:

a) Cuando haya transcurrido al menos un año entre la expedición de la licencia de primera ocupación, el certificado final de obra o la cédula de habitabilidad, según proceda, y la fecha del contrato de arrendamiento con opción de compra o compraventa.

b) Cuando, no existiendo opción de compra ni compraventa en el plazo señalado en la letra anterior, durante el mismo la vivienda haya sido ocupada en régimen de arrendamiento con promesa de venta otorgada por el titular de la vivienda a favor del inquilino. La promesa de venta se otorgará al menos durante el año siguiente al establecido en la letra anterior.

• La Administración de la Comunidad Autónoma podrá ejercer los derechos de adquisición preferente, en la forma establecida en la normativa general de vivienda, antes de que se proceda a la ejecución de la hipoteca y desde que sea notificada tal circunstancia por parte de la entidad financiera beneficiaria de la garantía. Del precio de la vivienda, que no superará el de la compraventa a la que se refirió el aval actualizado conforme al índice de precios al consumo, se entregará al propietario lo que reste una vez descontados los gastos en que por su causa hubiese incurrido la Administración de la Comunidad Autónoma y el importe correspondiente a la deuda pendiente determinada por la entidad financiera antes de instar la ejecución hipotecaria.

Antes de instar la ejecución de la hipoteca, la entidad financiera podrá ofrecer al titular de la vivienda la adquisición de la vivienda con compromiso recíproco de arrendamiento con opción de compra.

Si llegase a ejercerse el derecho de adquisición preferente por la Administración de la Comunidad Autónoma, como regla general tendrá lugar a favor de tercero en la forma establecida en la normativa de vivienda. Sólo excepcionalmente la adquirirá el Gobierno de Aragón, para sí o para sus entidades instrumentales.

• *Tipologías*:

1. VENTA

2. ARRENDAMIENTO CON PROMESA DE VENTA

• Sujeción de las viviendas y anejos a los *precios y rentas máximos* establecidos:

El precio máximo de las viviendas garantizadas será el resultante de aplicar las siguientes reglas:

a) Los precios máximos aplicables a la vivienda, que podrán incrementarse con el importe correspondiente a los anejos, serán los establecidos en la tabla recogida en función de la superficie útil y ubicación de la vivienda.

b) Los anejos de las viviendas garantizadas, vinculados o no, estarán sujetos al régimen jurídico general y de precios previsto en relación con los anejos de las viviendas protegidas de Aragón. En particular, serán de aplicación las normas para la determinación de precios máximos de anejos establecidas en la normativa de vivienda protegida.

c) Para la determinación del precio máximo podrán computarse como máximo noventa metros cuadrados útiles destinados a vivienda y treinta y tres metros cuadrados útiles destinados a anejos vinculados, considerando para ello las superficies que consten en la inscripción registral o, en su caso, en la calificación definitiva, todo ello en la forma y con las excepciones establecidas en la normativa de vivienda protegida.

2. Las rentas máximas de las viviendas garantizadas serán las resultantes de aplicar sobre el precio máximo de venta un cuatro por ciento en la forma establecida en la normativa de vivienda protegida.

3. Los precios y rentas máximos de las viviendas protegidas declaradas garantizadas serán los que resulten de aplicación conforme a la normativa que las regula.

TABLA DE PRECIOS MÁXIMOS						
SUPERFICIE		ATPMS B		ATPMS C		RESTO
VIVIENDA	MÁXIMO	euros/ m²u	MÁXIMO	euros/ m²u	MÁXIMO	euros/ m²u
90	196.473,60	2.183,04	159.634,80	1.773,72	122.796,00	1.364,40
89	195.262,01	2.193,96	158.650,39	1.782,59	122.038,76	1.371,22
88	194.033,40	2.204,93	157.652,14	1.791,50	121.270,87	1.378,08
87	192.787,62	2.215,95	156.639,94	1.800,46	120.492,26	1.384,97
86	191.524,52	2.227,03	155.613,68	1.809,46	119.702,83	1.391,89
85	190.243,98	2.238,16	154.573,24	1.818,51	118.902,49	1.398,85
84	188.945,85	2.249,36	153.518,50	1.827,60	118.091,15	1.405,85
83	187.629,97	2.260,60	152.449,35	1.836,74	117.268,73	1.412,88
82	186.296,22	2.271,91	151.365,68	1.845,92	116.435,14	1.419,94
81	184.944,44	2.283,26	150.267,35	1.855,15	115.590,27	1.427,04
80	183.574,48	2.294,68	149.154,26	1.864,43	114.734,05	1.434,18
79	182.186,19	2.306,15	148.026,28	1.873,75	113.866,37	1.441,35
78	180.779,44	2.317,69	146.883,30	1.883,12	112.987,15	1.448,55
77	179.354,06	2.329,27	145.725,18	1.892,53	112.096,29	1.455,80
76	177.909,91	2.340,92	144.551,81	1.902,00	111.193,70	1.463,07
75	176.446,84	2.352,62	143.363,06	1.911,51	110.279,27	1.470,39
74	174.964,69	2.364,39	142.158,81	1.921,06	109.352,93	1.477,74
73	173.463,30	2.376,21	140.938,93	1.930,67	108.414,56	1.485,13
72	171.942,53	2.388,09	139.703,30	1.940,32	107.464,08	1.492,56
71	170.402,21	2.400,03	138.451,79	1.950,03	106.501,38	1.500,02
70	168.842,19	2.412,03	137.184,28	1.959,78	105.526,37	1.507,52
69	167.262,31	2.424,09	135.900,62	1.969,57	104.538,94	1.515,06
68	165.662,41	2.436,21	134.600,70	1.979,42	103.539,00	1.522,63
67	164.042,33	2.448,39	133.284,39	1.989,32	102.526,45	1.530,25
66	162.401,90	2.460,63	131.951,55	1.999,27	101.501,19	1.537,90
65	160.740,97	2.472,94	130.602,04	2.009,26	100.463,11	1.545,59
64	159.059,38	2.485,30	129.235,74	2.019,31	99.412,11	1.553,31
63	157.356,94	2.497,73	127.852,52	2.029,41	98.348,09	1.561,08
62	155.633,51	2.510,22	126.452,23	2.039,55	97.270,94	1.568,89
61	153.888,91	2.522,77	125.034,74	2.049,75	96.180,57	1.576,73
60	152.122,97	2.535,38	123.599,91	2.060,00	95.076,86	1.584,61
59	150.335,53	2.548,06	122.147,61	2.070,30	93.959,70	1.592,54
58	148.526,40	2.560,80	120.677,70	2.080,65	92.829,00	1.600,50
57	146.695,43	2.573,60	119.190,04	2.091,05	91.684,64	1.608,50
56	144.842,44	2.586,47	117.684,48	2.101,51	90.526,52	1.616,54
55	142.967,24	2.599,40	116.160,89	2.112,02	89.354,53	1.624,63
54	141.069,68	2.612,40	114.619,11	2.122,58	88.168,55	1.632,75
53	139.149,56	2.625,46	113.059,02	2.133,19	86.968,48	1.640,91
52	137.206,72	2.638,59	111.480,46	2.143,86	85.754,20	1.649,12
51	135.240,97	2.651,78	109.883,29	2.154,57	84.525,61	1.657,36
50	133.252,13	2.665,04	108.267,36	2.165,35	83.282,58	1.665,65
49	131.240,03	2.678,37	106.632,52	2.176,17	82.025,02	1.673,98
48	129.204,47	2.691,76	104.978,63	2.187,05	80.752,79	1.682,35
47	127.145,27	2.705,22	103.305,53	2.197,99	79.465,79	1.690,76
46	125.062,25	2.718,74	101.613,08	2.208,98	78.163,91	1.699,22

TABLA DE PRECIOS MÁXIMOS						
SUPERFICIE		ATPMS B		ATPMS C		RESTO
VIVIENDA	MÁXIMO	euros/ m²u	MÁXIMO	euros/ m²u	MÁXIMO	euros/ m²u
45	122.955,22	2.732,34	99.901,12	2.220,02	76.847,02	1.707,71
44	120.824,00	2.746,00	98.169,50	2.231,13	75.515,00	1.716,25
43	118.668,39	2.759,73	96.418,07	2.242,28	74.167,74	1.724,83
42	116.488,20	2.773,53	94.646,67	2.253,49	72.805,13	1.733,46
41	114.283,25	2.787,40	92.855,14	2.264,76	71.427,03	1.742,12
40	112.053,33	2.801,33	91.043,33	2.276,08	70.033,33	1.750,83
39	109.798,26	2.815,34	89.211,08	2.287,46	68.623,91	1.759,59
38	107.517,83	2.829,42	87.358,24	2.298,90	67.198,65	1.768,39
37	105.211,86	2.843,56	85.484,63	2.310,40	65.757,41	1.777,23

ÁMBITOS TERRITORIALES

	GRUPO B	GRUPO C	GENERAL
HUESCA	Aisa, Benasque, Canfranc, Chia, Hoz de Jaca, Jaca, Panticosa, Sallent de Gállego, San Juan de Plan, Santa Cruz de la Serós, Sesué, Vilanova.	Biescas, Borau, Broto, Campo, Castejon de Sos, Huesca, Jasa, Laspaules, Laspuña, Puente la Reina, Sahún, Seira, Villanua	Resto de municipios
TERUEL		Teruel	Resto de municipios
ZARAGOZA	Zaragoza	Cuartel de Huerva, La Puebla de Alfinden, Perdiguera, Utebo, Villanueva de Gállego	Resto de municipios
PRECIOS	ATPMS B	ATPMS C	RESTO

• Obtención de financiación por los adquirentes o arrendatarios en el marco de los convenios entre Gobierno de Aragón y entidades financieras.

1. Los adquirentes o arrendatarios con promesa de venta de viviendas garantizadas deberán estar inscritos o inscribirse en el registro de solicitantes de vivienda protegida de Aragón, pertenecer a unidades de convivencia cuyos ingresos anuales calculados conforme a la normativa de vivienda protegida no superen los máximos admisibles para acceder al registro de solicitantes y reunir las condiciones de solvencia.

2. Los adquirentes o arrendatarios con promesa de venta serán propuestos por el titular de la vivienda, acreditando fehacientemente su conformidad y aportando la documentación preceptiva y, en el caso de requerir el adquirente financiación con garantía hipotecaria y estar ya inscrito en el registro de solicitantes de vivienda protegida, oferta vinculante de entidad financiera que haya suscrito el convenio. Cuando en la fecha de propuesta el adquirente o inquilino no estuviese inscrito en el registro de solicitantes no se exigirá dicha oferta vinculante hasta que le sea notificada la inscripción. La oferta vinculante tendrá una vigencia mínima de un mes.

• Prestación de aval por el Gobierno de Aragón por importe no superior al 10% del precio compraventa y plazo máximo de 10 años.

1. Se autoriza al Gobierno de Aragón la prestación de avales para la adquisición o arrendamiento con promesa de venta de viviendas garantizadas.

2. Los avales se prestarán, como garantía adicional del préstamo hipotecario, en la forma establecida en la legislación de hacienda y presupuestaria de la Comunidad Autónoma de Aragón, a iniciativa del Departamento competente en materia de vivienda.

3. Los avales se referirán únicamente al principal de la operación de que se trate y tendrán carácter civil o mercantil, según proceda.

4. El importe individual de cada aval no podrá superar el diez por ciento del precio de compraventa o promesa de venta de la vivienda, incluidos anejos vinculados. La prestación de aval en los supuestos de arrendamiento con promesa de venta se hará efectiva una vez se ejecute la promesa de venta.

5. El importe total de avales a prestar, no podrá superar los noventa millones de euros.

En el año 2009 se podrán conceder avales hasta un importe máximo de noventa millones de euros, considerándose incrementado en dicha cuantía el límite establecido en el art. 36 de la Ley 10/2008, de 29 de diciembre, de Presupuestos de la Comunidad Autónoma de Aragón para el ejercicio 2009.

6. El aval devengará a favor del Gobierno de Aragón una comisión del dos por ciento anual sobre el importe avalado, con un mínimo de veinticinco euros al mes, que se cargará prorrateada en las cuotas mensuales del préstamo hipotecario.

7. No cabrá la ejecución parcial del aval.

• *Préstamos convenidos y ayudas públicas.*

1. Los adquirentes de viviendas garantizadas podrán acogerse a préstamos convenidos en los términos que establezcan los convenios con las entidades financieras.

2. Los préstamos convenidos tendrán las características generales previstas en el art. 12 del Real Decreto 2066/2008, de 12 de diciembre, por el que se regula el Plan Estatal de Vivienda y Rehabilitación 2009-2012, con las siguientes especialidades:

a) El plazo de amortización no será superior a treinta y cinco años, salvo que medie acuerdo entre la entidad financiera y el prestatario.

b) El tipo de interés no será superior en ningún caso al vigente en cada momento para los préstamos convenidos estatales a los adquirentes de vivienda protegida de nueva construcción.

c) Los préstamos convenidos podrán concederse por importe equivalente al noventa por ciento del precio de venta efectivamente pactado, dentro de los límites establecidos en este decreto-ley.

d) La entidad financiera y el prestatario podrán acordar períodos de carencia para la amortización del capital prestado no inferiores a un año ni superiores a tres.

e) El cumplimiento de las condiciones de solvencia y de los restantes requisitos establecidos en los convenios con las entidades financieras será necesario para la obtención del préstamo convenido, previa verificación por parte de la entidad financiera concedente.

3. El Gobierno de Aragón subsidiará los préstamos convenidos a adquirentes o inquilinos con promesa de venta de vivienda garantizada que no haya sido calificada como protegida ni se acoja a las ayudas de vivienda usada, siempre que sus ingresos familiares no superen los límites que se establecen, conforme a las siguientes cuantías anuales por cada diez mil euros de préstamo convenido:

Ingresos de adquirentes	Cupo 1	Año 1	Año 2	Año 3	Año 4	Año 5	Año 6	Año 7
> 3,5 y ≤ 4,5 IPREM	1.000	0,00	10,00	20,00	20,00	20,00	20,00	10,00
> 2,5 y < 3,5 IPREM	500	20,00	40,00	40,00	40,00	40,00	40,00	20,00
≤ 2,5 IPREM	500	60,00	120,00	120,00	120,00	120,00	120,00	60,00

4. El Gobierno de Aragón subsidiará los préstamos convenidos a adquirentes de vivienda garantizada acogida a las ayudas de vivienda usada siempre que los préstamos convenidos no puedan ser objeto de la subsidiación establecida en la normativa estatal por superarse el precio máximo correspondiente a las viviendas de régimen general. La subsidiación será la prevista en el apartado anterior.

3. Plan Asturiano de Vivienda prorrogado por Resolución 2 de octubre de 2009

PLAN ASTURIANO DE VIVIENDA, DECRETO 130/2006 (PRORROGADO EN SU VIGENCIA POR LA RESOLUCIÓN DE 2 DE OCTUBRE DE 2009)

— Mediante esta Resolución se declara que las medidas de apoyo del Principado de Asturias para favorecer el acceso de la ciudadanía a la vivienda, y las ayudas complementarias al Plan de Vivienda Estatal previstas en el Decreto 130/2006 son aplicables a las previstas en el Plan Estatal de

Vivienda y Rehabilitación 2009-2012, aprobado mediante el Real Decreto 2066/2008.

1. ACTUACIONES PROTEGIDAS

1. Medidas de apoyo del Principado de Asturias para favorecer el acceso de los ciudadanos a la vivienda.

2. Regular las ayudas complementarias al Plan Estatal de Vivienda que se otorgan con cargo a los presupuestos de la Comunidad Autónoma.

3. Especial atención a las ayudas al alquiler de vivienda.

4. Necesidad de poner en el mercado viviendas vacías propiedad de particulares lo que permitirá aumentar el parque de viviendas destinadas a arrendamiento en la Comunidad Autónoma.

5. Es objetivo fundamental el aumento de la oferta de vivienda protegida con el fin de poner en el mercado viviendas a precios asequibles y de calidades adecuadas incentivando para ello a promotores y adquirentes.

6. Son objeto de atención preferente aquellos colectivos con especiales dificultades para acceder a una vivienda digna, esto es, grupos sociales con necesidades específicas que por sus circunstancias personales necesitan apoyo específico o singularizado.

2. SUPERFICIES MÁXIMAS Y MÍNIMAS DE LAS VIVIENDAS

— Las viviendas de protección autonómica tendrán con carácter general una superficie útil máxima de 90 m². Podrá sobrepasarse dicho límite en los supuestos de familias numerosas (120 m²).La superficie máxima imputable para determinar el precio de venta de los garajes y los trasteros no podrá superar los 25 m², en el caso del garaje, y los 8 m², en el caso del trastero.

3. PRECIOS MÁXIMOS DE VENTA DE LAS VIVIENDAS DE PROTECCIÓN OFICIAL

Los precios máximos por m² de superficie útil para las viviendas de nueva construcción declaradas protegidas por la Comunidad Autónoma en sus distintas modalidades, así como de las viviendas usadas a efectos de su adquisición protegida se determinarán multiplicando el Módulo

Básico Estatal por los coeficientes correspondientes a los distintos ámbitos territoriales:

a) ATPMS B: Oviedo, Gijón, Avilés, Llanera y Siero.

b) ATPMS C: Aller, Cangas del Narcea, Cangas de Onís, Caravia, Carreño, Castrillón, Castropol, Coaña, Colunga, Corvera, Cudillero, El Franco, Gozón, Grado, Langreo, Laviana, Lena, Llanes, Mieres, Morcín, Muros del Nalón, Nava, Navia, Noreña, Parres, Piloña, Pravia, Ribadedeva, Ribadesella, Ribera de Arriba, San Martín del Rey Aurelio, Sariego, Soto del Barco, Tapia de Casariego, Tineo, Valdés, Vegadeo y Villaviciosa.

c) Grupo Básico: Resto de Municipios del Principado de Asturias.

4. EL MÓDULO BÁSICO ESTATAL (MBE)

El Módulo Básico Estatal (MBE) es la cuantía en euros por metro cuadrado de superficie útil, que sirve como referencia para la determinación de los precios máximos de venta, adjudicación y renta de las viviendas objeto de las ayudas previstas en el Real Decreto 2066/2008, así como de los presupuestos protegidos máximos de las actuaciones de rehabilitación de viviendas y edificios, y en áreas de rehabilitación integral y renovación urbana.

El MBE será establecido por acuerdo del Consejo de Ministros en el mes de diciembre de cada año y será publicado en el *Boletín Oficial del Estado*.

Para el año 2010 se fija en 758 euros (838,8 euros para Canarias).

TIPOLOGÍAS Y CARACTERÍSTICAS DE LOS DIFERENTES TIPOS DE VIVIENDAS

A) COMPRA

1. VIVIENDA DE PROTECCIÓN OFICIAL DE RÉGIMEN ESPECIAL

Características:

• El precio máximo de referencia por metro cuadrado útil será:

ATPMS B: **Módulo Básico Estatal * 1,40 * 1,19676**

ATPMS C: **Módulo Básico Estatal * 1,40530 * 1,15000**

Grupo Básico: **Módulo Básico Estatal * 1,45119 * 1,00000**

• El régimen de protección será de al menos 30 años, y permanente mientras el suelo esté destinado a vivienda protegida o sea suelo dotacional público, durante todo el plazo que dure el régimen de protección no se podrá descalificar voluntariamente la vivienda. Antes de los 10 años la vivienda no podrá venderse sin consentimiento de la CA y sin la devolución de las ayudas recibidas.

• Transcurridos 10 años podrá ser vendida a personas inscritas en los registros públicos de vivienda protegida.

Requisitos de acceso a la ayuda:

1. Ingresos familiares de hasta 2,5 veces el IPREM.

2. No ser titular de una vivienda protegida (salvo por motivos de realojamiento), ni de una libre cuyo valor, según el Impuesto sobre Transmisiones Patrimoniales, exceda del 40% del precio de la vivienda que se pretende adquirir (60% para familias numerosas que precisen adquirir una vivienda de mayor tamaño por el incremento en el número de miembros de la misma, personas mayores de 65 años, personas con discapacidad, mujeres víctimas de violencia de género, víctimas del terrorismo).

3. Estar inscrito en un registro público de demandantes de vivienda.

4. La actuación debe haber sido calificada como protegida por la CA.

5. La vivienda debe destinarse como residencia habitual del adjudicatario y ocuparse dentro de los plazos establecidos.

Características de la ayuda:

PRÉSTAMO CONVENIDO:

Amortización: 25 años o más con cuotas constantes (tres años o más de carencia para el caso de promoción para uso propio).

Garantía: Hipoteca.

Cuantía máxima: 80% del precio de adquisición (vivienda + garaje + trastero vinculados) o del valor de la edificación más el del suelo para el caso de promotores individuales para uso propio.

Tipo de interés para el año 2009: Puede ser fijo o variable.

Interés fijo: Pendiente de publicación.

Interés variable: Euribor a 12 meses publicado por el Banco de España en el *BOE* el mes anterior al de la fecha de formalización del préstamo más un diferencial de entre 25 y 125 puntos básicos.

Este tipo de interés se revisará cada 12 meses teniendo como referencia el Euribor a 12 meses publicado por el Banco de España el mes anterior a la fecha de formalización.

Cuotas: Interés fijo: Constantes durante toda la vida del préstamo.

Interés variable: Constantes durante toda la vida del préstamo, dentro de cada uno de los períodos de amortización a los cuales les corresponde un mismo tipo de interés.

Comisiones: Exentas.

SUBSIDIOS A LOS PRÉSTAMOS: Cantidad anual por cada 10.000 euros de préstamo convenido.

— **100 euros** los 10 primeros años.

— **155 euros** los 5 primeros años en caso de:

— Familias numerosas.

— Familias monoparentales con hijos.

— Familias que incluyan o tengan a su cargo personas dependientes o con discapacidad oficialmente reconocida.

Esta subsidiación se concederá por un período de 5 años y podrá ser ampliada por otro período de la misma duración.

La ampliación se tiene que solicitar dentro del 5.º año del primer período y los solicitantes tienen que acreditar que siguen cumpliendo las condiciones para la concesión de la ayuda.

AYUDA ESTATAL DIRECTA A LA ENTRADA (AEDE):

a) En general: **8.000 euros**

b) Jóvenes de hasta 35 años (cuando aporten la mayor parte de los ingresos familiares): **9.000 euros**

c) Familias numerosas, familias monoparentales, personas dependientes o con discapacidad y las familias que las tengan a su cargo: **12.000 euros**.

d) Mujeres víctimas de violencia de género, víctimas de terrorismo y personas separadas o divorciadas al corriente del pago de pensiones alimenticias y compensatorias a su cargo: **11.000 euros**.

Estas cuantías no son acumulables entre sí, y corresponderá únicamente la más favorable de todas las posibles.

Cuando las viviendas estén situadas en las zonas ATPMS A, ATPMS B y ATPMS C, las cuantías relacionadas antes se tienen que incrementar respectivamente en **1.200 euros, 600 euros** o **300 euros**.

Requisitos de acceso a la ayuda:

1. La vivienda tiene que haber obtenido la calificación definitiva.

2. El contrato de compraventa tiene que haber sido visado por la CA. Entre las firmas del contrato y la solicitud del visado no debe pasar más de 4 meses.

3. Entre el visado del contrato y la solicitud del préstamo no debe pasar más de 6 meses.

4. Los ingresos de la unidad familiar tienen que ser de hasta 2,5 veces el IPREM.

Los ingresos acreditados no tienen que ser inferiores al 5% del precio de la vivienda.

5. Tiene que ser el 1.er acceso a la propiedad del solicitante (se entiende que reúnen la condición de 1.er acceso a la propiedad los adquirentes que no tengan o no hayan tenido con anterioridad ninguna vivienda en propiedad o que siendo titular de alguna no disfruten de un derecho real de uso o disfrute sobre ella o el valor de la misma, de acuerdo con la normativa del ITP, no supere el 25% del precio máximo de venta de la vivienda que adquirieren).

6. Los solicitantes no pueden haber recibido anteriormente financiación al amparo de algún Plan de Vivienda durante los 10 años anteriores a la solicitud actual de ayudas; no será necesario cumplir este requisito cuando la adquisición de la vivienda sea como consecuencia del cambio de residencia del titular en otra localidad, cuando se trate de una familia numerosa que acceda a nueva vivienda de mayor superficie como consecuencia de haber ampliado el número de miembros de la unidad familiar o cuando la nueva solicitud se produzca por la necesidad de una vivienda adaptada a las condiciones de discapacidad sobrevenida de algún miembro de la unidad familiar (en cualquier caso será necesario cancelar previamente el préstamo cualificado o convenido anteriormente obtenido y en el caso de las ayudas directas se podrá optar por devolver las ayudas o percibir la diferencia si procediera).

7. La cuantía del préstamo convenido no será inferior al 60% del precio de la vivienda durante los 5 primeros años de amortización del préstamo.

2. VIVIENDA DE PROTECCIÓN AUTONÓMICA

Características:

• El precio máximo de referencia por metro cuadrado útil será:

ATPMS B: **Módulo Básico Estatal * 1,60 * 1,29453**

ATPMS C: **Módulo Básico Estatal * 1,60 * 1,15000**

Grupo Básico: **Módulo Básico Estatal * 1,60 * 1,00000**

• El régimen de protección será de al menos 30 años, y permanente mientras el suelo esté destinado a vivienda protegida o sea suelo dotacional público, durante todo el plazo que dure el régimen de protección no se podrá descalificar voluntariamente la vivienda. Antes de los 10 años la vivienda no podrá venderse sin consentimiento de la CA y sin la devolución de las ayudas recibidas.

• Transcurridos 10 años podrá ser vendida a personas inscritas en los registros públicos de vivienda protegida.

Requisitos de acceso a la ayuda:

1. Ingresos familiares de hasta 4,5 veces el IPREM.

2. No ser titular de una vivienda protegida (salvo por motivos de realojamiento), ni de una libre cuyo valor, según el Impuesto sobre Transmisiones Patrimoniales, exceda del 40% del precio de la vivienda que se pretende adquirir (60% para familias numerosas que precisen adquirir una vivienda de mayor tamaño por el incremento en el número de miembros de la misma, personas mayores de 65 años, personas con discapacidad, mujeres víctimas de violencia de género, víctimas del terrorismo).

3. Estar inscrito en un registro público de demandantes de vivienda.

4. La actuación debe haber sido calificada como protegida por la CA.

5. La vivienda debe destinarse como residencia habitual del adjudicatario y ocuparse dentro de los plazos establecidos.

Características de la ayuda:

PRÉSTAMO CONVENIDO:

Amortización: 25 años o más con cuotas constantes (tres años o más de carencia para el caso de promoción para uso propio).

Garantía: Hipoteca.

Cuantía máxima: 80% del precio de adquisición (vivienda + garaje + trastero vinculados) o del valor de la edificación más el del suelo para el caso de promotores individuales para uso propio.

Tipo de interés para el año 2009: Puede ser fijo o variable.

Interés fijo: Pendiente de publicación.

Interés variable: Euribor a 12 meses publicado por el Banco de España en el *BOE* el mes anterior al de la fecha de formalización del préstamo más un diferencial de entre 25 y 125 puntos básicos.

Este tipo de interés se revisará cada 12 meses teniendo como referencia el Euribor a 12 meses publicado por el Banco de España el mes anterior a la fecha de formalización.

Cuotas: Interés fijo: Constantes durante toda la vida del préstamo.

Interés variable: Constantes durante toda la vida del préstamo, dentro de cada uno de los períodos de amortización a los cuales les corresponde un mismo tipo de interés.

Comisiones: Exentas.

SUBSIDIOS A LOS PRÉSTAMOS: Cantidad anual por cada 10.000 euros de préstamo durante 5 años, renovables 5 más (la ampliación se tiene que solicitar dentro del 5.º año del primer período y los solicitantes tienen que acreditar que siguen cumpliendo las condiciones para la concesión de la ayuda; se entenderá que cumplen las condiciones cuando la media de los ingresos correspondientes a los dos años anteriores a la revisión no excedan en más o menos un 20% de las acreditadas inicialmente):

— **100 euros** para ingresos menores o iguales a 2,5 veces el IPREM los 10 primeros años (**155 euros** para familias numerosas, monoparentales con hijos y familias que incluyan personas dependientes o con discapacidad reconocida oficialmente durante los 5 primeros años).

— **80 euros** para ingresos entre 2,5 y 3,5 veces el IPREM los 5 primeros años (**113 euros** para familias numerosas, monoparentales con hijos y familias que incluyan personas dependientes o con discapacidad reconocida oficialmente durante los 5 primeros años).

— **60 euros** anuales a familias con ingresos familiares entre 3,5 y 4,5 veces el IPREM (**93 euros** para familias numerosas, monoparentales con hijos y familias que incluyan personas dependientes o con discapacidad reconocida oficialmente durante los 5 primeros años).

AYUDA ESTATAL DIRECTA A LA ENTRADA (AEDE):

ADQUIRENTES CON INGRESOS DE HASTA 2,5 VECES EL IPREM:

a) En general: **8.000 euros**.

b) Jóvenes de hasta 35 años (cuando aporten la mayor parte de los ingresos familiares): **9.000 euros**.

c) Familias numerosas, familias monoparentales, personas dependientes o con discapacidad y las familias que las tengan a su cargo: **12.000 euros**.

d) Mujeres víctimas de violencia de género, víctimas de terrorismo y personas separadas o divorciadas al corriente del pago de pensiones alimenticias y compensatorias a su cargo: **11.000 euros**.

Estas cuantías no son acumulables entre sí, y corresponderá únicamente la más favorable de todas las posibles.

Cuando las viviendas estén situadas en las zonas ATPMS A, ATPMS B y ATPMS C, las cuantías relacionadas antes se tienen que incrementar respectivamente en **1.200 euros, 600 euros** o **300 euros**.

AYUDAS DEL PRINCIPADO DE ASTURIAS:

a) Adquirentes con ingresos familiares inferiores a 2,5 veces el IPREM: 10% del precio total de la vivienda con un límite de **8.000 euros**.

Requisitos de acceso a la ayuda:

1. La vivienda tiene que haber obtenido la calificación definitiva.

2. El contrato de compraventa tiene que haber sido visado por la CA. Entre las firmas del contrato y la solicitud del visado no debe pasar más de 4 meses.

3. Entre el visado del contrato y la solicitud del préstamo no debe pasar más de 6 meses.

4. Los ingresos de la unidad familiar tienen que ser de hasta 3,5 veces el IPREM.

Los ingresos acreditados no tienen que ser inferiores al 5% del precio de la vivienda.

5. Tiene que ser el primer acceso a la propiedad del solicitante (se entiende que reúnen la condición de primer acceso a la propiedad los adquirentes que no tengan o no hayan tenido con anterioridad ninguna vivienda en propiedad, o que siendo titular de alguna no disfruten de un derecho real de uso o disfrute sobre ella, o el valor de la misma, de acuerdo con la normativa del ITP, no supere el 25% del precio máximo de venta de la vivienda que adquirieren).

6. Los solicitantes no pueden haber recibido anteriormente financiación al amparo de algún Plan de Vivienda durante los 10 años anteriores a la solicitud actual de ayudas; no será necesario cumplir este requisito cuando la adquisición de la vivienda sea como consecuencia del cambio de residencia del titular en otra localidad, cuando se trate de una familia numerosa que acceda a nueva vivienda de mayor superficie como consecuencia de haber ampliado el número de miembros de la unidad familiar o cuando la nueva solicitud se produzca por la necesidad de una vivienda adaptada a las condiciones de discapacidad sobrevenida de algún miembro de la unidad familiar (en cualquier caso será necesario cancelar previamente el préstamo cualificado o convenido anteriormente obtenido y en el caso de las ayudas directas se podrá optar por devolver las ayudas o percibir la diferencia si procediera).

7. La cuantía del préstamo convenido no será inferior al 60% del precio de la vivienda durante los 5 primeros años de amortización del préstamo.

ADQUIRENTES CON INGRESOS ENTRE 2,5 VECES Y 3,5 VECES EL IPREM:

a) En general: **7.000 euros**.

b) Jóvenes de hasta 35 años (cuando aporten la mayor parte de los ingresos familiares): **8.000 euros**.

c) Familias numerosas, familias monoparentales, personas dependientes o con discapacidad y las familias que las tengan a su cargo: **10.000 euros**.

d) Mujeres víctimas de violencia de género, víctimas de terrorismo y personas separadas o divorciadas al corriente del pago de pensiones alimenticias y compensatorias a su cargo: **9.000 euros**.

Estas cuantías no son acumulables entre sí, y corresponderá únicamente la más favorable de todas las posibles.

Cuando las viviendas estén situadas en las zonas ATPMS A, ATPMS B y ATPMS C, las cuantías relacionadas antes se tienen que incrementar respectivamente en **1.200 euros, 600 euros** o **300 euros**.

AYUDAS DEL PRINCIPADO DE ASTURIAS:

a) Adquirentes con ingresos familiares inferiores a 3,5 veces el IPREM: 7% del precio total de la vivienda con un límite de **6.000 euros**.

Requisitos de acceso a la ayuda:

1. La vivienda tiene que haber obtenido la calificación definitiva.

2. El contrato de compraventa tiene que haber sido visado por la CA. Entre las firmas del contrato y la solicitud del visado no debe pasar más de 4 meses.

3. Entre el visado del contrato y la solicitud del préstamo no debe pasar más de 6 meses.

4. Los ingresos de la unidad familiar tienen que ser inferiores a 3,5 veces el IPREM.

Los ingresos acreditados no tienen que ser inferiores al 5% del precio de la vivienda.

5. Tiene que ser el 1.er acceso a la propiedad del solicitante (se entiende que reúnen la condición de 1.er acceso a la propiedad los adquirentes que no tengan o no hayan tenido con anterioridad ninguna vivienda en propiedad, o que siendo titular de alguna no disfruten de un derecho real de uso o disfrute sobre ella, o el valor de la misma, de acuerdo con la normativa del ITP, no supere el 25% del precio máximo de venta de la vivienda que adquirieren).

6. Los solicitantes no pueden haber recibido anteriormente financiación al amparo de algún Plan de Vivienda durante los 10 años anteriores a la solicitud actual de ayudas; no será necesario cumplir este requisito cuando la adquisición de la vivienda sea como consecuencia del cambio de residencia del titular en otra localidad, cuando se trate de una familia numerosa que acceda a nueva vivienda de mayor superficie como consecuencia de haber ampliado el número de miembros de la unidad familiar o cuando la nueva solicitud se produzca por la necesidad de una vivienda adaptada a las condiciones de discapacidad sobrevenida de algún miembro de la unidad familiar (en cualquier caso será necesario cancelar previamente el préstamo cualificado o convenido anteriormente obtenido y en el caso de las ayudas directas se podrá optar por devolver las ayudas o percibir la diferencia si procediera).

ADQUIRENTES CON INGRESOS ENTRE 3,5 VECES Y 4,5 VECES EL IPREM:

a) En general: **5.000 euros**.

b) Jóvenes de hasta 35 años (cuando aporten la mayor parte de los ingresos familiares): **6.000 euros**.

c) Familias numerosas, familias monoparentales, personas dependientes o con discapacidad y las familias que las tengan a su cargo: **8.000 euros**.

d) Mujeres víctimas de violencia de género, víctimas de terrorismo y personas separadas o divorciadas al corriente del pago de pensiones alimenticias y compensatorias a su cargo: **7.000 euros**.

Estas cuantías no son acumulables entre sí, y corresponderá únicamente la más favorable de todas las posibles.

Cuando las viviendas estén situadas en las zonas ATPMS A, ATPMS B y ATPMS C, las cuantías relacionadas antes se tienen que incrementar respectivamente en **1.200 euros, 600 euros** o **300 euros**.

Requisitos de acceso a la ayuda:

1. La vivienda tiene que haber obtenido la calificación definitiva.

2. El contrato de compraventa tiene que haber sido visado por la CA. Entre las firmas del contrato y la solicitud del visado no debe pasar más de 4 meses.

3. Entre el visado del contrato y la solicitud del préstamo no debe pasar más de 6 meses.

4. Los ingresos de la unidad familiar tienen que ser inferiores a 4,5 veces el IPREM.

Los ingresos acreditados no tienen que ser inferiores al 5% del precio de la vivienda.

5. Tiene que ser el 1.er acceso a la propiedad del solicitante (se entiende que reúnen la condición de 1.er acceso a la propiedad los adquirentes que no tengan o no hayan tenido con anterioridad ninguna vivienda en propiedad, o que siendo titular de alguna no disfruten de un derecho real de uso o disfrute sobre ella, o el valor de la misma, de acuerdo con la normativa

del ITP, no supere el 25% del precio máximo de venta de la vivienda que adquirieren).

6. Los solicitantes no pueden haber recibido anteriormente financiación al amparo de algún Plan de Vivienda durante los 10 años anteriores a la solicitud actual de ayudas; no será necesario cumplir este requisito cuando la adquisición de la vivienda sea como consecuencia del cambio de residencia del titular en otra localidad, cuando se trate de una familia numerosa que acceda a nueva vivienda de mayor superficie como consecuencia de haber ampliado el número de miembros de la unidad familiar o cuando la nueva solicitud se produzca por la necesidad de una vivienda adaptada a las condiciones de discapacidad sobrevenida de algún miembro de la unidad familiar (en cualquier caso será necesario cancelar previamente el préstamo cualificado o convenido anteriormente obtenido y en el caso de las ayudas directas se podrá optar por devolver las ayudas o percibir la diferencia si procediera).

3. VIVIENDAS PROTEGIDAS CONCERTADAS

Características:

• El precio máximo de referencia por metro cuadrado útil será:

ATPMS B: **Módulo Básico Estatal * 1,80 * 1,29727**

ATPMS C: **Módulo Básico Estatal * 1,80 * 1,15069**

Grupo Básico: **Módulo Básico Estatal * 1,80 * 1,00000**

• El régimen de protección será de al menos 30 años, y permanente mientras el suelo esté destinado a vivienda protegida o sea suelo dotacional público, durante todo el plazo que dure el régimen de protección no se podrá descalificar voluntariamente la vivienda. Antes de los 10 años la vivienda no podrá venderse sin consentimiento de la CA y sin la devolución de las ayudas recibidas.

• Transcurridos 10 años podrá ser vendida a personas inscritas en los registros públicos de vivienda protegida.

Requisitos de acceso a la ayuda:

1. Ingresos familiares no superiores a 6,5 veces el IPREM.

2. No ser titular de una vivienda protegida (salvo por motivos de realojamiento), ni de una libre cuyo valor, según el Impuesto sobre Transmisiones Patrimoniales, exceda del 40% del precio de la vivienda que se pretende adquirir (60% para familias numerosas que precisen adquirir una vivienda de mayor tamaño por el incremento en el número de miembros de la misma, personas mayores de 65 años, personas con discapacidad, mujeres víctimas de violencia de género, víctimas del terrorismo).

3. Estar inscrito en un registro público de demandantes de vivienda.

4. La actuación debe haber sido calificada como protegida por la CA.

5. La vivienda debe destinarse como residencia habitual del adjudicatario y ocuparse dentro de los plazos establecidos.

Características de la ayuda:

PRÉSTAMO CONVENIDO:

Amortización: 25 años o más con cuotas constantes (tres años o más de carencia para el caso de promoción para uso propio).

Garantía: Hipoteca.

Cuantía máxima: 80% del precio de adquisición (vivienda + garaje + trastero vinculados) o del valor de la edificación más el del suelo para el caso de promotores individuales para uso propio.

Tipo de interés para el año 2009: Puede ser fijo o variable.

Interés fijo: Pendiente de publicación.

Interés variable: Euribor a 12 meses publicado por el Banco de España en el *BOE* el mes anterior al de la fecha de formalización del préstamo más un diferencial de entre 25 y 125 puntos básicos.

Este tipo de interés se revisará cada 12 meses teniendo como referencia el Euribor a 12 meses publicado por el Banco de España el mes anterior a la fecha de formalización.

Cuotas: Interés fijo: Constantes durante toda la vida del préstamo.

Interés variable: Constantes durante toda la vida del préstamo, dentro de cada uno de los períodos de amortización a los cuales les corresponde un mismo tipo de interés.

Comisiones: Exentas.

AYUDAS DEL PRINCIPADO DE ASTURIAS:

a) Adquirentes con ingresos inferiores a 3,5 veces el IPREM y hayan obtenido préstamo convenido: **1.200 euros.**

Requisitos de acceso a la ayuda:

1. La vivienda tiene que haber obtenido la calificación definitiva.

2. El contrato de compraventa tiene que haber sido visado por la CA. Entre las firmas del contrato y la solicitud del visado no debe pasar más de 4 meses.

3. Entre el visado del contrato y la solicitud del préstamo no debe pasar más de 6 meses.

4. Para recibir la ayuda autonómica los ingresos tienen que ser inferiores a 3,5 veces el IPREM.

Los ingresos acreditados no tienen que ser inferiores al 5% del precio de la vivienda.

5. Los solicitantes no pueden haber recibido anteriormente financiación al amparo de algún Plan de Vivienda durante los 10 años anteriores a la solicitud actual de ayudas; no será necesario cumplir este requisito cuando la adquisición de la vivienda sea como consecuencia del cambio de residencia del titular en otra localidad, cuando se trate de una familia numerosa que acceda a nueva vivienda de mayor superficie como consecuencia de haber ampliado el número de miembros de la unidad familiar o cuando la nueva solicitud se produzca por la necesidad de una vivienda adaptada a las condiciones de discapacidad sobrevenida de algún miembro de la unidad familiar (en cualquier caso será necesario cancelar previamente el préstamo cualificado o convenido anteriormente obtenido y en el caso de las ayudas directas se podrá optar por devolver las ayudas o percibir la diferencia si procediera).

6. La cuantía del préstamo convenido no será inferior al 60% del precio de la vivienda durante los 5 primeros años de amortización del préstamo.

B) COMPRA DE VIVIENDA USADA

Características:

Se consideran viviendas usadas:

a) Viviendas libres o protegidas en segunda o posteriores transmisiones (incluidas las que se hubiesen destinado al alquiler).

b) Viviendas libres de nueva construcción adquiridas después de, al menos, 1 año desde la expedición de la licencia de primera ocupación, el certificado final de obra o la cédula de habitabilidad.

c) Viviendas libres de nueva construcción cuya licencia de primera ocupación, certificado final de obra o cédula de habitabilidad hayan sido emitida antes del 24/12/2009, en estas circunstancias no se les aplicará el período mínimo de 1 año fijado en el punto anterior.

d) Viviendas rurales usadas según las condiciones establecidas por las CC.AA.

— Las superficies máximas permitidas, en todos los regímenes de viviendas (Especial, General y Concertada), no podrán exceder de 90 m²; cunado se trate de viviendas adaptadas para personas con discapacidad o movilidad reducida permanente podrá superar este límite hasta un máximo de un 20% de la superficie útil, y hasta 120 m² de superficie útil en el caso de las familias numerosas. Si se cuenta con anejos vinculados y con trasteros ser

— La obtención de la ayuda conllevará la limitación de su precio máximo de venta en posteriores transmisiones, durante, al menos, 15 años desde la fecha de adquisición, o durante la duración del préstamo convenido, si fuera superior.

— El precio de las viviendas usadas tendrá los siguientes límites:

ATPMS B: **1.940,00 euros m² de superficie útil**

ATPMS C: **1.726,00 euros m² de superficie útil**

Grupo Básico: **Módulo Básico Estatal * 1,80 * 1,00000**

— El precio de las viviendas acogidas a algún régimen de protección será el que corresponda a dicho régimen siempre que no exceda de los precios marcados en el párrafo anterior.

Requisitos de acceso a la ayuda:

1. Ingresos familiares no superiores a 6,5 veces el IPREM.

2. No ser titular de una vivienda protegida (salvo por motivos de realojamiento), ni de una libre cuyo valor, según el Impuesto sobre Transmisiones Patrimoniales, exceda del 40% del precio de la vivienda que se pretende adquirir (60% para familias numerosas que precisen adquirir una vivienda de mayor tamaño por el incremento en el número de miembros de la misma, personas mayores de 65 años, personas con discapacidad, mujeres víctimas de violencia de género, víctimas del terrorismo).

3. Estar inscrito en un registro público de demandantes de vivienda.

4. La actuación debe haber sido calificada como protegida por la CA.

5. La vivienda debe destinarse como residencia habitual del adjudicatario y ocuparse dentro de los plazos establecidos.

6. Las ayudas financieras a los adquirentes de viviendas usadas serán:

a) Cuando su precio de venta no exceda el de las viviendas de régimen general: Préstamo convenido, Subsidiación y Ayuda Estatal Directa a la Entrada.

b) Cuando su precio de venta no exceda el de las viviendas de precio concertado: Préstamo convenido y Ayuda Estatal Directa a la Entrada.

Características de la ayuda:

PRÉSTAMO CONVENIDO:

Amortización: 25 años o más con cuotas constantes (tres años o más de carencia para el caso de promoción para uso propio).

Garantía: Hipoteca.

Cuantía máxima: 80% del precio de adquisición (vivienda + garaje + trastero vinculados) o del valor de la edificación más el del suelo para el caso de promotores individuales para uso propio.

Tipo de interés para el año 2009: Puede ser fijo o variable.

Interés fijo: Pendiente de publicación.

Interés variable: Euribor a 12 meses publicado por el Banco de España en el *BOE* el mes anterior al de la fecha de formalización del préstamo más un diferencial de entre 25 y 125 puntos básicos.

Este tipo de interés se revisará cada 12 meses teniendo como referencia el Euribor a 12 meses publicado por el Banco de España el mes anterior a la fecha de formalización.

Cuotas: Interés fijo: Constantes durante toda la vida del préstamo.

Interés variable: Constantes durante toda la vida del préstamo, dentro de cada uno de los períodos de amortización a los cuales les corresponde un mismo tipo de interés.

Comisiones: Exentas.

SUBSIDIOS A LOS PRÉSTAMOS: Cantidad anual por cada 10.000 euros de préstamo durante 5 años, renovables 5 más (la ampliación se tiene que solicitar dentro del 5.º año del primer período y los solicitantes tienen que acreditar que siguen cumpliendo las condiciones para la concesión de la ayuda; se entenderá que cumplen las condiciones cuando la media de los ingresos correspondientes a los dos años anteriores a la revisión no excedan en más o menos un 20% de las acreditadas inicialmente):

— **100 euros** para ingresos menores o iguales a 2,5 veces el IPREM los 10 primeros años (**155 euros** para familias numerosas, monoparentales con hijos y familias que incluyan personas dependientes o con discapacidad reconocida oficialmente durante los 5 primeros años).

— **80 euros** para ingresos entre 2,5 y 3,5 veces el IPREM los 5 primeros años (**113 euros** para familias numerosas, monoparentales con hijos y familias que incluyan personas dependientes o con discapacidad reconocida oficialmente durante los 5 primeros años).

— **60 euros** anuales a familias con ingresos familiares entre 3,5 y 4,5 veces el IPREM (**93 euros** para familias numerosas, monoparentales con hijos y familias que incluyan personas dependientes o con discapacidad reconocida oficialmente durante los 5 primeros años).

AYUDA ESTATAL DIRECTA A LA ENTRADA (AEDE):

ADQUIRENTES CON INGRESOS DE HASTA 2,5 VECES EL IPREM:

a) En general: **8.000 euros**.

b) Jóvenes de hasta 35 años (cuando aporten la mayor parte de los ingresos familiares): **9.000 euros**.

c) Familias numerosas, familias monoparentales, personas dependientes o con discapacidad y las familias que las tengan a su cargo: **12.000 euros**.

d) Mujeres víctimas de violencia de género, víctimas de terrorismo y personas separadas o divorciadas al corriente del pago de pensiones alimenticias y compensatorias a su cargo: **11.000 euros**.

Estas cuantías no son acumulables entre sí, y corresponderá únicamente la más favorable de todas las posibles.

Cuando las viviendas estén situadas en las zonas ATPMS A, ATPMS B y ATPMS C, las cuantías relacionadas antes se tienen que incrementar respectivamente en **1.200 euros, 600 euros** o **300 euros**.

AYUDAS DEL PRINCIPADO DE ASTURIAS:

a) Adquirentes con ingresos familiares inferiores a 3,5 veces el IPREM: 5% del precio total de la vivienda con un límite de **6.000 euros**.

Requisitos de acceso a la ayuda:

1. La vivienda tiene que haber obtenido la calificación definitiva.

2. El contrato de compraventa tiene que haber sido visado por la CA. Entre las firmas del contrato y la solicitud del visado no debe pasar más de 4 meses.

3. Entre el visado del contrato y la solicitud del préstamo no debe pasar más de 6 meses.

4. Los ingresos de la unidad familiar tienen que ser de hasta 3,5 veces el IPREM.

Los ingresos acreditados no tienen que ser inferiores al 5% del precio de la vivienda.

5. Tiene que ser el 1.ᵉʳ acceso a la propiedad del solicitante (se entiende que reúnen la condición de 1.ᵉʳ acceso a la propiedad los adquirentes que no tengan o no hayan tenido con anterioridad ninguna vivienda en propiedad, o que siendo titular de alguna no disfruten de un derecho real de uso o disfrute sobre ella, o el valor de la misma, de acuerdo con la normativa del ITP, no supere el 25% del precio máximo de venta de la vivienda que adquirieren).

6. Los solicitantes no pueden haber recibido anteriormente financiación al amparo de algún Plan de Vivienda durante los 10 años anteriores a la solicitud actual de ayudas; no será necesario cumplir este requisito cuando la adquisición de la vivienda sea como consecuencia del cambio de residencia del titular en otra localidad, cuando se trate de una familia numerosa que acceda a nueva vivienda de mayor superficie como consecuencia de haber ampliado el número de miembros de la unidad familiar o cuando la nueva solicitud se produzca por la necesidad de una vivienda adaptada a las condiciones de discapacidad sobrevenida de algún miembro de la unidad familiar (en cualquier caso será necesario cancelar previamente el préstamo cualificado o convenido anteriormente obtenido y en el caso de las ayudas directas se podrá optar por devolver las ayudas o percibir la diferencia si procediera).

7. La cuantía del préstamo convenido no será inferior al 60% del precio de la vivienda durante los 5 primeros años de amortización del préstamo.

ADQUIRENTES CON INGRESOS ENTRE 2,5 VECES Y 3,5 VECES EL IPREM:

a) En general: **7.000 euros**.

b) Jóvenes de hasta 35 años (cuando aporten la mayor parte de los ingresos familiares): **8.000 euros**.

c) Familias numerosas, familias monoparentales, personas dependientes o con discapacidad y las familias que las tengan a su cargo: **10.000 euros**.

d) Mujeres víctimas de violencia de género, víctimas de terrorismo y personas separadas o divorciadas al corriente del pago de pensiones alimenticias y compensatorias a su cargo: **9.000 euros**.

Estas cuantías no son acumulables entre sí, y corresponderá únicamente la más favorable de todas las posibles.

Cuando las viviendas estén situadas en las zonas ATPMS A, ATPMS B y ATPMS C, las cuantías relacionadas antes se tienen que incrementar respectivamente en **1.200 euros, 600 euros** o **300 euros**.

AYUDAS DEL PRINCIPADO DE ASTURIAS:

a) Adquirentes con ingresos familiares inferiores a 3,5 veces el IPREM: 5% del precio total de la vivienda con un límite de **6.000 euros**.

Requisitos de acceso a la ayuda:

1. La vivienda tiene que haber obtenido la calificación definitiva.

2. El contrato de compraventa tiene que haber sido visado por la CA. Entre las firmas del contrato y la solicitud del visado no debe pasar más de 4 meses.

3. Entre el visado del contrato y la solicitud del préstamo no debe pasar más de 6 meses.

4. Los ingresos de la unidad familiar tienen que ser inferiores a 3,5 veces el IPREM.

Los ingresos acreditados no tienen que ser inferiores al 5% del precio de la vivienda.

5. Tiene que ser el 1.er acceso a la propiedad del solicitante (se entiende que reúnen la condición de 1.er acceso a la propiedad los adquirentes que no tengan o no hayan tenido con anterioridad ninguna vivienda en propiedad, o que siendo titular de alguna no disfruten de un derecho real de uso o disfrute sobre ella, o el valor de la misma, de acuerdo con la normativa

del ITP, no supere el 25% del precio máximo de venta de la vivienda que adquirieren).

6. Los solicitantes no pueden haber recibido anteriormente financiación al amparo de algún Plan de Vivienda durante los 10 años anteriores a la solicitud actual de ayudas; no será necesario cumplir este requisito cuando la adquisición de la vivienda sea como consecuencia del cambio de residencia del titular en otra localidad, cuando se trate de una familia numerosa que acceda a nueva vivienda de mayor superficie como consecuencia de haber ampliado el número de miembros de la unidad familiar o cuando la nueva solicitud se produzca por la necesidad de una vivienda adaptada a las condiciones de discapacidad sobrevenida de algún miembro de la unidad familiar (en cualquier caso será necesario cancelar previamente el préstamo cualificado o convenido anteriormente obtenido y en el caso de las ayudas directas se podrá optar por devolver las ayudas o percibir la diferencia si procediera).

ADQUIRENTES CON INGRESOS ENTRE 3,5 VECES Y 4,5 VECES EL IPREM:

a) En general: **5.000 euros**.

b) Jóvenes de hasta 35 años (cuando aporten la mayor parte de los ingresos familiares): **6.000 euros**.

c) Familias numerosas, familias monoparentales, personas dependientes o con discapacidad y las familias que las tengan a su cargo: **8.000 euros**.

d) Mujeres víctimas de violencia de género, víctimas de terrorismo y personas separadas o divorciadas al corriente del pago de pensiones alimenticias y compensatorias a su cargo: **7.000 euros**.

Estas cuantías no son acumulables entre sí, y corresponderá únicamente la más favorable de todas las posibles.

Cuando las viviendas estén situadas en las zonas ATPMS A, ATPMS B y ATPMS C, las cuantías relacionadas antes se tienen que incrementar respectivamente en **1.200 euros, 600 euros** o **300 euros**.

Requisitos de acceso a la ayuda:

1. La vivienda tiene que haber obtenido la calificación definitiva.

2. El contrato de compraventa tiene que haber sido visado por la CA. Entre las firmas del contrato y la solicitud del visado no debe pasar más de 4 meses.

3. Entre el visado del contrato y la solicitud del préstamo no debe pasar más de 6 meses.

4. Los ingresos de la unidad familiar tienen que ser inferiores a 4,5 veces el IPREM.

Los ingresos acreditados no tienen que ser inferiores al 5% del precio de la vivienda.

5. Tiene que ser el 1.er acceso a la propiedad del solicitante (se entiende que reúnen la condición de 1.er acceso a la propiedad los adquirentes que no tengan o no hayan tenido con anterioridad ninguna vivienda en propiedad, o que siendo titular de alguna no disfruten de un derecho real de uso o disfrute sobre ella, o el valor de la misma, de acuerdo con la normativa del ITP, no supere el 25% del precio máximo de venta de la vivienda que adquirieren).

6. Los solicitantes no pueden haber recibido anteriormente financiación al amparo de algún Plan de Vivienda durante los 10 años anteriores a la solicitud actual de ayudas; no será necesario cumplir este requisito cuando la adquisición de la vivienda sea como consecuencia del cambio de residencia del titular en otra localidad, cuando se trate de una familia numerosa que acceda a nueva vivienda de mayor superficie como consecuencia de haber ampliado el número de miembros de la unidad familiar o cuando la nueva solicitud se produzca por la necesidad de una vivienda adaptada a las condiciones de discapacidad sobrevenida de algún miembro de la unidad familiar (en cualquier caso será necesario cancelar previamente el préstamo cualificado o convenido anteriormente obtenido y en el caso de las ayudas directas se podrá optar por devolver las ayudas o percibir la diferencia si procediera).

C) ALQUILER

1. VIVIENDA DE PROTECCIÓN AUTONÓMICA PARA ARRENDAR DE RENTA BÁSICA

Características:

• La duración mínima del alquiler de las viviendas será de 10 o de 25 años.

• El precio máximo de referencia por metro cuadrado útil será:

VIVIENDA DE PROTECCIÓN AUTONÓMICA PARA ARRENDAR DE RENTA BÁSICA A 25 AÑOS

ATPMS B: Módulo Básico Estatal * 1,60 * 1,29453 - **5,88 euros m² útil de vivienda y 3,53 euros m² útil de garaje y trastero**.

ATPMS C: Módulo Básico Estatal * 1,60 * 1,15000 - **5,23 euros m² útil de vivienda y 3,13 euros m² útil de garaje y trastero**.

Grupo Básico: Módulo Básico Estatal * 1,60 * 1,00000 - **4,54 m² útil de vivienda y 2,72 euros m² útil de garaje y trastero**.

VIVIENDA DE PROTECCIÓN AUTONÓMICA PARA ARRENDAR DE RENTA BÁSICA A 10 AÑOS

ATPMS B: Módulo Básico Estatal * 1,60 * 1,29453 - **7,19 euros m² útil de vivienda y 4,31 euros m² útil de garaje y trastero**.

ATPMS C: Módulo Básico Estatal * 1,60 * 1,15000 - **6,39 euros m² útil de vivienda y 3,83 euros m² útil de garaje y trastero**.

Grupo Básico: Módulo Básico Estatal * 1,60 * 1,00000 - **5,55 m² útil de vivienda y 3,33 euros m² útil de garaje y trastero**.

• El régimen de protección será de al menos 30 años, y permanente mientras el suelo esté destinado a vivienda protegida o sea suelo dotacional público.

— La renta inicial podrá actualizarse anualmente de conformidad con la evolución que experimente el IPC.

— El arrendador podrá percibir además de la renta inicial o revisada que corresponda el importe real de los servicios de que disfrute el inquilino y se satisfagan por el arrendador así como los derivados de las demás repercusiones autorizadas por la legislación aplicable.

— El subarriendo total o parcial dará lugar a la resolución del contrato.

OPCIÓN A COMPRA:

• Las viviendas protegidas a 10 años podrán ser objeto de contrato de alquiler con opción a compra.

• El precio de compra será de hasta 1,7 veces el precio máximo de referencia.

• Del precio de venta se deducirá al menos el 50% de los alquileres pagados por el inquilino.

Requisitos de acceso a la ayuda:

1. Ingresos familiares no superiores a 5,5 veces el IPREM.

2. No ser titular de una vivienda protegida, ni de una libre cuyo valor, según el Impuesto sobre Transmisiones Patrimoniales, exceda del 40% del precio de la vivienda que se pretende adquirir (60% para personas mayores, mujeres víctimas de violencia de género, víctimas del terrorismo, familias numerosas o monoparentales con hijos, personas con discapacidad y separadas o divorciadas).

3. Estar inscrito en un registro público de demandantes de vivienda.

4. La actuación debe haber sido calificada como protegida por la CA.

5. La vivienda debe destinarse como residencia habitual del adjudicatario y ocuparse dentro de los plazos establecidos.

Características de la ayuda:

Renta máxima anual por metro cuadrado de superficie útil del 4,5% del precio máximo de referencia para viviendas protegidas en alquiler a 25 años, o del 5,5% en caso de viviendas protegidas en alquiler a 10 años (se actualizará anualmente según el IPC). La renta establecida deberá figurar en la calificación provisional y definitiva de la vivienda, y en el visado del contrato de alquiler emitido por la CA.

Para este tipo de viviendas también pueden solicitarse las ayudas a inquilinos.

2. VIVIENDA DE PROTECCIÓN AUTONÓMICA PARA ARRENDAR DE RENTA CONCERTADA

Características:

• La duración mínima del alquiler de las viviendas será de 10 o de 25 años.

• El precio máximo de referencia por metro cuadrado útil será:

VIVIENDA DE PROTECCIÓN AUTONÓMICA PARA ARRENDAR DE RENTA CONCERTADA A 25 AÑOS

ATPMS B: Módulo Básico Estatal * 1,80 * 1,29727 **- 6,63 euros m² útil de vivienda y 3,98 euros m² útil de garaje y trastero**.

ATPMS C: Módulo Básico Estatal * 1,80 * 1,15069 - **5,88 euros m² útil de vivienda y 3,53 euros m² útil de garaje y trastero**.

Grupo Básico: Módulo Básico Estatal * 1,80 * 1,00000 - **5,11 euros m² útil de vivienda y 3,06 euros m² útil de garaje y trastero**.

VIVIENDA DE PROTECCIÓN AUTONÓMICA PARA ARRENDAR DE RENTA CONCERTADA A 10 AÑOS

ATPMS B: Módulo Básico Estatal * 1,80 * 1,29727 **- 8,11 euros m² útil de vivienda y 4,86 euros m² útil de garaje y trastero**.

ATPMS C: Módulo Básico Estatal * 1,80 * 1,15069 - **7,19 euros m² útil de vivienda y 4,31 euros m² útil de garaje y trastero**.

Grupo Básico: Módulo Básico Estatal * 1,80 * 1,00000 - **6,25 euros m² útil de vivienda y 3,75 euros m² útil de garaje y trastero**.

• El régimen de protección será de al menos 30 años, y permanente mientras el suelo esté destinado a vivienda protegida o sea suelo dotacional público.

— La renta inicial podrá actualizarse anualmente de conformidad con la evolución que experimente el IPC.

— El arrendador podrá percibir además de la renta inicial o revisada que corresponda el importe real de los servicios de que disfrute el inquilino y se satisfagan por el arrendador así como los derivados de las demás repercusiones autorizadas por la legislación aplicable.

— El subarriendo total o parcial dará lugar a la resolución del contrato.

OPCIÓN A COMPRA:

• Las viviendas protegidas a 10 años podrán ser objeto de contrato de alquiler con opción a compra.

• El precio de compra será de hasta 1,7 veces el precio máximo de referencia.

• Del precio de venta se deducirá al menos el 30% de los alquileres pagados por el inquilino.

Requisitos de acceso a la ayuda:

1. Ingresos familiares no superiores a 6,5 veces el IPREM.

2. No ser titular de una vivienda protegida, ni de una libre cuyo valor, según el Impuesto sobre Transmisiones Patrimoniales, exceda del 40% del precio de la vivienda que se pretende adquirir (60% para personas mayores, mujeres víctimas de violencia de género, víctimas del terrorismo, familias numerosas o monoparentales con hijos, personas con discapacidad y separadas o divorciadas).

3. Estar inscrito en un registro público de demandantes de vivienda.

4. La actuación debe haber sido calificada como protegida por la CA.

5. La vivienda debe destinarse como residencia habitual del adjudicatario y ocuparse dentro de los plazos establecidos.

Características de la ayuda:

Renta máxima anual por metro cuadrado de superficie útil del 4,5% del precio máximo de referencia para viviendas protegidas en alquiler a 25 años, o del 5,5% en caso de viviendas protegidas en alquiler a 10 años (se actualizará anualmente según el IPC). La renta establecida deberá figurar en la calificación provisional y definitiva de la vivienda, y en el visado del contrato de alquiler emitido por la CA.

Para este tipo de viviendas también pueden solicitarse las ayudas a inquilinos (ingresos inferiores a 2,5 veces el IPREM).

2.1. Ayudas al inquilino-programa público de alquiler:

Características:

— El programa lo gestionará el Principado a través de VIPASA y tendrá por objeto dinamizar el mercado de viviendas en alquiler, favoreciendo la puesta a disposición de los posibles usuarios de viviendas susceptibles de ser alquiladas y tratando de disminuir los riesgos que son percibidos por parte de los arrendadores y de los inquilinos en este mercado.

— La superficie útil de las viviendas tiene que ser de hasta 120 m².

— Las viviendas tienen que reunir las condiciones necesarias de habitabilidad a precios asequibles.

— Los arrendatarios tienen que estar inscritos como demandantes de vivienda en alquiler.

— Los arrendatarios no tienen que ser propietarios ni titulares de un derecho real de uso y disfrute sobre otra vivienda, salvo excepciones, como el caso de las mujeres víctimas de violencia de género, o que siendo una vivienda libre, ésta se encuentre en una localidad distinta de donde se va a alquilar la vivienda.

— Los arrendatarios no tienen que tener relación de parentesco en primer o segundo grado de consanguinidad o afinidad entre arrendador y arrendatario.

— La vivienda deberá destinarse a domicilio habitual y permanente del arrendatario.

— La renta anual a satisfacer supondrá como mínimo el 2% y como máximo el 9% del precio máximo de la vivienda que no podrá superar por m² útil 1,60 veces el MBE vigente en el momento de la transacción independientemente del incremento de precio que le correspondiera por estar la vivienda en un ATPMS.

— Los ingresos tienen que ser de hasta 2,5 veces el IPREM.

— Las ayudas son incompatibles con la percepción de la RBE o alguna otra ayuda al alquiler que realice alguna Administración Pública.

Características de la ayuda:

— Cuantía máxima anual del 40% de la renta anual a satisfacer con un máximo absoluto de **3.200 euros.**

— La cuantía se incrementará en un 20% de la renta anual cuando los ingresos familiares anuales no excedan de 1,5 veces el IPREM.

— Para personas que acceden por primera vez a la vivienda, menores de 35 años, mayores de 65 años, mujeres víctimas de violencia de género, víctimas del terrorismo, personas afectadas por situaciones catastróficas, familias numerosas y monoparentales, personas dependientes o con discapacidad reconocida oficialmente y las familias que los tengan a su cargo, personas separadas o divorciadas, personas sin hogar o procedentes de operaciones de erradicación del chabolismo y aquellas que pertenezcan a otros colectivos en situación o riesgo de exclusión social, la subvención se aumentará en un 10% de la renta anual.

— La duración máxima de la subvención será de 24 meses condicionada a que se mantengan las circunstancias que dieron derecho al reconocimiento inicial de las ayudas.

— No obstante si los ingresos fueran inferiores a 1 vez el IPREM y hubiese sobrevenido una circunstancia de viudedad o desempleo posterior a la fecha de la concesión de la subvención, 30 días antes la persona beneficiaria, siempre que se mantengan las circunstancias que dieron lugar al derecho inicial a la ayuda podrá solicitar la prórroga por un plazo máximo de 1 año, cesando en cualquier caso la ayuda una vez extinguida la causa sobrevenida que la motivó.

— No podrán obtenerse estas subvenciones hasta transcurridos al menos 5 años desde la percepción de subvenciones a los inquilinos, si se trata de ayudas con cargo a los fondos del Ministerio de Vivienda y hasta transcurridos al menos tres años si se trata de ayudas con cargo a los fondos del Principado salvo que concurran las causas mencionadas en el párrafo anterior.

— Las ayudas propias del Principado consisten en una subvención del 60% de la renta mensual en el caso de familias con ingresos inferiores a 1,5 veces el IPREM con un incremento del 10% para personas que acceden por primera vez a la vivienda, menores de 35 años, mayores de 65 años, mujeres víctimas de violencia de género, víctimas del terrorismo, personas afectadas por situaciones catastróficas, familias numerosas y monoparentales, personas dependientes o con discapacidad reconocida oficialmente y las familias que los tengan a su cargo, personas separadas o divorciadas, personas sin hogar o procedentes de operaciones de erradicación del chabolismo y aquellas que pertenezcan a otros colectivos en situación o riesgo de exclusión social.

— Con ingresos entre 1,5 y 2,5 veces el IPREM la ayuda será de un 40% del precio de la renta mensual con un incremento del 10% para personas que acceden por primera vez a la vivienda, menores de 35 años, mayores de 65 años, mujeres víctimas de violencia de género, víctimas del terrorismo, personas afectadas por situaciones catastróficas, familias numerosas y monoparentales, personas dependientes o con discapacidad reconocida oficialmente y las familias que los tengan a su cargo, personas separadas o divorciadas, personas sin hogar o procedentes de operaciones de erradicación del chabolismo y aquellas que pertenezcan a otros colectivos en situación o riesgo de exclusión social.

2.2. Ayudas al inquilino de viviendas de alquiler con opción de compra:

Características:

— Pueden solicitar esta ayuda los arrendatarios de viviendas que sean objeto de un contrato de alquiler con opción de compra con ingresos de hasta 3,5 veces el IPREM, hayan capitalizado el 50% de las cantidades abonadas en el alquiler en el precio de la vivienda y el solicitante haya residido al menos en la vivienda los 5 años anteriores a la fecha de la solicitud de la ayuda.

Características de la ayuda:

— La ayuda será el equivalente al 5% del precio de la vivienda con un máximo de **6.000 euros.**

2.3. Ayudas al inquilino para el cambio de vivienda:

Características:

Estas ayudas las podrán solicitar:

a) Los mayores de 65 años propietarios de viviendas que por sus circunstancias personales justificadas necesiten trasladar su domicilio habitual y permanente a otra vivienda de menores dimensiones, en régimen de alquiler, siempre que pongan la vivienda de su propiedad a disposición de un programa público de vivienda.

b) Las unidades familiares en las que el solicitante o uno de sus miembros tengan movilidad reducida y sea preciso trasladar el domicilio habitual y permanente a otra vivienda adaptada, en régimen de alquiler siempre que ponga la vivienda de su propiedad a disposición de un programa público de vivienda.

Los ingresos ponderados de estas unidades familiares no podrán superar 3,5 veces el IPREM.

Características de la ayuda:

— La cuantía mensual de la subvención será la diferencia entre la renta que se les abone por su vivienda dentro del programa al que se hayan acogido y la renta actual a satisfacer durante la vigencia del contrato en el marco de la LAU.

D) PROMOTORES

1. PROMOCIONES DE VIVIENDAS PROTEGIDAS EN ALQUILER

A) PROMOCIÓN PARA ALQUILER A 25 AÑOS

Características:

Las viviendas protegidas podrán ser:

a) Renta Básica: Destinadas a inquilinos con ingresos que no superen 5,5 veces el IPREM, y cuyo precio máximo de referencia por m² útil será de 1,60 veces el MBE.

b) Renta Concertada: Destinadas a inquilinos con ingresos que no superen 6,5 veces el IPREM, y cuyo precio máximo de referencia por m² útil será de 1,80 veces el MBE.

— Estos precios se incrementan según el ATPMS en el que se ubique la vivienda.

— La duración mínima del alquiler será de 25 años desde su calificación definitiva.

— La renta máxima anual por m² útil será el 4,5% del precio máximo.

— Mientras sigan siendo protegidas, estas viviendas podrán venderse transcurridos 25 años. El precio máximo de venta será el que corresponda a una vivienda protegida del mismo tipo y en la misma ubicación, calificada provisionalmente en el momento de la venta.

Características de la ayuda:

PRÉSTAMO CONVENIDO de hasta el 80% del precio de escritura o adjudicación a devolver en, al menos, 25 años. El tipo de interés podrá ser variable o fijo. En intereses variables será igual al Euribor a 12 meses publicado por el Banco de España en el *Boletín Oficial del Estado (BOE)*, el mes anterior al de la fecha de formalización, más un diferencial de entre 25 y 125 puntos básicos. El período de carencia en el pago de intereses finalizará en la fecha de la calificación definitiva, con un límite de 4 años (10 años con el consentimiento de la CA).

SUBSIDIOS a los préstamos. Cantidad anual por cada 10.000 euros de préstamo durante 25 años:

— **250 euros** para Viviendas de Régimen General o Renta Básica.

— **100 euros** para Viviendas de Régimen Concertado o Renta Concertada.

SUBVENCIÓN de **250 euros** por m^2 de superficie útil para Viviendas de Régimen General o Renta Básica. Cuando la vivienda estuviera en un Ámbito Territorial de Precio Máximo Superior se incrementarán las ayudas en **60 euros** para vivienda situadas en ámbitos del Grupo A, **30** para el B y **15** para el C.

Requisitos de acceso a la ayuda:

Haber obtenido el préstamo cualificado.

B) PROMOCIÓN PARA ALQUILER A 10 AÑOS

Características:

Las viviendas protegidas podrán ser:

a) Renta Básica: Destinadas a inquilinos con ingresos que no superen 5,5 veces el IPREM, y cuyo precio máximo de referencia por m² útil será de 1,60 veces el MBE.

b) Renta Concertada: Destinadas a inquilinos con ingresos que no superen 6,5 veces el IPREM, y cuyo precio máximo de referencia por m² útil será de 1,80 veces el MBE.

• Estos precios se incrementan según el ATPMS en el que se ubique la vivienda.

• La duración mínima del alquiler será de 10 años desde su calificación definitiva.

• La renta máxima anual por m² útil será el 5,5% del precio máximo.

• Mientras sigan siendo protegidas, estas viviendas podrán venderse transcurridos 10. El precio máximo de venta será de hasta 1,5 veces el precio máximo de referencia establecido en la calificación provisional.

• Las viviendas podrán ser objeto de un contrato de alquiler con opción de compra. El precio de venta será de hasta 1,7 veces el precio máximo de referencia establecido en la calificación provisional. Del precio de venta se deducirá, al menos, el 50% de los alquileres satisfechos por el inquilino.

Características de la ayuda:

PRÉSTAMO CONVENIDO de hasta el 80% del precio de escritura o adjudicación a devolver en, al menos, 10 años. El tipo de interés podrá ser variable o fijo. En intereses variables será igual al Euribor a 12 meses publicado por el Banco de España en el *Boletín Oficial del Estado (BOE)*, el mes anterior al de la fecha de formalización, más un diferencial de entre 25 y 125 puntos básicos. El período de carencia en el pago de intereses finalizará en la fecha de la calificación definitiva, con un límite de 4 años (10 años con el consentimiento de la CA).

SUBSIDIOS a los préstamos. Cantidad anual por cada 10.000 euros de préstamo durante 10 años:

— **250 euros** para Viviendas de Régimen General o Renta Básica.

— **100 euros** para Viviendas de Régimen Concertado o Renta Concertada.

SUBVENCIÓN de 200 euros por m² de superficie útil para Viviendas de Régimen General. Cuando la vivienda estuviera en un Ámbito Territorial de Precio Máximo Superior se incrementarán las ayudas en **60 euros** para vivienda situadas en ámbitos del Grupo A, **30** para el B y **15** para el C.

Requisitos de acceso a la ayuda:

Haber obtenido el préstamo cualificado.

2. PROMOCIONES DE ALOJAMIENTOS PROTEGIDOS PARA COLECTIVOS ESPECIALMENTE VULNERABLES

Características:

• Alojarán a unidades familiares con ingresos no superiores a 1,5 veces el IPREM., jóvenes menores de 35 años, personas mayores de 65 años, mujeres víctimas de violencia de género, víctimas del terrorismo, afectados por situaciones catastróficas, discapacitados, personas sin hogar y otros colectivos en situación de exclusión social.

• Formarán parte de edificios o conjuntos de edificios destinados en exclusiva a estos colectivos.

• Se accederá a ellos mediante alquiler.

• La renta máxima anual por m² útil será el 4,5% del MBE * 1,50. Se imputará un máximo del 30% de la superficie destinada a servicios comunes y asistenciales. La prestación de estos servicios podrá suponer un incremento de la renta.

• Superficie útil mínima de 15 m² por persona, con un máximo de 45 m² (el 25% del total de los alojamientos podrá tener hasta 90 m²).

• La superficie útil protegida destinada a servicios comunes y asistenciales no podrás ser superior al 30%.

Características de la ayuda:

PRÉSTAMO CONVENIDO de hasta el 80% del precio de escritura o adjudicación a devolver en, al menos, 25 años. El tipo de interés podrá ser variable o fijo. En intereses variables será igual al Euribor a 12 meses publicado por el Banco de España en el *Boletín Oficial del Estado (BOE)*, el mes anterior al de la fecha de formalización, más un diferencial de entre 25 y 125 puntos básicos. El período de carencia en el pago de intereses finalizará en la fecha de la calificación definitiva, con un límite de 4 años (10 años con el consentimiento de la CA).

SUBSIDIOS a los préstamos. Cantidad anual por cada 10.000 euros de préstamo durante 25 años: 350 euros

SUBVENCIÓN de 500 euros por m² de superficie útil.

3. PROMOCIONES DE ALOJAMIENTOS PROTEGIDOS PARA OTROS COLECTIVOS ESPECÍFICOS

Características:

• Alojarán a personas relacionadas con la comunidad universitaria, o investigadores o científicos.

• Formarán parte de edificios o conjuntos de edificios destinados en exclusiva a estos colectivos.

• Se accederá a ellos mediante alquiler.

• La renta máxima anual por m² útil será el 4,5% del MBE * 1,60. Se imputará un máximo del 30% de la superficie destinada a servicios comunes y asistenciales. La prestación de estos servicios podrá suponer un incremento de la renta.

• El número de alojamientos lo determinarán las CC.AA.

• Superficie útil mínima de 15 m² por persona, con un máximo de 45 m² (el 25% del total de los alojamientos podrá tener hasta 90 m²).

• La superficie útil protegida destinada a servicios comunes y asistenciales no podrá ser superior al 30%.

Características de la ayuda:

PRÉSTAMO CONVENIDO de hasta el 80% del precio de escritura o adjudicación a devolver en, al menos, 25 años. El tipo de interés podrá ser variable o fijo. En intereses variables será igual al Euribor a 12 meses publicado por el Banco de España en el *Boletín Oficial del Estado (BOE)*, el mes anterior al de la fecha de formalización, más un diferencial de 25 y 125 puntos básicos. El período de carencia en el pago de intereses finalizará en la fecha de la calificación definitiva, con un límite de 4 años (10 años con el consentimiento de la CA).

SUBSIDIOS a los préstamos. Cantidad anual por cada 10.000 euros de préstamo durante 25 años: 250 euros.

SUBVENCIÓN de 320 euros por m² de superficie útil.

4. AYUDAS PARA PROPIETARIOS-PROGRAMA DE VIVIENDA EN ALQUILER

Características:

— Se garantiza la percepción de la renta mes a mes, con independencia del comportamiento del inquilino, desde la firma del primer contrato de arrendamiento hasta la extinción y resolución del contrato de gestión firmado por el propietario y la Sociedad que tendrá una vigencia de 5 años.

— Se garantiza la devolución de la vivienda en las mismas condiciones en las que fue entregada. Para ello se elaborará un inventario del estado de la vivienda y del mobiliario con que se entrega en el momento de la firma del contrato. A partir de entonces, la reparación de cualquier desperfecto ocasionado por el inquilino correrá a cargo de la Sociedad Pública de Alquiler.

— Todas estas garantías se cubren a través del pago por parte de la Sociedad Pública de Alquiler de 2 pólizas de seguro: una cubre el riesgo de impago de rentas y la otra los posibles daños causados en la vivienda.

— También serán objeto de ayuda las viviendas libres que no estén ocupadas ni arrendadas. La cuantía de esta subvención será de **6.000 euros,** y esta subvención no es incompatible con las que se pudieran dar para rehabilitación de la vivienda.

La vivienda tiene que ofrecerse para alquiler durante 5 años y con una renta máxima del 5% del precio máximo de venta tomando como referencia el precio de las viviendas protegidas de nueva construcción de renta concertada.

5. AYUDAS PARA SUPRESIÓN DE BARRERAS ARQUITECTÓNICAS EN EL SUPUESTO DE MOVILIDAD REDUCIDA O ADAPTACIÓN EN SU CASO DE VIVIENDAS PARA MAYORES DE SESENTA Y CINCO AÑOS

Características:

— Se subvencionarán las obras necesarias para la adecuación de la vivienda a personas con movilidad reducida, en sus diferentes manifestaciones cuando los ingresos familiares ponderados del promotor no superen 3,5 veces el IPREM.

Características de la ayuda:

— La cuantía máxima de la subvención será de **2.000 euros,** pudiendo subvencionarse el 100% de las obras siempre y cuando su coste no supere dicha cantidad**.**

— Estas ayudas son incompatibles con las otorgadas por el Ministerio de Vivienda para supresión de barreras arquitectónicas.

6. AYUDAS PARA LA MEJORA DE LA EFICIENCIA ENERGÉTICA DE LOS EDIFICIOS

Características:

— Se subvencionarán las obras que tengan por objeto la mejora de la envolvente térmica de la vivienda entendiendo que ésta se refiere a todos los cerramientos que limitan el espacio habitable con el ambiente exterior (aire, terreno, u otro edificio), y por todas las particiones interiores que limitan el espacio habitable con los espacios no habitables que a su vez estén en contacto con el ambiente exterior.

Características de la ayuda:

— La cuantía máxima será de **20.000 euros** por vivienda.

E) REHABILITACIÓN

1. CONDICIONES GENERALES

— No se considerará actuación protegible de rehabilitación:

a) El cerramiento de terrazas y patios.

b) La ampliación del espacio habitable de la vivienda mediante obras de nueva construcción, consistentes en la elevación de una planta nueva sobre las ya existentes.

c) Actuaciones en edificios que se encuentren en estado ruinoso, demolido parcialmente o vaciado en su interior, o que incluyan la demolición de fachadas.

d) Las obras complementarias o continuación de otra comenzada anteriormente.

e) Obras que finalizada la actuación, no alcancen las condiciones mínimas de habitabilidad e instalaciones.

— El plazo de ejecución de la obra no podrá exceder de 12 meses, aunque a petición del promotor y por causa justificada se podrá conceder una prórroga que no podrá exceder de la mitad del tiempo concedido inicialmente.

1.1. Subvenciones a la rehabilitación de fachadas

— La ayuda económica para la rehabilitación de fachadas de los edificios situados en las áreas de rehabilitación, catalogados en el Plan de Ordenación correspondiente, o con características específicas que aconsejen su protección especial, que consista en obras de mantenimiento o reparación de fachadas o de sus elementos singulares, debiéndose ser reparada la fachada en su conjunto, podrá alcanzar las siguientes cuantías:

a) Unidades familiares con ingresos inferiores a 2,5 veces el IPREM, hasta el 85% del presupuesto protegible.

b) Unidades familiares con ingresos entre 2,5 y 3,5 veces el IPREM, hasta el 75% del presupuesto protegible.

c) Unidades familiares con ingresos entre 3,5 y 5,5 veces el IPREM, hasta el 60% del presupuesto protegible.

— Se tendrá en consideración el interés arquitectónico, histórico o artístico del edificio en cuestión y su estado de conservación.

— También podrán acceder a las ayudas para la rehabilitación de fachadas las personas físicas y las jurídicas que no tributen en el impuesto de sociedades, titulares de los locales de negocio situados en el inmueble objeto de rehabilitación; en este caso la subvención podrá alcanzar hasta el 60% del presupuesto protegible.

1.2. Subvenciones para rehabilitación de vivienda principal en el ámbito rural

— Las subvenciones para promotores de rehabilitación de vivienda principal en el ámbito rural, entendiéndose con ello las viviendas situadas en núcleos o parroquias que conserven su carácter rural, que tengan una antigüedad superior a 50 años y que tanto la tipología de la vivienda como la actuación prevista sea respetuosa con los materiales y tipos del medio rural en el que se sitúa será equivalente al 25% del presupuesto con las siguientes condiciones:

a) Los ingresos familiares de la unidad familiar no deberán superar 3,5 veces el IPREM.

b) Se considerarán actuaciones protegibles con derecho a subvención las siguientes obras:

I) Actuaciones en elementos exteriores con protección especial: Acabados de fachada, carpintería exterior y cubiertas según la tipología de la zona.

II) Otras actuaciones: Obras dirigidas a garantizar las condiciones higiénico-sanitarias y de habitabilidad; acondicionamiento térmico, aislamiento y estanqueidad de la vivienda; mejora de las instalaciones eléctricas y adecuación al Reglamento de Baja Tensión; adaptación para el uso por discapacitados; supresión de elementos añadidos; acabados interiores y refuerzo y sustitución parcial de elementos estructurales, quedando excluidas las reconstrucciones totales de las casas en ruinas o como consecuencia de la demolición o vaciado de la edificación primitiva.

— Estas actuaciones podrán incluir aumentos de volumen, dentro de las limitaciones de la normativa municipal, cuando sea estrictamente necesario para adecuarse a las normas de habitabilidad vigente (altura mínima, servicios sanitarios). En todo caso, el aumento, si fuera necesario, no podrá superar el 10% de la superficie útil total de la vivienda. Deberán respetar y mantener las características tipológicas valiosas de la edificación primitiva, conservando todos los elementos merecedores de protección por su valor artístico, arquitectónico, histórico o de la tipología tradicional por lo que los materiales de la fachada serán, en general, piedra natural, revestimientos continuos y madera admitiéndose otras soluciones siempre que resulte acreditado que responde al sistema constructivo original del edificio, la carpintería será de madera sin persianas enrollables con caja por el exterior, los canalones y bajantes vistos serán de chapa, zinc o cobre, y la cubierta tendrá los acabados tradicionales de la zona a la que pertenezca la edificación ya sea teja cerámica curva y roja o losa de pizarra.

— Estas subvenciones serán compatibles con las que establezcan el Plan Estatal vigente por los mismos conceptos.

1.3. Subvención para rehabilitación urgente de viviendas en ruinas

— La subvención personal a promotores de actuaciones de rehabilitación urgente de vivienda en estado ruinoso a consecuencia de un suceso causal, ni intencionado ni previsible, que provoque la ruina o incapacidad del inmueble para el uso para el que fue construido, podrá alcanzar las siguientes cuantías:

a) Promotores que tengan ingresos familiares anuales por debajo de 1,5 veces el IPREM, hasta el 100% del presupuesto protegido.

b) Promotores que tengan ingresos familiares entre 1,5 y 2,5 veces el IPREM, hasta el 90% del presupuesto protegido.

c) Promotores que tengan ingresos familiares entre 2,5 y 3,5 veces el IPREM, hasta el 70% del presupuesto protegido.

— Se entiende por rehabilitación urgente la que se acomete en el plazo de 45 días contados a partir del hecho que provocó el estado ruinoso.

— Se graduará el importe de la subvención de acuerdo con la situación socioeconómica del solicitante, el estado de la vivienda y el importe de la actuación a ejecutar.

— Si al solicitante se le exigiera, para la ejecución de las obras, la redacción de un proyecto técnico visado, los honorarios del técnico redactor serán, financiados en su totalidad con un límite de 6.000 euros.

— Estas subvenciones son incompatibles con otras indemnizaciones que el solicitante pudiera recibir de compañías de seguros u otros organismos, si ésta cubre la totalidad del presupuesto de las obras y del coste del proyecto. En caso contrario, el importe de la indemnización se descontará de la subvención.

1.4. Subvención a promotores de viviendas para uso propio en situación de precariedad económica

— Se considerarán protegibles aquellas obras necesarias para dotar de condiciones mínimas de habitabilidad a la vivienda, al objeto de adaptarse a la normativa vigente en materia de edificación.

— En todo caso la financiación se asimilará a las calidades y precios de las viviendas protegidas de promoción pública.

— Para obtener la subvención los ingresos familiares ponderados de la unidad familiar no excederá de 1,5 veces el IPREM.

— La subvención será del 100% del presupuesto protegido si se cumplen las siguientes condiciones:

a) Unidades familiares de 1 a 3 miembros, subvención máxima de **28.000 euros**.

b) Unidades familiares de 4 o más miembros, subvención máxima de **39.000 euros.**

— Si al solicitante se le exigiera, para la ejecución de las obras, la redacción de un proyecto técnico visado, los honorarios del técnico redactor serán, financiados en su totalidad con un límite de 6.000 euros.

2. SUBVENCIONES PARA REMODELACIONES URBANAS EN BARRIOS DE INTERÉS SOCIAL

— Se entiende por barrio de interés social aquel que habiendo sido promovido al amparo de algún régimen de protección, mantiene unidad con las características, tipológicas o formales, claramente identificables que lo distingan del resto del núcleo donde se sitúa o que sin haber sido promovido al amparo de algún régimen de protección sea necesaria su rehabilitación o mejora atendiendo a sus especiales condiciones sociales.

— La declaración de barrio de interés social se hará mediante resolución de la Consejería competente en materia de vivienda.

— Se considerarán subvencionables aquellas obras que en el ámbito de una actuación concertada, se realicen en conjuntos urbanos o áreas rurales que sin tener declaración de Área de Rehabilitación Integrada supongan tanto mejora de edificios como de elementos comunes y estructurales, o de su accesibilidad arquitectónica, dentro del conjunto o área del que se trate.

— La cuantía de esta subvención, que es compatible con la que otorga el Ministerio de Vivienda, será del 40% del presupuesto protegible, siempre que los ingresos familiares ponderados del destinatario de la ayuda no supere 2,5 veces el IPREM, y del 25%, si no exceden de 3,5 veces el IPREM, con un máximo en los dos casos de **6.000 euros** por vivienda, salvo en los casos en los que sea necesario el desalojo de las viviendas ordenado por la Administración competente, en los que no operará tal límite.

— Se excluyen de estas ayudas las solicitudes por parte de comunidades de propietarios de forma individualizada, fuera del ámbito de una actuación concertada referida a un barrio de interés social declarado.

3. ÁREAS DE REHABILITACIÓN INTEGRADA

— Se declararán por el Consejo de Gobierno del Principado a propuesta de la Consejería competente en materia de vivienda y previa petición del Ayuntamiento correspondiente; la declaración de estas áreas tiene por objeto la coordinación de las actuaciones de las Administraciones Públicas y el estímulo de la iniciativa privada, dirigidas a rehabilitar de manera integrada los tejidos urbanos, zonas de los mismos o barrios en proceso de degradación física, social o ambiental, con la delimitación del espacio urbano comprendido en el área de rehabilitación integrada a efectos de las posibles expropiaciones.

— Para que un espacio urbano sea declarado Área de Rehabilitación Integral será necesario que se encuentre afectado por un planeamiento urbanístico que desarrolle criterios de protección, conservación y rehabilitación en dicho ámbito.

— Se considerarán actuaciones preferentes las destinadas a la erradicación del chabolismo y la infravivienda y estén acompañadas de actuaciones integrales de desarrollo social y económico en el territorio.

4. ÁREAS DE REHABILITACIÓN DE CENTRO HISTÓRICO

— Se declararán por el Consejo de Gobierno del Principado a propuesta de la Consejería competente en materia de vivienda y previa petición del Ayuntamiento correspondiente.

— Para que un espacio urbano sea declarado Área de Rehabilitación de Centro Histórico será necesario que se trate de núcleos urbanos o ciudades históricas declaradas o no Bien de Interés Cultural o categoría similar, o bien de aquellas que ya tienen iniciado el expediente para esa incoación previo acuerdo con el Ayuntamiento afectado.

— Las ayudas económicas son las del Plan Estatal vigente.

— Si ya están declaradas como BIC o categoría similar, deberán tener aprobado un Plan Especial de protección, conservación y rehabilitación, y si todavía no lo tuvieran, deberán tener iniciado el proceso para su desarrollo.

— Las actuaciones de rehabilitación se ajustarán estrictamente a lo definido en dicho Plan Especial de Protección y Rehabilitación vigente y no se financiarán en ningún caso las intervenciones que supongan el vaciado de la edificación objeto de rehabilitación.

4. Programa de Vivienda de Canarias para el período 2009-2012

Decreto 135/2009, de 20 de octubre, por el que se regulan las actuaciones del Plan de Vivienda de Canarias para el período 2009-2012

CONCEPTOS BÁSICOS

I. ACTUACIONES PROTEGIDAS

1. Adquisición de viviendas protegidas

2. Alquiler de viviendas

3. Construcción de vivienda

4. Subvenciones para facilitar el acceso de los jóvenes a la vivienda

5. Rehabilitación

6. Medidas para hacer frente a la coyuntura económica

II. SUPERFICIES MÁXIMAS Y MÍNIMAS DE LAS VIVIENDAS

La superficie útil mínima será establecida por la Comunidad. En su defecto, la superficie útil mínima será de 30 m², para un máximo de dos personas, ampliable 15 m² por cada persona adicional que conviva en ellas.

La superficie útil máxima será la establecida por la Comunidad. La superficie útil máxima, a efectos de la financiación establecida en este Plan, será de 90 m². Se incrementará hasta 125 m² en los siguientes supuestos: cuando se destinen a familias numerosas; o integradas por personas con movilidad reducida o dependientes.

Cuando el programa correspondiente admita anejos a la vivienda, las superficies útiles máximas de los mismos serán de 8 m² útiles para el trastero y 25 para el garaje o anejo destinado a almacenamiento de útiles necesarios para el desarrollo de actividades productivas en el medio rural. Cuando la superficie útil no exceda de 45 m², podrá computarse, a efectos de financiación, una superficie útil adicional de hasta el 30% de dicha superficie útil, destinada a servicios comunitarios vinculados a dichas viviendas en los términos que establezca la normativa propia de Comunidad.

III. PRECIOS MÁXIMOS DE LAS VIVIENDAS PROTEGIDAS

Tomando como referencia el MBE, las Comunidad establecerá los precios máximos de venta y de referencia para el alquiler, para cada uno de los ámbitos territoriales que determinen, sin superar los precios máximos fijados para cada programa. Los precios se referirán a la superficie útil total de la vivienda, y podrán incluir el de un garaje o anejo y el de un trastero. Las superficies útiles computables serán, como máximo, de 25 m² para los garajes o anejos, y de 8 m² para los trasteros, con independencia de que las superficies reales fueran superiores. En estos anejos, el precio máximo del metro cuadrado de superficie útil computable será del 60% del correspondiente al metro cuadrado útil de la vivienda.

IV. EL MÓDULO BÁSICO ESTATAL (MBE)

El Módulo Básico Estatal (MBE) es la cuantía en euros por metro cuadrado de superficie útil, que sirve como referencia para la determinación de los precios máximos de venta, adjudicación y renta de las viviendas objeto de las ayudas previstas en el Real Decreto, así como de los presupuestos protegidos máximos de las actuaciones de rehabilitación de viviendas y edificios, y en áreas de rehabilitación integral y renovación urbana.

El MBE será establecido por acuerdo del Consejo de Ministros en el mes de diciembre de cada año y será publicado en el *Boletín Oficial del Estado*:

Para el año 2009 se fija en 758 euros.

La cuantía del precio básico es en el ámbito de la **Comunidad Autónoma de Canarias**, debido a su condición de insularidad ultraperiférica en el ámbito de la Unión Europea, **un 10% superior a la del módulo básico nacional**.

A partir del precio básico, la Comunidad fija, según su propia normativa las cuantías máximas de los precios de venta y de renta de las viviendas protegidas. Los precios máximos así determinados pueden incrementarse si la vivienda objeto de la actuación protegida está situada en un ámbito territorial de precio máximo superior

V. ÁMBITOS TERRITORIALES DE PRECIO MÁXIMO SUPERIOR (ATPMS)

La declaración de nuevos ámbitos territoriales de precio máximo superior, o de modificación de los existentes, se realizará mediante Orden del Ministerio de Vivienda, a propuesta de la Comunidad y previa solicitud, por parte de dicha Comunidad y Ciudades, de informe no vinculante a los ayuntamientos afectados, informe que tendrá en cuenta la capacidad económica de los demandantes de vivienda en sus Municipios y su esfuerzo económico para acceder a la vivienda.

Los ámbitos territoriales declarados de precio máximo superior: GRUPO C: Comunidad Autónoma de Canarias: Adeje, Arona, Arrecife, Granadilla de Abona, Las Palmas de Gran Canaria, Mogán, Puerto del Rosario, San Cristóbal de La Laguna, San Bartolomé de Tirajana, Santa Cruz de Tenerife y Telde.

VI. INGRESOS FAMILIARES Y UNIDAD FAMILIAR

Se entiende por ingresos familiares los determinados en la normativa estatal aplicable. Además de la unidad familiar definida por las normas reguladoras del Impuesto sobre la Renta de las Personas Físicas, y de las personas, a efectos de ingresos, que no estén integradas en ninguna unidad familiar, se entenderá, asimismo, por unidad familiar la integrada por las parejas de hecho, a las que se refiere el art. 1 de la Ley 5/2003, de 6 de marzo, para la regulación de las parejas de hecho en la Comunidad Autónoma de Canarias, y, si los hubiera:

a) Los hijos menores que tuviera en común la pareja o cualquiera de sus integrantes, que convivan con la misma.

b) Los hijos mayores de edad incapacitados judicialmente que tuviera en común la pareja o cualquiera de sus integrantes, y que estén sujetos a la patria potestad prorrogada o rehabilitada de ambos o de cualquiera de ellos.

A los ingresos familiares se les aplicará un coeficiente de ponderación único, atendiendo, por un lado, al número de miembros de la unidad familiar, y a la existencia, de personas con discapacidad, y por otro, a la ultraperificidad de la Comunidad Autónoma de Canarias.

En el caso de que en la unidad familiar existan personas con un grado de discapacidad igual o superior al 65%, se computarán tantos miembros de más como integrantes de la misma se encuentren en dicha situación.

Dicho coeficiente de ponderación será:

Núm. miembros de la unidad familiar	Coeficiente de ponderación
1	0,83
2	0,81
3	0,78
4	0,74
5 o más	0,70

VII. TIPOLOGÍAS Y CARACTERÍSTICAS DE LOS DIFERENTES TIPOS DE VIVIENDAS

1. ADQUISICIÓN DE VIVIENDAS PROTEGIDAS

A) ADQUISICIÓN DE VIVIENDA NUEVA CONSTRUCCIÓN

Características:

• Las viviendas protegidas de nueva construcción para venta o uso propio previstas en el Real Decreto 2066/2008, de 12 de diciembre, por el que se regula el Plan Estatal de Vivienda y Rehabilitación 2009-2012, se denominan en el ámbito de la Comunidad Autónoma de Canarias, de la siguiente forma:

• Las viviendas protegidas de nueva construcción para arrendamiento previstas en el Real Decreto 2066/2008, de 12 de diciembre, por el que se regula el Plan Estatal de Vivienda y Rehabilitación 2009-2012, se denominan en el ámbito de la Comunidad Autónoma de Canarias, de la siguiente forma:

• También serán viviendas protegidas de nueva construcción para arrendar o para venta, en cualquiera de las modalidades a las que se refieren respectivamente, las viviendas libres de nueva construcción que sean así calificadas, a instancia del promotor, durante su construcción y hasta el primer año cumplido desde la expedición de la licencia de primera ocupación, el certificado final de obra o la cédula de habitabilidad, según proceda, siempre que cumplan los requisitos necesarios a tal efecto.

• Las viviendas en proceso de construcción se calificarán por promociones completas. Asimismo y exclusivamente a los efectos de obtención por los adquirentes de la financiación convenida, las viviendas en proceso de construcción o finalizadas, sobre las que el promotor no tenga compromiso de venta, podrán calificarse individualmente dentro de una promoción. En estos casos la calificación se limitará a reconocer que se cumplen los requisitos relativos al precio y superficie.

• Una vez obtenida la calificación por el promotor, el comprador podrá solicitar el préstamo directo y las ayudas que le corresponden, previo visado del contrato de compraventa, siempre que reúna los requisitos exigidos en los Planes de Vivienda.

• Las viviendas entregadas mediante documento público por el promotor al propietario del suelo donde se edifiquen, en dación de pago por la compra del mismo, podrán en su caso quedar exceptuadas de la calificación como viviendas protegidas, al no precisar de financiación cualificada para su adquisición, siempre que se hallen situadas en la misma planta del edificio a construir.

• Tendrán la consideración de viviendas protegidas (sin posibilidad de descalificación voluntaria) durante 30 años, desde su calificación definitiva.

• No podrán venderse ni ceder su uso durante el plazo mínimo de 10 años desde su adquisición; (salvo excepciones).

• En caso de venta existe un derecho de tanteo y retracto a favor del Instituto Canario de la Vivienda en segundas y posteriores transmisiones.

• Deben destinarse a domicilio habitual y permanente de los compradores.

• Precio máximo de venta por m² útil según el tipo de vivienda que se pretenda adquirir:

Precio en euros m²	Precio Régimen Especial	Precio Régimen General Básico	Precio Régimen General Medio
Precio Básico	758,00 euros	758,00 euros	758,00 euros
X Precio Básico Canario	1,10 euros 833,80 euros	1,10 euros 833,80 euros	1,10 euros 833,80 euros
X Precio Máx. CAC	1,30 euros 1.083,94 euros	1,60 euros 1.334,08 euros	1,80 euros 1.500,84 euros

• Cuando la promoción incluya garajes o trasteros el precio máximo de venta por m² de superficie útil de éstos no podrá exceder del 60% del precio máximo de venta por m² de superficie útil de la vivienda. Sólo serán computables a estos efectos 8 m² de superficie útil de trastero y 25 m² de garaje aunque su superficie real sea mayor.

Requisitos de acceso:

Para la propiedad de las viviendas:

1. No ser titular de pleno dominio o derecho real de uso y disfrute sobre otra vivienda sujeta a régimen de protección pública, salvo que la vivienda se encuentre sobrevenidamente inadecuada y siempre que se garantice que no poseen simultáneamente más de una vivienda protegida.

2. No ser titular de una vivienda libre, cuando su valor, determinado de acuerdo con la normativa del impuesto sobre Transmisiones Patrimoniales, exceda del 40% del precio máximo total de venta de la vivienda objeto de la actuación protegida; del 60%, en caso de personas mayores de 65 años, mujeres víctimas de la violencia de género o terrorismo, de familias numerosas, familias monoparentales con hijos, personas dependientes o

con discapacidad y personas separadas o divorciadas al corriente del pago de pensiones alimenticias y compensatorias.

3. Contar con ingresos familiares mínimos sin ponderar de 1,5 veces el IPREM (10.854,90 euros).

4. Que sus ingresos familiares ponderados no superen los siguientes importes, según cual sea el tipo de vivienda protegida a que se vaya a acceder:

Régimen Especial	2,5 veces el IPREM (18.091,50 euros)
Régimen General Básico	4,5 veces el IPREM (32.564,70 euros)
Régimen General Medio	6,5 veces el IPREM (47.037,90 euros)

5. Ser residente en la Comunidad Autónoma de Canarias.

6. Estar inscrito en el Registro Público de Demandantes de Vivienda Protegida de Canarias, a partir del 1 de julio de 2010.

7. Contar con ingresos familiares ponderados que no excedan de 6,5 veces el IPREM, para acceder al préstamo convenido.

8. No haber obtenido ayudas financieras ni préstamo convenido para compra de vivienda protegida durante los diez años anteriores a la solicitud actual, excepto por cambios de residencia, familias numerosas para adquirir una vivienda de mayor superficie, necesidad de una vivienda adaptada para discapacitados, cuando se cumpla los supuestos de no disposición de los derechos de uso o disfrute de la vivienda o de valor de la misma, o la pérdida de la titularidad por causas ajenas a la voluntad del solicitante y por extinción del condominio.

Para el primer acceso a la vivienda:

Primer acceso a la vivienda en propiedad:

1. Ingresos familiares ponderados que no excedan de 4,5 veces el IPREM.

2. No ser o haber sido titular de vivienda en propiedad.

3. Si se tiene o se ha tenido una vivienda, no disponer del derecho de uso o disfrute de la misma o que su valor no exceda del 25% del precio máximo total de venta de la que se pretende adquirir.

Características de las ayudas:

PRÉSTAMOS HIPOTECARIOS CONVENIDOS: Concedidos por entidades de crédito que hayan suscrito convenio con el Ministerio de Vivienda.

Se pueden obtener por solicitud directa a la entidad de crédito o por subrogación en el préstamo del promotor.

Cuantía máxima: 80% del precio máximo de venta de la vivienda fijado en la Calificación Provisional. Podrá incrementarse hasta el 80% del precio de venta del garaje o trastero vinculados a la vivienda.

Cuantía mínima: 60% del precio total de la vivienda, para tener derecho a la Ayuda Estatal Directa a la Entrada (AEDE).

Préstamo a devolver en, al menos, 25 años. El tipo de interés podrá ser variable o fijo. En intereses variables será igual al Euribor a 12 meses publicado por el Banco de España en el *Boletín Oficial del Estado (BOE)*, el mes anterior al de la fecha de formalización, más un diferencial de 65 puntos básicos (Euribor + 0,65).

SUBSIDIACIÓN DE PRÉSTAMOS CONVENIDOS: Para adquirentes de viviendas de Régimen Especial o de Régimen General Básico. Cantidad anual por cada 10.000 euros de préstamo durante 5 años, renovables 5 más:

— 100 euros para ingresos menores o iguales a 2,5 veces el IPREM (155 euros para familias numerosas, monoparentales con hijos, dependientes y discapacitados, durante los 5 primeros años).

— 80 euros para ingresos entre 2,5 y 3,5 veces el IPREM (113 euros para familias numerosas, monoparentales con hijos, dependientes y discapacitados durante los 5 primeros años).

— 60 euros para ingresos mayores de 3,5 y menores o iguales a 4,5 veces del IPREM (93 euros para familias numerosas, monoparentales con hijos, dependientes y discapacitados durante los 5 primeros años.

AYUDA ESTATAL DIRECTA A LA ENTRADA (AEDE): Para vivienda de Régimen Especial o Régimen General Básico.

— 8.000 euros para ingresos menores o iguales a 2,5 veces el IPREM (9.000 euros en caso de jóvenes, 11.000 euros para mujeres víctimas de violencia de género, víctimas de terrorismo y personas separadas o divorciadas, y 12.000 euros para familias numerosas, monoparentales con hijos, dependientes y discapacitados).

— 7.000 euros para ingresos entre 2,5 y 3,5 veces el IPREM (8.000 euros en caso de jóvenes, 9.000 euros para mujeres víctimas de violencia de género, víctimas de terrorismo y personas separadas o divorciadas, y 10.000 euros para familias numerosas, monoparentales con hijos, dependientes y discapacitados).

— 5.000 euros para ingresos mayores de 3,5 y menores o iguales a 4,5 veces del IPREM (6.000 euros en caso de jóvenes, 7.000 euros para mujeres víctimas de violencia de género, víctimas de terrorismo y personas separadas o divorciadas, y 8.000 euros para familias numerosas, monoparentales con hijos, dependientes y discapacitados).

Estos importes se incrementan en 300 euros para las viviendas ubicadas en un ATPMS y 220 euros para las viviendas ubicadas en el resto de Municipios.

AYUDA AUTONÓMICA

El importe de la AYUDA será:

— Hasta 2,5 veces IPREM: Importe subvención es de 6.400. Si son jóvenes (entre 18 y 35 años, ambos incluidos): 12.800 euros.

— De 2,5 a 3,5 veces IPREM: Importe subvención es de 3.000 Si son jóvenes (entre 18 y 35 años): 6.000 euros.

— Mayor de 3,5 y menor o igual a 4,5: Importe subvención es de 1.500. Si son jóvenes (entre 18 y 35 años): 3.000 euros.

• Abono en un único pago de una cuantía fija según el nivel de ingresos. Será concedida y abonada cuando se presente en el Instituto Canario de la Vivienda la correspondiente escritura pública de compraventa, y atendiendo a las disponibilidades presupuestarias.

• Si entre los adquirentes figura alguno que tenga hasta 35 años y otro con más edad para acogerse a las ayudas de jóvenes se tendrá en cuenta la edad de aquel que aporte mayores ingresos

Requisitos acceso ayudas:

a) Para obtener préstamo convenido:

1. Que sus ingresos familiares ponderados no superen los importes indicados, según el Régimen.

2. No haber obtenido ayudas financieras para la adquisición de vivienda, al amparo de planes estatales de vivienda durante los diez años anteriores a la solicitud (excepto cambio de residencia a otra localidad o familias numerosas para adquirir una vivienda de mayor superficie) por incremento de números de miembros de la misma o necesidad de una vivienda adaptada a las condiciones de discapacidad sobrevenida de algún miembro de la unidad familiar o cuando se cumplan los supuestos de no disposición de los derechos de uso o disfrute de la vivienda o de valor de la misma o bien por pérdida de la titularidad de la vivienda debido a la extinción del condominio consecuencia de una separación, cuando la vivienda se adjudique a la otra parte.

3. Cumplir con los requisitos para el primer acceso a la vivienda en propiedad, para ser beneficiarios de ayudas estatales financieras directas y acogerse al sistema específico de ayudas financieras para el primer acceso a la vivienda en propiedad.

B) ADQUISICIÓN DE VIVIENDA USADA PARA USO PROPIO

Características:

• Modalidades:

— Vivienda libre o protegida adquirida por título de compraventa en segunda o posteriores transmisiones.

— Viviendas sujetas a regímenes de protección pública, en segunda o posterior transmisión.

— Viviendas protegidas que se hubieran destinado con anterioridad al arrendamiento.

— Viviendas, adquiridas en primera transmisión, sujetas a regímenes de protección pública, con superficie hasta 125 m² útiles, destinadas a familias numerosas, cuando transcurrido un plazo como mínimo de un año desde la fecha de la calificación definitiva de las mismas, no hubieran sido adquiridas por las familias numerosas a la que se destinaba.

— Vivienda libre de nueva construcción siempre que haya transcurrido un plazo de un año como mínimo desde la expedición de la licencia de primera ocupación, el certificado final de obra o la cédula de habitabilidad, según proceda, y la fecha del contrato de opción de compra o compraventa de la misma.

— Viviendas rurales usadas.

• Deben destinarse a domicilio habitual y permanente de los compradores en el plazo de tres meses a partir de la formalización de la correspondiente escritura pública de adquisición.

• Precio de venta por m² útil no podrá superar el importe de 1.334,08 euros.

• Cuando la promoción incluya garajes o trasteros el precio máximo de venta por m² de superficie útil de éstos no podrá exceder del 60% del precio máximo de venta por m² de superficie útil de la vivienda. Sólo serán computables a estos efectos 8 m² de superficie útil de trastero y 25 m² de garaje aunque su superficie real sea mayor.

• La superficie útil máxima de la vivienda es con carácter general de 90 m² se podrá incrementar hasta 125 m² en los siguientes supuestos:

— Cuando se destinen a familias numerosas.

— En caso de familias con personas discapacitadas.

— En el caso de familias con personas dependientes a su cargo.

Requisitos de acceso:

a) No ser titular de pleno dominio o derecho real de uso y disfrute sobre otra vivienda sujeta a protección pública en España, salvo que la vivienda resulte sobrevenidamente inadecuada para sus circunstancias personales o familiares, y siempre que se garantice que no poseen simultáneamente más de una vivienda protegida.

b) No ser titular de una vivienda libre, salvo que hayan sido privados de su uso por causas no imputables a los interesados, o cuando el valor de la vivienda, o del derecho del interesado sobre la misma, determinado de acuerdo con la normativa del impuesto sobre Transmisiones Patrimoniales, exceda del 40% del precio de la vivienda que se pretende adquirir; o del 60%, cuando se trate de personas mayores de 65 años, mujeres víctimas de la violencia de género, víctimas del terrorismo, familias numerosas, familias monoparentales con hijos, personas dependientes o con discapacidad oficialmente reconocidas, y las familias que la tengan a su cargo, personas separadas o divorciadas(al corriente del pago de pensiones alimenticias y compensatorias, en su caso).

c) Que sus ingresos familiares ponderados no superen 6,5 veces el IPREM.

d) No haber obtenido ayudas financieras ni préstamos convenido para el mismo tipo de actuación, al amparo de planes estatales o autonómicos de vivienda durante los diez años anteriores a la solicitud actual. Se entenderá que se ha obtenido préstamo convenido cuando el mismo haya sido formalizado. Y que se ha obtenido ayudas financieras, cuando se haya expedido la resolución administrativa reconociendo el derecho a las mismas.

e) Para acceder a las medidas de financiación previstas, es preciso que el adquirente solicite, en un mismo documento, el visado del contrato de compraventa y el reconocimiento del derecho a acceder a las medidas de financiación que corresponden. La solicitud de visado deberá efectuarse en el plazo de 4 meses desde la celebración del contrato de compraventa o de opción de compra.

Los requisitos sistema específico de ayudas financieras para el primer acceso a la vivienda en propiedad son:

1. Ingresos familiares ponderados que no excedan de 4,5 veces el IPREM.

2. Personas que nunca han tenido una vivienda en propiedad, o que han sido privadas de su uso por causas no imputables a los interesados, o cuando el valor de la vivienda, o del derecho sobre la misma, según lo

establecido en la normativa del ITP, no exceda del 25% del precio de la vivienda que se pretende adquirir.

Características de la ayuda:

PRÉSTAMO CONVENIDO de hasta el 80% del precio de escritura o adjudicación a devolver en, al menos, 25 años. El tipo de interés podrá ser variable o fijo. En intereses variables será igual al Euribor a 12 meses publicado por el Banco de España en el *Boletín Oficial del Estado (BOE)*, el mes anterior al de la fecha de formalización, más un diferencial de 65 puntos básicos (Euribor + 0,65). Deberá solicitarse a la entidad de crédito en el plazo de 6 meses desde el visado del contrato de compraventa por el Instituto Canario de la Vivienda.

SUBSIDIOS A LOS PRÉSTAMOS. Cantidad anual por cada 10.000 euros de préstamo durante 5 años, renovables 5 más:

— 100 euros para ingresos menores o iguales a 2,5 veces el IPREM (155 euros para familias numerosas, monoparentales con hijos, dependientes y discapacitados, durante los 5 primeros años).

— 80 euros para ingresos entre 2,5 y 3,5 veces el IPREM (113 euros para familias numerosas, monoparentales con hijos, dependientes y discapacitados durante los 5 primeros años).

— 60 euros para ingresos mayores de 3,5 y menores o iguales a 4,5 veces del IPREM (93 euros para familias numerosas, monoparentales con hijos, dependientes y discapacitados durante los 5 primeros años).

AYUDA ESTATAL DIRECTA A LA ENTRADA (AEDE):

— 8.000 euros para ingresos menores o iguales a 2,5 veces el IPREM (9.000 euros en caso de jóvenes, 11.000 euros para mujeres víctimas de violencia de género, víctimas de terrorismo y personas separadas o divorciadas, y 12.000 euros para familias numerosas, monoparentales con hijos, dependientes y discapacitados).

— 7.000 euros para ingresos entre 2,5 y 3,5 veces el IPREM (8.000 euros en caso de jóvenes, 9.000 euros para mujeres víctimas de violencia de género, víctimas de terrorismo y personas separadas o divorciadas, y

10.000 euros para familias numerosas, monoparentales con hijos, dependientes y discapacitados).

— 5.000 euros para ingresos mayores de 3,5 y menores o iguales a 4,5 veces del IPREM (6.000 euros en caso de jóvenes, 7.000 euros para mujeres víctimas de violencia de género, víctimas de terrorismo y personas separadas o divorciadas, y 8.000 euros para familias numerosas, monoparentales con hijos y discapacitados).

La cuantía se incrementará en 220 euros adicionales, salvo que la vivienda se encuentre ubicada en ATPMS, en cuyo caso se aplicará el incremento general establecido para dichos Ámbito (Grupo C: 300 euros).

AYUDA AUTONÓMICA:

Además de los requisitos establecidos para el primer acceso a una vivienda el adquirente debe acreditar su residencia en la Comunidad Autónoma de Canarias al menos durante los cinco años anteriores a la solicitud de subvención, salvo en el caso de emigrantes retornados o de quienes acrediten haber residido en Canarias durante al menos 15 años.

El importe de la ayuda será:

Requisitos:

— Condición de joven, y en caso de existir varios adquirentes, para determinar si pueden acogerse a estas subvenciones se tomará como referencia la edad de aquel que aporte mayores recursos económicos.

— Cumplir con los requisitos para acogerse al sistema específico de ayuda financiera del primer acceso a la vivienda en propiedad.

a) Ingresos familiares ponderados que no excedan de 4,5 veces el IPREM.

b) Personas que nunca han tenido una vivienda en propiedad, o que han sido privadas de su uso por causas no imputables a los interesados, o cuando el valor de la vivienda, o del derecho sobre la misma, según lo establecido en la normativa del ITP, no exceda del 25% del precio de la vivienda que se pretende adquirir.

— Que haya residido en la Comunidad Autónoma de Canarias durante, al menos, 5 años inmediatamente anteriores a la solicitud de la subvención, salvo en el caso de los emigrantes retornados o de quienes acrediten haber residido en Canarias durante al menos 15 años.

Cuantías de la Subvención para jóvenes entre 18 y 35 años (ambos inclusive):

— Ingresos de hasta 2,5 veces el IPREM 6.400 euros.

— Ingresos superiores a 2,5 hasta 3,5 veces el IPREM 3.000 euros.

— Ingresos superiores a 3,5 veces y hasta 4,5 veces el IPREM 1.500 euros.

* Se procederá al abono de esta subvención una vez que se presente en el Instituto Canario de la Vivienda certificación del Registro de la Propiedad en las que se haga constar la inscripción en el mismo de las limitaciones sobre el destino del uso de la vivienda y sobre los precios de venta y renta de la misma.

Dicha certificación deberá presentarse, en todo caso, en el plazo máximo de 4 meses desde que se dicte y notifique la resolución por la que se conceda la subvención.

2. ALQUILER DE VIVIENDAS

A) AYUDAS A INQUILINOS

Características y requisitos:

• Vivienda libre o protegidas de régimen general de renta media, dedicadas a domicilio permanente del inquilino.

• Ingresos anuales ponderados de la totalidad de ocupantes de la vivienda debe de ser ≤ 2,5 veces el IPREM.

• Destinar la vivienda a domicilio habitual y permanente.

• No tener parentesco en primer o segundo grado de consanguinidad o de afinidad con el arrendador. Si fuera persona jurídica, las limitaciones establecidas para los socios, igualmente señalar que los convivientes no pueden ser beneficiarios de otra ayuda o subvención al alquiler por Renta Básica de Emancipación (RBE).

• No ser titular de otra vivienda, salvo que no disponga del uso ni del disfrute de la misma o, siendo una vivienda libre, se encuentre ubicada en otro Municipio diferente a la de la vivienda alquilada por el solicitante de la ayuda.

Característica de la ayuda:

SUBVENCIÓN de hasta el 40% DE LA RENTA que se vaya a pagar, con un límite de 3.200 euros por vivienda (independientemente del número de titulares existentes en el contrato), durante un máximo de 2 años.

• No podrá obtener nuevamente esta subvención hasta transcurridos, al menos, cinco años desde la fecha de su reconocimiento.

• Esta subvención será compatible:

— Con la prevista para el alquiler de viviendas libres a través de la Bolsa de Vivienda Joven y Vacía, siempre y cuando ambas se soliciten conjuntamente.

— Con la subvención de Renta Jóvenes Canarios, siempre que se presente conjuntamente con aquélla.

• Esta subvención será incompatible con la prestación de Renta Básica de Emancipación (RBE).

B) AYUDAS A ARRENDADORES

AYUDAS A LOS PROPIETARIOS DE VIVIENDAS QUE LAS PONGAN EN ARRENDAMIENTO A TRAVÉS DE LA BOLSA DE VIVIENDA JOVEN O BOLSA DE VIVIENDA VACÍA

Condiciones que deben cumplir las viviendas:

• Viviendas libres usadas que se encuentren desocupadas.

• La superficie computable es la útil real de la vivienda (máximo 120 m²).

• Precio máximo de renta anual por m² de superficie útil:

Vivienda = 82,55 euros.

Garaje = 49,53 euros.

Trastero = 49,53 euros.

• Si se alquila el garaje y/o trastero, deberá desglosarlo en el contrato, así como el precio del o de los mismos.

• La superficie útil computable para el cálculo de la renta no puede superar un máximo de 25 m² por garaje y 8 m² por trastero, aunque la superficie real sea superior.

Condiciones que deben cumplir los propietarios:

• Ser titular de la vivienda, libre y desocupada, o que no esté bajo régimen protección pública en el momento de la solicitud.

• Ofertarla en arrendamiento a través de la Bolsa de Vivienda Joven o Bolsa de Vivienda Vacía.

• Destinar la vivienda al arrendamiento durante al menos cinco años.

• No tener relación de parentesco, en primer o segundo grado de consanguinidad o de afinidad, entre los arrendadores o cualquiera de los inquilinos. El mismo criterio se aplicará si el arrendador es una persona jurídica y el arrendatario es socio o participe de la misma.

Característica de la ayuda:

Cuantía de la SUBVENCIÓN será de 3.000 euros.

AYUDAS PARA LA REHABILITACIÓN DE VIVIENDAS INCLUIDAS EN LOS PROGRAMAS DE VIVIENDA JOVEN O BOLSA DE VIVIENDA VACÍA

Condiciones que deben cumplir las viviendas:

a) Viviendas ya construidas que se encuentren desocupadas.

b) La superficie útil máxima es de 120 m².

c) Haber sido incluidas por su propietario en los Programas de Bolsa de Vivienda Joven y/o Bolsa de Vivienda Vacía.

Condiciones que deben cumplir los propietarios:

a) Ser titular de la vivienda.

b) Llevar a cabo en la vivienda obras de rehabilitación necesarias para su puesta en arrendamiento.

c) Ofertarlas en arrendamiento mediante los Programas Bolsa de Vivienda Joven y/o Bolsa de Vivienda Vacía.

d) Destinar la vivienda al arrendamiento durante al menos cinco años.

e) Destinar la subvención a la rehabilitación de las viviendas.

Características de las ayudas:

Cuantía: El 50% del importe de las obras de rehabilitación con un máximo de 6.000 euros.

AYUDAS A LOS PROPIETARIOS DE VIVIENDAS LIBRES QUE LAS REHABILITEN PARA ARRENDARLAS

Condiciones que deben cumplir las viviendas:

• Viviendas libres usadas que se encuentren desocupadas.

• La superficie computable es la útil real de la vivienda (máximo 90 m²).

• Precio máximo de renta anual por m² de superficie útil:

Vivienda = 82,55 euros.

Garaje = 49,53 euros.

Trastero = 49,53 euros.

• Si se alquila el garaje y/o trastero, deberá desglosarlo en el contrato así como el precio del o de los mismos.

• La superficie útil computable para el cálculo de la renta no puede superar un máximo de 25 m² por garaje y 8 m² por trastero, aunque la superficie real sea superior.

Condiciones que deben cumplir los propietarios:

a) Ser titular de la vivienda.

b) Llevar a cabo en la vivienda obras de rehabilitación necesarias para su puesta en arrendamiento.

c) Destinar la vivienda al arrendamiento durante al menos cinco años.

d) No tener relación de parentesco, en primer o segundo grado de consanguinidad o de afinidad, entre los arrendadores o cualquiera de los inquilinos. El mismo criterio se aplicará si el arrendador es una persona jurídica y el arrendatario es socio o participe de la misma.

Características de las ayudas:

Cuantía: Hasta un máximo de 6.500 euros

Si la vivienda a rehabilitar fuera declarada como protegida para arrendamiento, su propietario podrá obtener las ayudas que corresponderán a un promotor de viviendas protegidas en arrendamiento, cumpliendo todos los requisitos.

No son subvencionables las obras de rehabilitación cuyo importe sea inferior a 1.200 euros.

3. CONSTRUCCIÓN DE VIVIENDA

A) AUTOCONSTRUCCIÓN DE VIVIENDAS

La actuación protegida de autoconstrucción de viviendas tiene por objeto financiar la promoción de viviendas nuevas de autoconstrucción.

Requisitos de los promotores:

a) Que ninguno de los miembros de la unidad familiar sea titular de pleno dominio o de un derecho real de uso o disfrute sobre una vivienda protegida, ni en cualquier caso sobre una vivienda libre, salvo que se trate de una vivienda en estado ruinoso.

b) Que ninguno de los miembros de la unidad familiar sea o ha sido adjudicatario de vivienda protegida, salvo que haya mediado renuncia.

c) Que ninguno de los miembros de la unidad familiar es ocupante, sin título legal para ello, de una vivienda protegida de promoción pública.

d) Que hayan obtenido previamente financiación cualificada, al amparo de planes estatales o Canarios de vivienda, durante los diez años anteriores a la solicitud actual.

e) Que el solicitante haya residido en la Comunidad Autónoma de Canarias durante, al menos, los cinco años inmediatamente anteriores a la solicitud, salvo en el caso de los emigrantes retornados o de quienes acrediten haber residido en Canarias durante al menos 15 años.

f) Titular registral del terreno.

Requisitos de los terrenos:

a) Se han de construir sobre terrenos con una superficie máxima de 250 m^2 por vivienda, salvo que las determinaciones del planeamiento urbanístico exijan parcelas de superficie superior a la indicada, o impidan la segregación de la parcela existente.

b) Que el suelo objeto de la actuación protegida esté clasificado como urbano o urbanizable.

Características generales de la vivienda:

a) Superficie útil máxima 90 m^2 salvo unidades familiares de más de cuatro miembros que pueden alcanzar hasta 125 m^2.

b) Para viviendas adaptadas para personas con discapacidad con movilidad reducida permanente, se podrá sobrepasarse hasta un máximo del 20% (108 m^2).

c) Superficie útil máxima de los garajes en su caso 30 m^2, tendrán su acceso peatonal al interior de la vivienda a través de una zona de distribución.

d) Superficie útil máxima de trasteros y otros anejos, 8 m^2.

e) El presupuesto del proyecto por metro cuadrado útil de la vivienda no podrá exceder del precio máximo, de venta o adjudicación, vigente en el momento de la Calificación Provisional. El coste de la ejecución del garaje y demás anejos, estén o no vinculados a la vivienda, y, en su caso, de la planta baja de uso no residencial, no podrán exceder, conjuntamente, del 60% del referido precio máximo de venta o adjudicación (768,76 euros m^2).

f) La altura máxima de la vivienda será de tres plantas sobre rasante.

g) Para acceder a la subvención, no se podrá comenzar la construcción de la vivienda con anterioridad al otorgamiento de la Calificación Provisional. Podrá solicitar, el inicio de las obras, antes de la Calificación Provisional sin que esto implique el otorgamiento de la misma.

Condiciones a que se somete la calificación de actuación:

PROTEGIDA

a) La vivienda no podrá ser enajenada bajo título alguno, mediante acto intervivos, en el plazo de 10 años a partir del momento de la calificación definitiva, sin la autorización del Instituto Canario, condición que se hará constar en la inscripción registral de la finca. Podrá dejarse sin efecto esta prohibición de disponer, por subasta y adjudicación de la vivienda por ejecución judicial del préstamo, por cambio de localidad de residencia del titular de la vivienda o por otros motivos justificados, mediante autorización del Instituto Canario. En cualquier caso, se requerirá el reintegro de las ayudas económicas directas recibidas a la Administración o Administraciones concedentes, en cada caso, incrementadas con los intereses legales desde el momento de la percepción.

Nota: Por ser calificada como Vivienda de Protección Oficial de Autoconstrucción Podrá tener derecho a una bonificación en la licencia de obra en el ayuntamiento .No pagará los Actos Jurídicos Documentados (Consejería de Hacienda y Comercio)Tendrá derecho a una bonificación en el IBI durante los tres primeros años.

Características de las ayudas:

El promotor de una vivienda de autoconstrucción puede acceder indistintamente a las siguientes subvenciones, dependiendo de sus condiciones particulares:

a) Promoción y fomento de suelo para viviendas protegidas

SUBVENCIÓN al promotor, con cargo a los presupuestos de la Comunidad Autónoma de Canarias, que destine suelo a la construcción de vivienda protegida de nueva construcción en régimen de autoconstrucción, y siempre que los ingresos familiares ponderados del autoconstructor no sean superiores a 2,5 veces el IPREM. El importe máximo de la subvención será de 9.500 euros.

b) SUBVENCIÓN en favor del autoconstructor, en función de sus ingresos familiares ponderados, en la cuantía siguiente:

c) Autoconstrucción de vivienda por jóvenes (entre 18 y 35 años): Los jóvenes que promuevan o autoconstruyan para uso propio una vivienda declarada como protegida podrán obtener una subvención en fundón de sus ingresos en la cuantía siguiente:

B) PROMOTORES PARA USO PROPIO

Características de las viviendas:

• El otorgamiento de la Calificación Provisional estará condicionado a tener la Licencia Municipal de Obras y certificado municipal de dotación de servicios urbanísticos de que el terreno disponga.

a) Debe de tratarse de viviendas calificadas como Viviendas Protegidas por la Comunidad Autónoma de Canarias. Ello supone:

• Tendrán la consideración de viviendas protegidas (sin posibilidad de descalificación voluntaria) durante 30 años, desde su calificación definitiva.

• No podrán venderse ni ceder su uso durante el plazo mínimo de 10 años desde su calificación definitiva (salvo excepciones).

• En caso de venta existe un derecho de tanteo y retracto a favor del Instituto Canario de la Vivienda en segundas y posteriores transmisiones.

b) Las viviendas deben destinarse a domicilio habitual y permanente de los promotores para uso propio.

c) El valor de la edificación sumado al valor del suelo que figure en la Escritura de Declaración de Obra Nueva tendrán los siguientes límites:

1. Cuando la promoción incluya garajes o trasteros el precio máximo por m² de superficie útil de éstos no podrá exceder del 60% del precio máximo por m² de superficie útil de la vivienda.

2. Sólo serán computables a estos efectos 8 m² de superficie útil de trastero y 25 m² de garaje aunque su superficie real sea mayor.

d) La superficie útil máxima de la vivienda es con carácter general de 90 m², se podrá incrementar hasta 125 m² en caso de familias numerosas o integradas por personas con movilidad reducida o dependientes.

Los garajes y los trasteros podrán obtener ayudas cuando estén vinculados en proyecto y registralmente a las viviendas.

Requisitos del promotor:

El promotor individual de la vivienda protegida debe cumplir unos requisitos mínimos para poder acceder a la vivienda protegida, y otros complementarios, para obtener las diferentes ayudas contempladas en el Plan de Vivienda de Canarias.

Requisitos acceder a las viviendas:

a) No ser titular de pleno dominio o derecho real de uso y disfrute sobre alguna otra vivienda protegida.

b) No ser titular de pleno dominio o de un derecho real de uso y disfrute sobre alguna vivienda libre cuando su valor exceda del 40% del precio total de venta de la vivienda que se pretende construir; o del 60%, en casos de familias numerosas, jóvenes, discapacitados, mayores de 65 años, víctimas de la violencia de género o terrorismo.

c) Los ingresos familiares *ponderados* no deben superar, según sea el tipo de vivienda protegida a que se vaya a construir:

Régimen Especial	2,5 veces el IPREM (18.091,50 euros)
Régimen General Básico	4,5 veces el IPREM (32.564,70 euros)
Régimen General Medio	6,5 veces el IPREM (47.037,90 euros)

La ponderación de ingresos supone una disminución de los acreditados entre un 25% y un 38% según el número de miembros de la unidad familiar.

La cifra a tener en cuenta para el cálculo de los ingresos es la cuantía de la parte general y especial de la renta antes de la deducción del mínimo personal y familiar, menos la deducción por rendimientos de trabajo.

En el caso de no estar obligado a presentar declaración, la reflejada en la certificación negativa una vez deducidos los gastos y la deducción por rendimientos de trabajo.

d) Ser residente en la Comunidad Autónoma de Canarias.

Requisitos para el primer acceso a la vivienda en propiedad:

a) Ingresos familiares ponderados que no excedan de 4,5 veces el IPREM.

b) No tener ni haber tenido vivienda en propiedad. Si se tiene o se ha tenido una vivienda, no disponer del derecho de uso o disfrute, o su valor no exceda del 25% del precio máximo total de la que se pretende construir.

c) No haber obtenido ayudas públicas para la compra de otra vivienda protegida durante los diez años anteriores a la solicitud (excepto cambios de residencia o familias numerosas para adquirir una vivienda de mayor superficie).

Características de la ayuda:

PRÉSTAMO CONVENIDO de hasta el 80% del precio de escritura o adjudicación a devolver en, al menos, 25 años. El tipo de interés podrá ser variable o fijo. En intereses variables será igual al Euribor a 12 meses publicado por el Banco de España en el *Boletín Oficial del Estado (BOE),* el mes anterior al de la fecha de formalización, más un diferencial de 65 puntos básicos (Euribor + 0,65).

AYUDAS PARA EL PRIMER ACCESO A LA VIVIENDA EN PROPIEDAD SUBSIDIACIÓN DE PRÉSTAMOS CONVENIDOS

Sólo para promoción de viviendas de Régimen Especial o de Régimen General Básico.

SUBSIDIOS A LOS PRÉSTAMOS. Cantidad anual por cada 10.000 euros de préstamo durante 5 años, renovables 5 más:

— 100 euros para ingresos menores o iguales a 2,5 veces el IPREM (155 euros para familias numerosas, monoparentales con hijos, dependientes y discapacitados, durante los 5 primeros años).

— 80 euros para ingresos entre 2,5 y 3,5 veces el IPREM (113 euros para familias numerosas, monoparentales con hijos, dependientes y discapacitados durante los 5 primeros años).

— 60 euros para ingresos mayores de 3,5 y menores o iguales a 4,5 veces del IPREM (93 euros para familias numerosas, monoparentales con hijos, dependientes y discapacitados durante los 5 primeros años).

AYUDA ESTATAL DIRECTA A LA ENTRADA (AEDE)

— 8.000 euros para ingresos menores o iguales a 2,5 veces el IPREM (9.000 euros en caso de jóvenes, 11.000 euros para mujeres víctimas de violencia de género, víctimas de terrorismo y personas separadas o divorciadas, y 12.000 euros para familias numerosas, monoparentales con hijos, dependientes y discapacitados).

— 7.000 euros para ingresos entre 2,5 y 3,5 veces el IPREM (8.000 euros en caso de jóvenes, 9.000 euros para mujeres víctimas de violencia de género, víctimas de terrorismo y personas separadas o divorciadas, y 10.000 euros para familias numerosas, monoparentales con hijos, dependientes y discapacitados).

— 5.000 euros para ingresos mayores de 3,5 y menores o iguales a 4,5 veces del IPREM (6.000 euros en caso de jóvenes, 7.000 euros para mujeres víctimas de violencia de género, víctimas de terrorismo y personas separadas o divorciadas, y 8.000 euros para familias numerosas, monoparentales con hijos, dependientes y discapacitados).

Estos importes se incrementan en 300 euros para viviendas ubicadas en un ATPMS y 220 euros para viviendas ubicadas en el resto de Municipios.

AYUDAS AUTONÓMICAS AL PROMOTOR

Además de los requisitos establecidos para el primer acceso a una vivienda, el promotor individual debe acreditar su residencia en la Comunidad Autónoma de Canarias al menos durante los cinco años anteriores a la solicitud de subvención, salvo en el caso de emigrantes retornados o de quienes acrediten haber residido en Canarias durante al menos 15 años.

SUBVENCIÓN AUTONÓMICA PARA PROMOCIÓN Y FOMENTO DEL SUELO

Objeto: promoción de viviendas en régimen especial.

Importe máximo: 9.500 euros en Gran Canaria y Tenerife y 10.450 euros en El Hierro, Fuerteventura, La Gomera, Lanzarote y La Palma.

Abono: 600 euros con la Calificación Provisional en concepto de honorarios profesionales; el resto con la Calificación Definitiva.

C) PROMOTORES PARA VENTA Y ALQUILER

Características generales:

• Pueden ser promotores las personas físicas o jurídicas cuyo objeto incluya la promoción de viviendas.

• La calificación de viviendas protegidas supone:

— Estar sujetas al régimen de protección pública durante 30 años desde su calificación definitiva, sin posibilidad de descalificación voluntaria.

— Dedicarse a residencia habitual y permanente de sus destinatarios.

— Los destinatarios (compradores o inquilinos), deben estar inscritos en el Registro Público de Demandantes de Vivienda Protegida de Canarias, a partir del 1 de julio de 2010.

• La superficie útil máxima de la vivienda está en función del número de sus ocupantes:

Núm. ocupantes	Superficie útil mínima en m² (Decreto 117/2006, de habitabilidad)	Superficie útil máxima en m² (Ordenanza Provisional 9.ª autorizada por RD 3148/1978)
3	40	70
4	45	70
5	55	90
6	65	90
7	75	90
8	85	90

A) PROMOCIÓN PARA VENTA

El Régimen en que se pueden calificar como protegidas las viviendas dependerá de los ingresos de los compradores a quienes van dirigidas y el precio máximo de venta de las mismas.

RÉGIMEN	Ingresos familiares ponderados para acceso	Precio máximo	Precio máximo venta (euros/m² útil)	Precio máximo ATPMS* (grupo C)
ESPECIAL	Hasta 2,5 veces IPREM (18.091,50 euros - ponderación)	1,30 x PBC	1.083,94 euros (anejos: 650,36 euros)	1.116,46 euros/ m² útil (anejos: 669,87 euros)
GENERAL BÁSICO	Hasta 4,5 veces IPREM (32.564,70 euros - ponderación)	1,60 x PBC	1.334,08 euros (anejos: 800,45 euros)	1.374,10 euros/ m² útil (anejos: 824,46 euros)
GENERAL MEDIO	Hasta 6,5 veces IPREM (47.037,90 euros - ponderación)	1,80 x PBC	1.500,84 euros (anejos: 900,50 euros)	1.575,88 euros/ m² útil (anejos: 945,53 euros)

Características de la ayuda:

PRÉSTAMO CONVENIDO de hasta el 80% del precio de escritura o adjudicación a devolver en, al menos, 25 años. El tipo de interés podrá ser variable o fijo. En intereses variables será igual al Euribor a 12 meses publicado por el Banco de España en el *Boletín Oficial del Estado (BOE)*, el mes anterior al de la fecha de formalización, más un diferencial de 65 puntos básicos (Euribor + 0,65).

AYUDAS A LA EFICIENCIA ENERGÉTICA: Para Proyectos que obtengan una calificación energética de la clase A, B o C, según lo establecido en el RD 47/2007, de 19 de enero, por el que se aprueba el procedimiento para la certificación de eficiencia energética.

Importes de la subvención (en euros/ vivienda):		
Niveles calificación energética	Subvención Ministerio	Subvención CAC
A	3.500	3.500
B	2.800	2.800
C	2.000	2.000

SUBVENCIÓN AUTONÓMICA: Promoción de viviendas en RÉGIMEN ESPECIAL.

Importe máximo: 9.500 euros/vvda. en Gran Canaria y Tenerife.

10.450 euros/vvda. en El Hierro, Fuerteventura, La Gomera, Lanzarote y La Palma.

El suelo debe estar clasificado como urbano o urbanizable.

El suelo debe ser destinado exclusivamente a la construcción de viviendas protegidas (se exceptúan las viviendas en permuta).

Abono: 600 euros con la Calificación Provisional, en concepto de honorarios profesionales y el resto, con la Calificación Definitiva.

Se puede pedir un anticipo de hasta el 50%, una vez iniciadas las obras de las viviendas.

La suma de las ayudas financieras estatales (no se incluye el préstamo), autonómicas o de otras Administraciones u organismos públicos, no podrá superar el precio total de venta.

B) PROMOCIÓN PARA ARRENDAMIENTO

El precio máximo legal de referencia sirve de referencia para fijar las rentas máximas del arrendamiento y la cuantía máxima del préstamo convenido.

RÉGIMEN	Ingresos familiares ponderados de los inquilinos	Precio Máximo Legal de Referencia	Precio máximo referencia (euros/m² útil)	Precio máximo referencia ATPMS (grupo C)
ESPECIAL	Hasta 2,5 veces IPREM (18.091,50 euros - ponderación)	1,50 PBC	1.250,70 euros (anejos: 750,42 euros)	1.288,22 euros/ m² útil (anejos: 772,93 euros)
GENERAL RENTA BÁSICA	Hasta 4,5 veces IPREM (32.564,70 euros - ponderación)	1,60 PBC	1.334,08 euros (anejos: 800,45 euros)	1.374,10 euros/ m² útil (anejos: 824,46 euros)
GENERAL RENTA MEDIA	Hasta 6,5 veces IPREM (47.037,90 euros - ponderación)	1,80 PBC	1.500,84 euros (anejos: 900,50 euros)	1.575,88 euros/ m² útil (anejos: 945,53 euros)

• Se podrán recalificar por promociones completas y antes de su calificación definitiva, a viviendas protegidas para venta, con la asunción de las obligaciones y financiación correspondientes a este régimen de uso y la interrupción de las ayudas financieras y la devolución de las recibidas (arts. 30.4 RD y 37 D).

• La duración mínima del régimen de arrendamiento será de 10 o de 25 años, desde la calificación definitiva.

• La Renta Máxima Anual es un % del precio de referencia vigente en la fecha del contrato de arrendamiento y está en función del plazo mínimo del régimen de arrendamiento.

• Se podrá ceder su gestión a organismos públicos, entidades sin ánimo de lucro o sociedades cuyo objeto social incluya expresamente el arrendamiento de viviendas (los gestores se deben atener a las condiciones, compromisos, plazos y rentas máximas establecidas).

• Se podrán enajenar:

— En cualquier momento.

— Sin sujeción a los precios máximos de referencia.

— Previa autorización del Instituto Canario de la Vivienda.

— Por promociones completas a organismos públicos, entidades sin ánimo de lucro o sociedades cuyo objeto social incluya expresamente el arrendamiento de viviendas.

— Viviendas aisladas a organismos públicos, empresas públicas o entidades sin ánimo de lucro.

— Los nuevos propietarios deberán cumplir las obligaciones inherentes y subrogarse en los derechos y obligaciones de los transmitentes.

• Las *promociones en alquiler a 10 años,* una vez transcurridos 10 años desde la calificación definitiva:

— Las viviendas continúan siendo protegidas hasta los 30 años.

— Se pueden vender a un precio de hasta 1,5 veces el precio máximo de referencia fijado en la calificación provisional.

• *Las promociones en alquiler a 25 años,* una vez transcurridos 25 años desde la calificación definitiva:

— Las viviendas continúan siendo protegidas hasta los 30 años.

— Se pueden vender al precio máximo que corresponda a una vivienda protegida del mismo tipo y en la misma ubicación calificada provisionalmente en el momento de la venta.

• Arrendamiento con *opción de compra:*

— Sólo para arrendamiento a 10 años.

— Precio de adquisición: máximo 1,7 veces el precio máximo de referencia fijado en la calificación provisional.

— Del precio de venta se deducirá como mínimo el 30% de los alquileres satisfechos.

Características de las ayudas:

PRÉSTAMO CONVENIDO de hasta el 80% del precio de escritura o adjudicación a devolver en, al menos, 25 años. El tipo de interés podrá ser variable o fijo. En intereses variables será igual al Euribor a 12 meses publicado por el Banco de España en el *Boletín Oficial del Estado (BOE),* el mes anterior al de la fecha de formalización, más un diferencial de 65 puntos básicos (Euribor + 0,65).

SUBSIDIACIÓN DEL PRÉSTAMO

Cuantía: número de euros anuales por cada 10.000 euros de préstamo.

Duración: Toda la vida del préstamo, incluido el período de carencia, sin exceder de 10 o 25 años.

SUBVENCIÓN DEL MINISTERIO: Sólo para viviendas en R. Especial y R. General Renta Básica que hayan obtenido préstamo convenido.

Cuantía: euros por m² de superficie útil .incrementada en 15 euros/m² útil en los ATPMS grupo C.

Abono: Con la Calificación Definitiva.

Anticipos: Hasta el 50% de la subvención, previa certificación del inicio de obras.

Hasta el 100%, si se compromete a reducir la renta a percibir durante los primeros cinco años en 1 punto porcentual menos que las establecidas.

Las cantidades aplazadas deberán estar avaladas.

Como medida transitoria, si el préstamo convenido se obtiene con anterioridad al 31/12/009, esta subvención se incrementa en un 20%.

SUBVENCIÓN DE LA COMUNIDAD AUTÓNOMA CANARIA: Objeto: Promoción de viviendas en RÉGIMEN ESPECIAL.

Importe máximo: 13.000 euros/vivienda en Gran Canaria y Tenerife.

14.300 euros/vvda. en El Hierro, Fuerteventura, La Gomera, Lanzarote y La Palma.

El suelo debe estar clasificado como urbano o urbanizable.

El suelo debe ser destinado exclusivamente a la construcción de viviendas protegidas (se exceptúan las viviendas en permuta)

Abono: 600 euros con la Calificación Provisional, en concepto de honorarios profesionales. El resto, con la Calificación Definitiva.

Se puede pedir un anticipo de hasta el 50%, una vez iniciadas las obras de las viviendas.

Cuadro resumen ayudas

RÉGIMEN	Rég./ Alquiler	Subsidia-ción	Subvención Ministerio	Subvención Ministerio ATPMS (C)	Subvención CAC Islas Capitalinas	Subvención CAC Islas no Capitalinas
ESPECIAL	10 años	350	250	265	13.000	14.300
	25 años	350	350	365		
GENERAL RENTA BÁSICA	10 años	250	200	215	NO	NO
	25 años	250	250	265		
GENERAL RENTA MEDIA	10 años	100	NO	NO	NO	NO
	25 años	100				

AYUDAS A LA EFICIENCIA ENERGÉTICA

• Para Proyectos que obtengan una calificación energética de la clase A, B o C, según lo establecido en el RD 47/2007, de 19 de enero, por el que se aprueba el procedimiento para la certificación de eficiencia energética.

Importes de la subvención (en euros/vivienda):		
Niveles calificación energética	Subvención cargo Ministerio	Subvención con cargo CAC
A	3.500	3.500
B	2.800	2.800
C	2.000	2.000

La suma de las ayudas financieras estatales, (no se incluye el préstamo), autonómicas o de otras Administraciones u organismos públicos, no podrá superar el precio total de referencia.

C) URBANIZACIÓN DE SUELO

Características:

• Con carácter general: al menos el *50% de la edificabilidad residencial* de la unidad de actuación debe destinarse a viviendas protegidas.

• Áreas de urbanización prioritaria (AUP): Al menos el *75% de la edificabilidad* residencial de la unidad de actuación debe destinarse a la promoción inmediata de viviendas protegidas y sean objeto de acuerdo en la correspondiente comisión bilateral con la participación del Ayuntamiento correspondiente.

• Suelo derivado de patrimonios públicos de suelo: Si al menos el 50% de la edificabilidad residencial total se destina a viviendas protegidas para arrendamiento, viviendas de régimen especial o viviendas de promoción pública, se considera que el suelo constituye un AUP.

• En las AUP, se podrá incluir la adquisición onerosa del suelo a urbanizar, siempre que éste aún no haya sido adquirido en el momento de la solicitud de las ayudas.

• La solicitud se debe presentar antes de haber obtenido el préstamo convenido de las viviendas.

• La unidad de ejecución o parte de la misma no debe haber recibido ayudas financieras.

• La construcción de las viviendas protegidas se debe iniciar, al menos un 30%, en el plazo máximo de 3 años, a partir de la conformidad del Ministerio.

• Deberá inscribirse en el Registro de la Propiedad la afectación del suelo objeto de financiación.

Características de las ayudas:

PRÉSTAMO CONVENIDO de hasta el 80% del precio de escritura o adjudicación a devolver en, al menos, 25 años. El tipo de interés podrá ser variable o fijo. En intereses variables será igual al Euribor a 12 meses publicado por el Banco de España en el *Boletín Oficial del Estado (BOE)*, el mes anterior al de la fecha de formalización, más un diferencial de 65 puntos básicos (Euribor + 0,65).

Cuantía máxima: Producto de Superficie Edificable de la memoria del proyecto por el 20% del Precio Básico Canario vigente en el momento de la calificación de urbanización de suelo y sin exceder el coste total de la actuación.

SUBVENCIÓN DEL MINISTERIO

• La cuantía está en función de:

a) El % de edificabilidad residencial destinado a viviendas protegidas.

b) El % previsto de viviendas protegidas para alquiler o para Régimen Especial, dentro del conjunto de viviendas protegidas.

c) La adquisición onerosa del suelo en las AUP, en su caso.

d) La ubicación del suelo en alguno de los ATPMS.

• El pago de las subvenciones se fraccionará en función del grado de desarrollo y justificación de la inversión y de las disponibilidades presupuestarias del Ministerio de Vivienda.

Cuantía de la Subvención: en euros/vivienda protegida a construir

% edificabilidad residencial de viviendas protegidas		Cuantía general	Cuantía Adicionales en ATPMS (grupo C)	Cuantías Adicionales según % vvda. calificada en Alquiler o Rég. Especial.		
				40%	20% < 40%	< 20%
> 50% < 75%		700	115	1.700	1.500	300
≥ 75% (AUP)	Sin adquisición de suelo	1.700	225			
	Con adquisición de suelo	2.000				

Como medida transitoria, si se obtiene el préstamo convenido con anterioridad al 31/12/2009, las subvenciones correspondientes a las AUP se incrementan en un 20%.

4. SUBVENCIONES PARA FACILITAR EL ACCESO DE LOS JÓVENES A LA VIVIENDA

A) RENTA BÁSICA DE EMANCIPACIÓN

Características de las ayudas:

210 euros mensuales durante cuatro años.

600 euros de préstamos de interés reintegrable cuando se extinga la fianza del último contrato de arrendamiento.

Posibilidad de solicitar 120 euros para el aval.

Requisitos de acceso ayuda:

• Haber cumplido seis meses de trabajo previo y continuado, o tener seis meses de contrato por delante en el momento de la solicitud (basta con la documentación que habitualmente proporciona la Seguridad Social).

Tener entre 22 y 30 años (la prestación se interrumpe al cumplir los 30 años).

Tener una fuente de regular de ingresos brutos anuales.

B) SUBVENCIÓN PARA LA ADQUISICIÓN O AUTOCONSTRUCCIÓN DE VIVIENDAS LIBRES POR JÓVENES

Consiste en una subvención para los jóvenes con edades comprendidas entre los 18 y 35 años, ambas incluidas, destinadas a facilitar la adquisición onerosa de una vivienda en propiedad, no sometida a ningún régimen de protección pública.

Características y requisitos de los beneficiarios:

Tendrán la consideración de beneficiarios de esta subvención los jóvenes que, a título oneroso, adquieran una vivienda financiada mediante la Hipoteca Joven Canaria para su destino como residencia habitual y permanente mediante la suscripción de la correspondiente escritura de compraventa o, en el caso de autoconstrucción, de la escritura de obra nueva, y cumplan, además, *los siguientes requisitos:*

1. Que en el momento de la escritura de compraventa o de obra nueva tengan una edad comprendida entre 18 y 35 años, ambos inclusive.

2. Que entre la escritura de constitución de la hipoteca y la solicitud de la subvención no haya transcurrido más de cuatro meses.

3. Que los ingresos familiares ponderados de los solicitantes no excedan de 4.5 veces el IPREM, calculados conforme a la normativa reguladora del Plan de Vivienda de Canarias. Se tendrán en cuenta, en cualquier caso, el conjunto de los ingresos de todos los adquirentes, incluso cuando los mismos no se encuentren conviviendo en el momento de solicitar la subvención.

4. Que el valor total de adquisición, o de obra nueva, de la vivienda, y, en su caso, de sus anejos vinculados garaje y trastero, no exceda del precio correspondiente a una vivienda protegida de régimen general medio de 90 m², incluidos el precio máximo por superficie de garaje y trastero.

5. Que la vivienda se destine a domicilio habitual y permanente de sus adquirentes o autoconstructores, en el plazo de tres meses desde la fecha de la escritura de hipoteca joven.

6. No tener, ni haber tenido, vivienda en propiedad, salvo que no se ostente o se hubiese ostentado el derecho de uso o disfrute de la misma, o

bien cuando el valor de la vivienda, determinado de acuerdo con la normativa tributaria estatal y Canaria, no exceda del 25%, del precio máximo total de venta de la vivienda objeto de la actuación protegida

7. Que al menos uno de los solicitantes haya residido en la Comunidad Autónoma de Canarias como mínimo cinco años inmediatamente anteriores a la fecha de solicitud de esta subvención, salvo en el caso de los emigrantes retornados o de quienes acrediten haber residido en Canarias durante al menos 15 años. En caso de una pluralidad de adquirentes, y a efectos de constatar el requisito de residencia, se estará en todo caso al solicitante con mayores ingresos económicos.

8. Que en el momento de la presentación de la solicitud, no se hallen incursos en las prohibiciones que, para ser beneficiarios, establece el apartado 2 y 3 del art. 13 y art. 14 de la Ley 38/2003, de 17 de noviembre, Ley General de Subvenciones.

9. Que los adquirentes se comprometan a no enajenar o ceder durante un plazo no inferior a cinco años, la vivienda adquirida o autoconstruida, así como a destinarla a domicilio habitual y permanente.

Características de las ayudas:

1. El importe de la subvención a reconocer en cada caso, dependerá de la capacidad económica de los adquirentes, de acuerdo con la siguiente baremación

C) SUBVENCIÓN AL ALQUILER PARA LOS JÓVENES CANARIOS

Características y requisitos de los beneficiarios:

Podrán ser beneficiaros de esta ayuda, salvo determinadas excepciones, quienes cumplan con los siguientes requisitos.

a) Que en el momento de alquilar la vivienda tengan una edad comprendida entre 18 y 35 años de edad, ambos inclusive.

b) Que la vivienda se haya alquilado a través del Programa Bolsa de Vivienda Joven por un período mínimo de un año.

c) Que la vivienda alquilada tenga la condición de libre.

d) Que los ingresos familiares ponderados no excedan de 2,5 veces el IPREM, calculados conforme a la normativa reguladora del Plan de Vivienda de Canarias.

Se tendrá en cuenta, en cualquier caso, el conjunto de los ingresos de todos los ocupantes de la vivienda.

e) Que el precio total del arrendamiento de la vivienda, y, en su caso, de sus anejos, no exceda de 720 euros mensual.

f) Que la vivienda se destine a domicilio habitual y permanente.

g) No ser titular de una vivienda en propiedad o usufructo, salvo las siguientes excepciones.

1. Que por motivos laborales se hubiera hecho el traslado a una isla diferente.

2. Cuando la vivienda que se posea no cumpla con las condiciones de habitabilidad

3. En caso de ser cotitular de vivienda por sucesión mortis causa.

4. Por pérdida del derecho de uso de la vivienda por resolución matrimonial o pareja de hecho.

h) Haber residido en la Comunidad Autónoma de Canarias como mínimo cinco años inmediatamente anteriores a la fecha de solicitud de la subvención, salvo en el caso de los emigrantes retornados o de quienes acrediten haber residido en Canarias durante al menos 15 años.

i) Que no exista relación de parentesco, en primer o segundo grado de consanguinidad o afinidad, entre el arrendador y cualquiera de los inquilinos.

k) Que, al momento de la presentación de la solicitud no se hallen incursos en las prohibiciones que, para ser beneficiarios, estableces los apartados 2 y 3 del art. 13 y art. 14 de la Ley 38/2003, de 17 de noviembre, General de Subvenciones.

Estas ayudas se otorgarán por un período mínimo de un año y máximo de cinco años, y en todo caso por el período de tiempo que, al momento de la celebración del contrato de arrendamiento, le reste al solicitante por ostentar la condición de joven.

Características de las ayudas:

Consiste en una subvención de hasta 300 euros mensuales para los jóvenes con edades comprendidas entre los 18 y 35 años, ambas inclusive, destinadas a facilitar el arrendamiento de una vivienda a través del Programa Bolsa de Vivienda Joven, no sometida a ningún régimen de protección pública.

El importe de la subvención ascenderá, dependiendo de los ingresos de los inquilinos de la vivienda a la cantidad de:

INGRESOS FAMILIARES PONDERADOS DE LOS ADQUIRENTES	SUBVENCIÓN
Hasta 2 veces IPREM	Hasta un máximo de 300 euros/mes
Hasta 2,5 hasta veces IPREM	Hasta un máximo de 240 euros/mes

Esta subvención será compatible con apoyo económico al inquilino y la Renta Básica de Emancipación, siempre que se soliciten de forma simultánea. También serán compatibles con las subvenciones que se concedan para el mismo objeto, por otras Administraciones Públicas.

No será compatible con la regulada en la Disposición Transitoria Primera.1.c).

En todo caso, el importe de las diferentes subvenciones concedidas no podrá superar 540 euros mensuales, y debes pagar al menos el 25% de la renta de alquiler mensual.

Una vez reconocido el derecho a la ayuda, ésta se abonará anticipadamente de la siguiente forma:

En el caso de ayudas concedidas por un año, se abonará en su totalidad de forma anticipada.

En aquellos casos en los que la duración de la ayuda sea superior al año, se abonará la primera anualidad en la forma prevista en el apartado anterior y las restantes una vez justificado por el solicitante el empleo de la ayuda abonada con anterioridad.

Con carácter general, el abono de la ayuda se realizará al beneficiario o representante designado, en la cuenta que éste designe en la solicitud, si bien podrá pactarse que dicho pago se realice directamente al arrendador, en cuyo caso éste procederá a descontar su importe prorrateado en los recibos mensuales.

Anualmente el beneficiario vendrá obligado a justificar el empleo de los fondos percibidos, mediante la presentación de los documentos acreditativos del abono de la renta en los que deberá constar el nombre del arrendatario y del arrendador, importe y concepto de pago, en un plazo máximo de un mes contados a partir de la expiración del período subvencionado, o en su caso contado a partir de la notificación de la resolución de concesión de la anualidad que corresponda.

5. REHABILITACIÓN

A) AYUDAS RENOVE: REHABILITACIÓN, REPOSICIÓN Y EFICIENCIA ENERGÉTICA DE VIVIENDAS

Características de las actuaciones:

1. Mejorar la eficiencia energética, la higiene, salud y protección del medio ambiente en los edificios y viviendas, y la utilización de energías renovables.

— Instalación de paneles solares.

— Mejora de la envolvente térmica del edificio para reducir su demanda energética, mediante actuaciones como el incremento del aislamiento térmico, la sustitución de carpinterías y acristalamientos de los huecos, u otras, siempre que se demuestre su eficiencia energética, considerando factores como la severidad climática y las orientaciones.

— Cualquier mejora en los sistemas de instalaciones térmicas que incrementen su eficiencia energética o la utilización de energías renovables.

— Mejora de las instalaciones de suministro e instalación de mecanismos que favorezcan el ahorro de agua y, así como la realización de redes de saneamiento separativas en el edificio que favorezcan la reutilización de las aguas grises en el propio edificio y reduzcan el volumen de vertido al sistema público de alcantarillado.

— Cuantas otras sirvan para cumplir los parámetros establecidos en los Documentos Básicos del Código Técnico de la Edificación DB-HE de ahorro de energía, DB-HS Salubridad y DB-HS, protección contra el ruido.

2. Garantizar la seguridad y la estanqueidad de los edificios.

— Cualquier intervención sobre los elementos estructurales del edificio (muros, pilares, vigas y forjados, incluida la cimentación) que esté destinada a reforzar o consolidar sus deficiencias con objeto de alcanzar una resistencia mecánica, estabilidad y aptitud al servicio que sean adecuadas al uso del edificio.

— Las instalaciones eléctricas, con el fin de adaptarlas a la normativa vigente.

— Cualquier intervención sobre la envolvente afectada por humedades (como cubiertas y muros) de forma que se minimice el riego de afección al edificio y a sus elementos constructivos y estructurales, por humedades provenientes de precipitaciones atmosféricas, de escorrentías, del terreno o de condensaciones.

3. Mejora de la accesibilidad.

— Las actuaciones tendentes a adecuar las viviendas a la Ley 49/1960, modificada por la Ley 51/2003, de igualdad de oportunidades, no discriminación y accesibilidad universal de las personas con discapacidad; y al RD 505/2007, por el que se aprueban las condiciones básicas de accesibilidad y no discriminación de las personas con discapacidad para el acceso y utilización de los espacios públicos urbanizados y edificaciones, y normativa autonómica en materia de promoción de la accesibilidad.

— La instalación de ascensores o adaptación de los mismos a las necesidades de personas con discapacidad o a las nuevas normativas que hubieran entrado en vigor tras su instalación.

— La instalación o mejora de rampas de acceso a los edificios, adaptadas a las necesidades de personas con discapacidad.

— La instalación o mejora de dispositivos de acceso a los edificios, adaptados a las necesidades de personas con discapacidad sensorial.

— La instalación de elementos de información que permitan la orientación en el uso de escaleras y ascensores de manera que las personas tengan una referencia adecuada de dónde se encuentran.

— Obras de adaptación de las viviendas a las necesidades de personas con discapacidad o de personas mayores de 65 años.

Requisitos de acceso a las ayudas:

Propietarios y ocupantes de las viviendas del edificio, promotores de la rehabilitación, con ingresos familiares no excedan de 6,5 veces el IPREM.

Dispondrá de un plazo de doce meses, prorrogables excepcionalmente por otros doce meses más, a partir de la notificación de la declaración de actuación protegida para la finalización de las obras de rehabilitación.

Cuando se trate de una VIVIENDA UNIFAMILIAR AISLADA: La financiación será la que corresponda a la actuación predominante.

Será condición necesaria para poder acceder a la financiación establecida en este programa que al menos el 25% del presupuesto de las actuaciones protegidas esté dedicado a:

— la utilización de energías renovables,

— la mejora de la eficiencia energética, la higiene, salud y protección del medio ambiente,

— y la accesibilidad del edificio.

Características de las ayudas:

1. SUBVENCIÓN A LOS PROPIETARIOS U OCUPANTES DE LAS VIVIENDAS:

— Cuantía subvención:

* 25% del presupuesto protegido con el límite de 2.500 euros, con carácter general,

* o 25% del presupuesto protegido con el límite de 3.400 euros cuando los propietarios u ocupantes de as viviendas tengan más de 65 años o personas con discapacidad y las obras se destinen a eliminación barreras o a la adecuación de la vivienda a necesidades específicas.

2. SUBVENCIÓN CON CARGO A LOS PRESUPUESTOS DE LA COMUNIDAD AUTÓNOMA DE CANARIAS:

— Requisitos: Propietarios u ocupantes de las viviendas, que cumplan los requisitos de la subvención anterior, cuando hayan residido en la Comunidad Autónoma de Canarias 5 años inmediatamente anteriores a la solicitud, salvo se trate de emigrantes retornados o acrediten haber residido en Canarias de forma ininterrumpida durante al menos 15 años.

— Importe: Por importe de 2.500 euros cuando cumplan los requisitos previstos en el art. 61 del RD 2066/2008, salvo en lo relativo al límite porcentual del 25%.

3. SUBVENCIÓN COMPLEMENTARIA CON CARGO A LOS PRESUPUESTOS DE LA COMUNIDAD AUTÓNOMA DE CANARIAS, A LOS MAYORES DE 65 AÑOS:

— Destinatarios: Titular/es de la vivienda mayores de 65 años.

— Requisitos: Que esa vivienda a rehabilitar constituya su residencia habitual y permanente; que posean unos ingresos familiares que no sean superiores al 2,5 IPREM; y que hayan residido en la Comunidad Autónoma de Canarias 5 años inmediatamente anteriores a la solicitud, salvo se trate de emigrantes retornados o acrediten haber residido en Canarias de forma ininterrumpida durante al menos 15 años.

— Cuantía: hasta 100% presupuesto protegido, máximo 12.400 euros, sin que pueda exceder aislada o en concurrencia con otras subvenciones, ayudas, ingresos o recursos para la misma finalidad, del coste de la actividad subvencionada.

Para el abono de la subvención será necesario presentar:

a) Certificado final de obra, visado por el Colegio profesional correspondiente, o, en el caso de obras menores, facturas justificativas de las obras realizadas.

b) Alta de terceros, o solicitud de alta a terceros debidamente sellada por la entidad financiera.

Antes de solicitar la declaración de actuación protegida y estas medidas de financiación, debe tener en cuenta que:

— El presupuesto protegido, en las actuaciones sobre edificios, será el coste total de las obras a realizar sobre los elementos comunes e instalaciones generales, incluidas las necesarias sobre las partes afectadas en viviendas y locales comerciales.

— Se computará un máximo de 90 m² útiles por vivienda resultante de la actuación o local afectado por ella y, en rehabilitación de edificios, para garajes o anejos y trasteros, la misma superficie máxima que en la promoción de las viviendas protegidas, sin que la cuantía máxima del presupuesto protegido, por metro cuadrado útil, supere el 70% del Módulo Básico Estatal vigente en el momento de la calificación provisional de la actuación.

— El plazo de ejecución de la obra será de 12 meses, prorrogables excepcionalmente por otros doce meses más a partir de la notificación de la declaración de actuación protegida para la finalización de las obras de rehabilitación.

— No podrán obtener la financiación correspondiente a este programa aquellas actuaciones de rehabilitación que tengan por objeto viviendas o edificios de viviendas ubicados en ARIS o ARUS.

— En el caso de que la vivienda sea de Protección Pública, deberá solicitar la autorización de las obras ante el Instituto Canario de la Vivienda.

— Ha de obtener licencia urbanística municipal oportuna y/o demás autorizaciones administrativas exigidas por la normativa legal vigente.

— La Administración podrá requerir al solicitante para que aporte cualquier documento necesario para determinar el cumplimiento necesario de los requisitos exigidos para proceder a la calificación de actuación protegida y por consiguiente al reconocimiento del derecho a acceder a las medidas de financiación que procedan.

— La solicitud y cualquier documentación que usted quiera aportar a su expediente, se presentará en cualquiera de los Registros del Instituto Canario de la Vivienda, de los Cabildos Insulares o en alguno de los lugares a que se refiere el art. 38.4 de la Ley 30/1992, de 26 de noviembre, de Régimen Jurídico de las Administraciones Públicas y Procedimiento Administrativo Común.

— La justificación de los gastos deberá efectuarse mediante factura expedida por el empresario o profesional que realice las obras, conforme con los requisitos recogidos en el art. 6 del Real Decreto 1496/2003, de 28 de noviembre (*BOE* del 29), por el que se regula las obligaciones de facturación que incumbe a los empresarios y profesionales.

— Siempre y en todo caso, los propietarios deberán informarse acerca del tratamiento fiscal de las subvenciones y subsidiaciones recibidas, ya que pueden constituir Ganancia Patrimonial.

B) AYUDAS RENOVE: REHABILITACIÓN, REPOSICIÓN Y EFICIENCIA ENERGÉTICA DE EDIFICIOS

Características de las actuaciones:

1) Actuaciones para mejorar la eficiencia energética, la higiene, salud y protección del medio ambiente en los edificios y viviendas, y la utilización de energías renovables.

— Instalación de paneles solares.

— Mejora de la envolvente térmica del edificio para reducir su demanda energética, mediante actuaciones como el incremento del aislamiento térmico, la sustitución de carpinterías y acristalamientos de los huecos, u otras, siempre que se demuestre su eficiencia energética, considerando factores como la severidad climática y las orientaciones.

— Cualquier mejora en los sistemas de instalaciones térmicas que incrementen su eficiencia energética o la utilización de energías renovables.

— Mejora de las instalaciones de suministro e instalación de mecanismos que favorezcan el ahorro de agua y, así como la realización de redes de saneamiento separativas en el edificio que favorezcan la reutilización de las aguas grises en el propio edificio y reduzcan el volumen de vertido al sistema público de alcantarillado.

— Cuantas otras sirvan para cumplir los parámetros establecidos en los Documentos Básicos del Código Técnico de la Edificación DB-HE de ahorro de energía, DB-HS Salubridad y DB-HS, protección contra el ruido.

2) Actuaciones para garantizar la seguridad y la estanqueidad de los edificios.

— Cualquier intervención sobre los elementos estructurales del edificio (muros, pilares, vigas y forjados, incluida la cimentación) que esté destinada a reforzar o consolidar sus deficiencias con objeto de alcanzar una resistencia mecánica, estabilidad y aptitud al servicio que sean adecuadas al uso del edificio.

— Las instalaciones eléctricas, con el fin de adaptarlas a la normativa vigente.

— Cualquier intervención sobre la envolvente afectada por humedades (como cubiertas y muros) de forma que se minimice el riego de afección al edificio y a sus elementos constructivos y estructurales, por humedades provenientes de precipitaciones atmosféricas, de escorrentías, del terreno o de condensaciones.

3) Actuaciones para mejora de la accesibilidad al edificio.

— Las actuaciones tendentes a adecuar los edificios de viviendas a la Ley 49/1960, modificada por la Ley 51/2003, de igualdad de oportunidades, no discriminación y accesibilidad universal de las personas con discapacidad; y al RD 505/2007, por el que se aprueban las condiciones básicas de accesibilidad y no discriminación de las personas con discapacidad para el acceso y utilización de los espacios públicos urbanizados y edificaciones, y normativa autonómica en materia de promoción de la accesibilidad.

— La instalación de ascensores o adaptación de los mismos a las necesidades de personas con discapacidad o a las nuevas normativas que hubieran entrado en vigor tras su instalación.

— La instalación o mejora de rampas de acceso a los edificios, adaptadas a las necesidades de personas con discapacidad.

— La instalación o mejora de dispositivos de acceso a los edificios, adaptados a las necesidades de personas con discapacidad sensorial.

— La instalación de elementos de información que permitan la orientación en el uso de escaleras y ascensores de manera que las personas tengan una referencia adecuada de dónde se encuentran.

— Obras de adaptación de las viviendas a las necesidades de personas con discapacidad o de personas mayores de 65 años.

Características de las ayudas:

PRÉSTAMO CONVENIDO

— Cuantía: Hasta el total del presupuesto protegido.

— Plazo amortización: Se inicia con la expedición de la calificación definitiva, por un período máximo de 15 años, precedido de un período carencia de hasta 2 años, ampliable a 3 años, mediante acuerdo con la entidad de crédito. A tales efectos, el promotor de la rehabilitación deberá solicitar del Instituto Canario de la Vivienda la ampliación del período de carencia con tres meses de antelación al vencimiento del mismo. Este acuerdo de ampliación deberá dictarse y notificarse al promotor con un mes de antelación al vencimiento del período de carencia.

— Beneficiarios: Todos los propietarios u ocupantes con independencia de sus ingresos familiares.

PRÉSTAMO CONVENIDO CON SUBSIDIACIÓN

Cuando el titular del préstamo se halle en alguno de estos supuestos:

— 140 euros anuales por cada 10.000 euros de préstamo convenido: ingresos familiares no excedan de 6,5 veces IPREM, cuando el titular del préstamo sea arrendatario o propietario de una o varias viviendas.

— 170 euros anuales por cada 10.000 euros de préstamo convenido: cuando el titular del préstamo tuviera una o varias viviendas arrendadas con contrato de arrendamiento sujeto a prórroga forzosa celebrado con anterioridad a la entrada en vigor de la Ley de Arrendamientos Urbanos de 1994, no se exigirá el requisito relativo a límite de ingresos familiares.

La subsidiación es incompatible con la subvención a la rehabilitación de edificios solicitada por la Comunidad de Propietarios.

PRÉSTAMO CONVENIDO SIN SUBSIDIACIÓN

Se puede solicitar con el préstamo convenido una Subvención.

SUBVENCIÓN:

Incompatible con la subsidiación del préstamo convenido.

SUBVENCIÓN A LA COMUNIDAD DE PROPIETARIOS

— Cuantía: 10% del presupuesto protegido con el límite de 1.100 euros por vivienda.

SUBVENCIÓN COMPLEMENTARIA A LOS PROPIETARIOS U OCU-PANTES DE LAS VIVIENDAS ENCLAVADAS EN LOS EDIFICIOS

— Destinatarios: Propietarios y ocupantes de las viviendas del edificio, promotores de la rehabilitación.

— Requisitos: Ingresos familiares no excedan de 6,5 veces el IPREM.

— Cuantía subvención:

* máximo 15% del presupuesto protegido con el límite de 1.600 euros

* máximo 15% del presupuesto protegido con el límite de límite de 2.700 euros (supuestos: + 65 años o personas con discapacidad y obras se destinen a eliminación barreras o adecuación vivienda a necesidades específicas).

SUBVENCIÓN CON CARGO A LOS PRESUPUESTOS DE LA COMUNI-DAD AUTÓNOMA DE CANARIAS

— Destinatarios: Propietarios u ocupantes de las viviendas.

— Importe: Hasta 1.600 euros cuando cumplan los requisitos previstos en el art. 60.3 del RD 2066/2008, salvo en lo relativo al límite porcentual del 15%.

— Requisitos: Requisito de residencia en la CAC 5 años salvo emigrantes retornados o de forma ininterrumpida durante 15 años.

SUBVENCIÓN CON CARGO A LOS PRESUPUESTOS DE LA COMUNIDAD AUTÓNOMA DE CANARIAS, A LOS MAYORES DE 65 AÑOS

— Destinatarios: Titular/es de la vivienda mayores de 65 años. Siempre que acredite mediante certificado el inicio de obras, podrán solicitar el abono anticipado del 50% de la subvención personal prevista con cargo a los Presupuestos de la Comunidad Autónoma Canaria.

— Requisitos: Residencia habitual y permanente; que posean unos ingresos familiares no sean superiores al 2,5 IPREM; requisito de residencia en la CAC 5 años salvo emigrantes retornados o de forma ininterrumpida durante 15 años.

— Cuantía: Hasta 100% presupuesto protegido, máximo 12.400 euros, sin que pueda exceder aislada o en concurrencia con otras subvenciones, ayudas, ingresos o recursos para la misma finalidad, del coste de la actividad subvencionada.

• **Será condición necesaria para poder acceder a la financiación establecida en este programa que al menos el 25% del presupuesto de las actuaciones protegidas esté dedicado a:**

— la utilización de energías renovables,

— la mejora de la eficiencia energética, la higiene, salud y protección del medio ambiente,

— y la accesibilidad del edificio.

• **Asimismo, el promotor de las obras tiene la obligación de incluir, en la forma que se determine mediante Resolución del Director del Instituto Canario de la Vivienda, el logotipo del Plan de Vivienda de Canarias en los correspondientes carteles descriptivos de las obras.**

Antes de solicitar la declaración de actuación protegida y estas medidas de financiación, debe tener en cuenta que:

— El presupuesto protegido, en las actuaciones sobre edificios, será el coste total de las obras a realizar sobre los elementos comunes e instalaciones generales, incluidas las necesarias sobre las partes afectadas en viviendas y locales comerciales.

— Se computará un máximo de 90 m² útiles por vivienda resultante de la actuación o local afectado por ella y, en rehabilitación de edificios, para garajes o anejos y trasteros, la misma superficie máxima que en la promoción de las viviendas protegidas, sin que la cuantía máxima del presupuesto protegido, por metro cuadrado útil, supere el 70% del Módulo Básico Estatal vigente en el momento de la calificación provisional de la actuación.

— El plazo de ejecución de la obra será de 12 meses, prorrogables excepcionalmente por otros doce meses más a partir de la notificación de la declaración de actuación protegida para la finalización de las obras de rehabilitación.

— No será objeto de ayudas financieras la rehabilitación de locales, sin perjuicio de la posibilidad de obtención de préstamo convenido cuando se trate de la rehabilitación de elementos comunes de edificios y los locales participen en los costes de ejecución.

— No podrán obtener la financiación correspondiente a este programa aquellas actuaciones de rehabilitación que tengan por objeto viviendas o edificios de viviendas ubicados en ARIS o ARUS.

— No será objeto de ayudas financieras la rehabilitación de locales, sin perjuicio de la posibilidad de obtención de préstamo convenido cuando se trate de la rehabilitación de elementos comunes de edificios y los locales participen en los costes de ejecución.

— En el caso de que el edificio sea de Protección Pública, deberá solicitar la autorización de las obras ante el Instituto Canario de la Vivienda.

— Ha de obtener licencia urbanística municipal oportuna y/o demás autorizaciones administrativas exigidas por la normativa legal vigente.

— La Administración podrá requerir al solicitante para que aporte cualquier documento necesario para determinar el cumplimiento necesario de los requisitos exigidos para proceder a la calificación de actuación protegida y por consiguiente al reconocimiento del derecho a acceder a las medidas de financiación que procedan.

— La solicitud y cualquier documentación que usted quiera aportar a su expediente, se presentará en cualquiera de los Registros del Instituto Canario de la Vivienda, de los Cabildos Insulares o en alguno de los lugares a que se refiere el art. 38.4 de la Ley 30/1992, de 26 de noviembre, de Régimen Jurídico de las Administraciones Públicas y Procedimiento Administrativo Común.

— La justificación de los gastos deberá efectuarse mediante factura expedida por el empresario o profesional que realice las obras, conforme con los requisitos recogidos en el art. 6 del Real Decreto 1496/2003, de 28 de noviembre (*BOE* del 29), por el que se regula las obligaciones de facturación que incumbe a los empresarios y profesionales.

— Siempre y en todo caso, los propietarios deberán informarse acerca del tratamiento fiscal de las subvenciones y subsidiaciones recibidas, ya que pueden constituir Ganancia Patrimonial.

Para el abono de la subvención y el comienzo del período de amortización del préstamo, será necesario presentar:

a) Certificado final de obra, visado por el Colegio profesional correspondiente, o, en el caso de obras menores, facturas justificativas de las obras realizadas.

b) Alta de terceros, o solicitud de alta a terceros de la comunidad de propietarios, debidamente sellada por la entidad financiera.

c) Alta de terceros, o solicitud de alta a terceros de la comunidad de propietarios, debidamente sellada por la entidad financiera, de las personas mayores de 65 años que hubieran solicitado la subvención complementario con cargo a los presupuestos de la Comunidad Autónoma de Canarias.

6. MEDIDAS PARA HACER FRENTE A LA COYUNTURA ECONÓMICA

CONDICIONES GENERALES:

• Promotores de viviendas libres en construcción o terminadas.

• Con licencia de obras previa al 1 de septiembre de 2008.

• Plazo hasta 31 de diciembre de 2009; prorrogable por acuerdo del Consejo de Ministros y el Gobierno de Canarias.

MEDIDAS:

1. Calificar viviendas libres terminadas como protegidas en Régimen Especial en Alquiler a 10 años

• Sólo para el régimen de calificación especial en alquiler a 10 años.

• Sólo para viviendas terminadas.

• Las viviendas deben cumplir los requisitos de precio por m² útil, superficie útil máxima, y plazo de protección.

• *REQUISITOS específicos:*

a) Destinadas a inquilinos con ingresos familiares ponderados que no superen 1,5 veces el IPREM.

b) El precio del alquiler no supere los 350 euros mensuales durante los dos primeros años.

c) Transcurridos los dos primeros años, la renta máxima será la que corresponda a una vivienda protegida de nueva construcción calificada en el mismo régimen.

d) El promotor debe presentar en el Instituto Canario de la Vivienda la solicitud de calificación y el visado de los contratos de alquiler.

• *AYUDAS FINANCIERAS* (compatibles entre sí):

1) Al promotor:

a) Financiación Ministerio:

— Préstamo convenido y subsidiación de 350 euros/año/10.000 euros de préstamo.

— Subvención de **250 euros/m² útil de vivienda** (265 euros/m² útil de viviendas ubicadas en los ámbitos territoriales de precio máximo superior).

b) Financiación Comunidad Autónoma de Canarias:

— Subvención de **4.000 euros por vivienda**.

2) Al inquilino:

— Subvención de **300 euros/mes** en concepto de ayuda al alquiler (presupuestos de la CAC).

Características de esta ayuda:

• Es por un período máximo de dos años.

• Se abona directamente al promotor arrendador y éste los descontará prorrateado en los recibos mensuales pagar por el inquilino.

• El abono de la primera anualidad es de forma anticipada en su totalidad y el resto una vez justificado el empleo de la primera anualidad.

• Una vez transcurridos los dos primeros años de alquiler, se podrá consignar en las cláusulas del contrato de alquiler el derecho de opción de compra de la vivienda, a ejercer una vez finalizado el período de 10 años de vinculación al régimen de alquiler. En este caso se descontará del precio de venta al menos el 30% de las cantidades abonadas en concepto de alquiler, incluidas las otorgadas por la CAC en concepto de subvención.

• Tendrán preferencia a esta ayuda los inquilinos de viviendas ubicadas en los Municipios de preferente localización declarados conforme al Plan de Vivienda de Canarias y los que habiendo participado en un proceso de adjudicación de viviendas figuren en una lista de reserva en vigor.

• Esta ayuda es incompatible con la ayuda del inquilino, con la ayuda de jóvenes canarios, y con la renta básica de emancipación.

2. Ofertar viviendas libres terminadas para destinarlas a arrendamiento por un período mínimo de dos años.

• *REQUISITOS específicos:*

a) Las viviendas no se califican como protegidas.

b) Destinadas a inquilinos con ingresos familiares ponderados que no superen 1,5 veces el IPREM.

c) El precio del alquiler no supere los 350 euros mensuales durante los dos primeros años, transcurridos los cuales será el que libremente acuerden las partes.

d) El promotor debe presentar en el Instituto Canario de la Vivienda la solicitud de visado de los contratos de alquiler.

• *SUBVENCIÓN* al inquilino:

— Cuantía de **300 euros/mes** en concepto de ayuda al alquiler (presupuestos de la CAC).

— Características iguales a las recogidas en el punto 2 de la medida 3 anterior, salvo lo relativo al derecho de opción de compra que será el que libremente acuerden las partes.

3. Calificar viviendas libres aisladas como protegidas con destino a la venta.

• Dirigida exclusivamente a los efectos de obtener los compradores la financiación convenida.

• Se podrán calificar en cualquier régimen: Especial, General Básico y General Medio.

• Para viviendas aisladas tanto en construcción como finalizadas.

• Para viviendas respecto de las que el promotor no tenga compromisos de venta.

• Las viviendas deben cumplir los requisitos de precio por m² útil, superficie útil máxima, niveles de ingresos de los compradores y plazo de protección.

• Ayudas financieras: El promotor no tiene; solo los compradores, que se podrán acoger a las medidas de financiación estatales y autonómicas previstas para los adquirentes de vivienda protegida.

4. Calificar viviendas libres aisladas como protegidas con destino al alquiler a 10 o a 25 años.

• Se podrán calificar en cualquier régimen: Especial, G. Renta Básica y G. Renta Media.

• Para viviendas aisladas tanto en construcción como finalizadas.

• Las viviendas deben cumplir los requisitos de precio por m² útil, superficie útil máxima, rentas máximas del alquiler, niveles de ingresos de los inquilinos y plazo de protección.

• Ayudas financieras: El promotor podrá acceder a las mismas medidas de financiación previstas en la promoción de vivienda protegida de nueva construcción para alquiler, con cargo a los presupuestos del Ministerio de Vivienda.

* Otras medidas transitorias hasta 31 de diciembre de 2009:

1. Las viviendas libres de nueva construcción con licencia de primera ocupación, certificado final de obras o cédula de habitabilidad emitidos con **anterioridad al día 24 de diciembre de 2008,** se consideran como **viviendas usadas** a los efectos de las ayudas a los adquirentes.

Estas viviendas deben cumplir los requisitos de precio por m² útil, superficie útil máxima y niveles de ingresos de los compradores.

• **Precio máximo de venta:** El correspondiente a una vivienda protegida de nueva construcción calificada en Régimen General Básico y en la misma ubicación.

• **Superficie útil máxima** de la vivienda: 125 m², pero a efectos de precio máximo y de financiación, sólo será computable como máximo 90 m².

Estas viviendas podrán ser adquiridas mediante una forma de **acceso diferido a la propiedad:**

• En un plazo máximo de cinco años.

• El vendedor podrá cobrar una renta del 5,5% del precio máximo de una vivienda protegida calificada con Régimen General Medio en la misma ubicación y el mismo día que se vise el contrato de compraventa.

• El precio máximo de venta, transcurrido el período de cinco años, será de 1,18 veces el citado precio máximo tomado como referencia para el cálculo de la renta.

• Del precio a hacer efectivo en el momento de la compra, se descontarán, al menos el 30% de los alquileres satisfechos, sin actualizaciones.

Municipios de Precio Máximo Superior:

Adeje, Arona, Arrecife, Granadilla de Abona, Las Palmas de Gran Canaria, Mogán, Puerto del Rosario, San Cristóbal de La Laguna, San Bartolomé de Tirajana, Santa Cruz de Tenerife y Telde.

Municipios de preferente localización:

— En la isla de Fuerteventura: Puerto del Rosario, Pájara, Antigua, La Oliva y Tuineje.

— En la isla de Lanzarote: Arrecife, Tías, Teguise, San Bartolomé y Yaiza.

— En la isla de Gran Canaria: Las Palmas de Gran Canaria, Telde, San Bartolomé de Tirajana, Mogán, Agüimes, Santa Lucía de Tirajana, Ingenio, Gáldar, Santa Brígida y Arucas.

— En la isla de Tenerife: Santa Cruz de Tenerife, San Cristóbal de La Laguna, Adeje, Arona, San Miguel de Abona, Puerto de la Cruz, Granadilla de Abona, Guía de Isora, Candelaria, Santiago del Teide, La Orotava, Tegueste, El Rosario y Los Realejos.

— En la isla de La Palma: Santa Cruz de la Palma y Los Llanos de Aridane.

— En la isla de La Gomera: San Sebastián de la Gomera.

— En la isla de El Hierro: Valverde.

5. Plan Cántabro de Vivienda

PLAN CÁNTABRO DE VIVIENDA 2009-2012

Decreto 68/2009

1. OBJETO DEL DECRETO

1. Garantizar a todas las familias y ciudadanos el modelo de acceso a la vivienda que mejor se adapte a sus circunstancias, preferencias, necesidades o capacidad económica, estableciendo que el alquiler sea posible en todo caso, para los mismos niveles de renta que los definidos para el acceso en propiedad.

2. Facilitar que la vivienda protegida se pueda obtener tanto por nueva promoción como por rehabilitación del parque ya existente; fomentando la rehabilitación de viviendas ya existentes con voluntad de destinarlas a vivienda protegida y a vivienda en régimen de alquiler. Para ello se establecen líneas propias de ayudas a la promoción y construcción de nuevas viviendas en régimen de venta y complementarias para la promoción, construcción y rehabilitación de viviendas y alojamientos destinados al arrendamiento.

3. Establecer las condiciones que garanticen a los ciudadanos el acceso a la vivienda en condiciones de igualdad, impulsando la implantación del Registro Público de Demandantes de Vivienda en todos los municipios de Cantabria, así como estableciendo la obligatoriedad de que los sorteos públicos de adjudicación de dichas viviendas se realicen con criterios de transparencia, publicidad y concurrencia entre las personas inscritas en dicho Registro Público.

4. Mantener un régimen jurídico de la protección pública de las viviendas que en el caso de los suelos públicos o de reserva obligatoria para vivienda de protección será permanente y estará vinculado a la calificación del suelo, con un plazo no menor de 30 años.

5. Alentar la participación e implicación de los ayuntamientos, contribuyendo, entre otros aspectos, con la oferta de suelos dotacionales para la construcción de alojamientos para colectivos específicos y especialmente vulnerables, el fomento de áreas de rehabilitación y de renovación urbana, y la potenciación de las actuaciones prioritarias de urbanización de suelo con destino a la construcción preferente de viviendas protegidas en alquiler.

6. Reforzar la actividad de rehabilitación y mejora del parque de viviendas ya construido, singularmente en aquellas zonas que presentan mayores elementos de debilidad, como son los centros históricos, los barrios y centros degradados, o con edificios afectados por problemas estructurales y los núcleos de población en el medio rural.

7. Orientar todas las intervenciones tanto en la construcción de nuevas viviendas protegidas como en actuaciones de rehabilitación sobre el parque de viviendas construido hacia la mejora de su eficiencia energética y de sus condiciones de accesibilidad.

2. SUPERFICIES MÁXIMAS Y MÍNIMAS DE LAS VIVIENDAS

— Las viviendas de protección autonómica tendrán con carácter general una superficie útil entre 40 y 90 m². Podrá sobrepasarse dicho límite hasta los 120 m² en los supuestos de familias numerosas, de viviendas adaptadas a personas con discapacidad o solicitantes que tengan a su cargo personas dependientes. La superficie máxima imputable para determinar el precio de venta de los garajes y los trasteros no podrá superar los 25 m², en el caso del garaje, y los 8 m², en el caso del trastero.

3. PRECIOS MÁXIMOS DE VENTA DE LAS VIVIENDAS DE PROTECCIÓN OFICIAL

— Los precios máximos por m² de superficie útil para las viviendas de nueva construcción declaradas protegidas por la Comunidad Autónoma en sus distintas modalidades así como de las viviendas usadas a efectos de su adquisición protegida se determinarán multiplicando el Módulo Básico Estatal por los coeficentes correspondientes a los distintos ámbitos territoriales:

a) ATPMS C: Alfoz de Lloredo, Ampuero, Argoños, Arnuero, Bárcena de Cicero, Bareyo, Camargo, Castro Urdiales, Colindres, Comillas, El Astillero, Escalante, Guriezo, Laredo, Liendo, Limpias, Marina de Cudeyo, Medio Cudeyo, Meruelo, Miengo, Noja, Piélagos, Polanco, Ribamontán al Mar, Ribamontán al Monte, Ruiloba, San Vicente de la Barquera, Santa Cruz de Bezana, Santander, Santillana del Mar, Santoña, Suances, Torrelavega, Val de San Vicente, Valdáliga, Villaescusa y Voto.

b) Resto de Municipios de Cantabria.

— Podrá modificarse el precio máximo establecido en la calificación provisional si la vivienda no se vendiera ni arrendara en el plazo de 1 año desde la calificación definitiva, en cuyo caso el precio será el máximo que corresponda a las viviendas protegidas del mismo régimen que se califiquen provisionalmente en la fecha en que tenga lugar el contrato de compraventa en el correspondiente área geográfica y ámbito territorial.

— El precio máximo incluirá las cantidades por las obras o modificaciones de proyecto objeto de la calificación provisional, incluso las que se exijan para la adaptación a las ordenanzas o normativa básica de la edificación.

— Sin perjuicio de las sanciones administrativas que procedan, no se visarán los contratos de compraventa o arrendamiento en los que figuren cláusulas y estipulacionesque establezcan precios y rentas superiores a los máximos autorizados.

4. EL MÓDULO BÁSICO ESTATAL (MBE)

El Módulo Básico Estatal (MBE) es la cuantía en euros por metro cuadrado de superficie útil, que sirve como referencia para la determinación de los precios máximos de venta, adjudicación y renta de las viviendas objeto de las ayudas previstas en el Real Decreto 2066/2008, así como de los presupuestos protegidos máximos de las actuaciones de rehabilitación de viviendas y edificios, y en áreas de rehabilitación integral y renovación urbana.

El MBE será establecido por acuerdo del Consejo de Ministros en el mes de diciembre de cada año y será publicado en el Boletín Oficial del Estado.

Para el año 2009 se fija en 758 euros (838,8 euros para Canarias).

TIPOLOGÍAS Y CARACTERÍSTICAS DE LOS DIFERENTES TIPOS DE VIVIENDAS

A) COMPRA

1. VIVIENDA DE PROTECCIÓN OFICIAL DE RÉGIMEN ESPECIAL

Características:

• El precio máximo de referencia por metro cuadrado útil será:

ATPMS C: **Módulo Básico Estatal *1,725**

Resto de Municipios de Cantabria: **Módulo Básico Estatal *1,50**

• El régimen de protección será de al menos 30 años, y permanente mientras el suelo esté destinado a vivienda protegida o sea suelo dotacional público, durante todo el plazo que dure el régimen de protección no se podrá descalificar voluntariamente la vivienda incluso en el supuesto de subasta y adjudicación de las viviendas por ejecución judicial del préstamo. Antes de los 10 años la vivienda no podrá venderse sin consentimiento de la CA y sin la devolución de las ayudas recibidas.

• Existirá durante 10 años un derecho de tanteo y retracto en caso de producirse la venta de la misma a nombre de Gobierno de Cantabria u otras Entidades como:

a) Otras Administraciones de carácter territorial establecidas en la Comunidad Autónoma.

b) Las entidades públicas designadas por la Comunidad Autónoma.

c) Las sociedades mercantiles de capital íntegramente público.

d) Las agencias o sociedades públicas de alquiler legalmente creadas.

Estos derechos de adquisición preferente se podrán ejercitar sobre las viviendas de protección pública, cualquiera que sea su régimen, en las segundas y sucesivas transmisiones onerosas inter vivos, voluntarias o como consecuencia de un procedimiento de ejecución judicial.

— A partir de la entrada en vigor de este Decreto podrán calificarse como viviendas protegidas de régimen especial, de precio general o de precio concertado, las viviendas libres de nueva construcción que reúnan los requisitos de superficie, precio por m² útil, nivel de ingresos de sus adquirentes y plazos mínimos de protección.

— Las viviendas de protección pública en venta de cualquier régimen, que hubieran obtenido calificación provisional con anterioridad a la entrada en vigor del presente Decreto y que no hayan sido objeto de venta podrán destinarse al arrendamiento con opción de compra por un período mínimo de 5 años, los propietarios podrán cobrar una renta del 5,5% del precio máximo de referencia de una Vivienda de Protección Oficial calificada en su mismo régimen, en la misma ubicación y en el mismo día que se firme el contrato de arrendamiento con opción de compra.

Cuando se ejerza la opción de compra el precio será el que corresponda a una vivienda calificada en su mismo régimen, en la misma ubicación y en el mismo día en que se firme la escritura de compraventa; en ese momento el vendedor le descontará al comprador del precio el 50% de las cantidades entregadas en forma de renta, sin actualizaciones.

Los arrendatarios de las viviendas calificadas de esta manera podrán optar a una subvención del 40% de la renta mensual a satisfacer con una cuantía máxima de **3.200 €** por vivienda y año.

Requisitos de acceso:

1. Los ingresos de la unidad familiar tienen que ser estar entre 1 vez el IPREM los ingresos anuales mínimos y 2,5 veces el IPREM los máximos.

2. No ser titular de una vivienda protegida (salvo por motivos de realojamiento), ni de una libre cuyo valor, según el Impuesto sobre Transmisiones Patrimoniales, exceda del 40% del precio de la vivienda que se pretende adquirir (60% para familias numerosas que precisen adquirir una vivienda de mayor tamaño por el incremento en el número de miembros de la misma, personas mayores de 65 años, personas con discapacidad, mujeres víctimas de violencia de género, víctimas del terrorismo).

3. Estar inscrito en un registro público de demandantes de vivienda.

4. La actuación debe haber sido calificada como protegida por la CA.

5. La vivienda debe destinarse como residencia habitual del adjudicatario y ocuparse dentro de los plazos establecidos.

Características de la ayuda:

PRÉSTAMO CONVENIDO:

Amortización: 25 años o más con cuotas constantes (tres años o más de carencia para el caso de promoción para uso propio).

Garantía: Hipoteca.

Cuantía Máxima: 80% del precio de adquisición (vivienda + garaje + trastero vinculados) o del valor de la edificación más el del suelo para el caso de promotores individuales para uso propio.

Tipo de interés para el año 2009: puede ser fijo o variable.

Interés fijo: pendiente de publicación.

Interés variable: Euribor a 12 meses publicado por el Banco de España en el *BOE* el mes anterior al de la fecha de formalización del préstamo más un diferencial de entre 25 y 125 puntos básicos.

Este tipo de interés se revisará cada 12 meses teniendo como referencia el Euribor a 12 meses publicado por el Banco de España el mes anterior a la fecha de formalización.

Cuotas: Interés fijo: Constantes durante toda la vida del préstamo.

Interés variable: Constantes durante toda la vida del préstamo, dentro de cada uno de los períodos de amortización a los cuales les corresponde un mismo tipo de interés.

Comisiones: Exentas.

SUBSIDIOS A LOS PRÉSTAMOS: Cantidad anual por cada 10.000 euros de préstamo convenido.

— **100 euros** los 10 primeros años.

— **155 euros** los 5 primeros años en caso de:

— Familias numerosas.

— Familias monoparentales con hijos.

— Familias que incluyan o tengan a su cargo personas dependientes o con discapacidad oficialmente reconocida.

Esta subsidiación se concederá por un período de 5 años y podrá ser ampliada por otro período de la misma duración.

La ampliación se tiene que solicitar dentro del 5.º año del primer período y los solicitantes tienen que acreditar que siguen cumpliendo las condiciones para la concesión de la ayuda.

AYUDA ESTATAL DIRECTA A LA ENTRADA (AEDE):

8.000 euros (**9.000 euros** en caso de jóvenes, **11.000 euros** para mujeres víctimas de violencia de género, víctimas de terrorismo y personas separadas o divorciadas, y **12.000 euros** para familias numerosas, monoparentales con hijos y discapacitados).

Cuando la vivienda estuviera en un Ámbito Territorial de Precio Máximo Superior se incrementarán las ayudas en **1.200 euros** para vivienda situadas en ámbitos del Grupo A, **600** para el B y **300** para el C.

AYUDA AUTONÓMICA DIRECTA A LA ENTRADA (AADE):

Características de la ayuda:

— Ayuda destinada a miembros de los siguientes colectivos:

a) Mujeres víctimas de violencia de género.

b) Víctimas del terrorismo.

c) Afectados por situaciones catastróficas.

d) Personas dependientes o con discapacidad oficialmente reconocida que tengan movilidad reducida (y las familias que las tengan a su cargo).

e) Otros colectivos en situación o riesgo de exclusión social.

— La cuantía será de **2.500 €** para el primer acceso a la vivienda en propiedad.

Requisitos de acceso ayuda:

1. La vivienda tiene que haber obtenido la calificación definitiva.

2. El contrato de compraventa tiene que haber sido visado por la CA. Entre las firmas del contrato y la solicitud del visado no debe pasar más de 4 meses.

3. Entre el visado del contrato y la solicitud del préstamo no debe pasar más de 6 meses.

4. Los ingresos de la unidad familiar tienen que estar entre 1 vez el IPREM los ingresos anuales mínimos y 2,5 veces el IPREM los máximos.

5. Tiene que ser el 1.er acceso a la propiedad del solicitante (se entiende que reúnen la condición de 1.er acceso a la propiedad los adquirentes que no tengan o no hayan tenido con anterioridad ninguna vivienda en propiedad o que siendo titular de alguna no disfruten de un derecho real de uso o disfrute sobre ella o el valor de la misma de acuerdo con la normativa

del ITP no supere el 25% del precio máximo de venta de la vivienda que adquirieren).

6. Los solicitantes no pueden haber recibido anteriormente financiación al amparo de algún Plan de Vivienda durante los 10 años anteriores a la solicitud actual de ayudas; no será necesario cumplir este requisito cuando la adquisición de la vivienda sea como consecuencia del cambio de residencia del titular en otra localidad, cuando se trate de una familia numerosa que acceda a nueva vivienda de mayor superficie como consecuencia de haber ampliado el número de miembros de la unidad familiar o cuando la nueva solicitud se produzca por la necesidad de una vivienda adaptada a las condiciones de discapacidad sobrevenida de algún miembro de la unidad familiar (en cualquier caso será necesario cancelar previamente el préstamo cualificado o convenido anteriormente obtenido y en el caso de las ayudas directas se podrá optar por devolver las ayudas o percibir la diferencia si procediera).

7. La cuantía del préstamo convenido no será inferior al 60% del precio de la vivienda durante los 5 primeros años de amortización del préstamo.

2. VIVIENDA DE PROTECCIÓN OFICIAL DE RÉGIMEN GENERAL

Características:

• El precio máximo de referencia por metro cuadrado útil será:

ATPMS C: **Módulo Básico Estatal *1,84**

Resto de Municipios de Cantabria: **Módulo Básico Estatal *1,60**

• El régimen de protección será de al menos 30 años, y permanente mientras el suelo esté destinado a vivienda protegida o sea suelo dotacional público, durante todo el plazo que dure el régimen de protección no se podrá descalificar voluntariamente la vivienda. Antes de los 10 años la vivienda no podrá venderse sin consentimiento de la CA y sin la devolución de las ayudas recibidas.

• Existirá durante 10 años un derecho de tanteo y retracto en caso de producirse la venta de la misma a nombre de Gobierno de Cantabria u otras Entidades.

— A partir de la entrada en vigor de este Decreto podrán calificarse como viviendas protegidas de régimen especial, de precio general o de precio concertado, las viviendas libres de nueva construcción que reúnan los requisitos de superficie, precio por m² útil, nivel de ingresos de sus adquirentes y plazos mínimos de protección.

— Las viviendas de protección pública en venta de cualquier régimen, que hubieran obtenido calificación provisional con anterioridad a la entrada en vigor del presente Decreto y que no hayan sido objeto de venta podrán destinarse al arrendamiento con opción de compra por un período mínimo de 5 años, los propietarios podrán cobrar una renta del 5,5% del precio máximo de referencia de una Vivienda de Protección Oficial calificada en su mismo régimen, en la misma ubicación y en el mismo día que se firme el contrato de arrendamiento con opción de compra.

Cuando se ejerza la opción de compra el precio será el que corresponda a una vivienda calificada en su mismo régimen, en la misma ubicación y en el mismo día en que se firme la escritura de compraventa; en ese momento el vendedor le descontará al comprador del precio el 50% de las cantidades entregadas en forma de renta, sin actualizaciones.

Los arrendatarios de las viviendas calificadas de esta manera podrán optar a una subvención del 40% de la renta mensual a satisfacer con una cuantía máxima de **3.200 €** por vivienda y año.

Requisitos de acceso:

1. Los ingresos de la unidad familiar tienen que estar entre 1 vez el IPREM los ingresos anuales mínimos y 4,5 veces el IPREM los máximos.

2. No ser titular de una vivienda protegida (salvo por motivos de realojamiento), ni de una libre cuyo valor, según el Impuesto sobre Transmisiones Patrimoniales, exceda del 40% del precio de la vivienda que se pretende adquirir (60% para familias numerosas que precisen adquirir una vivienda de mayor tamaño por el incremento en el número de miembros de la misma, personas mayores de 65 años, personas con discapacidad, mujeres víctimas de violencia de género, víctimas del terrorismo).

3. Estar inscrito en un registro público de demandantes de vivienda.

4. La actuación debe haber sido calificada como protegida por la CA.

5. La vivienda debe destinarse como residencia habitual del adjudicatario y ocuparse dentro de los plazos establecidos.

Características de la ayuda:

PRÉSTAMO CONVENIDO:

Amortización: 25 años o más con cuotas constantes (tres años o más de carencia para el caso de promoción para uso propio).

Garantía: Hipoteca.

Cuantía Máxima: 80% del precio de adquisición (vivienda + garaje + trastero vinculados) o del valor de la edificación más el del suelo para el caso de promotores individuales para uso propio.

Tipo de interés para el año 2009: puede ser fijo o variable.

Interés fijo: pendiente de publicación.

Interés variable: Euribor a 12 meses publicado por el Banco de España en el *BOE* el mes anterior al de la fecha de formalización del préstamo más un diferencial de entre 25 y 125 puntos básicos.

Este tipo de interés se revisará cada 12 meses teniendo como referencia el Euribor a 12 meses publicado por el Banco de España el mes anterior a la fecha de formalización.

Cuotas: Interés fijo: Constantes durante toda la vida del préstamo.

Interés variable: Constantes durante toda la vida del préstamo, dentro de cada uno de los períodos de amortización a los cuales les corresponde un mismo tipo de interés.

Comisiones: Exentas.

SUBSIDIOS A LOS PRÉSTAMOS: Cantidad anual por cada 10.000 euros de préstamo durante 5 años, renovables 5 más (la ampliación se tiene que solicitar dentro del 5.º año del primer período y los solicitantes tienen que acreditar que siguen cumpliendo las condiciones para la concesión de la ayuda; se entenderá que cumplen las condiciones cuando la media de los ingresos correspondientes a los dos años anteriores a la revisión no excedan en más o menos un 20% de las acreditadas inicialmente):

— **100 euros** para ingresos menores o iguales a 2,5 veces el IPREM los 10 primeros años (**155 euros** para familias numerosas, monoparentales con hijos y familias que incluyan personas dependientes o con discapacidad reconocida oficialmente durante los 5 primeros años).

— **80 euros** para ingresos entre 2,5 y 3,5 veces el IPREM los 5 primeros años (**113 euros** para familias numerosas, monoparentales con hijos y familias que incluyan personas dependientes o con discapacidad reconocida oficialmente durante los 5 primeros años).

— **60 euros** anuales a familias con ingresos familiares entre 3,5 y 4,5 veces el IPREM (**93 euros** para familias numerosas, monoparentales con hijos y familias que incluyan personas dependientes o con discapacidad reconocida oficialmente durante los 5 primeros años).

AYUDA ESTATAL DIRECTA A LA ENTRADA (AEDE):

ADQUIRENTES CON INGRESOS DE HASTA 2,5 VECES EL IPREM:

– **8.000 euros** para ingresos menores o iguales a 2,5 veces el IPREM (**9.000 euros** en caso de jóvenes, **11.000 euros** para mujeres víctimas de violencia de género, víctimas de terrorismo y personas separadas o divorciadas, y **12.000 euros** para familias numerosas, monoparentales con hijos y discapacitados).

Cuando la vivienda estuviera en un Ámbito Territorial de Precio Máximo Superior se incrementarán las ayudas en **1.200 euros** para vivienda situadas en ámbitos del Grupo A, **600** para el B y **300** para el comprador.

AYUDA AUTONÓMICA DIRECTA A LA ENTRADA (AADE):

Características de la ayuda:

— Ayuda destinada a miembros de los siguientes colectivos:

a) Mujeres víctimas de violencia de género.

b) Víctimas del terrorismo.

c) Afectados por situaciones catastróficas.

d) Personas dependientes o con discapacidad oficialmente reconocida que tengan movilidad reducida (y las familias que las tengan a su cargo).

e) Otros colectivos en situación o riesgo de exclusión social.

— La cuantía será de **2.500 €** para el primer acceso a la vivienda en propiedad.

Requisitos de acceso ayuda:

1. La vivienda tiene que haber obtenido la calificación definitiva.

2. El contrato de compraventa tiene que haber sido visado por la CA. Entre las firmas del contrato y la solicitud del visado no debe pasar más de 4 meses.

3. Entre el visado del contrato y la solicitud del préstamo no debe pasar más de 6 meses.

4. Los ingresos de la unidad familiar tienen que estar entre 1 vez el IPREM los ingresos anuales mínimos y de 2,5 veces el IPREM los máximos.

5. Tiene que ser el 1.er acceso a la propiedad del solicitante (se entiende que reúnen la condición de 1.er acceso a la propiedad los adquirentes que no tengan o no hayan tenido con anterioridad ninguna vivienda en propiedad o que siendo titular de alguna no disfruten de un derecho real de uso o disfrute sobre ella o el valor de la misma de acuerdo con la normativa del ITP no supere el 25% del precio máximo de venta de la vivienda que adquirieren).

6. Los solicitantes no pueden haber recibido anteriormente financiación al amparo de algún Plan de Vivienda durante los 10 años anteriores a la solicitud actual de ayudas; no será necesario cumplir este requisito cuando la adquisición de la vivienda sea como consecuencia del cambio de residencia del titular en otra localidad, cuando se trate de una familia numerosa que acceda a nueva vivienda de mayor superficie como consecuencia de haber ampliado el número de miembros de la unidad familiar o cuando la nueva solicitud se produzca por la necesidad de una vivienda adaptada a las condiciones de discapacidad sobrevenida de algún miembro de la unidad familiar (en cualquier caso será necesario cancelar previamente

el préstamo cualificado o convenido anteriormente obtenido y en el caso de las ayudas directas se podrá optar por devolver las ayudas o percibir la diferencia si procediera).

7. La cuantía del préstamo convenido no será inferior al 60% del precio de la vivienda durante los 5 primeros años de amortización del préstamo.

ADQUIRENTES CON INGRESOS ENTRE 2,5 VECES Y 3,5 VECES EL IPREM:

— **7.000 euros** para ingresos entre 2,5 y 3,5 veces el IPREM (**8.000 euros** en caso de jóvenes, **9.000 euros** para mujeres víctimas de violencia de género, víctimas de terrorismo y personas separadas o divorciadas, y **10.000 euros** para familias numerosas, monoparentales con hijos y discapacitados).

Cuando la vivienda estuviera en un Ámbito Territorial de Precio Máximo Superior se incrementarán las ayudas en **1.200 euros** para vivienda situadas en ámbitos del Grupo A, **600** para el B y **300** para el comprador.

Requisitos de acceso a la ayuda:

1. La vivienda tiene que haber obtenido la calificación definitiva.

2. El contrato de compraventa tiene que haber sido visado por la CA. Entre las firmas del contrato y la solicitud del visado no debe pasar más de 4 meses.

3. Entre el visado del contrato y la solicitud del préstamo no debe pasar más de 6 meses.

4. Los ingresos de la unidad familiar tienen que ser entre 2,5 y 3,5 veces el IPREM.

5. Tiene que ser el 1.er acceso a la propiedad del solicitante (se entiende que reúnen la condición de 1.er acceso a la propiedad los adquirentes que no tengan o no hayan tenido con anterioridad ninguna vivienda en propiedad o que siendo titular de alguna no disfruten de un derecho real de uso o disfrute sobre ella o el valor de la misma de acuerdo con la normativa del ITP no supere el 25% del precio máximo de venta de la vivienda que adquirieren).

6. Los solicitantes no pueden haber recibido anteriormente financiación al amparo de algún Plan de Vivienda durante los 10 años anteriores a la solicitud actual de ayudas; no será necesario cumplir este requisito cuando la adquisición de la vivienda sea como consecuencia del cambio de residencia del titular en otra localidad, cuando se trate de una familia numerosa que acceda a nueva vivienda de mayor superficie como consecuencia de haber ampliado el número de miembros de la unidad familiar o cuando la nueva solicitud se produzca por la necesidad de una vivienda adaptada a las condiciones de discapacidad sobrevenida de algún miembro de la unidad familiar (en cualquier caso será necesario cancelar previamente el préstamo cualificado o convenido anteriormente obtenido y en el caso de las ayudas directas se podrá optar por devolver las ayudas o percibir la diferencia si procediera).

AYUDA AUTONÓMICA DIRECTA A LA ENTRADA (AADE):

Características de la ayuda:

— Ayuda destinada a miembros de los siguientes colectivos:

a) Mujeres víctimas de violencia de género.

b) Víctimas del terrorismo.

c) Afectados por situaciones catastróficas.

d) Personas dependientes o con discapacidad oficialmente reconocida que tengan movilidad reducida (y las familias que las tengan a su cargo).

e) Otros colectivos en situación o riesgo de exclusión social.

— La cuantía será de **2.500 €** para el primer acceso a la vivienda en propiedad.

ADQUIRENTES CON INGRESOS ENTRE 3,5 VECES Y 4,5 VECES EL IPREM:

— **5.000 euros** para ingresos mayores de 3,5 y menores o iguales a 4,5 veces del IPREM (**6.000 euros** en caso de jóvenes, 7.000 euros para mujeres víctimas de violencia de género, víctimas de terrorismo y personas separadas o divorciadas, y **8.000 euros** para familias numerosas, monoparentales con hijos y discapacitados).

Cuando la vivienda estuviera en un Ámbito Territorial de Precio Máximo Superior se incrementarán las ayudas en **1.200 euros** para vivienda situadas en ámbitos del Grupo A, **600** para el B y **300** para el comprador.

AYUDA AUTONÓMICA DIRECTA A LA ENTRADA (AADE):

Características de la ayuda:

— Ayuda destinada a miembros de los siguientes colectivos:

a) Mujeres víctimas de violencia de género.

b) Víctimas del terrorismo.

c) Afectados por situaciones catastróficas.

d) Personas dependientes o con discapacidad oficialmente reconocida que tengan movilidad reducida (y las familias que las tengan a su cargo).

e) Otros colectivos en situación o riesgo de exclusión social.

— La cuantía será de **2.500 €** para el primer acceso a la vivienda en propiedad.

Requisitos de acceso a la ayuda:

1. La vivienda tiene que haber obtenido la calificación definitiva.

2. El contrato de compraventa tiene que haber sido visado por la CA. Entre las firmas del contrato y la solicitud del visado no debe pasar más de 4 meses.

3. Entre el visado del contrato y la solicitud del préstamo no debe pasar más de 6 meses.

4. Los ingresos de la unidad familiar tienen que ser entre 3,5 y 4,5 veces el IPREM.

5. Tiene que ser el 1.er acceso a la propiedad del solicitante (se entiende que reúnen la condición de 1.er acceso a la propiedad los adquirentes que no tengan o no hayan tenido con anterioridad ninguna vivienda en propiedad o que siendo titular de alguna no disfruten de un derecho real de uso o disfrute sobre ella o el valor de la misma de acuerdo con la normativa

del ITP no supere el 25% del precio máximo de venta de la vivienda que adquirieren).

6. Los solicitantes no pueden haber recibido anteriormente financiación al amparo de algún Plan de Vivienda durante los 10 años anteriores a la solicitud actual de ayudas; no será necesario cumplir este requisito cuando la adquisición de la vivienda sea como consecuencia del cambio de residencia del titular en otra localidad, cuando se trate de una familia numerosa que acceda a nueva vivienda de mayor superficie como consecuencia de haber ampliado el número de miembros de la unidad familiar o cuando la nueva solicitud se produzca por la necesidad de una vivienda adaptada a las condiciones de discapacidad sobrevenida de algún miembro de la unidad familiar (en cualquier caso será necesario cancelar previamente el préstamo cualificado o convenido anteriormente obtenido y en el caso de las ayudas directas se podrá optar por devolver las ayudas o percibir la diferencia si procediera).

3. VIVIENDAS PROTEGIDAS DE PRECIO CONCERTADO

Características:

• El precio máximo de referencia por metro cuadrado útil será:

ATPMS C: **Módulo Básico Estatal *2,34**

Resto de Municipios de Cantabria: **Módulo Básico Estatal *1,80**

• El régimen de protección será de 30 años; durante todo el plazo que dure el régimen de protección no se podrá descalificar voluntariamente la vivienda. Antes de los 10 años la vivienda no podrá venderse sin consentimiento de la CA y sin la devolución de las ayudas recibidas.

• Existirá durante 10 años un derecho de tanteo y retracto en caso de producirse la venta de la misma a nombre de Gobierno de Cantabria u otras Entidades.

— A partir de la entrada en vigor de este Decreto podrán calificarse como viviendas protegidas de régimen especial, de precio general o de precio concertado, las viviendas libres de nueva construcción que reúnan los requisitos de superficie, precio por m² útil, nivel de ingresos de sus adquirentes y plazos mínimos de protección.

— Las viviendas de protección pública en venta de cualquier régimen, que hubieran obtenido calificación provisional con anterioridad a la entrada en vigor del presente Decreto y que no hayan sido objeto de venta podrán destinarse al arrendamiento con opción de compra por un período mínimo de 5 años, los propietarios podrán cobrar una renta del 5,5% del precio máximo de referencia de una Vivienda de Protección Oficial calificada en su mismo régimen, en la misma ubicación y en el mismo día que se firme el contrato de arrendamiento con opción de compra.

Cuando se ejerza la opción de compra el precio será el que corresponda a una vivienda calificada en su mismo régimen, en la misma ubicación y en el mismo día en que se firme la escritura de compraventa; en ese momento el vendedor le descontará al comprador del precio el 50% de las cantidades entregadas en forma de renta, sin actualizaciones.

Los arrendatarios de las viviendas calificadas de esta manera podrán optar a una subvención del 40% de la renta mensual a satisfacer con una cuantía máxima de **3.200 €** por vivienda y año.

Requisitos de acceso:

1. Los ingresos de la unidad familiar tienen que estar entre 1 vez el IPREM los ingresos anuales mínimos y de 6,5 veces el IPREM los máximos.

2. No ser titular de una vivienda protegida (salvo por motivos de realojamiento), ni de una libre cuyo valor, según el Impuesto sobre Transmisiones Patrimoniales, exceda del 40% del precio de la vivienda que se pretende adquirir (60% para familias numerosas que precisen adquirir una vivienda de mayor tamaño por el incremento en el número de miembros de la misma, personas mayores de 65 años, personas con discapacidad, mujeres víctimas de violencia de género, víctimas del terrorismo).

3. Estar inscrito en un registro público de demandantes de vivienda.

4. La actuación debe haber sido calificada como protegida por la CA.

5. La vivienda debe destinarse como residencia habitual del adjudicatario y ocuparse dentro de los plazos establecidos.

Características de la ayuda:

PRÉSTAMO CONVENIDO:

Amortización: 25 años o más con cuotas constantes (tres años o más de carencia para el caso de promoción para uso propio).

Garantía: Hipoteca.

Cuantía Máxima: 80% del precio de adquisición (vivienda + garaje + trastero vinculados) o del valor de la edificación más el del suelo para el caso de promotores individuales para uso propio.

Tipo de interés para el año 2009: puede ser fijo o variable.

Interés fijo: pendiente de publicación.

Interés variable: Euribor a 12 meses publicado por el Banco de España en el *BOE* el mes anterior al de la fecha de formalización del préstamo más un diferencial de entre 25 y 125 puntos básicos.

Este tipo de interés se revisará cada 12 meses teniendo como referencia el Euribor a 12 meses publicado por el Banco de España el mes anterior a la fecha de formalización.

Cuotas: Interés fijo: Constantes durante toda la vida del préstamo.

Interés variable: Constantes durante toda la vida del préstamo, dentro de cada uno de los períodos de amortización a los cuales les corresponde un mismo tipo de interés.

Comisiones: Exentas.

AYUDA AUTONÓMICA DIRECTA A LA ENTRADA (AADE):

Características de la ayuda:

— Ayuda destinada a miembros de los siguientes colectivos:

a) Mujeres víctimas de violencia de género.

b) Víctimas del terrorismo.

c) Afectados por situaciones catastróficas.

d) Personas dependientes o con discapacidad oficialmente reconocida que tengan movilidad reducida (y las familias que las tengan a su cargo).

e) Otros colectivos en situación o riesgo de exclusión social.

— La cuantía será de **2.500** € para el primer acceso a la vivienda en propiedad

Requisitos de acceso ayuda:

1. La vivienda tiene que haber obtenido la calificación definitiva.

2. El contrato de compraventa tiene que haber sido visado por la CA. Entre las firmas del contrato y la solicitud del visado no debe pasar más de 4 meses.

3. Entre el visado del contrato y la solicitud del préstamo no debe pasar más de 6 meses.

4. Los ingresos de la unidad familiar tienen que estar entre 1 vez el IPREM los ingresos anuales mínimos y de 6,5 veces el IPREM los máximos.

5. Tiene que ser el 1.er acceso a la propiedad del solicitante (se entiende que reúnen la condición de 1.er acceso a la propiedad los adquirentes que no tengan o no hayan tenido con anterioridad ninguna vivienda en propiedad o que siendo titular de alguna no disfruten de un derecho real de uso o disfrute sobre ella o el valor de la misma de acuerdo con la normativa del ITP no supere el 25% del precio máximo de venta de la vivienda que adquirieren).

6. Los solicitantes no pueden haber recibido anteriormente financiación al amparo de algún Plan de Vivienda durante los 10 años anteriores a la solicitud actual de ayudas; no será necesario cumplir este requisito cuando la adquisición de la vivienda sea como consecuencia del cambio de residencia del titular en otra localidad, cuando se trate de una familia numerosa que acceda a nueva vivienda de mayor superficie como consecuencia de haber ampliado el número de miembros de la unidad familiar o cuando la nueva solicitud se produzca por la necesidad de una vivienda adaptada a las condiciones de discapacidad sobrevenida de algún miembro de la unidad familiar (en cualquier caso será necesario cancelar previamente el préstamo cualificado o convenido anteriormente obtenido y en el caso

de las ayudas directas se podrá optar por devolver las ayudas o percibir la diferencia si procediera).

7. La cuantía del préstamo convenido no será inferior al 60% del precio de la vivienda durante los 5 primeros años de amortización del préstamo.

4. VIVIENDAS PROTEGIDAS DE RÉGIMEN AUTONÓMICO DE CANTABRIA

Características:

• El precio máximo de referencia por metro cuadrado útil será:

Territorio de la Comunidad de Cantabria: **Módulo Básico Estatal *2,184**

• El régimen de protección será de 15 años, durante todo el plazo que dure el régimen de protección no se podrá descalificar voluntariamente la vivienda. Antes de 5 años la vivienda no podrá venderse sin consentimiento de la CA y sin la devolución de las ayudas recibidas.

— Los promotores de viviendas libres que hubieran obtenido licencia de obras con anterioridad a la entrada en vigor de este Decreto y que no hayan sido vendidas o arrendadas, podrán solicitar su calificación individualizada como Viviendas de Protección Pública en Régimen Autonómico de Cantabria para arrendamiento con opción de compra siempre que cumplan las condiciones de este tipo de viviendas en cuanto a los máximos referentes a superficies, precios por m² útil, niveles de ingresos de los adquirentes y plazos mínimos de la calificación, la renta máxima anual será el 4% del precio máximo de venta de una vivienda protegida de este régimen en el momento de la firma del contrato de arrendamiento.

Cuando se ejerza la opción de compra se multiplicará el precio de una vivienda protegida del mismo régimen calificada como tal, en la misma ubicación y en el mismo día en que se firme la escritura de compraventa por 1,25; en ese momento el vendedor le descontará al comprador del precio el 50% de las cantidades entregadas en forma de renta, sin actualizaciones.

Los arrendatarios de las viviendas calificadas de esta manera podrán optar a una subvención del 40% de la renta mensual a satisfacer con una cuantía máxima de **3.200 €** por vivienda y año.

Requisitos de acceso:

1. Los ingresos de la unidad familiar tienen que estar entre 1 vez el IPREM los ingresos anuales mínimos y de 6,5 veces el IPREM los máximos.

2. No ser titular de una vivienda protegida (salvo por motivos de realojamiento), ni de una libre cuyo valor, según el Impuesto sobre Transmisiones Patrimoniales, exceda del 40% del precio de la vivienda que se pretende adquirir (60% para familias numerosas que precisen adquirir una vivienda de mayor tamaño por el incremento en el número de miembros de la misma, personas mayores de 65 años, personas con discapacidad, mujeres víctimas de violencia de género, víctimas del terrorismo).

3. Estar inscrito en un registro público de demandantes de vivienda.

4. La actuación debe haber sido calificada como protegida por la CA.

5. La vivienda debe destinarse como residencia habitual del adjudicatario y ocuparse dentro de los plazos establecidos.

Características de la ayuda:

PRÉSTAMO CONVENIDO POR LA COMUNIDAD DE CANTABRIA CON LAS ENTIDADES BANCARIAS:

Amortización: 30 años (precedido de un período máximo de 3 años de carencia para el préstamo al promotor).

Garantía: Hipoteca.

Cuantía Máxima: 80% del precio de adquisición (vivienda + garaje + trastero vinculados) o del valor de la edificación más el del suelo para el caso de promotores individuales para uso propio.

Tipo de interés para el año 2009: Euribor a 12 meses publicado por el Banco de España en el *BOE* el mes anterior al de la fecha de formalización del préstamo más un diferencial de 0,65 puntos básicos.

Este tipo de interés se revisará cada 12 meses teniendo como referencia el Euribor a 12 meses publicado por el Banco de España el mes anterior a la fecha de formalización.

Cuotas: Constantes durante toda la vida del préstamo, dentro de cada uno de los períodos de amortización a los cuales les corresponde un mismo tipo de interés.

Comisiones: Subrogación -0%

Amortización anticipada -0,50% hasta el 4.º año. Exentas a partir del 5.º.

Cancelación anticipada: -1%:

Entidades financieras que han firmado convenio con el Gobierno de Cantabria: Banco Santander, BBVA, Banesto, Caja Cantabria, La Caixa y Caja Madrid.

AYUDA AUTONÓMICA DIRECTA A LA ENTRADA (AADE):

ADQUIRENTES CON INGRESOS DE HASTA 2,5 VECES EL IPREM:

– 5% del precio de adquisición de la vivienda hasta un máximo de **6.000 €.**

ADQUIRENTES CON INGRESOS ENTRE 2,5 Y 3,5 VECES EL IPREM:

– 4% del precio de adquisición de la vivienda hasta un máximo de **4.000 €.**

Requisitos de acceso ayuda:

1. La vivienda tiene que haber obtenido la calificación definitiva.

2. El contrato de compraventa tiene que haber sido visado por la CA. Entre las firmas del contrato y la solicitud del visado no debe pasar más de 4 meses.

3. Entre el visado del contrato y la solicitud del préstamo no debe pasar más de 6 meses.

4. Los ingresos de la unidad familiar tienen que estar entre 1 vez el IPREM los ingresos anuales mínimos y de 3,5 veces el IPREM los máximos.

5. Tiene que ser el 1.er acceso a la propiedad del solicitante (se entiende que reúnen la condición de 1.er acceso a la propiedad los adquirentes que no tengan o no hayan tenido con anterioridad ninguna vivienda en propiedad o que siendo titular de alguna no disfruten de un derecho real de uso o disfrute sobre ella o el valor de la misma de acuerdo con la normativa del ITP no supere el 25% del precio máximo de venta de la vivienda que adquirieren).

6. Los solicitantes no pueden haber recibido anteriormente financiación al amparo de algún Plan de Vivienda durante los 10 años anteriores a la solicitud actual de ayudas; no será necesario cumplir este requisito cuando la adquisición de la vivienda sea como consecuencia del cambio de residencia del titular en otra localidad, cuando se trate de una familia numerosa que acceda a nueva vivienda de mayor superficie como consecuencia de haber ampliado el número de miembros de la unidad familiar o cuando la nueva solicitud se produzca por la necesidad de una vivienda adaptada a las condiciones de discapacidad sobrevenida de algún miembro de la unidad familiar (en cualquier caso será necesario cancelar previamente el préstamo cualificado o convenido anteriormente obtenido y en el caso de las ayudas directas se podrá optar por devolver las ayudas o percibir la diferencia si procediera).

7. La cuantía del préstamo convenido no será inferior al 60% del precio de la vivienda durante los 5 primeros años de amortización del préstamo.

B) COMPRA DE VIVIENDA USADA:

Características:

Se consideran viviendas usadas:

a) Viviendas libres o protegidas en segunda o posteriores transmisiones (incluidas las que se hubiesen destinado al alquiler);

b) Viviendas adquiridas en primera transmisión sujetas a regímenes de protección oficial con superficie de hasta 120 m² destinadas a familias numerosas cuando haya transcurrido 1 año como mínimo desde la fecha de la calificación definitiva de las mismas y no hubieran sido adquiridas por las familias numerosas a las que se destinaban.

c) Viviendas libres de nueva construcción adquiridas después de, al menos, 1 año desde la expedición de la licencia de primera ocupación, el certificado final de obra o la cédula de habitabilidad y el contrato de compraventa o de opción de compra.

d) Viviendas rurales usadas con una superficie útil que no exceda de 120 m² y sean adquiridas en municipios o núcleos de población que no superen los 10.000 habitantes.

Salvo normativa autonómica diferente, la superficie útil de la vivienda estará comprendida entre 40 m² y 90 m² pudiendo llegar a 120 m² en el caso de viviendas para familias numerosas, personas con discapacidad o familias con dependientes a su cargo.

— La obtención de la ayuda conllevará la limitación de su precio máximo de venta en posteriores transmisiones, durante, al menos, 15 años desde la fecha de adquisición, o durante la duración del préstamo convenido, si fuera superior.

— Precio de la vivienda usada:

ATPMS C: **Módulo Básico Estatal *2,08**

Resto de Municipios de Cantabria: **Módulo Básico Estatal *1,60**

— El precio de las viviendas acogidas a algún régimen de protección será el que corresponda a dicho régimen siempre que no exceda de los precios marcados en el párrafo anterior.

Requisitos de acceso:

1. Ingresos familiares mínimos de 1 vez el IPREM y máximos de hasta 4,5 veces el IPREM.

2. No ser titular de una vivienda protegida (salvo por motivos de realojamiento), ni de una libre cuyo valor, según el Impuesto sobre Transmisiones Patrimoniales, exceda del 40% del precio de la vivienda que se pretende adquirir (60% para familias numerosas que precisen

adquirir una vivienda de mayor tamaño por el incremento en el número de miembros de la misma, personas mayores de 65 años, personas con discapacidad, mujeres víctimas de violencia de género, víctimas del terrorismo).

3. Estar inscrito en un registro público de demandantes de vivienda.

4. La actuación debe haber sido calificada como protegida por la CA.

5. La vivienda debe destinarse como residencia habitual del adjudicatario y ocuparse dentro de los plazos establecidos.

Características de la ayuda:

PRÉSTAMO CONVENIDO:

Amortización: 25 años o más con cuotas constantes (tres años o más de carencia para el caso de promoción para uso propio).

Garantía: Hipoteca.

Cuantía Máxima: 80% del precio de adquisición (vivienda + garaje + trastero vinculados) o del valor de la edificación más el del suelo para el caso de promotores individuales para uso propio.

Tipo de interés para el año 2009: puede ser fijo o variable.

Interés fijo: pendiente de publicación.

Interés variable: Euribor a 12 meses publicado por el Banco de España en el *BOE* el mes anterior al de la fecha de formalización del préstamo más un diferencial de entre 25 y 125 puntos básicos.

Este tipo de interés se revisará cada 12 meses teniendo como referencia el Euribor a 12 meses publicado por el Banco de España el mes anterior a la fecha de formalización.

Cuotas: Interés fijo: Constantes durante toda la vida del préstamo.

Interés variable: Constantes durante toda la vida del préstamo, dentro de cada uno de los períodos de amortización a los cuales les corresponde un mismo tipo de interés.

Comisiones: Exentas.

SUBSIDIOS A LOS PRÉSTAMOS: Cantidad anual por cada 10.000 euros de préstamo durante 5 años, renovables 5 más (la ampliación se tiene que solicitar dentro del 5.º año del primer período y los solicitantes tienen que acreditar que siguen cumpliendo las condiciones para la concesión de la ayuda; se entenderá que cumplen las condiciones cuando la media de los ingresos correspondientes a los dos años anteriores a la revisión no excedan en más o menos un 20% de las acreditadas inicialmente):

— **100 euros** para ingresos menores o iguales a 2,5 veces el IPREM los 10 primeros años (**155 euros** para familias numerosas, monoparentales con hijos y familias que incluyan personas dependientes o con discapacidad reconocida oficialmente durante los 5 primeros años).

— **80 euros** para ingresos entre 2,5 y 3,5 veces el IPREM los 5 primeros años (**113 euros** para familias numerosas, monoparentales con hijos y familias que incluyan personas dependientes o con discapacidad reconocida oficialmente durante los 5 primeros años).

— **60 euros** anuales a familias con ingresos familiares entre 3,5 y 4,5 veces el IPREM (**93 euros** para familias numerosas, monoparentales con hijos y familias que incluyan personas dependientes o con discapacidad reconocida oficialmente durante los 5 primeros años).

AYUDA ESTATAL DIRECTA A LA ENTRADA (AEDE):

ADQUIRENTES CON INGRESOS DE HASTA 2,5 VECES EL IPREM:

— **8.000 euros** para ingresos menores o iguales a 2,5 veces el IPREM (**9.000 euros** en caso de jóvenes, **11.000 euros** para mujeres víctimas de violencia de género, víctimas de terrorismo y personas separadas o divorciadas, y **12.000 euros** para familias numerosas, monoparentales con hijos y discapacitados).

Cuando la vivienda estuviera en un Ámbito Territorial de Precio Máximo Superior se incrementarán las ayudas en **1.200 euros** para vivienda situadas en ámbitos del Grupo A, **600** para el B y **300** para el comprador.

AYUDA AUTONÓMICA DIRECTA A LA ENTRADA (AADE):

Características de la ayuda:

— Ayuda destinada a miembros de los siguientes colectivos:

a) Mujeres víctimas de violencia de género.

b) Víctimas del terrorismo.

c) Afectados por situaciones catastróficas.

d) Personas dependientes o con discapacidad oficialmente reconocida que tengan movilidad reducida (y las familias que las tengan a su cargo).

e) Otros colectivos en situación o riesgo de exclusión social.

— La cuantía será de **2.500 €** para el primer acceso a la vivienda en propiedad

Requisitos de acceso ayuda:

1. La vivienda tiene que haber obtenido la calificación definitiva.

2. El contrato de compraventa tiene que haber sido visado por la CA. Entre las firmas del contrato y la solicitud del visado no debe pasar más de 4 meses.

3. Entre el visado del contrato y la solicitud del préstamo no debe pasar más de 6 meses.

4. Los ingresos de la unidad familiar tienen que estar entre 1 vez el IPREM los ingresos anuales mínimos y de 2,5 veces el IPREM los máximos.

5. Tiene que ser el 1.er acceso a la propiedad del solicitante (se entiende que reúnen la condición de 1.er acceso a la propiedad los adquirentes que no tengan o no hayan tenido con anterioridad ninguna vivienda en propiedad o que siendo titular de alguna no disfruten de un derecho real de uso o disfrute sobre ella o el valor de la misma de acuerdo con la normativa del ITP no supere el 25% del precio máximo de venta de la vivienda que adquirieren).

6. Los solicitantes no pueden haber recibido anteriormente financiación al amparo de algún Plan de Vivienda durante los 10 años anteriores a la solicitud actual de ayudas; no será necesario cumplir este requisito cuando la adquisición de la vivienda sea como consecuencia del cambio de residencia del titular en otra localidad, cuando se trate de una familia numerosa que acceda a nueva vivienda de mayor superficie como consecuencia de

haber ampliado el número de miembros de la unidad familiar o cuando la nueva solicitud se produzca por la necesidad de una vivienda adaptada a las condiciones de discapacidad sobrevenida de algún miembro de la unidad familiar (en cualquier caso será necesario cancelar previamente el préstamo cualificado o convenido anteriormente obtenido y en el caso de las ayudas directas se podrá optar por devolver las ayudas o percibir la diferencia si procediera).

7. La cuantía del préstamo convenido no será inferior al 60% del precio de la vivienda durante los 5 primeros años de amortización del préstamo.

ADQUIRENTES CON INGRESOS ENTRE 2,5 VECES Y 3,5 VECES EL IPREM:

— **7.000 euros** para ingresos entre 2,5 y 3,5 veces el IPREM (**8.000 euros** en caso de jóvenes, **9.000 euros** para mujeres víctimas de violencia de género, víctimas de terrorismo y personas separadas o divorciadas, y **10.000 euros** para familias numerosas, monoparentales con hijos y discapacitados).

Cuando la vivienda estuviera en un Ámbito Territorial de Precio Máximo Superior se incrementarán las ayudas en **1.200 euros** para vivienda situadas en ámbitos del Grupo A, **600** para el B y **300** para el comprador.

Requisitos de acceso a la ayuda:

1. La vivienda tiene que haber obtenido la calificación definitiva.

2. El contrato de compraventa tiene que haber sido visado por la CA. Entre las firmas del contrato y la solicitud del visado no debe pasar más de 4 meses.

3. Entre el visado del contrato y la solicitud del préstamo no debe pasar más de 6 meses.

4. Los ingresos de la unidad familiar tienen que ser entre 2,5 y 3,5 veces el IPREM.

5. Tiene que ser el 1.er acceso a la propiedad del solicitante (se entiende que reúnen la condición de 1.er acceso a la propiedad los adquirentes que no tengan o no hayan tenido con anterioridad ninguna vivienda en propiedad o que siendo titular de alguna no disfruten de un derecho real de uso

o disfrute sobre ella o el valor de la misma de acuerdo con la normativa del ITP no supere el 25% del precio máximo de venta de la vivienda que adquirieren).

6. Los solicitantes no pueden haber recibido anteriormente financiación al amparo de algún Plan de Vivienda durante los 10 años anteriores a la solicitud actual de ayudas; no será necesario cumplir este requisito cuando la adquisición de la vivienda sea como consecuencia del cambio de residencia del titular en otra localidad, cuando se trate de una familia numerosa que acceda a nueva vivienda de mayor superficie como consecuencia de haber ampliado el número de miembros de la unidad familiar o cuando la nueva solicitud se produzca por la necesidad de una vivienda adaptada a las condiciones de discapacidad sobrevenida de algún miembro de la unidad familiar (en cualquier caso será necesario cancelar previamente el préstamo cualificado o convenido anteriormente obtenido y en el caso de las ayudas directas se podrá optar por devolver las ayudas o percibir la diferencia si procediera).

AYUDA AUTONÓMICA DIRECTA A LA ENTRADA (AADE):

Características de la ayuda:

— Ayuda destinada a miembros de los siguientes colectivos:

a) Mujeres víctimas de violencia de género.

b) Víctimas del terrorismo.

c) Afectados por situaciones catastróficas.

d) Personas dependientes o con discapacidad oficialmente reconocida que tengan movilidad reducida (y las familias que las tengan a su cargo).

e) Otros colectivos en situación o riesgo de exclusión social.

— La cuantía será de **2.500 €** para el primer acceso a la vivienda en propiedad

ADQUIRENTES CON INGRESOS ENTRE 3,5 VECES Y 4,5 VECES EL IPREM:

— **5.000 euros** para ingresos mayores de 3,5 y menores o iguales a 4,5 veces del IPREM (**6.000 euros** en caso de jóvenes, 7.000 euros para mujeres víctimas de violencia de género, víctimas de terrorismo y personas separadas o divorciadas, y **8.000 euros** para familias numerosas, monoparentales con hijos y discapacitados).

Cuando la vivienda estuviera en un Ámbito Territorial de Precio Máximo Superior se incrementarán las ayudas en **1.200 euros** para vivienda situadas en ámbitos del Grupo A, **600** para el B y **300** para el comprador.

AYUDA AUTONÓMICA DIRECTA A LA ENTRADA (AADE):

Características de la ayuda:

— Ayuda destinada a miembros de los siguientes colectivos:

a) Mujeres víctimas de violencia de género.

b) Víctimas del terrorismo.

c) Afectados por situaciones catastróficas.

d) Personas dependientes o con discapacidad oficialmente reconocida que tengan movilidad reducida (y las familias que las tengan a su cargo).

e) Otros colectivos en situación o riesgo de exclusión social.

— La cuantía será de **2.500 €** para el primer acceso a la vivienda en propiedad

Requisitos de acceso a la ayuda:

1. La vivienda tiene que haber obtenido la calificación definitiva.

2. El contrato de compraventa tiene que haber sido visado por la CA. Entre las firmas del contrato y la solicitud del visado no debe pasar más de 4 meses.

3. Entre el visado del contrato y la solicitud del préstamo no debe pasar más de 6 meses.

4. Los ingresos de la unidad familiar tienen que ser entre 3,5 y 4,5 veces el IPREM.

5. Tiene que ser el 1.er acceso a la propiedad del solicitante (se entiende que reúnen la condición de 1.er acceso a la propiedad los adquirentes que no tengan o no hayan tenido con anterioridad ninguna vivienda en propiedad o que siendo titular de alguna no disfruten de un derecho real de uso o disfrute sobre ella o el valor de la misma de acuerdo con la normativa del ITP no supere el 25% del precio máximo de venta de la vivienda que adquirieren).

6. Los solicitantes no pueden haber recibido anteriormente financiación al amparo de algún Plan de Vivienda durante los 10 años anteriores a la solicitud actual de ayudas; no será necesario cumplir este requisito cuando la adquisición de la vivienda sea como consecuencia del cambio de residencia del titular en otra localidad, cuando se trate de una familia numerosa que acceda a nueva vivienda de mayor superficie como consecuencia de haber ampliado el número de miembros de la unidad familiar o cuando la nueva solicitud se produzca por la necesidad de una vivienda adaptada a las condiciones de discapacidad sobrevenida de algún miembro de la unidad familiar (en cualquier caso será necesario cancelar previamente el préstamo cualificado o convenido anteriormente obtenido y en el caso de las ayudas directas se podrá optar por devolver las ayudas o percibir la diferencia si procediera).

C) RÉGIMEN AUTONÓMICO DE COMPRAVENTA LIMITADA DE VIVIENDAS:

Características:

— Se considerará Régimen Autonómico de Compraventa Limitada de Viviendas la venta de viviendas usadas libres o protegidas y sus anejos, en segundas o posteriores transmisiones, efectuada a título oneroso, cuyo precio máximo de venta por m² de superficie útil, no exceda en más del 60% del MBE, con el objeto de adquirir simultáneamente otra vivienda libre y sus anejos, en primera transmisión, cuyo precio máximo de venta por m² de superficie útil no exceda de 5 veces el MBE.

— El precio máximo total de venta de ambas viviendas podrá incluir, en su caso, el de un trastero y un garaje por vivienda situados en el mismo edificio estén o no vinculados registralmente a la vivienda y cuyo precio máximo de venta no podrá exceder por m² de superficie útil del 60% del precio de la vivienda; se computarán 25 m² útiles de garaje y 8 de trastero.

— En los ATPMS del grupo A, B y C, se podrá incrementar el precio máximo de la vivienda usada y sus anejos en un 120, 60 y 30% respectivamente.

— En la transmisión de la vivienda usada se requerirá:

a) El comprador tiene que cumplir los requisitos exigidos en el Real Decreto 2066/2008.

b) La vivienda tiene que estar en Cantabria.

c) Tiene que reunir las condiciones mínimas de habitabilidad.

d) Estar libre de arrendamientos y de cargas.

e) Estar inscrita en el Registro de la Propiedad.

f) Reunir las condiciones fijadas por este Decreto y el Real Decreto 2066/2008 para que pueda calificarse como adquisición protegida de vivienda usada.

— La vivienda nueva objeto de compra necesitará:

a) La vivienda tiene que estar en Cantabria.

b) Estar libre de cargas y arrendatarios, excepto el préstamo hipotecario que cubra la adquisición de la misma.

c) La licencia de obras tiene que ser antes del 1 de septiembre de 2008.

d) Tener licencia de ocupación y cédula de habitabilidad.

e) Formar parte del Registro de Viviendas Libres en Oferta que se creará mediante Orden del Consejero competente en materia de vivienda.

— La compraventa limitada de viviendas se financiará con una subvención del 7% de su precio de venta declarado en Escritura Pública con un máximo de **20.000 €** por vivienda.

— Los solicitantes de esta ayuda deberán cumplir las siguientes condiciones:

a) Ser propietarios de una vivienda usada, libre o protegida en Cantabria.

b) Tener formalizado un contrato privado de venta de la misma que puede estar condicionado a la obtención de la financiación pública.

c) Tener formalizado un contrato de compra de una vivienda nueva libre en Cantabria que puede estar condicionado a la obtención de la financiación pública.

d) Cumplir los requisitos de la Ley de Subvenciones de Cantabria.

D) ALQUILER

1. VIVIENDA PROTEGIDA DE RÉGIMEN ESPECIAL

Características:

• La duración mínima del alquiler de las viviendas será de 10 o de 25 años.

• El precio máximo de referencia por metro cuadrado útil será:

VIVIENDA DE PROTECCIÓN OFICIAL DE RÉGIMEN ESPECIAL PARA ARRENDAR A 25 AÑOS.

ATPMS C: Módulo Básico Estatal *1,725 - **4,90 € m² útil de vivienda y 2,94 € m² útil de garaje y trastero.**

Resto de Municipios de Cantabria: Módulo Básico Estatal *1,50 - **4,26 € m² útil de vivienda y 2,55 € m² útil de garaje y trastero.**

VIVIENDA DE PROTECCIÓN OFICIAL DE RÉGIMEN ESPECIAL PARA ARRENDAR A 10 AÑOS.

ATPMS C: Módulo Básico Estatal *1,725 - **5,99 € m² útil de vivienda y 3,59 € m² útil de garaje y trastero.**

Resto de Municipios de Cantabria: Módulo Básico Estatal *1,50 - **5,21 € m² útil de vivienda y 3,12 € m² útil de garaje y trastero.**

• El régimen de protección será de al menos 30 años, y permanente mientras el suelo esté destinado a vivienda protegida o sea suelo dotacional público.

— La renta inicial podrá actualizarse anualmente de conformidad con la evolución que experimente el IPC.

— El arrendador podrá percibir además de la renta inicial o revisada que corresponda el importe real de los servicios de que disfrute el inquilino y se satisfagan por el arrendador así como los derivados de las demás repercusiones autorizadas por la legislación aplicable.

— El subarriendo total o parcial dará lugar a la resolución del contrato.

— Una vez finalizado el plazo de 10 o 25 años de duración del arrendamiento tendrán preferencia para la compra de estas viviendas los inquilinos que las habiten en esos momentos y se encuentren al día en el pago del alquiler.

— También serán viviendas protegidas para arrendar de régimen especial las viviendas libres de nueva construcción que sean así calificadas por la Dirección General de Vivienda y Arquitectura a instancia del promotor, durante su construcción y hasta el 1.er año cumplido desde la expedición de la licencia de 1.ª ocupación, el certificado final de obra o la cédula de habitabilidad, según proceda, siempre que se cumplan los requisitos necesarios a tal efecto por lo que se refiere a superficie útil máxima, precio máximo de venta y renta por m² de superficie útil y nivel máximo de ingresos de los arrendatarios.

OPCIÓN A COMPRA:

• A los 10 años se podrá ejecutar la opción de compra.

• El adquirente tiene que haber ocupado la vivienda de manera ininterrumpida durante por lo menos 5 años.

• Del precio de venta se deducirá al menos el 50% de los alquileres pagados por el inquilino.

— **Los compradores podrán solicitar las ayudas de las viviendas usadas.**

Requisitos de acceso:

1. Ingresos familiares no superiores a 2,5 VECES EL IPREM.

2. No ser titular de una vivienda protegida, ni de una libre cuyo valor, según el Impuesto sobre Transmisiones Patrimoniales, exceda del 40% del precio de la vivienda que se pretende adquirir (60% para personas mayo-

res, mujeres víctimas de violencia de género, víctimas del terrorismo, familias numerosas o monoparentales con hijos, personas con discapacidad y separadas o divorciadas).

3. Estar inscrito en un registro público de demandantes de vivienda.

4. La actuación debe haber sido calificada como protegida por la CA.

5. La vivienda debe destinarse como residencia habitual del adjudicatario y ocuparse dentro de los plazos establecidos.

Características de la ayuda:

RENTA MÁXIMA anual por metro cuadrado de superficie útil del 4,5% del precio máximo de referencia para viviendas protegidas en alquiler a 25 años, o del 5,5% en caso de viviendas protegidas en alquiler a 10 años (se actualizará anualmente según el IPC). La renta establecida deberá figurar en la calificación provisional y definitiva de la vivienda, y en el visado del contrato de alquiler emitido por la CA.

Para este tipo de viviendas también pueden solicitarse las AYUDAS A INQUILINOS.

2. VIVIENDA PROTEGIDA DE RÉGIMEN GENERAL

Características:

• La duración mínima del alquiler de las viviendas será de 10 o de 25 años.

• El precio máximo de referencia por metro cuadrado útil será:

VIVIENDA DE PROTECCIÓN OFICIAL DE RÉGIMEN GENERAL PARA ARRENDAR A 25 AÑOS.

ATPMS C: Módulo Básico Estatal *1,84 - **5,236 € m² útil de vivienda y 3,13 € m² útil de garaje y trastero.**

Resto de Municipios de Cantabria: Módulo Básico Estatal *1,60 - **4,54 € m² útil de vivienda y 2,72 € m² útil de garaje y trastero.**

VIVIENDA DE PROTECCIÓN OFICIAL DE RÉGIMEN GENERAL PARA ARRENDAR A 10 AÑOS.

ATPMS C: Módulo Básico Estatal *1,84 - **6,39 € m² útil de vivienda y 3,83 € m² útil de garaje y trastero.**

Resto de Municipios de Cantabria: Módulo Básico Estatal *1,60 - **5,55 € m² útil de vivienda y 3,33 € m² útil de garaje y trastero.**

• El régimen de protección será de al menos 30 años, y permanente mientras el suelo esté destinado a vivienda protegida o sea suelo dotacional público.

— La renta inicial podrá actualizarse anualmente de conformidad con la evolución que experimente el IPC.

— El arrendador podrá percibir además de la renta inicial o revisada que corresponda el importe real de los servicios de que disfrute el inquilino y se satisfagan por el arrendador así como los derivados de las demás repercusiones autorizadas por la legislación aplicable.

— El subarriendo total o parcial dará lugar a la resolución del contrato.

— Una vez finalizado el plazo de 10 o 25 años de duración del arrendamiento tendrán preferencia para la compra de estas viviendas los inquilinos que las habiten en esos momentos y se encuentren al día en el pago del alquiler.

— También serán viviendas protegidas para arrendar de régimen general las viviendas libres de nueva construcción que sean así calificadas por la Dirección General de Vivienda y Arquitectura a instancia del promotor, durante su construcción y hasta el 1.er año cumplido desde la expedición de la licencia de 1.ª ocupación, el certificado final de obra o la cédula de habitabilidad, según proceda, siempre que se cumplan los requisitos necesarios a tal efecto por lo que se refiere a superficie útil máxima, precio máximo de venta y renta por m² de superficie útil y nivel máximo de ingresos de los arrendatarios.

OPCIÓN A COMPRA:

• A los 10 años se podrá ejecutar la opción de compra.

• El adquirente tiene que haber ocupado la vivienda de manera ininterrumpida durante por lo menos 5 años.

• Del precio de venta se deducirá al menos el 50% de los alquileres pagados por el inquilino.

— **Los compradores podrán solicitar las ayudas de las viviendas usadas.**

Requisitos de acceso:

1. Ingresos familiares no superiores a 4,5 VECES EL IPREM.

2. No ser titular de una vivienda protegida, ni de una libre cuyo valor, según el Impuesto sobre Transmisiones Patrimoniales, exceda del 40% del precio de la vivienda que se pretende adquirir (60% para personas mayores, mujeres víctimas de violencia de género, víctimas del terrorismo, familias numerosas o monoparentales con hijos, personas con discapacidad y separadas o divorciadas).

3. Estar inscrito en un registro público de demandantes de vivienda.

4. La actuación debe haber sido calificada como protegida por la CA.

5. La vivienda debe destinarse como residencia habitual del adjudicatario y ocuparse dentro de los plazos establecidos.

Características de la ayuda:

RENTA MÁXIMA anual por metro cuadrado de superficie útil del 4,5% del precio máximo de referencia para viviendas protegidas en alquiler a 25 años, o del 5,5% en caso de viviendas protegidas en alquiler a 10 años (se actualizará anualmente según el IPC). La renta establecida deberá figurar en la calificación provisional y definitiva de la vivienda, y en el visado del contrato de alquiler emitido por la CA.

Para este tipo de viviendas también pueden solicitarse las AYUDAS A INQUILINOS (ingresos inferiores a 2,5 veces el IPREM).

3. VIVIENDA PROTEGIDA DE RÉGIMEN CONCERTADO

Características:

• La duración mínima del alquiler de las viviendas será de 10 o de 25 años.

• El precio máximo de referencia por metro cuadrado útil será:

VIVIENDA DE PROTECCIÓN OFICIAL DE RÉGIMEN CONCERTADO PARA ARRENDAR A 25 AÑOS

ATPMS C: Módulo Básico Estatal *2,34 - **6,65 € m² útil de vivienda y 3,99 € m² útil de garaje y trastero.**

Resto de Municipios de Cantabria: Módulo Básico Estatal *1,80 - **5,11 € m² útil de vivienda y 3,06 € m² útil de garaje y trastero.**

VIVIENDA DE PROTECCIÓN OFICIAL DE RÉGIMEN CONCERTADO PARA ARRENDAR A 10 AÑOS

ATPMS C: Módulo Básico Estatal *2,34 - **8,12 € m² útil de vivienda y 4,87 € m² útil de garaje y trastero.**

Resto de Municipios de Cantabria: Módulo Básico Estatal *1,80 - **6,25 € m² útil de vivienda y 3,75 € m² útil de garaje y trastero.**

• El régimen de protección será de al menos 30 años, y permanente mientras el suelo esté destinado a vivienda protegida o sea suelo dotacional público.

— La renta inicial podrá actualizarse anualmente de conformidad con la evolución que experimente el IPC.

— El arrendador podrá percibir además de la renta inicial o revisada que corresponda el importe real de los servicios de que disfrute el inquilino y se satisfagan por el arrendador así como los derivados de las demás repercusiones autorizadas por la legislación aplicable.

— El subarriendo total o parcial dará lugar a la resolución del contrato.

— Una vez finalizado el plazo de 10 o 25 años de duración del arrendamiento tendrán preferencia para la compra de estas viviendas los inquilinos que las habiten en esos momentos y se encuentren al día en el pago del alquiler.

— También serán viviendas protegidas para arrendar de régimen concertado las viviendas libres de nueva construcción que sean así calificadas por la Dirección General de Vivienda y Arquitectura a instancia del promotor, durante su cosntrucción y hasta el 1.er año cumplido desde la expedición de la licencia de 1.ª ocupación, el certificado final de obra o la cédula de habitabilidad, según proceda, siempre que se cumplan los requisitos necesarios a tal efecto por lo que se refiere a superficie útil máxima, precio máximo de venta y renta por m² de superficie útil y nivel máximo de ingresos de los arrendatarios.

OPCIÓN A COMPRA:

• A los 10 años se podrá ejecutar la opción de compra.

• El adquirente tiene que haber ocupado la vivienda de manera ininterrumpida durante por lo menos 5 años.

• Del precio de venta se deducirá al menos el 50% de los alquileres pagados por el inquilino.

— **Los compradores podrán solicitar las ayudas de las viviendas usadas.**

Requisitos de acceso:

1. Ingresos familiares no superiores a 6,5 VECES EL IPREM.

2. No ser titular de una vivienda protegida, ni de una libre cuyo valor, según el Impuesto sobre Transmisiones Patrimoniales, exceda del 40% del precio de la vivienda que se pretende adquirir (60% para personas mayores, mujeres víctimas de violencia de género, víctimas del terrorismo, familias numerosas o monoparentales con hijos, personas con discapacidad y separadas o divorciadas).

3. Estar inscrito en un registro público de demandantes de vivienda.

4. La actuación debe haber sido calificada como protegida por la CA.

5. La vivienda debe destinarse como residencia habitual del adjudicatario y ocuparse dentro de los plazos establecidos.

Características de la ayuda:

RENTA MÁXIMA anual por metro cuadrado de superficie útil del 4,5% del precio máximo de referencia para viviendas protegidas en alquiler a 25 años, o del 5,5% en caso de viviendas protegidas en alquiler a 10 años (se actualizará anualmente según el IPC). La renta establecida deberá figurar en la calificación provisional y definitiva de la vivienda, y en el visado del contrato de alquiler emitido por la CA.

Para este tipo de viviendas también pueden solicitarse las AYUDAS A INQUILINOS (ingresos inferiores a 2,5 veces el IPREM).

4. VIVIENDAS PROTEGIDAS PARA ARRENDAR DE RÉGIMEN AUTONÓMICO DE CANTABRIA

Características:

– El precio máximo de renta será el siguiente:

Territorio de Cantabria: Precio Básico Autonómico (758 €) *2,184 - **5,51 € m² útil de vivienda y 3,31 € m² útil de garaje y trastero.**

• El régimen de protección será de 15 años.

— La renta inicial podrá actualizarse anualmente de conformidad con la evolución que experimente el IPC.

— El arrendador podrá percibir además de la renta inicial o revisada que corresponda el importe real de los servicios de que disfrute el inquilino y se satisfagan por el arrendador así como los derivados de las demás repercusiones autorizadas por la legislación aplicable.

— El subarriendo total o parcial dará lugar a la resolución del contrato.

— El arrendador podrá también repercutir al arrendatario las mejoras que realizara en la vivienda según la Ley de Arrendamientos Urbanos.

OPCIÓN A COMPRA:

— Cuando se ejecute la opción de compra el precio no podrá superar al máximo establecido como al que ha servido de referencia para la fijación de la última renta.

— En el contrato inicial se tiene que reflejar el consentimiento expreso de los arrendatarios a esta venta.

— Los arrendatarios tiene que cumplir las condiciones personales y económicas exigidas al adquirente que se encuentren vigentes en el momento de la realización del contrato de compraventa.

Requisitos de acceso:

1. Los ingresos de la unidad familiar tienen que ser de hasta 6,5 veces el IPREM.

2. No ser titular de una vivienda protegida (salvo por motivos de realojamiento), ni de una libre cuyo valor, según el Impuesto sobre Transmisiones Patrimoniales, exceda del 40% del precio de la vivienda que se pretende adquirir (60% para familias numerosas que precisen adquirir una vivienda de mayor tamaño por el incremento en el número de miembros de la misma, personas mayores de 65 años, personas con discapacidad, mujeres víctimas de violencia de género, víctimas del terrorismo).

3. Estar inscrito en un registro público de demandantes de vivienda.

4. La actuación debe haber sido calificada como protegida por la CA.

5. La vivienda debe destinarse como residencia habitual del adjudicatario y ocuparse dentro de los plazos establecidos.

Características de la ayuda:

RENTA MÁXIMA anual por metro cuadrado de superficie útil del 4% del precio máximo de referencia (se actualizará anualmente según el IPC). La renta establecida deberá figurar en la calificación provisional y definitiva de la vivienda, y en el visado del contrato de alquiler emitido por la CA.

Para este tipo de viviendas también pueden solicitarse las AYUDAS A INQUILINOS (ingresos inferiores a 2,5 veces el IPREM).

5. PROGRAMA DE VIVIENDAS PARA JÓVENES

Características:

— Son viviendas declaradas protegidas por la Comunidad de Cantabria que son de nueva construcción incluso en suelos dotacionales o procedentes de la rehabilitación de edificios y destinadas a arrendamiento o a otras formas de explotación, especialmente para jóvenes u otros colectivos como personas mayores, inmigrantes y otros posibles ocupantes a los que las características de estas viviendas les resulten adecuadas.

— La ocupación de estas viviendas o alojamientos se regirá por lo establecido para las viviendas protegidas, si bien el Gobierno de Cantabria podrá establecer la cesión de estas viviendas para alojamiento temporal por motivos sociales o para adaptarse a las condiciones específicas de los ocupantes.

— La superficie útil de estas viviendas estará comprendida entre 30 y 45 m² incluyendo en su caso la superficie destinada a servicios comunes.

— En caso de que exista, será también protegida la superficie útil correspondiente a servicios comunes, con un máximo del 30% de la superficie útil total de las viviendas o alojamientos; con independencia de que su superficie útil real sea mayor; en todo caso los elementos comunes conformarán parte de un conjunto residencial integrado al servicio de los residentes del mismo.

— También estará protegida una plaza de garaje, vinculada registralmente y en proyecto, siempre que lo requieran las ordenanzas municipales, la superficie útil computable de esta plaza será de 25 m².

• El precio máximo de referencia por metro cuadrado útil será:

VIVIENDA DE PROTECCIÓN OFICIAL PARA ARRENDAR PARA JÓVENES A 25 AÑOS

ATPMS C: Módulo Básico Estatal *1,84 - **4,06 € m² útil de vivienda y 2,44 € m² útil de garaje y trastero.**

Resto de Municipios de Cantabria: Módulo Básico Estatal *1,60 - **3,53 € m² útil de vivienda y 2,12 € m² útil de garaje y trastero.**

VIVIENDA DE PROTECCIÓN OFICIAL PARA ARRENDAR PARA JÓVENES A 10 AÑOS.

ATPMS C: Módulo Básico Estatal *1,84 - **6,39 € m² útil de vivienda y 3,83 € m² útil de garaje y trastero.**

Resto de Municipios de Cantabria: Módulo Básico Estatal *1,60 - **5,55 € m² útil de vivienda y 3,33 € m² útil de garaje y trastero.**

6. AYUDAS AL INQUILINO

Características:

— Los arrendatarios tienen que tener un contrato de arrendamiento de la vivienda formalizado en los términos de la Ley de Arrendamientos Urbanos y estar al corriente del pago de la renta al arrendador (este pago tiene que realizarse a través de imposición o transferencia a través de alguna entidad bancaria).

— La vivienda deberá destinarse a domicilio habitual y permanente del arrendatario.

— El arrendatario debe cumplir las condiciones que se le exigen en la Ley de Arrendamientos Urbanos especialmente las referidas al uso y conservación de la vivienda.

— El arrendatario debe ser una persona física y estar empadronado en algún municipio de Cantabria.

— La ayuda deberá solicitarse en un plazo máximo de 4 meses desde la fecha del contrato de arrendamiento y el solicitante tiene que presentar el contrato para su visado ante la Dirección General de Vivienda y Arquitectura.

— Los ingresos tienen que ser de hasta 2,5 veces el IPREM pero debe tener unos ingresos mínimos de 0,65 veces el IPREM para hacer frente a la renta mensual.

— Los arrendatarios no tienen que ser propietarios ni titulares de un derecho real de uso y disfrute sobre otra vivienda salvo excepciones como que siendo una vivienda libre esta se encuentre en una localidad fuera de Cantabria.

— Los arrendatarios no tienen que tener relación de parentesco en primer o segundo grado de consanguinidad o afinidad con el arrendador ni ser socio o partícipe de una persona jurídica titular de la vivienda objeto de arrendamiento.

— La vivienda no puede estar sometida a algún régimen de protección pública que establezca límites a su renta máxima en alquiler.

— El arrendatario tiene que estar al corriente de las obligaciones tributarias con el Gobierno de Cantabria y con la Seguridad Social y no ser deudor por resolución firme de procedimiento de reintegro de otras subvenciones.

— Esta subvención será incompatible con cualquiera otra concedida por el Gobierno de Cantabria o por cualquier otra Administarción Pública con la misma finalidad de subvencionar el pago del arrendamiento incluida la RBE (si la edad del solicitante está entre 28 y 30 años este puede elegir entre estas ayudas o la RBE).

— Los arrendatarios no tienen que haber percibido en el plazo de los 5 años anteriores ninguna otra ayuda al alquiler (contados desde la fecha del reconocimiento de la ayuda).

• El precio máximo de referencia por metro cuadrado útil será el la renta máxima anual de una vivienda protegida de arrendamiento de régimen concertado a 10 años:

ATPMS C: Módulo Básico Estatal *2,34 - **8,12 € m² útil de vivienda y 4,87 € m² útil de garaje y trastero.**

Resto de Municipios de Cantabria: Módulo Básico Estatal *1,80 - **6,25 € m² útil de vivienda y 3,75 € m² útil de garaje y trastero.**

— La superficie útil computable será de 90 m² útiles de vivienda, 25 m² útiles de garaje y 8 m² útiles de trastero.

Características de la ayuda:

— Cuantía máxima anual del 40% de la renta anual a satisfacer con un máximo anual absoluto de **3.200 €.**

— Para colectivos especiales un 10% adicional de la renta mensual a satisfacer con un máximo anual absoluto de **3.520 €** (con cargo a los presupuestos de la Comunidad Autónoma).

— Los colectivos especiales son:

a) Jóvenes con edad inferior a 36 años.

b) Víctimas de violencia de género.

c) Víctimas del terrorismo.

d) Familias numerosas.

e) Familias monoparentales.

f) Personas con discapacidad reconocida oficialmente.

g) Colectivos en riesgo o situación de exclusión social.

h) Mayores de 65 años.

— La duración máxima de la ayuda será de 24 meses y no podrá obtenerse la subvención hasta transcurridos al menos 5 años desde la fecha de su reconocimiento.

E) PROMOTORES

1.1. PROMOCIONES DE VIVIENDAS PROTEGIDAS EN ALQUILER-AYUDAS ESTATALES

A) PROMOCIÓN PARA ALQUILER A 25 AÑOS

Características:

Las viviendas protegidas podrán ser:

a) Régimen especial: destinadas a inquilinos con ingresos que no superen 2,5 veces el IPREM, y cuyo precio máximo de referencia por m² útil será de 1,50 veces el MBE.

b) Régimen general: destinadas a inquilinos con ingresos que no superen 4,5 veces el IPREM, y cuyo precio máximo de referencia por m² útil será de 1,60 veces el MBE.

c) Régimen concertado: destinadas a inquilinos con ingresos que no superen 6,5 veces el IPREM, y cuyo precio máximo de referencia por m² útil será de 1,80 veces el MBE.

Estos precios se incrementan según el ATPMS en el que se ubique la vivienda.

La duración mínima del alquiler será de 25 años desde su calificación definitiva.

La renta máxima anual por m² útil será el 4,5% del precio máximo.

Mientras sigan siendo protegidas, estas viviendas podrán venderse transcurridos 25 años. El precio máximo de venta será el que corresponda a una vivienda protegida del mismo tipo y en la misma ubicación, calificada provisionalmente en el momento de la venta.

Características de la ayuda:

PRÉSTAMO CONVENIDO de hasta el 80% del precio de escritura o adjudicación a devolver en, al menos, 25 años. El tipo de interés podrá ser variable o fijo. En intereses variables será igual al euribor a 12 meses publicado por el Banco de España en el *Boletín Oficial del Estado (BOE)*, el mes anterior al de la fecha de formalización, más un diferencial de entre 25 y 125 puntos básicos. El período de carencia en el pago de intereses finalizará en la fecha de la calificación definitiva, con un límite de 4 años (10 años con el consentimiento de la CA).

SUBSIDIOS a los préstamos. Cantidad anual por cada 10.000 euros de préstamo durante 25 años:

— 350 euros para Viviendas de Régimen Especial.

— 250 euros para Viviendas de Régimen General.

— 100 euros para Viviendas de Régimen Concertado.

SUBVENCIÓN de 350 euros para la promoción de Viviendas de Régimen Especial y de 250 euros para Viviendas de Régimen General. Cuando la vivienda estuviera en un Ámbito Territorial de Precio Máximo Superior se incrementarán las ayudas en 60 euros para vivienda situadas en ámbitos del Grupo A, 30 para el B y 15 para el C.

Requisitos de acceso ayuda:

Haber obtenido el préstamo cualificado.

B) PROMOCIÓN PARA ALQUILER A 10 AÑOS

Características:

Las viviendas protegidas podrán ser:

a) Régimen especial: destinadas a inquilinos con ingresos que no superen 2,5 veces el IPREM, y cuyo precio máximo de referencia por m² útil será de 1,50 veces el MBE.

b) Régimen general: destinadas a inquilinos con ingresos que no superen 4,5 veces el IPREM, y cuyo precio máximo de referencia por m² útil será de 1,60 veces el MBE.

c) Régimen concertado: destinadas a inquilinos con ingresos que no superen 6,5 veces el IPREM, y cuyo precio máximo de referencia por m² útil será de 1,80 veces el MBE.

• Estos precios se incrementan según el ATPMS en el que se ubique la vivienda.

• La duración mínima del alquiler será de 10 años desde su calificación definitiva.

• La renta máxima anual por m² útil será el 5,5% del precio máximo.

• Mientras sigan siendo protegidas, estas viviendas podrán venderse transcurridos 10. El precio máximo de venta será de hasta 1,5 veces el precio máximo de referencia establecido en la calificación provisional.

• Las viviendas podrán ser objeto de un contrato de alquiler con opción de compra. El precio de venta será de hasta 1,7 veces el precio máximo de referencia establecido en la calificación provisional. Del precio de venta se deducirá, al menos, el 30% de los alquileres satisfechos por el inquilino.

Características de la ayuda:

PRÉSTAMO CONVENIDO de hasta el 80% del precio de escritura o adjudicación a devolver en, al menos, 10 años. El tipo de interés podrá ser variable o fijo. En intereses variables será igual al euribor a 12 meses publicado por el Banco de España en el *Boletín Oficial del Estado (BOE)*, el mes anterior al de la fecha de formalización, más un diferencial de entre 25 y 125 puntos básicos. El período de carencia en el pago de intereses finalizará en la fecha de la calificación definitiva, con un límite de 4 años (10 años con el consentimiento de la CA).

SUBSIDIOS a los préstamos. Cantidad anual por cada 10.000 euros de préstamo durante 10 años:

— 350 euros para Viviendas de Régimen Especial.

— 250 euros para Viviendas de Régimen General.

— 100 euros para Viviendas de Régimen Concertado.

SUBVENCIÓN de 250 € para la promoción de Viviendas de Régimen Especial y de 200 € para Viviendas de Régimen General. Cuando la vivienda estuviera en un Ámbito Territorial de Precio Máximo Superior se incrementarán las ayudas en 60 euros para vivienda situadas en ámbitos del Grupo A, 30 para el B y 15 para el C.

Requisitos de acceso ayuda:

Haber obtenido el préstamo cualificado.

1.2. PROMOCIONES DE VIVIENDAS PROTEGIDAS EN ALQUILER AYUDAS AUTONÓMICAS

Características:

— Estas ayudas son con cargo a los Presupuestos Generales de la Comunidad Autónoma de Cantabria y son compatibles con las ayudas previstas en el Real Decreto 2066/2008 y referidas en el epígrafe anterior.

— Los promotores de vivienda de régimen especial y de régimen general además de las ayudas estatales referidas en el epígrafe anterior podrán obtener las siguientes ayudas autonómicas:

a) El 15% del precio máximo de referencia de las viviendas, incluidos los anejos vinculados, cuando las viviendas de la promoción sean de protección oficial de régimen especial.

b) El 10% del precio máximo de referencia de las viviendas, incluidos los anejos vinculados, cuando las viviendas de la promoción sean viviendas protegidas de régimen general.

— No podrán obtener estas subvenciones aquellos promotores que desarrollen la construcción de este tipo de viviendas sobre suelos dotacionales o procedentes de patrimonios municipales de suelo, obtenidos del Ayuntamiento a título gratuito.

— Sí podrán obtener estas subvenciones aquellos promotores que desarrollen la construcción de este tipo de viviendas sobre suelos procedentes de patrimonios municipales que estén sin urbanizar en el momento de su adquisición o que aún estando urbanizados hayan sido adquiridos por el promotor de forma onerosa mediante compra o adjudicación en concurso o subasta públicos.

2.1. PROMOCIONES DE ALOJAMIENTOS PROTEGIDOS PARA COLECTIVOS ESPECIALMENTE VULNERABLES Y OTROS COLECTIVOS ESPECÍFICOS

Características:

— La promoción de los alojamientos protegidos podrá ser de iniciativa pública o privada.

• Formarán parte de edificios o conjuntos de edificios destinados en exclusiva a estos colectivos.

— Con carácter general el número de alojamientos protegidos por edificio será de 15 por edificio.

— En el supuesto de rehabilitación de edificios completos para convertirlos en alojamientos protegidos no se establece un número mínimo de alojamientos por edificio rehabilitado.

— El régimen de ocupación de estos alojamientos será necesariamente el arrendamiento protegido.

— Los ocupantes de los alojamientos protegidos para otros colectivos específicos podrán disponer de otra vivienda, siempre que la misma no esté ubicada en el mismo término municipal.

— La duración del contrato de alquiler o la permanencia de los usuarios en estos alojamientos se regirá por lo establecido en la Calificación Definitiva.

— La prestación de los servicios comunes o asistenciales para los ocupantes de estos alojamientos serán la lavandería, comedor, aparcamiento, biblioteca, piscina, gimnasio, servicios religiosos, guardería, asistencia sanitaria, vigilancia privada y cualesquiera otros retribuidos, destinados a facilitar el correcto desarrollo personal dentro del propio edificio sin necesidad de desplazarse fuera del mismo.

• La renta máxima anual por m² útil será la reflejada en el epígrafe correspondiente al Plan de Vivienda Joven de Cantabria. Se imputará un máximo del 30% de la superficie destinada a servicios comunes y asistenciales. La prestación de estos servicios podrá suponer un incremento de la renta.

• Superficie útil mínima de 15 m² por persona, con un máximo de 45 m² (el 25% del total de los alojamientos podrá tener hasta 90 m²).

2.2. AYUDAS ESTATALES

Características de la ayuda:

PRÉSTAMO CONVENIDO de hasta el 80% del precio de escritura o adjudicación a devolver en, al menos, 25 años. El tipo de interés podrá ser variable o fijo. En intereses variables será igual al euribor a 12 meses publicado por el Banco de España en el *Boletín Oficial del Estado (BOE)*, el mes anterior al de la fecha de formalización, más un diferencial de entre 25 y 125 puntos básicos. El período de carencia en el pago de intereses finalizará en la fecha de la calificación definitiva, con un límite de 4 años (10 años con el consentimiento de la CA).

SUBSIDIOS a los préstamos. Cantidad anual por cada 10.000 euros de préstamo durante 25 años: 350 euros.

SUBVENCIÓN de 500 euros por m² de superficie útil.

2.3. AYUDAS AUTONÓMICAS

Características de la ayuda:

— Estas ayudas son compatibles con las ayudas estatales referidas en el epígrafe anterior y son con cargo a los presupuestos de la Comunidad Autonóma:

a) SUBVENCIÓN de 250 € por m² de superficie útil de los alojamientos para colectivos vulnerables de nueva construcción.

b) SUBVENCIÓN de 500 € por m² de supeficie útil de los alojamientos para colectivos vulnerables procedentes de rehabilitación.

c) SUBVENCIÓN de 160 € por m² de supeficie útil de los alojamientos para colectivos específicos de nueva construcción.

d) SUBVENCIÓN de 320 € por m² de superficie útil de los alojamientos para colectivos específicos procedentes de rehabilitación.

— No podrán obtener estas subvenciones aquellos promotores que desarrollen la construcción de este tipo de viviendas sobre suelos dotacionales o procedentes de patrimonios municipales de suelo, obtenidos del Ayuntamiento a título gratuito.

— Sí podrán obtener estas subvenciones aquellos promotores que desarrollen la construcción de este tipo de viviendas sobre suelos procedentes de patrimonios municipales que estén sin urbanizar en el momento de su adquisición o que aún estando urbanizados hayan sido adquiridos por el promotor de forma onerosa mediante compra o adjudicación en concurso o subasta públicos.

3. PROMOCIONES DE VIVIENDAS PROTEGIDAS EN RÉGIMEN DE VENTA-AYUDAS AUTONÓMICAS

Características:

— Estas ayudas son con cargo a los Presupuestos Generales de la Comunidad Autónoma de Cantabria y son compatibles con las ayudas previstas en el Real Decreto 2066/2008.

— Las otorga el Gobierno de Cantabria para el fomento de la construcción de viviendas de protección oficial de régimen general y especial.

— La ayuda se tiene que presentar en un plazo máximo de 4 meses desde la fecha de concesión del préstamo cualificado.

Características de la ayuda:

— 15% del precio de venta de las viviendas incluidos los anejos vinculados cuando sean viviendas de régimen especial.

— 10% del precio de venta de las viviendas incluidos los anejos vinculados cuando sean viviendas de régimen general.

— No podrán obtener estas subvenciones aquellos promotores que desarrollen la construcción de este tipo de viviendas sobre suelos dotacionales o procedentes de patrimonios municipales de suelo, obtenidos del Ayuntamiento a título gratuito.

— Sí podrán obtener estas subvenciones aquellos promotores que desarrollen la construcción de este tipo de viviendas sobre suelos procedentes de patrimonios municipales que estén sin urbanizar en el momento de su adquisición o que aún estando urbanizados hayan sido adquiridos por el promotor de forma onerosa mediante compra o adjudicación en concurso o subasta públicos.

4. AYUDAS PARA LA MEJORA EN LA CALIFICACIÓN ENERGÉTICA

Características:

— Los promotores de viviendas calificadas como protegidas cuyos proyectos obtengan una calificación energética de clase A, B o C, podrán acceder a una subvención con las siguientes cuantías:

A) **3.500 € por vivienda.**

B) **2.800 € por vivienda.**

C) **2.000 € por vivienda.**

— Estas subvenciones son compatibles con las que concede el Estado o la Comunidad Autónoma para la promoción de viviendas o alojamientos protegidos.

5. AYUDAS AUTONÓMICAS PARA LA CENTRALIZACIÓN DE INSTALACIONES DE CALEFACCIÓN Y AGUA CALIENTE SANITARIA

Características:

— Ayuda complementaria de **2.000 €** a los promotores de cualquier tipo de viviendas protegidas o alojamientos protegidosque incluyan en sus promociones las actuaciones de centralización de las instalaciones de calefacción y agua caliente sanitaria.

— Tienen que ser actuaciones de 30 o más viviendas calificadas como protegidas en fecha posterior a la entrada en vigor del Real Decreto 2066/2008.

— Las instalaciones tienen que incluir como mínimo un sistema centralizado de calefacción y agua caliente sanitaria para todas las viviendas de la promoción, provisto de un sistema que permita la medición individual del consumo de agua caliente (contador de agua) y de la calefacción (contador de energía).

— Esta subvención es compatible con las que concede el Estado o la Comunidad Autónoma para la promoción de viviendas o alojamientos protegidos.

6. Plan de Vivienda Protegida y Rehabilitación de Castilla-La Mancha 2009-2012

Decreto 173/2009

1. ACTUACIONES PROTEGIDAS

1. Promoción de viviendas protegidas de nueva construcción o procedentes de la rehabilitación, destinadas a venta, uso propio, alquiler o alquiler con opción a compra, incluidas en este último supuesto las construidas en régimen de derecho de superficie o concesión administrativa, así como la promoción de Alojamientos Protegidos para colectivos especialmente vulnerables y otros colectivos específicos.

2. Adquisición de viviendas protegidas de nueva construcción o de viviendas usadas para su utilización como vivienda habitual.

3. El alquiler de viviendas nuevas o usadas, libres o protegidas.

4. La rehabilitación de conjuntos históricos, centros urbanos, barrios degradados y municipios rurales; la renovación de áreas urbanas y la erradicación de la infravivienda y el chabolismo.

5. La mejora de la eficiencia energética y de la accesibilidad y la utilización de energías renovables, ya sea en la promoción, en la rehabilitación o en la renovación de viviendas y edificios.

6. La adquisición y urbanización de suelo para vivienda protegida.

7. La gestión e información a la ciudadanía de las ayudas públicas y otras medidas de fomento en materia dentro del ámbito regional de Castilla-La Mancha.

2. SUPERFICIES MÁXIMAS Y MÍNIMAS DE LAS VIVIENDAS

— La superficie útil mínima se establece en 40 m².

— La superficie útil máxima de las viviendas acogidas al V Plan Regional de Vivienda y Rehabilitación de Castilla-La Mancha 2009-2012 será la siguiente:

— 90 m² útiles para las viviendas de régimen general y de régimen especial.

— 135 m² útiles para las viviendas de precio tasado VPT135CM.

— No obstante a los efectos de la financiación convenida solo serán computables los 90 m² útiles.

— En el caso de las viviendas destinadas a personas con movilidad reducida permanente, éste límite máximo en cuanto a superficie útil podrá incrementarse un 20%, mientras que en el caso de familias numerosas o familias con dependientes a su cargo, este límite máximo será de 120 m², aunque su superficie máxima útil a efectos de financiación será de 90 m². En las promociones de viviendas protegidas el límite máximo de viviendas destinadas a familias numerosas o con dependientes a su cargo será del 5% del total de la promoción, si ofrecidas a las familias para las que fueron destinadas no fueran ocupadas por no existir demanda suficiente podrán ser adquiridas por otras personas siempre que cumplan las condiciones generales de acceso a las mismas.

— La superficie máxima imputable para determinar el precio de venta de los garajes y los trasteros no podrá superar los 25 m², en el caso del garaje, y los 8 m², en el caso del trastero.

3. PRECIOS MÁXIMOS DE VENTA DE LAS VIVIENDAS DE PROTECCIÓN OFICIAL.

— Los precios máximos por m² de superficie para las viviendas acogidas al IV Plan de Vivienda y Suelo de Castilla-La Mancha Horizonte 2010 se determinarán multiplicando el Módulo Básico Estatal por los coeficientes correspondientes a los distintos ámbitos territoriales:

— **ATPMS B:** Guadalajara

— **ATPMS C:** Albacete, Ciudad Real, Cuenca, Toledo, Azuqueca de Henares, Illescas y Talavera de la Reina.

— **Área Geográfica 1:** Provincia de Albacete: Almansa, Balazote, Caudete, Chinchilla de Monte Aragón, La Gineta, Hellín, La Roda, Tarazona de la Mancha y Villarrobledo.

Provincia de Ciudad Real: Alcázar de San Juan, Almagro, Almodóvar del Campo, Argamasilla de Calatrava, Bolaños de Calatrava, Daimiel, Herencia, Manzanares, Miguelturra, Poblete, Campo de Criptana, Puertollano, Socuéllamos, La Solana, Tomelloso, Valdepeñas, Villanueva de los Infantes y Villarrubia de los Ojos.

Provincia de Cuenca: Mota del Cuervo, Motilla del Palancar, Las Pedroñeras, Quintanar del Rey, San Clemente y Tarancón.

Provincia de Guadalajara: Cogolludo, Quer, Yebes, Alovera, Cabanillas del Campo, El Casar, Chiloeches, Fontanar, Horche, Humanes, Marchamalo, Sigüenza, Tórtola de Henares y Villanueva de la Torre.

Provincia de Toledo: Alameda de la Sagra, Añover de Tajo, Argés, Bargas, Borox, Burguillos de Toledo, Cabañas de la Sagra, Camarena, Carranque, Casarrubios del Monte, Cedillo del Condado, Chozas de Canales, Cobisa, Consuegra, Escalona, Esquivias, Fuensalida, Lominchar, Madridejos, Magán, Méntrida, Mocejón, Mora, Nambroca, Noblejas, Numancia de la Sagra, Ocaña, Olías del Rey, Ontígola, Pantoja, Pepino, La Puebla de Montalbán, Quintanar de la Orden, Recas, Santa Cruz del Retamar, Seseña, Sonseca, Torrijos, Ugena, Valmojado, Las Ventas de Retamosa, Villacañas, Villaluenga de la Sagra, El Viso de San Juan, Yeles, Yuncler y Yuncos.

— **Área Geográfica 2:** El resto de los municipios de Castilla-La Mancha.

4. EL MÓDULO BÁSICO ESTATAL (MBE)

— El Módulo Básico Estatal (MBE) es la cuantía en euros por metro cuadrado de superficie útil, que sirve como referencia para la determinación de los precios máximos de venta, adjudicación y renta de las viviendas objeto de las ayudas previstas en el Real Decreto 2066/2008, así como de los presupuestos protegidos máximos de las actuaciones de rehabilitación de viviendas y edificios, y en áreas de rehabilitación integral y renovación urbana.

— El MBE será establecido por acuerdo del Consejo de Ministros en el mes de diciembre de cada año y será publicado en el Boletín Oficial del Estado.

— **Para el año 2009 se fija en 758 euros (838,8 euros para Canarias)**

TIPOLOGÍAS Y CARACTERÍSTICAS DE LOS DIFERENTES TIPOS DE VIVIENDAS.

A) COMPRA:

1. VIVIENDA DE PROTECCIÓN OFICIAL DE RÉGIMEN ESPECIAL (VPORE).

Características:

• El precio máximo de referencia por metro cuadrado útil será:

ATPMS B: **Módulo Básico Estatal *1,40* 1,29**

ATPMS C: **Modulo Básico Estatal * 1,40*1,15**

Zona Geográfica 1: **Módulo Básico Estatal * 1,40*1,00**

Zona Geográfica 2: **Módulo Básico Estatal * 1,20*1,00**

— La duración del régimen de protección, que excluye descalificación voluntaria, será permanente mientras subsista el régimen del suelo, si las viviendas hubieran sido promovidas en suelo destinado por el planeamiento urbanístico a vivienda protegida, o en suelo dotacional público y, en todo caso, durante un plazo no inferior a **30 años**, y de **30 años** si las viviendas hubieran sido promovidas en otros suelos.

— Durante todo el período de protección se deben mantener las condiciones de uso y limitación de precio máximo de transmisión establecidos.

— La superficie útil mínima es de 40 m² y la máxima de 90 m²; en las viviendas con protección pública que se adapten para personas con discapacidad con movilidad reducida permanente se puede aumentar la superficie útil máxima un 20%.

— Las viviendas destinadas a familias numerosas pueden tener una superficie útil máxima de 120 m².

— A efectos de financiación sólo se permitirá como anejos una plaza de garaje y un trastero por cada vivienda, que siempre estarán vinculadas a la misma. En caso de que existan más plazas de garaje que viviendas, éstos quedarán sometidos en 1.ª transmisión al límite de precio del resto de los garajes del edificio. En ningún caso podrá condicionarse la adquisición de una vivienda a que se adquiera una plaza de garaje no vinculada a dicha vivienda.

— Si la vivienda no se vendiera o alquilara en el plazo de 1 año desde la fecha de la calificación definitiva, los precios de venta o alquiler de la misma se podrán modificar de tal manera que coincidan con los que tenga una vivienda protegida del mismo tipo y en la misma ubicación calificada provisionalmente en el momento de la venta o el alquiler.

— La transmisión intervivos o cesión del uso de las viviendas y de sus anejos, por cualquier título, antes de los 10 años desde la fecha de la formalización de la adquisición, requerirá autorización administrativa, salvo en caso de subasta y adjudicación de la vivienda por ejecución judicial del préstamo. Durante este plazo se requerirá la previa cancelación del préstamo y, si se hubieran obtenido ayudas financieras, el reintegro de las mismas a la Administración, más los intereses legales correspondientes.

La autorización se concederá en los siguientes supuestos:

a) En viviendas destinadas para alquiler cuya titularidad corresponda a entidades sin ánimo de lucro y sociedades que incluyan en su objeto el alquiler de viviendas.

b) Por cambio de localidad de residencia de la persona titular de la vivienda.

c) Por necesidad de una vivienda de mayor superficie o más adecuada a necesidades específicas, por el incremento de miembros de la unidad familiar en el supuesto de familias numerosas, por discapacidad sobrevenida de alguno de los miembros o en el caso de personas mayores de 65 años.

d) Para personas dependientes o con discapacidad oficialmente reconocida, y familias con dependientes a su cargo, mujeres víctimas de la violencia de género o víctimas del terrorismo, que deseen trasladarse a otro alojamiento más adecuado a sus necesidades específicas.

e) Cuando concurran otros motivo extraordinarios debidamente justificados.

Mientras esté vigente el régimen de protección de las viviendas será necesario, para las segundas o posteriores transmisiones, el visado de los contratos por la administración y los nuevos adquirentes tendrán que cumplir las condiciones de acceso a la vivienda protegida y estar inscritos en el Registro de Demandantes de Vivienda.

— Se podrá modificar el régimen de acceso a las Viviendas de Protección Oficial, de propiedad a alquiler o viceversa, a solicitud de la promotora y siempre que se cumplan los siguientes requisitos:

a) La recalificación de promociones completas de Viviendas de Protección Oficial para venta como Viviendas de Protección Oficial para alquiler conllevará, para las viviendas, la adopción del régimen y condiciones propias de este uso, y para la persona propietaria, la asunción de las obligaciones y las responsabilidades propias de éste régimen, así como la financiación correspondiente, incluyendo la subvención y la subsidiación del préstamo convenido para el período restante desde la recalificación, y la subsidiación que corresponda durante el período de amortización.

La entidad de crédito concedente del préstamo practicará la liquidación pertinente de los subsidios y la novación del mismo, para adaptarlo a las características de la nueva actuación protegida.

b) La recalificación de promociones completas de Viviendas de Protección Oficial para alquiler como Viviendas de Protección Oficial para Venta, antes de su calificación definitiva, conllevará, para las viviendas, la adopción del régimen y condiciones propias de este uso, y para la persona propietaria, la interrupción de las ayudas financieras y la devolución de las recibidas hasta la recalificación, actualizadas con los intereses de demora correspondientes.

La entidad de crédito practicará la novación del préstamo convenido para adaptarlo a las características de la nueva actuación protegida.

— Las viviendas, mientras dure el régimen de protección, estarán sujetas al derecho de tanteo, y en su caso de retracto, por parte de la Junta de Castilla-La Mancha.

— Las promotoras de viviendas libres, que hubieran obtenido una licencia de obras previa al 1 de septiembre de 2008, podrán solicitar su calificación como VPO tanto en venta como en alquiler, si estas cumplen las características exigidas por la normativa vigente en el momento de obtener la licencia, en cuanto a los máximos referentes a superficies, precios por m² útil, niveles de ingresos de los adquirentes y plazos mínimos de protección.

Requisitos de acceso:

1. Ingresos familiares no superiores a 2,5 veces el IPREM.

2. Ninguno de los miembros de la unidad familiar ha de ser titular de un derecho de pleno dominio o de un derecho real de uso y disfrute sobre otra vivienda sujeta a protección pública en el territorio nacional, o sobre otra vivienda libre, salvo que hayan sido privados de su uso por causas no imputables a las personas interesadas.

Excepcionalmente, se permitirá la titularidad sobre una única vivienda libre, cuando el valor de la vivienda o del derecho de la persona interesada sobre la misma, según el Impuesto sobre Transmisiones Patrimoniales, exceda del 40% del precio de la vivienda que se pretende adquirir (60% para personas mayores de 65 años, mujeres víctimas de violencia de género, víctimas del terrorismo, familias numerosas, familias monoparentales con hijos, personas separadas o divorciadas al corriente de pago de pensiones alimenticias y compensatorias en su caso y personas dependientes o con discapacidad oficialmente reconocida y las familias que las tengan a su cargo); se excepcionará el cumplimiento de este requisito cuando alguna persona menor de edad o incapacitada judicialmente tenga la titularidad de una vivienda en virtud de alguna herencia o legado, o cuando cualquiera de los miembros sea titular mortis causa de la nuda propiedad sobre una vivienda, o cotitular mortis causa del dominio con alguna persona ajena a la unidad familiar.

En todo caso se considerará incumplido este requisito en los supuestos en que alguno de los miembros de la unidad familiar, en los 2 años anteriores al momento del visado, hubiera transmitido a título gratuito los derechos de dominio o de uso y disfrute sobre una vivienda anterior, ya sea libre o con protección pública, o la hubiera cedido por cualquier título a sus parientes en línea recta o colateral hasta segundo grado de consanguinidad o afinidad, o a su cónyuge, salvo separación o divorcio, o a sociedades o entidades cuyas acciones, participaciones u otras formas de división análogas, estuvieran controladas por el transmitente o por las personas anteriormente citadas.

3. La actuación debe haber sido calificada como protegida por la CA; además el contrato debe contener las cláusulas obligatorias para este tipo de viviendas y haber sido visado por la Administración.

4. La vivienda debe destinarse como residencia habitual del adjudicatario y ocuparse dentro de los plazos establecidos, sin perjuicio de lo establecido para los casos de cesión temporal de viviendas.

5. Los adquirentes de este tipo de viviendas deberán estar inscritos previamente en el Registro de Demandantes de Vivienda con protección pública de Castilla-La Mancha.

Características de la ayuda:

PRÉSTAMO CONVENIDO:

Amortización: 25 años o más con cuotas constantes.

Garantía: Hipoteca.

Cuantía Máxima: 80% del precio de adquisición (vivienda + garaje + trastero vinculados).

Tipo de interés para el año 2009: puede ser fijo o variable.

Interés fijo: pendiente de publicación.

Interés variable: Euribor a 12 meses publicado por el Banco de España en el BOE el mes anterior al de la fecha de formalización del préstamo más un diferencial de entre 25 y 125 puntos básicos.

Este tipo de interés se revisará cada 12 meses teniendo como referencia el Euribor a 12 meses publicado por el Banco de España el mes anterior a la fecha de formalización.

Cuotas: Interés fijo: Constantes durante toda la vida del préstamo.

Interés variable: Constantes durante toda la vida del préstamo, dentro de cada uno de los períodos de amortización a los cuales les corresponde un mismo tipo de interés.

Comisiones: Exentas.

SUBSIDIOS A LOS PRÉSTAMOS: Cantidad anual por cada 10.000 euros de préstamo durante 5 años, renovables 5 más (la ampliación se tiene que solicitar dentro del 5.º año del primer período y los solicitantes tienen que acreditar que siguen cumpliendo las condiciones para la concesión de la ayuda; no obstante los ingresos familiares en el momento de la solicitud de renovación podrán ser distintos de los acreditados inicialmente, siempre que no excedan de 4,5 veces el IPREM; en cualquier caso la cuantía adicional para colectivos singulares será para los primeros 5 años, si hubiera renovación el importe de la subsidiación será el de la cuantía general):

— **100 euros** los 10 primeros años.

— **155 euros** los 5 primeros años en caso de:

— Familias numerosas.

— Familias monoparentales con hijos.

— Familias que incluyan o tengan a su cargo personas dependientes o con discapacidad oficialmente reconocida .

Esta subsidiación se concederá por un período de 5 años y podrá ser ampliada por otro período de la misma duración.

La ampliación se tiene que solicitar dentro del 5.º año del primer período y los solicitantes tienen que acreditar que siguen cumpliendo las condiciones para la concesión de la ayuda.

SUBVENCIONES AUTONÓMICAS PARA ADQUIRENTES CON INGRESOS MENORES O IGUALES A 1,5 VECES EL IPREM:

a) En general:

ATPMS B**: 12.000 euros**

ATPMS C: **11.000 euros**

Zona Geográfica 1:**10.000 euros**

Zona Geográfica 2: **9.000 euros**

b) Familias numerosas, monoparentales con hijos, mujeres víctimas de violencia de género, víctimas del terrorismo, personas separadas o divorciadas al corriente del pago de pensiones, personas dependientes o con discapacidad reconocida y familias con dependientes a su cargo:

ATPMS B: **22.000 euros**

ATPMS C: **20.000 euros**

Zona Geográfica 1:**17.500 euros**

Zona Geográfica 2: **15.500 euros**

SUBVENCIONES AUTONÓMICAS PARA ADQUIRENTES CON INGRESOS ENTRE 1,5 Y 2,5 VECES EL IPREM:

a) En general:

ATPMS B: **4.500 euros**

ATPMS C: **3.500 euros**

Zona Geográfica 1: **3.000 euros**

Zona Geográfica 2: **2.000 euros**

b) Familias numerosas, monoparentales con hijos, mujeres víctimas de violencia de género, víctimas del terrorismo, personas separadas o divorciadas al corriente del pago de pensiones, personas dependientes o con discapacidad reconocida y familias con dependientes a su cargo:

ATPMS B: **6.500 euros**

ATPMS C: **5.500 euros**

Zona Geográfica 1: **5.000 euros**

Zona Geográfica 2: **4.000 euros**

AYUDA ESTATAL DIRECTA A LA ENTRADA (AEDE):

a) En general: **8.000 euros**

b) Familias numerosas, familias monoparentales y familias que incluyan o tengan a su cargo personas dependientes o con discapacidad oficialmente reconocida: **12.000 euros**

c) Mujeres víctimas de violencia de género, víctimas del terrorismo y personas separadas o divorciadas que estén al corriente en el pago de pensiones alimenticias o compensatorias: **11.000 euros**

Estas cuantías no son acumulables entre sí, y corresponderá únicamente la más favorable de todas las posibles.

Cuando las viviendas estén situadas en las zonas ATPMS A, ATPMS B y ATPMS C, las cuantías relacionadas antes se tienen que incrementar respectivamente en **1.200 euros, 600 euros** o **300 euros.**

— **También se podrán beneficiar los adquirentes de estas viviendas de las reducciones en los honorarios de los Notarios y Registradores de la Propiedad respecto de todos los actos o negocios jurídicos necesarios para que las viviendas queden disponibles para su primera transmisión o adjudicación, así como de los préstamos convenidos correspondientes a las viviendas fijados en el Real Decreto 2066/2008.**

Requisitos de acceso a la ayuda:

1. Los ingresos tienen que ser igual o menor a 2,5 veces el IPREM.

2. Tiene que ser el 1.er acceso a la propiedad del solicitante (se entiende que reúnen la condición de 1.er acceso a la propiedad los adquirentes que no tengan o no hayan tenido con anterioridad ninguna vivienda en propiedad o que siendo titular de alguna no disfruten de un derecho real de uso o disfrute sobre ella o el valor de la misma de acuerdo con la normativa del ITP no supere el 25% del precio máximo de venta de la vivienda que adquirieren); se equipara como 1.er acceso a la vivienda en propiedad a las personas que habiendo accedido a una vivienda en propiedad sean víctimas del terrorismo, mujeres víctimas y personas dependientes o con discapacidad oficialmente reconocida y las familias que las tengan a su cargo.

3. Los solicitantes no pueden haber recibido anteriormente financiación al amparo de algún Plan de Vivienda estatal o autonómico, durante los 10 años anteriores a la solicitud actual de ayudas. Se entenderá que se ha obtenido préstamo convenido cuando el mismo haya sido formalizado y que se han recibido ayudas financieras cuando se haya expedido la resolución administrativa que reconoce el derecho a las mismas.

No será necesario cumplir este requisito cuando la adquisición de la vivienda sea por parte de víctimas del terrorismo, mujeres víctimas y personas dependientes o con discapacidad oficialmente reconocida y las familias que las tengan a su cargo (en cualquier caso será necesario cancelar previa o simultáneamente el préstamo cualificado o convenido anteriormente obtenido).

4. Será necesario haber suscrito un préstamo convenido (salvo excepciones).

2. VIVIENDA DE PROTECCIÓN OFICIAL DE PRECIO GENERAL (VPOPG).

Características:

• El precio máximo de referencia por metro cuadrado útil será:

ATPMS B: **Módulo Básico Estatal *1,60* 1,29**

ATPMS C: **Modulo Básico Estatal * 1,60*1,15**

Zona Geográfica 1: **Módulo Básico Estatal * 1,60*1,00**

Zona Geográfica 2: **Módulo Básico Estatal * 1,40*1,00**

— La duración del régimen de protección, que excluye descalificación voluntaria, será permanente mientras subsista el régimen del suelo, si las viviendas hubieran sido promovidas en suelo destinado por el planeamiento urbanístico a vivienda protegida, o en suelo dotacional público y, en todo caso, durante un plazo no inferior a **30 años**, y de **30 años** si las viviendas hubieran sido promovidas en otros suelos.

— Durante todo el período de protección se deben mantener las condiciones de uso y limitación de precio máximo de transmisión establecidos.

— La superficie útil mínima es de 40 m² y la máxima de 90 m²; en las viviendas con protección pública que se adapten para personas con discapacidad con movilidad reducida permanente se puede aumentar la superficie útil máxima un 20%.

— Las viviendas destinadas a familias numerosas pueden tener una superficie útil máxima de 120 m².

— A efectos de financiación sólo se permitirá como anejos una plaza de garaje y un trastero por cada vivienda, que siempre estarán vinculadas a la misma. En caso de que existan más plazas de garaje que viviendas, éstos quedarán sometidos en 1.ª transmisión al límite de precio del resto de los garajes del edificio. En ningún caso podrá condicionarse la adquisición de una vivienda a que se adquiera una plaza de garaje no vinculada a dicha vivienda.

— Si la vivienda no se vendiera o alquilara en el plazo de 1 año desde la fecha de la calificación definitiva, los precios de venta o alquiler de la misma se podrán modificar de tal manera que coincidan con los que tenga una vivienda protegida del mismo tipo y en la misma ubicación calificada provisionalmente en el momento de la venta o el alquiler.

— La transmisión intervivos o cesión del uso de las viviendas y de sus anejos, por cualquier título, antes de los 10 años desde la fecha de la formalización de la adquisición, requerirá autorización administrativa, salvo en caso de subasta y adjudicación de la vivienda por ejecución judicial del préstamo. Durante este plazo se requerirá la previa cancelación del préstamo y, si se hubieran obtenido ayudas financieras, el reintegro de las mismas a la Administración, más los intereses legales correspondientes.

La autorización se concederá en los siguientes supuestos:

a) En viviendas destinadas para alquiler cuya titularidad corresponda a entidades sin ánimo de lucro y sociedades que incluyan en su objeto el alquiler de viviendas.

b) Por cambio de localidad de residencia de la persona titular de la vivienda.

c) Por necesidad de una vivienda de mayor superficie o más adecuada a necesidades específicas, por el incremento de miembros de la unidad familiar en el supuesto de familias numerosas, por discapacidad sobrevenida de alguno de los miembros o en el caso de personas mayores de 65 años.

d) Para personas dependientes o con discapacidad oficialmente reconocida, y familias con dependientes a su cargo, mujeres víctimas de la violencia de género o víctimas del terrorismo, que deseen trasladarse a otro alojamiento más adecuado a sus necesidades específicas.

e) Cuando concurran otros motivo extraordinarios debidamente justificados.

Mientras esté vigente el régimen de protección de las viviendas será necesario, para las segundas o posteriores transmisiones, el visado de los contratos por la administración y los nuevos adquirentes tendrán que cumplir las condiciones de acceso a la vivienda protegida y estar inscritos en el Registro de Demandantes de Vivienda.

— Se podrá modificar el régimen de acceso a las Viviendas de Protección Oficial, de propiedad a alquiler o viceversa, a solicitud de la promotora y siempre que se cumplan los siguientes requisitos:

a) La recalificación de promociones completas de Viviendas de Protección Oficial para venta como Viviendas de Protección Oficial para alquiler conllevará, para las viviendas, la adopción del régimen y condiciones propias de este uso, y para la persona propietaria, la asunción de las obligaciones y las responsabilidades propias de éste régimen, así como la financiación correspondiente, incluyendo la subvención y la subsidiación del préstamo convenido para el período restante desde la recalificación, y la subsidiación que corresponda durante el período de amortización.

La entidad de crédito concedente del préstamo practicará la liquidación pertinente de los subsidios y la novación del mismo, para adaptarlo a las características de la nueva actuación protegida.

b) La recalificación de promociones completas de Viviendas de Protección Oficial para alquiler como Viviendas de Protección Oficial para Venta, antes de su calificación definitiva, conllevará, para las viviendas, la adopción del régimen y condiciones propias de este uso, y para la persona propietaria, la interrupción de las ayudas financieras y la devolución de las recibidas hasta la recalificación, actualizadas con los intereses de demora correspondientes.

La entidad de crédito practicará la novación del préstamo convenido para adaptarlo a las características de la nueva actuación protegida.

— Las viviendas, mientras dure el régimen de protección, estarán sujetas al derecho de tanteo, y en su caso de retracto, por parte de la Junta de Castilla-La Mancha.

— Las promotoras de viviendas libres, que hubieran obtenido una licencia de obras previa al 1 de septiembre de 2008, podrán solicitar su calificación como VPO tanto en venta como en alquiler, si estas cumplen las características exigidas por la normativa vigente en el momento de obtener la licencia, en cuanto a los máximos referentes a superficies, precios por m² útil, niveles de ingresos de los adquirentes y plazos mínimos de protección.

Requisitos de acceso:

1. Ingresos familiares no superiores a 4,5 veces el IPREM.

2. Ninguno de los miembros de la unidad familiar ha de ser titular de un derecho de pleno dominio o de un derecho real de uso y disfrute sobre otra vivienda sujeta a protección pública en el territorio nacional, o sobre otra vivienda libre, salvo que hayan sido privados de su uso por causas no imputables a las personas interesadas.

Excepcionalmente, se permitirá la titularidad sobre una única vivienda libre, cuando el valor de la vivienda o del derecho de la persona interesada sobre la misma, según el Impuesto sobre Transmisiones Patrimoniales, exceda del 40% del precio de la vivienda que se pretende adquirir (60% para personas mayores de 65 años, mujeres víctimas de violencia de género, víctimas del terrorismo, familias numerosas, familias monoparentales con hijos, personas separadas o divorciadas al corriente de pago de pensiones alimenticias y compensatorias en su caso y personas dependientes o con discapacidad oficialmente reconocida y las familias que las tengan a su cargo); se excepcionará el cumplimiento de este requisito cuando alguna persona menor de edad o incapacitada judicialmente tenga la titularidad de una vivienda en virtud de alguna herencia o legado, o cuando cualquiera de los miembros sea titular mortis causa de la nuda propiedad sobre una vivienda, o cotitular mortis causa del dominio con alguna persona ajena a la unidad familiar.

En todo caso se considerará incumplido este requisito en los supuestos en que alguno de los miembros de la unidad familiar, en los 2 años anteriores al momento del visado, hubiera transmitido a título gratuito los derechos de dominio o de uso y disfrute sobre una vivienda anterior, ya sea libre o con protección pública, o la hubiera cedido por cualquier título a sus parientes en línea recta o colateral hasta segundo grado de consanguinidad o afinidad, o a su cónyuge, salvo separación o divorcio, o a sociedades o entidades cuyas acciones, participaciones u otras formas de división análogas, estuvieran controladas por el transmitente o por las personas anteriormente citadas.

3. La actuación debe haber sido calificada como protegida por la CA; además el contrato debe contener las cláusulas obligatorias para este tipo de viviendas y haber sido visado por la Administración.

4. La vivienda debe destinarse como residencia habitual del adjudicatario y ocuparse dentro de los plazos establecidos, sin perjuicio de lo establecido para los casos de cesión temporal de viviendas.

5. Los adquirentes de este tipo de viviendas deberán estar inscritos previamente en el Registro de Demandantes de Vivienda con protección pública de Castilla-La Mancha.

Características de la ayuda:

PRÉSTAMO CONVENIDO:

Amortización: 25 años o más con cuotas constantes.

Garantía: Hipoteca.

Cuantía Máxima: 80% del precio de adquisición (vivienda + garaje + trastero vinculados).

Tipo de interés para el año 2009: puede ser fijo o variable.

Interés fijo: pendiente de publicación.

Interés variable: Euribor a 12 meses publicado por el Banco de España en el BOE el mes anterior al de la fecha de formalización del préstamo más un diferencial de entre 25 y 125 puntos básicos.

Este tipo de interés se revisará cada 12 meses teniendo como referencia el Euribor a 12 meses publicado por el Banco de España el mes anterior a la fecha de formalización.

Cuotas: Interés fijo: Constantes durante toda la vida del préstamo.

Interés variable: Constantes durante toda la vida del préstamo, dentro de cada uno de los períodos de amortización a los cuales les corresponde un mismo tipo de interés.

Comisiones: Exentas.

SUBSIDIOS A LOS PRÉSTAMOS: Cantidad anual por cada 10.000 euros de préstamo durante 5 años, renovables 5 más (la ampliación se tiene que solicitar dentro del 5.º año del primer período y los solicitantes tienen que acreditar que siguen cumpliendo las condiciones para la concesión de la ayuda; no obstante los ingresos familiares en el momento de la solicitud de renovación podrán ser distintos de los acreditados inicialmente, siempre que no excedan de 4,5 veces el IPREM; en cualquier caso la cuantía adicional para colectivos singulares será para los primeros 5 años, si hubiera renovación el importe de la subsidiación será el de la cuantía general):

— **100 euros** para ingresos menores o iguales a 2,5 veces el IPREM los 10 primeros años (**155 euros** para familias numerosas, monoparentales con hijos y familias que incluyan personas dependientes o con discapacidad reconocida oficialmente durante los 5 primeros años).

— **80 euros** para ingresos entre 2,5 y 3,5 veces el IPREM los 5 primeros años (**113 euros** para familias numerosas, monoparentales con hijos y familias que incluyan personas dependientes o con discapacidad reconocida oficialmente durante los 5 primeros años).

— **60 euros** anuales a familias con ingresos familiares entre 3,5 y 4,5 veces el IPREM (**93 euros** para familias numerosas, monoparentales con hijos y familias que incluyan personas dependientes o con discapacidad reconocida oficialmente durante los 5 primeros años).

SUBVENCIONES AUTONÓMICAS PARA ADQUIRENTES CON INGRESOS MENORES O IGUALES A 1,5 VECES EL IPREM:

a) En general:

ATPMS B: **22.000 euros**

ATPMS C: **18.000 euros**

Zona Geográfica 1: **12.000 euros**

Zona Geográfica 2: **10.000 euros**

b) Familias numerosas, monoparentales con hijos, mujeres víctimas de violencia de género, víctimas del terrorismo, personas separadas o divorciadas al corriente del pago de pensiones, personas dependientes o con discapacidad reconocida y familias con dependientes a su cargo:

ATPMS B: **33.000 euros**

ATPMS C: **28.000 euros**

Zona Geográfica 1: **20.500 euros**

Zona Geográfica 2: **17.500 euros**

SUBVENCIONES AUTONÓMICAS PARA ADQUIRENTES CON INGRESOS ENTRE 1,5 Y 2,5 VECES EL IPREM:

a) En general:

ATPMS B: **5.500 euros**

ATPMS C: **4.500 euros**

Zona Geográfica 1: **4.000 euros**

Zona Geográfica 2: **3.000 euros**

b) Familias numerosas, monoparentales con hijos, mujeres víctimas de violencia de género, víctimas del terrorismo, personas separadas o divorciadas al corriente del pago de pensiones, personas dependientes o con discapacidad reconocida y familias con dependientes a su cargo:

ATPMS B: **7.500 euros**

ATPMS C: **6.500 euros**

Zona Geográfica 1: **6.000 euros**

Zona Geográfica 2: **5.000 euros**

AYUDA ESTATAL DIRECTA A LA ENTRADA (AEDE):

ADQUIRENTES CON INGRESOS MENORES O IGUALES A 2,5 VECES EL IPREM:

a) En general: **8.000 euros**

b) Familias numerosas, familias monoparentales y familias que incluyan o tengan a su cargo personas dependientes o con discapacidad oficialmente reconocida: **12.000 euros**

c) Mujeres víctimas de violencia de género, víctimas del terrorismo y personas separadas o divorciadas que estén al corriente en el pago de pensiones alimenticias o compensatorias: **11.000 euros**

Estas cuantías no son acumulables entre sí, y corresponderá únicamente la más favorable de todas las posibles.

Cuando las viviendas estén situadas en las zonas A, B o C, las cuantías relacionadas antes se tienen que incrementar respectivamente en **1.200 euros, 600 euros** o **300 euros.**

Requisitos de acceso a la ayuda:

1. Los ingresos tienen que ser igual o menor a 2,5 veces el IPREM.

2. Tiene que ser el 1.er acceso a la propiedad del solicitante (se entiende que reúnen la condición de 1.er acceso a la propiedad los adquirentes que no tengan o no hayan tenido con anterioridad ninguna vivienda en propiedad o que siendo titular de alguna no disfruten de un derecho real de uso o disfrute sobre ella o el valor de la misma de acuerdo con la normativa del ITP no supere el 25% del precio máximo de venta de la vivienda que adquirieren); se equipara como 1.er acceso a la vivienda en propiedad a las personas que habiendo accedido a una vivienda en propiedad sean víctimas del terrorismo, mujeres víctimas y personas dependientes o con discapacidad oficialmente reconocida y las familias que las tengan a su cargo.

3. Los solicitantes no pueden haber recibido anteriormente financiación al amparo de algún Plan de Vivienda estatal o autonómico, durante los 10 años anteriores a la solicitud actual de ayudas. Se entenderá que se ha obtenido préstamo convenido cuando el mismo haya sido formalizado y que

se han recibido ayudas financieras cuando se haya expedido la resolución administrativa que reconoce el derecho a las mismas.

No será necesario cumplir este requisito cuando la adquisición de la vivienda sea por parte de víctimas del terrorismo, mujeres víctimas y personas dependientes o con discapacidad oficialmente reconocida y las familias que las tengan a su cargo (en cualquier caso será necesario cancelar previa o simultáneamente el préstamo cualificado o convenido anteriormente obtenido).

4. Será necesario haber suscrito un préstamo convenido (salvo excepciones).

ADQUIRENTES CON INGRESOS ENTRE 2,5 VECES Y 3,5 VECES EL IPREM:

a) En general: **7.000 euros**

b) Familias numerosas, familias monoparentales y familias que incluyan o tengan a su cargo personas dependientes o con discapacidad oficialmente reconocida: **10.000 euros**

c) Mujeres víctimas de violencia de género, víctimas del terrorismo y personas separadas o divorciadas que estén al corriente en el pago de

pensiones alimenticias o compensatorias: **9.000 euros**

Estas cuantías no son acumulables entre sí, y corresponderá únicamente la más favorable de todas las posibles.

Cuando las viviendas estén situadas en las zonas A, B o C, las cuantías relacionadas antes se tienen que incrementar respectivamente en **1.200 euros, 600 euros** o **300 euros**.

Requisitos de acceso a la ayuda:

1. Los ingresos tienen que ser igual o menor a 3,5 veces el IPREM.

2. Tiene que ser el 1.er acceso a la propiedad del solicitante (se entiende que reúnen la condición de 1.er acceso a la propiedad los adquirentes que no tengan o no hayan tenido con anterioridad ninguna vivienda en propiedad o que siendo titular de alguna no disfruten de un derecho real de uso

o disfrute sobre ella o el valor de la misma de acuerdo con la normativa del ITP no supere el 25% del precio máximo de venta de la vivienda que adquirieren); se equipara como 1.er acceso a la vivienda en propiedad a las personas que habiendo accedido a una vivienda en propiedad sean víctimas del terrorismo, mujeres víctimas y personas dependientes o con discapacidad oficialmente reconocida y las familias que las tengan a su cargo.

3. Los solicitantes no pueden haber recibido anteriormente financiación al amparo de algún Plan de Vivienda estatal o autonómico, durante los 10 años anteriores a la solicitud actual de ayudas. Se entenderá que se ha obtenido préstamo convenido cuando el mismo haya sido formalizado y que se han recibido ayudas financieras cuando se haya expedido la resolución administrativa que reconoce el derecho a las mismas.

No será necesario cumplir este requisito cuando la adquisición de la vivienda sea por parte de víctimas del terrorismo, mujeres víctimas y personas dependientes o con discapacidad oficialmente reconocida y las familias que las tengan a su cargo (en cualquier caso será necesario cancelar previa o simultáneamente el préstamo cualificado o convenido anteriormente obtenido).

4. Será necesario haber suscrito un préstamo convenido (salvo excepciones).

ADQUIRENTES CON INGRESOS ENTRE 3,5 VECES Y 4,5 VECES EL IPREM:

a) En general: **5.000 euros**

b) Familias numerosas, familias monoparentales y familias que incluyan o tengan a su cargo personas dependientes o con discapacidad oficialmente reconocida: **8.000 euros**

c) Mujeres víctimas de violencia de género, víctimas del terrorismo y personas separadas o divorciadas que estén al corriente en el pago de pensiones alimenticias o compensatorias: **7.000 euros**

Estas cuantías no son acumulables entre sí, y corresponderá únicamente la más favorable de todas las posibles.

Guía práctica de la vivienda protegida en España

Cuando las viviendas estén situadas en las zonas A,B o C, las cuantías relacionadas antes se tienen que incrementar respectivamente en **1.200 euros, 600 euros o 300 euros.**

— **También se podrán beneficiar los adquirentes de estas viviendas de las reducciones en los honorarios de los Notarios y Registradores de la Propiedad respecto de todos los actos o negocios jurídicos necesarios para que las viviendas queden disponibles para su primera transmisión o adjudicación, así como de los préstamos convenidos correspondientes a las viviendas fijados en el Real Decreto 2066/2008.**

Requisitos de acceso a la ayuda:

1. Los ingresos tienen que ser igual o menor a 4,5 veces el IPREM.

2. Tiene que ser el 1.er acceso a la propiedad del solicitante (se entiende que reúnen la condición de 1.er acceso a la propiedad los adquirentes que no tengan o no hayan tenido con anterioridad ninguna vivienda en propiedad o que siendo titular de alguna no disfruten de un derecho real de uso o disfrute sobre ella o el valor de la misma de acuerdo con la normativa del ITP no supere el 25% del precio máximo de venta de la vivienda que adquirieren); se equipara como 1.er acceso a la vivienda en propiedad a las personas que habiendo accedido a una vivienda en propiedad sean víctimas del terrorismo, mujeres víctimas y personas dependientes o con discapacidad oficialmente reconocida y las familias que las tengan a su cargo.

3. Los solicitantes no pueden haber recibido anteriormente financiación al amparo de algún Plan de Vivienda estatal o autonómico, durante los 10 años anteriores a la solicitud actual de ayudas. Se entenderá que se ha obtenido préstamo convenido cuando el mismo haya sido formalizado y que se han recibido ayudas financieras cuando se haya expedido la resolución administrativa que reconoce el derecho a las mismas.

No será necesario cumplir este requisito cuando la adquisición de la vivienda sea por parte de víctimas del terrorismo, mujeres víctimas y personas dependientes o con discapacidad oficialmente reconocida y las familias que las tengan a su cargo (en cualquier caso será necesario cancelar previa o simultáneamente el préstamo cualificado o convenido anteriormente obtenido).

497

4. Será necesario haber suscrito un préstamo convenido (salvo excepciones).

3. VIVIENDA DE PROTECCIÓN OFICIAL DE PRECIO CONCERTADO (VPOPC).

Características:

• El precio máximo de referencia por metro cuadrado útil será:

ATPMS B: **Módulo Básico Estatal *1,80* 1,29**

ATPMS C: **Modulo Básico Estatal * 1,80*1,15**

Zona Geográfica 1: **Módulo Básico Estatal * 1,80*1,00**

Zona Geográfica 2: **Módulo Básico Estatal * 1,60*1,00**

— La duración del régimen de protección, que excluye descalificación voluntaria, será permanente mientras subsista el régimen del suelo, si las viviendas hubieran sido promovidas en suelo destinado por el planeamiento urbanístico a vivienda protegida, o en suelo dotacional público y, en todo caso, durante un plazo no inferior a **30 años**, y de **30 años** si las viviendas hubieran sido promovidas en otros suelos.

— Durante todo el período de protección se deben mantener las condiciones de uso y limitación de precio máximo de transmisión establecidos.

— La superficie útil mínima es de 40 m² y la máxima de 90 m²; en las viviendas con protección pública que se adapten para personas con discapacidad con movilidad reducida permanente se puede aumentar la superficie útil máxima un 20%.

— Las viviendas destinadas a familias numerosas pueden tener una superficie útil máxima de 120 m².

— A efectos de financiación sólo se permitirá como anejos una plaza de garaje y un trastero por cada vivienda, que siempre estarán vinculadas a la misma. En caso de que existan más plazas de garaje que viviendas, éstos quedarán sometidos en 1.ª transmisión al límite de precio del resto de los garajes del edificio. En ningún caso podrá condicionarse la adquisición de una vivienda a que se adquiera una plaza de garaje no vinculada a dicha vivienda.

— La transmisión intervivos o cesión del uso de las viviendas y de sus anejos, por cualquier título, antes de los 10 años desde la fecha de la formalización de la adquisición, requerirá autorización administrativa, salvo en caso de subasta y adjudicación de la vivienda por ejecución judicial del préstamo. Durante este plazo se requerirá la previa cancelación del préstamo y, si se hubieran obtenido ayudas financieras, el reintegro de las mismas a la Administración, más los intereses legales correspondientes.

La autorización se concederá en los siguientes supuestos:

a) En viviendas destinadas para alquiler cuya titularidad corresponda a entidades sin ánimo de lucro y sociedades que incluyan en su objeto el alquiler de viviendas.

b) Por cambio de localidad de residencia de la persona titular de la vivienda.

c) Por necesidad de una vivienda de mayor superficie o más adecuada a necesidades específicas, por el incremento de miembros de la unidad familiar en el supuesto de familias numerosas, por discapacidad sobrevenida de alguno de los miembros o en el caso de personas mayores de 65 años.

d) Para personas dependientes o con discapacidad oficialmente reconocida, y familias con dependientes a su cargo, mujeres víctimas de la violencia de género o víctimas del terrorismo, que deseen trasladarse a otro alojamiento más adecuado a sus necesidades específicas.

e) Cuando concurran otros motivo extraordinarios debidamente justificados.

Mientras esté vigente el régimen de protección de las viviendas será necesario, para las segundas o posteriores transmisiones, el visado de los contratos por la administración y los nuevos adquirentes tendrán que cumplir las condiciones de acceso a la vivienda protegida y estar inscritos en el Registro de Demandantes de Vivienda.

— Se podrá modificar el régimen de acceso a las Viviendas de Protección Oficial, de propiedad a alquiler o viceversa, a solicitud de la promotora y siempre que se cumplan los siguientes requisitos:

a) La recalificación de promociones completas de Viviendas de Protección Oficial para venta como Viviendas de Protección Oficial para alquiler conllevará, para las viviendas, la adopción del régimen y condiciones propias de este uso, y para la persona propietaria, la asunción de las obligaciones y las responsabilidades propias de éste régimen, así como la financiación correspondiente, incluyendo la subvención y la subsidiación del préstamo convenido para el período restante desde la recalificación, y la subsidiación que corresponda durante el período de amortización.

La entidad de crédito concedente del préstamo practicará la liquidación pertinente de los subsidios y la novación del mismo, para adaptarlo a las características de la nueva actuación protegida.

b) La recalificación de promociones completas de Viviendas de Protección Oficial para alquiler como Viviendas de Protección Oficial para Venta, antes de su calificación definitiva, conllevará, para las viviendas, la adopción del régimen y condiciones propias de este uso, y para la persona propietaria, la interrupción de las ayudas financieras y la devolución de las recibidas hasta la recalificación, actualizadas con los intereses de demora correspondientes.

La entidad de crédito practicará la novación del préstamo convenido para adaptarlo a las características de la nueva actuación protegida.

— Las viviendas, mientras dure el régimen de protección, estarán sujetas al derecho de tanteo, y en su caso de retracto, por parte de la Junta de Castilla-La Mancha.

— Las promotoras de viviendas libres, que hubieran obtenido una licencia de obras previa al 1 de septiembre de 2008, podrán solicitar su calificación como VPO tanto en venta como en alquiler, si estas cumplen las características exigidas por la normativa vigente en el momento de obtener la licencia, en cuanto a los máximos referentes a superficies, precios por m² útil, niveles de ingresos de los adquirentes y plazos mínimos de protección.

— **También se podrán beneficiar los adquirentes de estas viviendas de las reducciones en los honorarios de los Notarios y Registradores de la Propiedad respecto de todos los actos o negocios jurídicos necesarios para que las viviendas queden disponibles para su primera transmisión o**

adjudicación, así como de los préstamos convenidos correspondientes a las viviendas fijados en el Real Decreto 2066/2008.

Requisitos de acceso:

1. Ingresos familiares no superiores a 7 veces el IPREM (como medida coyuntural hasta el 31 de diciembre de 2010).

2. Ninguno de los miembros de la unidad familiar ha de ser titular de un derecho de pleno dominio o de un derecho real de uso y disfrute sobre otra vivienda sujeta a protección pública en el territorio nacional, o sobre otra vivienda libre, salvo que hayan sido privados de su uso por causas no imputables a las personas interesadas.

Excepcionalmente, se permitirá la titularidad sobre una única vivienda libre, cuando el valor de la vivienda o del derecho de la persona interesada sobre la misma, según el Impuesto sobre Transmisiones Patrimoniales, exceda del 40% del precio de la vivienda que se pretende adquirir (60% para personas mayores de 65 años, mujeres víctimas de violencia de género, víctimas del terrorismo, familias numerosas, familias monoparentales con hijos, personas separadas o divorciadas al corriente de pago de pensiones alimenticias y compensatorias en su caso y personas dependientes o con discapacidad oficialmente reconocida y las familias que las tengan a su cargo); se exceptuará el cumplimiento de este requisito cuando alguna persona menor de edad o incapacitada judicialmente tenga la titularidad de una vivienda en virtud de alguna herencia o legado, o cuando cualquiera de los miembros sea titular mortis causa de la nuda propiedad sobre una vivienda, o cotitular mortis causa del dominio con alguna persona ajena a la unidad familiar.

En todo caso se considerará incumplido este requisito en los supuestos en que alguno de los miembros de la unidad familiar, en los 2 años anteriores al momento del visado, hubiera transmitido a título gratuito los derechos de dominio o de uso y disfrute sobre una vivienda anterior, ya sea libre o con protección pública, o la hubiera cedido por cualquier título a sus parientes en línea recta o colateral hasta segundo grado de consanguinidad o afinidad, o a su cónyuge, salvo separación o divorcio, o a sociedades o entidades cuyas acciones, participaciones u otras formas de división análogas, estuvieran controladas por el transmitente o por las personas anteriormente citadas.

3. La actuación debe haber sido calificada como protegida por la CA; además el contrato debe contener las cláusulas obligatorias para este tipo de viviendas y haber sido visado por la Administración.

4. La vivienda debe destinarse como residencia habitual del adjudicatario y ocuparse dentro de los plazos establecidos, sin perjuicio de lo establecido para los casos de cesión temporal de viviendas.

5. Los adquirentes de este tipo de viviendas deberán estar inscritos previamente en el Registro de Demandantes de Vivienda con protección pública

de Castilla-La Mancha.

Características de la ayuda:

PRÉSTAMO CONVENIDO:

Amortización: 25 años o más con cuotas constantes.

Garantía: Hipoteca.

Cuantía Máxima: 80% del precio de adquisición (vivienda + garaje + trastero vinculados).

Tipo de interés para el año 2009: puede ser fijo o variable.

Interés fijo: pendiente de publicación.

Interés variable: Euribor a 12 meses publicado por el Banco de España en el BOE el mes anterior al de la fecha de formalización del préstamo más un diferencial de entre 25 y 125 puntos básicos.

Este tipo de interés se revisará cada 12 meses teniendo como referencia el Euribor a 12 meses publicado por el Banco de España el mes anterior a la fecha de formalización.

Cuotas: Interés fijo: Constantes durante toda la vida del préstamo.

Interés variable: Constantes durante toda la vida del préstamo, dentro de cada uno de los períodos de amortización a los cuales les corresponde un mismo tipo de interés.

Comisiones: Exentas.

Requisitos de acceso a la ayuda:

1. Los ingresos tienen que ser igual o menor a 7 veces el IPREM (como medida coyuntural hasta el 31 de diciembre de 2010).

2. Tiene que ser el 1.er acceso a la propiedad del solicitante (se entiende que reúnen la condición de 1.er acceso a la propiedad los adquirentes que no tengan o no hayan tenido con anterioridad ninguna vivienda en propiedad o que siendo titular de alguna no disfruten de un derecho real de uso o disfrute sobre ella o el valor de la misma de acuerdo con la normativa del ITP no supere el 25% del precio máximo de venta de la vivienda que adquirieren); se equipara como 1.er acceso a la vivienda en propiedad a las personas que habiendo accedido a una vivienda en propiedad sean víctimas del terrorismo, mujeres víctimas y personas dependientes o con discapacidad oficialmente reconocida y las familias que las tengan a su cargo.

3. Los solicitantes no pueden haber recibido anteriormente financiación al amparo de algún Plan de Vivienda estatal o autonómico, durante los 10 años anteriores a la solicitud actual de ayudas. Se entenderá que se ha obtenido préstamo convenido cuando el mismo haya sido formalizado y que se han recibido ayudas financieras cuando se haya expedido la resolución administrativa que reconoce el derecho a las mismas.

No será necesario cumplir este requisito cuando la adquisición de la vivienda sea por parte de víctimas del terrorismo, mujeres víctimas y personas dependientes o con discapacidad oficialmente reconocida y las familias que las tengan a su cargo (en cualquier caso será necesario cancelar previa o simultáneamente el préstamo cualificado o convenido anteriormente obtenido).

AYUDAS AUTONÓMICAS A LOS ADQUIRENTES DE VIVIENDAS DE PROTECCIÓN OFICIAL DE RÉGIMEN CONCERTADO QUE SE ENCUENTREN DENTRO DE PROMOCIONES DE VIVIENDAS DE INICIATIVA PÚBLICA REGIONAL:

Características de la ayuda:

— Son viviendas que se sitúan en suelos que forman parte del patrimonio público de la Junta de Castilla-La Mancha, o que habiendo formado parte de ese patrimonio, hayan sido transmitidos o cedidos con el fin de que se construya en ellos viviendas con algún régimen de protección, impulsadas por la Junta de Castilla-La Mancha, y promovidas, financiadas o ejecutadas por ésta o a su iniciativa por promotores públicos o privados, personas físicas o jurídicas.

— También tienen esta consideración las viviendas con protección pública promovidas, construidas o financiadas mediante convenios de la Junta de Castilla-La Mancha con cualquier Administración Pública o entidades de carácter público, tales como patronatos, sociedades o empresas públicas—

— Las ayudas son las siguientes:

SUBVENCIONES AUTONÓMICAS PARA ADQUIRENTES CON INGRESOS MENORES O IGUALES A 1,5 VECES EL IPREM:

a) En general:

ATPMS B: **5.000 euros**

ATPMS C: **4.000 euros**

Zona Geográfica 1: **3.000 euros**

Zona Geográfica 2: **2.000 euros**

b) Familias numerosas, monoparentales con hijos, mujeres víctimas de violencia de género, víctimas del terrorismo, personas separadas o divorciadas al corriente del pago de pensiones, personas dependientes o con discapacidad reconocida y familias con dependientes a su cargo:

ATPMS B: **6.000 euros**

ATPMS C: **5.000 euros**

Zona Geográfica 1: **4.000 euros**

Zona Geográfica 2: **3.000 euros**

SUBVENCIONES AUTONÓMICAS PARA ADQUIRENTES CON INGRESOS ENTRE 1,5 Y 2,5 VECES EL IPREM:

a) En general:

ATPMS B: **4.000 euros**

ATPMS C: **3.000 euros**

Zona Geográfica 1: **2.000 euros**

Zona Geográfica 2: **1.000 euros**

b) Familias numerosas, monoparentales con hijos, mujeres víctimas de violencia de género, víctimas del terrorismo, personas separadas o divorciadas al corriente del pago de pensiones, personas dependientes o con discapacidad reconocida y familias con dependientes a su cargo:

ATPMS B: **7.500 euros**

ATPMS C: **6.500 euros**

Zona Geográfica 1: **6.000 euros**

Zona Geográfica 2: **5.000 euros**

4. VIVIENDA DE PRECIO TASADO (VPT).

ATPMS B: **Módulo Básico Estatal *160* 1,29*1,20**

ATPMS C: **Modulo Básico Estatal * 1,60*1,15*1,20**

Zona Geográfica 1: **Módulo Básico Estatal * 1,60*1,00*1,20**

Zona Geográfica 2: **Módulo Básico Estatal * 1,40*1,00*1,20**

— El régimen de protección de las viviendas será de **10 años,** cuando estén promovidas sobre suelos que estén destinados por el Planeamiento Municipal para la construcción de viviendas sujetas a algún régimen de protección pública, desde la fecha de la calificación definitiva.

— El régimen de protección de las viviendas será de **20 años:** a) Cuando estén promovidas sobre suelos que forman parte del patrimonio público o que estén incluidos en catálogos de suelo residencial público o que tengan reconocidas ayudas públicas a la adquisición o urbanización.

b) En los enajenados por la Administraciones y empresas públicas.

— Durante todo el período de protección se deben mantener las condiciones de uso y limitación de precio máximo de transmisión establecidos.

— Las viviendas que se acojan a las medidas de financiación no se podrán descalificar de manera voluntaria durante todo el período que dure el régimen de protección.

— La superficie útil mínima será de 40 m².

— La superficie útil máxima determina los distintos tipos de vivienda de precio tasado:

—**Vivienda de Precio Tasado 90CM (VPT 90CM)** con una superficie útil máxima de 90 m².

— **Vivienda de Precio Tasado 120CM (VPT 120CM)** con una superficie útil máxima entre 90 y 120 m².

— **Vivienda de Precio Tasado 135CM (VPT 135CM)** con una superficie útil máxima entre 120 y 135 m².

— Si la vivienda no se vendiera o alquilara en el plazo de 1 año desde la fecha de la calificación definitiva, los precios de venta o alquiler de la misma se podrán modificar de tal manera que coincidan con los que tenga una vivienda protegida del mismo tipo y en la misma ubicación calificada provisionalmente en el momento de la venta o el alquiler.

— La transmisión intervivos o cesión del uso de las viviendas y de sus anejos, por cualquier título, antes de los 10 años desde la fecha de la formalización de la adquisición, requerirá autorización administrativa, salvo en caso de subasta y adjudicación de la vivienda por ejecución judicial del préstamo. Durante este plazo se requerirá la previa cancelación del préstamo y, si se hubieran obtenido ayudas financieras, el reintegro de las mismas a la Administración, más los intereses legales correspondientes.

La autorización se concederá en los siguientes supuestos:

a) En viviendas destinadas para alquiler cuya titularidad corresponda a entidades sin ánimo de lucro y sociedades que incluyan en su objeto el alquiler de viviendas.

b) Por cambio de localidad de residencia de la persona titular de la vivienda.

c) Por necesidad de una vivienda de mayor superficie o más adecuada a necesidades específicas, por el incremento de miembros de la unidad familiar en el supuesto de familias numerosas, por discapacidad sobrevenida de alguno de los miembros o en el caso de personas mayores de 65 años.

d) Para personas dependientes o con discapacidad oficialmente reconocida, y familias con dependientes a su cargo, mujeres víctimas de la violencia de género o víctimas del terrorismo, que deseen trasladarse a otro alojamiento más adecuado a sus necesidades específicas.

e) Cuando concurran otros motivo extraordinarios debidamente justificados.

Mientras esté vigente el régimen de protección de las viviendas será necesario, para las segundas o posteriores transmisiones, el visado de los contratos por la administración y los nuevos adquirentes tendrán que cumplir las condiciones de acceso a la vivienda protegida y estar inscritos en el Registro de Demandantes de Vivienda.

— Las viviendas, mientras dure el régimen de protección, estarán sujetas al derecho de tanteo, y en su caso de retracto, por parte de la Junta de Castilla-La Mancha.

Requisitos de acceso:

1. Ingresos familiares no superiores a 7,5 veces el IPREM.

2. No ser titular de una vivienda protegida (salvo en caso de ocupación temporal de la vivienda por motivo de realojo), ni de una libre cuyo valor, según el Impuesto sobre Transmisiones Patrimoniales, exceda del 80% del precio de la vivienda que se pretende adquirir.

3. La actuación debe haber sido calificada como protegida por la CA; además el contrato debe contener las cláusulas obligatorias para este tipo de viviendas y haber sido visado por la Administración.

4. La vivienda debe destinarse como residencia habitual del adjudicatario y ocuparse dentro de los plazos establecidos, sin perjuicio de lo establecido para los casos de cesión temporal de viviendas.

5. Los adquirentes de este tipo de viviendas deberán estar inscritos previamente en el Registro de Demandantes de Vivienda con protección pública de Castilla-La Mancha.

Características de la ayuda:

PRÉSTAMO MEDIANTE CONVENIO ENTRE LA COMUNIDAD DE CASTILLA LA MANCHA Y LAS ENTIDADES FINANCIERAS:

— Convenios de colaboración que la Consejería de Vivienda y Urbanismo celebra con las entidades de crédito públicas y privadas para conceder préstamos en condiciones más favorables que las del mercado para la financiación de la adquisición de VPT.

Requisitos de acceso a la ayuda:

1. Los ingresos tienen que ser igual o menor a 7,5 veces el IPREM.

2. Tiene que ser el 1.er acceso a la propiedad del solicitante (se entiende que reúnen la condición de 1.er acceso a la propiedad los adquirentes que no tengan o no hayan tenido con anterioridad ninguna vivienda en propiedad o que siendo titular de alguna no disfruten de un derecho real de uso o disfrute sobre ella o el valor de la misma de acuerdo con la normativa del ITP no supere el 25% del precio máximo de venta de la vivienda que adquirieren); se equipara como 1.er acceso a la vivienda en propiedad a las personas que habiendo accedido a una vivienda en propiedad sean víctimas del terrorismo, mujeres víctimas y personas dependientes o con discapacidad oficialmente reconocida y las familias que las tengan a su cargo.

3. Los solicitantes no pueden haber recibido anteriormente financiación al amparo de algún Plan de Vivienda estatal o autonómico, durante los 10 años anteriores a la solicitud actual de ayudas. Se entenderá que se ha obtenido préstamo convenido cuando el mismo haya sido formalizado y que se han recibido ayudas financieras cuando se haya expedido la resolución administrativa que reconoce el derecho a las mismas.

No será necesario cumplir este requisito cuando la adquisición de la vivienda sea por parte de víctimas del terrorismo, mujeres víctimas y personas dependientes o con discapacidad oficialmente reconocida y las familias que las tengan a su cargo (en cualquier caso será necesario cancelar previa o simultáneamente el préstamo cualificado o convenido anteriormente obtenido).

AYUDAS AUTONÓMICAS A LOS ADQUIRENTES DE VIVIENDAS DE PRECIO TASADO QUE SE ENCUENTREN DENTRO DE PROMOCIONES DE VIVIENDAS DE INICIATIVA PÚBLICA REGIONAL:

Características de la ayuda:

— Son viviendas que se sitúan en suelos que forman parte del patrimonio público de la Junta de Castilla-La Mancha, o que habiendo formado parte de ese patrimonio, hayan sido transmitidos o cedidos con el fin de que se construya en ellos viviendas con algún régimen de protección, impulsadas por la Junta de Castilla-La Mancha, y promovidas, financiadas o ejecutadas por ésta o a su iniciativa por promotores públicos o privados, personas físicas o jurídicas.

— También tienen esta consideración las viviendas con protección pública promovidas, construidas o financiadas mediante convenios de la Junta de Castilla-La Mancha con cualquier Administración Pública o entidades de carácter público, tales como patronatos, sociedades o empresas públicas—

— Las ayudas son las siguientes:

SUBVENCIONES AUTONÓMICAS PARA ADQUIRENTES CON INGRESOS MENORES O IGUALES A 1,5 VECES EL IPREM:

a) En general:

ATPMS B: **5.000 euros**

ATPMS C: **4.000 euros**

Zona Geográfica 1: **3.000 euros**

Zona Geográfica 2: **2.000 euros**

b) Familias numerosas, monoparentales con hijos, mujeres víctimas de violencia de género, víctimas del terrorismo, personas separadas o divorciadas al corriente del pago de pensiones, personas dependientes o con discapacidad reconocida y familias con dependientes a su cargo:

ATPMS B: **6.000 euros**

ATPMS C: **5.000 euros**

Zona Geográfica 1: **4.000 euros**

Zona Geográfica 2: **3.000 euros**

SUBVENCIONES AUTONÓMICAS PARA ADQUIRENTES CON INGRE-SOS ENTRE 1,5 Y 2,5 VECES EL IPREM:

a) En general:

ATPMS B: **4.000 euros**

ATPMS C: **3.000 euros**

Zona Geográfica 1: **2.000 euros**

Zona Geográfica 2: **1.000 euros**

b) Familias numerosas, monoparentales con hijos, mujeres víctimas de violencia de género, víctimas del terrorismo, personas separadas o divorciadas al corriente del pago de pensiones, personas dependientes o con discapacidad reconocida y familias con dependientes a su cargo:

ATPMS B: **7.500 euros**

ATPMS C: **6.500 euros**

Zona Geográfica 1: **6.000 euros**

Zona Geográfica 2: **5.000 euros**

5. VIVIENDA DE INICIATIVA PÚBLICO-PRIVADA (VIPP).

ATPMS B: **Módulo Básico Estatal *160* 1,29*1,20*1,10**

ATPMS C: **Modulo Básico Estatal * 1,60*1,15*1,20*1,10**

Zona Geográfica 1: **Módulo Básico Estatal * 1,60*1,00*1,20*1,10**

Zona Geográfica 2: **Módulo Básico Estatal * 1,40*1,00*1,20*1,10**

• El régimen de protección de las viviendas será de **10 años.**

— Si la promoción hubiera percibido financiación cualificada el régimen jurídico persistirá mientras dure la misma.

— Son promovidas por promotoras privadas sobre suelos de su propiedad no reservados obligatoriamente a la promoción de viviendas de protección pública.

— Durante todo el período de protección se deben mantener las condiciones de uso y limitación de precio máximo de transmisión establecidos.

— Las viviendas que se acojan a las medidas de financiación no se podrán descalificar de manera voluntaria durante todo el período que dure el régimen de protección.

— La superficie útil mínima será de 40 m².

— La superficie útil máxima será de 70 m².

— Si la vivienda no se vendiera o alquilara en el plazo de 1 año desde la fecha de la calificación definitiva, los precios de venta o alquiler de la misma se podrán modificar de tal manera que coincidan con los que tenga una vivienda protegida del mismo tipo y en la misma ubicación calificada provisionalmente en el momento de la venta o el alquiler.

— La transmisión intervivos o cesión del uso de las viviendas y de sus anejos, por cualquier título, antes de los 10 años desde la fecha de la formalización de la adquisición, requerirá autorización administrativa, salvo en caso de subasta y adjudicación de la vivienda por ejecución judicial del préstamo. Durante este plazo se requerirá la previa cancelación del préstamo y, si se hubieran obtenido ayudas financieras, el reintegro de las mismas a la Administración, más los intereses legales correspondientes.

La autorización se concederá en los siguientes supuestos:

a) En viviendas destinadas para alquiler cuya titularidad corresponda a entidades sin ánimo de lucro y sociedades que incluyan en su objeto el alquiler de viviendas.

b) Por cambio de localidad de residencia de la persona titular de la vivienda.

c) Por necesidad de una vivienda de mayor superficie o más adecuada a necesidades específicas, por el incremento de miembros de la unidad familiar en el supuesto de familias numerosas, por discapacidad sobrevenida de alguno de los miembros o en el caso de personas mayores de 65 años.

d) Para personas dependientes o con discapacidad oficialmente reconocida, y familias con dependientes a su cargo, mujeres víctimas de la violencia de género o víctimas del terrorismo, que deseen trasladarse a otro alojamiento más adecuado a sus necesidades específicas.

e) Cuando concurran otros motivo extraordinarios debidamente justificados.

Mientras esté vigente el régimen de protección de las viviendas será necesario, para las segundas o posteriores transmisiones, el visado de los contratos por la administración y los nuevos adquirentes tendrán que cumplir las condiciones de acceso a la vivienda protegida y estar inscritos en el Registro de Demandantes de Vivienda.

— Las viviendas, mientras dure el régimen de protección, estarán sujetas al derecho de tanteo, y en su caso de retracto, por parte de la Junta de Castilla-La Mancha.

Requisitos de acceso:

1. Ingresos familiares no superiores a 7,5 veces el IPREM.

2. No ser titular de una vivienda protegida (salvo en caso de ocupación temporal de la vivienda por motivo de realojo), ni de una libre cuyo valor, según el Impuesto sobre Transmisiones Patrimoniales, exceda del 80% del precio de la vivienda que se pretende adquirir.

3. La actuación debe haber sido calificada como protegida por la CA; además el contrato debe contener las cláusulas obligatorias para este tipo de viviendas y haber sido visado por la Administración.

4. La vivienda debe destinarse como residencia habitual del adjudicatario y ocuparse dentro de los plazos establecidos, sin perjuicio de lo establecido para los casos de cesión temporal de viviendas.

5. Los adquirentes de este tipo de viviendas deberán estar inscritos previamente en el Registro de Demandantes de Vivienda con protección pública de Castilla-La Mancha.

Características de la ayuda:

PRÉSTAMO MEDIANTE CONVENIO ENTRE LA COMUNIDAD DE CASTILLA LA MANCHA Y LAS ENTIDADES FINANCIERAS:

— Convenios de colaboración que la Consejería de Vivienda y Urbanismo celebra con las entidades de crédito públicas y privadas para conceder préstamos en condiciones más favorables que las del mercado para la financiación de la adquisición de VIPP, en esos convenios se determinará el interés máximo de los préstamos hipotecarios, tanto fijo como variable y el plazo de amortización.

Requisitos de acceso a la ayuda:

1. Los ingresos tienen que ser igual o menor a 7,5 veces el IPREM.

2. Tiene que ser el 1.er acceso a la propiedad del solicitante (se entiende que reúnen la condición de 1.er acceso a la propiedad los adquirentes que no tengan o no hayan tenido con anterioridad ninguna vivienda en propiedad o que siendo titular de alguna no disfruten de un derecho real de uso o disfrute sobre ella o el valor de la misma de acuerdo con la normativa del ITP no supere el 25% del precio máximo de venta de la vivienda que adquirieren); se equipara como 1. er acceso a la vivienda en propiedad a las personas que habiendo accedido a una vivienda en propiedad sean víctimas del terrorismo, mujeres víctimas y personas dependientes o con discapacidad oficialmente reconocida y las familias que las tengan a su cargo.

3. Los solicitantes no pueden haber recibido anteriormente financiación al amparo de algún Plan de Vivienda estatal o autonómico, durante los 10 años anteriores a la solicitud actual de ayudas. Se entenderá que se ha obtenido préstamo convenido cuando el mismo haya sido formalizado y que se han recibido ayudas financieras cuando se haya expedido la resolución administrativa que reconoce el derecho a las mismas.

No será necesario cumplir este requisito cuando la adquisición de la vivienda sea por parte de víctimas del terrorismo, mujeres víctimas y personas dependientes o con discapacidad oficialmente reconocida y las familias que las tengan a su cargo (en cualquier caso será necesario cancelar previa o simultáneamente el préstamo cualificado o convenido anteriormente obtenido).

SUBVENCIONES AUTONÓMICAS PARA ADQUIRENTES CON INGRESOS MENORES O IGUALES A 1,5 VECES EL IPREM:

a) En general:

ATPMS B**: 5.000 euros**

ATPMS C**: 4.000 euros**

Zona Geográfica 1**: 3.000 euros**

Zona Geográfica 2**: 2.000 euros**

b) Familias numerosas, monoparentales con hijos, mujeres víctimas de violencia de género, víctimas del terrorismo, personas separadas o divorciadas al corriente del pago de pensiones, personas dependientes o con discapacidad reconocida y familias con dependientes a su cargo:

ATPMS B**: 6.000 euros**

ATPMS C**: 5.000 euros**

Zona Geográfica 1**: 4.000 euros**

Zona Geográfica 2**: 3.000 euros**

SUBVENCIONES AUTONÓMICAS PARA ADQUIRENTES CON INGRESOS ENTRE 1,5 Y 2,5 VECES EL IPREM:

a) En general:

ATPMS B**: 4.000 euros**

ATPMS C**: 3.000 euros**

Zona Geográfica 1**: 2.000 euros**

Zona Geográfica 2**: 1.000 euros**

b) Familias numerosas, monoparentales con hijos, mujeres víctimas de violencia de género, víctimas del terrorismo, personas separadas o divorciadas al corriente del pago de pensiones, personas dependientes o con discapacidad reconocida y familias con dependientes a su cargo:

ATPMS B: **7.500 euros**

ATPMS C: **6.500 euros**

Zona Geográfica 1: **6.000 euros**

Zona Geográfica 2: **5.000 euros**

B) COMPRA DE VIVIENDA USADA:

Tipos de viviendas:

a) Viviendas sujetas a regímenes de protección pública adquiridas en segundas o posteriores transmisiones en las condiciones previstas en este Decreto.

A este efecto se considerarán también segundas transmisiones, las que tengan por objeto viviendas protegidas que se hubieran destinado con anterioridad al alquiler.

b) Viviendas libres en segundas o posteriores transmisiones adquiridas en las condiciones previstas en este Decreto.

c) Viviendas libres de nueva construcción, adquiridas cuando haya transcurrido un plazo de 1 año como mínimo entre la expedición de la licencia de 1.ª ocupación, el certificado final de obra o la cédula de habitabilidad, según proceda, y la fecha del contrato de opción de compra o de compraventa, adquiridas en las condiciones de este Decreto. Se equipara con estas viviendas las viviendas libres definidas en la Disposición Transitoria 1.ª 2.c) del Real Decreto 2066/2009.

— La superficie mínima será de 40 m²; la superficie máxima que ha de tenerse en cuenta para la determinación de su precio y para las medidas de financiación será de 90 m², con independencia de que su superficie real sea mayor, los garajes tendrán una superficie máxima computable a efectos de financiación de 25 m² y los trasteros de 8 m².

Las viviendas de tipo **a)** estarán limitadas en su superficie por la tipología a la que pertenezcan.

— El plazo de protección de las viviendas usadas de tipo **b)** y **c)** será de 15 años desde la fecha de visado del contrato o el de la duración del préstamo convenido si éste fuera superior.

Para las viviendas usadas de tipo **a)**, el plazo será el que le corresponda a la tipología a la que pertenezca, salvo que en el momento del visado el plazo de protección fuera inferior a 15 años, en cuyo caso se ampliará hasta llegar a esa duración. En el caso de segundas o posteriores transmisiones de VPT o VIPP, el plazo será el que corresponda a cada tipología salvo que en el momento del visado del contrato el plazo fuera inferior a 5 años en cuyo caso se ampliará hasta llegar a esa duración.

— En todos estos supuestos no será posible la descalificación voluntaria.

Precio de la vivienda usada:

ATPMS B: **Módulo Básico Estatal *1,60* 1,29**

ATPMS C: **Modulo Básico Estatal * 1,60*1,15**

Zona Geográfica 1: **Módulo Básico Estatal * 1,60*1,00**

Zona Geográfica 2: **Módulo Básico Estatal * 1,40*1,00**

2— El precio de venta de las viviendas usadas del tipo **a)** será el que corresponda al régimen de protección al que estuvieran acogidas durante el arrendamiento; la duración del régimen de protección será el que corresponda a la tipología de vivienda en el que fueron calificadas.

— La transmisión intervivos o cesión del uso de las viviendas y de sus anejos, por cualquier título, antes de los 10 años desde la fecha de la formalización de la adquisición, requerirá autorización administrativa, salvo en caso de subasta y adjudicación de la vivienda por ejecución judicial del préstamo. Durante este plazo se requerirá la previa cancelación del préstamo y, si se hubieran obtenido ayudas financieras, el reintegro de las mismas a la Administración, más los intereses legales correspondientes.

La autorización se concederá en los siguientes supuestos:

a) En viviendas destinadas para alquiler cuya titularidad corresponda a entidades sin ánimo de lucro y sociedades que incluyan en su objeto el alquiler de viviendas.

b) Por cambio de localidad de residencia de la persona titular de la vivienda.

c) Por necesidad de una vivienda de mayor superficie o más adecuada a necesidades específicas, por el incremento de miembros de la unidad familiar en el supuesto de familias numerosas, por discapacidad sobrevenida de alguno de los miembros o en el caso de personas mayores de 65 años.

d) Para personas dependientes o con discapacidad oficialmente reconocida, y familias con dependientes a su cargo, mujeres víctimas de la violencia de género o víctimas del terrorismo, que deseen trasladarse a otro alojamiento más adecuado a sus necesidades específicas.

e) Cuando concurran otros motivo extraordinarios debidamente justificados.

Mientras esté vigente el régimen de protección de las viviendas será necesario, para las segundas o posteriores transmisiones, el visado de los contratos por la administración y los nuevos adquirentes tendrán que cumplir las condiciones de acceso a la vivienda protegida y estar inscritos en el Registro de Demandantes de Vivienda.

— Las viviendas, mientras dure el régimen de protección, estarán sujetas al derecho de tanteo, y en su caso de retracto, por parte de la Junta de Castilla-La Mancha.

Requisitos de acceso:

1. Ingresos familiares no superiores a 6,5 veces el IPREM; en el caso de las viviendas de tipo **a)** la limitación ingresos será la que corresponda a la tipología a la que pertenezcan.

2. Ninguno de los miembros de la unidad familiar ha de ser titular de un derecho de pleno dominio o de un derecho real de uso y disfrute sobre otra vivienda sujeta a protección pública en el territorio nacional, o sobre otra vivienda libre, salvo que hayan sido privados de su uso por causas no imputables a las personas interesadas.

Excepcionalmente, se permitirá la titularidad sobre una única vivienda libre, cuando el valor de la vivienda o del derecho de la persona interesada sobre la misma, según el Impuesto sobre Transmisiones Patrimoniales, exceda del 40% del precio de la vivienda que se pretende adquirir (60% para personas mayores de 65 años, mujeres víctimas de violencia de género, víctimas del terrorismo, familias numerosas, familias monoparentales con hijos, personas separadas o divorciadas al corriente de pago de pensiones alimenticias y compensatorias en su caso y personas dependientes o con discapacidad oficialmente reconocida y las familias que las tengan a su cargo); se excepcionará el cumplimiento de este requisito cuando alguna persona menor de edad o incapacitada judicialmente tenga la titularidad de una vivienda en virtud de alguna herencia o legado, o cuando cualquiera de los miembros sea titular mortis causa de la nuda propiedad sobre una vivienda, o cotitular mortis causa del dominio con alguna persona ajena a la unidad familiar.

En todo caso se considerará incumplido este requisito en los supuestos en que alguno de los miembros de la unidad familiar, en los 2 años anteriores al momento del visado, hubiera transmitido a título gratuito los derechos de dominio o de uso y disfrute sobre una vivienda anterior, ya sea libre o con protección pública, o la hubiera cedido por cualquier título a sus parientes en línea recta o colateral hasta segundo grado de consanguinidad o afinidad, o a su cónyuge, salvo separación o divorcio, o a sociedades o entidades cuyas acciones, participaciones u otras formas de división análogas, estuvieran controladas por el transmitente o por las personas anteriormente citadas.

3. La actuación debe haber sido calificada como protegida por la CA; además el contrato debe contener las cláusulas obligatorias para este tipo de viviendas y haber sido visado por la Administración.

4. La vivienda debe destinarse como residencia habitual del adjudicatario y ocuparse dentro de los plazos establecidos, sin perjuicio de lo establecido para los casos de cesión temporal de viviendas.

5. Los adquirentes de este tipo de viviendas deberán estar inscritos previamente en el Registro de Demandantes de Vivienda con protección pública de Castilla-La Mancha.

Características de la ayuda:

PRÉSTAMO CONVENIDO

Amortización: 25 años o más con cuotas constantes.

Garantía: Hipoteca.

Cuantía Máxima: 80% del precio de adquisición (vivienda + garaje + trastero vinculados).

Tipo de interés para el año 2009: puede ser fijo o variable.

Interés fijo: pendiente de publicación.

Interés variable: Euribor a 12 meses publicado por el Banco de España en el BOE el mes anterior al de la fecha de formalización del préstamo más un diferencial de entre 25 y 125 puntos básicos.

Este tipo de interés se revisará cada 12 meses teniendo como referencia el Euribor a 12 meses publicado por el Banco de España el mes anterior a la fecha de formalización.

Cuotas: Interés fijo: Constantes durante toda la vida del préstamo.

Interés variable: Constantes durante toda la vida del préstamo, dentro de cada uno de los períodos de amortización a los cuales les corresponde un mismo tipo de interés.

Comisiones: Exentas.

SUBSIDIOS A LOS PRÉSTAMOS: Cantidad anual por cada 10.000 euros de préstamo durante 5 años, renovables 5 más (la ampliación se tiene que solicitar dentro del 5.º año del primer período y los solicitantes tienen que acreditar que siguen cumpliendo las condiciones para la concesión de la ayuda; no obstante los ingresos familiares en el momento de la solicitud de renovación podrán ser distintos de los acreditados inicialmente, siempre que no excedan de 4,5 veces el IPREM; en cualquier caso la cuantía adicional para colectivos singulares será para los primeros 5 años, si hubiera renovación el importe de la subsidiación será el de la cuantía general):

— **100 euros** para ingresos menores o iguales a 2,5 veces el IPREM los 10 primeros años (**155 euros** para familias numerosas, monoparentales con hijos y familias que incluyan personas dependientes o con discapacidad reconocida oficialmente durante los 5 primeros años).

— **80 euros** para ingresos entre 2,5 y 3,5 veces el IPREM los 5 primeros años (**113 euros** para familias numerosas, monoparentales con hijos y familias que incluyan personas dependientes o con discapacidad reconocida oficialmente durante los 5 primeros años).

— **60 euros** anuales a familias con ingresos familiares entre 3,5 y 4,5 veces el IPREM (**93 euros** para familias numerosas, monoparentales con hijos y familias que incluyan personas dependientes o con discapacidad reconocida oficialmente durante los 5 primeros años).

PRÉSTAMO MEDIANTE CONVENIO ENTRE LA COMUNIDAD DE CASTILLA LA MANCHA Y LAS ENTIDADES FINANCIERAS:

Los adquirentes de viviendas usadas de tipo **a)** calificadas como de VPT o de VIPP podrán beneficiarse de los convenios que la Consejería de Vivienda y Urbanismo pueda celebrar con entidades de crédito públicas o privadas en orden a la concesión de préstamos en condiciones más favorables que las del mercado para la financiación de este tipo de viviendas con protección pública.

SUBVENCIONES AUTONÓMICAS PARA ADQUIRENTES CON INGRESOS MENORES O IGUALES A 1,5 VECES EL IPREM:

— Serán las que correspondan según la tipología de vivienda protegida que corresponda a la vivienda que se quiere adquirir.

SUBVENCIONES AUTONÓMICAS PARA ADQUIRENTES CON INGRESOS ENTER 1,5 Y 2,5 VECES EL IPREM:

— Serán las que correspondan según la tipología de vivienda protegida que corresponda a la vivienda que se quiere adquirir.

AYUDA ESTATAL DIRECTA A LA ENTRADA (AEDE):

ADQUIRENTES CON INGRESOS MENORES O IGUALES A 2,5 VECES EL IPREM:

a) En general: **8.000 euros**

b) Familias numerosas, familias monoparentales y familias que incluyan o tengan a su cargo personas dependientes o con discapacidad oficialmente reconocida: **12.000 euros**

c) Mujeres víctimas de violencia de género, víctimas del terrorismo y personas separadas o divorciadas que estén al corriente en el pago de pensiones alimenticias o compensatorias: **11.000 euros**

Estas cuantías no son acumulables entre sí, y corresponderá únicamente la más favorable de todas las posibles.

Cuando las viviendas estén situadas en las zonas A,B o C, las cuantías relacionadas antes se tienen que incrementar respectivamente en **1.200 euros, 600 euros** o **300 euros.**

Requisitos de acceso a la ayuda:

1. Los ingresos tienen que ser igual o menor a 2,5 veces el IPREM.

2. Tiene que ser el 1.er acceso a la propiedad del solicitante (se entiende que reúnen la condición de 1.er acceso a la propiedad los adquirentes que no tengan o no hayan tenido con anterioridad ninguna vivienda en propiedad o que siendo titular de alguna no disfruten de un derecho real de uso o disfrute sobre ella o el valor de la misma de acuerdo con la normativa del ITP no supere el 25% del precio máximo de venta de la vivienda que adquirieren); se equipara como 1.er acceso a la vivienda en propiedad a las personas que habiendo accedido a una vivienda en propiedad sean víctimas del terrorismo, mujeres víctimas y personas dependientes o con discapacidad oficialmente reconocida y las familias que las tengan a su cargo.

3. Los solicitantes no pueden haber recibido anteriormente financiación al amparo de algún Plan de Vivienda estatal o autonómico, durante los 10 años anteriores a la solicitud actual de ayudas. Se entenderá que se ha obtenido préstamo convenido cuando el mismo haya sido formalizado y que se han recibido ayudas financieras cuando se haya expedido la resolución administrativa que reconoce el derecho a las mismas.

No será necesario cumplir este requisito cuando la adquisición de la vivienda sea por parte de víctimas del terrorismo, mujeres víctimas y personas dependientes o con discapacidad oficialmente reconocida y las familias que las tengan a su cargo (en cualquier caso será necesario cancelar previa o simultáneamente el préstamo cualificado o convenido anteriormente obtenido).

4. Será necesario haber suscrito un préstamo convenido (salvo excepciones). **ADQUIRENTES CON INGRESOS ENTRE 2,5 VECES Y 3,5 VECES EL IPREM:**

a) En general: **7.000 euros**

b) Familias numerosas, familias monoparentales y familias que incluyan o tengan a su cargo personas dependientes o con discapacidad oficialmente reconocida: **10.000 euros**

c) Mujeres víctimas de violencia de género, víctimas del terrorismo y personas separadas o divorciadas que estén al corriente en el pago de pensiones alimenticias o compensatorias: **9.000 euros**

Estas cuantías no son acumulables entre sí, y corresponderá únicamente la más favorable de todas las posibles.

Cuando las viviendas estén situadas en las zonas A,B o C, las cuantías relacionadas antes se tienen que incrementar respectivamente en **1.200 euros, 600 euros** o **300 euros**.

Requisitos de acceso a la ayuda:

1. Los ingresos tienen que ser igual o menor a 3,5 veces el IPREM.

2. Tiene que ser el 1.ᵉʳ acceso a la propiedad del solicitante (se entiende que reúnen la condición de 1.ᵉʳ acceso a la propiedad los adquirentes que no tengan o no hayan tenido con anterioridad ninguna vivienda en propiedad o que siendo titular de alguna no disfruten de un derecho real de uso o disfrute sobre ella o el valor de la misma de acuerdo con la normativa del ITP no supere el 25% del precio máximo de venta de la vivienda que adquirieren); se equipara como 1.ᵉʳ acceso a la vivienda en propiedad a las personas que habiendo accedido a una vivienda en propiedad sean víctimas del terrorismo, mujeres víctimas y personas dependientes o con discapacidad oficialmente reconocida y las familias que las tengan a su cargo.

3. Los solicitantes no pueden haber recibido anteriormente financiación al amparo de algún Plan de Vivienda estatal o autonómico, durante los 10 años anteriores a la solicitud actual de ayudas. Se entenderá que se ha obtenido préstamo convenido cuando el mismo haya sido formalizado y que se han recibido ayudas financieras cuando se haya expedido la resolución administrativa que reconoce el derecho a las mismas.

No será necesario cumplir este requisito cuando la adquisición de la vivienda sea por parte de víctimas del terrorismo, mujeres víctimas y personas dependientes o con discapacidad oficialmente reconocida y las familias que las tengan a su cargo (en cualquier caso será necesario cancelar previa o simultáneamente el préstamo cualificado o convenido anteriormente obtenido).

4. Será necesario haber suscrito un préstamo convenido (salvo excepciones). **ADQUIRENTES CON INGRESOS ENTRE 3,5 VECES Y 4,5 VECES EL IPREM:**

a) En general: **5.000 euros**

b) Familias numerosas, familias monoparentales y familias que incluyan o tengan a su cargo personas dependientes o con discapacidad oficialmente reconocida: **8.000 euros**

c) Mujeres víctimas de violencia de género, víctimas del terrorismo y personas separadas o divorciadas que estén al corriente en el pago de pensiones alimenticias o compensatorias: **7.000 euros**

Estas cuantías no son acumulables entre sí, y corresponderá únicamente la más favorable de todas las posibles.

Cuando las viviendas estén situadas en las zonas A,B o C, las cuantías relacionadas antes se tienen que incrementar respectivamente en **1.200 euros, 600 euros** o **300 euros**.

Requisitos de acceso a la ayuda:

1. Los ingresos tienen que ser igual o menor a 4,5 veces el IPREM.

2. Tiene que ser el 1.er acceso a la propiedad del solicitante (se entiende que reúnen la condición de 1.er acceso a la propiedad los adquirentes que no tengan o no hayan tenido con anterioridad ninguna vivienda en propie-

dad o que siendo titular de alguna no disfruten de un derecho real de uso o disfrute sobre ella o el valor de la misma de acuerdo con la normativa del ITP no supere el 25% del precio máximo de venta de la vivienda que adquirieren); se equipara como 1.er acceso a la vivienda en propiedad a las personas que habiendo accedido a una vivienda en propiedad sean víctimas del terrorismo, mujeres víctimas y personas dependientes o con discapacidad oficialmente reconocida y las familias que las tengan a su cargo.

3. Los solicitantes no pueden haber recibido anteriormente financiación al amparo de algún Plan de Vivienda estatal o autonómico, durante los 10 años anteriores a la solicitud actual de ayudas. Se entenderá que se ha obtenido préstamo convenido cuando el mismo haya sido formalizado y que se han recibido ayudas financieras cuando se haya expedido la resolución administrativa que reconoce el derecho a las mismas.

No será necesario cumplir este requisito cuando la adquisición de la vivienda sea por parte de víctimas del terrorismo, mujeres víctimas y personas dependientes o con discapacidad oficialmente reconocida y las familias que las tengan a su cargo (en cualquier caso será necesario cancelar previa o simultáneamente el préstamo cualificado o convenido anteriormente obtenido).

4. Será necesario haber suscrito un préstamo convenido (salvo excepciones).

C) ALQUILER:

1. VIVIENDA DE PROTECCIÓN OFICIAL DE REGIMEN ESPECIAL DE ALQUILER (VPOARE)

Características:

— Las viviendas pueden estar vinculadas al régimen de alquiler durante 10 o 25 años (VPOARE 10 y VPOARE 25).

— La duración del régimen de protección, que excluye descalificación voluntaria, será permanente mientras subsista el régimen del suelo, si las viviendas hubieran sido promovidas en suelo destinado por el planeamiento urbanístico a vivienda protegida, o en suelo dotacional público y, en todo caso, durante un plazo no inferior a **30 años**, y de **30 años** si las viviendas hubieran sido promovidas en otros suelos.

— Durante todo el período de protección se deben mantener las condiciones de uso y limitación de precio máximo de transmisión establecidos.

— La superficie útil mínima es de 40 m² y la máxima de 90 m²; en las viviendas con protección pública que se adapten para personas con discapacidad con movilidad reducida permanente se puede aumentar la superficie útil máxima un 20%.

— Las viviendas destinadas a familias numerosas pueden tener una superficie útil máxima de 120 m².

— La renta establecida deberá figurar en el visado del contrato de alquiler y se actualizará anualmente con el IPC.

— Si la vivienda no se vendiera o alquilara en el plazo de 1 año desde la fecha de la calificación definitiva, los precios de venta o alquiler de la misma se podrán modificar de tal manera que coincidan con los que tenga una vivienda protegida del mismo tipo y en la misma ubicación calificada provisionalmente en el momento de la venta o el alquiler.

— Se podrá modificar el régimen de acceso a las Viviendas de Protección Oficial, de propiedad a alquiler o viceversa, a solicitud de la promotora y siempre que se cumplan los siguientes requisitos:

a) La recalificación de promociones completas de Viviendas de Protección Oficial para venta como Viviendas de Protección Oficial para alquiler conllevará, para las viviendas, la adopción del régimen y condiciones propias de este uso, y para la persona propietaria, la asunción de las obligaciones y las responsabilidades propias de éste régimen, así como la financiación correspondiente, incluyendo la subvención y la subsidiación del préstamo convenido para el período restante desde la recalificación, y la subsidiación que corresponda durante el período de amortización.

La entidad de crédito concedente del préstamo practicará la liquidación pertinente de los subsidios y la novación del mismo, para adaptarlo a las características de la nueva actuación protegida.

b) La recalificación de promociones completas de Viviendas de Protección Oficial para alquiler como Viviendas de Protección Oficial para Venta, antes de su calificación definitiva, conllevará, para las viviendas, la adopción del régimen y condiciones propias de este uso, y para la persona propietaria, la interrupción de las ayudas financieras y la devolución de las recibidas hasta la recalificación, actualizadas con los intereses de demora correspondientes.

La entidad de crédito practicará la novación del préstamo convenido para adaptarlo a las características de la nueva actuación protegida.

— Las promotoras de viviendas libres, que hubieran obtenido una licencia de obras previa al 1 de septiembre de 2008, podrán solicitar su calificación como VPO tanto en venta como en alquiler, si estas cumplen las características exigidas por la normativa vigente en el momento de obtener la licencia, en cuanto a los máximos referentes a superficies, precios por m² útil, niveles de ingresos de los adquirentes y plazos mínimos de protección.

Si son calificadas como VPO para alquiler, a 10 o 25 años, podrán obtener las subvenciones correspondientes a la promoción de vivienda protegida de nueva construcción de esa naturaleza, y, si obtuvieran préstamo convenido será subsidiado en las mismas condiciones.

— La renta anual máxima inicial de las viviendas con protección oficial de régimen especial destinadas al arrendamiento equivale a un porcentaje del 3,85% en las viviendas que se destinan al régimen de alquiler durante 10 años y del 2,45% en el caso de las viviendas que se destinan durante 25 años sobre el siguiente precio:

VIVIENDA DE PROTECCIÓN OFICIAL DE RÉGIMEN ESPECIAL ALQUILER A 25 AÑOS

ATPMS B: Módulo Básico Estatal *1,40* 1,29-**2,79 euros m² útil de vivienda y 1,67 euros m² útil de garaje y trastero**.

ATPMS C: Modulo Básico Estatal * 1,40*1,15-**2,49 euros m² útil de vivienda y 1,49 euros m² útil de garaje y trastero**.

Zona Geográfica 1: Módulo Básico Estatal * 1,40*1,00-**2,16 euros m² útil de vivienda y 1,29 euros m² útil de garaje y trastero**.

Zona Geográfica 2: Módulo Básico Estatal * 1,20*1,00-**1,85 euros m² útil de vivienda y 1,11 euros m² útil de garaje y trastero**.

— Una vez transcurridos los 25 años de vinculación al régimen de alquiler y mientras dure el régimen de protección se podrán vender al precio máximo, por m² de superficie útil, que corresponda a una vivienda protegida del mismo tipo y la misma ubicación calificada en el momento de la venta.

VIVIENDA DE PROTECCIÓN OFICIAL DE RÉGIMEN ESPECIAL ALQUILER A 10 AÑOS

ATPMS B: Módulo Básico Estatal *1,40* 1,29-**4,39 euros m² útil de vivienda y 2,63 euros m² útil de garaje y trastero.**

ATPMS C: Modulo Básico Estatal * 1,40*1,15-**3,91 euros m² útil de vivienda y 2,34 euros m² útil de garaje y trastero.**

Zona Geográfica 1: Módulo Básico Estatal * 1,40*1,00-**3,40 euros m² útil de vivienda y 2,04 euros m² útil de garaje y trastero.**

Zona Geográfica 2: Módulo Básico Estatal * 1,20*1,00-**2,91 euros m² útil de vivienda y 1,75 euros m² útil de garaje y trastero.**

— Una vez transcurridos los 10 años de vinculación al régimen de alquiler y mientras dure el régimen de protección se podrán vender a un precio de 1,5 veces el precio máximo, por m² de superficie útil, que apareciera en la calificación provisional de la vivienda; si excepcionalmente hubiera que prolongar la vinculación al régimen de alquiler el porcentaje anteriormente indicado se actualizará según el IPC anual.

Requisitos de acceso:

1. Ingresos familiares no superiores a 2,5 VECES EL IPREM.

2. No ser titular del pleno dominio o de un derecho real de uso y disfrute sobre alguna otra vivienda.

3. Estar inscrito en un registro público de demandantes de vivienda.

4. La actuación debe haber sido calificada como protegida por la CA.

5. La vivienda debe destinarse como residencia habitual del adjudicatario y ocuparse dentro de los plazos establecidos.

OPCIÓN A COMPRA:

Características:

— En las viviendas VPOARE de alquiler a 10 años se podrá incluir en los contratos de alquiler una cláusula de opción de compra a favor de la persona inquilina.

— El precio máximo de venta, por m² de superficie útil, no podrá superar 1,5 veces el precio máximo de referencia establecido en la calificación provisional, minorado en al menos un 50% de la renta satisfecha por quien ejerza la opción de compra.

— Para el ejercicio de opción de compra será necesario:

a) Que hayan transcurrido 10 años desde la calificación definitiva.

b) Que la persona inquilina haya permanecido ininterrumpidamente en la vivienda como mínimo durante los 5 últimos años.

c) Que la persona inquilina esté al corriente en el pago de la renta y demás gastos derivados de los servicios de que disfrute.

2. VIVIENDA DE PROTECCIÓN OFICIAL DE RÉGIMEN GENERAL DE ALQUILER (VPOARG)

Características:

— Las viviendas pueden estar vinculadas al régimen de alquiler durante 10 o 25 años (VPOARG 10 y VPOARG 25).

— La duración del régimen de protección, que excluye descalificación voluntaria, será permanente mientras subsista el régimen del suelo, si las viviendas hubieran sido promovidas en suelo destinado por el planeamiento urbanístico a vivienda protegida, o en suelo dotacional público y, en todo caso, durante un plazo no inferior a **30 años**, y de **30 años** si las viviendas hubieran sido promovidas en otros suelos.

— Durante todo el período de protección se deben mantener las condiciones de uso y limitación de precio máximo de transmisión establecidos.

— La superficie útil mínima es de 40 m² y la máxima de 90 m²; en las viviendas con protección pública que se adapten para personas con discapacidad con movilidad reducida permanente se puede aumentar la superficie útil máxima un 20%.

— Las viviendas destinadas a familias numerosas pueden tener una superficie útil máxima de 120 m².

— La renta establecida deberá figurar en el visado del contrato de alquiler y se actualizará anualmente con el IPC.

— Si la vivienda no se vendiera o alquilara en el plazo de 1 año desde la fecha de la calificación definitiva, los precios de venta o alquiler de la misma se podrán modificar de tal manera que coincidan con los que tenga una vivienda protegida del mismo tipo y en la misma ubicación calificada provisionalmente en el momento de la venta o el alquiler.

— Se podrá modificar el régimen de acceso a las Viviendas de Protección Oficial, de propiedad a alquiler o viceversa, a solicitud de la promotora y siempre que se cumplan los siguientes requisitos:

a) La recalificación de promociones completas de Viviendas de Protección Oficial para venta como Viviendas de Protección Oficial para alquiler conllevará, para las viviendas, la adopción del régimen y condiciones propias de este uso, y para la persona propietaria, la asunción de las obligaciones y las responsabilidades propias de éste régimen, así como la financiación correspondiente, incluyendo la subvención y la subsidiación del préstamo convenido para el período restante desde la recalificación, y la subsidiación que corresponda durante el período de amortización.

La entidad de crédito concedente del préstamo practicará la liquidación pertinente de los subsidios y la novación del mismo, para adaptarlo a las características de la nueva actuación protegida.

b) La recalificación de promociones completas de Viviendas de Protección Oficial para alquiler como Viviendas de Protección Oficial para Venta, antes de su calificación definitiva, conllevará, para las viviendas, la adopción del régimen y condiciones propias de este uso, y para la persona propietaria, la interrupción de las ayudas financieras y la devolución de las recibidas hasta la recalificación, actualizadas con los intereses de demora correspondientes.

La entidad de crédito practicará la novación del préstamo convenido para adaptarlo a las características de la nueva actuación protegida.

— Las promotoras de viviendas libres, que hubieran obtenido una licencia de obras previa al 1 de septiembre de 2008, podrán solicitar su calificación como VPO tanto en venta como en alquiler, si estas cumplen las características exigidas por la normativa vigente en el momento de obtener la licencia, en cuanto a los máximos referentes a superficies, precios por m² útil, niveles de ingresos de los adquirentes y plazos mínimos de protección.

Si son calificadas como VPO para alquiler, a 10 o 25 años, podrán obtener las subvenciones correspondientes a la promoción de vivienda protegida de nueva construcción de esa naturaleza, y, si obtuvieran préstamo convenido será subsidiado en las mismas condiciones.

— La renta anual máxima inicial de las viviendas con protección oficial de régimen general destinadas al arrendamiento equivale a un porcentaje del 3,85% en las viviendas que se destinan al régimen de alquiler durante 10 años y del 2,45% en el caso de las viviendas que se destinan durante 25 años sobre el siguiente precio:

VIVIENDA DE PROTECCIÓN OFICIAL DE RÉGIMEN GENERAL DE ALQUILER A 25 AÑOS

ATPMS B: Módulo Básico Estatal *1,60* 1,29 - **3,19 euros m² útil de vivienda y 1,91 euros m² útil de garaje y trastero**.

ATPMS C: Modulo Básico Estatal * 1,60*1,15 - **2,84 euros m² útil de vivienda y 1,70 euros m² útil de garaje y trastero**.

Zona Geográfica 1: Módulo Básico Estatal * 1,60*1,00 - **2,47 euros m² útil de vivienda y 1,48 euros m² útil de garaje y trastero**.

Zona Geográfica 2: Módulo Básico Estatal * 1,40*1,00 - **2,16 euros m² útil de vivienda y 1,29 euros m² útil de garaje y trastero.**

— Una vez transcurridos los 25 años de vinculación al régimen de alquiler y mientras dure el régimen de protección se podrán vender al precio máximo, por m² de superficie útil, que corresponda a una vivienda protegida del mismo tipo y la misma ubicación calificada en el momento de la venta.

VIVIENDA DE PROTECCIÓN OFICIAL DE RÉGIMEN GENERAL DE ALQUILER A 10 AÑOS

ATPMS B: Módulo Básico Estatal *1,60* 1,29 **- 5,01 euros m² útil de vivienda y 3,01 euros m² útil de garaje y trastero.**

ATPMS C: Modulo Básico Estatal * 1,60*1,15 **- 4,47 euros m² útil de vivienda y 2,68 euros m² útil de garaje y trastero.**

Zona Geográfica 1: Módulo Básico Estatal * 1,60*1,00 - **3,89 euros m² útil de vivienda y 2,33 euros m² útil de garaje y trastero.**

Zona Geográfica 2: Módulo Básico Estatal * 1,40*1,00 - **3,40 euros m² útil de vivienda y 2,04 euros m² útil de garaje y trastero.**

— Una vez transcurridos los 10 años de vinculación al régimen de alquiler y mientras dure el régimen de protección se podrán vender a un precio de 1,5 veces el precio máximo, por m² de superficie útil, que apareciera en la calificación provisional de la vivienda; si excepcionalmente hubiera que prolongar la vinculación al régimen de alquiler el porcentaje anteriormente indicado se actualizará según el IPC anual.

Requisitos de acceso:

1. Ingresos familiares no superiores a 4,5 VECES EL IPREM.

2. No ser titular del pleno dominio o de un derecho real de uso y disfrute sobre alguna otra vivienda.

3. Estar inscrito en un registro público de demandantes de vivienda.

4. La actuación debe haber sido calificada como protegida por la CA.

5. La vivienda debe destinarse como residencia habitual del adjudicatario y ocuparse dentro de los plazos establecidos.

OPCIÓN A COMPRA:

Características:

— En las viviendas VPOARG de alquiler a 10 años se podrá incluir en los contratos de alquiler una cláusula de opción de compra a favor de la persona inquilina.

— El precio máximo de venta, por m² de superficie útil, no podrá superar 1,5 veces el precio máximo de referencia establecido en la calificación provisional, minorado en al menos un 50% de la renta satisfecha por quien ejerza la opción de compra.

— Para el ejercicio de opción de compra será necesario:

a) Que hayan transcurrido 10 años desde la calificación definitiva.

b) Que la persona inquilina haya permanecido ininterrumpidamente en la vivienda como mínimo durante los 5 últimos años.

c) Que la persona inquilina esté al corriente en el pago de la renta y demás gastos derivados de los servicios de que disfrute.

3. VIVIENDA DE PROTECCIÓN OFICIAL DE RÉGIMEN CONCERTADO DE ALQUILER (VPOARC)

Características:

— Las viviendas pueden estar vinculadas al régimen de alquiler durante 10 o 25 años (VPOARC 10 y VPOARC 25).

— La duración del régimen de protección, que excluye descalificación voluntaria, será permanente mientras subsista el régimen del suelo, si las viviendas hubieran sido promovidas en suelo destinado por el planeamiento urbanístico a vivienda protegida, o en suelo dotacional público y, en todo caso, durante un plazo no inferior a **30 años**, y de **30 años** si las viviendas hubieran sido promovidas en otros suelos.

— Durante todo el período de protección se deben mantener las condiciones de uso y limitación de precio máximo de transmisión establecidos.

— La superficie útil mínima es de 40 m² y la máxima de 90 m²; en las viviendas con protección pública que se adapten para personas con discapacidad con movilidad reducida permanente se puede aumentar la superficie útil máxima un 20%.

— Las viviendas destinadas a familias numerosas pueden tener una superficie útil máxima de 120 m².

— La renta establecida deberá figurar en el visado del contrato de alquiler y se actualizará anualmente con el IPC.

— Si la vivienda no se vendiera o alquilara en el plazo de 1 año desde la fecha de la calificación definitiva, los precios de venta o alquiler de la misma se podrán modificar de tal manera que coincidan con los que tenga una vivienda protegida del mismo tipo y en la misma ubicación calificada provisionalmente en el momento de la venta o el alquiler.

— Se podrá modificar el régimen de acceso a las Viviendas de Protección Oficial, de propiedad a alquiler o viceversa, a solicitud de la promotora y siempre que se cumplan los siguientes requisitos:

a) La recalificación de promociones completas de Viviendas de Protección Oficial para venta como Viviendas de Protección Oficial para alquiler conllevará, para las viviendas, la adopción del régimen y condiciones propias de este uso, y para la persona propietaria, la asunción de las obligaciones y las responsabilidades propias de éste régimen, así como la financiación correspondiente, incluyendo la subvención y la subsidiación del préstamo convenido para el período restante desde la recalificación, y la subsidiación que corresponda durante el período de amortización.

La entidad de crédito concedente del préstamo practicará la liquidación pertinente de los subsidios y la novación del mismo, para adaptarlo a las características de la nueva actuación protegida.

b) La recalificación de promociones completas de Viviendas de Protección Oficial para alquiler como Viviendas de Protección Oficial para Venta, antes de su calificación definitiva, conllevará, para las viviendas, la adopción del régimen y condiciones propias de este uso, y para la persona propietaria, la interrupción de las ayudas financieras y la devolución de las recibidas hasta la recalificación, actualizadas con los intereses de demora correspondientes.

La entidad de crédito practicará la novación del préstamo convenido para adaptarlo a las características de la nueva actuación protegida.

— Las promotoras de viviendas libres, que hubieran obtenido una licencia de obras previa al 1 de septiembre de 2008, podrán solicitar su calificación como VPO tanto en venta como en alquiler, si estas cumplen las características exigidas por la normativa vigente en el momento de obtener la licencia, en cuanto a los máximos referentes a superficies, precios por m² útil, niveles de ingresos de los adquirentes y plazos mínimos de protección.

Si son calificadas como VPO para alquiler, a 10 o 25 años, podrán obtener las subvenciones correspondientes a la promoción de vivienda protegida de nueva construcción de esa naturaleza, y, si obtuvieran préstamo convenido será subsidiado en las mismas condiciones.

— La renta anual máxima inicial de las viviendas con protección oficial de renta concertada destinadas al arrendamiento equivale a un porcentaje del 3,85% en las viviendas que se destinan al régimen de alquiler durante 10 años y del 2,45% en el caso de las viviendas que se destinan durante 25 años sobre el siguiente precio:

VIVIENDA DE PROTECCIÓN OFICIAL DE RÉGIMEN CONCERTADO DE ALQUILER A 25 AÑOS

ATPMS B: Módulo Básico Estatal *1,80* 1,29 - **3,59 euros m² útil de vivienda y 2,15 euros m² útil de garaje y trastero.**

ATPMS C: Modulo Básico Estatal * 1,80*1,15 - **3,20 euros m² útil de vivienda y 1,92 euros m² útil de garaje y trastero**.

Zona Geográfica 1: Módulo Básico Estatal * 1,80*1,00 - **2,78 euros m² útil de vivienda y 1,67 euros m² útil de garaje y trastero.**

Zona Geográfica 2: Módulo Básico Estatal * 1,60*1,00 - **2,47 euros m² útil de vivienda y 1,48 euros m² útil de garaje y trastero.**

— Una vez transcurridos los 25 años de vinculación al régimen de alquiler y mientras dure el régimen de protección se podrán vender al precio máximo, por m² de superficie útil, que corresponda a una vivienda protegida del mismo tipo y la misma ubicación calificada en el momento de la venta.

VIVIENDA DE PROTECCIÓN OFICIAL DE RÉGIMEN CONCERTADO DE ALQUILER A 10 AÑOS

ATPMS B: Módulo Básico Estatal *1,80* 1,29 - **5,64 euros m² útil de vivienda y 3,38 euros m² útil de garaje y trastero.**

ATPMS C: Modulo Básico Estatal * 1,80*1,15 - **5,03 euros m² útil de vivienda y 3,02 euros m² útil de garaje y trastero**.

Zona Geográfica 1: Módulo Básico Estatal * 1,80*1,00 - **4,37 euros m² útil de vivienda y 2,62 euros m² útil de garaje y trastero**.

Zona Geográfica 2: Módulo Básico Estatal * 1,60*1,00 - **3,89 euros m² útil de vivienda y 2,33 euros m² útil de garaje y trastero**.

— Una vez transcurridos los 10 años de vinculación al régimen de alquiler y mientras dure el régimen de protección se podrán vender a un precio de 1,5 veces el precio máximo, por m² de superficie útil, que apareciera en la calificación provisional de la vivienda; si excepcionalmente hubiera que prolongar la vinculación al régimen de alquiler el porcentaje anteriormente indicado se actualizará según el IPC anual.

Requisitos de acceso:

1. Ingresos familiares no superiores a 6,5 VECES EL IPREM.

2. No ser titular del pleno dominio o de un derecho real de uso y disfrute sobre alguna otra vivienda.

3. Estar inscrito en un registro público de demandantes de vivienda.

4. La actuación debe haber sido calificada como protegida por la CA.

5. La vivienda debe destinarse como residencia habitual del adjudicatario y ocuparse dentro de los plazos establecidos.

OPCIÓN A COMPRA:

Características:

— En las viviendas VPOARC de alquiler a 10 años se podrá incluir en los contratos de alquiler una cláusula de opción de compra a favor de la persona inquilina.

— El precio máximo de venta, por m² de superficie útil, no podrá superar 1,5 veces el precio máximo de referencia establecido en la calificación provisional, minorado en al menos un 50% de la renta satisfecha por quien ejerza la opción de compra.

— Para el ejercicio de opción de compra será necesario:

a) Que hayan transcurrido 10 años desde la calificación definitiva.

b) Que la persona inquilina haya permanecido ininterrumpidamente en la vivienda como mínimo durante los 5 últimos años.

c) Que la persona inquilina esté al corriente en el pago de la renta y demás gastos derivados de los servicios de que disfrute.

4. VIVIENDA DE RENTA TASADA

Características:

— Las viviendas serán de los siguientes tipos: VRT 90 CM, VRT 120 CM y VRT 135 CM.

— La duración mínima del régimen de alquiler será de 5 años desde la declaración definitiva.

— El régimen de protección de las viviendas será de **10 años,** cuando estén promovidas sobre suelos que estén destinados por el Planeamiento Municipal para la construcción de viviendas sujetas a algún régimen de protección pública, desde la fecha de la calificación definitiva.

— El régimen de protección de las viviendas será de **20 años:** a) Cuando estén promovidas sobre suelos que forman parte del patrimonio público o que estén incluidos en catálogos de suelo residencial público o que tengan reconocidas ayudas públicas a la adquisición o urbanización.

b) En los enajenados por la Administraciones y empresas públicas.

— Durante todo el período de protección se deben mantener las condiciones de uso y limitación de precio máximo de transmisión establecidos.

— Las viviendas que se acojan a las medidas de financiación no se podrán descalificar de manera voluntaria durante todo el período que dure el régimen de protección.

— La superficie útil mínima será de 40 m².

— La superficie útil máxima determina los distintos tipos de vivienda de precio tasado: **Vivienda de Precio Tasado 90CM (VPT 90CM)** con una superficie útil máxima de 90 m².

— **Vivienda de Precio Tasado 120CM (VPT 120CM)** con una superficie útil máxima entre 90 y 120 m².

— **Vivienda de Precio Tasado 135CM (VPT 135CM)** con una superficie útil máxima entre 120 y 135 m².

— La renta establecida deberá figurar en el visado del contrato de alquiler y se actualizará anualmente con el IPC.

— Si la vivienda no se vendiera o alquilara en el plazo de 1 año desde la fecha de la calificación definitiva, los precios de venta o alquiler de la misma se podrán modificar de tal manera que coincidan con los que tenga una vivienda protegida del mismo tipo y en la misma ubicación calificada provisionalmente en el momento de la venta o el alquiler.

— La renta anual máxima inicial de las viviendas con renta tasada equivale a un porcentaje del 5,5% sobre el siguiente precio:

ATPMS B: Módulo Básico Estatal *160* 1,29*1,20 - **8,60 euros m² útil de vivienda y 5,16 euros m² útil de garaje y trastero.**

ATPMS C: Modulo Básico Estatal * 1,60*1,15*1,20 - **7,67 euros m² útil de vivienda y 4,60 euros m² útil de garaje y trastero.**

Zona Geográfica 1: Módulo Básico Estatal * 1,60*1,00*1,20 - **6,67 euros m² útil de vivienda y 4,00 euros m² útil de garaje y trastero.**

Zona Geográfica 2: Módulo Básico Estatal * 1,40*1,00*1,20 - **5,83 euros m² útil de vivienda y 3,50 euros m² útil de garaje y trastero.**

— Una vez transcurridos 5 años desde su calificación definitiva y mientras sigan vinculadas las viviendas al régimen de protección se podrán vender al precio máximo, por m² de superficie útil, que corresponda a una vivienda del mismo tipo y en la misma ubicación calificada en el momento de la venta.

Requisitos de acceso:

1. Ingresos familiares no superiores a 7,5 VECES EL IPREM.

2. No ser titular del pleno dominio o de un derecho real de uso y disfrute sobre alguna otra vivienda.

3. Estar inscrito en un registro público de demandantes de vivienda.

4. La actuación debe haber sido calificada como protegida por la CA.

5. La vivienda debe destinarse como residencia habitual del adjudicatario y ocuparse dentro de los plazos establecidos.

OPCIÓN A COMPRA:

Características:

— En las viviendas de Renta Tasada se podrá incluir en los contratos de alquiler una cláusula de opción de compra a favor de la persona inquilina.

— El precio máximo de venta, por m² de superficie útil, será el que corresponda a una vivienda protegida del mismo tipo y de la misma ubicación, calificada provisionalmente en el momento del ejercicio de la opción de compra, minorado en al menos un 50% de la renta satisfecha por quien ejerza la opción de compra.

— Para el ejercicio de opción de compra será necesario:

a) Que hayan transcurrido 5 años desde la calificación definitiva.

b) Que la persona inquilina haya permanecido ininterrumpidamente en la vivienda como mínimo durante los 2 últimos años.

c) Que la persona inquilina esté al corriente en el pago de la renta y demás gastos derivados de los servicios de que disfrute.

5. VIVIENDA DE INICIATIVA PÚBLICO PRIVADA PARA ALQUILER

Características:

— Son Viviendas de Iniciativa Público Privada inicialmente declaradas para venta, reconvertidas a alquiler.

— La renta establecida deberá figurar en el visado del contrato de alquiler y se actualizará anualmente con el IPC.

— Si la vivienda no se vendiera o alquilara en el plazo de 1 año desde la fecha de la calificación definitiva, los precios de venta o alquiler de la misma se podrán modificar de tal manera que coincidan con los que tenga una vivienda protegida del mismo tipo y en la misma ubicación calificada provisionalmente en el momento de la venta o el alquiler.

— La renta anual máxima inicial de las viviendas con renta tasada equivale a un porcentaje del 5,5% sobre el siguiente precio:

ATPMS B: Módulo Básico Estatal *160* 1,29*1,20*1,10-**9,46 euros m² útil de vivienda y 5,67 euros m² útil de garaje y trastero.**

ATPMS C: Modulo Básico Estatal * 1,60*1,15*1,20*1,10-**8,43 euros m² útil de vivienda y 5,06 euros m² útil de garaje y trastero.**

Zona Geográfica 1: Módulo Básico Estatal * 1,60*1,00*1,20*1,10 - **7,33 euros m² útil de vivienda y 4,40 euros m² útil de garaje y trastero.**

Zona Geográfica 2: Módulo Básico Estatal * 1,40*1,00*1,20*1,10 - **6,42 euros m² útil de vivienda y 3,85 euros m² útil de garaje y trastero.**

— Una vez transcurridos 5 años desde su calificación definitiva y mientras sigan vinculadas las viviendas al régimen de protección se podrán vender al precio máximo, por m² de superficie útil, que corresponda a una vivienda del mismo tipo y en la misma ubicación calificada en el momento de la venta.

OPCIÓN A COMPRA:

Características:

— En las viviendas de Iniciativa Público Privada para alquiler se podrá incluir en los contratos una cláusula de opción de compra a favor de la persona inquilina.

— El precio máximo de venta, por m² de superficie útil, será el que corresponda a una vivienda protegida del mismo tipo y de la misma ubicación, calificada provisionalmente en el momento del ejercicio de la opción de compra, minorado en al menos un 50% de la renta satisfecha por quien ejerza la opción de compra.

— Para el ejercicio de opción de compra será necesario:

a) Que hayan transcurrido 5 años desde la calificación definitiva.

b) Que la persona inquilina haya permanecido ininterrumpidamente en la vivienda como mínimo durante los 2 últimos años.

c) Que la persona inquilina esté al corriente en el pago de la renta y demás gastos derivados de los servicios de que disfrute.

6. VIVIENDAS DE PROMOCIÓN PÚBLICA

Características:

— Son viviendas con protección pública destinadas, principalmente, a la integración social de los colectivos especialmente vulnerables.

— Para poder acceder a la financiación y a las ayudas que se recogen en este Decreto las viviendas deben tener las siguientes características:

a) Las viviendas estarán vinculadas al régimen de alquiler protegido durante un plazo mínimo de 25 años; una vez transcurrido este plazo, se podrán transmitir por venta u opción de compra por el precio máximo por m^2 de superficie útil equivalente al 64% del precio máximo de venta de las VPORG vigente en el momento de la venta. En los supuestos de que la venta se realizará a la persona inquilina de la vivienda, del precio máximo de venta se descontará, al menos el 75% de las rentas satisfechas.

El Estado dará una ayuda a los adquirentes de estas viviendas siempre que el pago aplazado suponga el 80% del precio de la vivienda; el importe de la subvención coincidirá con el que resulte de aplicar al precio de la vivienda el IVA que grave la transmisión.

El plazo de duración del régimen de protección de estas viviendas será permanente.

b) La renta máxima anual, por m² de superficie útil, será del 3% del precio máximo legal de referencia que a su vez es el 80% del de las VPOARG vigente en el momento de la calificación provisional.

Los inquilinos de estas viviendas tendrán derecho a una reducción de la renta, consistente en un porcentaje de la renta inicial o revisada que le corresponda abonar en función de las siguientes circunstancias:

1— Si los ingresos familiares corregidos de la persona inquilina:

— Fueran inferiores o iguales a 1,5 veces el IPREM, la reducción será del 50% de la renta.

— Estuvieran entre 1,5 y 2,5 veces el IPREM, la reducción será del 25% de la renta.

2— Si se tratara de mujeres víctimas de violencia de género, víctimas del terrorismo, familias numerosas, familias monoparentales con hijos, personas dependientes o con discapacidad oficialmente reconocida, o familias con dependientes a su cargo, la anterior reducción, con independencia de los ingresos que se obtuvieran será del 50% de la renta.

— La renta establecida deberá figurar en el visado del contrato de alquiler y se actualizará anualmente con el IPC.

AYUDAS AL ALQUILER PARA EL INQUILINO:

Características:

— Los beneficiarios de estas ayudas tiene que cumplir los siguientes requisitos:

a) Ser titular de un contrato de alquiler de vivienda, formalizado según la L.A.U.; este contrato tendrá una duración no inferior a 1 año y deberá contener una cláusula de prohibición de cesión o subarriendo.

b) Ocupar la vivienda como domicilio habitual y permanente. A tal efecto deberá empadronarse en la vivienda alquilada, debiendo presentar prueba suficiente de tal empadronamiento.

c) Que al menos uno de las personas titulares del contrato de alquiler disponga de una fuente regular de ingresos. A estos efectos, se entenderá que tienen una fuente regular de ingresos los trabajadores por cuenta propia o ajena, los becarios de investigación y los perceptores de una prestación social pública de carácter periódico, contributiva o asistencial, siempre que puedan acreditar una vida laboral o certificado de cotización de al menos 6 meses de antigüedad, inmediatamente anteriores al momento de la solicitud.

d) Tener unos ingresos familiares que no excedan de 2,5 veces el IPREM. A estos efectos, se computarán los ingresos de todas las personas titulares del contrato de alquiler.

e) No podrán acceder a estas ayudas las personas inquilinas de viviendas protegidas para venta cuyo alquiler haya sido autorizado por la Junta de Castilla-La Mancha.

— Los requisitos enumerados bajo los epígrafes b), c) y d) no se requerirán en las siguientes circunstancias:

1) Mujeres víctimas de violencia de género.

2) Víctimas del terrorismo.

3) Personas afectadas por situaciones catastróficas.

4) Personas dependientes o con discapacidad oficialmente reconocida y las familias que las tengan a su cargo.

5) Personas sin hogar o procedentes de operaciones de erradicación del chabolismo.

6) Otros colectivos en situación o en riesgo de exclusión social.

— Tendrán preferencia en el acceso a las ayudas los colectivos con derecho a protección preferente siguientes:

a) Unidades familiares con ingresos que no excedan de 1,5 veces el IPREM.

b) Personas que acceden por 1.ª vez a la vivienda.

c) Jóvenes menores de 36 años (estos tendrán una preferencia absoluta).

d) Personas mayores de 65 años.

e) Mujeres víctimas de violencia de género.

f) Víctimas del terrorismo.

g) Personas afectadas por situaciones catastróficas.

h) Familias numerosas.

i) Familias monoparentales con hijos.

j) Personas dependientes o con discapacidad oficialmente reconocida y las familias que las tengan a su cargo.

k) Personas separadas o divorciadas al corriente del pago de pensiones alimenticias y compensatorias en su caso.

l) Personas sin hogar o procedentes de operaciones de erradicación del chabolismo.

m) Personas afectadas por operaciones en áreas de renovación urbana o áreas de rehabilitación integral que sea necesario regular.

n) Otros colectivos en situación o en riesgo de exclusión social.

— Estas ayudas no se concederán cuando:

1) El solicitante sea titular de otra vivienda, salvo que estén situadas en localidades diferentes, o no disponga de su uso y disfrute, o que la vivienda resultara sobrevenidamente inadecuada para sus circunstancias sociales o familiares o se trate de mujeres víctimas de violencia de género.

2) Si el solicitante tuviera parentesco en primer o segundo grado de consanguinidad o de afinidad, o fuera cónyuge de la persona propietaria de su vivienda.

3) Si el solicitante es socio o partícipe de la persona jurídica que actúa como titular.

4) Si el solicitante es beneficiario de la R.B.E. .

5) Si el solicitante es inquilino de una vivienda de promoción pública.

Características de la ayuda:

— La cuantía máxima anual será del 40% de la renta a satisfacer por el inquilino con un máximo de **3.200 euros** con independencia del número de titulares del contrato de alquiler.

— La duración máxima de la ayuda será de 2 años, siempre que se mantengan las condiciones que dieron origen a esa ayuda.

— No se podrá volver a obtener esta ayuda hasta que hayan transcurrido 5 años desde la primera concesión.

— La subvención se abonará a trimestre natural vencido.

— Para el cobro de la subvención es requisito indispensable estar al día en el pago de las mensualidades, si se dejan de pagar se suspende el cobro de la subvención y se devolverá lo percibido incrementado con los intereses legales correspondientes.

D) AYUDAS ESPECÍFICAS PARA JÓVENES

Características:

— Se considera joven a la persona que acredite, en el momento de la solicitud de la actuación protegida que corresponda, y en la fecha que para cada una de ellas se establece, no tener cumplidos ni cumplir ese mismo día, los 36 años de edad.

— En el caso de unidades familiares compuestas por 2 o más personas, se considerará como joven a la unidad familiar si la persona que aporta los mayores ingresos cumple el requisito anterior.

AYUDAS ESTATALES PARA JÓVENES POR ADQUISICIÓN DE VIVIENDAS PROTEGIDAS

— En el caso de primer acceso en propiedad a la Vivienda de Protección Oficial de Régimen Especial, General y Vivienda Usada por jóvenes que además reúnan el resto de los requisitos exigidos para ser beneficiarios de las ayudas la AEDE será por los siguientes importes:

A) Jóvenes con ingresos de hasta 2,5 veces el IPREM: **9.000 euros**

B) Jóvenes con ingresos superiores a 2,5 y hasta 3,5 veces el IPREM: **8.000 euros**

C) Jóvenes con ingresos superiores a 3,5 y hasta 4,5 veces el IPREM: **6.000 euros**

Si las viviendas estuvieran situadas en un ATPMS B ayudas se incrementarán en **600 euros** y si estuvieran en un ATPMS C **300 euros**

— Si la persona joven beneficiaria perteneciera a alguno de los siguientes colectivos las ayudas serían:

1) Familias numerosas, monoparentales, personas dependientes o con discapacidad oficialmente reconocida y las familias que las tengan a su cargo:

A) Jóvenes con ingresos de hasta 2,5 veces el IPREM: **12.000 euros**

B) Jóvenes con ingresos superiores a 2,5 y hasta 3,5 veces el IPREM: **10.000 euros**

C) Jóvenes con ingresos superiores a 3,5 y hasta 4,5 veces el IPREM: **8.000 euros**

2) Mujeres víctimas de violencia de género, víctimas del terrorismo, personas separadas o divorciadas, al corriente del pago de pensiones alimenticias o compensatorias:

A) Jóvenes con ingresos de hasta 2,5 veces el IPREM: **11.000 euros**

B) Jóvenes con ingresos superiores a 2,5 y hasta 3,5 veces el IPREM: **9.000 euros**

C) Jóvenes con ingresos superiores a 3,5 y hasta 4,5 veces el IPREM: **7.000 euros**

Si las viviendas estuvieran situadas en un ATPMS B ayudas se incrementarán en **600 euros** y si estuvieran en un ATPMS C **300 euros**

AYUDAS AUTONÓMICAS PARA JÓVENES POR ADQUISICIÓN DE VIVIENDAS PROTEGIDAS

— Las personas jóvenes adquirentes en primer acceso de una Vivienda de Protección Oficial, Viviendas de Precio Tasado o Viviendas de Iniciativa Público-Privado de nueva construcción que estuvieran inscritas en el Registro de Demandantes de Vivienda de la Junta de Castilla-La Mancha previamente al visado del contrato, con la excepción de la autopromoción, cuyos ingresos no superen 2,5 veces el IPREM y siempre que, en su caso, hubieran obtenido la AEDE, podrán obtener las siguientes subvenciones, en función de los ingresos, la tipología de la vivienda y la localización de la misma:

A) AYUDAS A JÓVENES PARA ADQUISICIÓN DE VIVIENDAS DE PROTECCIÓN OFICIAL DE RÉGIMEN ESPECIAL:

JÓVENES ADQUIRENTES CON INGRESOS MENORES O IGUALES A 1,5 VECES EL IPREM:

ATPMS B: **20.500 euros**

ATPMS C: **18.500 euros**

Zona Geográfica 1: **16.500 euros**

Zona Geográfica 2: **15.000 euros**

JÓVENES ADQUIRENTES CON INGRESOS ENTRE 1,5 Y 2,5 VECES EL IPREM:

ATPMS B: **5.500 euros**

ATPMS C: **4.500 euros**

Zona Geográfica 1: **4.000 euros**

Zona Geográfica 2: **3.000 euros**

B) AYUDAS A JÓVENES PARA ADQUISICIÓN DE VIVIENDAS DE PROTECCIÓN OFICIAL DE RÉGIMEN GENERAL:

JÓVENES ADQUIRENTES CON INGRESOS MENORES O IGUALES A 1,5 VECES EL IPREM:

ATPMS B: **31.500 euros**

ATPMS C: **26.500 euros**

Zona Geográfica 1: **19.000 euros**

Zona Geográfica 2: **16.500 euros**

JÓVENES ADQUIRENTES CON INGRESOS ENTRE 1,5 Y 2,5 VECES EL IPREM:

ATPMS B: **6.500 euros**

ATPMS C: **5.500 euros**

Zona Geográfica 1: **5.000 euros**

Zona Geográfica 2: **4.000 euros**

C) AYUDAS A JÓVENES PARA ADQUISICIÓN DE VIVIENDAS DE INICIATIVA PÚBLICO-PRIVADA:

JÓVENES ADQUIRENTES CON INGRESOS MENORES O IGUALES A 1,5 VECES EL IPREM:

ATPMS B: **5.500 euros**

ATPMS C: **4.500 euros**

Zona Geográfica 1: **3.500 euros**

Zona Geográfica 2: **2.500 euros**

JÓVENES ADQUIRENTES CON INGRESOS ENTRE 1,5 Y 2,5 VECES EL IPREM:

ATPMS B: **4.500 euros**

ATPMS C: **3.500 euros**

Zona Geográfica 1: **2.500 euros**

Zona Geográfica 2: **1.500 euros**

— Esta misma ayuda será aplicable a los jóvenes adquirentes de Vivienda de Protección Oficial de Régimen Concertado y a los de Vivienda de Precio Tasado siempre que estas viviendas se incluyan en promociones de Viviendas de Iniciativa Pública Regional.

— Estas Ayudas se aplicarán también en las segundas o posteriores transmisiones de las viviendas protegidas.

— Si la persona joven adquirente perteneciera a alguno de los siguientes colectivos las ayudas serían:

A) JÓVENES ADQUIRENTES DE VIVIENDA DE PROTECCIÓN OFICIAL DE RÉGIMEN ESPECIAL:

FAMILIA NUMEROSA, FAMILIA MONOPARENTAL CON HIJOS, PERSONAS DEPENDIENTES O CON DISCAPACIDAD OFICIALMENTE RECONOCIDA Y LAS FAMILIAS QUE LAS TENGAN A SU CARGO, MUJERES VÍCTIMAS DE VIOLENCIA DE GÉNERO O VÍCTIMAS DEL TERRORISMO CON INGRESOS INFERIORES A 1,5 VECES EL IPREM:

ATPMS B: **22.000 euros**

ATPMS C: **20.000 euros**

Zona Geográfica 1: **17.500 euros**

Zona Geográfica 2: **15.500 euros**

FAMILIA NUMEROSA, FAMILIA MONOPARENTAL CON HIJOS, PERSONAS DEPENDIENTES O CON DISCAPACIDAD OFICIALMENTE RECONOCIDA Y LAS FAMILIAS QUE LAS TENGAN A SU CARGO, MUJERES VÍCTIMAS DE VIOLENCIA DE GÉNERO O VÍCTIMAS DEL TERRORISMO CON INGRESOS ENTRE 1,5 Y 2,5 VECES EL IPREM:

ATPMS B: **6.500 euros**

ATPMS C: **5.500 euros**

Zona Geográfica 1: **5.000 euros**

Zona Geográfica 2: **4.000 euros**

B) JÓVENES ADQUIRENTES DE VIVIENDA DE PROTECCIÓN OFICIAL DE RÉGIMEN GENERAL:

FAMILIA NUMEROSA, FAMILIA MONOPARENTAL CON HIJOS, PERSONAS DEPENDIENTES O CON DISCAPACIDAD OFICIALMENTE RECONOCIDA Y LAS FAMILIAS QUE LAS TENGAN A SU CARGO, MUJERES VÍCTIMAS DE VIOLENCIA DE GÉNERO O VÍCTIMAS DEL TERRORISMO CON INGRESOS INFERIORES A 1,5 VECES EL IPREM:

ATPMS B: **33.000 euros**

ATPMS C: **28.000 euros**

Zona Geográfica 1: **20.500 euros**

Zona Geográfica 2: **17.500 euros**

FAMILIA NUMEROSA, FAMILIA MONOPARENTAL CON HIJOS, PERSONAS DEPENDIENTES O CON DISCAPACIDAD OFICIALMENTE RECONOCIDA Y LAS FAMILIAS QUE LAS TENGAN A SU CARGO, MUJERES VÍCTIMAS DE VIOLENCIA DE GÉNERO O VÍCTIMAS DEL TERRORISMO CON INGRESOS ENTRE 1,5 Y 2,5 VECES EL IPREM:

ATPMS B: **7.500 euros**

ATPMS C: **6.500 euros**

Zona Geográfica 1: **6.000 euros**

Zona Geográfica 2: **5.000 euros**

C) JÓVENES ADQUIRENTES DE VIVIENDA DE INICIATIVA PÚBLICO-PRIVADA:

FAMILIA NUMEROSA, FAMILIA MONOPARENTAL CON HIJOS, PERSONAS DEPENDIENTES O CON DISCAPACIDAD OFICIALMENTE RECONOCIDA Y LAS FAMILIAS QUE LAS TENGAN A SU CARGO, MUJERES VÍCTIMAS DE VIOLENCIA DE GÉNERO O VÍCTIMAS DEL TERRORISMO CON INGRESOS INFERIORES A 1,5 VECES EL IPREM:

ATPMS B: **6.000 euros**

ATPMS C: **5.000 euros**

Zona Geográfica 1: **4.000 euros**

Zona Geográfica 2: **3.000 euros**

FAMILIA NUMEROSA, FAMILIA MONOPARENTAL CON HIJOS, PERSONAS DEPENDIENTES O CON DISCAPACIDAD OFICIALMENTE RECONOCIDA Y LAS FAMILIAS QUE LAS TENGAN A SU CARGO, MUJERES VÍCTIMAS DE VIOLENCIA DE GÉNERO O VÍCTIMAS DEL TERRORISMO CON INGRESOS ENTRE 1,5 Y 2,5 VECES EL IPREM:

ATPMS B: **5.000 euros**

ATPMS C: **4.000 euros**

Zona Geográfica 1: **3.000 euros**

Zona Geográfica 2: **2.000 euros**

— Esta misma ayuda será aplicable a los jóvenes adquirentes de Vivienda de Protección Oficial de Régimen Concertado y a los de Vivienda de Precio Tasado siempre que estas viviendas se incluyan en promociones de Viviendas de Iniciativa Pública Regional.

— Estas Ayudas se aplicarán también en las segundas o posteriores transmisiones de las viviendas protegidas.

AYUDAS PARA GASTOS DE NOTARÍA Y REGISTRO:

— Esta ayuda tiene por objeto la financiación de los gastos de Notaría y Registro a jóvenes adquirentes en 1.er acceso a Viviendas de Protección Oficial, Precio Tasado y de Iniciativa Público-Privada de nueva construcción, cuyos ingresos no excedan de 2,5 veces el IPREM y que estuvieran inscritos en el Registro de Demandantes de Vivienda Protegida de Castilla-La Mancha previamente al visado del contrato, con la excepción de la autopromoción.

Características de la ayuda

— La cuantía de esta ayuda comprenderá:

a) Gasto notarial derivado de la escritura pública de compraventa de la vivienda o escritura de obra nueva en los supuestos de autopromoción.

b) Hasta 2 copias de las escrituras.

c) Gastos de inscripción de la vivienda en el Registro de la Propiedad.

— La cuantía de la ayuda cubrirá como máximo los gastos de Notaría y Registro que comprendan los elementos a), b) y c) y en ningún caso podrá exceder de **450 euros**.

— Estas mismas ayudas se aplicarán en los casos de segundas y posteriores transmisiones de las viviendas protegidas adquiridas por jóvenes.

— Estas ayudas son independientes de la reducción de aranceles que se recoge en el Real Decreto 2066/2008.

AYUDAS PARA JÓVENES INQUILINOS:

— Las personas jóvenes se consideran beneficiarias preferentes para el cobro de las ayudas al inquilino.

E) PROMOTORES

1. PROMOCIONES DE VIVIENDAS PROTEGIDAS EN VENTA

FINANCIACIÓN A LA PROMOCIÓN DE VIVIENDAS DE PROTECCIÓN OFICIAL EN VENTA:

Características de la ayuda

PRÉSTAMO CONVENIDO:

Amortización: 25 años o más con cuotas constantes.

Garantía: Hipoteca.

Cuantía Máxima: 80% del precio de adquisición (vivienda + garaje + trastero vinculados).

Tipo de interés para el año 2009: puede ser fijo o variable

Interés fijo: pendiente de publicación.

Interés variable: Euribor a 12 meses publicado por el Banco de España en el BOE el mes anterior al de la fecha de formalización del préstamo más un diferencial de entre 25 y 125 puntos básicos.

Este tipo de interés se revisará cada 12 meses teniendo como referencia el Euribor a 12 meses publicado por el Banco de España el mes anterior a la fecha de formalización.

Cuotas: Interés fijo: Constantes durante toda la vida del préstamo.

Interés variable: Constantes durante toda la vida del préstamo, dentro de cada uno de los períodos de amortización a los cuales les corresponde un mismo tipo de interés.

Comisiones: Exentas.

El período de carencia en el pago de intereses finalizará en la fecha de la calificación definitiva, con un límite de 4 años (10 años con el consentimiento de la CA).

FINANCIACIÓN A LA PROMOCIÓN DE VIVIENDAS DE PRECIO TASADO Y VIVIENDAS DE INICIATIVA PÚBLICO-PRIVADA EN VENTA:

Características de la ayuda:

PRÉSTAMO MEDIANTE CONVENIO ENTRE LA COMUNIDAD DE CASTILLA LA MANCHA Y LAS ENTIDADES FINANCIERAS:

— Convenios de colaboración que la Consejería de Vivienda y Urbanismo celebra con las entidades de crédito públicas y privadas para conceder préstamos en condiciones más favorables que las del mercado para la financiación de la adquisición de VPT y VIPP, en esos convenios se determinará el interés máximo de los préstamos hipotecarios, tanto fijo como variable y el plazo de amortización.

FINANCIACIÓN A LA PROMOCIÓN DE VIVIENDAS DE INICIATIVA PÚBLICA REGIONAL DE PROMOCIÓN CONCERTADA DE NUEVA CONSTRUCCIÓN:

Características:

— La Consejería competente en materia de vivienda promueve estas viviendas en colaboración con promotoras privadas, cooperativas y promotoras individuales para uso propio, mediante la transmisión, enajenación o cesión a las mismas de suelo público mediante concursos y otras fórmulas previstas para la construcción de viviendas protegidas; entre estas fórmulas está la cesión mediante concurso del derecho real de superficie sobre suelos propiedad de la Junta de Castilla-La Mancha, para la promoción, construcción y posterior aprovechamiento mediante cesión en alquiler, de viviendas con protección pública.

Características de la ayuda:

SUBVENCIÓN POR VIVIENDA CONSTRUIDA:

A) VIVIENDAS DE PROTECCIÓN OFICIAL DE RÉGIMEN ESPECIAL PARA VENTA:

— Subvención de **8.000 euros** por vivienda en promociones del Área Geográfica 2.

— Subvención de **9.000 euros** por vivienda en promociones del Área Geográfica 1.

— Subvención de **10.000 euros** por vivienda en promociones en ATPMS C.

— Subvención de **11.000 euros** por vivienda en promociones en ATPMS B.

B) VIVIENDAS DE PROTECCIÓN OFICIAL DE RÉGIMEN GENERAL PARA VENTA:

— Subvención de **4.500 euros** por vivienda en promociones del Área Geográfica 2.

— Subvención de **5.500 euros** por vivienda en promociones del Área Geográfica 1.

— Subvención de **6.500 euros** por vivienda en promociones en ATPMS C.

— Subvención de **7.500 euros** por vivienda en promociones en ATPMS B.

2. PROMOCIONES DE VIVIENDAS PROTEGIDAS EN ALQUILER

FINANCIACIÓN A LA PROMOCIÓN DE VIVIENDA CON PROTECCIÓN PÚBLICA EN ALQUILER:

Características de la ayuda

PRÉSTAMO CONVENIDO:

Amortización: 25 años o más con cuotas constantes.

Garantía: Hipoteca.

Cuantía Máxima: 80% del precio de adquisición (vivienda + garaje + trastero vinculados).

Tipo de interés para el año 2009: puede ser fijo o variable

Interés fijo: pendiente de publicación.

Interés variable: Euribor a 12 meses publicado por el Banco de España en el BOE el mes anterior al de la fecha de formalización del préstamo más un diferencial de entre 25 y 125 puntos básicos.

Este tipo de interés se revisará cada 12 meses teniendo como referencia el Euribor a 12 meses publicado por el Banco de España el mes anterior a la fecha de formalización.

Cuotas: Interés fijo: Constantes durante toda la vida del préstamo.

Interés variable: Constantes durante toda la vida del préstamo, dentro de cada uno de los períodos de amortización a los cuales les corresponde un mismo tipo de interés.

Comisiones: Exentas.

El período de carencia en el pago de intereses finalizará en la fecha de la calificación definitiva, con un límite de 4 años (10 años con el consentimiento de la CA).

SUBSIDIOS a los préstamos. Cantidad anual por cada 10.000 euros de préstamo durante 25 años:

— **350 euros** para Viviendas de Régimen Especial a 25 años - Plazo máximo de amortización del préstamo y duración de la subsidiación de 25 años.

— **250 euros** para Viviendas de Régimen General a 25 años - Plazo máximo de amortización del préstamo y duración de la subsidiación de 25 años.

— **100 euros** para Viviendas de Régimen Concertado a 25 años - Plazo máximo de amortización del préstamo y duración de la subsidiación de 25 años.

SUBSIDIOS a los préstamos. Cantidad anual por cada 10.000 euros de préstamo durante 10 años:

— **350 euros** para Viviendas de Régimen Especial a 10 años - Plazo máximo de amortización del préstamo y duración de la subsidiación de 10 años.

— **250 euros** para Viviendas de Régimen General a 10 años - Plazo máximo de amortización del préstamo y duración de la subsidiación de 10 años.

— **100 euros** para Viviendas de Régimen Concertado a 10 años - Plazo máximo de amortización del préstamo y duración de la subsidiación de 10 años.

SUBVENCIÓN por cada vivienda calificada por los promotores como de régimen especial o de régimen general:

SUBVENCIÓN de 350 euros para la promoción de Viviendas de Régimen Especial a 25 años y **de 250 euros** para Viviendas de Régimen General a 25 años. Cuando la vivienda estuviera en un Ámbito Territorial de Precio Máximo Superior se incrementarán las ayudas en 60 euros para vivienda situadas en ámbitos del Grupo A, 30 para el B y 15 para el C.

— Como medida coyuntural hasta el 31 de diciembre de 2009 (fecha prorrogable por el Consejo de Ministros) estas subvenciones se aumentarán un 20%.

SUBVENCIÓN de 250 euros para la promoción de Viviendas de Régimen Especial a 10 años y **de 200 euros** para Viviendas de Régimen General a 10 años. Cuando la vivienda estuviera en un Ámbito Territorial de Precio Máximo Superior se incrementarán las ayudas en 60 euros para vivienda situadas en ámbitos del Grupo A, 30 para el B y 15 para el C.

— Como medida coyuntural hasta el 31 de diciembre de 2010 (fecha prorrogable por el Consejo de Ministros) estas subvenciones se aumentarán un 20%.

— La Dirección General de la Vivienda y a solicitud del promotor podrá solicitar el anticipo del 50% de estas subvenciones al Ministerio de Vivienda, previa certificación del inicio de las obras.

— También se podrá solicitar el 100% de la subvención cuando el promotor se comprometa a reducir la renta a percibir durante los cinco primeros años en un punto porcentual con respecto a la renta máxima inicial que corresponda según el decreto.

— Estas cantidades anticipadas a cuenta deben estar avaladas mediante garantía bancaria.

Requisitos de acceso ayuda:

Haber obtenido el préstamo convenido.

3. PROMOCIONES DE VIVIENDAS DE PROMOCIÓN PÚBLICA

FINANCIACIÓN A LA PROMOCIÓN DE VIVIENDA DE PROMOCIÓN PÚBLICA:

Características de la ayuda

— La Junta de Castilla-La Mancha podrá cofinanciar con el Ministerio de Vivienda la promoción de Viviendas de Promoción Pública destinadas al arrendamiento.

— La cuantía de la subvención será del 30% del coste computable de edificación de las viviendas, que, a estos efectos, no podrá exceder por m² de superficie útil de 1,25 veces el MBE.

— El porcentaje máximo de financiación con cargo a los presupuestos de la Junta de Castilla-La Mancha se establecerá mediante acuerdo en la correspondiente Comisión Bilateral de Seguimiento.

FINANCIACIÓN A LA PROMOCIÓN DE VIVIENDA DE INICIATIVA PÚBLICA REGIONAL:

Características de la ayuda

— Las promotoras de Viviendas de Iniciativa Pública Regional de promoción concertada podrán obtener las siguientes ayudas por vivienda construida en régimen de alquiler:

a) Viviendas de Protección Oficial de Régimen Especial para Alquiler:

ATPMS B: **26.000 euros**

ATPMS C: **23.500 euros**

Zona Geográfica A: **21.500 euros**

Zona Geográfica B: **26.000 euros**

b) Viviendas de Protección Oficial de Régimen General para Alquiler:

ATPMS B: **15.000 euros**

ATPMS C: **13.500 euros**

Zona Geográfica A: **12.500 euros**

Zona Geográfica B: **11.000 euros**

4. PROMOCIÓN DE ALOJAMIENTOS PROTEGIDOS PARA COLECTI-VOS ESPECIALMENTE VULNERABLES Y OTROS COLECTIVOS ESPECÍFI-COS:

Características:

1. Los Alojamientos Protegidos para colectivos especialmente vulnerables se destinarán a albergar a los siguientes colectivos:

a) Unidades familiares con ingresos que no excedan de 1,5 veces el IPREM.

b) Jóvenes menores de de 36 años.

c) Personas mayores de 65 años.

d) Mujeres víctimas de violencia de género.

e) Víctimas del terrorismo.

f) Personas afectadas por situaciones catastróficas.

g) Personas dependientes o con discapacidad oficialmente reconocida, y las familias con dependientes a su cargo.

h) Personas separadas o divorciadas, al corriente del pago de pensiones alimenticias y compensatorias, en su caso.

i) Personas sin hogar o procedentes de operaciones de erradicación del chabolismo.

j) Personas afectadas por operaciones en áreas de renovación urbana o en áreas de renovación integral y que sea necesario realojar.

k) Otros colectivos en situación o riesgo de exclusión social.

2. Los alojamientos protegidos para otros colectivos específicos se destinarán a albergar a personas de la comunidad universitaria, o investigadores y científicos.

3. Los alojamientos tienen que reunir las siguientes condiciones:

a) La promoción puede ser de iniciativa pública o privada

b) Podrán edificarse sobre suelo al que la ordenación urbanística atribuya cualquier uso compatible con los destinos de estos alojamientos.

c) Deberán formar parte de edificios o conjuntos de edificios destinados en exclusiva y por completo a esa finalidad.

d) La superficie útil mínima de los alojamientos será de 15 m² por persona, con un máximo de 45 m² por alojamiento. No obstante podrán contar, en cada promoción, con un 25% de alojamientos con una superficie útil máxima de 90 m², que se destinarán a unidades familiares o grupos de personas que requieran una superficie mayor a la determinada con carácter general.

e) A efectos de financiación, la superficie útil protegida destinada a servicios comunes o asistenciales de las personas alojadas, que deberán estar integrados en el edificio o conjunto de edificios, no podrá exceder del 30% de la superficie útil de los alojamientos, con independencia de que la superficie útil real sea mayor. La prestación de los servicios comunes o asistenciales podrá suponer un aumento de la renta anual hasta el máximo correspondiente a una Vivienda de Protección Oficial de Régimen Concertado para alquiler a 25 años.

También podrán estar protegidas las plazas de garaje vinculadas a los alojamientos.

f) La renta anual máxima inicial de los alojamientos protegidos para colectivos especialmente vulnerables será la de las Viviendas de Protección Oficial de Alquiler de Régimen Especial de alquiler a 25 años:

ATPMS B: Módulo Básico Estatal *1,40* 1,29 - **2,79 euros m² útil de vivienda y 1,67 euros m² útil de garaje y trastero**.

ATPMS C: Modulo Básico Estatal * 1,40*1,15 - **2,49 euros m² útil de vivienda y 1,49 euros m² útil de garaje y trastero**.

Zona Geográfica 1: Módulo Básico Estatal * 1,40*1,00 - **2,16 euros m² útil de vivienda y 1,29 euros m² útil de garaje y trastero**.

Zona Geográfica 2: Módulo Básico Estatal * 1,20*1,00 - **1,85 euros m²
útil de vivienda y 1,11 euros m² útil de garaje y trastero.**

— La renta establecida deberá figurar en el visado del contrato de alquiler y se actualizará anualmente con el IPC.

g) La renta anual máxima inicial de los alojamientos protegidos destinados a colectivos específicos será la correspondiente a las Viviendas de
Protección Oficial de Alquiler de Régimen General de alquiler a 25 años:

ATPMS B: Módulo Básico Estatal *1,60* 1,29 - **3,19 euros m² útil de
vivienda y 1,91 euros m² útil de garaje y trastero.**

ATPMS C: Modulo Básico Estatal * 1,60*1,15 - **2,84 euros m² útil de
vivienda y 1,70 euros m² útil de garaje y trastero.**

Zona Geográfica 1: Módulo Básico Estatal * 1,60*1,00 - **2,47 euros m²
útil de vivienda y 1,48 euros m² útil de garaje y trastero.**

Zona Geográfica 2: Módulo Básico Estatal * 1,40*1,00 - **2,16 euros m²
útil de vivienda y 1,29 euros m² útil de garaje y trastero.**

— La renta establecida deberá figurar en el visado del contrato de alquiler y se actualizará anualmente con el IPC.

h) La duración del régimen de protección, que excluye descalificación
voluntaria, será de carácter permanente mientras dure el régimen del suelo, si los alojamiento hubieran sido construidos sobre suelos que el planeamiento urbanístico destina a vivienda protegida, o en suelo dotacional
público, y, en todo caso, durante un plazo no inferior a 30 años, y de 30
años si las viviendas hubieran sido edificadas en otros suelos.

4. El régimen de ocupación de estoa alojamientos será el alquiler protegido.

5. En circunstancias excepcionales las personas ocupantes podrán ser
titulares de otra vivienda tanto libre como protegida.

Características de la ayuda

PRÉSTAMO CONVENIDO:

Amortización: 25 años o más con cuotas constantes.

Garantía: Hipoteca.

Cuantía Máxima: 80% del precio de adquisición (vivienda + garaje + trastero vinculados).

Tipo de interés para el año 2009: puede ser fijo o variable

Interés fijo: pendiente de publicación.

Interés variable: Euribor a 12 meses publicado por el Banco de España en el BOE el mes anterior al de la fecha de formalización del préstamo más un diferencial de entre 25 y 125 puntos básicos.

Este tipo de interés se revisará cada 12 meses teniendo como referencia el Euribor a 12 meses publicado por el Banco de España el mes anterior a la fecha de formalización.

Cuotas: Interés fijo: Constantes durante toda la vida del préstamo.

Interés variable: Constantes durante toda la vida del préstamo, dentro de cada uno de los períodos de amortización a los cuales les corresponde un mismo tipo de interés.

Comisiones: Exentas.

El período de carencia en el pago de intereses finalizará en la fecha de la calificación definitiva, con un límite de 4 años (10 años con el consentimiento de la CA).

SUBSIDIOS a los préstamos. Cantidad anual por cada 10.000 euros de préstamo durante 25 años:

— **350 euros** para Alojamientos Protegidos para colectivos especialmente vulnerables.

SUBSIDIOS a los préstamos. Cantidad anual por cada 10.000 euros de préstamo durante 25 años:

— **250 euros** para Alojamientos Protegidos para colectivos específicos.

SUBVENCIÓN por m² de superficie útil del Alojamiento:

ALOJAMIENTOS PROTEGIDOS PARA COLECTIVOS ESPECIALMENTE VULNERABLES:

— **500 euros**

ALOJAMIENTOS PROTEGIDOS PARA OTROS COLECTIVOS ESPECÍFICOS:

— **320 euros**

— Salvo que la Entidad de crédito concedente del préstamo lo exija el préstamo convenido no es necesario que tenga garantía hipotecaria.

— Las promotoras podrán renunciar al préstamo convenido sin tener que renunciar también a la subvención.

F) FOMENTO DE LA ADQUISICIÓN Y URBANIZACIÓN DE SUELO DESTINADO A LA PROMOCIÓN DE VIVIENDAS PROTEGIDAS:

— Tendrán la consideración de actuaciones protegidas en materia de suelo las de urbanización del mismo, incluyendo su adquisición onerosa para su inmediata edificación, con destino predominante a las promociones de vivienda protegida.

— Tipos de Áreas Protegidas:

a) Áreas de Urbanización Protegida: son Áreas en las que al menos el 50% de la edificabilidad deberá estar destinado a vivienda protegida.

b) Áreas de Urbanización Prioritaria (AUP): son aquellas en las que el 75% de la edificabilidad residencial se va a destinar a vivienda protegida y serán objeto de acuerdo de la comisión bilateral de seguimiento en la que participara el ayuntamiento correspondiente.

También se considerará un AUP cuando el suelo objeto de urbanización pertenezca al patrimonio público y el 50% de las viviendas se destinen a viviendas protegidas en régimen de arrendamiento o a viviendas de régimen especial o de promoción pública.

Esta afección del suelo a dichas finalidades deberá hacerse constar registralmente.

En las AUP la actuación protegida podrá incluir la adquisición onerosa del suelo a urbanizar siempre que este no se haya adquirido en el momento de la solicitud de las ayudas.

— Los promotores deberán cumplir los siguientes requisitos:

a) Acreditar previamente la propiedad del suelo, una opción de compra, un derecho de superficie o un concierto formalizado con quien ostente la titularidad del suelo o cualquier otro título o derecho que conceda facultades para realizar la urbanización.

b) Suscribir el compromiso de iniciar, dentro del plazo máximo de 3 años, el mismo o mediante concierto con promotores de vivienda, la construcción de, al menos, un 30% de las viviendas protegidas de nueva construcción.

c) Adjuntar a la solicitud una memoria de viabilidad técnico-financiera y urbanística del proyecto, en la que se especificara la aptitud del suelo para los objetivos perseguidos, los costes de la actuación protegida, la edificabilidad residencial, y el número de viviendas a construir ya sean libres o protegidas, según tipología y otras características que puedan dar lugar a la obtención de las subvenciones establecidas en esta materia. La memoria también tiene que contener la programación de la urbanización y edificación, el precio de venta de las viviendas protegidas y demás usos del suelo, el desarrollo financiero de la operación, así como los criterios de sostenibilidad que se aplicarán a la urbanización.

— Para poder acogerse a la financiación correspondiente a las AUP, será necesario que se formalice un acuerdo de colaboración en el marco de la Comisión Bilateral de Seguimiento, con la participación del Ayuntamiento en el que se sitúe la actuación de urbanización. En este acuerdo, conforme al número de objetivos y del volumen de recursos estatales convenidos, se concretarán las condiciones de financiación y, en su caso, los compromisos y aportaciones de la Junta de Castilla-La Mancha y del Ayuntamiento correspondiente, así como el sistema de seguimiento y evaluación de las actuaciones acordadas.

— No se podrá acceder a la financiación cuando la solicitud de ayudas sea presentada con posterioridad a la obtención del préstamo convenido correspondiente a las viviendas protegidas de nueva construcción a edificar en dicho suelo. Tampoco se recibirán ayudas cuando la unidad de ejecución, o parte de la misma, ya las hubieran recibido, incluso en el marco de Planes de Vivienda anteriores.

FINANCIACIÓN DE LAS ACTUACIONES PROTEGIDAS:

a) Préstamo Convenido:

1. La cuantía del préstamo convenido no podrá exceder del producto de la superficie edificable, según figure en la memoria técnico-financiera del proyecto, multiplicada por el 20% del MBE vigente en el momento de la calificación como protegida, y sin exceder del coste total de la actuación.

2. La suma de los períodos de amortización y, en su caso, de carencia, que será como máximo de 2 años, no podrá superar los 4 años.

3. No será necesaria garantía hipotecaria, salvo que la entidad financiera colaboradora lo considere necesario. Si el préstamo tuviera garantía hipotecaria, quedará vencido anticipadamente si antes de acabarse los 4 años de amortización (con los 2 de carencia si la hubiera), el prestatario transmitiera a título oneroso el suelo objeto de financiación, salvo que el adquirente de dicho suelo se subrogara en dicho préstamo.

4. El préstamo concedido a una actuación de suelo vencerá anticipadamente cuando se obtuviera un nuevo préstamo para financiar la promoción de viviendas que acometa el prestatario por si mismo o en colaboración con un promotor.

La escritura de préstamo de suelo podrá prever que si el promotor del suelo, antes de haber concluido el plazo de amortización del préstamo, obtiene la calificación provisional de viviendas protegidas podrá adaptar las características de dicho préstamo a las del préstamo a promotores de vivienda protegida de nueva construcción, y por una cuantía máxima que no exceda de lo establecido para esas viviendas.

b) Subvención en función de:

1. El porcentaje de edificabilidad residencial destinado a viviendas protegidas.

2. El porcentaje previsto de viviendas protegidas que van a ser calificadas para arrendamiento o viviendas protegidas de régimen especial, dentro de las viviendas protegidas de la actuación, en los grupos siguientes:

Grupo 1	40%
Grupo 2	20% < 40%
Grupo 3	< 20%

3. La adquisición onerosa del suelo, en su caso.

4. La ubicación del suelo en algún ATPMS

5. Dichas subvenciones tendrán las siguientes cuantías máximas:

Porcentaje de edifcabilidad residencial para viviendas protegida	Subvención general (€/vivienda protegida)	Subvención adicional en ATPMS (€/vivienda protegida)			Subvención adicional por vivienda protegida destinada a alquiler y/o a régimen especial (€/vivienda protegida)		
		A	B	C	Grupo 1	Grupo 2	Grupo 3
≥ 50% ≤ 75%	700	300	235	115	1.700	1.500	300
	> 75% (AUP)						
Sin adquisición de suelo	1.700	700	470	225			
Con adquisición de suelo	2.000						

— El pago de estas subvenciones se fraccionará en función del grado de desarrollo y justificación de la inversión así como de la disponibilidad presupuestaria.

— Como medida coyuntural hasta el 31 de diciembre de 2010 (fecha prorrogable por el Consejo de Ministros) estas subvenciones se aumentarán un 20% en las AUP.

URBANIZACIÓN DE SUELO PARA LA PROMOCIÓN DE VIVIENDAS DE INICIATIVA PÚBLICA REGIONAL

— En las Viviendas de Iniciativa Pública Regional de promoción concertada y de promoción convenida, cuando se acuda a la promoción concertada, en caso de que fuera necesario proceder a la previa urbanización del suelo para la posterior construcción de las viviendas, el promotor podrá acceder a las siguientes ayudas:

A) Viviendas para venta:

a) Vivienda de Protección Oficial de Régimen Especial para Venta:

— Subvención de **4.000 euros** por vivienda en promociones del Área Geográfica 2.

— Subvención de **4.500 euros** por vivienda en promociones del Área Geográfica 1.

— Subvención de **5.000 euros** por vivienda en promociones en ATPMS C.

— Subvención de **5.500 euros** por vivienda en promociones en ATPMS B.

b) Vivienda de Protección Oficial de Régimen General para Venta:

— Subvención de **2.500 euros** por vivienda en promociones del Área Geográfica 2.

— Subvención de **3.000 euros** por vivienda en promociones del Área Geográfica 1.

— Subvención de **3.500 euros** por vivienda en promociones en ATPMS C.

— Subvención de **4.000 euros** por vivienda en promociones en ATPMS B.

B) Viviendas para Alquiler:

a) Vivienda de Protección Oficial de Régimen Especial para Alquiler y Viviendas de Promoción Pública:

— Subvención de **10.000 euros** por vivienda en promociones del Área Geográfica 2.

— Subvención de **11.000 euros** por vivienda en promociones del Área Geográfica 1.

— Subvención de **12.000 euros** por vivienda en promociones en ATPMS C.

— Subvención de **13.000 euros** por vivienda en promociones en ATPMS B.

b) Vivienda de Protección Oficial de Régimen General para Alquiler:

— Subvención de **6.000 euros** por vivienda en promociones del Área Geográfica 2.

— Subvención de **6.500 euros** por vivienda en promociones del Área Geográfica 1.

— Subvención de **7.000 euros** por vivienda en promociones en ATPMS C.

— Subvención de **7.500 euros** por vivienda en promociones en ATPMS B.

G) REHABILITACIÓN

1.1. ÁREAS DE REHABILITACIÓN INTEGRAL DE CONJUNTOS HISTÓRICOS, CENTROS URBANOS, BARRIOS DEGRADADOS Y MUNICIPIOS RURALES (ARIS):

— Las ARIS consisten en actuaciones de mejora de tejidos residenciales en el medio urbano y rural, recuperando funcionalmente conjuntos históricos, centros urbanos, barrios degradados y municipios rurales que precisen de la rehabilitación de sus edificios y viviendas, la superación de actuaciones de infravivienda e intervenciones de urbanización y reurbanización de sus espacios públicos.

— Podrán obtener la financiación las siguientes actuaciones:

a) En elementos privativos del edificio (viviendas), las obras de mejora de la habitabilidad, seguridad, accesibilidad y eficiencia energética.

b) En elementos comunes del edificio, las obras de mejora de la seguridad, estanqueidad, accesibilidad y eficiencia energética, y la utilización de energías renovables.

c) En espacios públicos, las obras de urbanización, reurbanización y accesibilidad universal, y el establecimiento de redes de climatización y agua caliente sanitaria centralizadas alimentadas con energías renovables.

— La promoción de nuevas viviendas protegidas en el ARI se regirá por las condiciones establecidas en este Decreto.

— Las ARIS deberán declararse mediante acuerdo en la Comisión Bilateral de Seguimiento con la participación del Ayuntamiento en cuyo término municipal se ubique, los acuerdos se podrán referir a un ARI completa o, dentro de esta a una fase o cifra adicional de objetivos a rehabilitar y financiar; de forma excepcional, y por razones de interés público debidamente motivadas, se podrá eximir a los promotores de las actuaciones en materia de rehabilitación de cumplir las limitaciones en cuanto a los m² computables a efectos del cálculo del presupuesto protegido, y a las personas solicitantes de ayuda financiera de cumplir las limitaciones relativas a niveles de ingresos.

— Previo al acuerdo de la Comisión Bilateral de Seguimiento la promotora de la declaración del ARI deberá presentar la siguiente documentación:

1) Delimitación geográfica precisa del perímetro del ARI y la documentación gráfica y complementaria que recoja las determinaciones estructurales pormenorizadas del planeamiento vigente, así como todos los parámetros urbanos que afecten al área delimitada.

2) Una memoria-programa que contenga una memoria justificativa de la situación de vulnerabilidad social, económica y ambiental del ARI, debidamente justificada sobre la base de índices e indicadores estadísticos objetivos en relación a la media municipal, autonómica y estatal y, en su defecto, informes técnicos que avalen dicha situación, también incluirá un Diagnóstico de la situación existente y la enumeración de los objetivos de la actuación.

Esta memoria-programa también incluirá un Programa de Acciones Integradas coherente con los objetivos enumerados en el Diagnóstico y que especifique de forma pormenorizada las instituciones públicas y privadas implicadas, la estimación de costes y las fuentes de financiación y subvenciones previstas, así como los compromisos adquiridos para su puesta en marcha, desarrollo y seguimiento con justificación de la viabilidad financiera de las operaciones propuestas.

El Programa de Acciones incluirá las medidas propuestas en los siguientes ámbitos: socio-económico, educativo y cultural; dotaciones y equipamientos públicos; eficiencia energética y utilización de energías renovables; mejora de la accesibilidad y habitabilidad del entorno urbano y de las viviendas y edificios incluidos en el área.

— El perímetro declarado del ARI habrá de incluir al menos 200 viviendas, excepcionalmente esta cifra podrá ser menor en casos justificados y aprobados en la Comisión Bilateral de Seguimiento.

— Las viviendas y edificios a rehabilitar deberán tener una antigüedad superior a 10 años aunque excepcionalmente podrá ser inferior en casos suficientemente motivados.

— Las viviendas que hayan sido objeto de rehabilitación deberán destinarse a domicilio habitual y permanente durante al menos 5 años desde la finalización de las obras de rehabilitación.

— Los ARIS de conjuntos históricos deberán reunir los siguientes requisitos:

a) Haber sido declarado como tal o tener al menos expediente incoado al efecto según la legislación aplicable.

b) Disponer de un plan especial que cuente al menos con la aprobación inicial en el momento de la solicitud.

— Los ARIS de municipios rurales serán para municipios de menos de 5.000 habitantes, excepcionalmente se podrán destinar a municipios de mayor población en casos aprobados por la Comisión Bilateral de Seguimiento.

— Podrán ser beneficiarios de estas ayudas las personas promotoras de las actuaciones de rehabilitación y los propietarios de las viviendas o edificios, los inquilinos autorizados por el propietario o comunidades de propietarios incluidos en el perímetro del ARI, y en su caso la entidad promotora de la declaración del ARI.

— Los ingresos familiares ponderados de las personas físicas beneficiarias de las ayudas no podrán exceder de 6,5 veces el IPREM, cuando se trate de rehabilitación, para uso propio, de elementos privativos de las viviendas en las ARIS.

FINANCIACIÓN DE LAS ACTUACIONES PROTEGIDAS:

— La financiación de las actuaciones protegidas consistirá en préstamos convenidos, sin subsidiación, cuya cuantía podrá ser del presupuesto total de la actuación, con un período máximo de amortización de 15 años, precedido de un período de carencia de 3 años de duración. Los propietarios u ocupantes de los edificios y viviendas afectados por las actuaciones de rehabilitación del ARI, podrán subrogarse en dicho préstamo, momento a partir del cual se iniciará el período de amortización.

En caso de que el promotor no hubiera obtenido préstamo convenido, dichos propietarios u ocupantes podrán solicitar préstamos convenidos directos, sin subsidiación, cuya cuantía podrá alcanzar la diferencia entre la totalidad del presupuesto protegido de la rehabilitación de su vivienda o edificio y el importe de las subvenciones concedidas, el plazo de amortización, que se iniciará tras le expedición de la calificación definitiva, será de 15 años como máximo, precedido de un período de carencia de 2 años ampliable a 3 años previo acuerdo con la entidad financiera y la Administración.

— El presupuesto máximo protegido en actuaciones de rehabilitación acogidas al programa de ARIS es el coste máximo de ejecución de la rehabilitación de las viviendas y edificios, a cuyos efectos se computará un superficie útil máxima por vivienda de 90 m².

— También se podrán conceder las siguientes subvenciones:

a) Una subvención para la rehabilitación de viviendas y edificios, y superación de situaciones de infravivienda, por un importe máximo del 40% del presupuesto protegido, con una cuantía máxima por vivienda rehabilitada de **5.000 euros.** En ARIS de centros históricos y municipios rurales la subvención media se elevará a **6.600 euros** siempre que la cuantía global de las subvenciones no exceda del 50% del presupuesto protegido del ARI.

b) Una subvención destinada a las obras de urbanización y reurbanización en el espacio público del ARI, por un importe máximo del 20% del presupuesto de dichas obras, con el límite de **1.000 euros** por vivienda. En ARIS de centros históricos y municipios rurales la subvención podrá ser del 30% del presupuesto de dichas obras con un límite de **1.980 euros** por vivienda.

c) Aquellas personas beneficiarias que acrediten unos ingresos familiares inferiores a 2,5 veces el IPREM podrán acceder a las siguientes ayudas:

1. Ayuda adicional a las obras de rehabilitación: el 5% del presupuesto protegido correspondiente a las obras y medidas de seguridad previstas, sin que exceda de **400 euros** por vivienda.

2. Proyectos: El 10% del presupuesto protegido correspondiente a las obras y medidas de seguridad adoptadas en el proyecto, sin que exceda de **1.300 euros** por vivienda.

3. Direcciones de obra: El 7,5% del presupuesto protegido correspondiente a las obras y medidas de seguridad adoptadas sin que exceda de **1.000 euros** por vivienda.

4. Ayuda adicional para familias numerosas, mayores de 65 años, personas dependientes o con discapacidad oficialmente reconocida, y familias dependientes a su cargo, Esta subvención consistirá en el 7,5% del presupuesto protegido de las obras de rehabilitación, con un límite máximo de **3.200 euros** por vivienda.

d) Subvención de hasta el 50% del coste de elaboración de la documentación necesaria para la delimitación y declaración del ARI, con un límite máximo de **15.000 euros**.

e) Una subvención para la financiación parcial del coste de los equipos de información y gestión, cuyo importe máximo no podrá exceder del 50% de dicho coste ni del 5% del presupuesto total del ARI.

La Junta de Castilla-La Mancha y el Ayuntamiento correspondiente podrán financiar el otro 50% del coste en los porcentajes que se determinen en la Comisión Bilateral de Seguimiento. En ningún caso la suma de las ayudas con cargo a los presupuestos del Ministerio de Vivienda y de la

Junta de Castilla-La Mancha podrá exceder del 10% del presupuesto total del ARI.

1.2. ÁREAS DE RENOVACIÓN URBANA:

— El ARU consiste en la renovación integral de barrios o conjuntos de edificios de viviendas que precisen de actuaciones de demolición y sustitución de los edificios, de urbanización o de reurbanización, de la creación de dotaciones o equipamientos, y de mejora de la accesibilidad de sus espacios públicos, incluyendo, en su caso, procesos de realojo temporal de las personas residentes.

— Podrán obtener financiación cualificada las actuaciones siguientes:

a) La demolición de las edificaciones existentes.

b) La construcción de edificios destinados a viviendas protegidas.

c) La urbanización y la reurbanización de los espacios públicos.

d) Los programas de realojo temporal de las personas residentes.

— Las ARUS deberá reunir las siguientes condiciones:

1. Para acceder a la financiación deberán suscribirse los acuerdos correspondientes en la Comisión Bilateral de Seguimiento, con la participación del Ayuntamiento en cuyo término municipal se encuentre el ARU. Estos acuerdos se podrán referir a un ARU completa o, dentro de esta, a una fase o cifra adicional de objetivos a renovar y financiar.

Con carácter previo al acuerdo de la Comisión Bilateral de Seguimiento, la promotora del ARU deberá presentar la siguiente documentación:

a) Delimitación geográfica del perímetro del ARU, y la documentación gráfica y complementaria que recoja las determinaciones estructurales pormenorizadas del planeamiento vigente, así como todos los parámetros urbanísticos que afecten al área delimitada.

b) Una memoria-programa que contenga una memoria justificativa de la situación de vulnerabilidad social, económica y ambiental del ARI, debidamente justificada sobre la base de índices e indicadores estadísticos objetivos en relación a la media municipal, autonómica y estatal y, en su defecto, informes técnicos que avalen dicha situación, también incluirá un Diagnóstico de la situación existente y la enumeración de los objetivos de la actuación.

Esta memoria-programa también incluirá un Programa de Acciones Integradas coherente con los objetivos enumerados en el Diagnóstico y que especifique de forma pormenorizada las instituciones públicas y privadas implicadas, la estimación de costes y las fuentes de financiación y subvenciones previstas, así como los compromisos adquiridos para su puesta en marcha, desarrollo y seguimiento con justificación de la viabilidad financiera de las operaciones propuestas.

El Programa de Acciones incluirá las medidas propuestas en los siguientes ámbitos: socio-económico, educativo y cultural; dotaciones y equipamientos públicos; eficiencia energética y utilización de energías renovables; mejora de la accesibilidad y habitabilidad del entorno urbano y de las viviendas y edificios incluidos en el área.

c) Acuerdo del pleno del Ayuntamiento favorable a la tramitación de la actuación.

d) En su caso, instrumentos urbanísticos de ordenación y/o ejecución. Estos deben contar, al menos, con la aprobación inicial.

2. El perímetro declarado del ARU incluirá un conjunto agrupado de más de 4 manzanas de edificios, o más de 200 viviendas, Excepcionalmente el ámbito podrá ser menor, en casos suficientemente motivados acordados con la Comisión Bilateral de Seguimiento.

3. Las viviendas objeto de actuación deberán tener una antigüedad mayor de 30 años, excepto en casos suficientemente motivados aprobados por la Comisión Bilateral de Seguimiento.

4. La mayor parte de las viviendas del ARUS deberán estar por debajo de los estándares mínimos fijados por la Ley de Ordenación de la Edificación y en Código Técnico de la Edificación.

5. La mayor parte de los edificios deberá encontrase en fase de agotamiento estructural y de sus elementos constructivos básicos, que exija la demolición y reconstrucción de los mismos, Serán daños computables a estos efectos, no solo aquellos cuya reparación se exija por razones de

seguridad del edificio, sino también las que impidan una normal habitabilidad del mismo, excepto en casos suficientemente justificados aprobados por la Comisión Bilateral de Seguimiento.

6. Al menos un 60% de la edificabilidad existente, o de la resultante según el planeamiento vigente para el ARU deberá estar destinada a uso residencial.

7. Sólo podrán acogerse a la financiación pública las viviendas resultantes de la renovación que cumplan los parámetros de las Viviendas de Protección Oficial.

8. En el momento de solicitar la financiación pública, las ARUS incluidas o vinculadas a operaciones de reforma interior que hagan necesaria una nueva ordenación pormenorizada del ámbito, o la aprobación del instrumento de equidistribución que corresponda, deberán contar, al menos, con la aprobación inicial del instrumento de ordenación urbanística o de ejecución necesarios.

— Las personas beneficiarias de las ayudas podrán ser las promotoras de la actuación.

— Las promotoras del ARU deberán comprometerse a iniciar la construcción de, al menos, el 50% de las viviendas protegidas dentro del plazo máximo de 3 años desde el acuerdo de financiación de la Comisión Bilateral de Seguimiento.

FINANCIACIÓN DE LAS ACTUACIONES PROTEGIDAS:

— La financiación de las actuaciones protegidas consistirá en préstamos convenidos al promotor, sin subsidiación, cuya cuantía máxima será la diferencia entre el presupuesto de construcción de las viviendas protegidas en el ARU y la cuantía de las subvenciones percibidas, con un período de amortización de 25 años como mínimo y de carencia de amortización máximo de 4 años desde la fecha de la amortización del préstamo aunque este período podría ampliarse hasta 10 años con el acuerdo con la entidad financiera y la aprobación de la Administración.

Los propietarios u ocupantes de las viviendas protegidas podrán subrogarse en dicho préstamo momento a partir del cual se iniciará el período de amortización.

A estos efectos, el coste máximo de construcción de las viviendas protegidas será el 85% del precio máximo de una vivienda protegida del mismo régimen, calificada en el momento de suscripción del acuerdo de la comisión bilateral y en la misma ubicación, con una superficie útil máxima, a efectos de financiación de 90 m². Si la actuación afectara a más de 500 viviendas el porcentaje sobre el precio máximo será del 80%.

— También se podrán conceder las siguientes subvenciones:

a) Una subvención para la sustitución de las viviendas existentes por un importe máximo del 35% del presupuesto protegido del ARUS, con una cuantía media máxima por vivienda renovada de **30.000 euros**, no extensibles a otras nuevas viviendas libres o protegidas, que ampliaran el número de las viviendas preexistentes.

b) Una subvención para las obras de urbanización en el espacio público del ARUS por un importe máximo del 40% del presupuesto de dichas obras con un límite de **12.000 euros** por vivienda.

c) Una subvención para realojos temporales, con una cuantía media máxima por unidad familiar a realojar de **4.500 euros** anuales hasta la calificación definitiva de la nueva vivienda, sin exceder un máximo de 4 años.

d) Una subvención para la financiación del coste de los equipos de información y gestión, correspondiendo al Ministerio de Vivienda la financiación del 50% de dicho coste, sin que en ningún caso pueda exceder del 7% del presupuesto protegido del ARU. La Junta de Castilla-La Mancha y el Ayuntamiento correspondiente podrán financiar el otro 50% en los porcentajes que se determinen en los acuerdos de la Comisión Bilateral de Seguimiento.

En ningún caso, la suma de las ayudas con cargo a los presupuestos del Ministerio de Vivienda y de la Junta de Castilla-La Mancha podrá exceder del 10% del presupuesto protegido del ARU.

e) Una subvención del 50% del coste de elaboración de la documentación necesaria para la delimitación y declaración, con un límite máximo de **18.000 euros**.

f) La promoción de nuevas viviendas protegidas que ampliaran el número de las existentes dentro de un ARU se podrá acoger a las ayudas que le correspondan según la tipología de las mismas.

Los precios máximos de estas viviendas será también los que correspondan a las distintas tipologías.

Los titulares de las viviendas sustituidas podrán subrogarse en el préstamo convenido del promotor del ARU y los de las viviendas protegidas de nueva construcción a las ayudas a los adquirentes establecidas en este Decreto.

Los titulares de las viviendas sustituidas podrán adquirir la vivienda nueva sin necesidad de cumplir los requisitos de acceso a la vivienda protegida, los adquirentes de viviendas de nueva construcción su deben cumplir los requisitos propios de la tipología de la vivienda a la que van a acceder.

Las personas titulares de las viviendas que hayan sido objeto de desalojo en ejecución del ARU, tendrán preferencia absoluta en la adjudicación de las nuevas viviendas construidas, para la determinación de la preferencia entre ellas se atenderá en orden inverso a la cuantía de los ingresos familiares. La promotora de la actuación y los adquirentes podrán pactar la adquisición de otra vivienda protegida de distinta promoción.

2. AYUDAS PARA LA ERRADICACIÓN DEL CHABOLISMO:

— Se entenderá por situación de chabolismo el asentamiento precario e irregular de población en situación o riesgo de exclusión social, con graves deficiencias de salubridad, hacinamiento de sus moradores y condiciones de seguridad y habitabilidad muy por debajo de los requerimientos mínimos aceptables.

— Las personas beneficiarias de las ayudas podrán ser personas jurídicas, públicas o privadas, sin ánimo de lucro.

— Las actuaciones y la financiación del programa de erradicación del chabolismo se instrumentarán mediante los acuerdos correspondientes en la comisión bilateral de seguimiento con la participación del ayuntamiento en cuyo término municipal se sitúe el asentamiento.

AYUDAS PARA LA ERRADICACIÓN DEL CHABOLISMO:

— La financiación para las actuaciones protegidas consistirá en las siguientes subvenciones:

a) Una subvención para el realojo de cada unidad familiar, cuya cuantía máxima será el 50% de la renta anual que se vaya a satisfacer, con un máximo de **3.000 euros** anuales por vivienda.

La duración máxima de esta ayuda coincidirá con la del Plan de realojos previsto en la Memoria-Programa presentada, sin que pueda exceder de 4 años y condicionada a que se mantengan las condiciones que dieron lugar al derecho inicial a la ayuda.

b) Una subvención del 50% del coste de elaboración de la documentación necesaria para la delimitación y declaración con un límite máximo de **5.000 euros**.

c) Una subvención para la financiación del coste de los equipos de gestión y de acompañamiento social, cuyo importe máximo será del 10% del importe total de las subvenciones al realojo de las unidades familiares del asentamiento.

3. AYUDAS RENOVE A LA REHABILITACIÓN DE VIVIENDAS Y EDIFICIOS DE VIVIENDAS EXISTENTES:

— Las actuaciones protegidas serán las siguientes:

a) Actuaciones para mejorar la eficiencia energética, la higiene, la salud y la protección del medio ambiente en los edificios y viviendas, y la utilización de energías renovables:

1. Instalación de paneles solares, a fin de contribuir a la producción de agua caliente sanitaria demandada por las viviendas en un porcentaje, al menos, del 50% de la contribución mínima exigible para edificios nuevos.

2. Mejora de la envolvente térmica del edificio para reducir su demanda energética, mediante actuaciones como el aumento del aislamiento térmico, la sustitución de cristalerías y carpinterías de los huecos, u otras siempre que se demuestre su eficacia energética, considerando factores como la severidad climática y las orientaciones.

3. Cualquier mejora en los sistemas de instalaciones térmicas que incrementen su eficiencia energética o la utilización de energías renovables.

4. Mejora de las instalaciones de suministro e instalación de mecanismos que favorezcan el ahorro de agua y, así como la realización de redes de saneamiento separativas en el edificio que favorezcan la reutilización de las aguas grises en el propio edificio y reduzcan el volumen de vertido al sistema público de alcantarillado.

5. Cuantas otras mejoras que sirvan para cumplir los parámetros establecidos en el CTE de ahorro de energía y protección frente al ruido.

b) Actuaciones para asegurar la seguridad y la estanqueidad de los edificios:

1. Cualquier intervención sobre los elementos estructurales del edificio tales como muros, pilares, vigas y forjados, incluida la cimentación, que esté destinada a reforzar o consolidar sus deficiencias con objeto de alcanzar una resistencia mecánica, estabilidad y aptitud al servicio que sean adecuadas al uso del edificio.

2. Las instalaciones eléctricas con el fin de adaptarlas a la normativa vigente.

3. Cualquier intervención sobre los elementos de la envolvente afectados por humedades, como cubiertas y muros, de manera que se minimice el riego de afección al edificio y a sus elementos constructivos y estructurales, por humedades provenientes de precipitaciones atmosféricas, de escorrentías, del terreno y de condensaciones.

c) Actuaciones para la mejora de la accesibilidad al edificio y/o a sus viviendas:

1. La instalación de ascensores o la adaptación de los existentes a las necesidades de personas con discapacidad o a las nuevas normativas que hubieran entrado en vigor tras su instalación.

2. La instalación o mejora de rampas de acceso a los edificios, adaptadas a las necesidades de personas con discapacidad.

3. La instalación o mejora de dispositivos de acceso a los edificios, adaptados a las necesidades de personas con discapacidad sensorial.

4. La instalación de elementos de información que permitan la orientación en el uso de las escaleras y ascensores de manera que las personas tengan una referencia adecuada de donde se encuentran.

5. Obras de adaptación de la vivienda a las necesidades de personas con discapacidad o de personas mayores de 65 años.

FINANCIACIÓN DE LAS ACTUACIONES PROTEGIDAS:

— Los beneficiarios de las ayudas de este programa son los promotores de la actuación y los propietarios de las viviendas o edificios, inquilinos autorizados por el propietario, o comunidades de propietarios.

— Los ingresos familiares de las personas físicas beneficiarias de las ayudas no podrán exceder de 6,5 veces el IPREM, cuando se trate de la rehabilitación para uso propio de los elementos privativos de las viviendas.

— Los beneficiarios de las ayudas deberán destinar la vivienda rehabilitada a residencia habitual y permanente de la persona propietaria o de la persona inquilina, y estar ocupadas por las mismas durante un plazo mínimo de 5 años, a contar desde la notificación de la resolución de la concesión de la ayuda.

— El presupuesto protegido en las actuaciones sobre edificios, será el total del coste de las obras a realizar sobre los elementos comunes e instalaciones generales, incluidas las necesarias sobre las partes afectadas en viviendas y locales comerciales.

— El presupuesto protegido en las actuaciones sobre viviendas, será el coste total de la rehabilitación de las mismas.

— En ambos tipos de actuaciones, se computará un máximo de 90 m² útiles por vivienda resultante de la actuación o local afectado por ella y, en rehabilitación de edificios, para garajes o anejos y trasteros, la misma superficie máxima que en la promoción de vivienda protegida, sin que la cuantía máxima del presupuesto protegido, por m² útil, supere el 70% del MBE vigente en el momento de la calificación provisional de la actuación.

— No será objeto de ayudas financieras la rehabilitación de locales, sin perjuicio de la posibilidad de obtener préstamo convenido cuando se trate de la rehabilitación de elementos comunes del edificio y los locales participen en los costes de ejecución.

— El 25% del presupuesto de las actuaciones protegidas tendrá que estar destinado a la utilización de energías renovables, la mejora de la eficiencia energética, la higiene, la salud y protección del medio ambiente y la accesibilidad del edificio.

— No podrán obtener la financiación correspondiente a esta línea las actuaciones de rehabilitación que tengan por objeto viviendas o edificios de viviendas situados en un ARI o en un ARU.

— La financiación consistirá en:

a) Edificios de viviendas:

1. Préstamos convenidos con o sin subsidiación que podrá alcanzar la totalidad del presupuesto protegido.

— El plazo de amortización, que se iniciará con la expedición de la calificación definitiva, será de 15 años como máximo, precedido de un período de carencia de hasta 2 años, ampliable a 3 con el acuerdo de la entidad financiera y la comunidad autónoma.

— El préstamo convenido lo podrán obtener todos los propietarios u ocupantes de las viviendas con independencia de sus ingresos familiares.

— La cuantía de la subsidiación será la siguiente:

I. Cuando el titular del préstamo sea propietario o arrendatario de una o varias viviendas en el edificio objeto de rehabilitación y sus ingresos no excedan de 6,5 veces el IPREM, la subsidiación será de **140 euros** anuales por cada **10.000 euros** de préstamo convenido.

II. Cuando el titular del préstamo tuviera una o varias viviendas arrendadas con contrato de arrendamiento sujeto a prórroga forzosa por ser anterior a la entrada en vigor de la L.A.U., no se exigirá el requisito relativo al límite de los ingresos familiares y la subsidiación para el arrendador de dichas viviendas será de **175 euros** anuales por cada **10.000 euros** de préstamo.

2. Subvención a las comunidades de propietarios para la rehabilitación de edificios:

— Será incompatible con la subsidiación del préstamo convenido, y tendrá una cuantía máxima del 10% del presupuesto convenido y un límite de **1.100 euros** por vivienda, esta subvención se distribuirá para cada vivienda o local por la comunidad de propietarios según la cuota de participación en los gastos de la rehabilitación.

— También podrán obtener una subvención los propietarios u ocupantes de las viviendas del edificio, promotores de la rehabilitación cuyos ingresos familiares no excedan de 6,5 veces el IPREM y cuya cuantía máxima será del 15% del presupuesto protegido, con el límite de **1.600 euros** con carácter general o de **2.700 euros** cuando el beneficiario sea mayor de 65 años o se trate de personas con discapacidad y las obras se destinen a la eliminación de barreras o a la adecuación de la vivienda a sus necesidades específicas. Para estos colectivos además, si sus ingresos fueran inferiores a 2,5 veces el IPREM, se concederá una subvención adicional, cuya cuantía será el 5% del presupuesto protegido de las obras de rehabilitación con un límite máximo de **1.500 euros**.

b) Viviendas:

1. Subvención del 25% del presupuesto protegido con el límite de **2.500 euros** con carácter general o de **3.400 euros** cuando el beneficiario sea mayor de 65 años o se trate de personas con discapacidad y las obras se destinen a la eliminación de barreras o a la adecuación de la vivienda a sus necesidades específicas. Para estos colectivos además, si sus ingresos fueran inferiores a 2,5 veces el IPREM, se concederá una subvención adicional, cuya cuantía será el 5% del presupuesto protegido de las obras de rehabilitación con un límite máximo de **2.300 euros**.

2. En el supuesto de que el propietario u ocupante de una vivienda, promotor de su rehabilitación, la destine al alquiler durante un plazo mínimo de 5 años, en las condiciones de alquiler de vivienda protegida en cuanto a su renta y superficie la subvención será de **6.500 euros.**

— En el supuesto de que se el edificio objeto de rehabilitación sea una vivienda unifamiliar la ayuda corresponderá a la actuación predominante, se entenderá como actuación predominante, la que resulte con mayor presupuesto tras desglosar el presupuesto de ejecución material en 2 partes, correspondientes a las obras de rehabilitación de edificios y las de vivienda.

— Ayuda adicional a las actuaciones protegidas Renove:

Son ayudas para personas cuyos ingresos familiares no superen 2,5 veces el IPREM, y no podrán superar el coste de los servicios profesionales ni las siguientes cuantías:

a) Memorias valoradas para ejecución de obras que no requieran proyecto completo: El 5% del presupuesto protegido correspondiente a las obras y medidas de seguridad previstas, sin que exceda de **400 euros** por vivienda.

b) Proyectos: El 10% del presupuesto protegido correspondiente a las obras y medidas de seguridad adoptadas en el proyecto, sin que exceda de **1.300 euros** por vivienda.

c) Direcciones de obra: el 7,5% del presupuesto protegido correspondiente a las obras y medidas de seguridad adoptadas sin que exceda de **1.000 euros** por vivienda.

H. AYUDAS A LA EFICIENCIA ENERGÉTICA EN LA PROMOCIÓN DE VIVIENDAS

AYUDAS EN LA PROMOCIÓN DE VIVIENDAS CON PROTECCIÓN PÚBLICA

— Los promotores de viviendas calificadas como protegidas cuyos proyectos obtengan una calificación energética de clase A, B o C, podrán acceder a una subvención con las siguientes cuantías:

A) **3.500 euros por vivienda**.

B) **2.800 euros por vivienda**.

C) **2.000 euros por vivienda.**

— Estas ayudas se podrán obtener también para la promoción de viviendas protegidas de nueva construcción en ARIS y en ARUS.

— Estas ayudas son incompatibles con las correspondientes al Plan de Acción de Ahorro y Eficiencia Energética para el período 2008-2012 y al Plan de Energías Renovables 2005-2010, del Instituto para la Diversificación y Ahorro de la Energía.

AYUDAS EN MATERIA DE CALIDAD Y AHORRO ENERGÉTICO EN LA EDIFICACIÓN — VIVIENDA SOSTENIBLE

— Las promotoras de viviendas calificadas o declaradas con protección pública de nueva construcción y, en su caso, las procedentes de rehabilitación, podrán obtener ayudas adicionales, siempre que incorporen mejoras superiores a los requerimientos de la normativa de obligado cumplimiento relacionado con los siguientes aspectos:

a) Ahorro energético, con la finalidad de optimizar la energía empleada en todo el ciclo de vida de las viviendas, desde la construcción hasta su derribo, así como usar el mínimo de energía para obtener el confort térmico en el interior de las viviendas.

b) Ahorro hídrico, con el objeto de minimizar el gasto de agua con la implantación de sistemas que reduzcan el consumo de agua en las viviendas, así como la implantación de sistemas de reutilización del agua.

c) Uso de los sistemas constructivos y los materiales más adecuados a las condiciones climáticas, económicas y productivas de Castilla-La Mancha.

I) AYUDAS A INSTRUMENTOS DE GESTIÓN E INFORMACIÓN DEL PLAN

— Podrán recibir financiación las siguientes actuaciones:

a) Las actuaciones de difusión del sistema de ayudas previsto en este Decreto, así como de su desarrollo y ejecución.

b) Todas aquellas actuaciones que contribuyan a la aplicación y ejecución del sistema de ayudas previsto en este Decreto.

— Los beneficiarios de estas ayudas podrán ser:

a) Administraciones Públicas y empresas públicas.

b) Fundaciones, asociaciones y entidades privadas, sin ánimo de lucro, cuya actividad esté relacionada con las actuaciones recogidas en este Decreto.

c) Colegios profesionales u otras asociaciones de carácter análogo.

— La financiación de los instrumentos de información y gestión consistirá en subvenciones que se consideran de carácter excepcional y se instrumentaran mediante Convenio a suscribir entre la Consejería competente en materia de vivienda y la persona o entidad beneficiaria de las ayudas.

7. Plan Director de Vivienda y Suelo 2002-2009 de la Junta de Castilla y León

Decreto 52/2002, modificado por el Decreto 64/2009

1. OBJETO DEL DECRETO

1.Incorporar nuevos colectivos de especial protección como las familias con parto múltiple, con adopción simultánea y emigrantes retornados.

2. Establecer nuevos factores de corrección de ingresos.

3. Actualizar el concepto de núcleo rural.

4. Regular la forma en la que se determinan los ámbitos municipales en Castilla y León así como los precios de venta y renta de las viviendas protegidas.

5. Modificar algunos aspectos de las viviendas de protección pública de nueva construcción de gestión pública y de las viviendas protegidas destinadas al arrendamiento.

6. Modificar la normativa que afecta a los alojamientos protegidos.

7. Regular las áreas de renovación urbana y las medidas para la erradicación del chabolismo.

8. Mejorar la calidad de la vivienda y la transparencia del mercado.

2. SUPERFICIES MÁXIMAS Y MÍNIMAS DE LAS VIVIENDAS

La superficie útil mínima se establece en 40 m².

La superficie útil máxima de las viviendas acogidas al Plan Director de Vivienda y Suelo 2002-2009 de Castilla y León será la siguiente:

— 90 m² útiles salvo las excepciones para familias numerosas o que tengan personas dependientes a su cargo y personas con discapacidad que tengan movilidad reducida permanente (en estos casos las viviendas pueden ser de hasta 120 m²).

La superficie máxima imputable para determinar el precio de venta de los garajes y los trasteros no podrá superar los 25 m², en el caso del garaje, y los 8 m², en el caso del trastero.

3. PRECIOS MÁXIMOS DE VENTA DE LAS VIVIENDAS DE PRO-TECCIÓN OFICIAL

— Los precios máximos de venta o adjudicación por m² de superficie útil de viviendas de protección pública así como el precio máximo de referencia para el alquiler de las viviendas de protección pública y alojamientos protegidos a que se refiere este Decreto serán en cada ámbito territorial el resultado de multiplicar el MBE por los coeficientes que se determinen mediante Orden del Consejero competente en materia de vivienda.

— El precio máximo de venta de las viviendas de protección pública destinadas al arrendamiento así como el de las viviendas de protección pública de nueva construcción en segundas o posteriores transmisiones y sus anejos será el establecido conforme a la normativa en la que fueron calificadas.

— El territorio de Castilla y León se divide en 5 ámbitos municipales; mediante Orden del Consejero competente en materia de vivienda se establecerá la distribución de los municipios de la Comunidad en cada ámbito.

— Los precios máximos de las viviendas de protección pública de nueva construcción que figuren en la calificación provisional no podrán modificarse sino en los términos previstos en la normativa al amparo de la cual se calificaron.

— Si la vivienda no se vendiera o se arrendara en el plazo de 1 año desde la calificación definitiva el precio fijado en esta podrá actualizarse mediante la aplicación de la variación porcentual del IPC desde la fecha de la calificación definitiva a la de la formalización del contrato de compraventa.

4. EL MÓDULO BÁSICO ESTATAL (MBE)

El Módulo Básico Estatal (MBE) es la cuantía en euros por metro cuadrado de superficie útil, que sirve como referencia para la determinación de los precios máximos de venta, adjudicación y renta de las viviendas objeto de las ayudas previstas en el Real Decreto 2066/2008, así como de los presupuestos protegidos máximos de las actuaciones de rehabilitación de viviendas y edificios, y en áreas de rehabilitación integral y renovación urbana.

El MBE será establecido por acuerdo del Consejo de Ministros en el mes de diciembre de cada año y será publicado en el Boletín Oficial del Estado.

Para el año 2009 se fija en 758 euros (838,8 euros para Canarias).

TIPOLOGÍAS Y CARACTERÍSTICAS DE LOS DIFERENTES TIPOS DE VIVIENDAS

A) COMPRA

1. VIVIENDA DE PROTECCIÓN OFICIAL DE RÉGIMEN ESPECIAL

Características:

— Los precios máximos de venta o adjudicación por m² de superficie útil de viviendas de protección pública así como el precio máximo de referencia para el alquiler de las viviendas de protección pública y alojamientos protegidos a que se refiere este Decreto serán en cada ámbito territorial el resultado de multiplicar el MBE por los coeficientes que se determinen mediante Orden del Consejero competente en materia de vivienda.

El régimen de protección de las viviendas será de **30 años** desde la fecha de la calificación definitiva.

— Durante todo el período de protección se deben mantener las condiciones de uso y limitación de precio máximo de transmisión establecidos.

— La superficie útil máxima es de 90 m²; en las viviendas con protección pública que se adapten para personas con discapacidad con movilidad reducida permanente se puede aumentar la superficie útil máxima un 20%.

— Las viviendas destinadas a familias numerosas puden tener una superficie útil máxima de 120 m².

— En caso de viviendas rurales usadas, situadas en casco tradicional y con tipología de edificación propia de la zona, la superficie útil residencial no será superior a 120 m².

— Las promociones completas de viviendas que hubieran sido calificadas provisionalmente para venta podrán ser recalificadas para alquiler y las que hubiesen sido calificadas para alquiler podrán ser calificadas para venta en los términos previstos en la normativa al amparo de la cual se calificaron.

Requisitos de acceso:

1. Ingresos familiares no superiores a 2,5 veces el IPREM.

2. No obstante para adquirir o ser promotor individual para uso propio de una vivienda de protección oficial de régimen especial deberá acreditarse que los ingresos familiares no sean inferiores a 1 vez el IPREM.

3. No ser titular de una vivienda protegida en el territorio nacional salvo que la vivienda resulte sobrevenidamente inadecuada a sus circunstancias personales o familiares (en ningún caso se podrán poseer simultáneamente más de 1 vivienda de protección pública), ni de una libre (con excepción del cónyuge al que no se le adjudica la vivienda en caso de separación o divorcio), cuyo valor, según el Impuesto sobre Transmisiones Patrimoniales, exceda del 40% del precio de la vivienda que se pretende adquirir (60% para personas mayores de 65 años, personas con discapacidad, mujeres víctimas de violencia de género, víctimas del terrorismo, o familias numerosas que necesiten cambiar de vivienda por el aumento en el número de miembros).

4. La actuación debe haber sido calificada como protegida por la CA.

5. La vivienda debe destinarse como residencia habitual del adjudicatario y ocuparse dentro de los plazos establecidos.

6. Los adquirentes tienen que estar inscritos como demandantes de vivienda protegida.

Características de la ayuda:

PRÉSTAMO CONVENIDO:

Amortización: 25 años o más con cuotas constantes (tres años o más de carencia para el caso de promoción para uso propio).

Garantía: Hipoteca.

Cuantía Máxima: 80% del precio de adquisición (vivienda + garaje + trastero vinculados) o del valor de la edificación más el del suelo para el caso de promotores individuales para uso propio.

Tipo de interés para el año 2009: puede ser fijo o variable.

Interés fijo: pendiente de publicación.

Interés variable: Euribor a 12 meses publicado por el Banco de España en el *BOE* el mes anterior al de la fecha de formalización del préstamo más un diferencial de entre 25 y 125 puntos básicos.

Este tipo de interés se revisará cada 12 meses teniendo como referencia el Euribor a 12 meses publicado por el Banco de España el mes anterior a la fecha de formalización.

Cuotas: Interés fijo: Constantes durante toda la vida del préstamo.

Interés variable: Constantes durante toda la vida del préstamo, dentro de cada uno de los períodos de amortización a los cuales les corresponde un mismo tipo de interés.

Comisiones: Exentas.

SUBSIDIOS A LOS PRÉSTAMOS: Cantidad anual por cada 10.000 euros de préstamo convenido.

— **100 euros** los 10 primeros años.

— **155 euros** los 5 primeros años en caso de:

— Familias numerosas.

— Familias monoparentales con hijos.

— Familias que incluyan o tengan a su cargo personas dependientes o con discapacidad oficialmente reconocida.

Esta subsidiación se concederá por un período de 5 años y podrá ser ampliada por otro período de la misma duración.

La ampliación se tiene que solicitar dentro del 5.º año del primer período y los solicitantes tienen que acreditar que siguen cumpliendo las condiciones para la concesión de la ayuda.

AYUDA ESTATAL DIRECTA A LA ENTRADA (AEDE):

Para viviendas situadas en el Ámbito Municipal 1:

a) En general: **7.300 €**

b) Jóvenes de hasta 35 años (cuando aporten la mayor parte de los ingresos familiares): **10.300 €**

c) Familias numerosas con 3 hijos: **10.300 €**

Familias numerosas con 4 hijos: **10.900 €**

Familias numerosas con 5 o más hijos: **11.500 €**

d) Familias monoparentales, unidad familiar con personas con discapacidad, solicitantes o unidades familiares con personas a cargo de más de 65 años: **8.200 €**

e) Mujeres víctimas de violencia de género, víctimas del terrorismo y personas separadas o divorciadas que estén al corriente en el pago de pensiones alimenticias o compensatorias: **8.200 €**

f) Cuando sean jóvenes de hasta 35 años y reúnan algunas de las condiciones expuestas en los apartados d) y e): **11.300 €**

Estas cuantías no son acumulables entre sí, y corresponderá únicamente la más favorable de todas las posibles.

Cuando las viviendas estén situadas en las zonas ATPMS A, ATPMS B y ATPMS C, las cuantías relacionadas antes se tienen que incrementar respectivamente en **1.200 €, 600 €** o **300 €.**

Para viviendas situadas en los Ámbitos Municipales 2, 3 y 4:

a) En general: **7.000 €**

b) Jóvenes de hasta 35 años (cuando aporten la mayor parte de los ingresos familiares): **10.000 €**

c) Familias numerosas con 3 hijos: **10.000 €**

Familias numerosas con 4 hijos: **10.600 €**

Familias numerosas con 5 o más hijos: **11.200 €**

d) Familias monoparentales, unidad familiar con personas con discapacidad, solicitantes o unidades familiares con personas a cargo de más de 65 años: **7.900 €**

e) Mujeres víctimas de violencia de género, víctimas del terrorismo y personas separadas o divorciadas que estén al corriente en el pago de pensiones alimenticias o compensatorias: **7.900 €.**

f) Cuando sean jóvenes de hasta 35 años y reúnan algunas de las condiciones expuestas en los apartados d) y e): **11.000 €**

Estas cuantías no son acumulables entre sí, y corresponderá únicamente la más favorable de todas las posibles.

Cuando las viviendas estén situadas en las zonas ATPMS A, ATPMS B y ATPMS C, las cuantías relacionadas antes se tienen que incrementar respectivamente en **1.200 €, 600 €** o **300 €.**

Requisitos de acceso a la ayuda:

1. Los ingresos tienen que ser igual o menor a 2,5 veces el IPREM.

2. Tiene que ser el 1.er acceso a la propiedad del solicitante (se entiende que reúnen la condición de 1.er acceso a la propiedad los adquirentes que no tengan o no hayan tenido con anterioridad ninguna vivienda en propiedad o que siendo titular de alguna no disfruten de un derecho real de uso o disfrute sobre ella o el valor de la misma de acuerdo con la normativa del ITP no supere el 25% del precio máximo de venta de la vivienda que adquirieren).

3. No se podrá percibir ayuda económica cuando se haya obtenido resolución de reconocimiento del derecho a ayudas financieras o se haya formalizado préstamo al amparo de planes estatales o autonómicos de

vivienda para el mismo tipo de actuación en los 10 años anteriores a la solicitud actual salvo las siguientes excepciones:

a) Familias que necesiten adquirir una vivienda de mayores dimensiones de acuerdo con su composición familiar.

b) Personas mayores de 65 años, personas con discapacidad o unidades familiares en las que alguno de sus miembros esté afectado por alguna discapacidad y necesiten adquirir una vivienda adaptada a sus necesidades de movilidad reducida.

c) Cuando el adquirente sea una persona separada o divorciada y no se le haya adjudicado la vivienda.

d) Víctimas de violencia de género o del terrorismo.

En cualquier caso, para la obtención de nueva financiación, será necesario la cancelación del préstamo anteriormente obtenido y el reintegro de las ayudas financieras percibidas.

4. Los adquirentes deberán tener unos ingresos mínimos en los que la suma de los rendimientos íntegros del trabajo y de las actividades económicas, así como del importe de las prestaciones por incapacidad permanente absoluta o gran invalidez del conjunto de los titulares de la actuación protegida sea igual o superior a 1 vez el IPREM.

En cualquier caso el importe de las ayudas económicas directas percibidas no pueden superar (excluida la subsidiación de los préstamos convenidos) el total del precio de la vivienda; si se superara se tendrá que reducir el importe de la ayuda.

2. VIVIENDA DE PRECIO GENERAL

Características:

— Son viviendas de protección pública promovidas para venta o uso propio y calificadas como tales por la Junta de Castilla y León así como también las viviendas procedentes de la rehabilitación de un edificio completo.

— Los precios máximos de venta o adjudicación por m² de superficie útil de viviendas de protección pública así como el precio máximo de referencia para el alquiler de las viviendas de protección pública y alojamientos protegidos a que se refiere este Decreto serán en cada ámbito territorial el resultado de multiplicar el MBE por los coeficientes que se determinen mediante Orden del Consejero competente en materia de vivienda.

El régimen de protección de las viviendas será de **30 años** desde la fecha de la calificación definitiva.

— Durante todo el período de protección se deben mantener las condiciones de uso y limitación de precio máximo de transmisión establecidos.

— Las viviendas que se acojan a las medidas de financiación no se podrán descalificar de manera voluntaria durante todo el período que dure el régimen de protección.

— La superficie útil mínima es de 40 m² y la máxima de 90 m²; en las viviendas con protección pública que se adapten para personas con discapacidad con movilidad reducida permanente se puede aumentar la superficie útil máxima un 20%.

— Las viviendas destinadas a familias numerosas puden tener una superficie útil máxima de 120 m².

— Las promociones completas de viviendas que hubieran sido calificadas provisionalmente para venta podrán ser recalificadas para alquiler y las que hubiesen sido calificadas para alquiler podrán ser calificadas para venta en los términos previstos en la normativa al amparo de la cual se calificaron.

Requisitos de acceso:

1. Ingresos familiares no superiores a 4,5 veces el IPREM.

2. No obstante para adquirir o ser promotor individual para uso propio de una vivienda de protección oficial de régimen especial deberá acreditarse que los ingresos familiares no sean inferiores a 1 vez el IPREM.

3. No ser titular de una vivienda protegida en el territorio nacional salvo que la vivienda resulte sobrevenidamente inadecuada a sus circunstancias personales o familiares (en ningún caso se podrán poseer simultáneamente más de 1 vivienda de protección pública), ni de una libre (con excepción del cónyuge al que no se le adjudica la vivienda en caso de separación o

divorcio), cuyo valor, según el Impuesto sobre Transmisiones Patrimoniales, exceda del 40% del precio de la vivienda que se pretende adquirir (60% para personas mayores de 65 años, personas con discapacidad, mujeres víctimas de violencia de género, víctimas del terrorismo, o familias numerosas que necesiten cambiar de vivienda por el aumento en el número de miembros).

4. La actuación debe haber sido calificada como protegida por la CA.

5. La vivienda debe destinarse como residencia habitual del adjudicatario y ocuparse dentro de los plazos establecidos.

6. Los adquirentes tienen que estar inscritos como demandantes de vivienda protegida.

Características de la ayuda:

PRÉSTAMO CONVENIDO:

Amortización: 25 años o más con cuotas constantes (tres años o más de carencia para el caso de promoción para uso propio).

Garantía: Hipoteca.

Cuantía Máxima: 80% del precio de adquisición (vivienda + garaje + trastero vinculados) o del valor de la edificación más el del suelo para el caso de promotores individuales para uso propio.

Tipo de interés para el año 2009: puede ser fijo o variable.

Interés fijo: pendiente de publicación.

Interés variable: Euribor a 12 meses publicado por el Banco de España en el *BOE* el mes anterior al de la fecha de formalización del préstamo más un diferencial de entre 25 y 125 puntos básicos.

Este tipo de interés se revisará cada 12 meses teniendo como referencia el Euribor a 12 meses publicado por el Banco de España el mes anterior a la fecha de formalización.

Cuotas: Interés fijo: Constantes durante toda la vida del préstamo.

Interés variable: Constantes durante toda la vida del préstamo, dentro de cada uno de los períodos de amortización a los cuales les corresponde un mismo tipo de interés.

Comisiones: Exentas.

SUBSIDIOS A LOS PRÉSTAMOS: Cantidad anual por cada 10.000 euros de préstamo durante 5 años, renovables 5 más (la ampliación se tiene que solicitar dentro del 5.º año del primer período y los solicitantes tienen que acreditar que siguen cumpliendo las condiciones para la concesión de la ayuda; se entenderá que cumplen las condiciones cuando la media de los ingresos correspondientes a los dos años anteriores a la revisión no excedan en más o menos un 20% de las acreditadas inicialmente):

— **100 euros** para ingresos menores o iguales a 2,5 veces el IPREM los 10 primeros años (**155 euros** para familias numerosas, monoparentales con hijos y familias que incluyan personas dependientes o con discapacidad reconocida oficialmente durante los 5 primeros años).

— **80 euros** para ingresos entre 2,5 y 3,5 veces el IPREM los 5 primeros años (**113 euros** para familias numerosas, monoparentales con hijos y familias que incluyan personas dependientes o con discapacidad reconocida oficialmente durante los 5 primeros años).

— **60 euros** anuales a familias con ingresos familiares entre 3,5 y 4,5 veces el IPREM (**93 euros** para familias numerosas, monoparentales con hijos y familias que incluyan personas dependientes o con discapacidad reconocida oficialmente durante los 5 primeros años).

AYUDA ESTATAL DIRECTA A LA ENTRADA (AEDE):

ADQUIRENTES CON INGRESOS MENORES O IGUALES A 2,5 VECES EL IPREM:

Para viviendas situadas en el Ámbito Municipal 1:

a) En general: **7.300 €**.

b) Jóvenes de hasta 35 años (cuando aporten la mayor parte de los ingresos familiares): **10.300 €**.

c) Familias numerosas con 3 hijos: **10.300 €**.

Familias numerosas con 4 hijos: **10.900 €**.

Familias numerosas con 5 o más hijos: **11.500 €**.

d) Familias monoparentales, unidad familiar con personas con discapacidad, solicitantes o unidades familiares con personas a cargo de más de 65 años: **8.200 €**.

e) Mujeres víctimas de violencia de género, víctimas del terrorismo y personas separadas o divorciadas que estén al corriente en el pago de pensiones alimenticias o compensatorias: **8.200 €**.

f) Cuando sean jóvenes de hasta 35 años y reúnan algunas de las condiciones expuestas en los apartados d) y e): **11.300 €**.

Estas cuantías no son acumulables entre sí, y corresponderá únicamente la más favorable de todas las posibles.

Cuando las viviendas estén situadas en las zonas ATPMS A, ATPMS B y ATPMS C, las cuantías relacionadas antes se tienen que incrementar respectivamente en **1.200 €, 600 €** o **300 €**.

Para viviendas situadas en los Ámbito Municipales 2, 3 y 4:

a) En general: **7.000 €**.

b) Jóvenes de hasta 35 años (cuando aporten la mayor parte de los ingresos familiares): **10.000 €**.

c) Familias numerosas con 3 hijos: **10.000 €**.

Familias numerosas con 4 hijos: **10.600 €**.

Familias numerosas con 5 o más hijos: **11.200 €**.

d) Familias monoparentales, unidad familiar con personas con discapacidad, solicitantes o unidades familiares con personas a cargo de más de 65 años: **7.900 €**.

e) Mujeres víctimas de violencia de género, víctimas del terrorismo y personas separadas o divorciadas que estén al corriente en el pago de pensiones alimenticias o compensatorias: **7.900 €**.

f) Cuando sean jóvenes de hasta 35 años y reúnan algunas de las condiciones expuestas en los apartados d) y e): **11.000 €**.

Estas cuantías no son acumulables entre sí, y corresponderá únicamente la más favorable de todas las posibles.

Cuando las viviendas estén situadas en las zonas A,B o C, las cuantías relacionadas antes se tienen que incrementar respectivamente en **1.200 €, 600 €** o **300 €**.

Requisitos de acceso a la ayuda:

1. Los ingresos tienen que ser igual o menor a 2,5 veces el IPREM.

2. Tiene que ser el 1.er acceso a la propiedad del solicitante (se entiende que reúnen la condición de 1.er acceso a la propiedad los adquirentes que no tengan o no hayan tenido con anterioridad ninguna vivienda en propiedad o que siendo titular de alguna no disfruten de un derecho real de uso o disfrute sobre ella o el valor de la misma de acuerdo con la normativa del ITP no supere el 25% del precio máximo de venta de la vivienda que adquirieren).

3. No se podrá percibir ayuda económica cuando se haya obtenido resolución de reconocimiento del derecho a ayudas financieras o se haya formalizado préstamo al amparo de planes estatales o autonómicos de vivienda para el mismo tipo de actuación en los 10 años anteriores a la solicitud actual salvo las siguientes excepciones:

a) Familias que necesiten adquirir una vivienda de mayores dimensiones de acuerdo con su composición familiar.

b) Personas mayores de 65 años, personas con discapacidad o unidades familiares en las que alguno de sus miembros esté afectado por alguna discapacidad y necesiten adquirir una vivienda adaptada a sus necesidades de movilidad reducida.

c) Cuando el adquirente sea una persona separada o divorciada y no se le haya adjudicado la vivienda.

d) Víctimas de violencia de género o del terrorismo.

En cualquier caso, para la obtención de nueva financiación, será necesario la cancelación del préstamo anteriormente obtenido y el reintegro de las ayudas financieras percibidas.

4. Los adquirentes deberán tener unos ingresos mínimos en los que la suma de los rendimientos íntegros del trabajo y de las actividades económicas, así como del importe de las prestaciones por incapacidad permanente absoluta o gran invalidez del conjunto de los titulares de la actuación protegida sea igual o superior a 1 vez el IPREM.

En cualquier caso el importe de las ayudas económicas directas percibidas no pueden superar (excluida la subsidiación de los préstamos convenidos) el total del precio de la vivienda, si se superara se tendrá que reducir el importe de la ayuda.

ADQUIRENTES CON INGRESOS ENTRE 2,5 VECES Y 3,5 VECES EL IPREM:

Para viviendas situadas en el Ámbito Municipal 1:

a) En general: **4.300 €**.

b) Jóvenes de hasta 35 años (cuando aporten la mayor parte de los ingresos familiares): **7.300 €**.

c) Familias numerosas con 3 hijos: **7.300 €**.

Familias numerosas con 4 hijos: **7.900 €**.

Familias numerosas con 5 o más hijos: **8.500 €**.

d) Familias monoparentales, unidad familiar con personas con discapacidad, solicitantes o unidades familiares con personas a cargo de más de 65 años: **5.200 €**.

e) Mujeres víctimas de violencia de género, víctimas del terrorismo y personas separadas o divorciadas que estén al corriente en el pago de pensiones alimenticias o compensatorias: **5.200 €**.

f) Cuando sean jóvenes de hasta 35 años y reúnan algunas de las condiciones expuestas en los apartados d) y e): **8.300 €**.

Estas cuantías no son acumulables entre sí, y corresponderá únicamente la más favorable de todas las posibles.

Cuando las viviendas estén situadas en las zonas ATPMS A, ATPMS B y ATPMS C, las cuantías relacionadas antes se tienen que incrementar respectivamente en **1.200 €, 600 €** o **300 €**.

Para viviendas situadas en los Ámbitos Municipales 2, 3 y 4:

a) En general: **4.000 €**.

b) Jóvenes de hasta 35 años (cuando aporten la mayor parte de los ingresos familiares): **7.000 €**.

c) Familias numerosas con 3 hijos: **7.000 €.**

Familias numerosas con 4 hijos: **7.600 €**.

Familias numerosas con 5 o más hijos: **8.200 €**.

d) Familias monoparentales, unidad familiar con personas con discapacidad, solicitantes o unidades familiares con personas a cargo de más de 65 años: **7.900 €**.

e) Mujeres víctimas de violencia de género, víctimas del terrorismo y personas separadas o divorciadas que estén al corriente en el pago de pensiones alimenticias o compensatorias: **4.900 €**.

f) Cuando sean jóvenes de hasta 35 años y reúnan algunas de las condiciones expuestas en los apartados d) y e): **8.000 €**.

Estas cuantías no son acumulables entre sí, y corresponderá únicamente la más favorable de todas las posibles.

Cuando las viviendas estén situadas en las zonas ATPMS A, ATPMS B y ATPMS C, las cuantías relacionadas antes se tienen que incrementar respectivamente en **1.200 €, 600 €** o **300 €**.

Requisitos de acceso a la ayuda:

1. Los ingresos tienen que ser igual o menor a 3,5 veces el IPREM.

2. Tiene que ser el 1.er acceso a la propiedad del solicitante (se entiende que reúnen la condición de 1.er acceso a la propiedad los adquirentes que

no tengan o no hayan tenido con anterioridad ninguna vivienda en propiedad o que siendo titular de alguna no disfruten de un derecho real de uso o disfrute sobre ella o el valor de la misma de acuerdo con la normativa del ITP no supere el 25% del precio máximo de venta de la vivienda que adquirieren).

3. No se podrá percibir ayuda económica cuando se haya obtenido resolución de reconocimiento del derecho a ayudas financieras o se haya formalizado préstamo al amparo de planes estatales o autonómicos de vivienda para el mismo tipo de actuación en los 10 años anteriores a la solicitud actual salvo las siguientes excepciones:

a) Familias que necesiten adquirir una vivienda de mayores dimensiones de acuerdo con su composición familiar.

b) Personas mayores de 65 años, personas con discapacidad o unidades familiares en las que alguno de sus miembros esté afectado por alguna discapacidad y necesiten adquirir una vivienda adaptada a sus necesidades de movilidad reducida.

c) Cuando el adquirente sea una persona separada o divorciada y no se le haya adjudicado la vivienda.

d) Víctimas de violencia de género o del terrorismo.

En cualquier caso, para la obtención de nueva financiación, será necesario la cancelación del préstamo anteriormente obtenido y el reintegro de las ayudas financieras percibidas.

En cualquier caso el importe de las ayudas económicas directas percibidas no pueden superar (excluida la subsidiación de los préstamos convenidos) el total del precio de la vivienda; si se superara se tendrá que reducir el importe de la ayuda.

3. VIVIENDA JOVEN DE LA COMUNIDAD DE CASTILLA Y LEÓN

Características:

— Los precios máximos de venta o adjudicación por m² de superficie útil de viviendas de protección pública así como el precio máximo de referencia para el alquiler de las viviendas de protección pública y alojamientos protegidos a que se refiere este Decreto serán en cada ámbito territorial el resultado de multiplicar el MBE por los coeficientes que se determinen mediante Orden del Consejero competente en materia de vivienda.

Las viviendas estarán sujetas a unos precios máximos de venta durante un plazo de **15 años** desde la fecha de la calificación definitiva.

— Durante todo el período de protección se deben mantener las condiciones de uso y limitación de precio máximo de transmisión establecidos.

— Las viviendas que se acojan a las medidas de financiación no se podrán descalificar de manera voluntaria durante todo el período que dure el régimen de protección.

— Las viviendas que se hubieran acogido para su financiación al Plan Estatal se verán limitadas en cuánto a las limitaciones a la facultad de disponer y la duración del régimen legal de protección a lo previsto en el Plan Estatal de Vivienda al amparo del cual se obtuvo la financiación.

— La superficie útil mínima es de 50 m² y la máxima de 70 m²; en las viviendas con protección pública que se adapten para personas con discapacidad con movilidad reducida permanente se puede aumentar la superficie útil máxima un 20%.

— Las viviendas destinadas a familias numerosas puden tener una superficie útil máxima de 120 m².

— Las viviendas podrán disponer de una plaza de garaje y de un trastero vinculados de 25 y 8 m² de superficie útil computable máxima a efectos del cálculo del precio máximo de venta y renta.

— Las promociones completas de viviendas que hubieran sido calificadas provisionalmente para venta podrán ser recalificadas para alquiler y las que hubiesen sido calificadas para alquiler podrán ser calificadas para venta en los términos previstos en la normativa al amparo de la cual se calificaron.

Requisitos de acceso:

1. Ingresos familiares no superiores a 6,5 veces el IPREM.

2. No ser titular de una vivienda protegida en el territorio nacional salvo que la vivienda resulte sobrevenidamente inadecuada a sus circunstancias personales o familiares (en ningún caso se podrán poseer simultáneamente más de 1 vivienda de protección pública), ni de una libre (con excepción

del cónyuge al que no se le adjudica la vivienda en caso de separación o divorcio), cuyo valor, según el Impuesto sobre Transmisiones Patrimoniales, exceda del 40% del precio de la vivienda que se pretende adquirir (60% para personas mayores de 65 años, personas con discapacidad, mujeres víctimas de violencia de género, víctimas del terrorismo, o familias numerosas que necesiten cambiar de vivienda por el aumento en el número de miembros).

3. La actuación debe haber sido calificada como protegida por la CA.

4. La vivienda debe destinarse como residencia habitual del adjudicatario y ocuparse dentro de los plazos establecidos.

5. Los adquirentes tienen que estar inscritos como demandantes de vivienda protegida.

6. Cumplen la condición de jóvenes aquellos de edad menor a 36 años que aporten la totalidad o la mayor parte de los ingresos de la unidad familiar.

Características de la ayuda:

PRÉSTAMO CUALIFICADO MEDIANTE CONVENIO ENTRE LA JUNTA DE CASTILLA Y LEÓN Y LAS ENTIDADES BANCARIAS:

— Cada año se convendrá entre las entidades bancarias y la Junta de Castilla y León el volumen mínimo de recursos financieros puestos a disposición de los promotores y los adquirentes de vivienda joven.

— En dichos convenios se determinará el interés máximo de los préstamos hipotecarios, tanto fijo como variable y el plazo mínimo de amortización.

— En el marco de un contexto de competitividad las entidades financieras podrán pactar unas condiciones de los préstamos hipotecarios más beneficiosos para los promotores y adquirentes de vivienda joven; igualmente también se establecerán las condiciones de abono de las subvenciones.

— Esta financiación es compatible con la que se establece en los Planes de Vivienda del Estado y se sujetará a las previsiones normativas que lo regulen y en su caso a los convenios con Entidades financieras suscritos al efecto.

— La Consejería podrá, por sí misma o a través de las entidades colaboradoras, suscribir contratos de seguro para garantizar el riesgo que para la entidad financiera suponga la formalización de los créditos derivados de la adquisición de una vivienda joven.

— El préstamo cualificado al adquirente se concederá por subrogación de estos en la carga hipotecaria del préstamo cualificado del promotor o directamente en los términos fijados en los convenios mencionados anteriormente.

— El préstamo tiene que tener un importe de al menos el 60% del precio de la vivienda y no puede bajar su cuantía de ese importe durante los 5 primeros años de la amortización.

AYUDA AUTONÓMICA DIRECTA A LA ENTRADA:

ADQUIRENTES CON INGRESOS MENORES O IGUALES A 2,5 VECES EL IPREM:

a) En general: **10.000 €**.

b) Si la vivienda está situada en un municipio declarado de actuación preferente la cuantía de la ayuda autonómica directa a la entrada se incrementará en **2.000 €**.

AYUDA AUTONÓMICA DIRECTA A LA ENTRADA:

ADQUIRENTES CON INGRESOS ENTRE 2,5 Y 3,5 VECES EL IPREM:

a) En general: **7.000 €**.

b) Si la vivienda está situada en un municipio declarado de actuación preferente la cuantía de la ayuda autonómica directa a la entrada se incrementará en **2.000 €**.

SUBVENCIÓN PARA AYUDAR EN LOS GASTOS NOTARIALES:

— Una subvención para sufragar los gastos efectivos realmente acreditados, de carácter no tributario, derivados de la constitución, subrogación de la hipoteca, novación en su caso, y de la formalización de la escritura de compraventa por un importe máximo de **1.500 €**; dentro de estos gastos se encuentran los gastos derivados de la minuta notarial y registral, los gastos de tasación y los gastos de gestión de escrituras.

Requisitos de acceso a la ayuda:

1. Los ingresos tienen que estar comprendidos entre 1 y 3,5 veces el IPREM.

2. Tiene que ser el 1.er acceso a la propiedad del solicitante (se entiende que reúnen la condición de 1.er acceso a la propiedad los adquirentes que no tengan o no hayan tenido con anterioridad ninguna vivienda en propiedad o que siendo titular de alguna no disfruten de un derecho real de uso o disfrute sobre ella o el valor de la misma de acuerdo con la normativa del ITP no supere el 25% del precio máximo de venta de la vivienda que adquirieren).

3. No se podrá percibir ayuda económica cuando se haya obtenido resolución de reconocimiento del derecho a ayudas financieras o se haya formalizado préstamo al amparo de planes estatales o autonómicos de vivienda para el mismo tipo de actuación en los 10 años anteriores a la solicitud actual salvo las siguientes excepciones:

a) Familias que necesiten adquirir una vivienda de mayores dimensiones de acuerdo con su composición familiar.

b) Personas mayores de 65 años, personas con discapacidad o unidades familiares en las que alguno de sus miembros esté afectado por alguna discapacidad y necesiten adquirir una vivienda adaptada a sus necesidades de movilidad reducida.

c) Cuando el adquirente sea una persona separada o divorciada y no se le haya adjudicado la vivienda.

d) Víctimas de violencia de género o del terrorismo.

En cualquier caso, para la obtención de nueva financiación, será necesario la cancelación del préstamo anteriormente obtenido y el reintegro de las ayudas financieras percibidas.

4. Cuando no exista demanda de jóvenes y previa autorización de la Consejería de Fomento podrán ser beneficiarios de estas ayudas aquellas personas que cumplan los requisitos de acceso especialmente

mayores de 65 años, víctimas de violencia de género y personas con discapacidad.

En cualquier caso el importe de las ayudas económicas directas percibidas no pueden superar (excluida la subsidiación de los préstamos convenidos) el total del precio de la vivienda, si se superara se tendrá que reducir el importe de la ayuda.

5. Esta subvenciones no son incompatibles con las que pudieran corresponder según el Plan Estatal de Vivienda.

4. VIVIENDA DE PRECIO LIMITADO PARA FAMILIAS EN CASTILLA Y LEÓN

Características:

— Los precios máximos de venta o adjudicación por m² de superficie útil de viviendas de protección pública así como el precio máximo de referencia para el alquiler de las viviendas de protección pública y alojamientos protegidos a que se refiere este Decreto serán en cada ámbito territorial el resultado de multiplicar el MBE por los coeficientes que se determinen mediante Orden del Consejero competente en materia de vivienda.

— Hasta el 31 de diciembre de 2009 los coeficientes para Ámbito Municipal 1.º ATPMS B y Ámbito Municipal 1.º ATPMS C será de **2,56** y **2,08** respectivamente siempre que:

a) La Calificación Provisional se refiera a una vivienda libre de nueva construcción destinada a la venta.

b) Que la fecha de expedición de la licencia de 1.ª ocupación o el certificado final de obras hubiesen sido emitidos con posterioridad al 24 de diciembre de 2008.

c) Que la solicitud de calificación provisional se presente antes del 31 de diciembre de 2009.

— Pueden calificarse en régimen de venta o arrendamiento.

— La superficie de estas viviendas estará entre 70 y 90 m² de superficie útil, pudiendo llegar a los 120 m² en el caso de familias numerosas o con personas con discapacidad o con dependientes a su cargo; asimismo podrá disponer de una plaza de garaje y un trastero vinculados a la vivienda cuya superficie útil computable no podrá exceder de 25 y 8 m² a efectos del cálculo del precio máximo de renta y venta.

— Su vinculación al régimen de protección será de 15 años desde la fecha de la calificación definitiva.

— Las viviendas que se hubieran acogido para su financiación al Plan Estatal se verán limitadas en cuánto a las limitaciones a la facultad de disponer y la duración del régimen legal de protección a lo previsto en el Plan Estatal de Vivienda al amparo del cual se obtuvo la financiación.

— Las promociones completas de viviendas que hubieran sido calificadas provisionalmente para venta podrán ser recalificadas para alquiler y las que hubiesen sido calificadas para alquiler podrán ser calificadas para venta en los términos previstos en la normativa al amparo de la cual se calificaron.

Requisitos de acceso:

1. Los destinatarios son unidades familiares con hijo o hijos menores a su cargo o mayores de edad que se encuentren en situación de dependencia y estén a su cargo.

2. Ingresos familiares no superiores a 6,5 veces el IPREM y superiores a 1 vez el IPREM.

3. No ser titular de una vivienda protegida en el territorio nacional salvo que la vivienda resulte sobrevenidamente inadecuada a sus circunstancias personales o familiares (en ningún caso se podrán poseer simultáneamente más de 1 vivienda de protección pública), ni de una libre (con excepción del cónyuge al que no se le adjudica la vivienda en caso de separación o divorcio), cuyo valor, según el Impuesto sobre Transmisiones Patrimoniales, exceda del 40% del precio de la vivienda que se pretende adquirir (60% para personas mayores de 65 años, personas con discapacidad, mujeres víctimas de violencia de género, víctimas del terrorismo, o familias numerosas que necesiten cambiar de vivienda por el aumento en el número de miembros).

No será necesario cumplir este requisito cuando se trate de una familia numerosa que tenga una vivienda con una superficie útil inferior a 80 m² ya sea protegida o libre en los porcentajes señalados anteriormente pero tendrán que aportar un compromiso de vender la vivienda en el plazo máximo de 2 años desde la fecha de la escritura de compraventa; si no se hiciera efectiva esa venta se cancelará el préstamo cualificado y se devolverán las ayudas percibidas más los intereses legales desde el momento de la percepción.

4. La actuación debe haber sido calificada como protegida por la CA.

5. La vivienda debe destinarse como residencia habitual del adjudicatario y ocuparse dentro de los plazos establecidos.

6. Los adquirentes, adjudicatarios o arrendatarios deberán estar inscritos en el Registro de Demandantes de Vivienda de la Junta de Castilla y León.

Características de la ayuda:

PRÉSTAMO CUALIFICADO MEDIANTE CONVENIO ENTRE LA JUNTA DE CASTILLA Y LEÓN Y LAS ENTIDADES BANCARIAS:

— Cada año se convendrá entre las entidades bancarias y la Junta de Castilla y León el volumen mínimo de recursos financieros puestos a disposición de los promotores y los adquirentes de viviendas de precio limitado para familias.

— En dichos convenios se determinará el interés máximo de los préstamos hipotecarios, tanto fijo como variable y el plazo mínimo de amortización.

— En el marco de un contexto de competitividad las entidades financieras podrán pactar unas condiciones de los préstamos hipotecarios más beneficiosos para los promotores y adquirentes de vivienda de precio limitado para familias, igualmente también se establecerán las condiciones de abono de las subvenciones.

— Esta financiación es compatible con la que se establece en los Planes de Vivienda del Estado y se sujetará a las previsiones normativas que lo regulen y en su caso a los convenios con Entidades financieras suscritos al efecto.

— La Consejería podrá, por sí misma o a través de las entidades colaboradoras, suscribir contratos de seguro para garantizar el riesgo que para la entidad financiera suponga la formalización de los créditos derivados de la adquisición de una vivienda de precio limitado para familias.

— El préstamo cualificado al adquirente se concederá por subrogación de estos en la carga hipotecaria del préstamo cualificado del promotor o directamente en los términos fijados en los convenios mencionados anteriormente.

— El préstamo tiene que tener un importe de al menos el 60% del precio de la vivienda y no puede bajar su cuantía de ese importe durante los 5 primeros años de la amortización.

AYUDA AUTONÓMICA DIRECTA A LA ENTRADA:

ADQUIRENTES CON INGRESOS MENORES O IGUALES A 2,5 VECES EL IPREM:

a) En general: **12.000 €**.

b) Si la vivienda está situada en un municipio declarado de actuación preferente la cuantía de la ayuda autonómica directa a la entrada se incrementará en **2.000 €**.

c) Si el adquirente es una familia numerosa de categoría especial se incrementará la ayuda en **2.500 €**.

AYUDA AUTONÓMICA DIRECTA A LA ENTRADA:

ADQUIRENTES CON INGRESOS ENTRE 2,5 Y 3,5 VECES EL IPREM:

a) En general: **10.000 €**.

b) Si la vivienda está situada en un municipio declarado de actuación preferente la cuantía de la ayuda autonómica directa a la entrada se incrementará en **2.000 €**.

c) Si el adquirente es una familia numerosa de categoría especial se incrementará la ayuda en **2.500 €**.

SUBVENCIÓN PARA AYUDAR EN LOS GASTOS NOTARIALES:

— Una subvención para sufragar los gastos efectivos realmente acreditados, de carácter no tributario, derivados de la constitución, subrogación de la hipoteca, novación en su caso, y de la formalización de la escritura de compraventa por un importe máximo de **1.500 €**, dentro de estos gastos se encuentran los gastos derivados de la minuta notarial y registral, los gastos de tasación y los gastos de gestión de escrituras.

Requisitos de acceso a la ayuda:

1. Los ingresos tienen que estar comprendidos entre 1 y 3,5 veces el IPREM.

2. Tiene que ser el 1.er acceso a la propiedad del solicitante (se entiende que reúnen la condición de 1.er acceso a la propiedad los adquirentes que no tengan o no hayan tenido con anterioridad ninguna vivienda en propiedad o que siendo titular de alguna no disfruten de un derecho real de uso o disfrute sobre ella o el valor de la misma de acuerdo con la normativa del ITP no supere el 25% del precio máximo de venta de la vivienda que adquirieren).

3. No se podrá percibir ayuda económica cuando se haya obtenido resolución de reconocimiento del derecho a ayudas financieras o se haya formalizado préstamo al amparo de planes estatales o autonómicos de vivienda para el mismo tipo de actuación en los 10 años anteriores a la solicitud actual salvo las siguientes excepciones:

a) Familias que necesiten adquirir una vivienda de mayores dimensiones de acuerdo con su composición familiar.

b) Personas mayores de 65 años, personas con discapacidad o unidades familiares en las que alguno de sus miembros esté afectado por alguna discapacidad y necesiten adquirir una vivienda adaptada a sus necesidades de movilidad reducida.

c) Cuando el adquirente sea una persona separada o divorciada y no se le haya adjudicado la vivienda.

d) Víctimas de violencia de género o del terrorismo.

En cualquier caso, para la obtención de nueva financiación, será necesario la cancelación del préstamo anteriormente obtenido y el reintegro de las ayudas financieras percibidas.

4. Cuando no exista demanda suficiente de familias y previa autorización de la Consejería de Fomento podrán ser beneficiarios de estas ayudas

aquellas personas que cumplan los requisitos de acceso especialmente mayores de 65 años, víctimas de violencia de género y personas con discapacidad.

5. Si las familias adquirentes tienen la consideración de residentes en el exterior y de acuerdo con el Plan de Apoyo a la emigración y a las Comunidades Castellano-Leonesas en el exterior no se exigirá el requisito de residir habitualmente en la Comunidad Autónoma.

En cualquier caso el importe de las ayudas económicas directas percibidas no pueden superar (excluida la subsidiación de los préstamos convenidos) el total del precio de la vivienda, si se superara se tendrá que reducir el importe de la ayuda.

B) 1. COMPRA DE VIVIENDA USADA

Características:

Se consideran viviendas usadas:

a) Viviendas libres o protegidas en segunda o posteriores transmisiones (incluidas las que se hubiesen destinado al alquiler);

b) Viviendas libres de nueva construcción adquiridas después de, al menos, 1 año desde la expedición de la licencia de primera ocupación, el certificado final de obra o la cédula de habitabilidad;

c) Viviendas libres de nueva construcción cuya licencia de primera ocupación, certificado final de obra o cédula de habitabilidad hayan sido emitida antes del 24 de diciembre de 2008;

d) Viviendas rurales usadas.

— La obtención de la ayuda conllevará la limitación de su precio máximo de venta en posteriores transmisiones, durante, al menos, 15 años desde la fecha de adquisición, o durante la duración del préstamo convenido, si fuera superior.

e) La superficie de las viviendas usadas será de hasta 90 m² útiles salvo las destinadas a familias numerosas que será de hasta 120 m² al igual que las viviendas rurales usadas situadas en casco tradicional y con tipología de edificación propia de la zona.

Precio de la vivienda usada:

— Los precios máximos de venta o adjudicación por m² de superficie útil de viviendas de protección pública así como el precio máximo de referencia para el alquiler de las viviendas de protección pública y alojamientos protegidos a que se refiere este Decreto serán en cada ámbito territorial el resultado de multiplicar el MBE por los coeficientes que se determinen mediante Orden del Consejero competente en materia de vivienda.

— El precio máximo de venta de las viviendas de protección pública destinados al arrendamiento así como el de las viviendas de protección pública de nueva construcción en segundas o posteriores transmisiones y sus anejos será el establecido conforme a la normativa en la que fueron calificadas.

Requisitos de acceso:

1. Ingresos familiares no superiores a 6,5 veces el IPREM.

2. No ser titular de una vivienda protegida en el territorio nacional salvo que la vivienda resulte sobrevenidamente inadecuada a sus circunstancias personales o familiares (en ningún caso se podrán poseer simultáneamente más de 1 vivienda de protección pública), ni de una libre (con excepción del cónyuge al que no se le adjudica la vivienda en caso de separación o divorcio), cuyo valor, según el Impuesto sobre Transmisiones Patrimoniales, exceda del 40% del precio de la vivienda que se pretende adquirir (60% para personas mayores de 65 años, personas con discapacidad, mujeres víctimas de violencia de género, víctimas del terrorismo, o familias numerosas que necesiten cambiar de vivienda por el aumento en el número de miembros).

3. Estar inscrito en un registro público de demandantes de vivienda.

4. La actuación debe haber sido calificada como protegida por la CA.

5. La vivienda debe destinarse como residencia habitual del adjudicatario.

Características de la ayuda:

PRÉSTAMO CONVENIDO:

Amortización: 25 años o más con cuotas constantes (tres años o más de carencia para el caso de promoción para uso propio).

Garantía: Hipoteca.

Cuantía Máxima: 80% del precio de adquisición (vivienda + garaje + trastero vinculados) o del valor de la edificación más el del suelo para el caso de promotores individuales para uso propio.

Tipo de interés para el año 2009: puede ser fijo o variable.

Interés fijo: pendiente de publicación.

Interés variable: Euribor a 12 meses publicado por el Banco de España en el *BOE* el mes anterior al de la fecha de formalización del préstamo más un diferencial de entre 25 y 125 puntos básicos.

Este tipo de interés se revisará cada 12 meses teniendo como referencia el Euribor a 12 meses publicado por el Banco de España el mes anterior a la fecha de formalización.

Cuotas: Interés fijo: Constantes durante toda la vida del préstamo.

Interés variable: Constantes durante toda la vida del préstamo, dentro de cada uno de los períodos de amortización a los cuales les corresponde un mismo tipo de interés.

Comisiones: Exentas.

SUBSIDIOS A LOS PRÉSTAMOS: Cantidad anual por cada 10.000 euros de préstamo durante 5 años, renovables 5 más (la ampliación se tiene que solicitar dentro del 5.º año del primer período y los solicitantes tienen que acreditar que siguen cumpliendo las condiciones para la concesión de la ayuda; se entenderá que cumplen las condiciones cuando la media de los ingresos correspondientes a los dos años anteriores a la revisión no excedan en más o menos un 20% de las acreditadas inicialmente):

— **100 euros** para ingresos menores o iguales a 2,5 veces el IPREM los 10 primeros años (**155 euros** para familias numerosas, monoparentales con hijos y familias que incluyan personas dependientes o con discapacidad reconocida oficialmente durante los 5 primeros años).

— **80 euros** para ingresos entre 2,5 y 3,5 veces el IPREM los 5 primeros años (**113 euros** para familias numerosas, monoparentales con hijos y familias que incluyan personas dependientes o con discapacidad reconocida oficialmente durante los 5 primeros años).

— **60 euros** anuales a familias con ingresos familiares entre 3,5 y 4,5 veces el IPREM (**93 euros** para familias numerosas, monoparentales con hijos y familias que incluyan personas dependientes o con discapacidad reconocida oficialmente durante los 5 primeros años).

AYUDA ESTATAL DIRECTA A LA ENTRADA (AEDE):

ADQUIRENTES CON INGRESOS MENORES O IGUALES A 2,5 VECES EL IPREM:

Para viviendas situadas en el Ámbito Municipal 1:

a) En general: **7.300 €**.

b) Jóvenes de hasta 35 años (cuando aporten la mayor parte de los ingresos familiares): **10.300 €**.

c) Familias numerosas con 3 hijos: **10.300 €**.

Familias numerosas con 4 hijos: **10.900 €**.

Familias numerosas con 5 o más hijos: **11.500 €**.

d) Familias monoparentales, unidad familiar con personas con discapacidad, solicitantes o unidades familiares con personas a cargo de más de 65 años: **8.200 €**.

e) Mujeres víctimas de violencia de género, víctimas del terrorismo y personas separadas o divorciadas que estén al corriente en el pago de pensiones alimenticias o compensatorias: **8.200 €**.

f) Cuando sean jóvenes de hasta 35 años y reúnan algunas de las condiciones expuestas en los apartados d) y e): **11.300 €**

Estas cuantías no son acumulables entre sí, y corresponderá únicamente la más favorable de todas las posibles.

Cuando las viviendas estén situadas en las zonas ATPMS A, ATPMS B y ATPMS C, las cuantías relacionadas antes se tienen que incrementar respectivamente en **1.200 €, 600 €** o **300 €**.

Para viviendas situadas en los Ámbitos Municipales 2, 3 y 4:

a) En general: **7.000 €**.

b) Jóvenes de hasta 35 años (cuando aporten la mayor parte de los ingresos familiares): **10.000 €**.

c) Familias numerosas con 3 hijos: **10.000 €**.

Familias numerosas con 4 hijos: **10.600 €**.

Familias numerosas con 5 o más hijos: **11.200 €**.

d) Familias monoparentales, unidad familiar con personas con discapacidad, solicitantes o unidades familiares con personas a cargo de más de 65 años: **7.900 €**.

e) Mujeres víctimas de violencia de género, víctimas del terrorismo y personas separadas o divorciadas que estén al corriente en el pago de pensiones alimenticias o compensatorias: **7.900 €**.

f) Cuando sean jóvenes de hasta 35 años y reúnan algunas de las condiciones expuestas en los apartados d) y e): **11.000 €**.

Estas cuantías no son acumulables entre sí, y corresponderá únicamente la más favorable de todas las posibles.

Cuando las viviendas estén situadas en las zonas A,B o C, las cuantías relacionadas antes se tienen que incrementar respectivamente en **1.200 €, 600 €** o **300 €**.

Requisitos de acceso a la ayuda:

1. Los ingresos tienen que ser igual o menor a 2,5 veces el IPREM.

2. Tiene que ser el 1.er acceso a la propiedad del solicitante (se entiende que reúnen la condición de 1.er acceso a la propiedad los adquirentes que no tengan o no hayan tenido con anterioridad ninguna vivienda en propiedad o que siendo titular de alguna no disfruten de un derecho real de uso

o disfrute sobre ella o el valor de la misma de acuerdo con la normativa del ITP no supere el 25% del precio máximo de venta de la vivienda que adquirieren).

3. No se podrá percibir ayuda económica cuando se haya obtenido resolución de reconocimiento del derecho a ayudas financieras o se haya formalizado préstamo al amparo de planes estatales o autonómicos de vivienda para el mismo tipo de actuación en los 10 años anteriores a la solicitud actual salvo las siguientes excepciones:

a) Familias que necesiten adquirir una vivienda de mayores dimensiones de acuerdo con su composición familiar.

b) Personas mayores de 65 años, personas con discapacidad o unidades familiares en las que alguno de sus miembros esté afectado por alguna discapacidad y necesiten adquirir una vivienda adaptada a sus necesidades de movilidad reducida.

c) Cuando el adquirente sea una persona separada o divorciada y no se le haya adjudicado la vivienda.

d) Víctimas de violencia de género o del terrorismo.

En cualquier caso, para la obtención de nueva financiación, será necesario la cancelación del préstamo anteriormente obtenidoy el reintegro de las ayudas financieras percibidas.

4. Los adquirentes deberán tener unos ingresos mínimos en los que la suma de los rendimientos íntegros del trabajo y de las actividades económicas, así como del importe de las prestaciones por incapacidad permanente absoluta o gran invalidez del conjunto de los titulares de la actuación protegida sea igual o superior a 1 vez el IPREM.

En cualquier caso el importe de las ayudas económicas directas percibidas no pueden superar (excluida la subsidiación de los préstamos convenidos) el total del precio de la vivienda; si se superara se tendrá que reducir el importe de la ayuda.

ADQUIRENTES CON INGRESOS ENTRE 2,5 VECES Y 3,5 VECES EL IPREM:

Para viviendas situadas en el Ámbito Municipal 1:

a) En general: **4.300 €**.

b) Jóvenes de hasta 35 años (cuando aporten la mayor parte de los ingresos familiares): **7.300 €**.

c) Familias numerosas con 3 hijos: **7.300 €**.

Familias numerosas con 4 hijos: **7.900 €**.

Familias numerosas con 5 o más hijos: **8.500 €**.

d) Familias monoparentales, unidad familiar con personas con discapacidad, solicitantes o unidades familiares con personas a cargo de más de 65 años: **5.200 €**.

e) Mujeres víctimas de violencia de género, víctimas del terrorismo y personas separadas o divorciadas que estén al corriente en el pago de pensiones alimenticias o compensatorias: **5.200 €**.

f) Cuando sean jóvenes de hasta 35 años y reúnan algunas de las condiciones expuestas en los apartados d) y e): **8.300 €**.

Estas cuantías no son acumulables entre sí, y corresponderá únicamente la más favorable de todas las posibles.

Cuando las viviendas estén situadas en las zonas ATPMS A, ATPMS B y ATPMS C, las cuantías relacionadas antes se tienen que incrementar respectivamente en **1.200 €, 600 €** o **300 €**.

Para viviendas situadas en los Ámbito Municipales 2, 3 y 4:

a) En general: **4.000 €**.

b) Jóvenes de hasta 35 años (cuando aporten la mayor parte de los ingresos familiares): **7.000 €**.

c) Familias numerosas con 3 hijos: **7.000 €**.

Familias numerosas con 4 hijos: **7.600 €**.

Familias numerosas con 5 o más hijos: **8.200 €**.

d) Familias monoparentales, unidad familiar con personas con discapacidad, solicitantes o unidades familiares con personas a cargo de más de 65 años: **7.900 €**.

e) Mujeres víctimas de violencia de género, víctimas del terrorismo y personas separadas o divorciadas que estén al corriente en el pago de pensiones alimenticias o compensatorias: **4.900 €**.

f) Cuando sean jóvenes de hasta 35 años y reúnan algunas de las condiciones expuestas en los apartados d) y e): **8.000 €**.

Estas cuantías no son acumulables entre sí, y corresponderá únicamente la más favorable de todas las posibles.

Cuando las viviendas estén situadas en las zonas ATPMS A, ATPMS B y ATPMS C, las cuantías relacionadas antes se tienen que incrementar respectivamente en **1.200 €, 600 €** o **300 €**.

Requisitos de acceso a la ayuda:

1. Los ingresos tienen que ser igual o menor a 3,5 veces el IPREM.

2. Tiene que ser el 1.er acceso a la propiedad del solicitante (se entiende que reúnen la condición de 1.er acceso a la propiedad los adquirentes que no tengan o no hayan tenido con anterioridad ninguna vivienda en propiedad o que siendo titular de alguna no disfruten de un derecho real de uso o disfrute sobre ella o el valor de la misma de acuerdo con la normativa del ITP no supere el 25% del precio máximo de venta de la vivienda que adquirieren).

3. No se podrá percibir ayuda económica cuando se haya obtenido resolución de reconocimiento del derecho a ayudas financieras o se haya formalizado préstamo al amparo de planes estatales o autonómicos de vivienda para el mismo tipo de actuación en los 10 años anteriores a la solicitud actual salvo las siguientes excepciones:

a) Familias que necesiten adquirir una vivienda de mayores dimensiones de acuerdo con su composición familiar.

b) Personas mayores de 65 años, personas con discapacidad o unidades familiares en las que alguno de sus miembros esté afectado por alguna discapacidad y necesiten adquirir una vivienda adaptada a sus necesidades de movilidad reducida.

c) Cuando el adquirente sea una persona separada o divorciada y no se le haya adjudicado la vivienda.

d) Víctimas de violencia de género o del terrorismo.

En cualquier caso, para la obtención de nueva financiación, será necesario la cancelación del préstamo anteriormente obtenido y el reintegro de las ayudas financieras percibidas.

En cualquier caso el importe de las ayudas económicas directas percibidas no pueden superar (excluida la subsidiación de los préstamos convenidos) el total del precio de la vivienda; si se superara se tendrá que reducir el importe de la ayuda.

2. AYUDAS A LA COMPRA DE VIVIENDA RURAL

Características de la ayuda:

a) PRÉSTAMO CUALIFICADO:

— En forma de crédito hipotecario que el beneficiario tiene que firmar con las entidades financieras que tengan convenio con la Consejería de Fomento.

— El préstamo hipotecario será por una cuantía máxima de 100.000 € para adquisición de vivienda construida nueva con un plazo máximo de amortización de 25 años.

— El préstamo hipotecario será de una cuantía máxima de 100.000 € para autopromción con un plazo máximo de amortización de 27 años (2 años de carencia).

— El préstamo no podrá superar el 80% del precio de la vivienda en caso de compraventa en caso de autopromoción no podrá superar el 80% del presupuesto total incluyendo los honorarios facultativos y los tributos siempre que se haya acreditado su liquidación.

— El período de carencia finalizará al terminar la obra y comenzara la amortización.

— Las cuotas de amortización serán semestrales y de cuantía constante e interés decreciente.

— El tipo de interés será el determinado por los Convenios entra las Entidades Financieras seleccionadas y la Junta.

b) SUBSIDIACIÓN DE LOS TIPOS DE INTERÉS:

— La Junta de Castilla y León podrá subsidiar con 2,5 puntos el interés durante los 10 primeros años del período de amortización de los préstamos cualificados cuando se trate de solicitantes con ingresos inferiores a 3,5 veces el IPREM, una vez dictada la resolución de concesión de la subsidiación de intereses está tendrá efecto desde la fecha de formalización del préstamo, en caso de autopromoción desde la fecha de la diligencia final de obras debiendo el destinatario acreditar documentalmente este extremo ante la entidad de crédito.

c) CUANTÍA DE LA AYUDA ECONÓMICA DIRECTA:

— Los beneficiarios tendrán ingresos iguales o menores a 3,5 veces el IPREM y haber suscrito un préstamo cualificado.

— La cuantía de la subvención por la compra o la autopromoción en municipios declarados de actuación preferente será:

a) En general: **3.000 €**.

b) Para familias numerosas, familias con parto múltiple o adopción simultánea, emigrantes retornados y cuando el solicitante o su cónyuge sea una persona dependiente o con discapacidad oficialmente reconocida: **4.000 €**.

c) Cuando el beneficiario o su cónyuge no superen los 36 años de edad: **6.000 €**.

Requisitos de acceso a la ayuda:

— Adquisición de vivienda construida nueva y cuyo precio no supere 125.000 € (incluido garaje y trastero); no formarán parte del precio los gastos derivados de la tramitación de las Escrituras, tales como notaría, registro, gestoría, tasaciones y los gastos de naturaleza tributaria.

— Ingresos de la unidad familiar inferiores o iguales a 5,5 veces el IPREM para obtener el préstamo cualificado y de 3,5 para la subsidiación de la cuota y la ayuda directa.

C) ALQUILER

1.1. VIVIENDA PROTEGIDA EN RÉGIMEN DE ALQUILER

Características:

— Las viviendas protegidas para arrendamiento son aquellas viviendas de protección pública, promovidas para arrendamiento, calificadas como tales por la Administración de la Junta de Castilla y León así como las viviendas que resulten después de la rehabilitación de un edificio completo.

— Los precios máximos de venta o adjudicación por m² de superficie útil de viviendas de protección pública así como el precio máximo de referencia para el alquiler de las viviendas de protección pública y alojamientos protegidos a que se refiere este Decreto serán en cada ámbito territorial el resultado de multiplicar el MBE por los coeficientes que se determinen mediante Orden del Consejero competente en materia de vivienda.

— La renta máxima anual inicial será un porcentaje del precio máximo legal total de referencia establecido en su calificación según la vinculación al régimen de uso, en los términos establecidos en el plan estatal de viviendas correspondiente.

— Las viviendas pueden estar vinculadas al régimen de alquiler durante 10 o 25 años según la duración del plazo de amortización del préstamo cualificado.

— El arrendador podrá percibir, además de la renta inicial o revisada que corresponda, el coste real de los servicios de que disfrute el arrendatario y se satisfagan por el arrendador así como las demás repercusiones autorizadas por la legislación vigente.

— La renta inicial aplicada podrá actualizarse anualmente en función de las variaciones porcentuales del IPC.

— Los arrendatarios de estas viviendas podrán acogerse a las ayudas a los inquilinos.

1.2. VIVIENDA PROTEGIDA EN RÉGIMEN DE ALQUILER CON OPCIÓN DE COMPRA

Características:

— Las viviendas protegidas en régimen de arrendamiento a 10 años podrán ser objeto de un contrato de arrendamiento con opción a compra. El inquilino que ejecute la opción de compra adquirirá la vivienda a un precio de hasta 1,7 veces el precio máximo de referencia establecido en la Calificación Provisional y se deducirá al menos el 30% de la suma de las rentas pagadas por el mismo.

1.3. VIVIENDA PROTEGIDA DE ALQUILER DE RÉGIMEN CONCERTADO

— Las viviendas protegidas de nueva construcción que se califiquen como de alquiler de régimen concertado conforme a lo previsto en el Real Decreto 2066/2008 les será de aplicación el régimen jurídico y la financiación que aparecen en el mismo.

2.1. VIVIENDA JOVEN EN ALQUILER CON O SIN OPCIÓN DE COMPRA

Características:

— Los precios máximos de venta o adjudicación por m² de superficie útil de viviendas de protección pública así como el precio máximo de referencia para el alquiler de las viviendas de protección pública y alojamientos protegidos a que se refiere este Decreto serán en cada ámbito territorial el resultado de multiplicar el MBE por los coeficientes que se determinen mediante Orden del Consejero competente en materia de vivienda.

— La obtención de financiación cualificada por el promotor supondrá la vinculación de la misma a dicho uso durante 10 años; dicho plazo se contará desde la fecha de la calificación definitiva a partir de la cual se pueden suscribir los contratos de arrendamiento.

— A los 10 años desde esta formalización de los contratos de arrendamiento el arrendador podrá ofrecerlas en venta a los arrendatarios.

— La opción de compra será obligatoria cuando así lo señale la Junta de Castilla y León en el caso de viviendas jóvenes en régimen de alquiler sobre suelo enajenado por la Junta, sin perjuicio de que pueda ser extendido a otras Administraciones Públicas mediante la firma de convenios de colaboración.

— Para acceder a una vivienda joven en régimen de alquiler el arrendatario no tendrá que cumplir la condición de tener unos ingresos mínimos de 1 vez el IPREM que se establece en el caso del acceso en propiedad.

— El precio de venta de la vivienda y los anejos vinculados será el resultado de multiplicar el precio máximo de venta por m^2 de superficie útil que figure en la calificación definitiva de vivienda joven en arrendamiento con opción de compra por un coeficiente de actualización que actualmente es el 2, si se ha obtenido financiación cualificada este coeficiente será 1,5; a este resultado se le restará el 50% de las cantidades abonadas durante el arrendamiento en concepto de renta.

— Una vez adquirida la vivienda el titular tendrá derecho al préstamo y a las ayudas directas autonómicas para la Vivienda Joven.

— Las promociones completas de viviendas que hubieran sido calificadas provisionalmente para venta podrán ser recalificadas para alquiler y las que hubiesen sido calificadas para alquiler podrán ser calificadas para venta en los términos previstos en la normativa al amparo de la cual se calificaron.

Requisitos de acceso a la ayuda:

1. Los ingresos tienen que estar comprendidos entre 1 y 3,5 veces el IPREM.

2. Tiene que ser el 1.er acceso a la propiedad del solicitante (se entiende que reúnen la condición de 1.er acceso a la propiedad los adquirentes que no tengan o no hayan tenido con anterioridad ninguna vivienda en propiedad o que siendo titular de alguna no disfruten de un derecho real de uso o disfrute sobre ella o el valor de la misma de acuerdo con la normativa del ITP no supere el 25% del precio máximo de venta de la vivienda que adquirieren).

3. Cuando no exista demanda de jóvenes y previa autorización de la Consejería de Fomento podrán ser beneficiarios de estas ayudas aquellas

personas que cumplan los requisitos de acceso especialmente mayores de 65 años, víctimas de violencia de género y personas con discapacidad.

En cualquier caso el importe de las ayudas económicas directas percibidas no pueden superar (excluida la subsidiación de los préstamos convenidos) el total del precio de la vivienda; si se superara se tendrá que reducir el importe de la ayuda.

2.2. VIVIENDA JOVEN DE PRECIO GENERAL O RENTA BÁSICA

Características:

— Los precios máximos de venta o adjudicación por m² de superficie útil de viviendas de protección pública así como el precio máximo de referencia para el alquiler de las viviendas de protección pública y alojamientos protegidos a que se refiere este Decreto serán en cada ámbito territorial el resultado de multiplicar el MBE por los coeficientes que se determinen mediante Orden del Consejero competente en materia de vivienda.

— Durante todo el período de protección se deben mantener las condiciones de uso y limitación de precio máximo de transmisión establecidos.

— Las viviendas que se acojan a las medidas de financiación no se podrán descalificar de manera voluntaria durante todo el período que dure el régimen de protección.

— Pueden estar vinculadas al régimen de alquiler 10 o 25 años.

— La superficie útil mínima es de 50 m² y la máxima de 70 m²; en las viviendas con protección pública que se adapten para personas con discapacidad con movilidad reducida permanente se puede aumentar la superficie útil máxima un 20%.

— Las viviendas destinadas a familias numerosas puden tener una superficie útil máxima de 120 m².

— Las viviendas podrán disponer de una plaza de garaje y de un trastero vinculados de 25 y 8 m² de superficie útil computable máxima a efectos del cálculo del precio máximo de venta y renta.

— Las promociones completas de viviendas que hubieran sido calificadas provisionalmente para venta podrán ser recalificadas para alquiler y las que hubiesen sido calificadas para alquiler podrán ser calificadas para venta en los términos previstos en la normativa al amparo de la cual se calificaron.

3. VIVIENDA DE PRECIO LIMITADO PARA FAMILIAS EN ARRENDAMIENTO CON O SIN OPCIÓN DE COMPRA

Características:

— La calificación de una vivienda como de precio limitado para familias en régimen de arrendamiento con o sin opción de compra significará la vinculación a dicho uso y protección durante 15 años; a partir de la fecha de la calificación definitiva se puede también suscribir los contratos de arrendamiento.

— Los precios máximos de venta o adjudicación por m² de superficie útil de viviendas de protección pública así como el precio máximo de referencia para el alquiler de las viviendas de protección pública y alojamientos protegidos a que se refiere este Decreto serán en cada ámbito territorial el resultado de multiplicar el MBE por los coeficientes que se determinen mediante Orden del Consejero competente en materia de vivienda.

— A los 10 años a contar desde la calificación definitiva el arrendador las podrá ofrecer en régimen de venta a los arrendatarios que cumplan en ese momento los requisitos de acceso mencionados anteriormente para este tipo de viviendas.

— Esta opción será obligatoria para el arrendador cuando así lo señale la Comunidad Autónoma en el caso de viviendas de precio limitado para familias en alquiler sobre suelo enajenado por la Administración Autonómica sin perjuicio de que pueda ser extendido a otras Administraciones Públicas mediante la firma de los convenios de colaboración correspondientes.

— Para acceder a estas viviendas en régimen de arrendamiento no hace falta acreditar ingresos mínimos.

— El precio de venta de estas viviendas cuando se vaya a ejecutar la opción de compra será el resultado de aplicar al precio de venta que consta en la Calificación Definitiva un coeficiente de actualización que será de **1,35** y restarle el 50% de las cantidades abonadas en concepto de renta.

— Adquirida la vivienda su titular siempre y cuando cumpla las condiciones tendrá derecho al préstamo cualificado o convenido y a las ayudas autonómicas directas de las Viviendas de Precio Limitado para Familias.

— Las promociones completas de viviendas que hubieran sido calificadas provisionalmente para venta podrán ser recalificadas para alquiler y las que hubiesen sido calificadas para alquiler podrán ser calificadas para venta en los términos previstos en la normativa al amparo de la cual se calificaron.

4.1. AYUDAS AL ALQUILER PARA EL INQUILINO

Características:

— Los beneficiarios de estas ayudas son:

a) Titulares de un contrato de arrendamiento con 36 años cumplidos o más.

b) Titulares de un contrato de arrendamiento de una vivienda calificada como Vivienda Joven de Castilla León.

c) Titulares de un contrato de arrendamiento de una vivienda calificada como Vivienda de Precio Limitado para Familias.

— Los ingresos de la unidad familiar arrendataria tienen que estar comprendidos entre 0,5 y 3,5 veces el IPREM.

— No será necesario acreditar que los ingresos superan 0,5 veces el IPREM cuando:

a) El arrendatario lo sea de una Vivienda Joven o de una Vivienda de Precio Limitado para Familias.

b) El arrendatario sea víctima de violencia de género o del terrorismo.

c) Cuando el arrendatario o su cónyuge sea una persona de más de 65 años.

d) Cuando el solicitante sea una persona con discapacidad.

— Estos límites de renta se exceptúan en los casos de viviendas calificadas como de Vivienda Joven o Vivienda de Precio Limitado para Familias.

— Para calcular la renta de referencia se excluirá del precio a considerar la parte correspondiente a gastos de comunidad y mobiliario, así como los correspondientes al arrendamiento del garaje, trastero y otras dependencias de la vivienda salvo que se acredite de forma fehaciente que están vinculados a la vivienda.

— Si estos precios no vinieran desglosados en el contrato se descontará un 5% de gastos de comunidad, de este importe un 10% para el garaje, 5% para trastero y 5% para otros anejos vinculados a la vivienda; si hubiera lugar a la cuantía resultante se le descontara un 10% en concepto de mobiliario.

— Las viviendas tendrán una superficie útil máxima de 90 m² o de 120 m² en el caso de familias numerosas o personas con movilidad reducida y para el garaje y el trastero vinculados 25 y 8 m² respectivamente.

— No podrá existir parentesco hasta el segundo grado por consanguinidad o afinidad entre el arrendador y el arrendatario.

— La vivienda tiene que destinarse a domicilio habitual y permanente de los arrendatarios.

— El beneficiario no podrá ser titular de un derecho real de uso o disfrute ni sobre alguna vivienda sometida a protección pública ni sobre una vivienda libre, se exceptúa del cumplimiento de este requisito a las personas que se encuentren en los supuestos de cesión temporal a víctimas de violencia de género, personas que se encuentren en situación de emergencia social, afectados por actuaciones de renovación urbana, personas con movilidad reducida permanente reconocida oficiamente y por último los que dispongan de una vivienda y no puedan hacer uso de ella por motivo de separación o divorcio.

— Si el interesado ha residido en más de una vivienda podrá recibir ayudas para cada una de ellas siempre que lo acredite debidamente.

Características de la ayuda:

— La cuantía máxima anual será del 40% de la renta a satisfacer por el inquilino con un máximo de **3.200 €**.

— Si los ingresos de la unidad familiar son de hasta 2,5 veces el IPREM:

Arrendatarios de Vivienda Joven o Vivienda de Precio Limitado para Familias en Castilla y León, víctimas de violencia de género y víctimas del terrorismo: 40%

Arrendatario o cónyuge o pareja de hecho legalmente reconocida residente en la vivienda mayor de 65 años o más, familias monoparentales, familias numerosas, familias con parto múltiple o adopción simultánea, unidades familiares en las que algunos de sus miembros tenga alguna discapacidad o emigrantes retornados: 35%

Otros: 30%

— Si los ingresos de la unidad familiar están entre 2,5 y 3,5 veces el IPREM:

Arrendatarios de Vivienda Joven o Vivienda de Precio Limitado para Familias en Castilla y León, víctimas de violencia de género y víctimas del terrorismo: 35%

Arrendatario o cónyuge o pareja de hecho legalmente reconocida residente en la vivienda mayor de 65 años o más, familias monoparentales, familias numerosas, familias con parto múltiple o adopción simultánea, unidades familiares en las que algunos de sus miembros tenga alguna discapacidad o emigrantes retornados: 30%

Otros: 25%

— El importe se reducirá progresivamente en función del período acreditado con los recibos o justificantes bancarios correspondientes.

— En el caso de que el solicitante se encuentre en más de una de las condiciones citadas estas no se acumularán y se le aplicará solo la más favorable.

4.2. AYUDAS AL ALQUILER PARA JÓVENES INQUILINOS

Características:

— Los beneficiarios de estas ayudas son:

a) Titulares de un contrato de arrendamiento sobre una vivienda situada en el ámbito territorial de Castilla y León.

b) Los beneficiarios deberán tener una edad comprendida entre los 18 y 21 años ambos inclusive y entre 30 y 35 años ambos inclusive.

— Deberán tener unos ingresos de hasta 3,5 veces el IPREM.

— No podrá existir parentesco en primer o segundo grado de consanguinidad o de afinidad con el arrendador.

— No ser titular de un derecho real de uso y disfrute sobre alguna vivienda de protección pública o alguna vivienda libre, se exceptúa del cumplimiento de este requisito a las personas que se encuentren en los supuestos de cesión temporal a víctimas de violencia de género, personas que se encuentren en situación de emergencia social, afectados por actuaciones de renovación urbana, personas con movilidad reducida permanente reconocida oficiamente y por último los que dispongan de una vivienda y no puedan hacer uso de ella por motivo de separación o divorcio.

— La vivienda deberá ser domicilio habitual y permanente del arrendatario.

— También podrán ser perceptores de estas ayudas los jóvenes entre 22 y 29 años que hayan agotado el plazo máximo de 4 años de percepción de la RBE.

— Podrán ser perceptores del complemento de la RBE aquellos arrendatarios reconocidos como tales por la Consejería de Fomento.

Características de la ayuda:

— La cuantía de la subvención será de **210 €** mensuales más un complemento de **30 €** mensuales para aquellos beneficiarios cuyos ingresos sean menores o iguales a 1 vez el IPREM o un complemento de **15 €** mensuales para aquellos beneficiarios cuyos ingresos están entre 1 y 2 veces el IPREM.

— El importe de la subvención, en ningún caso podrá exceder del 50% de la renta abonada por el beneficiario.

— La cuantía de la subvención a quien se la haya reconocido el derecho a la RBE será de un complemento de **30 €** mensuales para aquellos beneficiarios cuyos ingresos sean menores o iguales a 1 vez el IPREM o un complemento de **15 €** mensuales para aquellos beneficiarios cuyos ingresos están entre 1 y 2 veces el IPREM.

— En el caso de que haya varios titulares del arrendamiento la cuantía de la subvención será el resultado de dividir el importe total de la ayuda por el número total de titulares del contrato de arrendamiento.

— Las ayudas a los jóvenes arrendatarios de vivienda se podrán percibir hasta que se cumplan 36 años de edad y el complemento de la RBE se podrá recibir, si concurren los requisitos exigidos, en tanto en cuanto se tenga derecho a la renta básica de emancipación.

D) PROMOTORES

1. PROMOCIONES DE VIVIENDAS PROTEGIDAS EN ALQUILER

A) PROMOCIÓN PARA ALQUILER A 25 AÑOS

Características:

— La duración mínima del alquiler será de 25 años desde su calificación definitiva.

— La renta máxima anual por m² útil será el 3% del precio máximo (Ámbito Municipal 1) y del 3,5% (Ámbitos Municipales 2, 3 y 4).

— Mientras sigan siendo protegidas, estas viviendas podrán venderse transcurridos 25 años. El precio máximo de venta será el que corresponda a una vivienda protegida del mismo tipo y en la misma ubicación, calificada provisionalmente en el momento de la venta.

Características de la ayuda:

PRÉSTAMO CONVENIDO:

Amortización: 25 años o más con cuotas constantes (tres años o más de carencia para el caso de promoción para uso propio).

Garantía: Hipoteca.

Cuantía Máxima: 80% del precio de adquisición (vivienda + garaje + trastero vinculados) o del valor de la edificación más el del suelo para el caso de promotores individuales para uso propio.

Tipo de interés para el año 2009: puede ser fijo o variable.

Interés fijo: pendiente de publicación.

Interés variable: Euribor a 12 meses publicado por el Banco de España en el *BOE* el mes anterior al de la fecha de formalización del préstamo más un diferencial de entre 25 y 125 puntos básicos.

Este tipo de interés se revisará cada 12 meses teniendo como referencia el Euribor a 12 meses publicado por el Banco de España el mes anterior a la fecha de formalización.

Cuotas: Interés fijo: Constantes durante toda la vida del préstamo.

Interés variable: Constantes durante toda la vida del préstamo, dentro de cada uno de los períodos de amortización a los cuales les corresponde un mismo tipo de interés.

Comisiones: Exentas.

El período de carencia en el pago de intereses finalizará en la fecha de la calificación definitiva, con un límite de 4 años (10 años con el consentimiento de la CA).

SUBSIDIOS a los préstamos. Cantidad anual por cada 10.000 euros de préstamo durante 25 años:

— **350 euros**

SUBVENCIÓN 350 euros por m² de vivienda. Cuando la vivienda estuviera en un Ámbito Territorial de Precio Máximo Superior se incrementarán las ayudas en 60 euros para vivienda situadas en ámbitos del Grupo A, 30 para el B y 15 para el C.

Requisitos de acceso ayuda:

Haber obtenido el préstamo cualificado.

B) PROMOCIÓN PARA ALQUILER A 10 AÑOS

Características:

La duración mínima del alquiler será de 10 años desde su calificación definitiva.

La renta máxima anual por m² útil será el 5% (Ámbito municipal 1) y del 5,5% (Ámbito municipal 2, 3 y 4) del precio máximo.

Mientras sigan siendo protegidas, estas viviendas podrán venderse transcurridos 10. El precio máximo de venta será de hasta 1,5 veces el precio máximo de referencia establecido en la calificación provisional.

Características de la ayuda:

PRÉSTAMO CONVENIDO:

Amortización: 25 años o más con cuotas constantes (tres años o más de carencia para el caso de promoción para uso propio).

Garantía: Hipoteca.

Cuantía Máxima: 80% del precio de adquisición (vivienda + garaje + trastero vinculados) o del valor de la edificación más el del suelo para el caso de promotores individuales para uso propio.

Tipo de interés para el año 2009: puede ser fijo o variable.

Interés fijo: pendiente de publicación.

Interés variable: Euribor a 12 meses publicado por el Banco de España en el *BOE* el mes anterior al de la fecha de formalización del préstamo más un diferencial de entre 25 y 125 puntos básicos.

Este tipo de interés se revisará cada 12 meses teniendo como referencia el Euribor a 12 meses publicado por el Banco de España el mes anterior a la fecha de formalización.

Cuotas: Interés fijo: Constantes durante toda la vida del préstamo.

Interés variable: Constantes durante toda la vida del préstamo, dentro de cada uno de los períodos de amortización a los cuales les corresponde un mismo tipo de interés.

Comisiones: Exentas.

El período de carencia en el pago de intereses finalizará en la fecha de la calificación definitiva, con un límite de 4 años (10 años con el consentimiento de la CA).

SUBSIDIOS a los préstamos. Cantidad anual por cada 10.000 euros de préstamo durante 10 años:

— **250 euros** para Viviendas de Régimen General.

SUBVENCIÓN 250 euros por m^2 de vivienda. Cuando la vivienda estuviera en un Ámbito Territorial de Precio Máximo Superior se incrementarán las ayudas en 60 euros para vivienda situadas en ámbitos del Grupo A, 30 para el B y 15 para el C.

Requisitos de acceso ayuda:

Haber obtenido el préstamo cualificado.

FINANCIACIÓN DE VIVIENDA JOVEN EN ALQUILER

Características de la ayuda:

PRÉSTAMO CUALIFICADO MEDIANTE CONVENIO ENTRE LA JUNTA DE CASTILLA Y LEÓN Y LAS ENTIDADES BANCARIAS:

— Cada año se convendrá entre las entidades bancarias y la Junta de Castilla y León el volumen mínimo de recursos financieros puestos a disposición de los promotores y los adquirentes de vivienda joven.

— En dichos convenios se determinará el interés máximo de los préstamos hipotecarios, tanto fijo como variable y el plazo mínimo de amortización.

— En el marco de un contexto de competitividad las entidades financieras podrán pactar unas condiciones de los préstamos hipotecarios más beneficiosos para los promotores y adquirentes de vivienda joven, igualmente también se establecerán las condiciones de abono de las subvenciones.

— Esta financiación es compatible con la que se establece en los Planes de Vivienda del Estado y se sujetará a las previsiones normativas que lo regulen y en su caso a los convenios con Entidades financieras suscritos al efecto.

— Los préstamos al promotor se concederán una vez este haya obtenido la calificación provisional como vivienda joven.

— El préstamo tendrá una cuantía máxima del 80% del precio de venta.

FINANCIACIÓN DE VIVIENDA DE PRECIO LIMITADO PARA FAMILIAS EN ALQUILER

Características de la ayuda:

PRÉSTAMO CUALIFICADO MEDIANTE CONVENIO ENTRE LA JUNTA DE CASTILLA Y LEÓN Y LAS ENTIDADES BANCARIAS:

— Cada año se convendrá entre las entidades bancarias y la Junta de Castilla y León el volumen mínimo de recursos financieros puestos a disposición de los promotores y los adquirentes de vivienda de precio limitado para familias.

— En dichos convenios se determinará el interés máximo de los préstamos hipotecarios, tanto fijo como variable y el plazo mínimo de amortización.

— En el marco de un contexto de competitividad las entidades financieras podrán pactar unas condiciones de los préstamos hipotecarios más beneficiosos para los promotores y adquirentes de vivienda de precio limitado para familias, igualmente también se establecerán las condiciones de abono de las subvenciones.

— Esta financiación es compatible con la que se establece en los Planes de Vivienda del Estado y se sujetará a las previsiones normativas que lo regulen y en su caso a los convenios con Entidades financieras suscritos al efecto.

— Los préstamos al promotor se concederán una vez este haya obtenido la calificación provisional como vivienda de precio limitado para familias.

— El préstamo tendrá una cuantía máxima del 80% del precio de venta.

2.1. PROMOCIÓN DE ALOJAMIENTOS PROTEGIDOS

Características:

— Los alojamientos protegidos o alojamientos de integración, son aquellas viviendas de protección pública promovidas para arrendamiento, incluso sobre suelos destinados a equipamientos compatibles con dicho uso, destinados preferentemente a los grupos sociales singulares (jóvenes, familias numerosas, familias monoparentales con hijos menores o mayores de edad en situación de dependencia, personas con discapacidad y familias que tengan a su cargo a personas con discapacidad, familias con personas a su cargo mayores de 65 años o que el solicitante tenga dicha edad, familias con parto múltiple o adpoción simultánea, víctimas de la violencia de género, del terrorismo o emigrantes retornados) para los que las características de estos alojamientos resulten adecuadas y sean calificados como tales por la Comunidad Autónoma.

— Su promoción podrá ser de iniciativa pública o privada y deberán comprender conjuntos o edificaciones completas y destinarse en exclusiva a dicho uso.

— Su superficie útil será de hasta 45 m²; no obstante un máximo del 25% del número total de alojamientosde cada promoción podrá tener una superficie útil máxima de 90 m² destinados a unidades familiares que necesiten una mayor superficie.

— Se imputará un máximo del 30% de la superficie destinada a servicios comunes y asistenciales, se entenderá por servicios comunes los espacios destinados al uso común de los usuarios, tales como salones, comedores, cocinas, almacenes, enfermería, gimnasio, salas de juego, bibliotecas, y espacios similares. No se entenderá por servicios comunes las superficies correspondientes a portales, escaleras, ascensores, pasillos, distribuidores y cuartos de instalaciones así como los garajes.

— También estará protegida una plaza de garaje vinculada registralmente en proyecto siempre que lo requiera la normativa municipal.

— Renta máxima anual y precio máximo de los Alojamientos Protegidos:

— Los precios máximos de renta y la financiación cualificada serán los establecidos en el Plan Estatal de Vivienda al amparo del cual se califiquen.

— Aún siendo titulares de otra vivienda, podrán ocupar estos alojamientos las víctimas de violencia de género o del terrorismo, los mayores de 65 años, las personas separadas o divorciadas, las personas con una discapacidad reconocida de más del 65%, quienes necesiten ser realojados como consecuencia de actuaciones de renovación urbana, así como universitarios o personal científico o investigador.

— La permanencia en estos alojamientos no podrá exceder de 5 años excepto en los casos de víctimas de violencia de género, mayores de 65 años y personas con una discapacidad reconocida de más del 65% que podrán permanecer en ellos indefinidamente.

Características de la ayuda:

PRÉSTAMO CONVENIDO:

Amortización: 25 años o más con cuotas constantes (tres años o más de carencia para el caso de promoción para uso propio).

Garantía: Hipoteca.

Cuantía Máxima: 80% del precio de adquisición (vivienda + garaje + trastero vinculados) o del valor de la edificación más el del suelo para el caso de promotores individuales para uso propio.

Tipo de interés para el año 2009: puede ser fijo o variable.

Interés fijo: pendiente de publicación.

Interés variable: Euribor a 12 meses publicado por el Banco de España en el *BOE* el mes anterior al de la fecha de formalización del préstamo más un diferencial de entre 25 y 125 puntos básicos.

Este tipo de interés se revisará cada 12 meses teniendo como referencia el Euribor a 12 meses publicado por el Banco de España el mes anterior a la fecha de formalización.

Cuotas: Interés fijo: Constantes durante toda la vida del préstamo.

Interés variable: Constantes durante toda la vida del préstamo, dentro de cada uno de los períodos de amortización a los cuales les corresponde un mismo tipo de interés.

Comisiones: Exentas.

El período de carencia en el pago de intereses finalizará en la fecha de la calificación definitiva, con un límite de 4 años (10 años con el consentimiento de la CA).

SUBSIDIOS a los préstamos. Cantidad anual por cada 10.000 euros de préstamo durante 25 años: **350 euros**.

SUBVENCIÓN de **500 euros** por m² de superficie útil.

Requisitos de acceso ayuda:

Haber obtenido el préstamo convenido.

2.2. PROMOCIÓN DE ALOJAMIENTOS PROTEGIDOS PÚBLICOS

— Los Alojamientos Protegidos Públicos son aquellas viviendas de protección pública promovidas para arrendamiento por los Ayuntamientos bien directamente o a través de empresas públicas con destino a colectivos sociales singularmente considerados en atención a circunstancias que motiven la especial dificultad en el acceso a la vivienda, tengan una superficie útil máxima de 60 m² y sean calificados como tales por la Junta de Castilla y León.

— Para la promoción de este tipo de alojamientos protegidos públicos se suscribirá el correspondiente convenio de colaboración entre la Junta de Castilla y León y el Ayuntamiento promotor, en el que se fijarán los compromisos de las partes. En todo caso debe garantizarse la viabilidad de la actuación, la vinculación al régimen de arrendamiento durante 25 años y el destino de este tipo de edificaciones a colectivos sociales singularmente considerados en atención a circunstancias que motiven especial dificultad en el acceso a la vivienda.

— Estos alojamientos de ocupación temporal se cederán en arrendamiento o en precario, siendo de cuenta del precarista los gastos derivados del consumo y del uso de los bienes que disfrute.

— La Consejería de Fomento y en su caso la Consejería competente en materia de servicios sociales financiarán estas actuaciones mediante el otorgamiento de ayudas que se definan en los convenios de colaboración y en función de la disponibilidad presupuestaria.

— El promotor público podrá acogerse a las ayudas establecidas en el epígrafe anterior para los Alojamientos Protegidos para Jóvenes.

3. AYUDAS PARA ADQUISICIÓN DE VIVIENDAS USADAS DESTINADAS A ARRENDAMIENTO

Características:

— Podrán acogerse a la financiación cualificada correspondiente a las viviendas protegidas promovidas para arrendamiento que establece el Plan Estatal de Vivienda y Suelo vigente las entidades sin ánimo de lucro, los organismos públicos y las sociedades que incluyan en su objeto social el arrendamiento de viviendas, que adquieran viviendas libres usadas que cumplan las condiciones establecidas en dicho Plan Estatal para la adquisición protegida de viviendas usadas, siempre que su régimen de uso sea el arrendamiento:

A) VIVIENDAS DESTINADAS AL RÉGIMEN DE ALQUILER A 25 AÑOS

Características:

— La duración mínima del alquiler será de 25 años desde su calificación definitiva.

— La renta máxima anual por m² útil será el 3% del precio máximo (Ámbito Municipal 1) y del 3,5% (Ámbitos Municipales 2, 3 y 4).

Características de la ayuda:

PRÉSTAMO CONVENIDO:

Amortización: 25 años o más con cuotas constantes (tres años o más de carencia para el caso de promoción para uso propio).

Garantía: Hipoteca.

Cuantía Máxima: 80% del precio de adquisición (vivienda + garaje + trastero vinculados) o del valor de la edificación más el del suelo para el caso de promotores individuales para uso propio.

Tipo de interés para el año 2009: puede ser fijo o variable.

Interés fijo: pendiente de publicación.

Interés variable: Euribor a 12 meses publicado por el Banco de España en el *BOE* el mes anterior al de la fecha de formalización del préstamo más un diferencial de entre 25 y 125 puntos básicos.

Este tipo de interés se revisará cada 12 meses teniendo como referencia el Euribor a 12 meses publicado por el Banco de España el mes anterior a la fecha de formalización.

Cuotas: Interés fijo: Constantes durante toda la vida del préstamo.

Interés variable: Constantes durante toda la vida del préstamo, dentro de cada uno de los períodos de amortización a los cuales les corresponde un mismo tipo de interés.

Comisiones: Exentas.

El período de carencia en el pago de intereses finalizará en la fecha de la calificación definitiva, con un límite de 4 años (10 años con el consentimiento de la CA).

SUBSIDIOS a los préstamos. Cantidad anual por cada 10.000 euros de préstamo durante 25 años:

— **350 euros**.

SUBVENCIÓN 350 euros por m² de vivienda. Cuando la vivienda estuviera en un Ámbito Territorial de Precio Máximo Superior se incrementarán las ayudas en 60 euros para vivienda situadas en ámbitos del Grupo A, 30 para el B y 15 para el C.

Requisitos de acceso ayuda:

Haber obtenido el préstamo cualificado.

B) VIVIENDAS DESTINADAS AL RÉGIMEN DE ALQUILER A 10 AÑOS

Características:

La duración mínima del alquiler será de 10 años desde su calificación definitiva.

La renta máxima anual por m² útil será el 5% (Ámbito municipal 1) y del 5,5% (Ámbito municipal 2, 3 y 4) del precio máximo.

Características de la ayuda:

PRÉSTAMO CONVENIDO:

Amortización: 25 años o más con cuotas constantes (tres años o más de carencia para el caso de promoción para uso propio).

Garantía: Hipoteca.

Cuantía Máxima: 80% del precio de adquisición (vivienda + garaje + trastero vinculados) o del valor de la edificación más el del suelo para el caso de promotores individuales para uso propio.

Tipo de interés para el año 2009: puede ser fijo o variable.

Interés fijo: pendiente de publicación.

Interés variable: Euribor a 12 meses publicado por el Banco de España en el *BOE* el mes anterior al de la fecha de formalización del préstamo más un diferencial de entre 25 y 125 puntos básicos.

Este tipo de interés se revisará cada 12 meses teniendo como referencia el Euribor a 12 meses publicado por el Banco de España el mes anterior a la fecha de formalización.

Cuotas: Interés fijo: Constantes durante toda la vida del préstamo.

Interés variable: Constantes durante toda la vida del préstamo, dentro de cada uno de los períodos de amortización a los cuales les corresponde un mismo tipo de interés.

Comisiones: Exentas.

El período de carencia en el pago de intereses finalizará en la fecha de la calificación definitiva, con un límite de 4 años (10 años con el consentimiento de la CA).

SUBSIDIOS a los préstamos. Cantidad anual por cada 10.000 euros de préstamo durante 10 años:

— **250 euros** para Viviendas de Régimen General.

SUBVENCIÓN 250 euros por m² de vivienda . Cuando la vivienda estuviera en un Ámbito Territorial de Precio Máximo Superior se incrementarán las ayudas en 60 euros para vivienda situadas en ámbitos del Grupo A, 30 para el B y 15 para el C.

Requisitos de acceso ayuda:

Haber obtenido el préstamo cualificado.

4. AYUDAS A PROPIETARIOS PARA LA REHABILITACIÓN DE VIVIENDAS CON DESTINO POSTERIOR AL ARRENDAMIENTO

Características:

— Ayudas para los propietarios que promuevan la rehabilitación de viviendas de su propiedad para destinarlas al arrendamiento durante un período mínimo de 5 años.

— Para que el propietario perciba las ayudas la vivienda tiene que tener determinadas características:

a) La superficie de la vivienda tiene que tener 120 m² de superficie útil.

b) Entre el arrendador y el arrendatario no tiene que haber relación de consanguinidad en línea recta, descendiente o ascendiente, o en la colateral hasta el tercer grado y de afinidad hasta el segundo grado.

Características de la ayuda

SUBVENCIÓN de **6.500 €.**

8. Plan del Derecho a la Vivienda 2004-2007 de la Generalitat de Catalunya

Decreto 244/2005, prorrogado mediante el Decreto 262/2008

1. ACTUACIONES PROTEGIDAS

1. La promoción de nuevas viviendas destinadas a la venta, al alquiler, al uso propio, incluidos los promovidos en régimen de derecho de superficie o de concesión administrativa de obra pública.

2. La adquisición de viviendas protegidas o libres, para uso propio o para destinarlas a alquiler.

3. La oferta de viviendas privadas para destinarlas a alquiler.

4. El apoyo a los inquilinos.

5. La mediación social en el ámbito del alquiler privado.

6. La puesta en el mercado del alquiler de viviendas desocupadas.

7. La promoción de la mejora de la calidad y de la sostenibilidad de la edificación y del parque residencial existente.

8. La compra de suelo para destinarlo a viviendas con protección oficial.

9. La urbanización de suelo para destinarlo a viviendas con protección oficial.

10. El apoyo al establecimiento de oficinas locales de vivienda para la gestión de las actuaciones protegidas en vivienda y suelo, y para la gestión del Registro de demandantes de vivienda protegida que cree el Gobierno de la Generalitat.

2. SUPERFICIES MÁXIMAS Y MÍNIMAS DE LAS VIVIENDAS

Toda vivienda debe ser apta para la ocupación de dos personas, y deben constar, como mínimo, de una estancia, una cámara higiénica y un equipo de cocina; admitir directamente la instalación de un equipo de lavado de ropa; prever una solución para el secado natural de la ropa, y tener una superficie útil interior no inferior a 40 m².

La superficie útil máxima será de 90 m², En el supuesto de las viviendas adaptadas a personas con discapacidad, con movilidad reducida permanente, se podrá incrementar la superficie útil hasta 108 m², y podrá llegar a un máximo de 120 m² cuando se destinen a familias numerosas.

La superficie máxima imputable para determinar el precio de venta de los garajes y los trasteros no podrá superar los 25 m², en el caso del garaje, y los 8 m², en el caso del trastero.

3. PRECIOS MÁXIMOS DE VENTA DE LAS VIVIENDAS DE PROTECCIÓN OFICIAL

Se establecen en Cataluña cuatro zonas geográficas de precios máximos para las viviendas con protección oficial y usadas, que se denominan zonas geográficas A, B, C y D. Los municipios que se incluyen en cada zona geográfica se determinarán por Orden del titular del Ministerio de la Vivienda, la vigente en la actualidad es la Orden VIV/946/2008.

En cuanto a la modalidad de viviendas con protección oficial de precio concertado, la zona geográfica A se divide en tres subzonas, A1, A2 y A3.

4. EL MÓDULO BÁSICO ESTATAL (MBE)

El Módulo Básico Estatal (MBE) es la cuantía en euros por metro cuadrado de superficie útil, que sirve como referencia para la determinación de los precios máximos de venta, adjudicación y renta de las viviendas objeto de las ayudas previstas en el Real Decreto 2066/2008, así como de los presupuestos protegidos máximos de las actuaciones de rehabilitación de viviendas y edificios, y en áreas de rehabilitación integral y renovación urbana.

El MBE será establecido por acuerdo del Consejo de Ministros en el mes de diciembre de cada año y será publicado en el *Boletín Oficial del Estado*.

Para el año 2009 se fija en 758 euros (838,8 euros para Canarias).

TIPOLOGÍAS Y CARACTERÍSTICAS DE LOS DIFERENTES TIPOS DE VIVIENDAS

A) COMPRA

1. VIVIENDA PROTEGIDA DE RÉGIMEN ESPECIAL

Características:

• El precio máximo de referencia por metro cuadrado útil será:

Zona A: **Módulo Básico Estatal * 1,50 * 1,50**

Zona B: **Módulo Básico Estatal * 1,50 * 1,30**

Zona C: **Módulo Básico Estatal * 1,50 * 1,15**

Zona D: **Módulo Básico Estatal * 1,50 * 1**

• En viviendas construidas sobre suelo libre el régimen de protección será de **90 años** a contar desde la fecha de concesión de la calificación definitiva para las viviendas promovidas en suelos de titularidad pública o en suelos que por prescripción urbanística se tienen que destinar a vivienda protegida y también para las viviendas con ayudas públicas a la promoción construidas sobre suelos sin prescripción urbanística de destino a viviendas protegidas.

— **30 años** también a contar desde la fecha de la calificación definitiva para viviendas protegidas promovidas sobre suelos sin prescripción urbanística de destino a viviendas protegidas y sin ayudas públicas a la promoción.

— En viviendas promovidas sobre suelo de titularidad pública o en suelo calificado para ser destinado a viviendas de protección oficial la protección se mantendrá durante todo el tiempo que dure la calificación del suelo para este destino, y en ningún caso podrá tener una duración inferior a **30 años.**

— Durante todo el período de protección se deben mantener las condiciones de uso y limitación de precio máximo de transmisión establecidos.

— Las viviendas no se podrán descalificar a petición de los propietarios en todo el período de protección.

Requisitos de acceso:

1. Ingresos familiares no superiores a 2,5 veces el IPREM.

2. Los ingresos no podrán ser inferiores al 5% del precio de venta de la vivienda.

3. No ser titular de una vivienda protegida, ni de una libre cuyo valor, según el Impuesto sobre Transmisiones Patrimoniales, exceda del 40% del precio de la vivienda que se pretende adquirir (60% para personas mayores de 65 años, mujeres víctimas de violencia de género, víctimas del terrorismo, familias numerosas o monoparentales con hijos, familias que tengan personas dependientes o personas con discapacidad oficialmente reconocida y personas separadas o divorciadas al corriente del pago de la pensión alimenticia o compensatoria).

4. La actuación debe haber sido calificada como protegida por la CA.

5. La vivienda debe destinarse como residencia habitual del adjudicatario y ocuparse dentro de los plazos establecidos.

Características de la ayuda:

1. Los adquirentes de estas viviendas pueden escoger entre dos tipos de préstamos:

PRÉSTAMO CONVENIDO: formalizado de acuerdo con el convenio firmado entre las entidades de crédito y el Ministerio de Vivienda, que tiene las siguientes modalidades:

— Sin subsidiación ni AEDE, pero con un segundo préstamo para la financiación de la entrada de acuerdo con el convenio firmado entre las entidades de crédito y la Generalitat de Cataluña el día 9 de julio de 2008.

— Con subsidiación y AEDE, en estos casos, los adquirentes no tienen acceso al segundo préstamo para la financiación de la entrada de acuerdo con el convenio firmado entre las entidades de crédito y la Generalitat de Cataluña el día 9 de julio de 2008.

PRÉSTAMO PREFERENCIAL: formalizado de acuerdo con el convenio firmado entre las entidades de crédito y la Generalitat de Cataluña el día 9 de julio de 2008.

Esta ayuda se reconocerá mediante resolución y visado del contrato de compraventa o adjudicación o de la escritura de obra nueva en el supuesto de autopromoción.

2. Condiciones de estos préstamos:

PRÉSTAMO CONVENIDO:

Amortización: 25 años o más con cuotas constantes.

Garantía: Hipoteca.

Cuantía Máxima: 80% del precio de adquisición (vivienda + garaje + trastero vinculados).

Tipo de interés para el año 2009: Puede ser fijo o variable.

Interés fijo: Pendiente de publicación.

Interés variable: Euribor a 12 meses publicado por el Banco de España en el *BOE* el mes anterior al de la fecha de formalización del préstamo más un diferencial de entre 25 y 125 puntos básicos.

Este tipo de interés se revisará cada 12 meses teniendo como referencia el Euribor a 12 meses publicado por el Banco de España el mes anterior a la fecha de formalización.

Cuotas: Interés fijo: Constantes durante toda la vida del préstamo.

Interés variable: Constantes durante toda la vida del préstamo, dentro de cada uno de los períodos de amortización a los cuales les corresponde un mismo tipo de interés.

Comisiones: Exentas.

PRÉSTAMO COMPLEMENTARIO PARA LA FINANCIACIÓN DE LA ENTRADA:

Amortización: Entre 10 y 20 años.

Garantía: 2.ª hipoteca.

Cuantía máxima: 20% del precio de adquisición (vivienda + garaje + trastero vinculados).

Tipo de interés y revisión anual: Euribor + 1,25% vigente en la fecha de la formalización.

Comisión de apertura: 1%.

PRÉSTAMO PREFERENCIAL:

Amortización: mínimo 30 años. En el caso de jóvenes menores de 35 años, la duración se podrá alargar a 40 años.

Garantía: Hipoteca.

Cuantía máxima: 80% del precio de adquisición (vivienda + garaje + trastero vinculados).

Tipo de interés nominal máximo fijo: Será el vigente en el momento de formalización del préstamo. Este tipo de interés se revisará el primer día hábil de cada trimestre y se podrá consultar en la web gencat.cat/habitatge.

Cuotas: Crecientes al 1%. El prestatario podrá optar por sustituir la cuota creciente por una cuota fija.

SUBSIDIOS A LOS PRÉSTAMOS: Cantidad anual por cada 10.000 euros de préstamo convenido.

— **100 euros** los 10 primeros años.

— **155 euros** los 5 primeros años en caso de:

— Familias numerosas.

— Familias monoparentales con hijos.

— Familias que incluyan o tengan a su cargo personas dependientes o con discapacidad oficialmente reconocida.

Esta subsidiación se concederá por un período de 5 años y podrá ser ampliada por otro período de la misma duración.

La ampliación se tiene que solicitar dentro del 5.º año del primer período y los solicitantes tienen que acreditar que siguen cumpliendo las condiciones para la concesión de la ayuda.

AYUDA ESTATAL DIRECTA A LA ENTRADA (AEDE):

a) En general: **8.000 euros**.

b) Jóvenes de hasta 35 años: **9.000 euros**.

c) Familias numerosas, familias monoparentales y familias que incluyan o tengan a su cargo personas dependientes o con discapacidad oficialmente reconocida: **12.000 euros**.

d) Mujeres víctimas de violencia de género, víctimas del terrorismo y personas separadas o divorciadas que estén al corriente en el pago de pensiones alimenticias o compensatorias: **11.000 euros**.

Estas cuantías no son acumulables entre sí, y corresponderá únicamente la más favorable de todas las posibles.

Cuando las viviendas estén situadas en las zonas A, B o C, las cuantías relacionadas antes se tienen que incrementar respectivamente en **1.200 euros, 600 euros** o **300 euros**.

Requisitos de acceso a la ayuda:

1. Tiene que ser el 1.er acceso a la propiedad del solicitante (se entiende que reúnen la condición de 1.er acceso a la propiedad los adquirentes que no tengan o no hayan tenido con anterioridad ninguna vivienda en propiedad o que siendo titular de alguna no disfruten de un derecho real de uso o disfrute sobre ella o el valor de la misma de acuerdo con la normativa del ITP no supere el 25% del precio máximo de venta de la vivienda que adquirieren).

2. Los solicitantes no pueden haber recibido anteriormente financiación al amparo de algún Plan de Vivienda durante los 10 años anteriores a la solicitud actual de ayudas (no será necesario cumplir esta condición cuando el solicitante sea mujer víctima de violencia de género, víctimas del terrorismo, o familias que incluyan o tengan a su cargo personas dependientes o con discapacidad oficialmente reconocida. En estos supuestos los solicitantes tienen que cancelar previamente el préstamo convenido).

2. VIVIENDA PROTEGIDA DE RÉGIMEN GENERAL

Características:

• El precio máximo de referencia por metro cuadrado útil será:

Zona A: **Módulo Básico Estatal * 1,60 * 1,60**

Zona B: **Módulo Básico Estatal * 1,60 * 1,30**

Zona C: **Módulo Básico Estatal * 1,60 * 1,15**

Zona D: **Módulo Básico Estatal * 1,60 * 1.**

• En viviendas construidas sobre suelo libre el régimen de protección será de **90 años** a contar desde la fecha de concesión de la calificación definitiva para las viviendas promovidas en suelos de titularidad pública o en suelos que por prescripción urbanística se tienen que destinar a vivienda protegida y también para las viviendas con ayudas públicas a la promoción construidas sobre suelos sin prescripción urbanística de destino a viviendas protegidas.

— **30 años** también a contar desde la fecha de la calificación definitiva para viviendas protegidas promovidas sobre suelos sin prescripción urbanística de destino a viviendas protegidas y sin ayudas públicas a la promoción.

— En viviendas promovidas sobre suelo de titularidad pública o en suelo calificado para ser destinado a viviendas de protección oficial la protección se mantendrá durante todo el tiempo que dure la calificación del suelo para este destino, y en ningún caso podrá tener una duración inferior a **30 años.**

— Las viviendas no se podrán descalificar por parte de sus propietarios durante todo el período que dure el régimen de protección.

— La actuación debe haber sido calificada como protegida por la CA.

— La vivienda debe destinarse como residencia habitual del adjudicatario y ocuparse dentro de los plazos establecidos.

• La superficie máxima de estas viviendas es de 90 m² útiles; excepto las viviendas adaptadas para personas con discapacidad con movilidad reducida que podrán tener 108 m² útiles y las viviendas destinadas a familias numerosas que podrán tener hasta 120 m² útiles.

Requisitos de acceso:

1. Ingresos familiares no superiores a 6,5 veces el IPREM y no podrán ser inferiores al 5% del precio de venta.

2. No ser titular del pleno dominio o de un derecho real de uso y disfrute sobre alguna otra vivienda protegida.

3. No ser titular de una vivienda libre cuando el valor de la misma, calculado de acuerdo con la normativa del ITP, supere el 40% del precio total de la vivienda o el 60% en caso de:

— Familias numerosas que necesiten adquirir una vivienda más amplia por haber incrementado su número de miembros.

— Personas mayores de 65 años.

— Personas con discapacidad.

— Personas víctimas de violencia de género o del terrorismo.

Esta limitación no será de aplicación en los supuestos de adjudicación de viviendas en régimen de alquiler promovido por promotores públicos siempre que la vivienda de la que son propietarios se oferte a la Red de Mediación para el Alquiler Social a:

— Personas de más de 65 años.

— Personas con movilidad reducida que no puedan adaptar su vivienda.

Características de la ayuda:

1. Los adquirentes de estas viviendas pueden escoger entre dos tipos de préstamos:

PRÉSTAMO CONVENIDO: formalizado de acuerdo con el convenio firmado entre las entidades de crédito y el Ministerio de Vivienda, que tiene las siguientes modalidades:

— Sin subsidiación ni AEDE, pero con un segundo préstamo para la financiación de la entrada de acuerdo con el convenio firmado entre las entidades de crédito y la Generalitat de Cataluña el día 9 de julio de 2008.

— Con subsidiación y AEDE, en estos casos, los adquirentes no tienen acceso al segundo préstamo para la financiación de la entrada de acuerdo con el convenio firmado entre las entidades de crédito y la Generalitat de Cataluña el día 9 de julio de 2008.

PRÉSTAMO PREFERENCIAL: formalizado de acuerdo con el convenio firmado entre las entidades de crédito y la Generalitat de Cataluña el día 9 de julio de 2008.

Esta ayuda se reconocerá mediante resolución y visado del contrato de compraventa o adjudicación o de la escritura de obra nueva en el supuesto de autopromoción.

2. Condiciones de estos préstamos:

PRÉSTAMO CONVENIDO:

Amortización: 25 años o más con cuotas constantes.

Garantía: Hipoteca.

Cuantía Máxima: 80% del precio de adquisición (vivienda + garaje + trastero vinculados).

Tipo de interés para el año 2009: Puede ser fijo o variable.

Interés fijo: Pendiente de publicación.

Interés variable: Euribor a 12 meses publicado por el Banco de España en el *BOE* el mes anterior al de la fecha de formalización del préstamo más un diferencial de entre 25 y 125 puntos básicos.

Este tipo de interés se revisará cada 12 meses teniendo como referencia el Euribor a 12 meses publicado por el Banco de España el mes anterior a la fecha de formalización.

Cuotas: Interés fijo: Constantes durante toda la vida del préstamo.

Interés variable: Constantes durante toda la vida del préstamo, dentro de cada uno de los períodos de amortización a los cuales les corresponde un mismo tipo de interés.

Comisiones: Exentas.

PRÉSTAMO COMPLEMENTARIO PARA LA FINANCIACIÓN DE LA ENTRADA:

Amortización: Entre 10 y 20 años.

Garantía: 2.ª hipoteca.

Cuantía máxima: 20% del precio de adquisición (vivienda + garaje + trastero vinculados).

Tipo de interés y revisión anual: Euribor + 1,25% vigente en la fecha de la formalización.

Comisión de apertura: 1%.

PRÉSTAMO PREFERENCIAL:

Amortización: mínimo 30 años. En el caso de jóvenes menores de 35 años, la duración se podrá alargar a 40 años.

Garantía: Hipoteca.

Cuantía máxima: 80% del precio de adquisición (vivienda + garaje + trastero vinculados).

Tipo de interés nominal máximo fijo: Será el vigente en el momento de formalización del préstamo. Este tipo de interés se revisará el primer día hábil de cada trimestre y se podrá consultar en la web gencat.cat/habitatge.

Cuotas: Crecientes al 1%. El prestatario podrá optar por sustituir la cuota creciente por una cuota fija.

SUBSIDIOS A LOS PRÉSTAMOS: Cantidad anual por cada 10.000 euros de préstamo durante 5 años, renovables 5 más (la ampliación se tiene que solicitar dentro del 5.º año del primer período y los solicitantes tienen que acreditar que siguen cumpliendo las condiciones para la concesión de la ayuda; se entenderá que cumplen las condiciones cuando la media de los ingresos correspondientes a los dos años anteriores a la revisión no excedan en más o menos un 20% de las acreditadas inicialmente):

— **100 euros** para ingresos menores o iguales a 2,5 veces el IPREM los 10 primeros años (**155 euros** para familias numerosas, monoparentales con hijos y familias que incluyan personas dependientes o con discapacidad reconocida oficialmente durante los 5 primeros años).

— **80 euros** para ingresos entre 2,5 y 3,5 veces el IPREM los 5 primeros años (**113 euros** para familias numerosas, monoparentales con hijos y familias que incluyan personas dependientes o con discapacidad reconocida oficialmente durante los 5 primeros años).

— **60 euros** anuales a familias con ingresos familiares entre 3,5 y 4,5 veces el IPREM (**93 euros** para familias numerosas, monoparentales con hijos y familias que incluyan personas dependientes o con discapacidad reconocida oficialmente durante los 5 primeros años).

AYUDA ESTATAL DIRECTA A LA ENTRADA (AEDE):

ADQUIRENTES CON INGRESOS MENORES O IGUALES A 2,5 VECES EL IPREM:

a) En general: **8.000 euros**.

b) Jóvenes de hasta 35 años: **9.000 euros**.

c) Familias numerosas, familias monoparentales y familias que incluyan o tengan a su cargo personas dependientes o con discapacidad oficialmente reconocida: **12.000 euros**.

d) Mujeres víctimas de violencia de género, víctimas del terrorismo y personas separadas o divorciadas que estén al corriente en el pago de pensiones alimenticias o compensatorias: **11.000 euros**.

Estas cuantías no son acumulables entre sí, y corresponderá únicamente la más favorable de todas las posibles.

Cuando las viviendas estén situadas en las zonas A,B o C, las cuantías relacionadas antes se tienen que incrementar respectivamente en **1.200 euros, 600 euros** o **300 euros**.

ADQUIRENTES CON INGRESOS ENTRE 2,5 VECES Y 3,5 VECES EL IPREM:

a) En general: **7.000 euros**.

b) Jóvenes de hasta 35 años: **8.000 euros**.

c) Familias numerosas, familias monoparentales y familias que incluyan o tengan a su cargo personas dependientes o con discapacidad oficialmente reconocida: **10.000 euros**.

d) Mujeres víctimas de violencia de género, víctimas del terrorismo y personas separadas o divorciadas que estén al corriente en el pago de pensiones alimenticias o compensatorias: **9.000 euros**.

Estas cuantías no son acumulables entre sí, y corresponderá únicamente la más favorable de todas las posibles.

Cuando las viviendas estén situadas en las zonas A,B o C, las cuantías relacionadas antes se tienen que incrementar respectivamente en **1.200 euros, 600 euros** o **300 euros**.

Requisitos de acceso a la ayuda:

1. Los ingresos familiares tienen que ser menores o iguales a 3,5 veces el IPREM.

2. Tiene que ser el 1.er acceso a la propiedad del solicitante (se entiende que reúnen la condición de 1.er acceso a la propiedad los adquirentes que no tengan o no hayan tenido con anterioridad ninguna vivienda en propiedad o que siendo titular de alguna no disfruten de un derecho real de uso o disfrute sobre ella o el valor de la misma de acuerdo con la normativa del ITP no supere el 25% del precio máximo de venta de la vivienda que adquirieren).

3. Los solicitantes no pueden haber recibido anteriormente financiación al amparo de algún Plan de Vivienda durante los 10 años anteriores a la solicitud actual de ayudas (no será necesario cumplir esta condición cuando la nueva solicitud sea para adquirir una vivienda con más m² de la que ya tenían debido al incremento de miembros de la unidad familiar por parte de una familia numerosa, cuando sea para destinar la vivienda a domicilio habitual y permanente como consecuencia del cambio de localidad de residencia del titular o cuando sea por la necesidad de tener una vivienda adaptada a la condición de discapacidad de algún miembro de la unidad familiar. En estos supuestos los solicitantes tienen que cancelar previamente el préstamo convenido y en caso de haber obtenido ayudas directas tienen que elegir entre devolverlas o recibir la diferencia si procede).

ADQUIRENTES CON INGRESOS ENTRE 3,5 VECES Y 4,5 VECES EL IPREM:

a) En general: **5.000 euros**.

b) Jóvenes de hasta 35 años: **6.000 euros**.

c) Familias numerosas, familias monoparentales y familias que incluyan o tengan a su cargo personas dependientes o con discapacidad oficialmente reconocida: **8.000 euros**.

d) Mujeres víctimas de violencia de género, víctimas del terrorismo y personas separadas o divorciadas que estén al corriente en el pago de pensiones alimenticias o compensatorias: **7.000 euros**.

Estas cuantías no son acumulables entre sí, y corresponderá únicamente la más favorable de todas las posibles.

Cuando las viviendas estén situadas en las zonas A, B o C, las cuantías relacionadas antes se tienen que incrementar respectivamente en **1.200 euros, 600 euros** o **300 euros.**

Requisitos de acceso a la ayuda:

1. Los ingresos familiares tienen que ser menores o iguales a 4,5 veces el IPREM.

2. Tiene que ser el 1.er acceso a la propiedad del solicitante (se entiende que reúnen la condición de 1.er acceso a la propiedad los adquirentes que no tengan o no hayan tenido con anterioridad ninguna vivienda en propiedad o que siendo titular de alguna no disfruten de un derecho real de uso o disfrute sobre ella o el valor de la misma de acuerdo con la normativa del ITP no supere el 25% del precio máximo de venta de la vivienda que adquirieren).

3. Los solicitantes no pueden haber recibido anteriormente financiación al amparo de algún Plan de Vivienda durante los 10 años anteriores a la solicitud actual de ayudas (no será necesario cumplir esta condición cuando la nueva solicitud sea para adquirir una vivienda con más m² de la que ya tenían debido al incremento de miembros de la unidad familiar por parte de una familia numerosa, cuando sea para destinar la vivienda a domicilio habitual y permanente como consecuencia del cambio de localidad de residencia del titular o cuando sea por la necesidad de tener una vivienda adaptada a la condición de discapacidad de algún miembro de la unidad familiar. En estos supuestos los solicitantes tienen que cancelar previamente el préstamo convenido y en caso de haber obtenido ayudas directas tienen que elegir entre devolverlas o recibir la diferencia si procede).

3. VIVIENDA PROTEGIDA DE RÉGIMEN CONCERTADO

Características:

• El precio máximo de referencia por metro cuadrado útil será:

Zona A1: **Módulo Básico Estatal * 1,80 * 2,20**

Zona A2: **Módulo Básico Estatal * 1,80 * 2,20**

Zona A3: **Módulo Básico Estatal * 1,80 * 2,00**

Zona B: **Módulo Básico Estatal * 1,80 * 1,60**

Zona C: **Módulo Básico Estatal * 1,80 * 1,30**

Zona D: **Módulo Básico Estatal * 1,80 * 1.**

• En viviendas construidas sobre suelo libre el régimen de protección será de **90 años** a contar desde la fecha de concesión de la calificación definitiva para las viviendas promovidas en suelos de titularidad pública o en suelos que por prescripción urbanística se tienen que destinar a vivienda protegida y también para las viviendas con ayudas públicas a la promoción construidas sobre suelos sin prescripción urbanística de destino a viviendas protegidas.

— **30 años** también a contar desde la fecha de la calificación definitiva para viviendas protegidas promovidas sobre suelos sin prescripción urbanística de destino a viviendas protegidas y sin ayudas públicas a la promoción.

— En viviendas promovidas sobre suelo de titularidad pública o en suelo calificado para ser destinado a viviendas de protección oficial la protección se mantendrá durante todo el tiempo que dure la calificación del suelo para este destino, y en ningún caso podrá tener una duración inferior a **30 años.**

— Las viviendas no se podrán descalificar por parte de sus propietarios durante todo el período que dure el régimen de protección.

— La actuación debe haber sido calificada como protegida por la CA.

— La vivienda debe destinarse como residencia habitual del adjudicatario y ocuparse dentro de los plazos establecidos.

• La superficie máxima de estas viviendas es de 90 m² útiles; excepto las viviendas adaptadas para personas con discapacidad con movilidad reducida que podrán tener 108 m² útiles y las viviendas destinadas a familias numerosas que podrán tener hasta 120 m² útiles.

Requisitos de acceso:

1. Ingresos familiares no superiores a 7 veces el IPREM (como medida coyuntural y hasta el 31 de diciembre de 2009) y no podrán ser inferiores al 5% del precio de venta.

2. No ser titular del pleno dominio o de un derecho real de uso y disfrute sobre alguna otra vivienda protegida.

3. No ser titular de una vivienda libre cuando el valor de la misma, calculado de acuerdo con la normativa del ITP, supere el 40% del precio total de la vivienda o el 60% en caso de:

— Familias numerosas que necesiten adquirir una vivienda más amplia por haber incrementado su número de miembros.

— Personas mayores de 65 años.

— Personas con discapacidad.

— Personas víctimas de violencia de género o del terrorismo.

Esta limitación no será de aplicación en los supuestos de adjudicación de viviendas en régimen de alquiler promovido por promotores públicos siempre que la vivienda de la que son propietarios se oferte a la Red de Mediación para el Alquiler Social a:

— Personas de más de 65 años.

— Personas con movilidad reducida que no puedan adaptar su vivienda.

Características de la ayuda:

1. Los adquirentes de estas viviendas pueden escoger entre dos tipos de préstamos:

PRÉSTAMO CONVENIDO: Formalizado de acuerdo con el convenio firmado entre las entidades de crédito y el Ministerio de Vivienda.

PRÉSTAMO PREFERENCIAL: Formalizado de acuerdo con el convenio firmado entre las entidades de crédito y la Generalitat de Cataluña el día 9 de julio de 2008.

Esta ayuda se reconocerá mediante resolución y visado del contrato de compraventa o adjudicación o de la escritura de obra nueva en el supuesto de autopromoción.

2. Condiciones de estos préstamos:

PRÉSTAMO CONVENIDO:

Amortización: 25 años o más con cuotas constantes.

Garantía: Hipoteca.

Cuantía Máxima: 80% del precio de adquisición (vivienda + garaje + trastero vinculados).

Tipo de interés para el año 2009: Puede ser fijo o variable.

Interés fijo: Pendiente de publicación.

Interés variable: Euribor a 12 meses publicado por el Banco de España en el *BOE* el mes anterior al de la fecha de formalización del préstamo más un diferencial de entre 25 y 125 puntos básicos.

Este tipo de interés se revisará cada 12 meses teniendo como referencia el Euribor a 12 meses publicado por el Banco de España el mes anterior a la fecha de formalización.

Cuotas: Interés fijo: Constantes durante toda la vida del préstamo.

Interés variable: Constantes durante toda la vida del préstamo, dentro de cada uno de los períodos de amortización a los cuales les corresponde un mismo tipo de interés.

Comisiones: Exentas.

PRÉSTAMO PREFERENCIAL:

Amortización: mínimo 30 años. En el caso de jóvenes menores de 35 años, la duración se podrá alargar a 40 años.

Garantía: Hipoteca.

Cuantía máxima: 80% del precio de adquisición (vivienda + garaje + trastero vinculados).

Tipo de interés nominal máximo fijo: Será el vigente en el momento de formalización del préstamo. Este tipo de interés se revisará el primer día hábil de cada trimestre y se podrá consultar en la web gencat.cat/habitatge.

Cuotas: Crecientes al 1%. El prestatario podrá optar por sustituir la cuota creciente por una cuota fija.

Los adquirentes de estas viviendas podrán solicitar un segundo préstamo por un importe máximo de un 20% del precio de adquisición. Las condiciones de este préstamo son:

PRÉSTAMO COMPLEMENTARIO PARA LA FINANCIACIÓN DE LA ENTRADA:

Amortización: Entre 10 y 20 años.

Garantía: 2.ª hipoteca.

Cuantía máxima: 20% del precio de adquisición (vivienda + garaje + trastero vinculados).

Tipo de interés y revisión anual: Euribor + 1,25% vigente en la fecha de la formalización.

Comisión de apertura: 1%.

B) COMPRA DE VIVIENDA EXISTENTE CONCERTADA:

Características:

Se consideran viviendas existentes concertadas:

a) Viviendas nuevas construidas o en construcción, sobre suelo que según el planeamiento urbanístico se destinan a uso residencial pero sin calificación específica que implique su destinación obligatoria a vivienda de protección oficial.

b) Viviendas usadas no calificadas en ninguna tipología de protección.

La obtención de la ayuda implica, durante el período de 15 años siguientes al reconocimiento del derecho a la ayuda:

— Respetar en las posteriores transmisiones los precios máximos de venta aplicables a la vivienda concertada de protección oficial.

— La vivienda se deberá destinar a domicilio habitual y permanente, y en ningún caso se podrá destinar a segunda residencia o a otro uso.

— Sólo podrá ser ocupada por personas físicas.

— Se deberá ocupar, salvo causa justificada, en el plazo de 3 meses desde la entrega.

Estas obligaciones deberán hacerse constar expresamente en la Escritura de Compraventa y en la Escritura de formalización del Préstamo Hipotecario a efectos de la inscripción en el Registro de la Propiedad, donde se deberán hacer constar mediante una nota marginal.

Requisitos de acceso a las ayudas:

1. Los ingresos familiares ponderados tienen que ser inferiores a 6,2 veces el IRSC (Indicador de Renta de Suficiencia de Cataluña).

2. El precio de adquisición por m² útil de vivienda, dependiendo de la zona donde se encuentran ubicadas las viviendas, no puede superar los siguientes límites:

Zona A1: **4.000 euros**

Zona A2: **3.500 euros**

Zona A3: **3.200 euros**

Zona B: **2.600 euros**

Zona C: **2.100 euros**

Zona D: **1.600 euros**

En cualquier caso el precio máximo por vivienda será el resultado de multiplicar el precio máximo por m² por la superficie útil de la vivienda y en ningún caso podrá superar los valores siguientes:

Zona A1: **300.000 euros**

Zona A2: **280.000 euros**

Zona A3: **250.000 euros**

Zona B: **200.000 euros**

Zona C: **160.000 euros**

Zona D: **120.000 euros**

El precio máximo por m² de garajes y trasteros vinculados o vendidos en el mismo acto dentro del mismo edificio no puede superar incluida la parte de elementos comunes:

Zona A1, A2, A3 y B: El 42% del precio máximo por m² útil de venta de la vivienda.

Zona C y D: El 50% del precio máximo por m² útil de venta de la vivienda.

La superficie máxima de la vivienda concertada es de 80 m² útiles.

La superficie máxima computable para determinar el precio de venta no puede superar los 25 m², incluida la parte de elementos comunes el garaje y los 8 m² el trastero.

Características de la ayuda:

PRÉSTAMO PREFERENCIAL: formalizado de acuerdo con el convenio firmado entre las entidades de crédito y la Generalitat de Cataluña el día 9 de julio de 2008.

Condiciones de estos préstamos:

PRIMERA HIPOTECA: Por una cuantía del 80% del precio de la vivienda y los anexos vinculados o vendidos en el mismo acto.

Excepcionalmente esta cuantía podrá ampliarse a un porcentaje superior en los casos que establezca cada entidad financiera según su criterio.

Amortización: mínimo 30 años. En el caso de jóvenes menores de 35 años, la duración se podrá alargar a 40 años.

Cuotas: Crecientes al 1%. El prestatario podrá optar por sustituir la cuota creciente por una cuota fija.

Comisiones: Exento.

Interés nominal fijo: Será el vigente en el momento de formalización del préstamo y se puede consultar en la web gencat.cat/habitatge. Este tipo de interés se revisará el primer día hábil de cada trimestre.

UNA SEGUNDA HIPOTECA: Por un importe de hasta el 20% del precio de la vivienda y los anexos vinculados o vendidos en el mismo acto, con la finalidad de ayudar en el pago de la entrada.

Amortización: Entre 10 y 20 años.

Comisión de apertura: 1%.

Interés con revisión anual: Euribor a un año más un 1,25%.

En cualquier caso el global de los préstamos concedidos no puede ser superior al 100% del precio de la vivienda y de los anejos.

SUBVENCIÓN A FONDO PERDIDO: Una subvención a fondo perdido del 2% del precio de la vivienda para hacer frente a los gastos que general la formalización de la compraventa.

Requisitos de acceso ayuda:

1. Los adquirentes tienen que tener unos ingresos familiares ponderados inferiores a 4,3 veces el IRSC (Indicador de Renta de Suficiencia de Cataluña).

2. Los adquirentes tienen que cumplir las condiciones de 1.er acceso a la propiedad: que no tengan ni hayan tenido con anterioridad ninguna vivienda en propiedad o que siendo titulares de una no tengan un derecho real de uso y disfrute sobre ella o que el valor de la misma de acuerdo con la normativa del ITP no supere el 25% del precio máximo de la vivienda que adquieren.

3. La vivienda adquirida tiene que estar construida o la licencia de construcción tiene que haber sido solicitada antes del 1 de agosto de 2008.

La cuantía de esta subvención, en el caso de viviendas nuevas, la puede recibir el promotor, si así lo autoriza expresamente el beneficiario, siempre que se cumplan las siguientes condiciones:

— Que se haya descontado una cuantía equivalente en el pago de la vivienda.

— Que haya avanzado los gastos de formalización de la compraventa.

VIVIENDAS EXISTENTES CONCERTADAS DE ALQUILER CON OPCIÓN A COMPRA:

Se pueden declarar viviendas existentes concertadas de alquiler con opción de compra con las condiciones siguientes:

— La renta inicial máxima de la vivienda tiene que ser el 5,5% del precio máximo de venta de una vivienda de protección oficial de precio concertado calificada como tal en la misma ubicación y el mismo día que se vise el contrato de compraventa.

— En este supuesto el promotor deberá descontar, sin actualizaciones, del precio de venta el 30% de las rentas cobradas al arrendatario durante el período del alquiler.

— El precio máximo de venta de estas viviendas es de 1,18 veces el precio máximo tomado como referencia para el cálculo de la renta máxima.

— Los adquirentes podrán acceder a las ayudas a la adquisición de las viviendas existentes concertadas.

C) ALQUILER

1. VIVIENDA DE ALQUILER DE RÉGIMEN ESPECIAL A 25 AÑOS

Características:

• La vinculación al régimen de alquiler es durante 30 años.

• La renta anual máxima inicial de las viviendas con protección oficial de régimen especial destinadas al arrendamiento durante 25 años equivale a un porcentaje del 2,5% del precio máximo de referencia que resulte del cálculo siguiente:

Zona A: Módulo Básico Estatal * 1,60 * 1,60 - **4,04 euros m² útil de vivienda y 2,43 euros m² útil de garaje y trastero.**

Zona B: Módulo Básico Estatal * 1,60 * 1,30 - **3,28 euros m² útil de vivienda y 1,97 euros m² útil de garaje y trastero**.

Zona C: Módulo Básico Estatal * 1,60 * 1,15 - **2,91 euros m² útil de vivienda y 1,74 euros m² útil de garaje y trastero**.

Zona D: Módulo Básico Estatal * 1,60 * 1 - **2,53 euros m² útil de vivienda y 1,52 euros m² de garaje y trastero**.

— El régimen de protección será:

— Viviendas construidas en suelo de titularidad pública y suelo destinado a protección oficial: durante todo el tiempo que se mantenga la calificación del suelo para este destino y en ningún caso podrá ser inferior a 30 años.

— Viviendas construidas sobre suelo libre pero con ayudas públicas a la promoción: 90 años.

— Viviendas construidas sobre suelo libre y sin ayudas a la promoción 30 años.

Requisitos de acceso:

1. Ingresos familiares no superiores a 2,5 veces el IPREM.

2. No ser titular del pleno dominio o de un derecho real de uso y disfrute sobre alguna otra vivienda.

3. Estar inscrito en un registro público de demandantes de vivienda.

4. La actuación debe haber sido calificada como protegida por la CA.

5. La vivienda debe destinarse como residencia habitual del adjudicatario y ocuparse dentro de los plazos establecidos.

2. VIVIENDA DE ALQUILER DE RÉGIMEN GENERAL A 25 AÑOS

Características:

• La vinculación al régimen de alquiler es durante 25 años.

• La renta anual máxima inicial de las viviendas con protección oficial destinadas al arrendamiento durante 25 años equivale a un porcentaje del 3,5% del precio máximo de referencia que resulte del cálculo siguiente:

Zona A: Módulo Básico Estatal * 1,60 * 1,60 - **5,66 euros m² útil de vivienda y 3,40 euros m² útil de garaje y trastero**.

Zona B: Módulo Básico Estatal * 1,60 * 1,30 - **4,60 euros m² útil de vivienda y 2,76 euros m² útil de garaje y trastero**.

Zona C: Módulo Básico Estatal * 1,60 * 1,15 - **4,07 euros m² útil de vivienda y 2,44 euros m² útil de garaje y trastero**.

Zona D: Módulo Básico Estatal * 1,60 * 1 - **3,54 euros m² útil de vivienda y 2,12 euros m² de garaje y trastero**.

— El régimen de protección será:

—Viviendas construidas en suelo de titularidad pública y suelo destinado a protección oficial: durante todo el tiempo que se mantenga la calificación del suelo para este destino y en ningún caso podrá ser inferior a 30 años.

— Viviendas construidas sobre suelo libre pero con ayudas públicas a la promoción: 90 años.

— Viviendas construidas sobre suelo libre y sin ayudas a la promoción 30 años.

Requisitos de acceso:

1. Ingresos familiares no superiores a 4,5 veces el IPREM.

2. No ser titular del pleno dominio o de un derecho real de uso y disfrute sobre ninguna otra vivienda.

3. Estar inscrito en un registro público de demandantes de vivienda.

4. La actuación debe haber sido calificada como protegida por la CA.

5. La vivienda debe destinarse como residencia habitual del adjudicatario y ocuparse dentro de los plazos establecidos.

3. VIVIENDA DE ALQUILER DE RÉGIMEN GENERAL A 10 AÑOS

Características:

• La duración mínima del alquiler de las viviendas será de 10.

• La renta anual máxima inicial de las viviendas con protección oficial destinadas al arrendamiento durante 10 años equivale a un porcentaje del 5,5% del precio máximo de referencia que resulte del cálculo siguiente:

Zona A: Módulo Básico Estatal * 1,60 * 1,60 - **8,89 euros m² útil de vivienda y 5,34 euros m² útil de garaje y trastero**.

Zona B: Módulo Básico Estatal * 1,60 * 1,30 - **7,23 euros m² útil de vivienda y 4,34 euros m² útil de garaje y trastero**.

Zona C: Módulo Básico Estatal * 1,60 * 1,15 - **6,39 euros m² útil de vivienda y 3,84 euros m² útil de garaje y trastero**.

Zona D: Módulo Básico Estatal * 1,60 * 1 - **5,56 euros m² útil de vivienda y 3,34 euros m² de garaje y trastero**.

— El régimen de protección será:

— Viviendas construidas en suelo de titularidad pública y suelo destinado a protección oficial: durante todo el tiempo que se mantenga la calificación del suelo para este destino y en ningún caso podrá ser inferior a 30 años.

— Viviendas construidas sobre suelo libre pero con ayudas públicas a la promoción: 90 años.

— Viviendas construidas sobre suelo libre y sin ayudas a la promoción 30 años.

Requisitos de acceso:

1. Ingresos familiares no superiores a 4,5 veces el IPREM.

2. No ser titular del pleno dominio o de un derecho real de uso y disfrute sobre alguna otra vivienda.

3. Estar inscrito en un registro público de demandantes de vivienda.

4. La actuación debe haber sido calificada como protegida por la CA.

5. La vivienda debe destinarse como residencia habitual del adjudicatario y ocuparse dentro de los plazos establecidos.

4. VIVIENDA DE ALQUILER CON OPCIÓN DE COMPRA DE RÉGIMEN GENERAL A 10 AÑOS

— La renta máxima inicial es la misma que en las viviendas de alquiler de renta básica a 10 años:

Zona A: Módulo Básico Estatal * 1,60 * 1,60 - **8,89 euros m² útil de vivienda y 5,34 euros m² útil de garaje y trastero**.

Zona B: Módulo Básico Estatal * 1,60 * 1,30 - **7,23 euros m² útil de vivienda y 4,34 euros m² útil de garaje y trastero**.

Zona C: Módulo Básico Estatal * 1,60 * 1,15 - **6,39 euros m² útil de vivienda y 3,84 euros m² útil de garaje y trastero**.

Zona D: Módulo Básico Estatal * 1,60 * 1 - **5,56 euros m² útil de vivienda y 3,34 euros m² de garaje y trastero**.

— Las personas arrendatarias pueden ejercer la opción de compra de la vivienda arrendada una vez transcurridos 10 años desde la fecha de la calificación definitiva y siempre que lo hayan ocupado ininterrumpidamente como mínimo 5 años.

— El precio máximo de venta de estas viviendas es el que resulte de aplicar un coeficiente de:

Zona A1 - **1,7**

Zona A2 y A3 - **1,6**

Zona B, C y D - **1,5**

— Este porcentaje se aplicará sobre el precio máximo de venta de las viviendas con protección oficial de régimen general en el momento de la calificación provisional, incrementado con el IPC del período transcurrido. El promotor tendrá que descontar del precio de venta el 60% de las rentas cobradas del arrendatario durante el período de alquiler.

— Las personas adquirentes con ingresos inferiores a 3,5 veces el IPREM, y que reúnan las condiciones de primer acceso a la vivienda, pueden acceder a las mismas ayudas que el adquirente de una vivienda con protección oficial de régimen general.

AYUDAS AL ALQUILER PARA EL INQUILINO:

1. AYUDAS AL ALQUILER PARA PERSONAS MAYORES DE 65 AÑOS TITULARES DE CONTRATOS DE ALQUILER CON PRÓRROGA FORZOSA (COLECTIVO A):

Características:

La ayuda la pueden solicitar los arrendatarios mayores de 65 años titulares de un alquiler de prórroga forzosa (alquileres anteriores al 9 de mayo de 1985) siempre que:

— La renta del alquiler que paguen sea como mínimo de 60 euros/mes.

— La unidad de convivencia tenga unos ingresos anuales ponderados no superiores a 2,5 veces el IPREM.

— En ningún caso se concederán ayudas al alquiler cuando el contrato se haya firmado entre personas que tengan relación de parentesco hasta el segundo grado de consanguinidad o afinidad (padres, hijos y nietos).

Características de la ayuda:

La cuantía de la ayuda es la diferencia entre el alquiler de equilibrio (alquiler máximo a cobrar por el propietario) y el alquiler justo (alquiler máximo que debería pagar el arrendatario y que no debería exceder del 20% de los ingresos en unidades de convivencia con ingresos inferiores a 1 vez el IPREM o el 30% en unidades de convivencia con ingresos entre 1 y 2,5 veces el IPREM).

No puede superar en ningún caso un máximo de 2.880 euros anuales (240 euros mensuales) y un mínimo de 20 euros mensuales cuando el resultado de los cálculos efectuados sea inferior a esta cuantía.

2. AYUDAS AL ALQUILER PARA PERSONAS ARRENDATARIAS DE VIVIENDAS ADMINISTRADAS POR OPERADORES DEL PARQUE PÚBLICO (COLECTIVO B):

Características:

La ayuda la pueden solicitar los arrendatarios que:

— Sean titulares de un contrato de alquiler de una vivienda administrada por ADIGSA (Administración, Promoción y Gestión, S.A.), por administraciones o empresas públicas de ámbito local o por entidades sin ánimo de lucro.

— La unidad de convivencia tiene que tener unos ingresos brutos anuales ponderados no superiores a 2,5 veces el IPREM.

— En ningún caso se concederán ayudas al alquiler cuando el contrato se haya firmado entre personas que tengan relación de parentesco hasta el segundo grado de consanguinidad o afinidad (padres, hijos y nietos).

Características de la ayuda:

La cuantía de la ayuda es la diferencia entre el alquiler de equilibrio (alquiler máximo a cobrar por el propietario) y el alquiler justo (alquiler máximo que debería pagar el arrendatario y que no debería exceder del 20% de los ingresos en unidades de convivencia con ingresos inferiores a 1 vez el IPREM o el 30% en unidades de convivencia con ingresos entre 1 y 2,5 veces el IPREM).

No puede superar en ningún caso un máximo de 2.880 euros anuales (240 euros mensuales) y un mínimo de 20 euros mensuales cuando el resultado de los cálculos efectuados sea inferior a esta cuantía.

3. AYUDAS AL ALQUILER PARA PERSONAS QUE SE ENCUENTREN EN CONDICIONES ESPECIALES (COLECTIVO C):

Características:

La ayuda la pueden solicitar los arrendatarios que:

— Sean titulares de un contrato de alquiler obtenido o supervisado a través de las bolsas de vivienda integradas en la Red de Mediación para el Alquiler Social de la Generalitat de Catalunya que se encuentren en situaciones especiales, en situación de riesgo de exclusión social por motivos residenciales.

— La unidad de convivencia tiene que tener unos ingresos brutos anuales ponderados no superiores a 2,5 veces el IPREM.

— En ningún caso se concederán ayudas al alquiler cuando el contrato se haya firmado entre personas que tengan relación de parentesco hasta el segundo grado de consanguinidad o afinidad (padres, hijos y nietos).

Características de la ayuda:

La cuantía de la ayuda es la diferencia entre el alquiler de equilibrio (alquiler máximo a cobrar por el propietario) y el alquiler justo (alquiler máximo que debería pagar el arrendatario y que no debería exceder del 20% de los ingresos en unidades de convivencia con ingresos inferiores a 1 vez el IPREM o el 30% en unidades de convivencia con ingresos entre 1 y 2,5 veces el IPREM).

No puede superar en ningún caso un máximo de 2.880 euros anuales (240 euros mensuales) y un mínimo de 20 euros mensuales cuando el resultado de los cálculos efectuados sea inferior a esta cuantía.

4. AYUDAS AL ALQUILER PARA JÓVENES DE HASTA 35 AÑOS DE EDAD INCLUIDOS (COLECTIVO D):

Características:

Esta ayuda es incompatible con la Renta Básica de Emancipación (para jóvenes entre 22 y 30 años).

La ayuda la pueden solicitar los jóvenes arrendatarios de hasta 35 años de edad incluidos que:

— Sean titulares de un contrato de alquiler obtenido o supervisado a través de las bolsas de vivienda joven que tengan convenios con la Secretaría General de la Juventud, la Red de Mediación para el Alquiler Social de la Generalitat de Catalunya (bolsas de vivienda) o con entidades colaboradoras que firmen convenios de colaboración con el Departamento de Medio Ambiente y Vivienda con esta finalidad.

— La unidad de convivencia tiene que tener unos ingresos brutos anuales ponderados no superiores a 2,5 veces el IPREM.

— Tengan unos ingresos mínimos anuales de 5.500 euros.

— La renta que paguen tiene que ser como mínimo de 90 euros al mes.

— En ningún caso se concederán ayudas al alquiler cuando el contrato se haya firmado entre personas que tengan relación de parentesco hasta el segundo grado de consanguinidad o afinidad (padres, hijos y nietos).

Características de la ayuda:

La cuantía de la ayuda es la diferencia entre el alquiler de equilibrio (alquiler máximo a cobrar por el propietario) y el alquiler justo (alquiler máximo que debería pagar el arrendatario y que no debería exceder del 20% de los ingresos en unidades de convivencia con ingresos inferiores a 1 vez el IPREM o el 30% en unidades de convivencia con ingresos entre 1 y 2,5 veces el IPREM).

No puede superar en ningún caso un máximo de 2.880 euros anuales (240 euros mensuales) y un mínimo de 20 euros mensuales cuando el resultado de los cálculos efectuados sea inferior a esta cuantía.

D) PROMOTORES:

1. PROMOCIONES DE VIVIENDAS PROTEGIDAS EN ALQUILER

Características de la ayuda

PRÉSTAMO CONVENIDO:

Amortización: 25 años o más con cuotas constantes.

Garantía: Hipoteca.

Cuantía Máxima: 80% del precio de adquisición (vivienda + garaje + trastero vinculados).

Tipo de interés para el año 2009: Puede ser fijo o variable.

Interés fijo: Pendiente de publicación.

Interés variable: Euribor a 12 meses publicado por el Banco de España en el *BOE* el mes anterior al de la fecha de formalización del préstamo más un diferencial de entre 25 y 125 puntos básicos.

Este tipo de interés se revisará cada 12 meses teniendo como referencia el Euribor a 12 meses publicado por el Banco de España el mes anterior a la fecha de formalización.

Cuotas: Interés fijo: Constantes durante toda la vida del préstamo.

Interés variable: Constantes durante toda la vida del préstamo, dentro de cada uno de los períodos de amortización a los cuales les corresponde un mismo tipo de interés.

Comisiones: Exentas.

SUBSIDIOS a los préstamos. Cantidad anual por cada 10.000 euros de préstamo durante 25 años:

— 350 euros para Viviendas de Régimen Especial a 25 años: Plazo máximo de amortización del préstamo y duración de la subsidiación de 25 años.

— 250 euros para Viviendas de Régimen General a 25 años: Plazo máximo de amortización del préstamo y duración de la subsidiación de 25 años.

— 250 euros para Viviendas de Régimen General a 10 años: Plazo máximo de amortización del préstamo y duración de la subsidiación de 10 años, en este caso durante el período de carencia el subsidio aplicable tiene que ser lo mismo que el correspondiente a los 5 primeros años del período de amortización.

SUBVENCIÓN por cada m² útil de la vivienda calificada. La superficie máxima computable a los efectos del cálculo de la subvención es de 70 m², con independencia de que la superficie real de la vivienda sea superior:

VIVIENDAS DE RÉGIMEN ESPECIAL A 25 AÑOS:

Zona A: **410 euros**

Zona B: **380 euros**

Zona C: **365 euros**

Zona D: **350 euros**

VIVIENDAS DE RÉGIMEN GENERAL A 25 AÑOS:

Zona A: **310 euros**

Zona B: **280 euros**

Zona C: **265 euros**

Zona D: **250 euros**

VIVIENDAS DE RÉGIMEN GENERAL A 10 AÑOS:

Zona A: **260 euros**

Zona B: **230 euros**

Zona C: **215 euros**

Zona D: **200 euros**

Requisitos de acceso ayuda:

Haber obtenido el préstamo cualificado.

2. PROMOCIONES DE ALOJAMIENTOS PROTEGIDOS PARA COLECTIVOS ESPECIALMENTE VULNERABLES

Características:

• Son construcciones de uso residencial colectivo o de uso de alojamiento comunitario temporal para alojar a colectivos con necesidades especiales de alojamiento de carácter transitorio y necesidades de servicios o tutela.

— Tienen que tener unas superficies útiles mínimas de 15 m² para las unidades de alojamiento destinadas a un solo ocupante, de 25 m² cuando se destinen a dos ocupantes, sin perjuicio de que a los efectos de la financiación protegida o de subvenciones al promotor la Administración pueda establecer parámetros de superficie de cómputo diferentes. En cualquier caso, para acogerse a las ayudas para la promoción de alquiler de renta básica a 25 años y/o a eventuales ayudas de la Generalitat, las unidades de alojamiento no podrán superar en ningún caso los 40 m² de superficie útil.

— Se tienen que ajustar a las Rentas máximas según zonas para el alquiler de Renta Especial a 25 años. El arrendador puede percibir además de la renta inicial o revisada que corresponda, el coste real de los servicios de que disfrute el arrendatario y sean satisfechos por el arrendador.

— Tiene que ser promovido siempre por convenio como mínimo entre las promotoras o gestoras, el Departamento de Medio Ambiente y Vivienda de la Generalitat de Cataluña, y el ayuntamiento correspondiente. En el convenio se determinarán las condiciones de acceso, y los criterios, sistema y control de los alojamientos.

— Los contratos que habiliten la ocupación de los alojamientos colectivos protegidos pueden ser de carácter temporal.

Características de la ayuda:

PRÉSTAMO CONVENIDO:

Amortización: 25 años o más con cuotas constantes.

Garantía: Hipoteca.

Cuantía Máxima: 80% del precio de adquisición (vivienda + garaje + trastero vinculados).

Tipo de interés para el año 2009: Puede ser fijo o variable.

Interés fijo: Pendiente de publicación.

Interés variable: Euribor a 12 meses publicado por el Banco de España en el *BOE* el mes anterior al de la fecha de formalización del préstamo más un diferencial de entre 25 y 125 puntos básicos.

Este tipo de interés se revisará cada 12 meses teniendo como referencia el Euribor a 12 meses publicado por el Banco de España el mes anterior a la fecha de formalización.

Cuotas: Interés fijo: Constantes durante toda la vida del préstamo.

Interés variable: Constantes durante toda la vida del préstamo, dentro de cada uno de los períodos de amortización a los cuales les corresponde un mismo tipo de interés.

Comisiones: Exentas.

El período de carencia en el pago de intereses finalizará en la fecha de la calificación definitiva, con un límite de 4 años (10 años con el consentimiento de la CA).

SUBSIDIOS a los préstamos. Cantidad anual por cada 10.000 euros de préstamo durante 25 años:

— **350 euros**: Plazo máximo de amortización del préstamo y duración de la subsidiación de 25 años.

SUBVENCIÓN por cada m² útil de la vivienda calificada.

ALOJAMIENTOS PROTEGIDOS PARA COLECTIVOS ESPECIALMENTE VULNERABLES:

500 euros/m² útil.

9. **Programa de Vivienda Protegida de Ceuta**

**Reglamento 1/2006, de 21 de septiembre,
Regulador de las Actuaciones Protegidas en Materia de Vivienda
y Suelo en la Ciudad de Ceuta**

CONCEPTOS BÁSICOS

I. ACTUACIONES PROTEGIDAS

1. CLASES DE VIVIENDAS PROTEGIDAS DE NUEVA CONSTRUC-CIÓN

2. VIVIENDAS USADAS EN PROPIEDAD

3. EL ARRENDAMIENTO

4. REHABILITACIÓN

II. SUPERFICIES MÁXIMAS Y MÍNIMAS DE LAS VIVIENDAS

Superficie útil de viviendas: Será la resultante de medir directamente, según lo establecido en el art. 4 del Real Decreto 3.148/1978, de 10 de noviembre, excluyéndose del cómputo de la superficie las terrazas o balcones, con una anchura menor o igual a un metro.

Superficie útil de garajes: Será la resultante de multiplicar por 0,80 la superficie construida destinada a garajes o la del suelo de los mismos, cerrada por el perímetro definido por la cara interior de sus cerramientos.

La superficie útil o construida en garajes, incluirá la que corresponda a aceras, pasillos de maniobras, rampas de acceso y elementos de uso exclusivo de los garajes, pero no la destinada a otros usos (almacenillos, vestíbulo de ascensores y cajas de escaleras, etc.).

Superficie útil de trasteros: Será la mayor de entre la del suelo del trastero, cerrada por el perímetro definido por la cara interior de sus cerramientos, o la resultante de multiplicar por 0,80 la superficie construida destinada a trasteros.

Para determinar la superficie útil de la vivienda, sólo a efectos de obtener las ayudas a los inquilinos, o adquirentes de vivienda usada, se tendrá en cuenta la que figure en la escritura o nota simple informativa, en el caso de que sólo figure la superficie construida, se computará el 80% de ésta, salvo que se acredite por técnico competente la superficie útil según los criterios establecidos en los párrafos anteriores

III. PRECIOS MÁXIMOS DE LAS VIVIENDAS PROTEGIDAS

a) Viviendas de Protección Oficial de Promoción Pública al amparo de RD 3148/1078 de 10 de noviembre:

El precio máximo de venta será el resultante de multiplicar el Precio Básico nacional vigente en el momento de la Calificación Definitiva, por la superficie útil y por 1,125.

b) Viviendas de Protección Oficial de Promoción Privada al amparo de RD 3148/1078 de 10 de noviembre:

El precio máximo de venta para las viviendas de Protección Oficial de Promoción Privada, será el resultado de multiplicar la superficie útil de la vivienda que se enajena, por el Precio Básico nacional vigente, en el momento de la compraventa, multiplicado por 1,4.

c) Viviendas acogidas a otros regímenes de Protección Pública, al amparo de los Reales Decretos 1186/1998, de 12 de junio, y 1/2002, de 11 de enero:

El precio máximo de venta o adjudicación para las viviendas sujetas a otros regímenes de Protección Pública, será el resultante de multiplicar la superficie útil de la vivienda en venta, por el Precio Básico nacional vigente en el momento de la Calificación de Actuación Protegida, o de su transmisión, multiplicado por 1,56, y por 1,10.

Los anejos inseparables vinculados a las viviendas que se enajenan, tendrán el mismo criterio de cálculo para el precio de venta pero con una reducción del 40%, y con un máximo computable de 25 m² para los garajes y de 8 m² para los trasteros.

IV. EL MÓDULO BÁSICO ESTATAL (MBE)

El Módulo Básico Estatal (MBE) es la cuantía en euros por metro cuadrado de superficie útil, que sirve como referencia para la determinación de los precios máximos de venta, adjudicación y renta de las viviendas objeto de las ayudas previstas en el Real Decreto, así como de los presupuestos protegidos máximos de las actuaciones de rehabilitación de viviendas y edificios, y en áreas de rehabilitación integral y renovación urbana.

El MBE será establecido por acuerdo del Consejo de Ministros en el mes de diciembre de cada año y será publicado en el Boletín Oficial del Estado:

Para el año 2009 se fija en 758 euros.

V. ÁMBITOS TERRITORIALES DE PRECIO MÁXIMO SUPERIOR (ATPMS)

La declaración de nuevos ámbitos territoriales de precio máximo superior, o de modificación de los existentes, se realizará mediante Orden del Ministerio de Vivienda, a propuesta de la Comunidad y previa solicitud, por parte de dicha Comunidad y Ciudades, de informe no vinculante a los ayuntamientos afectados, informe que tendrá en cuenta la capacidad económica de los demandantes de vivienda en sus municipios y su esfuerzo económico para acceder a la vivienda.

Declaración de ámbitos territoriales de precio máximo superior del grupo B: Ciudad de Ceuta.

VI. INGRESOS FAMILIARES Y UNIDAD FAMILIAR

Los ingresos determinantes del derecho a la obtención de las diferentes ayudas contempladas en el Plan de Vivienda vigente, se computarán teniendo en cuenta los coeficientes ponderadores siguientes:

Coeficiente 1, será el resultado del cociente entre el precio básico nacional vigente en el momento de la aplicación, y el precio máximo de venta para las vivienda en régimen especial, establecido en RD 2066/2008. El precio máximo de referencia por metro cuadrado útil será 1,50 veces el Módulo Básico Estatal (MBE) = 758 euros para 2009, sin tener en cuenta el incremento del mismo por estar incluida en el ámbito territorial de precio máximo superior.

Coeficiente 2, este coeficiente irá en función del número de miembros de la unidad familiar, tal y como resulta definida por las normas reguladoras del impuesto sobre la Renta de las Personas Físicas, atendiendo a lo siguiente:

Familias de uno o dos miembros: 1,000.

Familias de tres miembros: 0,967.

Familias de cuatro miembros: 0,934.

Familias de cinco miembros: 0,901.

Familias de seis o más miembros: 0,868.

En los siguientes supuestos se aplicará el tramo siguiente por cada supuesto con un máximo de dos:

Que exista en la unidad familiar algún miembro con minusvalía.

Que haya más de un perceptor.

Que los solicitantes que aporten la totalidad o mayor parte de los ingresos tengan edades no superiores a 35 años o superiores a 65 años.

VII. TIPOLOGÍAS Y CARACTERÍSTICAS DE LOS DIFERENTES TIPOS DE VIVIENDAS

1. CLASES DE VIVIENDAS PROTEGIDAS DE NUEVA CONSTRUCCIÓN

A) VIVIENDAS PROTEGIDAS DE PROMOCIÓN DIRECTA (VPPD)

VIVIENDAS PROTEGIDAS DE PROMOCIÓN PRIVADA (VPPP)

• Las Viviendas Protegidas de Promoción Directa son aquellas Viviendas de Protección Pública promovidas o adquiridas directamente por la Ciudad Autónoma de Ceuta, o bien a través de una empresa pública.

• Las Viviendas Protegidas de Promoción Privada son aquellas Viviendas de Protección Pública cuya promoción para su venta o arrendamiento haya sido impulsada por la Administración de la Ciudad Autónoma mediante la cesión o enajenación de suelo propiedad de esta Administración o de sus empresas públicas a favor del promotor de las viviendas, la concesión a éste de los incentivos que se establezcan en las bases de la correspondiente convocatoria pública o convenio, en su caso, y sean calificadas como tales por la Ciudad Autónoma.

• Pueden ser solicitantes:

a) Los cónyuges unidos por matrimonio válidamente celebrado y no disuelto legalmente, ni separado judicialmente, así como las uniones de hecho reconocidas que acrediten debidamente su condición.

b) Los matrimonios/uniones recientes y futuros matrimonios/uniones, en los términos que se establecen en la presente norma.

c) Las unidades monoparentales, entendidas por tales las formadas por separados en virtud de sentencia judicial, divorciados, viudos, o solteros con hijos a su cargo.

d) Personas físicas individualmente consideradas.

Se integrarán como personas computables, en su caso:

a) Los hijos menores sobre los que se mantenga la patria potestad, o la guarda y custodia, en su caso.

b) Los hijos con edades comprendidas entre 18 y 35 años, ambos inclusive, los hijos mayores de 35 años con minusvalía igual o superior al 33 por ciento, acreditada mediante certificado oficial o por el justificante de percibir una pensión por incapacidad permanente, los ascendientes y los hermanos menores de edad, no emancipados, que carezcan de ascendientes, siempre que simultáneamente no cuenten con ningún tipo de alojamiento independiente, acrediten un tiempo mínimo de convivencia de un año en el período inmediatamente anterior a la fecha de finalización del plazo de presentación de la solicitud y sus ingresos ponderados no superen el IPREM vigente según la última declaración IRPF.

• Podrán solicitar vivienda, las agrupaciones familiares que vinieran conviviendo como uniones de hecho debidamente reconocidas por el Registro de Uniones de Hecho de la Ciudad con al menos un año ininterrumpido anterior a la fecha de finalización del plazo de presentación de solicitudes.

Requisitos generales:

1. Podrán tener acceso a las viviendas señaladas, los solicitantes que reúnan los siguientes requisitos:

a) Acreditar unos ingresos determinados, dependiendo del tipo de vivienda, corregidos en función del número de miembros de la unidad familiar, o del número de personas integradas de acuerdo con los siguientes coeficientes:

Núm. miembros	COEFICIENTE CORRECTOR
1 o 2	0,80
3	0,78
4	0,74
5	0,70
6 o más	0,66

Cuando alguna de las personas relacionadas en solicitud esté afectada con minusvalía, en las condiciones establecidas en la normativa del Impuesto sobre la Renta de las Personas Físicas, el coeficiente corrector aplicable será el del tramo siguiente al que hubiera correspondido.

b) Acreditar necesidad de vivienda: Se entenderá que existe necesidad de vivienda, la cual deberá acreditarse documentalmente o, cuando concurra alguna de las siguientes situaciones:

1. Carecer de vivienda a título de propietario, inquilino o usufructuario, por encontrarse el solicitante en establecimientos de beneficencia o asistencia social, o en viviendas cedidas en precario.

2. Carecer de vivienda y estar alojado en convivencia con otros familiares, en el caso de matrimonios o uniones recientes.

3. Pérdida de vivienda por incendio o declaración de ruina.

4. Habitar una vivienda con deficientes condiciones de habitabilidad porque la situación de su estructura, cubiertas, cerramientos, escaleras y tabiques interiores, comprometan la durabilidad de la construcción o cuando las condiciones de higiene y salud no alcanzan niveles aceptables en servicios, ventilación natural, humedades en el interior de las viviendas, y siempre que el solicitante acredite residir en esta vivienda al menos los dos años anteriores a la fecha de finalización del plazo de presentación de las solicitudes.

5. Por existir sentencia firme de desahucio judicial, con oposición, no imputable al solicitante.

6. Por ocupar alojamientos provisionales como consecuencia de operaciones de realojo o cualquier obra de emergencia.

7. Por vencimiento del contrato de arrendamiento, sin posibilidad de prórroga forzosa u obligatoria, dentro de los 24 meses siguientes a la finalización del plazo de presentación de solicitudes.

8. Por habitar una vivienda en arrendamiento cuyo precio anual de alquiler sea igual o superior al 30 por ciento de los ingresos corregidos y no exceda del 50 por ciento de los mismos.

9. Por habitar una vivienda sobre la que esté pendiente un expediente expropiatorio con un justiprecio Inferior al 40 por ciento del precio máximo de venta de las Viviendas de Protección Pública de Promoción Directa de mayor valoración dentro de las que se ofrecen en la promoción.

10. Por habitar en una vivienda de superficie claramente insuficiente, entendiendo por tal la que disponga de 10 m² útiles o menos por persona y siempre que el solicitante acredite residir en dicha vivienda al menos los dos años anteriores a la fecha de finalización del plazo de presentación de las solicitudes.

11. Por ocupar una vivienda con barreras arquitectónicas para discapacitados físicos siempre que el solicitante acredite residir en dicha vivienda al menos los dos años anteriores a la fecha de finalización del plazo de presentación de solicitudes.

c) Acreditar su residencia en la Ciudad durante el plazo de tiempo que se señale para cada tipo de vivienda.

En caso de recientes o futuros matrimonios, bastará con que acredite la residencia uno de los integrantes del futuro o reciente matrimonio.

2. A los efectos de la presentación de las solicitudes de vivienda, la Consejería de Fomento o Empresa Pública, pondrán a disposición de los ciudadanos un Modelo Oficial de Solicitud (MOS) en el que se podrán incluir las circunstancias que acrediten dicha petición.

3. No podrán ser adjudicatarios de viviendas, los solicitantes que:

a) Hayan sido titulares o adjudicatarios de otra vivienda de cualquiera de los tipos señalado, y la hubieran enajenado o renunciado a ella o, habiendo sido titulares de cualquier otra vivienda, la hubieran vendido durante el plazo de un año inmediatamente anterior a la fecha de finalización del plazo de presentación de las solicitudes, salvo estar justificado a juicio de la Comisión Local de Vivienda por cambio de residencia, aumento de familia o causa similar.

b) Sean titulares de otra vivienda en propiedad cuando la cuota que les corresponda de su valor, determinado de acuerdo con la normativa del Impuesto sobre Transmisiones Patrimoniales, exceda del 40 por ciento del precio máximo de venta de la Vivienda de Protección Pública de Promoción Directa de la que vaya a ser adjudicatario.

c) Hayan sido desahuciados o expropiados por incumplimiento de la función social de la propiedad de una vivienda con Protección Pública.

d) Incurran en falsedad u ocultación en cualquier momento del proceso selectivo, o que en anteriores convocatorias hubieran sido excluidos por los mismos motivos, y durante un plazo de cinco años desde dicha exclusión.

e) Se encuentren ocupando una vivienda de las señaladas en el art. 2.º sin título suficiente para ello.

f) Dispongan de activos financieros, valores mobiliarios, bienes muebles que no sean de uso doméstico ni estén adscritos a actividades profesionales o empresariales, y bienes inmuebles distintos de vivienda, cuyo valor de conjunto supere el 40% del precio máximo de venta de la Vivienda de Protección Pública de Promoción Directa de la que vaya a ser adjudicatario.

g) Haber sido condenado en sentencia firme por falta o delito de cualquier clase contra la Empresa Pública de la Vivienda.

h) Haber sido sancionado por alguna de las causas que se recogen en la normativa sancionadora nacional o autonómica de aplicación en cuanto a las actuaciones protegidas en materia de vivienda.

4. Las viviendas se destinarán a domicilio habitual y permanente del adjudicatario o del adquirente.

5. Salvo por motivos justificados, según la normativa vigente, los propietarios no podrán transmitir las viviendas «ínter vivos», ni ceder su uso hasta transcurridos cinco años desde la fecha de formalización del contrato de compraventa en el caso de Promoción Directa, y siempre que previamente se haya hecho efectiva la totalidad de las cantidades aplazadas, o diez años desde la formalización del préstamo convenido en los demás casos.

6. Los Entes Públicos promotores, tal y como dispone el art. 54 del Real Decreto 3148/1978, de 10 de noviembre, por el que se desarrolla el Real Decreto Ley 31/ 1978, de 31 de octubre, sobre política de vivienda, podrán ejercitar en el caso previsto en el apartado anterior, los derechos de tanteo y retracto a cuyos efectos se hará constar expresamente el posible ejercicio de dichos derechos en los contratos de compraventa que se suscriban con los adjudicatarios.

7. La Ciudad Autónoma podrá regularlas las segundas y posteriores trasmisiones de viviendas protegidas mediante la creación de un Registro de Demandantes que se ajustará a lo establecido en la normativa nacional a este respecto.

8. El adquirente en segunda o posterior transmisión de las viviendas de Promoción Directa sólo podrá acceder a ella si reúne los requisitos que, en la fecha de la compraventa, sean exigidos por la normativa vigente para el acceso a este tipo de viviendas.

Los solicitantes de Viviendas Protegidas de PROMOCIÓN DIRECTA Y PROMOCIÓN PRIVADA deberán reunir, además, los siguientes *requisitos específicos:*

1. Acreditar unos ingresos corregidos acordes a los límites permitidos para la categoría de actuación protegida aplicable a la promoción correspondiente según la normativa reglamentaria en vigor.

2. Acreditar un mínimo de doce meses de residencia en Ceuta, inmediatamente anteriores a la fecha de finalización del plazo de presentación de las solicitudes.

Para acceder a la financiación cualificada contemplada por el Plan Estatal de Vivienda y Suelo, los solicitantes deben cumplir además los requisitos del Real Decreto, del Plan Estatal que esté en vigor en cada momento.

Características de las ayudas:

Los adjudicatarios de las Viviendas acogidas al Plan de Dotaciones Básicas, adjudicadas directamente por la Ciudad Autónoma de Ceuta, o transferidas por la Administración del Estado, cuyos precios de transmisión, en venta o arrendamiento, se hayan determinado de conformidad con lo dispuesto en esta Ordenanza o en el Real Decreto 1192/1986, de 13 de junio, y cuyas anualidades de amortización en los supuestos de venta sean las establecidas en cada caso, podrán tener derecho a las BONIFICACIONES en las cuotas mensuales de renta o amortización que deban abonar a la Ciudad Autónoma o a la empresa pública que, en su caso, haya otorgado los préstamos hipotecarios.

Estas bonificaciones, que se concederán por veinticuatro mensualidades, se aplicarán, en los supuestos de venta, sobre las cuotas mensuales de amortización, en razón directamente proporcional al importe del interés y del capital en que se desglose el recibo, y, en los supuestos de arrendamiento, sobre los alquileres resultantes. La mensualidad a partir de la cual se hará efectiva la bonificación se fijará en la resolución en que aquélla se conceda.

Cuando por fallecimiento de los titulares de la vivienda, que lo hayan sido por adjudicación directa de la Ciudad Autónoma de Ceuta, continúe en la titularidad de la misma, por transmisión hereditaria, un familiar del causante hasta el primer grado de consanguinidad, podrá éste disfrutar tanto de la subrogación en el préstamo hipotecario que grave la vivienda, en las mismas condiciones que el préstamo vigente, como de las bonificaciones que se contemplan, siempre que cumpla los siguientes requisitos:

— Que acredite una convivencia permanente e ininterrumpida con el causante de, al menos, dos últimos años anteriores a la fecha del fallecimiento.

— Que no sea titular de otra vivienda, ni lo haya sido en los últimos dos años anteriores a la fecha del fallecimiento.

— Que sus ingresos anuales no superen el máximo fijado en esta Ordenanza para acceder a una vivienda de promoción pública.

En función del número de veces el IPREM que resulte de la aplicación de la fórmula anterior el solicitante tendrá derecho a la obtención de las bonificaciones que se obtengan en aplicación de las siguientes fórmulas:

Para vivienda protegida en propiedad (máximo 50%).

Porcentaje de bonificación de la cuota = (11.000/120) - [IFP × (5.000/120)].

Para vivienda protegida en alquiler (máximo 60%).

Porcentaje de bonificación de la cuota = (13.200/120) - [IFP × (6.000/120)].

Cuando se trate de viviendas disfrutadas en régimen de propiedad, no se aplicará bonificación alguna en los casos en que la cuota anual a satisfacer por el propietario, sea inferior al 10% del IPREM vigente en dicho año. Asimismo, las bonificaciones que se otorguen no podrá disminuir la cuota anual a satisfacer por debajo del límite indicado.

De acuerdo con lo previsto en la Ley 40/2003, de 19 de noviembre, sobre familias numerosas, las bonificaciones en las viviendas de promoción pública serán:

— del 15% para las familias numerosas de categoría general;

— del 40% para las familias numerosas de categoría especial.

El total de las bonificaciones en el caso de venta no podrán superar el 50% del total de la cuota y en el caso de alquiler el 60% de la misma.

Con carácter general, los ingresos que se tomarán en cuenta para la aplicación de la bonificación solicitada, serán los correspondientes a los doce meses anteriores al momento de la solicitud.

Cuando se justifique que los ingresos del solicitante correspondientes al período en que se vaya a aplicar la bonificación difieran sustancialmente con respecto a los obtenidos según el punto anterior, por la Ciudad Autónoma se efectuará, previa audiencia del interesado, una estimación de éstos, que serán los que se tomen en cuenta para calcular la bonificación.

En los casos de Unidades Familiares que presenten una estabilidad en sus ingresos, como pensionistas o similares, se tomarán en cuenta, para la aplicación de la bonificación, los ingresos que, previsiblemente, se vayan a obtener en el período de bonificación.

Otorgada una bonificación, sólo podrá concederse ésta nuevamente antes de que concluya el período por el que ha sido otorgada, en el caso siguiente:

— Cuando se produzca una disminución sustancial de los ingresos que se tomaron en cuenta para la aplicación de la bonificación, como fallecimiento del perceptor de los ingresos familiares, situaciones de desempleo o suspensión de la relación laboral, etc.

— Cuando los ingresos computados para aplicar una bonificación se hubiesen realizado estimativamente, deberán ser acreditados posteriormente con la presentación de la declaración fiscal correspondiente a dicho período. Si de dicha declaración se desprende que los ingresos reales han sido superiores en más de un 10 por 100 a los estimados, las cantidades indebidamente bonificadas deberán ser reintegradas por el beneficiario o compensadas por la Ciudad Autónoma con posteriores bonificaciones que pudieran reconocérsele. Las referidas cantidades tendrán el carácter de ingresos de derecho público a efectos de su exacción o ejecución por vía de apremio.

La bonificación puede ser denegada por las siguientes causas:

1. La bonificación podrá ser denegada por las siguientes causas:

A. No estar al corriente del abono de los recibos pasados al cobro, salvo que el interesado acredite suficientemente el pago de las cantidades pendientes. En este caso, la Bonificación se concederá con la condición suspensiva de que el abono de las cantidades pendientes se vaya haciendo efectivo en la forma pactada, denegándose automáticamente cuando se incumpla el compromiso de pago.

B. No estar al corriente del pago de los gastos de la Comunidad de vecinos a que pertenezca la vivienda para la que se solicite la bonificación.

C. Por ser propietario, alguno de los miembros de la Unidad Familiar usuarios de la vivienda de promoción pública, de otra vivienda, tanto en la Ciudad de Ceuta como fuera de ella.

D. No habitar, con carácter habitual y permanente, la vivienda de protección oficial para la que se solicita la bonificación.

E. No presentar la documentación requerida por el Órgano autonómico competente, o haber presentado documentación falsa o que no refleje la situación social, laboral y económica reales de la Unidad Familiar.

F. Disfrutar, alguno de los titulares de la vivienda de promoción pública, de otra vivienda en concepto de arrendamiento, precarista, usufructuario u otro concepto que le dé derecho de uso de la misma.

G. Por formar parte, alguno de los miembros de la Unidad Familiar solicitante de la bonificación, como socio cooperativista con derecho a Vivienda, de una Cooperativa de Viviendas cuya promoción esté en fase de construcción.

H. Por ser titulares, cualesquiera de los miembros de la Unidad Familiar, de forma aislada o conjunta, de bienes muebles, valores mobiliarios, fondos, cuentas bancarias y demás productos financieros cuya adquisición o posesión no se justifique suficientemente con la renta de la Unidad Familiar, por exceder notoriamente de ésta, o bien cuya valoración fiscal supere en un 50 por 100 el importe del capital pendiente de amortizar, en casos de compraventa, o en cinco veces la renta anual vigente en los casos de arrendamiento.

B) VIVIENDA PROTEGIDA DE RÉGIMEN ESPECIAL

Características:

• El precio máximo de referencia por metro cuadrado útil será 1,50 veces el Módulo Básico Estatal (MBE) = 758 euros para 2009. Este precio se incrementará si la vivienda se encuentra en una localidad situada en un Ámbito Territorial de Precio Máximo Superior (ATPMS).

• El régimen de protección será de al menos 30 años, y permanentemente mientras el suelo esté destinado a vivienda protegida o sea suelo dotacional público. Antes de los 10 años la vivienda no podrá venderse sin consentimiento de la Ciudad de Ceuta y sin la devolución de las ayudas recibidas.

• Transcurridos 10 años podrá ser vendida a personas inscritas en los registros públicos de vivienda protegida.

Salvo normativa autonómica diferente, la superficie útil de la vivienda estará comprendida entre 30 m² (si viven 1 o 2 personas) y 90 m².

Requisitos de acceso:

1. Ingresos familiares no superiores a 2,5 veces el IPREM.

2. No ser titular de una vivienda protegida, ni de una libre cuyo valor, según el Impuesto sobre Transmisiones Patrimoniales, exceda del 40% del precio de la vivienda que se pretende adquirir (60% para personas mayores, mujeres víctimas de violencia de género, víctimas del terrorismo, familias numerosas o monoparentales con hijos, personas con discapacidad y separadas o divorciadas).

3. Estar inscrito en un registro público de demandantes de vivienda.

4. La actuación debe haber sido calificada como protegida por la Ciudad de Ceuta.

5. La vivienda debe destinarse como residencia habitual del adjudicatario y ocuparse dentro de los plazos establecidos.

Características de la ayuda:

PRÉSTAMO CONVENIDO de hasta el 80% del precio de escritura o adjudicación a devolver en, al menos, 25 años. El tipo de interés podrá ser variable o fijo. En intereses variables será igual al Euribor a 12 meses publicado por el Banco de España en el *Boletín Oficial del Estado (BOE)*, el mes anterior al de la fecha de formalización, más un diferencial de 65 puntos básicos (Euribor+0,65).

SUBSIDIOS A LOS PRÉSTAMOS. Cantidad anual por cada 10.000 euros de préstamo durante 5 años, renovables 5 más: 100 euros (155 euros para familias numerosas, monoparentales con hijos y discapacitados, durante los 5 primeros años).

AYUDA ESTATAL DIRECTA A LA ENTRADA (AEDE):

8.000 euros (9.000 euros en caso de jóvenes, 11.000 euros para mujeres víctimas de violencia de género, víctimas de terrorismo y personas separadas o divorciadas, y 12.000 euros para familias numerosas, monoparentales con hijos y discapacitados).

Se incrementarán las ayudas en 600 euros para el Ámbito Territorial del grupo B.

Requisitos de acceso ayuda:

1. La vivienda tiene que haber obtenido la calificación definitiva.

2. El contrato de compraventa tiene que haber sido visado. Entre las firmas del contrato y la solicitud del visado no debe pasar más de 4 meses.

3. Entre el visado del contrato y la solicitud del préstamo no debe pasar más de 6 meses.

4. No haber obtenido ayudas financieras ni préstamo convenido para el mismo tipo de actuación durante los 10 años anteriores.

5. No haber sido nunca antes titular de una vivienda en propiedad (salvo excepciones).

6. No haber sido nunca antes titular de una vivienda en propiedad (salvo excepciones).

7. La cuantía del préstamo convenido no será inferior al 60% del precio de la vivienda durante los 5 primeros años de amortización del préstamo.

C) VIVIENDA PROTEGIDA DE RÉGIMEN GENERAL

Características:

• El precio máximo de referencia por metro cuadrado útil será 1,60 veces el Módulo Básico Estatal (MBE) = 758 euros para 2009. Este precio se incrementará si la vivienda se encuentra en una localidad situada en un Ámbito Territorial de Precio Máximo Superior (ATPMS).

• El régimen de protección será de al menos 30 años, y permanentemente mientras el suelo esté destinado a vivienda protegida o sea suelo dotacional público. Antes de los 10 años la vivienda no podrá venderse sin consentimiento de la CA y sin la devolución de las ayudas recibidas. Transcurridos 10 años podrá ser vendida a personas inscritas en los registros públicos de vivienda protegida.

• Salvo normativa autonómica diferente, la superficie útil de la vivienda estará comprendida entre 30 m² (sólo si viven 1 o 2 personas) y 90 m².

Requisitos de acceso:

1. Ingresos familiares no superiores a 4,5 veces el IPREM.

2. No ser titular de una vivienda protegida, ni de una libre cuyo valor, según el Impuesto sobre Transmisiones Patrimoniales, exceda del 40% del precio de la vivienda que se pretende adquirir (60% para personas mayores, mujeres víctimas de violencia de género, víctimas del terrorismo, familias numerosas o monoparentales con hijos, personas con discapacidad y separadas o divorciadas).

3. Estar inscrito en un registro público de demandantes de vivienda.

4. La actuación debe haber sido calificada como protegida por la Ciudad de Ceuta.

5. La vivienda debe destinarse como residencia habitual del adjudicatario y ocuparse dentro de los plazos establecidos.

Características de la ayuda:

PRÉSTAMO CONVENIDO de hasta el 80% del precio de escritura o adjudicación a devolver en, al menos, 25 años. El tipo de interés podrá ser variable o fijo. En intereses variables será igual al Euribor a 12 meses publicado por el Banco de España en el *Boletín Oficial del Estado (BOE)*, el mes anterior al de la fecha de formalización, más un diferencial de 65 puntos básicos (Euribor+0,65).

SUBSIDIOS A LOS PRÉSTAMOS. Cantidad anual por cada 10.000 euros de préstamo durante 5 años, renovables 5 más:

— 100 euros para ingresos menores o iguales a 2,5 veces el IPREM (155 euros para familias numerosas, monoparentales con hijos y discapacitados, durante los 5 primeros años).

— 80 euros para ingresos entre 2,5 y 3,5 veces el IPREM (113 euros para familias numerosas, monoparentales con hijos y discapacitados durante los 5 primeros años).

— 60 euros para ingresos mayores de 3,5 y menores o iguales a 4,5 veces del IPREM (93 euros para familias numerosas, monoparentales con hijos y discapacitados durante los 5 primeros años

AYUDA ESTATAL DIRECTA A LA ENTRADA (AEDE):

— 8.000 euros para ingresos menores o iguales a 2,5 veces el IPREM (9.000 euros en caso de jóvenes, 11.000 euros para mujeres víctimas de violencia de género, víctimas de terrorismo y personas separadas o divorciadas, y 12.000 euros para familias numerosas, monoparentales con hijos y discapacitados).

— 7.000 euros para ingresos entre 2,5 y 3,5 veces el IPREM (8.000 euros en caso de jóvenes, 9.000 euros para mujeres víctimas de violencia de género, víctimas de terrorismo y personas separadas o divorciadas, y 10.000 euros para familias numerosas, monoparentales con hijos y discapacitados).

— 5.000 euros para ingresos mayores de 3,5 y menores o iguales a 4,5 veces del IPREM (6.000 euros en caso de jóvenes, 7.000 euros para mujeres víctimas de violencia de género, víctimas de terrorismo y personas separadas o divorciadas, y 8.000 euros para familias numerosas, monoparentales con hijos y discapacitados).

Se incrementarán las ayudas en 600 euros para el Ámbito Territorial del grupo B.

Requisitos de acceso ayuda:

1. La vivienda tiene que haber obtenido la calificación definitiva.

2. El contrato de compraventa tiene que haber sido visado. Entre las firmas del contrato y la solicitud del visado no debe pasar más de 4 meses.

3. Entre el visado del contrato y la solicitud del préstamo no debe pasar más de 6 meses.

4. No haber obtenido ayudas para el mismo tipo de actuación durante los 10 años anteriores.

5. No haber sido nunca antes titular de una vivienda en propiedad (salvo excepciones).

6. No haber sido nunca antes titular de una vivienda en propiedad (salvo excepciones).

7. La cuantía del préstamo convenido no será inferior al 60% del precio de la vivienda durante los 5 primeros años de amortización del préstamo.

D) VIVIENDA PROTEGIDA DE RÉGIMEN CONCERTADO

Características:

• El precio máximo de referencia por metro cuadrado útil será **1,80 veces** el Módulo Básico Estatal (MBE)= 758 euros para 2009. Este precio se incrementará si la vivienda se encuentra en una localidad situada en un Ámbito Territorial de Precio Máximo Superior (ATPMS).

• El régimen de protección será de al menos 30 años, y permanentemente mientras el suelo esté destinado a vivienda protegida o sea suelo dotacional público. Antes de los 10 años la vivienda no podrá venderse sin consentimiento de la Ciudad de Ceuta y sin la devolución de las ayudas recibidas.

• Transcurridos 10 años podrá ser vendida a personas inscritas en los registros públicos de vivienda protegida.

• Salvo normativa autonómica diferente, la superficie útil de la vivienda estará comprendida entre 30 m² (sólo si viven 1 o 2 personas) y 90 m².

Requisitos de acceso:

1. Ingresos familiares no superiores a 6,5 veces el IPREM.

2. No ser titular de una vivienda protegida, ni de una libre cuyo valor, según el Impuesto sobre Transmisiones Patrimoniales, exceda del 40% del precio de la vivienda que se pretende adquirir (60% para personas mayores, mujeres víctimas de violencia de género, víctimas del terrorismo, familias numerosas o monoparentales con hijos, personas con discapacidad y separadas o divorciadas).

3. Estar inscrito en un registro público de demandantes de vivienda.

4. La actuación debe haber sido calificada como protegida por la Ciudad de Ceuta.

5. La vivienda debe destinarse como residencia habitual del adjudicatario y ocuparse dentro de los plazos establecidos.

Características de la ayuda:

PRÉSTAMO CONVENIDO de hasta el 80% del precio de escritura o adjudicación a devolver en, al menos, 25 años. El tipo de interés podrá ser variable o fijo. En intereses variables será igual al Euribor a 12 meses publicado por el Banco de España en el *Boletín Oficial del Estado (BOE)*, el mes anterior al de la fecha de formalización, más un diferencial de 65 puntos básicos (Euribor + 0,65).

Requisitos de acceso ayuda:

1. La vivienda tiene que haber obtenido la calificación definitiva.

2. El contrato de compraventa tiene que haber sido visado. Entre las firmas del contrato y la solicitud del visado no debe pasar más de 4 meses.

3. Entre el visado del contrato y la solicitud del préstamo no debe pasar más de 6 meses.

4. No haber obtenido ayudas financieras ni préstamo convenido para el mismo tipo de actuación durante los 10 años anteriores

2. VIVIENDAS USADAS EN PROPIEDAD

Características:

Se consideran viviendas usadas:

a) Viviendas libres o protegidas en segunda o posteriores transmisiones (incluidas las que se hubiesen destinado al alquiler).

b) Viviendas libres de nueva construcción adquiridas después de, al menos, 1 año desde la expedición de la licencia de primera ocupación, el certificado final de obra o la cédula de habitabilidad.

c) Viviendas libres de nueva construcción cuya licencia de primera ocupación, certificado final de obra o cédula de habitabilidad hayan sido emitida antes del 24 de diciembre de 2008.

d) Viviendas rurales usadas según las condiciones establecidas por la Ciudad de Ceuta.

La obtención de la ayuda conllevará la limitación de su precio máximo de venta en posteriores transmisiones, durante, al menos, 15 años desde la fecha de adquisición, o durante la duración del préstamo convenido, si fuera superior.

Salvo normativa autonómica diferente, la superficie útil de la vivienda estará comprendida entre 30 m² (sólo si viven 1 o 2 personas) y 90 m².

Requisitos de acceso:

1. Ingresos familiares no superiores a 6,5 veces el IPREM.

2. No ser titular de una vivienda protegida, ni de una libre cuyo valor, según el Impuesto sobre Transmisiones Patrimoniales, exceda del 40% del precio de la vivienda que se pretende adquirir (60% para personas mayores, mujeres víctimas de violencia de género, víctimas del terrorismo, familias numerosas o monoparentales con hijos, personas con discapacidad y separadas o divorciadas).

3. Estar inscrito en un registro público de demandantes de vivienda.

4. La actuación debe haber sido calificada como protegida por la Ciudad de Ceuta.

5. La vivienda debe destinarse como residencia habitual del adjudicatario.

Características de la ayuda:

PRÉSTAMO CONVENIDO de hasta el 80% del precio de escritura o adjudicación a devolver en, al menos, 25 años. El tipo de interés podrá ser variable o fijo. En intereses variables será igual al Euribor a 12 meses publicado por el Banco de España en el *Boletín Oficial del Estado (BOE)*, el mes anterior al de la fecha de formalización, más un diferencial de 65 puntos básicos (Euribor + 0,65).

SUBSIDIOS A LOS PRÉSTAMOS. Cantidad anual por cada 10.000 euros de préstamo durante 5 años, renovables 5 más:

— 100 euros para ingresos menores o iguales a 2,5 veces el IPREM (155 euros para familias numerosas, monoparentales con hijos y discapacitados, durante los 5 primeros años).

— 80 euros para ingresos entre 2,5 y 3,5 veces el IPREM (113 euros para familias numerosas, monoparentales con hijos y discapacitados durante los 5 primeros años).

— 60 euros para ingresos mayores de 3,5 y menores o iguales a 4,5 veces del IPREM (93 euros para familias numerosas, monoparentales con hijos y discapacitados durante los 5 primeros años).

AYUDA ESTATAL DIRECTA A LA ENTRADA (AEDE):

— 8.000 euros para ingresos menores o iguales a 2,5 veces el IPREM (9.000 euros en caso de jóvenes, 11.000 euros para mujeres víctimas de violencia de género, víctimas de terrorismo y personas separadas o divorciadas, y 12.000 euros para familias numerosas, monoparentales con hijos y discapacitados).

— 7.000 euros para ingresos entre 2,5 y 3,5 veces el IPREM (8.000 euros en caso de jóvenes, 9.000 euros para mujeres víctimas de violencia de género, víctimas de terrorismo y personas separadas o divorciadas, y 10.000 euros para familias numerosas, monoparentales con hijos y discapacitados).

— 5.000 euros para ingresos mayores de 3,5 y menores o iguales a 4,5 veces del IPREM (6.000 euros en caso de jóvenes, 7.000 euros para mujeres víctimas de violencia de género, víctimas de terrorismo y personas separadas o divorciadas, y 8.000 euros para familias numerosas, monoparentales con hijos y discapacitados).

Cuando la vivienda estuviera en un Ámbito Territorial de Precio Máximo Superior se incrementarán en 600 euros para el Grupo B.

Requisitos de acceso ayuda:

1. El contrato de compraventa tiene que haber sido visado por la Ciudad de Ceuta. Entre las firmas del contrato y la solicitud del visado no debe pasar más de 4 meses.

2. Entre el visado del contrato y la solicitud del préstamo no debe pasar más de 6 meses.

3. No haber obtenido ayudas financieras ni préstamo convenido para el mismo tipo de actuación durante los 10 años anteriores.

4. No haber sido nunca antes titular de una vivienda en propiedad (salvo excepciones).

5. El precio de venta por metro cuadrado útil de la vivienda no excederá de 1,60 veces el Módulo Básico Estatal (MBE) = 758 euros para 2009. Este precio se incrementará si la vivienda se encuentra en una localidad situada en un Ámbito Territorial de Precio Máximo Superior (ATPMS).

5. No haber sido nunca antes titular de una vivienda en propiedad (salvo excepciones).

6. La cuantía del préstamo convenido no será inferior al 60% del precio de la vivienda durante los 5 primeros años de amortización del préstamo.

3. EL ARRENDAMIENTO

1. VIVIENDAS DE NUEVA CONSTRUCCIÓN PARA ARRENDAMIENTO

A) VIVIENDA PROTEGIDA DE RENTA BÁSICA

Características:

• La duración mínima del alquiler de las viviendas será de 10 o de 25 años.

• El precio máximo de referencia por metro cuadrado útil será 1,60 veces el Módulo Básico Estatal (MBE) = 758 euros para 2009. Este precio se incrementará si la vivienda se encuentra en una localidad situada en un Ámbito Territorial de Precio Máximo Superior (ATPMS). Sirve para determinar la renta a pagar por el inquilino.

• El régimen de protección será de al menos 30 años, y permanentemente mientras el suelo esté destinado a vivienda protegida o sea suelo dotacional público.

OPCIÓN A COMPRA:

Las viviendas protegidas a 10 años podrán ser objeto de contrato de alquiler con opción a compra.

El precio de compra será de hasta 1,7 veces el precio máximo de referencia.

Del precio de venta se deducirá al menos el 30% de los alquileres pagados por el inquilino.

Requisitos de acceso:

1. Ingresos familiares no superiores a 4,5 veces el IPREM.

2. No ser titular de una vivienda protegida, ni de una libre cuyo valor, según el Impuesto sobre Transmisiones Patrimoniales, exceda del 40% del precio de la vivienda que se pretende adquirir (60% para personas mayores, mujeres víctimas de violencia de género, víctimas del terrorismo, familias numerosas o monoparentales con hijos, personas con discapacidad y separadas o divorciadas).

3. Estar inscrito en un registro público de demandantes de vivienda.

4. La actuación debe haber sido calificada como protegida por la Ciudad de Ceuta.

5. La vivienda debe destinarse como residencia habitual del adjudicatario y ocuparse dentro de los plazos establecidos.

Características de la ayuda:

RENTA MÁXIMA anual por metro cuadrado de superficie útil del 4,5% del precio máximo de referencia para viviendas protegidas en alquiler a 25 años, o del 5,5% en caso de viviendas protegidas en alquiler a 10 años (se actualizará anualmente según el IPC) La renta establecida deberá figurar en la calificación provisional y definitiva de la vivienda, y en el visado del contrato de alquiler emitido por la CA.

Para este tipo de viviendas también pueden solicitarse las AYUDAS A INQUILINOS (ingresos inferiores a 2,5 veces el IPREM).

B) VIVIENDA PROTEGIDA DE RENTA CONCERTADA

Características:

La duración mínima del alquiler de las viviendas será de 10 o de 25 años.

• El precio máximo de referencia por metro cuadrado útil será 1,80 veces el Módulo Básico Estatal (MBE) = 758 euros para 2009. Este precio se incrementará si la vivienda se encuentra en una localidad situada en un

Ámbito Territorial de Precio Máximo Superior (ATPMS). Sirve para determinar la renta a pagar por el inquilino.

• El régimen de protección será de al menos 30 años, y permanentemente mientras el suelo esté destinado a vivienda protegida o sea suelo dotacional público.

OPCIÓN A COMPRA:

• Las viviendas protegidas a 10 años podrán ser objeto de contrato de alquiler con opción a compra.

• El precio de compra será de hasta 1,7 veces el precio máximo de referencia.

• Del precio de venta se deducirá al menos el 30% de los alquileres pagados por el inquilino.

Requisitos de acceso:

1. Ingresos familiares no superiores a 6,5 veces el IPREM.

2. No ser titular de una vivienda protegida, ni de una libre cuyo valor, según el Impuesto sobre Transmisiones Patrimoniales, exceda del 40% del precio de la vivienda que se pretende adquirir (60% para personas mayores, mujeres víctimas de violencia de género, víctimas del terrorismo, familias numerosas o monoparentales con hijos, personas con discapacidad y separadas o divorciadas).

3. Estar inscrito en un registro público de demandantes de vivienda.

4. La actuación debe haber sido calificada como protegida por la Ciudad de Ceuta.

5. La vivienda debe destinarse como residencia habitual del adjudicatario y ocuparse dentro de los plazos establecidos.

Características de la ayuda:

RENTA MÁXIMA anual por metro cuadrado de superficie útil del 4,5% del precio máximo de referencia para viviendas protegidas en alquiler a 25 años, o del 5,5% en caso de viviendas protegidas en alquiler a 10 años (se actualizará anualmente según el IPC) La renta establecida deberá figurar en la calificación provisional y definitiva de la vivienda, y en el visado del contrato de alquiler emitido por la CA.

Para este tipo de viviendas también pueden solicitarse las AYUDAS A INQUILINOS (ingresos inferiores a 2,5 veces el IPREM).

2. VIVIENDAS LIBRES PARA SU ARRENDAMIENTO

Características:

• Superficie útil máxima de la vivienda: 120 m².

• Vinculación al arrendamiento (directamente o mediante cesión) por un período mínimo de 5 años.

• Renta máxima: importe máximo anual a percibir por el alquiler 5,5% precio legal de referencia. Esta cantidad se determinará aplicando a una superficie útil que no podrá exceder de 90 m², el precio máximo legal de referencia de las viviendas protegidas de nueva construcción para arrendamiento de renta concertada.

Características de la ayuda:

El Ministerio de Vivienda subvencionará al propietario los gastos que se ocasionen para asegurar contra posibles impagos y desperfectos (el propietario podrá, renunciar a formalizar dichos aseguramientos, lo que habrá de certificar expresamente), en las siguientes condiciones:

Cuantía: 6.000 euros.

Requisitos determinados por la Ciudad de Ceuta:

a) Acreditación de la personalidad del solicitante o solicitantes y en su caso la representación que ostente.

b) Documentación que acredite la titularidad de la vivienda objeto de alquiler.

c) Acreditación de la superficie útil de la vivienda.

d) Cédula de habitabilidad.

El reconocimiento del abono de la subvención al propietario, se efectuará mediante Resolución Administrativa, y según la modalidad de cesión de las formas siguientes:

Si se arrienda directamente, el reconocimiento de la subvención se hará una vez obtenida la Calificación de actuación protegida y el preceptivo visado del contrato de arrendamiento.

Si se arrienda a través de cesión a otros Organismos públicos, sociedades públicas, agencias o entidades colaboradoras que incluyan entre sus actividades la del arrendamiento de viviendas, el reconocimiento de la subvención se hará una vez acreditada la cesión de la vivienda. Dicha cesión se deberá formalizar mediante la forma establecida por el Organismo competente.

3. SUBVENCIONES AL INQUILINO

Para poder optar a la subvención por arrendamiento, se establece el siguiente baremo para determinar la cuantía de subvención a percibir en función de los ingresos familiares acreditados:

— A los que acrediten ingresos en una cuantía igual o menor al 65% del máximo establecido, les corresponderá una subvención del 40% de la renta anual a satisfacer.

— A los que acrediten ingresos en una cuantía mayor del 65% y menor del 70% del máximo establecido, les corresponderá una subvención del 30% de la renta anual a satisfacer.

— A los que acrediten ingresos en una cuantía mayor del 70% y menor del 85% del máximo establecido, les corresponderá una subvención del 20% de la renta anual a satisfacer.

— A los que acrediten ingresos en una cuantía mayor del 85% e igual o menor del 100% del máximo establecido, les corresponderá una subvención del 10% de la renta anual a satisfacer.

En cualquier caso la cuantía máxima absoluta será de 2.880,00 euros.

Cada vez que se solicite la renovación del visado se deberá presentar, siempre que no sea posible obtenerla por parte de la Administración, la documentación contemplada acompañando el último recibo de cobro de alquiler, con los datos del propietario y del inquilino, así como la cuantía del mismo, en el caso de renovación por finalización del contrato de alquiler, se deberá presentar el nuevo contrato para visarlo en las condiciones establecidas al efecto.

La duración máxima de las ayudas establecida será de dos años. En el caso de resolución del contrato de arrendamiento por cualquier causa excepto por impago, podrán reanudarse con posterioridad, previa solicitud de las mismas.

4. PROMOCIONES DE VIVIENDAS PROTEGIDAS EN ALQUILER

A) PROMOCIÓN PARA ALQUILER A 25 AÑOS

Características:

Las viviendas protegidas podrán ser:

a) Régimen especial: destinadas a inquilinos con ingresos que no superen 2,5 veces el IPREM, y cuyo precio máximo de referencia por m² útil será de 1,50 veces el MBE.

b) Régimen general: destinadas a inquilinos con ingresos que no superen 4,5 veces el IPREM, y cuyo precio máximo de referencia por m² útil será de 1,60 veces el MBE.

c) Régimen concertado: destinadas a inquilinos con ingresos que no superen 6,5 veces el IPREM, y cuyo precio máximo de referencia por m² útil será de 1,80 veces el MBE.

Estos precios se incrementan según el ATPMS en el que se ubique la vivienda.

La duración mínima del alquiler será de 25 años desde su calificación definitiva.

La renta máxima anual por m² útil será el 4,5% del precio máximo.

Mientras sigan siendo protegidas, estas viviendas podrán venderse transcurridos 25 años. El precio máximo de venta será el que corresponda a una vivienda protegida del mismo tipo y en la misma ubicación, calificada provisionalmente en el momento de la venta.

Características de la ayuda

PRÉSTAMO CONVENIDO de hasta el 80% del precio de escritura o adjudicación a devolver en, al menos, 25 años. El tipo de interés podrá ser variable o fijo. En intereses variables será igual al Euribor a 12 meses publicado por el Banco de España en el *Boletín Oficial del Estado (BOE)*, el mes anterior al de la fecha de formalización, más un diferencial de entre 25 y 125 puntos básicos. El período de carencia en el pago de intereses finalizará en la fecha de la calificación definitiva, con un límite de 4 años (10 años con el consentimiento de la CA).

SUBSIDIOS a los préstamos. Cantidad anual por cada 10.000 euros de préstamo durante 25 años:

— 350 euros para Viviendas de Régimen Especial.

— 250 euros para Viviendas de Régimen General.

— 100 euros para Viviendas de Régimen Concertado.

SUBVENCIÓN de 350 euros para la promoción de Viviendas de Régimen Especial y de 250 euros para Viviendas de Régimen General. Cuando la vivienda estuviera en un Ámbito Territorial de Precio Máximo Superior se incrementarán las ayudas en 60 euros para vivienda situadas en ámbitos del Grupo A, 30 para el B y 15 para el C.

Requisitos de acceso ayuda:

Haber obtenido el préstamo cualificado.

B) PROMOCIÓN PARA ALQUILER A 10 AÑOS

Características:

Las viviendas protegidas podrán ser:

a) Régimen especial: destinadas a inquilinos con ingresos que no superen 2,5 veces el IPREM, y cuyo precio máximo de referencia por m² útil será de 1,30 veces el MBE.

b) Régimen general: destinadas a inquilinos con ingresos que no superen 4,5 veces el IPREM, y cuyo precio máximo de referencia por m² útil será de 1,60 veces el MBE.

c) Régimen concertado: destinadas a inquilinos con ingresos que no superen 6,5 veces el IPREM, y cuyo precio máximo de referencia por m² útil será de 1,80 veces el MBE.

Estos precios se incrementan según el ATPMS en el que se ubique la vivienda.

La duración mínima del alquiler será de 10 años desde su calificación definitiva.

La renta máxima anual por m² útil será el 5,5% del precio máximo.

Mientras sigan siendo protegidas, estas viviendas podrán venderse transcurridos 10. El precio máximo de venta será de hasta 1,5 veces el precio máximo de referencia establecido en la calificación provisional.

Las viviendas podrán ser objeto de un contrato de alquiler con opción de compra. El precio de venta será de hasta 1,7 veces el precio máximo de referencia establecido en la calificación provisional. Del precio de venta se deducirá, al menos, el 30% de los alquileres satisfechos por el inquilino.

Características de la ayuda:

PRÉSTAMO CONVENIDO de hasta el 80% del precio de escritura o adjudicación a devolver en, al menos, 10 años. El tipo de interés podrá ser variable o fijo. En intereses variables será igual al Euribor a 12 meses publicado por el Banco de España en el *Boletín Oficial del Estado (BOE)*, el mes anterior al de la fecha de formalización, más un diferencial de entre 25 y 125 puntos básicos. El período de carencia en el pago de intereses finalizará en la fecha de la calificación definitiva, con un límite de 4 años (10 años con el consentimiento de la CA).

SUBSIDIOS a los préstamos. Cantidad anual por cada 10.000 euros de préstamo durante 10 años:

— 350 euros para Viviendas de Régimen Especial.

— 250 euros para Viviendas de Régimen General.

— 100 euros para Viviendas de Régimen Concertado.

SUBVENCIÓN de 250 euros para la promoción de Viviendas de Régimen Especial y de 200 euros para Viviendas de Régimen General. Cuando la vivienda estuviera en un Ámbito Territorial de Precio Máximo Superior se incrementarán las ayudas en 30 euros para el Grupo B.

Requisitos de acceso ayuda:

Haber obtenido el préstamo cualificado.

4. REHABILITACIÓN

Características de las actuaciones protegidas:

a) Actuaciones para la mejora de la eficiencia energética, la higiene, salud y protección del medio ambiente en los edificios y viviendas, y la utilización de energías renovables:

— Paneles solares para agua caliente.

— Envolvente térmica del edificio para reducir el consumo energético.

— Sistemas de instalaciones térmicas que incremente la eficiencia energética.

— Instalaciones de suministro y para el ahorro de agua.

— Otras establecidas en el Código Técnico de la Edificación.

b) Actuaciones para la mejora de la accesibilidad:

— Instalación de ascensores o adaptación de los mismos a las necesidades de discapacitados.

— Instalación y mejora de rampas de acceso.

— Instalación o mejora de dispositivos de acceso a los edificios, adaptados a las necesidades de discapacitados.

— Instalación de elementos de información y orientación.

— Adaptación de viviendas a las necesidades de personas con discapacidad o mayores de 65 años.

Características de la ayuda:

EDIFICIOS DE VIVIENDAS

PRÉSTAMOS CONVENIDOS de hasta el total del presupuesto protegido (coste total de las obras sobre los elementos comunes e instalaciones generales, incluidas las necesarias sobre las partes afectadas en viviendas y locales) a devolver hasta en 15 años. Podrán obtenerlo todos los propietarios u ocupantes de vivienda con independencia de sus ingresos.

SUBSIDIOS A LOS PRÉSTAMOS:

— Para inquilinos y propietarios de una o varias viviendas con ingresos no superiores a 6,5 veces el IPREM: 140 euros anuales por cada 10.000 euros de préstamo.

— Para propietarios de una o varias viviendas alquiladas con contrato sujeto a prórroga forzosa celebrado antes de la Ley 29/1994 de Arrendamientos Urbanos: 175 euros anuales por cada 10.000 euros de préstamo.

SUBVENCIONES:

— Para comunidades de propietarios: hasta el 10% del presupuesto protegido, sin superar los 1.100 euros por vivienda. Esta subvención será incompatible con la subsidiación.

— Además, para propietarios u ocupantes de las viviendas con ingresos no superiores a 6,5 veces el IPREM: hasta el 15% del presupuesto protegido, sin superar los 1.600 euros con carácter general, o los 2.700 euros cuando tengan más de 65 años o sean discapacitados y las obras se destinen a la eliminación de barreras o a la adecuación de la vivienda.

• La Ciudad de Ceuta subvencionará con cargo al Fondo de Políticas Activas en materia de vivienda, las actuaciones de rehabilitación de edificios estén o no incluidos en Áreas de Rehabilitación, con una cuantía del 25% del presupuesto protegido, y un límite máximo de 3.000,00 euros por vivienda, los promotores no estarán sujetos a ningún límite de ingresos.

Las obras susceptibles de ser objeto de ayudas serán:

1. Las que proporcionen condiciones mínimas de estanqueidad, ante el aire y el agua.

2. Las que proporcionen condiciones mínimas salubridad y ornato.

3. Las que posibiliten ahorro energético.

4. Las que posibiliten la adaptación de las instalaciones a la normativa técnica aplicable, cuando esta última hubiera entrado en vigor con anterioridad al la terminación del edificio.

5. Las que tengan por finalidad la supresión de barreras arquitectónicas o la adaptación a la normativa en materia de accesibilidad.

La Ciudad de Ceuta, subvencionará la rehabilitación de edificios catalogados con o sin viviendas, con la única condición de obtener la licencia de obras y las preceptivas calificaciones provisional y definitiva de rehabilitación protegida, según se establece en los apartados siguientes:

1. Las Rehabilitaciones objeto de la subvención se establecerán como resultado de la convocatoria periódica en régimen de convocatoria competitiva, que realizará la Ciudad.

2. Se subvencionarán en su totalidad, con un máximo del 50% del coste total de las obras, las partidas que afecten a los elementos del edificio, que dan el carácter singular al mismo, y que se determinarán por los servicios técnicos de la Consejería de Fomento.

3. Las subvenciones se abonarán a la terminación de las obras, y una vez obtenida la Calificación Definitiva de la actuación.

4. Se podrá anticipar, con cargo a la subvención total, los honorarios facultativos devengados por la redacción del proyecto técnico, previa presentación de las correspondientes facturas.

5. Estas ayudas serán incompatibles con las correspondientes a la rehabilitación de edificios de viviendas con carácter general, expuestas antes, aunque podrán complementar, en su caso, a las que pudieran obtener en aplicación de la Normativa Estatal vigente en materia de Rehabilitación.

VIVIENDAS

SUBVENCIONES de hasta el 25% del presupuesto protegido (coste total de la rehabilitación de las viviendas, hasta un máximo de 90 m² útiles por vivienda afectada).

En el caso de que el PROPIETARIO DESTINE LA VIVIENDA AL ALQUI-LER durante, al menos, 5 años, la cuantía máxima de la subvención será de 6.500 euros.

La Ciudad de Ceuta subvencionará las actuaciones de rehabilitación en viviendas estén o no incluidas en Áreas de Rehabilitación, con una cuantía del 35% del presupuesto protegido, y un límite máximo de 6.000,00 euros, además del importe equivalente a los honorarios por redacción de proyecto técnico y al impuesto de la construcción.

Cuando los promotores de actuaciones de rehabilitación sean jóvenes, según establece el Plan de vivienda vigente, o se trate de familias monoparentales, las ayudas se incrementarán un 5%.

Las obras que se podrán hacer para ser objeto de ayudas serán:

a) Las que proporcionen condiciones mínimas de habitabilidad respecto a su superficie útil, distribución interior, instalaciones de agua, electricidad, gas, ventilación, iluminación, aireación, aislamientos, servicios higiénicos e instalación de cocina y otros de carácter general.

b) Las que posibiliten ahorro energético o adaptación a la normativa vigente en materia de agua, gas, electricidad, protección contra incendios o saneamiento, o las que tengan por finalidad la supresión de barreras arquitectónicas.

Si los edificios o viviendas a rehabilitar se encuentran englobados en un área de Rehabilitación, las subvenciones se incrementarán un 15%, con un máximo absoluto de 4.500,00 Euros por vivienda en rehabilitación de edificios, y 9.000,00 Euros por vivienda en rehabilitación de viviendas.

Los beneficiarios de subvenciones por rehabilitación, podrán recibir, en concepto de anticipo, la cuantía equivalente a los honorarios por redacción de proyecto técnico y al impuesto de la construcción.

Para ello, deberán justificar el abono de los honorarios y tasas antes mencionados, y haber obtenido la calificación provisional de rehabilitación de actuación protegida.

Si no se finalizaran las obras, el promotor de la actuación tendrá la obligación de reintegrar las cantidades que, en concepto anticipo de subvención, hubieran sido abonadas por la Ciudad de Ceuta, incrementadas con los intereses legales, desde la fecha de su percepción.

Las viviendas y edificios que hayan obtenido Calificación de Rehabilitación al amparo de alguna normativa en materia de vivienda, no podrán ser objeto de otra Calificación de Rehabilitación acogida a la Normativa Local, hasta transcurridos diez años desde la fecha de Calificación definitiva de Rehabilitación, o dos años si se trata de una actuación de Rehabilitación que prevea la realización de obras no contempladas en la actuación anterior.

Quedan excluidas de la limitación establecida las actuaciones de rehabilitación en edificios catalogados conforme al Plan General de Ordenación Urbana.

Requisitos de acceso ayuda:

1. Ser promotor de la actuación, propietario de la vivienda o edificio, inquilino autorizado por el propietario o comunidad de propietarios.

2. Los edificios y viviendas no podrán estar situados en ARIs o ARUs.

3. Al menos el 25% del presupuesto protegido tendrá que estar dedicado al uso de energías renovables, la mejora de la eficiencia energética, la higiene, salud y protección del medio ambiente, y la accesibilidad del edificio.

10. Plan de Vivienda, Rehabilitación y Suelo de Extremadura 2009-2012

Decreto 114/2009

1. ACTUACIONES PROTEGIDAS

1. Promoción privada de viviendas protegidas para venta.

2. Promoción privada de viviendas protegidas en arrendamiento.

3. Promoción pública de viviendas.

4. Autopromoción de viviendas.

5. Promoción de alojamientos protegidos para colectivos especialmente vulnerables y otros colectivos específicos.

6. Ayudas a los adquirentes de vivienda usada.

7. Ayudas a los inquilinos.

8. Rehabilitación aislada de edificios y viviendas.

9. Adquisición privada y rehabilitación en cascos urbanos consolidados.

10. Áreas de rehabilitación integral de conjuntos históricos, centros urbanos, barrios degradados y municipios rurales.

11. Áreas de renovación urbana.

12. Rehabilitación para personas mayores.

13. Rehabilitación de viviendas de propiedad municipal.

14. Ayudas a la adquisición y urbanización de suelo.

15. Vivienda Joven.

2. SUPERFICIES MÁXIMAS Y MÍNIMAS DE LAS VIVIENDAS

— Sólo podrán acogerse a la financiación prevista en este Decreto las viviendas protegidas para venta o alquiler y la usada que dispongan de una superficie útil mínima de 30 m² para un máximo de 2 personas, ampliable a 15 m² por cada persona adicional que conviva con ellas.

— La superficie útil máxima a efectos de la financiación establecida en este Decreto será de 90 m². Cuando se trate de viviendas protegidas adaptadas para personas con movilidad reducida permanente, destinadas a familias numerosas o rehabilitadas este límite podrá ampliarse hasta un máximo de 120 m². La superficie máxima imputable para determinar el precio de venta de los garajes y los trasteros no podrá superar los 25 m², en el caso del garaje, y los 8 m², en el caso del trastero.

3. PRECIOS MÁXIMOS DE VENTA DE LAS VIVIENDAS DE PROTECCIÓN OFICIAL

Los precios máximos por m² de superficie útil para las viviendas de nueva construcción declaradas protegidas por la Comunidad Autónoma en sus distintas modalidades así como de las viviendas usadas a efectos de su adquisición protegida se determinarán multiplicando el Módulo Básico Estatal por los coeficientes correspondientes a los distintos ámbitos territoriales:

a) APS (Ámbito de Precio Superior): Suelo cuyo planeamiento de desarrollo esté aprobado y que se ubique en las localidades de Badajoz y Cáceres.

b) Zona A: Almendralejo, Badajoz, Cáceres, Don Benito, Mérida, Navalmoral de la Mata, Plasencia y Villanueva de la Serena.

c) Zona B: Arroyo de la Luz, Azuaga, Cabeza del Buey, Calamonte, Campanario, Casar de Cáceres, Castuera, Coria, Fuente del Maestre, Gévora, Guareña, Hervás, Jaraíz de la Vera, Jarandilla de la Vera, Jerez de los Caballeros, Malpartida de Cáceres, Malpartida de Plasencia, Miajadas, Monesterio, Montijo, Moraleja, Olivenza, Puebla de la Calzada, Los Santos de Maimona, Sierra de Fuentes, Talavera la Real, Talayuela, Trujillo, Valdebótoa, Valdesalor, Valencia de Alcántara, Villafranca de los Barros, Villafranco del Guadiana y Zafra.

d) Resto de municipios de Extremadura y entidades locales menores.

4. EL MÓDULO BÁSICO ESTATAL (MBE)

El Módulo Básico Estatal (MBE) es la cuantía en euros por metro cuadrado de superficie útil, que sirve como referencia para la determinación de los precios máximos de venta, adjudicación y renta de las viviendas objeto de las ayudas previstas en el Real Decreto 2066/2008, así como de los presupuestos protegidos máximos de las actuaciones de rehabilitación de viviendas y edificios, y en áreas de rehabilitación integral y renovación urbana.

El MBE será establecido por acuerdo del Consejo de Ministros en el mes de diciembre de cada año y será publicado en el Boletín Oficial del Estado.

Para el año 2009 se fija en 758 euros (838,8 euros para Canarias).

TIPOLOGÍAS Y CARACTERÍSTICAS DE LOS DIFERENTES TIPOS DE VIVIENDAS

A) COMPRA:

1. VIVIENDA DE PROTECCIÓN OFICIAL DE RÉGIMEN ESPECIAL

Características:

• El precio máximo de referencia por metro cuadrado útil será:

APS: **976 euros m²/superficie útil (Bloque) - 979,21 euros m²/superficie útil (Unifamiliar)**

Zona A: **941,69 euros m²/superficie útil (Bloque) - 944,73 euros m²/superficie útil (Unifamiliar)**

Zona B: **842,76 euros m²/superficie útil (Bloque) - 862,05 euros m²/superficie útil (Unifamiliar)**

Zona C: **788,10 euros m²/superficie útil (Bloque) - 806,87 euros m²/superficie útil (Unifamiliar)**

• El régimen de protección será de al menos 30 años, y permanente mientras subsista el régimen del suelo si las viviendas hubieran sido promovidos en suelo destinado por planeamiento a vivienda protegida o en suelo dotacional público.

Requisitos de acceso:

1. Los ingresos de la unidad familiar tienen que ser de hasta 2,5 veces el IPREM; por otra parte los demandantes deberán disponer de unos ingresos familiares mínimos que al menos sean iguales o superiores a la quinceava parte del precio de la vivienda.

2. No ser titular de una vivienda protegida (salvo por motivos de realojamiento), ni de una libre cuyo valor, según el Impuesto sobre Transmisiones Patrimoniales, exceda del 40% del precio de la vivienda que se pretende adquirir (60% para familias numerosas que precisen adquirir una vivienda de mayor tamaño por el incremento en el número de miembros de la misma, personas mayores de 65 años, personas con discapacidad, mujeres víctimas de violencia de género, víctimas del terrorismo, familias monoparentales con hijos y separados o divorciados que se encuentren al corriente de sus pensiones alimenticias o compensatorias).

3. Estar inscrito en un registro público de demandantes de vivienda.

4. La actuación debe haber sido calificada como protegida por la CA.

5. La vivienda debe destinarse como residencia habitual del adjudicatario y ocuparse dentro de los plazos establecidos.

Características de la ayuda:

PRÉSTAMO CONVENIDO:

Amortización: 25 años o más con cuotas constantes (tres años o más de carencia para el caso de promoción para uso propio).

Garantía: Hipoteca.

Cuantía Máxima: 80% del precio de adquisición (vivienda + garaje + trastero vinculados) o del valor de la edificación más el del suelo para el caso de promotores individuales para uso propio.

Tipo de interés para el año 2009: Puede ser fijo o variable.

Interés fijo: Pendiente de publicación.

Interés variable: Euribor a 12 meses publicado por el Banco de España en el *BOE* el mes anterior al de la fecha de formalización del préstamo más un diferencial de entre 25 y 125 puntos básicos.

Este tipo de interés se revisará cada 12 meses teniendo como referencia el Euribor a 12 meses publicado por el Banco de España el mes anterior a la fecha de formalización.

Cuotas: Interés fijo: Constantes durante toda la vida del préstamo.

Interés variable: Constantes durante toda la vida del préstamo, dentro de cada uno de los períodos de amortización a los cuales les corresponde un mismo tipo de interés.

Comisiones: Exentas.

SUBSIDIOS A LOS PRÉSTAMOS: Cantidad anual por cada 10.000 euros de préstamo convenido.

— **100 euros** los 10 primeros años.

— **155 euros** los 5 primeros años en caso de:

— Familias numerosas.

— Familias monoparentales con hijos.

— Familias que incluyan o tengan a su cargo personas dependientes o con discapacidad oficialmente reconocida.

— Familias con ingresos inferiores a 1,5 veces el IPREM.

Esta subsidiación se concederá por un período de 5 años y podrá ser ampliada por otro período de la misma duración.

La ampliación se tiene que solicitar dentro del 5.º año del primer período y los solicitantes tienen que acreditar que siguen cumpliendo las condiciones para la concesión de la ayuda.

AYUDA ESTATAL DIRECTA A LA ENTRADA (AEDE):

a) En general: **8.000 euros**.

b) Jóvenes de hasta 35 años (cuando aporten la mayor parte de los ingresos familiares): **9.000 euros**.

c) Familias numerosas, familias monoparentales con hijos, personas dependientes o con discapacidad oficialmente reconocida y las familias que las tengan a su cargo y unidades familiares con ingresos inferiores a 1,5 veces el IPREM: **12.000 euros**.

d) Mujeres víctimas de violencia de género, víctimas de terrorismo o personas separadas o divorciadas, al corriente de pago de pensiones alimenticias y compensatorias: **11.000 euros**.

Estas cuantías no son acumulables entre sí, y corresponderá únicamente la más favorable de todas las posibles.

AYUDA AUTONÓMICA:

a) En general: **3.000 euros**.

b) Familia o unidad de convivencia de especial protección (familias que cuenten dos o más hijos, la formada únicamente por el padre o la madre y los hijos, la integrada por al menos una persona dependiente o con discapacidad o con persona de más de 65 años a su cargo, la que cuente con algún miembro víctima del terrorismo o que haya sufrido violencia de género, física o psicológica y que necesite un nuevo hogar y aquella que se encuentre en situación de exclusión social acreditado por los servicios sociales de la Dirección General competente en materia de vivienda): **7.000 euros**.

c) Cuando se trate de jóvenes, en el caso de la subvención general, ésta se incrementará en **1.000 euros**.

— Las ayudas autonómicas, unidas a la ayuda estatal directa a la entrada u otras subvenciones, no podrán exceder, con carácter general, del 20% del precio de venta de la vivienda, incluidos el garaje y el trastero, ni del 22% tratándose de jóvenes o de familias numerosas.

Requisitos de acceso ayuda:

1. La vivienda tiene que haber obtenido la calificación definitiva.

2. El contrato de compraventa tiene que haber sido visado por la CA. Entre las firmas del contrato y la solicitud del visado no debe pasar más de 4 meses.

3. Entre el visado del contrato y la solicitud del préstamo no debe pasar más de 6 meses.

4. Los ingresos de la unidad familiar tienen que ser de hasta 2,5 veces el IPREM.

5. Tiene que ser el 1.er acceso a la propiedad del solicitante (se entiende que reúnen la condición de 1.er acceso a la propiedad los adquirentes que no tengan o no hayan tenido con anterioridad ninguna vivienda en propiedad o que siendo titular de alguna no disfruten de un derecho real de uso o disfrute sobre ella o el valor de la misma de acuerdo con la normativa del ITP no supere el 25% del precio máximo de venta de la vivienda que adquirieren); este requisito no se solicitará a los mayores de 65 años o discapacitados cuya vivienda no esté adaptada a sus necesidades específicas o no reúna las condiciones mínimas de habitabilidad, a los emigrantes que deseen retornar a Extremadura, a las familias o personas físicas que conservando la propiedad la vivienda que constituía el domicilio conyugal no dispongan del uso y disfrute de la misma por atribución al otro cónyuge como consecuencia de separación legal, divorcio o nulidad del

matrimonio; así como a las familias numerosas que pretendan acceder a una vivienda de mayor superficie.

6. Los solicitantes no pueden haber recibido anteriormente financiación al amparo de algún Plan de Vivienda durante los 10 años anteriores a la solicitud actual de ayudas; no será necesario cumplir este requisito cuando la adquisición de la vivienda sea como consecuencia del cambio de residencia del titular en otra localidad (en este caso será necesario cancelar previamente el préstamo cualificado o convenido anteriormente obtenido y en el caso de las ayudas directas se podrá optar por devolver las ayudas o percibir la diferencia si procediera), cuando se trate de una familia numerosa que acceda a nueva vivienda de mayor superficie como consecuencia de haber ampliado el número de miembros de la unidad familiar, cuando la nueva solicitud se produzca por la necesidad de una vivienda adaptada a las condiciones de discapacidad sobrevenida de algún miembro de la unidad familiar, cuando la adquisición de la vivienda se deba a la pérdida del uso y disfrute de la vivienda habitual como consecuencia de separación o divorcio y cuando la vivienda la adquiera un emigrante que desee retornar a Extremadura.

2. VIVIENDA DE PROTECCIÓN OFICIAL DE RÉGIMEN GENERAL

Características:

• El precio máximo de referencia por metro cuadrado útil será:

APS: **1.085,08 euros m²/superficie útil (Bloque) - 1.110,18 euros m²/superficie útil (Unifamiliar)**

Zona A: **1.046,33 euros m²/superficie útil (Bloque) - 1.070,53 euros m²/superficie útil (Unifamiliar)**

Zona B: **936,39 euros m²/superficie útil (Bloque) - 957,82 euros m²/superficie útil (Unifamiliar)**

Zona C: **875,67 euros m²/superficie útil (Bloque) - 896,56 euros m²/superficie útil (Unifamiliar)**

• El régimen de protección será de al menos 30 años, y permanente mientras subsista el régimen del suelo si las viviendas hubieran sido promovidos en suelo destinado por planeamiento a vivienda protegida o en suelo dotacional público.

Requisitos de acceso:

1. Los ingresos de la unidad familiar tienen que ser de hasta 4,5 veces el IPREM; por otra parte los demandantes deberán disponer de unos ingresos familiares mínimos que al menos sean iguales o superiores a la quinceava parte del precio de la vivienda.

2. No ser titular de una vivienda protegida (salvo por motivos de realojamiento), ni de una libre cuyo valor, según el Impuesto sobre Transmisiones Patrimoniales, exceda del 40% del precio de la vivienda que se pretende adquirir (60% para familias numerosas que precisen adquirir una vivienda de mayor tamaño por el incremento en el número de miembros de la misma, personas mayores de 65 años, personas con discapacidad, mujeres víctimas de violencia de género, víctimas del terrorismo, familias monoparentales con hijos y separados o divorciados que se encuentren al corriente de sus pensiones alimenticias o compensatorias).

3. Estar inscrito en un registro público de demandantes de vivienda.

4. La actuación debe haber sido calificada como protegida por la CA.

5. La vivienda debe destinarse como residencia habitual del adjudicatario y ocuparse dentro de los plazos establecidos.

Características de la ayuda:

PRÉSTAMO CONVENIDO:

Amortización: 25 años o más con cuotas constantes (tres años o más de carencia para el caso de promoción para uso propio).

Garantía: Hipoteca.

Cuantía Máxima: 80% del precio de adquisición (vivienda + garaje + trastero vinculados) o del valor de la edificación más el del suelo para el caso de promotores individuales para uso propio.

Tipo de interés para el año 2009: Puede ser fijo o variable.

Interés fijo: Pendiente de publicación.

Interés variable: Euribor a 12 meses publicado por el Banco de España en el *BOE* el mes anterior al de la fecha de formalización del préstamo más un diferencial de entre 25 y 125 puntos básicos.

Este tipo de interés se revisará cada 12 meses teniendo como referencia el Euribor a 12 meses publicado por el Banco de España el mes anterior a la fecha de formalización.

Cuotas: Interés fijo: Constantes durante toda la vida del préstamo.

Interés variable: Constantes durante toda la vida del préstamo, dentro de cada uno de los períodos de amortización a los cuales les corresponde un mismo tipo de interés.

Comisiones: Exentas.

SUBSIDIOS A LOS PRÉSTAMOS: Cantidad anual por cada 10.000 euros de préstamo durante 5 años, renovables 5 más (la ampliación se tiene que solicitar dentro del 5.º año del primer período y los solicitantes tienen que acreditar que siguen cumpliendo las condiciones para la concesión de la ayuda; se entenderá que cumplen las condiciones cuando la media de los ingresos correspondientes a los dos años anteriores a la revisión no excedan en más o menos un 20% de las acreditadas inicialmente):

— **100 euros** para ingresos menores o iguales a 2,5 veces el IPREM los 10 primeros años (**155 euros** para familias numerosas, monoparentales con hijos y familias que incluyan personas dependientes o con discapacidad reconocida oficialmente durante los 5 primeros años).

— **80 euros** para ingresos entre 2,5 y 3,5 veces el IPREM los 5 primeros años (**113 euros** para familias numerosas, monoparentales con hijos y familias que incluyan personas dependientes o con discapacidad reconocida oficialmente durante los 5 primeros años).

— **60 euros** anuales a familias con ingresos familiares entre 3,5 y 4,5 veces el IPREM (**93 euros** para familias numerosas, monoparentales con hijos y familias que incluyan personas dependientes o con discapacidad reconocida oficialmente durante los 5 primeros años).

AYUDA ESTATAL DIRECTA A LA ENTRADA (AEDE):

ADQUIRENTES CON INGRESOS DE HASTA 2,5 VECES EL IPREM:

a) En general: **8.000 euros**.

b) Jóvenes de hasta 35 años (cuando aporten la mayor parte de los ingresos familiares): **9.000 euros**.

c) Familias numerosas, familias monoparentales con hijos, personas dependientes o con discapacidad oficialmente reconocida y las familias que las tengan a su cargo y unidades familiares con ingresos inferiores a 1,5 veces el IPREM: **12.000 euros**.

d) Mujeres víctimas de violencia de género, víctimas de terrorismo o personas separadas o divorciadas, al corriente de pago de pensiones alimenticias y compensatorias: **11.000 euros**.

Estas cuantías no son acumulables entre sí, y corresponderá únicamente la más favorable de todas las posibles.

AYUDA AUTONÓMICA:

a) En general: **3.000 euros**.

b) Familia o unidad de convivencia de especial protección (familias que cuenten dos o más hijos, la formada únicamente por el padre o la madre y los hijos, la integrada por al menos una persona dependiente o con discapacidad o con persona de más de 65 años a su cargo, la que cuente con algún miembro víctima del terrorismo o que haya sufrido violencia de género, física o psicológica y que necesite un nuevo hogar y aquella que se encuentre en situación de exclusión social acreditado por los servicios sociales de la Dirección General competente en materia de vivienda): **7.000 euros**.

c) Cuando se trate de jóvenes, en el caso de la subvención general, ésta se incrementará en **1.000 euros**.

— Las ayudas autonómicas, unidas a la ayuda estatal directa a la entrada u otras subvenciones, no podrán exceder, con carácter general, del 20% del precio de venta de la vivienda, incluidos el garaje y el trastero, ni del 22% tratándose de jóvenes o de familias numerosas.

Requisitos de acceso ayuda:

1. La vivienda tiene que haber obtenido la calificación definitiva.

2. El contrato de compraventa tiene que haber sido visado por la CA. Entre las firmas del contrato y la solicitud del visado no debe pasar más de 4 meses.

3. Entre el visado del contrato y la solicitud del préstamo no debe pasar más de 6 meses.

4. Los ingresos de la unidad familiar tienen que ser de hasta 2,5 veces el IPREM.

5. Tiene que ser el 1.er acceso a la propiedad del solicitante (se entiende que reúnen la condición de 1.er acceso a la propiedad los adquirentes que no tengan o no hayan tenido con anterioridad ninguna vivienda en propiedad o que siendo titular de alguna no disfruten de un derecho real de uso o disfrute sobre ella o el valor de la misma de acuerdo con la normativa del ITP no supere el 25% del precio máximo de venta de la vivienda que adquirieren); este requisito no se solicitará a los mayores de 65 años o discapacitados cuya vivienda no esté adaptada a sus necesidades específicas o no reúna las condiciones mínimas de habitabilidad, a los emigrantes que deseen retornar a Extremadura, a las familias o personas físicas que conservando la propiedad la vivienda que constituía el domicilio conyugal no dispongan del uso y disfrute de la misma por atribución al otro cónyuge como consecuencia de separación legal, divorcio o nulidad del matrimonio; así como a las familias numerosas que pretendan acceder a una vivienda de mayor superficie.

6. Los solicitantes no pueden haber recibido anteriormente financiación al amparo de algún Plan de Vivienda durante los 10 años anteriores a la solicitud actual de ayudas; no será necesario cumplir este requisito cuando la adquisición de la vivienda sea como consecuencia del cambio de residencia del titular en otra localidad (en este caso será necesario cancelar previamente el préstamo cualificado o convenido anteriormente obtenido y en el caso de las ayudas directas se podrá optar por devolver las ayudas o percibir la diferencia si procediera), cuando se trate de una familia numerosa que acceda a nueva vivienda de mayor superficie como consecuencia de haber ampliado el número de miembros de la unidad familiar, cuando la nueva solicitud se produzca por la necesidad de una vivienda adaptada a las condiciones de discapacidad sobrevenida de algún miembro de la unidad familiar, cuando la adquisición de la vivienda se deba a la pérdida

del uso y disfrute de la vivienda habitual como consecuencia de separación o divorcio y cuando la vivienda la adquiera un emigrante que desee retornar a Extremadura.

ADQUIRENTES CON INGRESOS ENTRE 2,5 VECES Y 3,5 VECES EL IPREM:

a) En general: **7.000 euros**.

b) Jóvenes de hasta 35 años (cuando aporten la mayor parte de los ingresos familiares): **8.000 euros**.

c) Familias numerosas, familias monoparentales con hijos, personas dependientes o con discapacidad oficialmente reconocida y las familias que las tengan a su cargo y unidades familiares con ingresos inferiores a 1,5 veces el IPREM: **10.000 euros**.

d) Mujeres víctimas de violencia de género, víctimas de terrorismo o personas separadas o divorciadas, al corriente de pago de pensiones alimenticias y compensatorias: **9.000 euros**.

Estas cuantías no son acumulables entre sí, y corresponderá únicamente la más favorable de todas las posibles.

AYUDA AUTONÓMICA:

a) En general: **2.000 euros**.

b) Familia o unidad de convivencia de especial protección (familias que cuenten dos o más hijos, la formada únicamente por el padre o la madre y los hijos, la integrada por al menos una persona dependiente o con discapacidad o con persona de más de 65 años a su cargo, la que cuente con algún miembro víctima del terrorismo o que haya sufrido violencia de género, física o psicológica y que necesite un nuevo hogar y aquella que se encuentre en situación de exclusión social acreditado por los servicios sociales de la Dirección General competente en materia de vivienda): **5.000 euros**.

c) Cuando se trate de jóvenes, en el caso de la subvención general, ésta se incrementará en **1.000 euros**.

— Las ayudas autonómicas, unidas a la ayuda estatal directa a la entrada u otras subvenciones, no podrán exceder, con carácter general, del 20% del precio de venta de la vivienda, incluidos el garaje y el trastero, ni del 22% tratándose de jóvenes o de familias numerosas.

Requisitos de acceso a la ayuda:

1. La vivienda tiene que haber obtenido la calificación definitiva.

2. El contrato de compraventa tiene que haber sido visado por la CA. Entre las firmas del contrato y la solicitud del visado no debe pasar más de 4 meses.

3. Entre el visado del contrato y la solicitud del préstamo no debe pasar más de 6 meses.

4. Los ingresos de la unidad familiar tienen que ser entre 2,5 y 3,5 veces el IPREM.

5. Tiene que ser el 1.er acceso a la propiedad del solicitante (se entiende que reúnen la condición de 1.er acceso a la propiedad los adquirentes que no tengan o no hayan tenido con anterioridad ninguna vivienda en propiedad o que siendo titular de alguna no disfruten de un derecho real de uso o disfrute sobre ella o el valor de la misma de acuerdo con la normativa del ITP no supere el 25% del precio máximo de venta de la vivienda que adquirieren); este requisito no se solicitará a los mayores de 65 años o discapacitados cuya vivienda no esté adaptada a sus necesidades específicas o no reúna las condiciones mínimas de habitabilidad, a los emigrantes que deseen retornar a Extremadura, a las familias o personas físicas que conservando la propiedad la vivienda que constituía el domicilio conyugal no dispongan del uso y disfrute de la misma por atribución al otro cónyuge como consecuencia de separación legal, divorcio o nulidad del matrimonio; así como a las familias numerosas que pretendan acceder a una vivienda de mayor superficie.

6. Los solicitantes no pueden haber recibido anteriormente financiación al amparo de algún Plan de Vivienda durante los 10 años anteriores a la solicitud actual de ayudas; no será necesario cumplir este requisito cuando la adquisición de la vivienda sea como consecuencia del cambio de residencia del titular en otra localidad (en este caso será necesario cancelar previamente el préstamo cualificado o convenido anteriormente obtenido y en el caso de

las ayudas directas se podrá optar por devolver las ayudas o percibir la diferencia si procediera), cuando se trate de una familia numerosa que acceda a nueva vivienda de mayor superficie como consecuencia de haber ampliado el número de miembros de la unidad familiar, cuando la nueva solicitud se produzca por la necesidad de una vivienda adaptada a las condiciones de discapacidad sobrevenida de algún miembro de la unidad familiar, cuando la adquisición de la vivienda se deba a la pérdida del uso y disfrute de la vivienda habitual como consecuencia de separación o divorcio y cuando la vivienda la adquiera un emigrante que desee retornar a Extremadura.

ADQUIRENTES CON INGRESOS ENTRE 3,5 VECES Y 4,5 VECES EL IPREM:

a) En general: **5.000 euros**.

b) Jóvenes de hasta 35 años (cuando aporten la mayor parte de los ingresos familiares): **6.000 euros**.

c) Familias numerosas, familias monoparentales con hijos, personas dependientes o con discapacidad oficialmente reconocida y las familias que las tengan a su cargo y unidades familiares con ingresos inferiores a 1,5 veces el IPREM: **8.000 euros**.

d) Mujeres víctimas de violencia de género, víctimas de terrorismo o personas separadas o divorciadas, al corriente de pago de pensiones alimenticias y compensatorias: **7.000 euros**.

Estas cuantías no son acumulables entre sí, y corresponderá únicamente la más favorable de todas las posibles.

Requisitos de acceso a la ayuda:

1. La vivienda tiene que haber obtenido la calificación definitiva.

2. El contrato de compraventa tiene que haber sido visado por la CA. Entre las firmas del contrato y la solicitud del visado no debe pasar más de 4 meses.

3. Entre el visado del contrato y la solicitud del préstamo no debe pasar más de 6 meses.

4. Los ingresos de la unidad familiar tienen que ser entre 2,5 y 3,5 veces el IPREM.

5. Tiene que ser el 1.ᵉʳ acceso a la propiedad del solicitante (se entiende que reúnen la condición de 1.ᵉʳ acceso a la propiedad los adquirentes que no tengan o no hayan tenido con anterioridad ninguna vivienda en propiedad o que siendo titular de alguna no disfruten de un derecho real de uso o disfrute sobre ella o el valor de la misma de acuerdo con la normativa del ITP no supere el 25% del precio máximo de venta de la vivienda que adquirieren); este requisito no se solicitará a los mayores de 65 años o discapacitados cuya vivienda no esté adaptada a sus necesidades específicas o no reúna las condiciones mínimas de habitabilidad, a los emigrantes que deseen retornar a Extremadura, a las familias o personas físicas que conservando la propiedad la vivienda que constituía el domicilio conyugal no dispongan del uso y disfrute de la misma por atribución al otro cónyuge como consecuencia de separación legal, divorcio o nulidad del matrimonio; así como a las familias numerosas que pretendan acceder a una vivienda de mayor superficie.

6. Los solicitantes no pueden haber recibido anteriormente financiación al amparo de algún Plan de Vivienda durante los 10 años anteriores a la solicitud actual de ayudas; no será necesario cumplir este requisito cuando la adquisición de la vivienda sea como consecuencia del cambio de residencia del titular en otra localidad (en este caso será necesario cancelar previamente el préstamo cualificado o convenido anteriormente obtenido y en el caso de las ayudas directas se podrá optar por devolver las ayudas o percibir la diferencia si procediera), cuando se trate de una familia numerosa que acceda a nueva vivienda de mayor superficie como consecuencia de haber ampliado el número de miembros de la unidad familiar, cuando la nueva solicitud se produzca por la necesidad de una vivienda adaptada a las condiciones de discapacidad sobrevenida de algún miembro de la unidad familiar, cuando la adquisición de la vivienda se deba a la pérdida del uso y disfrute de la vivienda habitual como consecuencia de separación o divorcio y cuando la vivienda la adquiera un emigrante que desee retornar a Extremadura.

3. VIVIENDAS PROTEGIDAS DE PRECIO CONCERTADO

Características:

• El precio máximo de referencia por metro cuadrado útil será:

APS: **1.235,98 euros m²/superficie útil (Bloque) - 1.264,56 euros m²/ superficie útil (Unifamiliar)**

Zona A: **1.191,83 euros m²/superficie útil (Bloque) - 1.219,40 euros m²/superficie útil (Unifamiliar)**

Zona B: **1.066,61 euros m²/superficie útil (Bloque) - 1.091,02 euros m²/superficie útil (Unifamiliar)**

Zona C: **997,44 euros m²/superficie útil (Bloque) - 1.021,52 euros m²/ superficie útil (Unifamiliar)**

• El régimen de protección será de al menos 30 años, y permanente mientras subsista el régimen del suelo si las viviendas hubieran sido promovidos en suelo destinado por planeamiento a vivienda protegida o en suelo dotacional público.

Requisitos de acceso:

1. Los ingresos de la unidad familiar tienen que ser de hasta 6,5 veces el IPREM; por otra parte los demandantes deberán disponer de unos ingresos familiares mínimos que al menos sean iguales o superiores a la quinceava parte del precio de la vivienda.

2. No ser titular de una vivienda protegida (salvo por motivos de realojamiento), ni de una libre cuyo valor, según el Impuesto sobre Transmisiones Patrimoniales, exceda del 40% del precio de la vivienda que se pretende adquirir (60% para familias numerosas que precisen adquirir una vivienda de mayor tamaño por el incremento en el número de miembros de la misma, personas mayores de 65 años, personas con discapacidad, mujeres víctimas de violencia de género, víctimas del terrorismo, familias monoparentales con hijos y separados o divorciados que se encuentren al corriente de sus pensiones alimenticias o compensatorias).

3. Estar inscrito en un registro público de demandantes de vivienda.

4. La actuación debe haber sido calificada como protegida por la CA.

5. La vivienda debe destinarse como residencia habitual del adjudicatario y ocuparse dentro de los plazos establecidos.

Características de la ayuda:

PRÉSTAMO CONVENIDO:

Amortización: 25 años o más con cuotas constantes (tres años o más de carencia para el caso de promoción para uso propio).

Garantía: Hipoteca.

Cuantía Máxima: 80% del precio de adquisición (vivienda + garaje + trastero vinculados) o del valor de la edificación más el del suelo para el caso de promotores individuales para uso propio.

Tipo de interés para el año 2009: Puede ser fijo o variable.

Interés fijo: Pendiente de publicación.

Interés variable: Euribor a 12 meses publicado por el Banco de España en el *BOE* el mes anterior al de la fecha de formalización del préstamo más un diferencial de entre 25 y 125 puntos básicos.

Este tipo de interés se revisará cada 12 meses teniendo como referencia el Euribor a 12 meses publicado por el Banco de España el mes anterior a la fecha de formalización.

Cuotas: Interés fijo: Constantes durante toda la vida del préstamo.

Interés variable: Constantes durante toda la vida del préstamo, dentro de cada uno de los períodos de amortización a los cuales les corresponde un mismo tipo de interés.

Comisiones: Exentas.

Requisitos de acceso ayuda:

1. La vivienda tiene que haber obtenido la calificación definitiva.

2. El contrato de compraventa tiene que haber sido visado por la CA. Entre las firmas del contrato y la solicitud del visado no debe pasar más de 4 meses.

3. Entre el visado del contrato y la solicitud del préstamo no debe pasar más de 6 meses.

4. Tiene que ser el 1.er acceso a la propiedad del solicitante (se entiende que reúnen la condición de 1.er acceso a la propiedad los adquirentes que no tengan o no hayan tenido con anterioridad ninguna vivienda en propiedad o que siendo titular de alguna no disfruten de un derecho real de uso o disfrute sobre ella o el valor de la misma de acuerdo con la normativa del ITP no supere el 25% del precio máximo de venta de la vivienda que adquirieren).

5. Los solicitantes no pueden haber recibido anteriormente financiación al amparo de algún Plan de Vivienda durante los 10 años anteriores a la solicitud actual de ayudas; no será necesario cumplir este requisito cuando la adquisición de la vivienda sea como consecuencia del cambio de residencia del titular en otra localidad, cuando se trate de una familia numerosa que acceda a nueva vivienda de mayor superficie como consecuencia de haber ampliado el número de miembros de la unidad familiar o cuando la nueva solicitud se produzca por la necesidad de una vivienda adaptada a las condiciones de discapacidad sobrevenida de algún miembro de la unidad familiar (en cualquier caso será necesario cancelar previamente el préstamo cualificado o convenido anteriormente obtenido y en el caso de las ayudas directas se podrá optar por devolver las ayudas o percibir la diferencia si procediera).

6. La cuantía del préstamo convenido no será inferior al 60% del precio de la vivienda durante los 5 primeros años de amortización del préstamo.

4. VIVIENDAS DEL PROGRAMA ESPECIAL

Características:

• El precio máximo de referencia por metro cuadrado útil será:

Zona A y excepcionalmente en municipios de otras zonas: **838,26 euros m²/superficie útil - Garaje (incluido en el precio).**

• Se entiende por Plan Especial aquella estrategia diseñada, impulsada, coordinada y supervisada por la Consejería competente en materia de vivienda que, incorporando a la programación específica inherente al Plan Especial actuaciones propias y singulares de Extremadura, y otras tradicionales, persigue garantizar la presencia de tales actuaciones en grandes núcleos de población y en sus proximidades, o bien en localidades con características peculiares, para paliar así el déficit de vivienda protegida.

• El régimen de protección será de al menos 30 años, y permanente mientras subsista el régimen del suelo si las viviendas hubieran sido promovidos en suelo destinado por planeamiento a vivienda protegida o en suelo dotacional público.

Requisitos de acceso:

1. Los ingresos de la unidad familiar tienen que ser de hasta 2,5 veces el IPREM; los ingresos de la unidad familiar no pueden ser inferiores a una quinceava parte del precio de la vivienda protegida, y del garaje y del trastero en su caso.

2. No ser titular de una vivienda protegida (salvo por motivos de realojamiento), ni de una libre cuyo valor, según el Impuesto sobre Transmisiones Patrimoniales, exceda del 40% del precio de la vivienda que se pretende adquirir (60% para familias numerosas que precisen adquirir una vivienda de mayor tamaño por el incremento en el número de miembros de la misma, personas mayores de 65 años, personas con discapacidad, mujeres víctimas de violencia de género, víctimas del terrorismo, familias monoparentales con hijos y separados o divorciados que se encuentren al corriente de sus pensiones alimenticias o compensatorias).

3. Estar inscrito en un registro público de demandantes de vivienda.

4. La actuación debe haber sido calificada como protegida por la CA.

5. La vivienda debe destinarse como residencia habitual del adjudicatario y ocuparse dentro de los plazos establecidos.

Características de la ayuda:

PRÉSTAMO CONCERTADO:

— Ayuda financiera consistente en el establecimiento de préstamos concertados con entidades de crédito públicas o privadas, al amparo de los convenios formalizados por la Consejería competente en materia de vivienda.

— Se aplicará supletoriamente la normativa estatal de financiación pública en materia de vivienda vigente a la fecha de la formalización.

— La tasación que pueda efectuarse a efectos de valoración de la vivienda, tendrá en cuenta el valor del suelo, el coste de la urbanización, así como el precio de la vivienda protegida.

AYUDAS A ADQUIRENTES O ADJUDICATARIOS DE VIVIENDAS DEL PROGRAMA ESPECIAL:

— Ayuda económica destinada a financiar, a adquirentes o adjudicatarios, los honorarios profesionales de formalización de escritura pública e inscripción en el Registro de la Propiedad: **900 euros**.

Requisitos de acceso a la ayuda:

1. La vivienda tiene que haber obtenido la calificación definitiva.

2. El contrato de compraventa tiene que haber sido visado por la CA. Entre las firmas del contrato y la solicitud del visado no debe pasar más de 4 meses.

3. Entre el visado del contrato y la solicitud del préstamo no debe pasar más de 6 meses.

4. El solicitante tiene que ser joven de hasta 35 años y con unos ingresos de la unidad familiar de hasta 2,5 veces el IPREM.

5. Tiene que ser el 1.er acceso a la propiedad del solicitante (se entiende que reúnen la condición de 1.er acceso a la propiedad los adquirentes que no tengan o no hayan tenido con anterioridad ninguna vivienda en propiedad o que siendo titular de alguna no disfruten de un derecho real de uso o disfrute sobre ella o el valor de la misma de acuerdo con la normativa del ITP no supere el 25% del precio máximo de venta de la vivienda que adquirieren); este requisito no se solicitará a los mayores de 65 años o discapacitados cuya vivienda no esté adaptada a sus necesidades específicas o no reúna las condiciones mínimas de habitabilidad, a los emigrantes que deseen retornar a Extremadura, a las familias o personas físicas que conservando la propiedad la vivienda que constituía el domicilio conyugal no dispongan del uso y disfrute de la misma por atribución al otro cónyuge como consecuencia de separación legal, divorcio o nulidad del

matrimonio; así como a las familias numerosas que pretendan acceder a una vivienda de mayor superficie.

6. Los solicitantes no pueden haber recibido anteriormente financiación al amparo de algún Plan de Vivienda durante los 10 años anteriores a la solicitud actual de ayudas; no será necesario cumplir este requisito cuando la adquisición de la vivienda sea como consecuencia del cambio de residencia del titular en otra localidad (en este caso será necesario cancelar previamente el préstamo cualificado o convenido anteriormente obtenido y en el caso de las ayudas directas se podrá optar por devolver las ayudas o percibir la diferencia si procediera), cuando se trate de una familia numerosa que acceda a nueva vivienda de mayor superficie como consecuencia de haber ampliado el número de miembros de la unidad familiar, cuando la nueva solicitud se produzca por la necesidad de una vivienda adaptada a las condiciones de discapacidad sobrevenida de algún miembro de la unidad familiar, cuando la adquisición de la vivienda se deba a la pérdida del uso y disfrute de la vivienda habitual como consecuencia de separación o divorcio y cuando la vivienda la adquiera un emigrante que desee retornar a Extremadura.

5. PROGRAMA DE VIVIENDAS MEDIAS

Características:

• El precio máximo de referencia por metro cuadrado útil será:

Zona A: **Superficie útil/m² vivienda mínima de 30 y máxima menor o igual a 60 - 1.409,87 euros**

Superficie útil/m² vivienda mínima de 60 y máxima menor o igual a 90 - 1.293,52 euros

Superficie útil/m² vivienda mínima de 90 y máxima menor o igual a 120 - 1.174,89 euros

Zona B: **Superficie útil/m² vivienda mínima de 30 y máxima menor o igual a 60 - 1.366,94 euros**

Superficie útil/m² vivienda mínima de 60 y máxima menor o igual a 90 - 1.253,97 euros

Superficie útil/m² vivienda mínima de 90 y máxima menor o igual a 120 - 1.138,75 euros

Zona C: **Superficie útil/m² vivienda mínima de 30 y máxima menor o igual a 60 - 1.231,38 euros**

Superficie útil/m² vivienda mínima de 60 y máxima menor o igual a 90 - 1.129,70 euros

Superficie útil/m² vivienda mínima de 90 y máxima menor o igual a 120 - 1.109,37 euros

• Serán consideradas viviendas acogidas al Programa de Vivienda Media aquellas viviendas de nueva construcción, promovidas al amparo del mismo cuyas condiciones de precio y superficie se ciñan a lo expuesto anteriormente.

• El régimen de protección será de al menos 30 años, y permanente mientras subsista el régimen del suelo si las viviendas hubieran sido promovidos en suelo destinado por planeamiento a vivienda protegida o en suelo dotacional público.

Requisitos de acceso:

1. Los ingresos de la unidad familiar tienen que ser de hasta 7,5 veces el IPREM.

2. No ser titular de una vivienda protegida (salvo por motivos de realojamiento), ni de una libre cuyo valor, según el Impuesto sobre Transmisiones Patrimoniales, exceda del 40% del precio de la vivienda que se pretende adquirir (60% para familias numerosas que precisen adquirir una vivienda de mayor tamaño por el incremento en el número de miembros de la misma, personas mayores de 65 años, personas con discapacidad, mujeres víctimas de violencia de género, víctimas del terrorismo, familias monoparentales con hijos y separados o divorciados que se encuentren al corriente de sus pensiones alimenticias o compensatorias).

3. Estar inscrito en un registro público de demandantes de vivienda.

4. La actuación debe haber sido calificada como protegida por la CA.

5. La vivienda debe destinarse como residencia habitual del adjudicatario y ocuparse dentro de los plazos establecidos.

Características de la ayuda:

PRÉSTAMO CONCERTADO:

— Ayuda financiera consistente en el establecimiento de préstamos concertados con entidades de crédito públicas o privadas, al amparo de los convenios formalizados por la Consejería competente en materia de vivienda.

— Se aplicará supletoriamente la normativa estatal de financiación pública en materia de vivienda vigente a la fecha de la formalización.

— La tasación que pueda efectuarse a efectos de valoración de la vivienda, tendrá en cuenta el valor del suelo, el coste de la urbanización, así como el precio de la vivienda protegida.

Requisitos de acceso a la ayuda:

1. La vivienda tiene que haber obtenido la calificación definitiva.

2. El contrato de compraventa tiene que haber sido visado por la CA. Entre las firmas del contrato y la solicitud del visado no debe pasar más de 4 meses.

3. Entre el visado del contrato y la solicitud del préstamo no debe pasar más de 6 meses.

4. Tiene que ser el 1.er acceso a la propiedad del solicitante (se entiende que reúnen la condición de 1.er acceso a la propiedad los adquirentes que no tengan o no hayan tenido con anterioridad ninguna vivienda en propiedad o que siendo titular de alguna no disfruten de un derecho real de uso o disfrute sobre ella o el valor de la misma de acuerdo con la normativa del ITP no supere el 25% del precio máximo de venta de la vivienda que adquirieren); este requisito no se solicitará a los mayores de 65 años o discapacitados cuya vivienda no esté adaptada a sus necesidades específicas o no reúna las condiciones mínimas de habitabilidad, a los emigrantes que deseen retornar a Extremadura, a las familias o personas físicas que conservando la propiedad la vivienda que constituía el domicilio conyugal no dispongan del uso y disfrute de la misma por atribución al otro

cónyuge como consecuencia de separación legal, divorcio o nulidad del matrimonio; así como a las familias numerosas que pretendan acceder a una vivienda de mayor superficie.

5. Los solicitantes no pueden haber recibido anteriormente financiación al amparo de algún Plan de Vivienda durante los 10 años anteriores a la solicitud actual de ayudas; no será necesario cumplir este requisito cuando la adquisición de la vivienda sea como consecuencia del cambio de residencia del titular en otra localidad (en este caso será necesario cancelar previamente el préstamo cualificado o convenido anteriormente obtenido y en el caso de las ayudas directas se podrá optar por devolver las ayudas o percibir la diferencia si procediera), cuando se trate de una familia numerosa que acceda a nueva vivienda de mayor superficie como consecuencia de haber ampliado el número de miembros de la unidad familiar, cuando la nueva solicitud se produzca por la necesidad de una vivienda adaptada a las condiciones de discapacidad sobrevenida de algún miembro de la unidad familiar, cuando la adquisición de la vivienda se deba a la pérdida del uso y disfrute de la vivienda habitual como consecuencia de separación o divorcio y cuando la vivienda la adquiera un emigrante que desee retornar a Extremadura.

6. VIVIENDAS AUTOPROMOVIDAS

Características:

• El precio máximo de referencia por metro cuadrado útil será:

Zona A: **1.046,33 euros m²/superficie útil (una planta) - 1.070,53 euros m²/superficie útil (dos o más plantas)**

Zona B: **936,39 euros m²/superficie útil (una planta) - 957,58 euros m²/ superficie útil (Dos o más plantas)**

Zona C: **875,67 euros m²/superficie útil (una planta) - 1.021,52 euros m²/superficie útil (dos o más plantas)**

• Serán consideradas viviendas autopromovidas:

a) Unifamiliar aislada.

b) Unifamiliar pareada.

c) Unifamiliar entre medianeras.

d) Unifamiliar encimada: estas son aquellas que se ejecutan sobre local comercial y garaje, ejecutados y financiados simultáneamente a costa del promotor para uso propio, aquella que se ejecuta sobre obra existente o aquella que se ejecuta sobre otra siempre que ambas sean ejecutadas conjunta y simultáneamente en un solar pro indiviso por parientes hasta el segundo grado de consanguinidad y reúnan los requisitos de acceso independiente desde el exterior y que no excedan de dos viviendas.

— Se excluye la protección de aquellas actuaciones que por su ámbito y naturaleza supongan promociones comerciales encubiertas.

— El valor del suelo no puede superar el 40% del coste máximo de construcción (precio máximo de venta de una vivienda de precio general) o del 50% cuando la vivienda se promueva sobre un suelo procedente de patrimonios públicos de suelo municipal y hubiera sido adquirido onerosamente por el beneficiario.

— La vivienda no puede exceder de una superficie útil de 90 m² o de 120 m² en el caso de familias numerosas, en el caso de discapacitados con movilidad reducida permanente será de hasta 108 m².

• El régimen de protección será de al menos 30 años, y permanente mientras subsista el régimen del suelo si las viviendas hubieran sido promovidos en suelo destinado por planeamiento a vivienda protegida o en suelo dotacional público.

Requisitos de acceso:

1. Los ingresos de la unidad familiar tienen que ser de hasta 3,5 veces el IPREM.

2. No ser titular de una vivienda protegida (salvo por motivos de realojamiento), ni de una libre cuyo valor, según el Impuesto sobre Transmisiones Patrimoniales, exceda del 40% del precio de la vivienda que se pretende adquirir (60% para familias numerosas que precisen adquirir una vivienda de mayor tamaño por el incremento en el número de miembros de la misma, personas mayores de 65 años, personas con discapacidad, mujeres víctimas de violencia de género, víctimas del terrorismo, familias monopa-

rentales con hijos y separados o divorciados que se encuentren al corriente de sus pensiones alimenticias o compensatorias).

3. Estar inscrito en un registro público de demandantes de vivienda.

4. La actuación debe haber sido calificada como protegida por la CA.

5. La vivienda debe destinarse como residencia habitual del adjudicatario y ocuparse dentro de los plazos establecidos.

Características de la ayuda:

AYUDA AUTONÓMICA:

a) Subvención como medida de financiación tendente a costear los gastos de construcción de la vivienda protegida: **15.000 euros**.

b) Subvención destinada a financiar los gastos derivados de trámites administrativos, así como los provenientes de los honorarios devengados por la redacción del proyecto y de la dirección de la obra de la vivienda protegida y de su ejecución, así como del estudio y coordinación de seguridad y salud laboral: **6.000 euros**.

Requisitos de acceso a la ayuda:

1. Los ingresos de la unidad familiar tienen que ser de hasta 3,5 veces el IPREM.

2. La vivienda tiene que haber obtenido la calificación definitiva.

3. El contrato de compraventa tiene que haber sido visado por la CA. Entre las firmas del contrato y la solicitud del visado no debe pasar más de 4 meses.

4. Entre el visado del contrato y la solicitud del préstamo no debe pasar más de 6 meses.

5. Tiene que ser el 1.er acceso a la propiedad del solicitante (se entiende que reúnen la condición de 1.er acceso a la propiedad los adquirentes que no tengan o no hayan tenido con anterioridad ninguna vivienda en propiedad o que siendo titular de alguna no disfruten de un derecho real de uso o disfrute sobre ella o el valor de la misma de acuerdo con la normativa del ITP no supere el 25% del precio máximo de venta de la vivienda que

adquirieren); este requisito no se solicitará a los mayores de 65 años o discapacitados cuya vivienda no esté adaptada a sus necesidades específicas o no reúna las condiciones mínimas de habitabilidad, a los emigrantes que deseen retornar a Extremadura, a las familias o personas físicas que conservando la propiedad la vivienda que constituía el domicilio conyugal no dispongan del uso y disfrute de la misma por atribución al otro cónyuge como consecuencia de separación legal, divorcio o nulidad del matrimonio; así como a las familias numerosas que pretendan acceder a una vivienda de mayor superficie.

6. Los solicitantes no pueden haber recibido anteriormente financiación al amparo de algún Plan de Vivienda durante los 10 años anteriores a la solicitud actual de ayudas; no será necesario cumplir este requisito cuando la adquisición de la vivienda sea como consecuencia del cambio de residencia del titular en otra localidad (en este caso será necesario cancelar previamente el préstamo cualificado o convenido anteriormente obtenido y en el caso de las ayudas directas se podrá optar por devolver las ayudas o percibir la diferencia si procediera), cuando se trate de una familia numerosa que acceda a nueva vivienda de mayor superficie como consecuencia de haber ampliado el número de miembros de la unidad familiar, cuando la nueva solicitud se produzca por la necesidad de una vivienda adaptada a las condiciones de discapacidad sobrevenida de algún miembro de la unidad familiar, cuando la adquisición de la vivienda se deba a la pérdida del uso y disfrute de la vivienda habitual como consecuencia de separación o divorcio y cuando la vivienda la adquiera un emigrante que desee retornar a Extremadura.

7. El promotor individual para uso propio tiene que reunir alguno de los siguientes requisitos:

a) Tiene que ser titular del pleno dominio de un solar o de un derecho real de vuelo o superficie, física y jurídicamente aptos para edificar la vivienda protegida autopromovida.

b) Ostentar la condición de cesionario del pleno dominio o de los derechos reales que se refiere el párrafo anterior, y acreditarlo mediante documento privado de cesión formalizado entre padres e hijos.

c) Ser adjudicatario de un solar en virtud de cesión operada por Entidad Local.

8. Que el promotor individual para uso propio o al menos uno de los cónyuges o miembros de la pareja de hecho, haya residido durante los dos últimos años anteriores a la solicitud en el municipio donde pretende llevar a cabo la actuación protegida y se encuentre empadronado en el mismo. Del cumplimiento de este requisito se exceptúan los emigrantes que deseen retornar a Extremadura.

B) COMPRA DE VIVIENDA USADA:

Características:

Se consideran viviendas usadas:

a) Viviendas sujetas a regímenes de protección pública, adquiridas en segunda o posterior transmisión.

A estos efectos, se considerarán asimismo segundas transmisiones, las que tengan por objeto viviendas protegidas que se hubieran destinado anteriormente a arrendamiento.

b) Viviendas libres de nueva construcción adquiridas después de, al menos, 1 año desde la expedición de la licencia de primera ocupación, el certificado final de obra o la cédula de habitabilidad y el contrato de compraventa o de opción de compra.

c) Viviendas rurales usadas con una superficie útil que no exceda de 120 m² y sean adquiridas en municipios o núcleos de población que no superen los 10.000 habitantes.

Salvo normativa autonómica diferente, la superficie útil de la vivienda estará comprendida entre 40 m² y 90 m² pudiendo llegar a 120 m² en el caso de viviendas para familias numerosas, personas con discapacidad o familias con dependientes a su cargo.

— La obtención de la ayuda conllevará la limitación de su precio máximo de venta en posteriores transmisiones, durante, al menos, 15 años desde la fecha de adquisición, o durante la duración del préstamo convenido, si fuera superior.

— Precio de la vivienda usada:

Zona A: **1.046,33 euros m²/superficie útil (Bloque) - 1.070,53 euros m²/superficie útil (Unifamiliar)**

Zona B: **936,39 euros m²/superficie útil (Bloque) - 957,82 euros m²/superficie útil (Unifamiliar)**

Zona C: **875,67 euros m²/superficie útil (Bloque) - 896,56 euros m²/superficie útil (Unifamiliar)**

— **El precio de las viviendas acogidas a algún régimen de protección será el que corresponda a dicho régimen siempre que no exceda de los precios marcados en el párrafo anterior.**

Requisitos de acceso:

1. Ingresos familiares de hasta 6,5 veces el IPREM.

2. No ser titular de una vivienda protegida (salvo por motivos de realojamiento), ni de una libre cuyo valor, según el Impuesto sobre Transmisiones Patrimoniales, exceda del 40% del precio de la vivienda que se pretende adquirir (60% para familias numerosas que precisen adquirir una vivienda de mayor tamaño por el incremento en el número de miembros de la misma, personas mayores de 65 años, personas con discapacidad, mujeres víctimas de violencia de género, víctimas del terrorismo).

3. Estar inscrito en un registro público de demandantes de vivienda.

4. La actuación debe haber sido calificada como protegida por la CA.

5. La vivienda debe destinarse como residencia habitual del adjudicatario y ocuparse dentro de los plazos establecidos.

Características de la ayuda:

PRÉSTAMO CONVENIDO:

Amortización: 25 años o más con cuotas constantes (tres años o más de carencia para el caso de promoción para uso propio).

Garantía: Hipoteca.

Cuantía Máxima: 80% del precio de adquisición (vivienda + garaje + trastero vinculados) o del valor de la edificación más el del suelo para el caso de promotores individuales para uso propio.

Tipo de interés para el año 2009: Puede ser fijo o variable.

Interés fijo: Pendiente de publicación.

Interés variable: Euribor a 12 meses publicado por el Banco de España en el *BOE* el mes anterior al de la fecha de formalización del préstamo más un diferencial de entre 25 y 125 puntos básicos.

Este tipo de interés se revisará cada 12 meses teniendo como referencia el Euribor a 12 meses publicado por el Banco de España el mes anterior a la fecha de formalización.

Cuotas: Interés fijo: Constantes durante toda la vida del préstamo.

Interés variable: Constantes durante toda la vida del préstamo, dentro de cada uno de los períodos de amortización a los cuales les corresponde un mismo tipo de interés.

Comisiones: Exentas.

SUBSIDIOS A LOS PRÉSTAMOS: Cantidad anual por cada 10.000 euros de préstamo durante 5 años, renovables 5 más (la ampliación se tiene que solicitar dentro del 5.º año del primer período y los solicitantes tienen que acreditar que siguen cumpliendo las condiciones para la concesión de la ayuda; se entenderá que cumplen las condiciones cuando la media de los ingresos correspondientes a los dos años anteriores a la revisión no excedan en más o menos un 20% de las acreditadas inicialmente):

— **100 euros** para ingresos menores o iguales a 2,5 veces el IPREM los 10 primeros años (**155 euros** para familias numerosas, monoparentales con hijos y familias que incluyan personas dependientes o con discapacidad reconocida oficialmente durante los 5 primeros años).

— **80 euros** para ingresos entre 2,5 y 3,5 veces el IPREM los 5 primeros años (**113 euros** para familias numerosas, monoparentales con hijos y familias que incluyan personas dependientes o con discapacidad reconocida oficialmente durante los 5 primeros años).

— **60 euros** anuales a familias con ingresos familiares entre 3,5 y 4,5 veces el IPREM (**93 euros** para familias numerosas, monoparentales con hijos y familias que incluyan personas dependientes o con discapacidad reconocida oficialmente durante los 5 primeros años).

AYUDA ESTATAL DIRECTA A LA ENTRADA (AEDE):

ADQUIRENTES CON INGRESOS DE HASTA 2,5 VECES EL IPREM:

a) En general: **8.000 euros**.

b) Jóvenes de hasta 35 años (cuando aporten la mayor parte de los ingresos familiares): **9.000 euros**.

c) Familias numerosas, familias monoparentales con hijos, personas dependientes o con discapacidad oficialmente reconocida y las familias que las tengan a su cargo y unidades familiares con ingresos inferiores a 1,5 veces el IPREM: **12.000 euros**.

d) Mujeres víctimas de violencia de género, víctimas de terrorismo o personas separadas o divorciadas, al corriente de pago de pensiones alimenticias y compensatorias: **11.000 euros**.

Estas cuantías no son acumulables entre sí, y corresponderá únicamente la más favorable de todas las posibles.

AYUDA AUTONÓMICA:

a) En general: **3.000 euros**.

b) Familia o unidad de convivencia de especial protección (familias que cuenten dos o más hijos, la formada únicamente por el padre o la madre y los hijos, la integrada por al menos una persona dependiente o con discapacidad o con persona de más de 65 años a su cargo, la que cuente con algún miembro víctima del terrorismo o que haya sufrido violencia de género, física o psicológica y que necesite un nuevo hogar y aquella que se encuentre en situación de exclusión social acreditado por los servicios sociales de la Dirección General competente en materia de vivienda): **7.000 euros**.

c) Cuando se trate de jóvenes, en el caso de la subvención general, ésta se incrementará en **1.000 euros**.

— Las ayudas autonómicas, unidas a la ayuda estatal directa a la entrada u otras subvenciones, no podrán exceder, con carácter general, del 20% del precio de venta de la vivienda, incluidos el garaje y el trastero, ni del 22% tratándose de jóvenes o de familias numerosas.

Requisitos de acceso ayuda:

1. La vivienda tiene que haber obtenido la calificación definitiva.

2. El contrato de compraventa tiene que haber sido visado por la CA. Entre las firmas del contrato y la solicitud del visado no debe pasar más de 4 meses.

3. Entre el visado del contrato y la solicitud del préstamo no debe pasar más de 6 meses.

4. Los ingresos de la unidad familiar tienen que ser de hasta 2,5 veces el IPREM.

5. Tiene que ser el 1.er acceso a la propiedad del solicitante (se entiende que reúnen la condición de 1.er acceso a la propiedad los adquirentes que no tengan o no hayan tenido con anterioridad ninguna vivienda en propiedad o que siendo titular de alguna no disfruten de un derecho real de uso o disfrute sobre ella o el valor de la misma de acuerdo con la normativa del ITP no supere el 25% del precio máximo de venta de la vivienda que adquirieren); este requisito no se solicitará a los mayores de 65 años o discapacitados cuya vivienda no esté adaptada a sus necesidades específicas o no reúna las condiciones mínimas de habitabilidad, a los emigrantes que deseen retornar a Extremadura, a las familias o personas físicas que conservando la propiedad la vivienda que constituía el domicilio conyugal no dispongan del uso y disfrute de la misma por atribución al otro cónyuge como consecuencia de separación legal, divorcio o nulidad del matrimonio; así como a las familias numerosas que pretendan acceder a una vivienda de mayor superficie.

6. Los solicitantes no pueden haber recibido anteriormente financiación al amparo de algún Plan de Vivienda durante los 10 años anteriores a la solicitud actual de ayudas; no será necesario cumplir este requisito cuando la adquisición de la vivienda sea como consecuencia del cambio de residencia del titular en otra localidad (en este caso será necesario cancelar previamente el préstamo cualificado o convenido anteriormente obtenido

y en el caso de las ayudas directas se podrá optar por devolver las ayudas o percibir la diferencia si procediera), cuando se trate de una familia numerosa que acceda a nueva vivienda de mayor superficie como consecuencia de haber ampliado el número de miembros de la unidad familiar, cuando la nueva solicitud se produzca por la necesidad de una vivienda adaptada a las condiciones de discapacidad sobrevenida de algún miembro de la unidad familiar, cuando la adquisición de la vivienda se deba a la pérdida del uso y disfrute de la vivienda habitual como consecuencia de separación o divorcio y cuando la vivienda la adquiera un emigrante que desee retornar a Extremadura.

ADQUIRENTES CON INGRESOS ENTRE 2,5 VECES Y 3,5 VECES EL IPREM:

a) En general: **7.000 euros**.

b) Jóvenes de hasta 35 años (cuando aporten la mayor parte de los ingresos familiares): **8.000 euros**.

c) Familias numerosas, familias monoparentales con hijos, personas dependientes o con discapacidad oficialmente reconocida y las familias que las tengan a su cargo y unidades familiares con ingresos inferiores a 1,5 veces el IPREM: **10.000 euros**.

d) Mujeres víctimas de violencia de género, víctimas de terrorismo o personas separadas o divorciadas, al corriente de pago de pensiones alimenticias y compensatorias: **9.000 euros**.

Estas cuantías no son acumulables entre sí, y corresponderá únicamente la más favorable de todas las posibles.

AYUDA AUTONÓMICA:

a) En general: **2.000 euros**.

b) Familia o unidad de convivencia de especial protección (familias que cuenten dos o más hijos, la formada únicamente por el padre o la madre y los hijos, la integrada por al menos una persona dependiente o con discapacidad o con persona de más de 65 años a su cargo, la que cuente con algún miembro víctima del terrorismo o que haya sufrido violencia de género, física o psicológica y que necesite un nuevo hogar y aquella que se encuentre en situación de exclusión social acreditado por los servicios sociales de la Dirección General competente en materia de vivienda): **5.000 euros**.

c) Cuando se trate de jóvenes, en el caso de la subvención general, ésta se incrementará en **1.000 euros**.

— Las ayudas autonómicas, unidas a la ayuda estatal directa a la entrada u otras subvenciones, no podrán exceder, con carácter general, del 20% del precio de venta de la vivienda, incluidos el garaje y el trastero, ni del 22% tratándose de jóvenes o de familias numerosas.

Requisitos de acceso a la ayuda:

1. La vivienda tiene que haber obtenido la calificación definitiva.

2. El contrato de compraventa tiene que haber sido visado por la CA. Entre las firmas del contrato y la solicitud del visado no debe pasar más de 4 meses.

3. Entre el visado del contrato y la solicitud del préstamo no debe pasar más de 6 meses.

4. Los ingresos de la unidad familiar tienen que ser entre 2,5 y 3,5 veces el IPREM.

5. Tiene que ser el 1.er acceso a la propiedad del solicitante (se entiende que reúnen la condición de 1.er acceso a la propiedad los adquirentes que no tengan o no hayan tenido con anterioridad ninguna vivienda en propiedad o que siendo titular de alguna no disfruten de un derecho real de uso o disfrute sobre ella o el valor de la misma de acuerdo con la normativa del ITP no supere el 25% del precio máximo de venta de la vivienda que adquirieren); este requisito no se solicitará a los mayores de 65 años o discapacitados cuya vivienda no esté adaptada a sus necesidades específicas o no reúna las condiciones mínimas de habitabilidad, a los emigrantes que deseen retornar a Extremadura, a las familias o personas físicas que conservando la propiedad la vivienda que constituía el domicilio conyugal no dispongan del uso y disfrute de la misma por atribución al otro cónyuge como consecuencia de separación legal, divorcio o nulidad del matrimonio; así como a las familias numerosas que pretendan acceder a una vivienda de mayor superficie.

6. Los solicitantes no pueden haber recibido anteriormente financiación al amparo de algún Plan de Vivienda durante los 10 años anteriores a la solicitud actual de ayudas; no será necesario cumplir este requisito cuando la adquisición de la vivienda sea como consecuencia del cambio de residencia del titular en otra localidad (en este caso será necesario cancelar previamente el préstamo cualificado o convenido anteriormente obtenido y en el caso de las ayudas directas se podrá optar por devolver las ayudas o percibir la diferencia si procediera), cuando se trate de una familia numerosa que acceda a nueva vivienda de mayor superficie como consecuencia de haber ampliado el número de miembros de la unidad familiar, cuando la nueva solicitud se produzca por la necesidad de una vivienda adaptada a las condiciones de discapacidad sobrevenida de algún miembro de la unidad familiar, cuando la adquisición de la vivienda se deba a la pérdida del uso y disfrute de la vivienda habitual como consecuencia de separación o divorcio y cuando la vivienda la adquiera un emigrante que desee retornar a Extremadura.

ADQUIRENTES CON INGRESOS ENTRE 3,5 VECES Y 4,5 VECES EL IPREM:

a) En general: **5.000 euros**.

b) Jóvenes de hasta 35 años (cuando aporten la mayor parte de los ingresos familiares): **6.000 euros**.

c) Familias numerosas, familias monoparentales con hijos, personas dependientes o con discapacidad oficialmente reconocida y las familias que las tengan a su cargo y unidades familiares con ingresos inferiores a 1,5 veces el IPREM: **8.000 euros**.

d) Mujeres víctimas de violencia de género, víctimas de terrorismo o personas separadas o divorciadas, al corriente de pago de pensiones alimenticias y compensatorias: **7.000 euros**.

Estas cuantías no son acumulables entre sí, y corresponderá únicamente la más favorable de todas las posibles.

Requisitos de acceso a la ayuda:

1. La vivienda tiene que haber obtenido la calificación definitiva.

2. El contrato de compraventa tiene que haber sido visado por la CA. Entre las firmas del contrato y la solicitud del visado no debe pasar más de 4 meses.

3. Entre el visado del contrato y la solicitud del préstamo no debe pasar más de 6 meses.

4. Los ingresos de la unidad familiar tienen que ser entre 2,5 y 3,5 veces el IPREM.

5. Tiene que ser el 1.er acceso a la propiedad del solicitante (se entiende que reúnen la condición de 1.er acceso a la propiedad los adquirentes que no tengan o no hayan tenido con anterioridad ninguna vivienda en propiedad o que siendo titular de alguna no disfruten de un derecho real de uso o disfrute sobre ella o el valor de la misma de acuerdo con la normativa del ITP no supere el 25% del precio máximo de venta de la vivienda que adquirieren); este requisito no se solicitará a los mayores de 65 años o discapacitados cuya vivienda no esté adaptada a sus necesidades específicas o no reúna las condiciones mínimas de habitabilidad, a los emigrantes que deseen retornar a Extremadura, a las familias o personas físicas que conservando la propiedad la vivienda que constituía el domicilio conyugal no dispongan del uso y disfrute de la misma por atribución al otro cónyuge como consecuencia de separación legal, divorcio o nulidad del matrimonio; así como a las familias numerosas que pretendan acceder a una vivienda de mayor superficie.

6. Los solicitantes no pueden haber recibido anteriormente financiación al amparo de algún Plan de Vivienda durante los 10 años anteriores a la solicitud actual de ayudas; no será necesario cumplir este requisito cuando la adquisición de la vivienda sea como consecuencia del cambio de residencia del titular en otra localidad (en este caso será necesario cancelar previamente el préstamo cualificado o convenido anteriormente obtenido y en el caso de las ayudas directas se podrá optar por devolver las ayudas o percibir la diferencia si procediera), cuando se trate de una familia numerosa que acceda a nueva vivienda de mayor superficie como consecuencia de haber ampliado el número de miembros de la unidad familiar, cuando la nueva solicitud se produzca por la necesidad de una vivienda adaptada a las condiciones de discapacidad sobrevenida de algún miembro de la unidad familiar, cuando la adquisición de la vivienda se deba a la pérdida del uso y disfrute de la

vivienda habitual como consecuencia de separación o divorcio y cuando la vivienda la adquiera un emigrante que desee retornar a Extremadura.

C) ALQUILER

1. VIVIENDA PROTEGIDA DE ALQUILER DE RÉGIMEN ESPECIAL

Características:

• La duración mínima del alquiler de las viviendas será de 10 o de 25 años.

• El precio máximo de referencia por metro cuadrado útil será 1,50 veces el Módulo Básico Estatal (MBE) = 758 euros para 2009 (833,8 para Canarias). Este precio se incrementará si la vivienda se encuentra en una localidad situada en un Ámbito Territorial de Precio Máximo Superior (ATPMS). Sirve para determinar la renta a pagar por el inquilino.

• El régimen de protección será de al menos 30 años, y permanente mientras el suelo esté destinado a vivienda protegida o sea suelo dotacional público.

Requisitos de acceso:

1. Ingresos familiares no superiores a 2,5 veces el IPREM.

2. No ser titular de una vivienda protegida, ni de una libre cuyo valor, según el Impuesto sobre Transmisiones Patrimoniales, exceda del 40% del precio de la vivienda que se pretende adquirir (60% para personas mayores, mujeres víctimas de violencia de género, víctimas del terrorismo, familias numerosas o monoparentales con hijos, personas con discapacidad y separadas o divorciadas).

3. Estar inscrito en un registro público de demandantes de vivienda.

4. La actuación debe haber sido calificada como protegida por la CA.

5. La vivienda debe destinarse como residencia habitual del adjudicatario y ocuparse dentro de los plazos establecidos.

Características de la ayuda:

RENTA MÁXIMA anual por metro cuadrado de superficie útil del 4,5% del precio máximo de referencia para viviendas protegidas en alquiler a 25 años, o del 5,5% en caso de viviendas protegidas en alquiler a 10 años (se actualizará anualmente según el IPC). La renta establecida deberá figurar en la calificación provisional y definitiva de la vivienda, y en el visado del contrato de alquiler emitido por la CA.

Para este tipo de viviendas también pueden solicitarse las AYUDAS A INQUILINOS.

2. VIVIENDA PROTEGIDA DE ALQUILER DE RÉGIMEN GENERAL

Características:

• La duración mínima del alquiler de las viviendas será de 10 o de 25 años.

• El precio máximo de referencia por metro cuadrado útil será 1,60 veces el Módulo Básico Estatal (MBE) = 758 euros para 2009 (833,8 para Canarias). Este precio se incrementará si la vivienda se encuentra en una localidad situada en un Ámbito Territorial de Precio Máximo Superior (ATPMS). Sirve para determinar la renta a pagar por el inquilino.

• El régimen de protección será de al menos 30 años, y permanente mientras el suelo esté destinado a vivienda protegida o sea suelo dotacional público.

Requisitos de acceso:

1. Ingresos familiares no superiores a 4,5 veces el IPREM.

2. No ser titular de una vivienda protegida, ni de una libre cuyo valor, según el Impuesto sobre Transmisiones Patrimoniales, exceda del 40% del precio de la vivienda que se pretende adquirir (60% para personas mayores, mujeres víctimas de violencia de género, víctimas del terrorismo, familias numerosas o monoparentales con hijos, personas con discapacidad y separadas o divorciadas).

3. Estar inscrito en un registro público de demandantes de vivienda.

4. La actuación debe haber sido calificada como protegida por la CA.

5. La vivienda debe destinarse como residencia habitual del adjudicatario y ocuparse dentro de los plazos establecidos.

Características de la ayuda:

RENTA MÁXIMA anual por metro cuadrado de superficie útil del 4,5% del precio máximo de referencia para viviendas protegidas en alquiler a 25 años, o del 5,5% en caso de viviendas protegidas en alquiler a 10 años (se actualizará anualmente según el IPC). La renta establecida deberá figurar en la calificación provisional y definitiva de la vivienda, y en el visado del contrato de alquiler emitido por la CA.

Para este tipo de viviendas también pueden solicitarse las AYUDAS A INQUILINOS (ingresos inferiores a 2,5 veces el IPREM).

3. VIVIENDA PROTEGIDA DE ALQUILER DE RÉGIMEN CONCERTADO

Características:

• La duración mínima del alquiler de las viviendas será de 10 o de 25 años.

• El precio máximo de referencia por metro cuadrado útil será 1,80 veces el Módulo Básico Estatal (MBE) = 758 euros para 2009 (833,8 para Canarias). Este precio se incrementará si la vivienda se encuentra en una localidad situada en un Ámbito Territorial de Precio Máximo Superior (ATPMS). Sirve para determinar la renta a pagar por el inquilino.

• El régimen de protección será de al menos 30 años, y permanente mientras el suelo esté destinado a vivienda protegida o sea suelo dotacional público.

Requisitos de acceso:

1. Ingresos familiares no superiores a 6,5 veces el IPREM.

2. No ser titular de una vivienda protegida, ni de una libre cuyo valor, según el Impuesto sobre Transmisiones Patrimoniales, exceda del 40% del precio de la vivienda que se pretende adquirir (60% para personas mayores, mujeres víctimas de violencia de género, víctimas del terrorismo, familias numerosas o monoparentales con hijos, personas con discapacidad y separadas o divorciadas).

3. Estar inscrito en un registro público de demandantes de vivienda.

4. La actuación debe haber sido calificada como protegida por la CA.

5. La vivienda debe destinarse como residencia habitual del adjudicatario y ocuparse dentro de los plazos establecidos.

Características de la ayuda:

RENTA MÁXIMA anual por metro cuadrado de superficie útil del 4,5% del precio máximo de referencia para viviendas protegidas en alquiler a 25 años, o del 5,5% en caso de viviendas protegidas en alquiler a 10 años (se actualizará anualmente según el IPC) La renta establecida deberá figurar en la calificación provisional y definitiva de la vivienda, y en el visado del contrato de alquiler emitido por la CA.

Para este tipo de viviendas también pueden solicitarse las AYUDAS A INQUILINOS (ingresos inferiores a 2,5 veces el IPREM).

4. VIVIENDA PROTEGIDA DE ALQUILER DEL PROGRAMA ESPECIAL

Características:

• La duración mínima del alquiler de las viviendas será de 10 o de 25 años.

• El régimen de protección será de al menos 30 años, y permanente mientras el suelo esté destinado a vivienda protegida o sea suelo dotacional público.

— Las viviendas se situarán preferentemente en municipios de la Zona A y excepcionalmente en municipios de otras zonas.

Requisitos de acceso:

1. Ingresos familiares no superiores a 2,5 veces el IPREM.

2. No ser titular de una vivienda protegida, ni de una libre cuyo valor, según el Impuesto sobre Transmisiones Patrimoniales, exceda del 40% del precio de la vivienda que se pretende adquirir (60% para personas mayores, mujeres víctimas de violencia de género, víctimas del terrorismo, familias numerosas o monoparentales con hijos, personas con discapacidad y separadas o divorciadas).

3. Estar inscrito en un registro público de demandantes de vivienda.

4. La actuación debe haber sido calificada como protegida por la CA.

5. La vivienda debe destinarse como residencia habitual del adjudicatario y ocuparse dentro de los plazos establecidos.

Características de la ayuda:

RENTA MÁXIMA anual por metro cuadrado de superficie útil del 4,5% del precio máximo de referencia para viviendas protegidas en alquiler a 25 años, o del 5,5% en caso de viviendas protegidas en alquiler a 10 años (se actualizará anualmente según el IPC). La renta establecida deberá figurar en la calificación provisional y definitiva de la vivienda, y en el visado del contrato de alquiler emitido por la CA.

Para este tipo de viviendas también pueden solicitarse las AYUDAS A INQUILINOS.

5. VIVIENDA PROTEGIDA DE ALQUILER DE VIVIENDAS MEDIAS

Características:

• La duración mínima del alquiler de las viviendas será de 10 o de 25 años.

• El régimen de protección será de al menos 30 años, y permanente mientras el suelo esté destinado a vivienda protegida o sea suelo dotacional público.

Requisitos de acceso:

1. Ingresos familiares no superiores a 6,5 veces el IPREM.

2. No ser titular de una vivienda protegida, ni de una libre cuyo valor, según el Impuesto sobre Transmisiones Patrimoniales, exceda del 40% del precio de la vivienda que se pretende adquirir (60% para personas mayores, mujeres víctimas de violencia de género, víctimas del terrorismo, familias numerosas o monoparentales con hijos, personas con discapacidad y separadas o divorciadas).

3. Estar inscrito en un registro público de demandantes de vivienda.

4. La actuación debe haber sido calificada como protegida por la CA.

5. La vivienda debe destinarse como residencia habitual del adjudicatario y ocuparse dentro de los plazos establecidos.

Características de la ayuda:

RENTA MÁXIMA anual por metro cuadrado de superficie útil del 4,5% del precio máximo de referencia para viviendas protegidas en alquiler a 25 años, o del 5,5% en caso de viviendas protegidas en alquiler a 10 años (se actualizará anualmente según el IPC). La renta establecida deberá figurar en la calificación provisional y definitiva de la vivienda, y en el visado del contrato de alquiler emitido por la CA.

Para este tipo de viviendas también pueden solicitarse las AYUDAS A INQUILINOS (ingresos inferiores a 2,5 veces el IPREM).

6. VIVIENDA PROTEGIDA DE ALQUILER CON OPCIÓN A COMPRA DE PROMOCIÓN AUTONÓMICA

Características:

• Serán consideradas viviendas acogidas al Programa de viviendas protegidas para su arrendamiento con opción de compra, aquellas viviendas de nueva construcción, promovidas y calificadas como tales al amparo de la legislación autonómica.

— El nivel de ingresos familiares máximos de los inquilinos a que se destinen estas viviendas no podrá exceder de 7,5 veces el IPREM.

— La duración mínima del arrendamiento de las viviendas a que se refiere este programa será de 6 años.

• La renta máxima anual a establecer por los arrendadores será como máximo del 5,5% de los precios máximos de venta previstos en las viviendas de régimen general, régimen concertado y viviendas medias y del 4,5% en el caso de las viviendas de régimen especial y del programa especial. Esta renta deberá figurar en la Calificación Provisional de la vivienda y en el visado de los contratos de arrendamiento. Esta renta podrá actualizarse anualmente a partir del 1.er año de la obtención de la Calificación Definitiva en función de la evolución del IPC.

• El régimen de protección será de al menos 30 años, y permanente mientras el suelo esté destinado a vivienda protegida o sea suelo dotacional público.

— En caso de ejecutar la opción de compra el inquilino podrá adquirir la vivienda a un precio de hasta 1,4 veces el precio máximo de venta con arreglo al régimen que hubiese tenido en el momento de la Calificación Provisional.

— Se deducirá del precio de venta, en concepto de pagos parciales adelantados, al menos el 50% de la suma de los alquileres satisfechos por el inquilino sin actualizaciones si esta opción de compra se ejerce a los 6 años desde la calificación definitiva de la vivienda.

7. AYUDAS AL INQUILINO

Características:

— Los arrendatarios tienen que tener un contrato de arrendamiento de la vivienda formalizado en los términos de la Ley de Arrendamientos Urbanos y estar al corriente del pago de la renta al arrendador.

— La vivienda deberá destinarse a domicilio habitual y permanente del arrendatario.

— Los ingresos de los ocupantes de la vivienda tienen que ser inferiores a 2,5 veces el IPREM.

— Tendrán preferencia en estas ayudas los siguientes colectivos:

a) Unidades familiares con ingresos que no superen 1,5 veces el IPREM.

b) Tener una edad que no supere los 35 años.

c) Personas mayores de 65 años y las familias con alguna de estas personas a su cargo.

d) Familias numerosas.

e) Víctimas del terrorismo.

f) Mujeres víctimas de violencia de género.

g) Afectados por situaciones catastróficas.

h) Familias monoparentales con hijos.

i) Personas dependientes o con discapacidad oficialmente reconocida y las familias con algunas de estas personas a su cargo.

j) Personas separadas o divorciadas que estén al corriente en el pago de las pensiones.

k) Personas sin hogar procedentes de operaciones de erradicación del chabolismo.

l) Emigrantes retornados.

m) Otros colectivos en riesgo de exclusión social.

— No se podrán conceder estas ayudas si:

a) Es titular del pleno dominio o de un derecho real de uso y disfrute sobre una vivienda sujeta a protección pública. Tampoco podrá ser titular de una vivienda libre salvo excepciones.

b) Si alguno de los restantes titulares del contrato de arrendamiento fuera beneficiario de la RBE.

c) Si el solicitante de la ayuda tiene parentesco en primero o segundo grado de consanguinidad o afinidad con el arrendador de su vivienda habitual.

d) Cuando sea socio o partícipe de la persona jurídica que actúa como arrendador.

— Los arrendatarios no tienen que haber percibido esta ayuda los 5 años anteriores a la fecha de su reconocimiento.

Características de la ayuda:

— Cuantía máxima anual del 40% de la renta anual a satisfacer con un máximo anual absoluto de **3.200 euros**.

— La duración máxima de la ayuda será de 24 meses siempre que se mantengan las circunstancias bajo las cuales se concedieron por primera vez.

— La Comunidad Autónoma prorrogará la vigencia de esta ayuda durante una anualidad más, siempre que se hubiera obtenido la ayuda estatal para las dos primeras anualidades y se mantengan las circunstancias que dieron origen al reconocimiento inicial de la ayuda.

D) PROGRAMA DE VIVIENDAS PARA JÓVENES

1. APOYO AL ALQUILER JOVEN

Características:

— Ayudas a los promotores de viviendas de nueva construcción para arrendamiento que vinculen las mismas con destino exclusivo para jóvenes.

— La vinculación de destino a jóvenes se hará constar expresamente en la declaración de obra nueva, así como en la escritura de formalización del préstamo hipotecario, a efectos de su inscripción en el Registro de la Propiedad, donde se harán constar tales limitaciones en nota marginal. Se mantendrá durante todo el régimen de sujeción de la vivienda al régimen de arrendamiento. Estas ayudas serán compatibles con las ayudas del Plan Estatal vigente.

Características de la ayuda:

— Subvención cuya cuantía máxima anual será del 40% de la renta anual que se vaya a satisfacer, con un límite de **3.200 euros** por vivienda independientemente del número de titulares que tenga el contrato.

— La Comunidad Autónoma subvencionará el importe de la ayuda correspondiente hasta la cuarta anualidad de vigencia del contrato de arrendamiento, siempre que se hubiese obtenido la ayuda prevista por la legislación estatal pública de financiación en materia de vivienda vigente para las dos primeras anualidades y que se mantengan las circunstancias que dieron lugar al reconocimiento inicial del derecho a la ayuda.

— No se podrá volver a obtener esta subvención hasta pasados 5 años desde la fecha del reconocimiento.

2. AYUDAS A LA COMPRA DE VIVIENDA

Características:

— Cuando el adquirente, adjudicatario y promotor individual para uso propio de una vivienda de protección pública de régimen especial, general o vivienda usada sea jóven las ayudas autonómicas serán las siguientes:

AYUDA AUTONÓMICA A LOS JÓVENES ADQUIRENTES CON INGRESOS DE HASTA 2,5 VECES EL IPREM:

a) En general: **4.000 euros**.

b) Familia o unidad de convivencia de especial protección (familias que cuenten dos o más hijos, la formada únicamente por el padre o la madre y los hijos, la integrada por al menos una persona dependiente o con discapacidad o con persona de más de 65 años a su cargo, la que cuente con algún miembro víctima del terrorismo o que haya sufrido violencia de género, física o psicológica y que necesite un nuevo hogar y aquella que se encuentre en situación de exclusión social acreditado por los servicios sociales de la Dirección General competente en materia de vivienda): **7.000 euros**.

AYUDA AUTONÓMICA A LOS JÓVENES ADQUIRENTES CON INGRESOS DE ENTRE 2,5 Y 3,5 VECES EL IPREM:

a) En general: **3.000 euros**.

b) Familia o unidad de convivencia de especial protección (familias que cuenten dos o más hijos, la formada únicamente por el padre o la madre y los hijos, la integrada por al menos una persona dependiente o con discapacidad o con persona de más de 65 años a su cargo, la que cuente con algún miembro víctima del terrorismo o que haya sufrido violencia de género, física o psicológica y que necesite un nuevo hogar y aquella que se encuentre en situación de exclusión social acreditado por los servicios sociales de la Dirección General competente en materia de vivienda): **5.000 euros**.

— Las ayudas autonómicas previstas para los demandantes de vivienda unidas a la estatales previstas en las normas de financiación pública en materia de vivienda que resulte aplicable, no podrá exceder del 22% tratándose de demandantes que reúnan la condición de jóvenes. En caso de superarse tales límites el exceso se disminuirá de las subvenciones autonómicas.

E) PROMOTORES

1. PROMOCIONES DE VIVIENDAS PROTEGIDAS EN ALQUILER

A) AYUDAS ESTATALES A LA PROMOCIÓN PARA ALQUILER A 25 AÑOS

Características:

Las viviendas protegidas podrán ser:

a) Régimen especial: destinadas a inquilinos con ingresos que no superen 2,5 veces el IPREM, y cuyo precio máximo de referencia por m² útil será de 1,50 veces el MBE.

b) Régimen general: destinadas a inquilinos con ingresos que no superen 4,5 veces el IPREM, y cuyo precio máximo de referencia por m² útil será de 1,60 veces el MBE.

c) Régimen concertado: destinadas a inquilinos con ingresos que no superen 6,5 veces el IPREM, y cuyo precio máximo de referencia por m² útil será de 1,80 veces el MBE.

Estos precios se incrementan según el ATPMS en el que se ubique la vivienda.

La duración mínima del alquiler será de 25 años desde su calificación definitiva.

La renta máxima anual por m² útil será el 4,5% del precio máximo.

Mientras sigan siendo protegidas, estas viviendas podrán venderse transcurridos 25 años. El precio máximo de venta será el que corresponda a una vivienda protegida del mismo tipo y en la misma ubicación, calificada provisionalmente en el momento de la venta.

Características de la ayuda

PRÉSTAMO CONVENIDO de hasta el 80% del precio de escritura o adjudicación a devolver en, al menos, 25 años. El tipo de interés podrá ser variable o fijo. En intereses variables será igual al Euribor a 12 meses publicado por el Banco de España en el *Boletín Oficial del Estado (BOE)*, el mes anterior al de la fecha de formalización, más un diferencial de entre

25 y 125 puntos básicos. El período de carencia en el pago de intereses finalizará en la fecha de la calificación definitiva, con un límite de 4 años (10 años con el consentimiento de la CA).

SUBSIDIOS a los préstamos. Cantidad anual por cada 10.000 euros de préstamo durante 25 años:

— 350 euros para Viviendas de Régimen Especial.

— 250 euros para Viviendas de Régimen General.

— 100 euros para Viviendas de Régimen Concertado.

SUBVENCIÓN de 350 euros para la promoción de Viviendas de Régimen Especial y de 250 euros para Viviendas de Régimen General. Cuando la vivienda estuviera en un Ámbito Territorial de Precio Máximo Superior se incrementarán las ayudas en 60 euros para vivienda situadas en ámbitos del Grupo A, 30 para el B y 15 para el C.

Requisitos de acceso ayuda:

Haber obtenido el préstamo cualificado.

B) AYUDAS ESTATALES A LA PROMOCIÓN PARA ALQUILER A 10 AÑOS

Características:

Las viviendas protegidas podrán ser:

a) Régimen especial: destinadas a inquilinos con ingresos que no superen 2,5 veces el IPREM, y cuyo precio máximo de referencia por m² útil será de 1,50 veces el MBE.

b) Régimen general: destinadas a inquilinos con ingresos que no superen 4,5 veces el IPREM, y cuyo precio máximo de referencia por m² útil será de 1,60 veces el MBE.

c) Régimen concertado: destinadas a inquilinos con ingresos que no superen 6,5 veces el IPREM, y cuyo precio máximo de referencia por m² útil será de 1,80 veces el MBE.

• Estos precios se incrementan según el ATPMS en el que se ubique la vivienda.

• La duración mínima del alquiler será de 10 años desde su calificación definitiva.

• La renta máxima anual por m² útil será el 5,5% del precio máximo.

• Mientras sigan siendo protegidas, estas viviendas podrán venderse transcurridos 10. El precio máximo de venta será de hasta 1,5 veces el precio máximo de referencia establecido en la calificación provisional.

• Las viviendas podrán ser objeto de un contrato de alquiler con opción de compra. El precio de venta será de hasta 1,7 veces el precio máximo de referencia establecido en la calificación provisional. Del precio de venta se deducirá, al menos, el 30% de los alquileres satisfechos por el inquilino.

Características de la ayuda:

PRÉSTAMO CONVENIDO de hasta el 80% del precio de escritura o adjudicación a devolver en, al menos, 10 años. El tipo de interés podrá ser variable o fijo. En intereses variables será igual al Euribor a 12 meses publicado por el Banco de España en el *Boletín Oficial del Estado (BOE),* el mes anterior al de la fecha de formalización, más un diferencial de entre 25 y 125 puntos básicos. El período de carencia en el pago de intereses finalizará en la fecha de la calificación definitiva, con un límite de 4 años (10 años con el consentimiento de la CA).

SUBSIDIOS a los préstamos. Cantidad anual por cada 10.000 euros de préstamo durante 10 años:

— 350 euros para Viviendas de Régimen Especial.

— 250 euros para Viviendas de Régimen General.

— 100 euros para Viviendas de Régimen Concertado.

SUBVENCIÓN de 250 euros para la promoción de Viviendas de Régimen Especial y de 200 euros para Viviendas de Régimen General. Cuando la vivienda estuviera en un Ámbito Territorial de Precio Máximo Superior se incrementarán las ayudas en 60 euros para vivienda situadas en ámbitos del Grupo A, 30 para el B y 15 para el C.

Requisitos de acceso ayuda:

Haber obtenido el préstamo cualificado.

C) AYUDAS AUTONÓMICAS A LA PROMOCIÓN PARA ALQUILER A 25 AÑOS

Características de la ayuda:

SUBVENCIÓN de **100 euros/m²** de superficie útil de vivienda para la promoción de Viviendas de Régimen Especial y de **80 euros/m²** de superficie útil de vivienda para Viviendas de Régimen General.

Requisitos de acceso ayuda:

Haber obtenido el préstamo cualificado.

D) AYUDAS AUTONÓMICAS A LA PROMOCIÓN PARA ALQUILER A 10 AÑOS

Características de la ayuda:

SUBVENCIÓN de **70 euros/m²** de superficie útil de vivienda para la promoción de Viviendas de Régimen Especial y de **50 euros/m²** de superficie útil de vivienda para Viviendas de Régimen General.

Requisitos de acceso ayuda:

Haber obtenido el préstamo cualificado.

E) AYUDAS AUTONÓMICAS A LA PROMOCIÓN PARA ALQUILER PARA JÓVENES A 25 AÑOS

Características de la ayuda:

SUBVENCIÓN de **150 euros/m²** de superficie útil de vivienda para la promoción de Viviendas de Régimen Especial y de **120 euros/m²** de superficie útil de vivienda para Viviendas de Régimen General.

— La superficie máxima computable a efectos de calcular las subvenciones no podrá exceder de 70 m².

— Estas ayudas son compatibles con las del Plan Estatal de Vivienda.

Requisitos de acceso ayuda:

Haber obtenido el préstamo cualificado.

F) AYUDAS AUTONÓMICAS A LA PROMOCIÓN PARA ALQUILER PARA JÓVENES A 10 AÑOS

Características de la ayuda:

SUBVENCIÓN de **100 euros/m²** de superficie útil de vivienda para la promoción de Viviendas de Régimen Especial y de **70 euros/m²** de superficie útil de vivienda para Viviendas de Régimen General.

— La superficie máxima computable a efectos de calcular las subvenciones no podrá exceder de 70 m².

— Estas ayudas son compatibles con las del Plan Estatal de Vivienda.

Requisitos de acceso ayuda:

Haber obtenido el préstamo cualificado.

2. PROMOCIONES DE ALOJAMIENTOS PROTEGIDOS PARA COLECTIVOS ESPECIALMENTE VULNERABLES Y OTROS COLECTIVOS ESPECÍFICOS

2.1. PROMOCIONES DE ALOJAMIENTOS PROTEGIDOS PARA COLECTIVOS ESPECIALMENTE VULNERABLES

Características:

• Alojarán a unidades familiares con ingresos no superiores a 1,5 veces el IPREM, jóvenes menores de 35 años, personas mayores de 65 años, mujeres víctimas de violencia de género, víctimas del terrorismo, afectados por situaciones catastróficas, discapacitados, personas sin hogar y otros colectivos en situación de exclusión social.

• Formarán parte de edificios o conjuntos de edificios destinados en exclusiva a estos colectivos.

• Se accederá a ellos mediante alquiler.

• La renta máxima anual por m² útil será el 4,5% del precio máximo de una Vivienda Protegida de Régimen Especial para Alquiler durante 25 años (1,50 veces el MBE). Se imputará un máximo del 30% de la superficie destinada a servicios comunes y asistenciales. La prestación de estos servicios podrá suponer un incremento de la renta.

• Superficie útil mínima de 15 m² por persona, con un máximo de 45 m² (el 25% del total de los alojamientos podrá tener hasta 90 m²).

• La superficie útil protegida destinada a servicios comunes y asistenciales no podrás ser superior al 30%.

Características de la ayuda:

PRÉSTAMO CONVENIDO de hasta el 80% del precio de escritura o adjudicación a devolver en, al menos, 25 años. El tipo de interés podrá ser variable o fijo. En intereses variables será igual al Euribor a 12 meses publicado por el Banco de España en el *Boletín Oficial del Estado (BOE)*, el mes anterior al de la fecha de formalización, más un diferencial de entre 25 y 125 puntos básicos. El período de carencia en el pago de intereses finalizará en la fecha de la calificación definitiva, con un límite de 4 años (10 años con el consentimiento de la CA).

SUBSIDIOS a los préstamos. Cantidad anual por cada 10.000 euros de préstamo durante 25 años: 350 euros.

SUBVENCIÓN de 500 euros por m² de superficie útil.

2.2. PROMOCIONES DE ALOJAMIENTOS PROTEGIDOS PARA OTROS COLECTIVOS ESPECÍFICOS

Características:

• Alojarán a personas relacionadas con la comunidad universitaria, o investigadores o científicos.

• Formarán parte de edificios o conjuntos de edificios destinados en exclusiva a estos colectivos.

• Se accederá a ellos mediante alquiler.

• La renta máxima anual por m² útil será el 4,5% del precio máximo de una Vivienda Protegida de Régimen General para Alquiler durante 25 años (1,60 veces el MBE). Se imputará un máximo del 30% de la superficie destinada a servicios comunes y asistenciales. La prestación de estos servicios podrá suponer un incremento de la renta.

• El número de alojamientos lo determinarán las CC.AA.

• Superficie útil mínima de 15 m² por persona, con un máximo de 45 m² (el 25% del total de los alojamientos podrá tener hasta 90 m²).

• La superficie útil protegida destinada a servicios comunes y asistenciales no podrás ser superior al 30%.

Características de la ayuda:

PRÉSTAMO CONVENIDO de hasta el 80% del precio de escritura o adjudicación a devolver en, al menos, 25 años. El tipo de interés podrá ser variable o fijo. En intereses variables será igual al Euribor a 12 meses publicado por el Banco de España en el *Boletín Oficial del Estado (BOE),* el mes anterior al de la fecha de formalización, más un diferencial de 25 y 125 puntos básicos. El período de carencia en el pago de intereses finalizará en la fecha de la calificación definitiva, con un límite de 4 años (10 años con el consentimiento de la CA).

SUBSIDIOS a los préstamos. Cantidad anual por cada 10.000 euros de préstamo durante 25 años: 250 euros.

SUBVENCIÓN de 320 euros por m² de superficie útil.

2.3. AYUDAS AUTONÓMICAS A LA PROMOCIÓN DE ALOJAMIENTOS PROTEGIDOS PARA COLECTIVOS ESPECIALMENTE VULNERABLES Y OTROS COLECTIVOS ESPECÍFICOS

Características de la ayuda:

SUBVENCIÓN de **120 euros/m²** de superficie útil para la promoción de alojamientos para colectivos especialmente vulnerables y de **70 euros/m²** de superficie útil para la promoción de alojamientos para otros colectivos específicos.

2.4. AYUDAS ESTATALES PARA LA MEJORA DE LA CALIDAD Y DE LA EFICIENCIA ENERGÉTICA

— Los promotores de viviendas calificadas como protegidas cuyos proyectos obtengan una calificación energética de clase A, B o C, podrán acceder a una subvención con las siguientes cuantías:

A) **3.500 euros por vivienda**.

B) **2.800 euros por vivienda**.

C) **2.000 euros por vivienda**.

2.5. AYUDAS AUTONÓMICAS PARA LA MEJORA DE LA CALIDAD Y DE LA EFICIENCIA ENERGÉTICA

— Los promotores de viviendas calificadas como protegidas cuyos proyectos obtengan una calificación energética de clase A, B o C, podrán acceder a una subvención con las siguientes cuantías:

A) **1.500 euros por vivienda**.

B) **1.000 euros por vivienda**.

C) **700 euros por vivienda**.

— Los promotores de viviendas calificadas como protegidas del Programa Especial cuyos proyectos estén sujetos al CTE, tendrán un ayuda que consistirá en una subvención de **3.000 euros** por cada vivienda a la que se le sea de aplicación dicho Código.

11. Plan de Vivienda de Galicia 2009-2012

Decreto 402/2009

1. ACTUACIONES PROTEGIDAS

1. La promoción de viviendas protegidas de nueva construcción o procedentes de rehabilitación, destinadas a la venta, al uso propio a al arrendamiento, incluidas en este último supuesto, las promovidas en régimen de derecho de superficie o de concesión administrativa, así como la promoción de alojamientos protegidos para grupos especialmente vulnerables y otros grupos específicos.

2. El alquiler de viviendas nuevas o usadas, libres o protegidas, así como la adquisición de viviendas protegidas de nueva construcción para venta, y la de viviendas usadas, para su utilización como vivienda habitual del adquirente.

3. La rehabilitación de conjuntos históricos, centros urbanos, barrios degradados y municipios rurales; la renovación de áreas urbanas y la erradicación de la infravivienda y el chabolismo.

4. La mejora de la eficiencia energética y de la accesibilidad y la utilización de energías renovables, ya sea en la promoción, en la rehabilitación o en la renovación de edificios y viviendas.

5. La adquisición y urbanización de suelo para vivienda protegida.

6. La gestión del Plan y la información a los ciudadanos sobre el mismo.

2. SUPERFICIES MÁXIMAS Y MÍNIMAS DE LAS VIVIENDAS

— Las viviendas protegidas habrán de tener una superficie útil comprendida entre los 40 y los 140 m². Podrán tener la condición de anexo vinculado a la vivienda el trastero de superficie útil total no superior a 15 m² y una plaza de garaje por vivienda; a efectos de la financiación pública solo se computará 25 m² útiles de garaje y 8 de trastero.

En los edificios de viviendas en régimen de propiedad horizontal, el porcentaje de viviendas con superficie superior a 90 m² útiles no podrá exceder del 5% de la promoción en el caso de que la calificación sea para el edificio completo.

3. PRECIOS MÁXIMOS DE VENTA DE LAS VIVIENDAS DE PROTECCIÓN OFICIAL

Los precios máximos por m² de superficie útil para las viviendas de nueva construcción declaradas protegidas por la Comunidad Autónoma en sus distintas modalidades así como de las viviendas usadas a efectos de su adquisición protegida se determinarán multiplicando el Módulo Básico Estatal por los coeficientes correspondientes a los distintos ámbitos territoriales:

a) Zona territorial 1.ª municipios de Ámbito Territorial de Precio Máximo Superior (ATPMS) C: A Coruña, Ourense, Pontevedra, Santiago de Compostela y Vigo.

b) Zona territorial 1.ª otros municipios:

A Coruña: Ames, Ares, Arteixo, As Pontes de García Rodríguez, Betanzos, Boiro, Cambre, Carballo, Cee, Cedeira, Culleredo, Fene, Ferrol, Melide, Mugardos, Narón, Neda, Noia, Oleiros, Ordes, Oroso, Padrón, Pontedeume, Ribeira, Sada y Teo.

Lugo: Burela, Cervo, Chantada, Foz, Lugo, Monforte de Lemos, Ribadeo, Sarria, Vilalba y Viveiro.

Ourense: Allariz, A Rúa, O Barco de Valdeorras, O Carballiño, Celanova, Ribadavia, Verín y Xinzo da Limia.

Pontevedra: A Estrada, Baiona, Bueu, Cambados, Cangas, Gondomar, Illa de Arousa, Lalín, Marín, Moaña, Mos, Nigrán, O Grove, O Porriño, Poio, Ponteareas, Pontecesures, Redondela, Sanxenxo, Tui, Vilagarcía de Arousa y Vilanova.

c) Zona 2.ª: Resto de municipios de Galicia.

4. EL MÓDULO BÁSICO ESTATAL (MBE)

El Módulo Básico Estatal (MBE) es la cuantía en euros por metro cuadrado de superficie útil, que sirve como referencia para la determinación de los precios máximos de venta, adjudicación y renta de las viviendas objeto de las ayudas previstas en el Real Decreto 2066/2008, así como de los presupuestos protegidos máximos de las actuaciones de rehabilitación de viviendas y edificios, y en áreas de rehabilitación integral y renovación urbana.

El MBE será establecido por acuerdo del Consejo de Ministros en el mes de diciembre de cada año y será publicado en el Boletín Oficial del Estado.

Para el año 2009 se fija en 758 euros (838,8 euros para Canarias).

TIPOLOGÍAS Y CARACTERÍSTICAS DE LOS DIFERENTES TIPOS DE VIVIENDAS.

A) COMPRA:

1. VIVIENDA DE PROTECCIÓN AUTONÓMICA DE RÉGIMEN ESPECIAL

Características:

• El precio máximo de referencia por metro cuadrado útil será:

Zona 1.ª ATPMS C: **Módulo Básico Estatal *1,725**

Zona 1.ª (Otros municipios): **Módulo Básico Estatal *1,50**

Zona 2.ª (Resto de Municipios de Galicia): **Modulo Básico Estatal *1,30**

— Si la vivienda no se vendiera o arrendara en un plazo de 2 años desde la calificación definitiva, el promotor podrá solicitar la revisión del precio establecido en la calificación provisional que pasará a ser el de las viviendas que se califiquen provisionalmente en el momento de la solicitud.

— El precio máximo de venta por m² de superficie útil, en segundas o posteriores transmisiones de una vivienda de nueva construcción calificada como protegida por la Xunta, será el que corresponda a las viviendas del mismo tipo que se califiquen como protegidas provisionalmente en la misma zona territorial en el momento de la transmisión.

— Las viviendas protegidas solo podrán transmitirse intervivos transcurrido un plazo de 10 años desde la formalización de la escritura de compraventa o de la resolución de la calificación definitiva, en cualquier caso la persona adquirente deberá cumplir los requisitos establecidos para ser persona adjudicataria de vivienda protegida; en circunstancias excepcionales la administración podrá autorizar la transmisión de la vivienda antes de los 10 años, en ese caso se exigirá la cancelación previa del préstamo y el reintegro de las ayudas económicas directas percibidas de la administración con los intereses legales correspondientes.

— Las personas adjudicatarias de viviendas protegidas de promoción privada y las personas propietarias de viviendas protegidas autopromovidas habrán de comunicar a la Xunta, la decisión de venderlas, con expresión del precio de venta y la acreditación de que la persona compradora cumple las condiciones necesarias para acceder a una vivienda protegida; la Xunta tendrá derecho de tanteo y retracto sobre la vivienda protegida a su favor o a favor de otra Administración o entidad del sector público mientras dure el régimen de protección de la vivienda, salvo que la transmisión se realice entre personas con una relación de parentesco de hasta el segundo grado siempre que la persona adquirente cumpla las condiciones de acceso a la vivienda protegida.

— La duración del régimen legal de protección de las viviendas destinadas a la venta o al arrendamiento será de 30 años desde la fecha de la calificación definitiva.

— Hasta el 31 de diciembre de 2009 (período prorrogable por el Consejo de Ministros), los promotores de viviendas libres que hubieran obtenido una licencia de obras previa al 1 de septiembre de 2008 podrán solicitar su calificación como vivienda protegida para venta o alquiler, si estas cumplen las características exigidas para este tipo de viviendas, en cuanto a los máximos referentes a superficies, precios por m² de superficie útil, niveles de ingresos de los adquirentes y plazos mínimo de protección; si se califican en régimen de alquiler a 10 o 25 años, podrán obtener las subvenciones correspondientes a la promoción de vivienda protegida de nueva construcción de esa naturaleza, u si obtuvieran préstamo convenido será subsidiado en las mismas condiciones.

Requisitos de acceso:

1. Ingresos familiares entre 0,7 y 2,5 veces el IPREM.

2. No ser titular de una vivienda protegida (salvo que la vivienda resulte sobrevenidamente inadecuada para sus circunstancias personales o familiares y siempre que no se posea simultáneamente más de una vivienda protegida), ni de una libre cuyo valor, según el Impuesto sobre Transmisiones Patrimoniales, exceda del 40% del precio de la vivienda que se pretende adquirir (60% para familias numerosas, familias monoparentales con hijos, personas mayores de 65 años, personas dependientes o con discapacidad y las familias que las tengan a su cargo, mujeres víctimas de violencia de género, víctimas del terrorismo y personas separadas o divorciadas que estén al corriente de las pensiones alimenticias o compensatorias).

3. Estar inscrito en un registro público de demandantes de vivienda.

4. La actuación debe haber sido calificada como protegida por la CA.

5. La vivienda debe destinarse como residencia habitual del adjudicatario y ocuparse dentro de los plazos establecidos.

6. La persona beneficiaria deberá residir o desarrollar su actividad laboral en Galicia.

Características de la ayuda:

PRÉSTAMO CONVENIDO:

Amortización: 25 años o más con cuotas constantes (tres años o más de carencia para el caso de promoción para uso propio).

Garantía: Hipoteca.

Cuantía Máxima: 80% del precio de adquisición (vivienda + garaje + trastero vinculados) o del valor de la edificación más el del suelo para el caso de promotores individuales para uso propio.

Tipo de interés para el año 2009: puede ser fijo o variable.

Interés fijo: pendiente de publicación.

Interés variable: Euribor a 12 meses publicado por el Banco de España en el BOE el mes anterior al de la fecha de formalización del préstamo más un diferencial de entre 25 y 125 puntos básicos.

Este tipo de interés se revisará cada 12 meses teniendo como referencia el Euribor a 12 meses publicado por el Banco de España el mes anterior a la fecha de formalización.

Cuotas: Interés fijo: Constantes durante toda la vida del préstamo.

Interés variable: Constantes durante toda la vida del préstamo, dentro de cada uno de los períodos de amortización a los cuales les corresponde un mismo tipo de interés.

Comisiones: Exentas.

SUBSIDIOS A LOS PRÉSTAMOS: Cantidad anual por cada 10.000 euros de préstamo convenido.

— **100 euros** los 10 primeros años.

— **155 euros** los 5 primeros años en caso de:

— Familias numerosas.

— Familias monoparentales con hijos.

— Familias que incluyan o tengan a su cargo personas dependientes o con discapacidad oficialmente reconocida.

Esta subsidiación se concederá por un período de 5 años y podrá ser ampliada por otro período de la misma duración.

La ampliación se tiene que solicitar dentro del 5.º año del primer período y los solicitantes tienen que acreditar que siguen cumpliendo las condiciones para la concesión de la ayuda.

AYUDA ESTATAL DIRECTA A LA ENTRADA (AEDE):

a) En general: **8.000 euros**

b) Jóvenes de hasta 35 años (cuando aporten la mayor parte de los ingresos familiares): **9.000 euros**

c) Familias numerosas, familias monoparentales con hijos, personas dependientes o con discapacidad oficialmente reconocida y las familias que las tengan a su cargo y unidades familiares con ingresos inferiores a 1,5 veces el IPREM: **12.000 euros**

d) Mujeres víctimas de violencia de género, víctimas de terrorismo o personas separadas o divorciadas, al corriente de pago de pensiones alimenticias y compensatorias: **11.000 euros.**

Estas cuantías no son acumulables entre sí, y corresponderá únicamente la más favorable de todas las posibles.

Cuando las viviendas estén situadas en las zonas ATPMS A, ATPMS B y ATPMS C, las cuantías relacionadas antes se tienen que incrementar respectivamente en **1.200 euros, 600 euros** o **300 euros.**

AYUDA AUTONÓMICA:

a) Unidades familiares con ingresos inferiores a 2,5 veces el IPREM, personas que acceden por primera vez a la vivienda, jóvenes menores de 35 años, personas mayores de 65 años, mujeres víctimas de violencia de género, víctimas del terrorismo, afectados por situaciones catastróficas, familias numerosas, familias monoparentales con hijos, personas dependientes o con discapacidad reconocida y las familias que las tengan a su cargo y personas separadas o divorciadas que estén al corriente en el pago de las pensiones alimenticias o compensatorias: **2.000 euros**.

b) Familias numerosas con 5 o más hijos: **2.000 euros adicionales**.

c) Si se acredita la pertenencia a más de un colectivo la subvención será de **2.000 euros** por cada uno de ellos.

d) Unidades familiares con ingresos inferiores a 1,5 veces el IPREM y que pertenezcan al colectivo de personas sin hogar o procedentes de operaciones de erradicación del chabolismo y las personas emigrantes retornadas en los dos años anteriores al momento de la solicitud y que se encuentren en una situación de especial necesidad: Una ayuda del 25% del precio de la vivienda que conste en la escritura de compraventa o adjudicación, o en el caso de autopromoción del precio de la edificación y del suelo que consten en la escritura; la cuantía de esta subvención tendrá un límte absoluto de **17.000 euros** (las circunstancias familiares se acreditarán mediante un informe social del ayuntamiento o por certificación del organismo competente en materia de inmigración; estas ayudas son incompatibles con las otras ayudas autonómicas establecidas en los apartados a), b) y c).

Requisitos de acceso ayuda:

1. La vivienda tiene que haber obtenido la calificación definitiva.

2. El contrato de compraventa tiene que haber sido visado por la CA. Entre las firmas del contrato y la solicitud del visado no debe pasar más de 4 meses.

3. Entre el visado del contrato y la solicitud del préstamo no debe pasar más de 6 meses.

4. Los ingresos de la unidad familiar tienen que ser entre 0,7 y 2,5 veces el IPREM.

5. Tiene que ser el 1.ᵉʳ acceso a la propiedad del solicitante (se entiende que reúnen la condición de 1.ᵉʳ acceso a la propiedad los adquirentes que no tengan o no hayan tenido con anterioridad ninguna vivienda en propiedad o que siendo titular de alguna no disfruten de un derecho real de uso o disfrute sobre ella o el valor de la misma de acuerdo con la normativa

del ITP no supere el 25% del precio máximo de venta de la vivienda que adquirieren).

6. Los solicitantes no pueden haber recibido anteriormente financiación al amparo de algún Plan de Vivienda durante los 10 años anteriores a la solicitud actual de ayudas; no será necesario cumplir este requisito cuando la adquisición de la vivienda sea como consecuencia del cambio de residencia del titular en otra localidad, cuando se trate de una familia numerosa que acceda a nueva vivienda de mayor superficie como consecuencia de haber ampliado el número de miembros de la unidad familiar o cuando la nueva solicitud se produzca por la necesidad de una vivienda adaptada a las condiciones de discapacidad sobrevenida de algún miembro de la unidad familiar (en cualquier caso será necesario cancelar previamente el préstamo cualificado o convenido anteriormente obtenido y en el caso de las ayudas directas se podrá optar por devolver las ayudas o percibir la diferencia si procediera); también se eximirá de este requisito cuando no se disponga del derecho real de uso y disfrute de la vivienda familiar como consecuencia de separación o divorcio.

7. La cuantía del préstamo convenido no será inferior al 60% del precio de la vivienda durante los 5 primeros años de amortización del préstamo.

2. VIVIENDA DE PROTECCIÓN AUTONÓMICA DE RÉGIMEN GENERAL

Características:

• El precio máximo de referencia por metro cuadrado útil será:

Zona 1.ª ATPMS C: **Módulo Básico Estatal *1,84**

Zona 1.ª (Otros municipios): **Módulo Básico Estatal *1,60**

Zona 2.ª (Resto de Municipios de Galicia): **Modulo Básico Estatal *1,45**

— Si la vivienda no se vendiera o arrendara en un plazo de 2 años desde la calificación definitiva, el promotor podrá solicitar la revisión del precio establecido en la calificación provisional que pasará a ser el de las viviendas que se califiquen provisionalmente en el momento de la solicitud.

— El precio máximo de venta por m² de superficie útil, en segundas o posteriores transmisiones de una vivienda de nueva construcción calificada como protegida por la Xunta, será el que corresponda a las viviendas del mismo tipo que se califiquen como protegidas provisionalmente en la misma zona territorial en el momento de la transmisión.

— Las viviendas protegidas solo podrán transmitirse intervivos transcurrido un plazo de 10 años desde la formalización de la escritura de compraventa o de la resolución de la calificación definitiva, en cualquier caso la persona adquirente deberá cumplir los requisitos establecidos para ser persona adjudicataria de vivienda protegida; en circunstancias excepcionales la administración podrá autorizar la transmisión de la vivienda antes de los 10 años, en ese caso se exigirá la cancelación previa del préstamo y el reintegro de las ayudas económicas directas percibidas de la administración con los intereses legales correspondientes.

— Las personas adjudicatarias de viviendas protegidas de promoción privada y las personas propietarias de viviendas protegidas autopromovidas habrán de comunicar a la Xunta, la decisión de venderlas, con expresión del precio de venta y la acreditación de que la persona compradora cumple las condiciones necesarias para acceder a una vivienda protegida; la Xunta tendrá derecho de tanteo y retracto sobre la vivienda protegida a su favor o a favor de otra Administración o entidad del sector público mientras dure el régimen de protección de la vivienda, salvo que la transmisión se realice entre personas con una relación de parentesco de hasta el segundo grado siempre que la persona adquirente cumpla las condiciones de acceso a la vivienda protegida.

— La duración del régimen legal de protección de las viviendas destinadas a la venta o al arrendamiento será de 30 años desde la fecha de la calificación definitiva.

— Hasta el 31 de diciembre de 2009 (período prorrogable por el Consejo de Ministros), los promotores de viviendas libres que hubieran obtenido una licencia de obras previa al 1 de septiembre de 2008 podrán solicitar su calificación como vivienda protegida para venta o alquiler, si estas cumplen las características exigidas para este tipo de viviendas, en cuanto a los máximos referentes a superficies, precios por m² de superficie útil, niveles de ingresos de los adquirentes y plazos mínimo de protección;

si se califican en régimen de alquiler a 10 o 25 años, podrán obtener las subvenciones correspondientes a la promoción de vivienda protegida de nueva construcción de esa naturaleza, u si obtuvieran préstamo convenido será subsidiado en las mismas condiciones.

Requisitos de acceso:

1. Ingresos familiares entre 0,7 y 4,5 veces el IPREM.

2. No ser titular de una vivienda protegida (salvo que la vivienda resulte sobrevenidamente inadecuada para sus circunstancias personales o familiares y siempre que no se posea simultáneamente más de una vivienda protegida), ni de una libre cuyo valor, según el Impuesto sobre Transmisiones Patrimoniales, exceda del 40% del precio de la vivienda que se pretende adquirir (60% para familias numerosas, familias monoparentales con hijos, personas mayores de 65 años, personas dependientes o con discapacidad y las familias que las tengan a su cargo, mujeres víctimas de violencia de género, víctimas del terrorismo y personas separadas o divorciadas que estén al corriente de las pensiones alimenticias o compensatorias).

3. Estar inscrito en un registro público de demandantes de vivienda.

4. La actuación debe haber sido calificada como protegida por la CA.

5. La vivienda debe destinarse como residencia habitual del adjudicatario y ocuparse dentro de los plazos establecidos.

6. La persona beneficiaria deberá residir o desarrollar su actividad laboral en Galicia.

Características de la ayuda:

PRÉSTAMO CONVENIDO:

Amortización: 25 años o más con cuotas constantes (tres años o más de carencia para el caso de promoción para uso propio).

Garantía: Hipoteca.

Cuantía Máxima: 80% del precio de adquisición (vivienda + garaje + trastero vinculados) o del valor de la edificación más el del suelo para el caso de promotores individuales para uso propio.

Tipo de interés para el año 2009: puede ser fijo o variable.

Interés fijo: pendiente de publicación.

Interés variable: Euribor a 12 meses publicado por el Banco de España en el BOE el mes anterior al de la fecha de formalización del préstamo más un diferencial de entre 25 y 125 puntos básicos.

Este tipo de interés se revisará cada 12 meses teniendo como referencia el Euribor a 12 meses publicado por el Banco de España el mes anterior a la fecha de formalización.

Cuotas: Interés fijo: Constantes durante toda la vida del préstamo.

Interés variable: Constantes durante toda la vida del préstamo, dentro de cada uno de los períodos de amortización a los cuales les corresponde un mismo tipo de interés.

Comisiones: Exentas.

SUBSIDIOS A LOS PRÉSTAMOS: Cantidad anual por cada 10.000 euros de préstamo durante 5 años, renovables 5 más (la ampliación se tiene que solicitar dentro del 5.º año del primer período y los solicitantes tienen que acreditar que siguen cumpliendo las condiciones para la concesión de la ayuda; se entenderá que cumplen las condiciones cuando la media de los ingresos correspondientes a los dos años anteriores a la revisión no excedan en más o menos un 20% de las acreditadas inicialmente):

— **100 euros** para ingresos menores o iguales a 2,5 veces el IPREM los 10 primeros años (**155 euros** para familias numerosas, monoparentales con hijos y familias que incluyan personas dependientes o con discapacidad reconocida oficialmente durante los 5 primeros años).

— **80 euros** para ingresos entre 2,5 y 3,5 veces el IPREM los 5 primeros años (**113 euros** para familias numerosas, monoparentales con hijos y familias que incluyan personas dependientes o con discapacidad reconocida oficialmente durante los 5 primeros años).

— **60 euros** anuales a familias con ingresos familiares entre 3,5 y 4,5 veces el IPREM (**93 euros** para familias numerosas, monoparentales con hijos y familias que incluyan personas dependientes o con discapacidad reconocida oficialmente durante los 5 primeros años).

AYUDA ESTATAL DIRECTA A LA ENTRADA (AEDE):

ADQUIRENTES CON INGRESOS DE HASTA 2,5 VECES EL IPREM:

a) En general: **8.000 euros**.

b) Jóvenes de hasta 35 años (cuando aporten la mayor parte de los ingresos familiares): **9.000 euros**.

c) Familias numerosas, familias monoparentales con hijos, personas dependientes o con discapacidad oficialmente reconocida y las familias que las tengan a su cargo y unidades familiares con ingresos inferiores a 1,5 veces el IPREM: **12.000 euros**.

d) Mujeres víctimas de violencia de género, víctimas de terrorismo o personas separadas o divorciadas, al corriente de pago de pensiones alimenticias y compensatorias: **11.000 euros**.

Estas cuantías no son acumulables entre sí, y corresponderá únicamente la más favorable de todas las posibles.

Cuando las viviendas estén situadas en las zonas ATPMS A, ATPMS B y ATPMS C, las cuantías relacionadas antes se tienen que incrementar respectivamente en **1.200 euros, 600 euros** o **300 euros**.

AYUDA AUTONÓMICA:

a) Unidades familiares con ingresos inferiores a 2,5 veces el IPREM, personas que acceden por primera vez a la vivienda, jóvenes menores de 35 años, personas mayores de 65 años, mujeres víctimas de violencia de género, víctimas del terrorismo, afectados por situaciones catastróficas, familias numerosas, familias monoparentales con hijos, personas dependientes o con discapacidad reconocida y las familias que las tengan a su cargo y personas separadas o divorciadas que estén al corriente en el pago de las pensiones alimenticias o compensatorias: **2.000 euros**.

b) Familias numerosas con 5 o más hijos: **2.000 euros adicionales**.

c) Si se acredita la pertenencia a más de un colectivo la subvención será de **2.000 euros** por cada uno de ellos.

d) Unidades familiares con ingresos inferiores a 1,5 veces el IPREM y que pertenezcan al colectivo de personas sin hogar o procedentes de operaciones de erradicación del chabolismo y las personas emigrantes retornadas en los dos años anteriores al momento de la solicitud y que se encuentren en una situación de especial necesidad: Una ayuda del 25% del precio de la vivienda que conste en la escritura de compraventa o adjudicación, o en el caso de autopromoción del precio de la edificación y del suelo que consten en la escritura; la cuantía de esta subvención tendrá un límte absoluto de **17.000 euros** (las circunstancias familiares se acreditarán mediante un informe social del ayuntamiento o por certificación del organismo competente en materia de inmigración; estas ayudas son incompatibles con las otras ayudas autonómicas establecidas en los apartados a), b) y c).

Requisitos de acceso ayuda:

1. La vivienda tiene que haber obtenido la calificación definitiva.

2. El contrato de compraventa tiene que haber sido visado por la CA. Entre las firmas del contrato y la solicitud del visado no debe pasar más de 4 meses.

3. Entre el visado del contrato y la solicitud del préstamo no debe pasar más de 6 meses.

4. Los ingresos de la unidad familiar tienen que estar entre 0,7 y 2,5 veces el IPREM.

5. Tiene que ser el 1.er acceso a la propiedad del solicitante (se entiende que reúnen la condición de 1.er acceso a la propiedad los adquirentes que no tengan o no hayan tenido con anterioridad ninguna vivienda en propiedad o que siendo titular de alguna no disfruten de un derecho real de uso o disfrute sobre ella o el valor de la misma de acuerdo con la normativa del ITP no supere el 25% del precio máximo de venta de la vivienda que adquirieren).

6. Los solicitantes no pueden haber recibido anteriormente financiación al amparo de algún Plan de Vivienda durante los 10 años anteriores a la solicitud actual de ayudas; no será necesario cumplir este requisito cuando la adquisición de la vivienda sea como consecuencia del cambio de residencia del titular en otra localidad, cuando se trate de una familia numerosa

que acceda a nueva vivienda de mayor superficie como consecuencia de haber ampliado el número de miembros de la unidad familiar o cuando la nueva solicitud se produzca por la necesidad de una vivienda adaptada a las condiciones de discapacidad sobrevenida de algún miembro de la unidad familiar (en cualquier caso será necesario cancelar previamente el préstamo cualificado o convenido anteriormente obtenido y en el caso de las ayudas directas se podrá optar por devolver las ayudas o percibir la diferencia si procediera); también se eximirá de este requisito cuando no se disponga del derecho real de uso y disfrute de la vivienda familiar como consecuencia de separación o divorcio.

7. La cuantía del préstamo convenido no será inferior al 60% del precio de la vivienda durante los 5 primeros años de amortización del préstamo.

ADQUIRENTES CON INGRESOS ENTRE 2,5 VECES Y 3,5 VECES EL IPREM:

a) En general: **7.000 euros**.

b) Jóvenes de hasta 35 años (cuando aporten la mayor parte de los ingresos familiares): **8.000 euros**.

c) Familias numerosas, familias monoparentales con hijos, personas dependientes o con discapacidad oficialmente reconocida y las familias que las tengan a su cargo y unidades familiares con ingresos inferiores a 1,5 veces el IPREM: **10.000 euros**.

d) Mujeres víctimas de violencia de género, víctimas de terrorismo o personas separadas o divorciadas, al corriente de pago de pensiones alimenticias y compensatorias: **9.000 euros**.

Estas cuantías no son acumulables entre sí, y corresponderá únicamente la más favorable de todas las posibles.

Cuando las viviendas estén situadas en las zonas ATPMS A, ATPMS B y ATPMS C, las cuantías relacionadas antes se tienen que incrementar respectivamente en **1.200 euros, 600 euros** o **300 euros**.

AYUDA AUTONÓMICA:

a) Unidades familiares con ingresos inferiores a 2,5 veces el IPREM, personas que acceden por primera vez a la vivienda, jóvenes menores de

35 años, personas mayores de 65 años, mujeres víctimas de violencia de género, víctimas del terrorismo, afectados por situaciones catastróficas, familias numerosas, familias monoparentales con hijos, personas dependientes o con discapacidad reconocida y las familias que las tengan a su cargo y personas separadas o divorciadas que estén al corriente en el pago de las pensiones alimenticias o compensatorias: **2.000 euros**

b) Familias numerosas con 5 o más hijos: **2.000 euros adicionales**.

c) Si se acredita la pertenencia a más de un colectivo la subvención será de **2.000 euros** por cada uno de ellos.

d) Unidades familiares con ingresos inferiores a 1,5 veces el IPREM y que pertenezcan al colectivo de personas sin hogar o procedentes de operaciones de erradicación del chabolismo y las personas emigrantes retornadas en los dos años anteriores al momento de la solicitud y que se encuentren en una situación de especial necesidad: Una ayuda del 25% del precio de la vivienda que conste en la escritura de compraventa o adjudicación, o en el caso de autopromoción del precio de la edificación y del suelo que consten en la escritura; la cuantía de esta subvención tendrá un límite absoluto de **17.000 euros** (las circunstancias familiares se acreditarán mediante un informe social del ayuntamiento o por certificación del organismo competente en materia de inmigración; estas ayudas son incompatibles con las otras ayudas autonómicas establecidas en los apartados a), b) y c).

Requisitos de acceso a la ayuda:

1. La vivienda tiene que haber obtenido la calificación definitiva.

2. El contrato de compraventa tiene que haber sido visado por la CA. Entre las firmas del contrato y la solicitud del visado no debe pasar más de 4 meses.

3. Entre el visado del contrato y la solicitud del préstamo no debe pasar más de 6 meses.

4. Los ingresos de la unidad familiar tienen que ser inferiores a 3,5 veces el IPREM.

5. Tiene que ser el 1.ᵉʳ acceso a la propiedad del solicitante (se entiende que reúnen la condición de 1.ᵉʳ acceso a la propiedad los adquirentes que no tengan o no hayan tenido con anterioridad ninguna vivienda en propiedad o que siendo titular de alguna no disfruten de un derecho real de uso o disfrute sobre ella o el valor de la misma de acuerdo con la normativa del ITP no supere el 25% del precio máximo de venta de la vivienda que adquirieren).

6. Los solicitantes no pueden haber recibido anteriormente financiación al amparo de algún Plan de Vivienda durante los 10 años anteriores a la solicitud actual de ayudas; no será necesario cumplir este requisito cuando la adquisición de la vivienda sea como consecuencia del cambio de residencia del titular en otra localidad, cuando se trate de una familia numerosa que acceda a nueva vivienda de mayor superficie como consecuencia de haber ampliado el número de miembros de la unidad familiar o cuando la nueva solicitud se produzca por la necesidad de una vivienda adaptada a las condiciones de discapacidad sobrevenida de algún miembro de la unidad familiar (en cualquier caso será necesario cancelar previamente el préstamo cualificado o convenido anteriormente obtenido y en el caso de las ayudas directas se podrá optar por devolver las ayudas o percibir la diferencia si procediera); también se eximirá de este requisito cuando no se disponga del derecho real de uso y disfrute de la vivienda familiar como consecuencia de separación o divorcio.

7. La cuantía del préstamo convenido no será inferior al 60% del precio de la vivienda durante los 5 primeros años de amortización del préstamo.

ADQUIRENTES CON INGRESOS ENTRE 3,5 VECES Y 4,5 VECES EL IPREM:

a) En general: **5.000 euros.**

b) Jóvenes de hasta 35 años (cuando aporten la mayor parte de los ingresos familiares): **6.000 euros.**

c) Familias numerosas, familias monoparentales con hijos, personas dependientes o con discapacidad oficialmente reconocida y las familias que las tengan a su cargo y unidades familiares con ingresos inferiores a 1,5 veces el IPREM: **8.000 euros.**

d) Mujeres víctimas de violencia de género, víctimas de terrorismo o personas separadas o divorciadas, al corriente de pago de pensiones alimenticias y compensatorias: **7.000 euros**.

Estas cuantías no son acumulables entre sí, y corresponderá únicamente la más favorable de todas las posibles.

Cuando las viviendas estén situadas en las zonas ATPMS A, ATPMS B y ATPMS C, las cuantías relacionadas antes se tienen que incrementar respectivamente en **1.200 euros, 600 euros** o **300 euros**.

AYUDA AUTONÓMICA:

a) Unidades familiares con ingresos inferiores a 2,5 veces el IPREM, personas que acceden por primera vez a la vivienda, jóvenes menores de 35 años, personas mayores de 65 años, mujeres víctimas de violencia de género, víctimas del terrorismo, afectados por situaciones catastróficas, familias numerosas, familias monoparentales con hijos, personas dependientes o con discapacidad reconocida y las familias que las tengan a su cargo y personas separadas o divorciadas que estén al corriente en el pago de las pensiones alimenticias o compensatorias: **2.000 euros**

b) Familias numerosas con 5 o más hijos: **2.000 euros adicionales**.

c) Si se acredita la pertenencia a más de un colectivo la subvención será de **2.000 euros** por cada uno de ellos.

d) Unidades familiares con ingresos inferiores a 1,5 veces el IPREM y que pertenezcan al colectivo de personas sin hogar o procedentes de operaciones de erradicación del chabolismo y las personas emigrantes retornadas en los dos años anteriores al momento de la solicitud y que se encuentren en una situación de especial necesidad: Una ayuda del 25% del precio de la vivienda que conste en la escritura de compraventa o adjudicación, o en el caso de autopromoción del precio de la edificación y del suelo que consten en la escritura; la cuantía de esta subvención tendrá un límite absoluto de **17.000 euros** (las circunstancias familiares se acreditarán mediante un informe social del ayuntamiento o por certificación del organismo competente en materia de inmigración; estas ayudas son incompatibles con las otras ayudas autonómicas establecidas en los apartados a), b) y c).

Requisitos de acceso a la ayuda:

1. La vivienda tiene que haber obtenido la calificación definitiva.

2. El contrato de compraventa tiene que haber sido visado por la CA. Entre las firmas del contrato y la solicitud del visado no debe pasar más de 4 meses.

3. Entre el visado del contrato y la solicitud del préstamo no debe pasar más de 6 meses.

4. Los ingresos de la unidad familiar tienen que ser inferiores a 4,5 veces el IPREM.

5. Tiene que ser el 1.er acceso a la propiedad del solicitante (se entiende que reúnen la condición de 1.er acceso a la propiedad los adquirentes que no tengan o no hayan tenido con anterioridad ninguna vivienda en propiedad o que siendo titular de alguna no disfruten de un derecho real de uso o disfrute sobre ella o el valor de la misma de acuerdo con la normativa del ITP no supere el 25% del precio máximo de venta de la vivienda que adquirieren).

6. Los solicitantes no pueden haber recibido anteriormente financiación al amparo de algún Plan de Vivienda durante los 10 años anteriores a la solicitud actual de ayudas; no será necesario cumplir este requisito cuando la adquisición de la vivienda sea como consecuencia del cambio de residencia del titular en otra localidad, cuando se trate de una familia numerosa que acceda a nueva vivienda de mayor superficie como consecuencia de haber ampliado el número de miembros de la unidad familiar o cuando la nueva solicitud se produzca por la necesidad de una vivienda adaptada a las condiciones de discapacidad sobrevenida de algún miembro de la unidad familiar (en cualquier caso será necesario cancelar previamente el préstamo cualificado o convenido anteriormente obtenido y en el caso de las ayudas directas se podrá optar por devolver las ayudas o percibir la diferencia si procediera); también se eximirá de este requisito cuando no se disponga del derecho real de uso y disfrute de la vivienda familiar como consecuencia de separación o divorcio.

7. La cuantía del préstamo convenido no será inferior al 60% del precio de la vivienda durante los 5 primeros años de amortización del préstamo.

3. VIVIENDA DE PROTECCIÓN AUTONÓMICA DE RÉGIMEN CONCERTADO.

Características:

• El precio máximo de referencia por metro cuadrado útil será:

Zona 1.ª ATPMS C: **Módulo Básico Estatal *2,34**

Zona 1.ª (Otros municipios): **Módulo Básico Estatal *1,80**

Zona 2.ª (Resto de Municipios de Galicia): **Modulo Básico Estatal *1,65**

— Si la vivienda no se vendiera o arrendara en un plazo de 2 años desde la calificación definitiva, el promotor podrá solicitar la revisión del precio establecido en la calificación provisional que pasará a ser el de las viviendas que se califiquen provisionalmente en el momento de la solicitud.

— El precio máximo de venta por m² de superficie útil, en segundas o posteriores transmisiones de una vivienda de nueva construcción calificada como protegida por la Xunta, será el que corresponda a las viviendas del mismo tipo que se califiquen como protegidas provisionalmente en la misma zona territorial en el momento de la transmisión.

— Las viviendas protegidas solo podrán transmitirse intervivos transcurrido un plazo de 10 años desde la formalización de la escritura de compraventa o de la resolución de la calificación definitiva, en cualquier caso la persona adquirente deberá cumplir los requisitos establecidos para ser persona adjudicataria de vivienda protegida; en circunstancias excepcionales la administración podrá autorizar la transmisión de la vivienda antes de los 10 años, en ese caso se exigirá la cancelación previa del préstamo y el reintegro de las ayudas económicas directas percibidas de la administración con los intereses legales correspondientes.

— Las personas adjudicatarias de viviendas protegidas de promoción privada y las personas propietarias de viviendas protegidas autopromovidas habrán de comunicar a la Xunta, la decisión de venderlas, con expresión del precio de venta y la acreditación de que la persona compradora cumple las condiciones necesarias para acceder a una vivienda protegida; la Xunta tendrá derecho de tanteo y retracto sobre la vivienda protegida a su favor o a favor de otra Administración o entidad del sector público mientras dure el régimen de protección de la vivienda, salvo que la transmisión se realice entre personas con una relación de parentesco de hasta el segundo grado siempre que la persona adquirente cumpla las condiciones de acceso a la vivienda protegida.

— La duración del régimen legal de protección de las viviendas destinadas a la venta o al arrendamiento será de 30 años desde la fecha de la calificación definitiva.

— Hasta el 31 de diciembre de 2009 (período prorrogable por el Consejo de Ministros), los promotores de viviendas libres que hubieran obtenido una licencia de obras previa al 1 de septiembre de 2008 podrán solicitar su calificación como vivienda protegida para venta o alquiler, si estas cumplen las características exigidas para este tipo de viviendas, en cuanto a los máximos referentes a superficies, precios por m² de superficie útil, niveles de ingresos de los adquirentes y plazos mínimo de protección; si se califican en régimen de alquiler a 10 o 25 años, podrán obtener las subvenciones correspondientes a la promoción de vivienda protegida de nueva construcción de esa naturaleza, u si obtuvieran préstamo convenido será subsidiado en las mismas condiciones.

Requisitos de acceso:

1. Ingresos familiares entre 0,7 y 7 veces el IPREM (hasta el 31 de diciembre de 2009, período prorrogable mediante acuerdo del Consejo de Ministros).

2. No ser titular de una vivienda protegida (salvo que la vivienda resulte sobrevenidamente inadecuada para sus circunstancias personales o familiares y siempre que no se posea simultáneamente más de una vivienda protegida), ni de una libre cuyo valor, según el Impuesto sobre Transmisiones Patrimoniales, exceda del 40% del precio de la vivienda que se pretende adquirir (60% para familias numerosas, familias monoparentales con hijos, personas mayores de 65 años, personas dependientes o con discapacidad y las familias que las tengan a su cargo, mujeres víctimas de violencia de género, víctimas del terrorismo y personas separadas o divorciadas que estén al corriente de las pensiones alimenticias o compensatorias).

3. Estar inscrito en un registro público de demandantes de vivienda.

4. La actuación debe haber sido calificada como protegida por la CA.

5. La vivienda debe destinarse como residencia habitual del adjudicatario y ocuparse dentro de los plazos establecidos.

6. La persona beneficiaria deberá residir o desarrollar su actividad laboral en Galicia.

Características de la ayuda:

PRÉSTAMO CONVENIDO:

Amortización: 25 años o más con cuotas constantes (tres años o más de carencia para el caso de promoción para uso propio).

Garantía: Hipoteca.

Cuantía Máxima: 80% del precio de adquisición (vivienda + garaje + trastero vinculados) o del valor de la edificación más el del suelo para el caso de promotores individuales para uso propio.

Tipo de interés para el año 2009: puede ser fijo o variable.

Interés fijo: pendiente de publicación.

Interés variable: Euribor a 12 meses publicado por el Banco de España en el BOE el mes anterior al de la fecha de formalización del préstamo más un diferencial de entre 25 y 125 puntos básicos.

Este tipo de interés se revisará cada 12 meses teniendo como referencia el Euribor a 12 meses publicado por el Banco de España el mes anterior a la fecha de formalización.

Cuotas: Interés fijo: Constantes durante toda la vida del préstamo.

Interés variable: Constantes durante toda la vida del préstamo, dentro de cada uno de los períodos de amortización a los cuales les corresponde un mismo tipo de interés.

Comisiones: Exentas.

Requisitos de acceso ayuda:

1. La vivienda tiene que haber obtenido la calificación definitiva.

2. El contrato de compraventa tiene que haber sido visado por la CA. Entre las firmas del contrato y la solicitud del visado no debe pasar más de 4 meses.

3. Entre el visado del contrato y la solicitud del préstamo no debe pasar más de 6 meses.

4. Los solicitantes no pueden haber recibido anteriormente financiación al amparo de algún Plan de Vivienda durante los 10 años anteriores a la solicitud actual de ayudas; no será necesario cumplir este requisito cuando la adquisición de la vivienda sea como consecuencia del cambio de residencia del titular en otra localidad, cuando se trate de una familia numerosa que acceda a nueva vivienda de mayor superficie como consecuencia de haber ampliado el número de miembros de la unidad familiar o cuando la nueva solicitud se produzca por la necesidad de una vivienda adaptada a las condiciones de discapacidad sobrevenida de algún miembro de la unidad familiar (en cualquier caso será necesario cancelar previamente el préstamo cualificado o convenido anteriormente obtenido y en el caso de las ayudas directas se podrá optar por devolver las ayudas o percibir la diferencia si procediera); también se eximirá de este requisito cuando no se disponga del derecho real de uso y disfrute de la vivienda familiar como consecuencia de separación o divorcio.

7. La cuantía del préstamo convenido no será inferior al 60% del precio de la vivienda durante los 5 primeros años de amortización del préstamo.

B) COMPRA DE VIVIENDA USADA:

Características:

— Se consideran viviendas usadas:

a) Viviendas de hasta 90 m² útiles con o sin garaje y/o trastero:

— Vivienda libre o sujeta a algún régimen de protección en segunda o posterior transmisión.

— Viviendas protegidas destinadas antes a arrendamiento.

b) Viviendas de hasta 120 m² con o sin garaje y/o trastero:

— Vivienda sujeta a algún régimen de protección y que se fueran destinadas a familias numerosas cuando haya hecho 1 año desde su construcción y no haya sido ocupada por ninguna familia numerosa.

— Viviendas rurales usadas adquiridas en municipios o núcleos de población que no superen los 10.000 habitantes.

— La obtención de la ayuda conllevará la limitación de su precio máximo de venta en posteriores transmisiones, durante, al menos, 15 años desde la fecha de adquisición, o durante la duración del préstamo convenido, si fuera superior.

— Hasta el 31 de diciembre de 2009 (fecha prorrogable por el Consejo de Ministros) se considerará como adquisición de vivienda usada la de una vivienda libre, aunque haya transcurrido menos de 1 año desde la fecha de expedición de la licencia de primera ocupación, el certificado final de obra o la cédula de habitabilidad, a efectos de las ayudas al adquirente, cuando esos actos o documentos se hayan emitido antes del día 24 de diciembre de 2008 y cumpla con las condiciones de vivienda protegida, salvo el de duración del régimen de protección, así como la limitación de precio de las viviendas usadas.

— Estas viviendas podrán ser adquiridas mediante acceso diferido a la propiedad, en un plazo máximo de 5 años, durante el cual el vendedor de la vivienda podrá cobrar una renta del 5,5% del precio máximo de venta de una vivienda de precio concertado calificada como tal, el mismo día y en la misma localidad, cuando se celebre el contrato de compraventa.

Cuando transcurran los 5 años el precio de venta será 1,18 veces el precio inicial; se descontarán de dicho precio, al menos el 30%, sin actualizaciones, de las cantidades entregadas en concepto de renta.

— Precio de la vivienda usada:

Zona 1.ª ATPMS C: **Módulo Básico Estatal *2,08**

Zona 1.ª (Otros municipios): **Módulo Básico Estatal *1,60**

Zona 2.ª (Resto de Municipios de Galicia): **Modulo Básico Estatal *1,45**

— El precio de las viviendas acogidas a algún régimen de protección será el que corresponda a dicho régimen siempre que no exceda de los precios marcados en el párrafo anterior.

Requisitos de acceso:

1. Ingresos familiares entre 0,7 y 6,5 veces el IPREM.

2. No ser titular de una vivienda protegida (salvo que la vivienda resulte sobrevenidamente inadecuada para sus circunstancias personales o familiares y siempre que no se posea simultáneamente más de una vivienda protegida), ni de una libre cuyo valor, según el Impuesto sobre Transmisiones Patrimoniales, exceda del 40% del precio de la vivienda que se pretende adquirir (60% para familias numerosas, familias monoparentales con hijos, personas mayores de 65 años, personas dependientes o con discapacidad y las familias que las tengan a su cargo, mujeres víctimas de violencia de género, víctimas del terrorismo y personas separadas o divorciadas que estén al corriente de las pensiones alimenticias o compensatorias).

3. Estar inscrito en un registro público de demandantes de vivienda.

4. La actuación debe haber sido calificada como protegida por la CA.

5. La vivienda debe destinarse como residencia habitual del adjudicatario y ocuparse dentro de los plazos establecidos.

6. La persona beneficiaria deberá residir o desarrollar su actividad laboral en Galicia.

Características de la ayuda:

PRÉSTAMO CONVENIDO:

Amortización: 25 años o más con cuotas constantes (tres años o más de carencia para el caso de promoción para uso propio).

Garantía: Hipoteca.

Cuantía Máxima: 80% del precio de adquisición (vivienda + garaje + trastero vinculados) o del valor de la edificación más el del suelo para el caso de promotores individuales para uso propio.

Tipo de interés para el año 2009: puede ser fijo o variable.

Interés fijo: pendiente de publicación.

Interés variable: Euribor a 12 meses publicado por el Banco de España en el BOE el mes anterior al de la fecha de formalización del préstamo más un diferencial de entre 25 y 125 puntos básicos.

Este tipo de interés se revisará cada 12 meses teniendo como referencia el Euribor a 12 meses publicado por el Banco de España el mes anterior a la fecha de formalización.

Cuotas: Interés fijo: Constantes durante toda la vida del préstamo.

Interés variable: Constantes durante toda la vida del préstamo, dentro de cada uno de los períodos de amortización a los cuales les corresponde un mismo tipo de interés.

Comisiones: Exentas.

SUBSIDIOS A LOS PRÉSTAMOS: Cantidad anual por cada 10.000 euros de préstamo durante 5 años, renovables 5 más (la ampliación se tiene que solicitar dentro del 5.º año del primer período y los solicitantes tienen que acreditar que siguen cumpliendo las condiciones para la concesión de la ayuda; se entenderá que cumplen las condiciones cuando la media de los ingresos correspondientes a los dos años anteriores a la revisión no excedan en más o menos un 20% de las acreditadas inicialmente):

— **100 euros** para ingresos menores o iguales a 2,5 veces el IPREM los 10 primeros años (**155 euros** para familias numerosas, monoparentales con hijos y familias que incluyan personas dependientes o con discapacidad reconocida oficialmente durante los 5 primeros años).

— **80 euros** para ingresos entre 2,5 y 3,5 veces el IPREM los 5 primeros años (**113 euros** para familias numerosas, monoparentales con hijos y familias que incluyan personas dependientes o con discapacidad reconocida oficialmente durante los 5 primeros años).

— **60 euros** anuales a familias con ingresos familiares entre 3,5 y 4,5 veces el IPREM (**93 euros** para familias numerosas, monoparentales con hijos y familias que incluyan personas dependientes o con discapacidad reconocida oficialmente durante los 5 primeros años).

AYUDA ESTATAL DIRECTA A LA ENTRADA (AEDE):

ADQUIRENTES CON INGRESOS DE HASTA 2,5 VECES EL IPREM:

a) En general: **8.000 euros**.

b) Jóvenes de hasta 35 años (cuando aporten la mayor parte de los ingresos familiares): **9.000 euros**.

c) Familias numerosas, familias monoparentales con hijos, personas dependientes o con discapacidad oficialmente reconocida y las familias que las tengan a su cargo y unidades familiares con ingresos inferiores a 1,5 veces el IPREM: **12.000 euros**.

d) Mujeres víctimas de violencia de género, víctimas de terrorismo o personas separadas o divorciadas, al corriente de pago de pensiones alimenticias y compensatorias: **11.000 euros**.

Estas cuantías no son acumulables entre sí, y corresponderá únicamente la más favorable de todas las posibles.

Cuando las viviendas estén situadas en las zonas ATPMS A, ATPMS B y ATPMS C, las cuantías relacionadas antes se tienen que incrementar respectivamente en **1.200 euros, 600 euros** o **300 euros**.

AYUDA AUTONÓMICA:

a) Unidades familiares con ingresos inferiores a 2,5 veces el IPREM, personas que acceden por primera vez a la vivienda, jóvenes menores de 35 años, personas mayores de 65 años, mujeres víctimas de violencia de género, víctimas del terrorismo, afectados por situaciones catastróficas, familias numerosas, familias monoparentales con hijos, personas dependientes o con discapacidad reconocida y las familias que las tengan a su cargo y personas separadas o divorciadas que estén al corriente en el pago de las pensiones alimenticias o compensatorias**: 2.000 euros**.

b) Familias numerosas con 5 o más hijos: **2.000 euros adicionales**.

c) Si se acredita la pertenencia a más de un colectivo la subvención será de **2.000 euros** por cada uno de ellos.

d) Unidades familiares con ingresos inferiores a 1,5 veces el IPREM y que pertenezcan al colectivo de personas sin hogar o procedentes de operaciones de erradicación del chabolismo y las personas emigrantes retornadas en los dos años anteriores al momento de la solicitud y que se encuentren en una situación de especial necesidad: Una ayuda del 25% del precio de la vivienda que conste en la escritura de compraventa o adjudicación, o en el caso de autopromoción del precio de la edificación y del suelo que consten en la escritura; la cuantía de esta subvención tendrá un límte absoluto de **17.000 euros** (las circunstancias familiares se acreditarán mediante un informe social del ayuntamiento o por certificación del organismo competente en materia de inmigración; estas ayudas son incompatibles con las otras ayudas autonómicas establecidas en los apartados a), b) y c).

Requisitos de acceso ayuda:

1. La vivienda tiene que haber obtenido la calificación definitiva.

2. El contrato de compraventa tiene que haber sido visado por la CA. Entre las firmas del contrato y la solicitud del visado no debe pasar más de 4 meses.

3. Entre el visado del contrato y la solicitud del préstamo no debe pasar más de 6 meses.

4. Los ingresos de la unidad familiar tienen que estar entre 0,7 y 2,5 veces el IPREM.

5. Tiene que ser el 1.er acceso a la propiedad del solicitante (se entiende que reúnen la condición de 1.er acceso a la propiedad los adquirentes que no tengan o no hayan tenido con anterioridad ninguna vivienda en propiedad o que siendo titular de alguna no disfruten de un derecho real de uso o disfrute sobre ella o el valor de la misma de acuerdo con la normativa del ITP no supere el 25% del precio máximo de venta de la vivienda que adquirieren).

6. Los solicitantes no pueden haber recibido anteriormente financiación al amparo de algún Plan de Vivienda durante los 10 años anteriores a la solicitud actual de ayudas; no será necesario cumplir este requisito cuando la adquisición de la vivienda sea como consecuencia del cambio de residencia del titular en otra localidad, cuando se trate de una familia numerosa

que acceda a nueva vivienda de mayor superficie como consecuencia de haber ampliado el número de miembros de la unidad familiar o cuando la nueva solicitud se produzca por la necesidad de una vivienda adaptada a las condiciones de discapacidad sobrevenida de algún miembro de la unidad familiar (en cualquier caso será necesario cancelar previamente el préstamo cualificado o convenido anteriormente obtenido y en el caso de las ayudas directas se podrá optar por devolver las ayudas o percibir la diferencia si procediera); también se eximirá de este requisito cuando no se disponga del derecho real de uso y disfrute de la vivienda familiar como consecuencia de separación o divorcio.

7. La cuantía del préstamo convenido no será inferior al 60% del precio de la vivienda durante los 5 primeros años de amortización del préstamo.

ADQUIRENTES CON INGRESOS ENTRE 2,5 VECES Y 3,5 VECES EL IPREM:

a) En general: **7.000 euros**.

b) Jóvenes de hasta 35 años (cuando aporten la mayor parte de los ingresos familiares): **8.000 euros**.

c) Familias numerosas, familias monoparentales con hijos, personas dependientes o con discapacidad oficialmente reconocida y las familias que las tengan a su cargo y unidades familiares con ingresos inferiores a 1,5 veces el IPREM: **10.000 euros**.

d) Mujeres víctimas de violencia de género, víctimas de terrorismo o personas separadas o divorciadas, al corriente de pago de pensiones alimenticias y compensatorias: **9.000 euros**.

Estas cuantías no son acumulables entre sí, y corresponderá únicamente la más favorable de todas las posibles.

Cuando las viviendas estén situadas en las zonas ATPMS A, ATPMS B y ATPMS C, las cuantías relacionadas antes se tienen que incrementar respectivamente en **1.200 euros, 600 euros** o **300 euros**.

AYUDA AUTONÓMICA:

a) Unidades familiares con ingresos inferiores a 2,5 veces el IPREM, personas que acceden por primera vez a la vivienda, jóvenes menores de

35 años, personas mayores de 65 años, mujeres víctimas de violencia de género, víctimas del terrorismo, afectados por situaciones catastróficas, familias numerosas, familias monoparentales con hijos, personas dependientes o con discapacidad reconocida y las familias que las tengan a su cargo y personas separadas o divorciadas que estén al corriente en el pago de las pensiones alimenticias o compensatorias: **2.000 euros**

b) Familias numerosas con 5 o más hijos: **2.000 euros adicionales**.

c) Si se acredita la pertenencia a más de un colectivo la subvención será de **2.000 euros** por cada uno de ellos.

d) Unidades familiares con ingresos inferiores a 1,5 veces el IPREM y que pertenezcan al colectivo de personas sin hogar o procedentes de operaciones de erradicación del chabolismo y las personas emigrantes retornadas en los dos años anteriores al momento de la solicitud y que se encuentren en una situación de especial necesidad: Una ayuda del 25% del precio de la vivienda que conste en la escritura de compraventa o adjudicación, o en el caso de autopromoción del precio de la edificación y del suelo que consten en la escritura; la cuantía de esta subvención tendrá un límite absoluto de **17.000 euros** (las circunstancias familiares se acreditarán mediante un informe social del ayuntamiento o por certificación del organismo competente en materia de inmigración; estas ayudas son incompatibles con las otras ayudas autonómicas establecidas en los apartados a), b) y c).

Requisitos de acceso a la ayuda:

1. La vivienda tiene que haber obtenido la calificación definitiva.

2. El contrato de compraventa tiene que haber sido visado por la CA. Entre las firmas del contrato y la solicitud del visado no debe pasar más de 4 meses.

3. Entre el visado del contrato y la solicitud del préstamo no debe pasar más de 6 meses.

4. Los ingresos de la unidad familiar tienen que ser inferiores a 3,5 veces el IPREM.

5. Tiene que ser el 1.er acceso a la propiedad del solicitante (se entiende que reúnen la condición de 1.er acceso a la propiedad los adquirentes que no tengan o no hayan tenido con anterioridad ninguna vivienda en propiedad o que siendo titular de alguna no disfruten de un derecho real de uso o disfrute sobre ella o el valor de la misma de acuerdo con la normativa del ITP no supere el 25% del precio máximo de venta de la vivienda que adquirieren).

6. Los solicitantes no pueden haber recibido anteriormente financiación al amparo de algún Plan de Vivienda durante los 10 años anteriores a la solicitud actual de ayudas; no será necesario cumplir este requisito cuando la adquisición de la vivienda sea como consecuencia del cambio de residencia del titular en otra localidad, cuando se trate de una familia numerosa que acceda a nueva vivienda de mayor superficie como consecuencia de haber ampliado el número de miembros de la unidad familiar o cuando la nueva solicitud se produzca por la necesidad de una vivienda adaptada a las condiciones de discapacidad sobrevenida de algún miembro de la unidad familiar (en cualquier caso será necesario cancelar previamente el préstamo cualificado o convenido anteriormente obtenido y en el caso de las ayudas directas se podrá optar por devolver las ayudas o percibir la diferencia si procediera); también se eximirá de este requisito cuando no se disponga del derecho real de uso y disfrute de la vivienda familiar como consecuencia de separación o divorcio.

7. La cuantía del préstamo convenido no será inferior al 60% del precio de la vivienda durante los 5 primeros años de amortización del préstamo.

ADQUIRENTES CON INGRESOS ENTRE 3,5 VECES Y 4,5 VECES EL IPREM:

a) En general: **5.000 euros.**

b) Jóvenes de hasta 35 años (cuando aporten la mayor parte de los ingresos familiares): **6.000 euros.**

c) Familias numerosas, familias monoparentales con hijos, personas dependientes o con discapacidad oficialmente reconocida y las familias que las tengan a su cargo y unidades familiares con ingresos inferiores a 1,5 veces el IPREM: **8.000 euros.**

d) Mujeres víctimas de violencia de género, víctimas de terrorismo o personas separadas o divorciadas, al corriente de pago de pensiones alimenticias y compensatorias: **7.000 euros**.

Estas cuantías no son acumulables entre sí, y corresponderá únicamente la más favorable de todas las posibles.

Cuando las viviendas estén situadas en las zonas ATPMS A, ATPMS B y ATPMS C, las cuantías relacionadas antes se tienen que incrementar respectivamente en **1.200 euros, 600 euros** o **300 euros**.

AYUDA AUTONÓMICA:

a) Unidades familiares con ingresos inferiores a 2,5 veces el IPREM, personas que acceden por primera vez a la vivienda, jóvenes menores de 35 años, personas mayores de 65 años, mujeres víctimas de violencia de género, víctimas del terrorismo, afectados por situaciones catastróficas, familias numerosas, familias monoparentales con hijos, personas dependientes o con discapacidad reconocida y las familias que las tengan a su cargo y personas separadas o divorciadas que estén al corriente en el pago de las pensiones alimenticias o compensatorias: **2.000 euros**.

b) Familias numerosas con 5 o más hijos: **2.000 euros adicionales**.

c) Si se acredita la pertenencia a más de un colectivo la subvención será de **2.000 euros** por cada uno de ellos.

d) Unidades familiares con ingresos inferiores a 1,5 veces el IPREM y que pertenezcan al colectivo de personas sin hogar o procedentes de operaciones de erradicación del chabolismo y las personas emigrantes retornadas en los dos años anteriores al momento de la solicitud y que se encuentren en una situación de especial necesidad: Una ayuda del 25% del precio de la vivienda que conste en la escritura de compraventa o adjudicación, o en el caso de autopromoción del precio de la edificación y del suelo que consten en la escritura; la cuantía de esta subvención tendrá un límite absoluto de **17.000 euros** (las circunstancias familiares se acreditarán mediante un informe social del ayuntamiento o por certificación del organismo competente en materia de inmigración; estas ayudas son incompatibles con las otras ayudas autonómicas establecidas en los apartados a), b) y c).

Requisitos de acceso a la ayuda:

1. La vivienda tiene que haber obtenido la calificación definitiva.

2. El contrato de compraventa tiene que haber sido visado por la CA. Entre las firmas del contrato y la solicitud del visado no debe pasar más de 4 meses.

3. Entre el visado del contrato y la solicitud del préstamo no debe pasar más de 6 meses.

4. Los ingresos de la unidad familiar tienen que ser inferiores a 4,5 veces el IPREM.

5. Tiene que ser el 1.er acceso a la propiedad del solicitante (se entiende que reúnen la condición de 1.er acceso a la propiedad los adquirentes que no tengan o no hayan tenido con anterioridad ninguna vivienda en propiedad o que siendo titular de alguna no disfruten de un derecho real de uso o disfrute sobre ella o el valor de la misma de acuerdo con la normativa del ITP no supere el 25% del precio máximo de venta de la vivienda que adquirieren).

6. Los solicitantes no pueden haber recibido anteriormente financiación al amparo de algún Plan de Vivienda durante los 10 años anteriores a la solicitud actual de ayudas; no será necesario cumplir este requisito cuando la adquisición de la vivienda sea como consecuencia del cambio de residencia del titular en otra localidad, cuando se trate de una familia numerosa que acceda a nueva vivienda de mayor superficie como consecuencia de haber ampliado el número de miembros de la unidad familiar o cuando la nueva solicitud se produzca por la necesidad de una vivienda adaptada a las condiciones de discapacidad sobrevenida de algún miembro de la unidad familiar (en cualquier caso será necesario cancelar previamente el préstamo cualificado o convenido anteriormente obtenido y en el caso de las ayudas directas se podrá optar por devolver las ayudas o percibir la diferencia si procediera); también se eximirá de este requisito cuando no se disponga del derecho real de uso y disfrute de la vivienda familiar como consecuencia de separación o divorcio.

7. La cuantía del préstamo convenido no será inferior al 60% del precio de la vivienda durante los 5 primeros años de amortización del préstamo.

C) VIVIENDAS LIBRES DE PRECIO LIMITADO:

Características:

— Se entenderán por viviendas libres de precio limitado aquellas viviendas libres de nueva construcción adquiridas en primera transmisión cuando transcurra 1 año, como mínimo, entre la expedición del certificado final de obra y la fecha del contrato de opción de compra o de compraventa, siempre y cuando se disponga de licencia de 1.ª ocupación.

— La adquisición de estas viviendas tendrá el mismo régimen, precio máximo y superficie máxima financiada, así como la misma financiación protegida, que las viviendas usadas.

D) ALQUILER:

1. VIVIENDA DE PROTECCIÓN AUTONÓMICA PARA ARRENDAR DE RÉGIMEN ESPECIAL.

Características:

• La duración mínima del alquiler de las viviendas será de 10 o de 25 años.

• El precio máximo de referencia por metro cuadrado útil será:

VIVIENDA DE PROTECCIÓN AUTONÓMICA PARA ARRENDAR DE RÉGIMEN ESPECIAL A 25 AÑOS.

Zona 1.ª ATPMS C: Módulo Básico Estatal *1,725 - **4,90 euros m² útil de vivienda y 2,94 euros m² útil de garaje y trastero.**

Zona 1.ª (Otros municipios): Módulo Básico Estatal *1,50 - **4,26 euros m² útil de vivienda y 2,55 euros m² útil de garaje y trastero.**

Zona 2.ª (Resto de Municipios de Galicia): Modulo Básico Estatal *1,30 - **3,69 euros m² útil de vivienda y 2,21 euros m² útil de garaje y trastero.**

VIVIENDA DE PROTECCIÓN AUTONÓMICA PARA ARRENDAR DE RENTA BÁSICA A 10 AÑOS.

Zona 1.ª ATPMS C: Módulo Básico Estatal *1,725 - **5,99 euros m² útil de vivienda y 3,59 euros m² útil de garaje y trastero.**

Zona 1.ª (Otros municipios): Módulo Básico Estatal *1,50 - **5,21 euros m² útil de vivienda y 3,12 euros m² útil de garaje y trastero**.

Zona 2.ª (Resto de Municipios de Galicia): Modulo Básico Estatal *1,30 - **4,51 euros m² útil de vivienda y 2,70 euros m² útil de garaje y trastero.**

— Si la vivienda no se vendiera o arrendara en un plazo de 2 años desde la calificación definitiva, el promotor podrá solicitar la revisión del precio establecido en la calificación provisional que pasará a ser el de las viviendas que se califiquen provisionalmente en el momento de la solicitud.

— La duración del régimen legal de protección de las viviendas destinadas a la venta o al arrendamiento será de 30 años desde la fecha de la calificación definitiva.

— Las viviendas con destino a arrendamiento podrán dedicarse a la venta transcurridos los 10 o 25 años desde su calificación definitiva, según sea la duración del préstamo, con independencia de la amortización anticipada del mismo.

— Hasta el 31 de diciembre de 2009 (período prorrogable por el Consejo de Ministros), los promotores de viviendas libres que hubieran obtenido una licencia de obras previa al 1 de septiembre de 2008 podrán solicitar su calificación como vivienda protegida para venta o alquiler, si estas cumplen las características exigidas para este tipo de viviendas, en cuanto a los máximos referentes a superficies, precios por m² de superficie útil, niveles de ingresos de los adquirentes y plazos mínimo de protección; si se califican en régimen de alquiler a 10 o 25 años, podrán obtener las subvenciones correspondientes a la promoción de vivienda protegida de nueva construcción de esa naturaleza, u si obtuvieran préstamo convenido será subsidiado en las mismas condiciones.

Requisitos de acceso:

1. Ingresos familiares no superiores a 2,5 veces el IPREM.

2. No ser titular de una vivienda protegida (salvo que la vivienda resulte sobrevenidamente inadecuada para sus circunstancias personales o familiares y siempre que no se posea simultáneamente más de una vivienda protegida), ni de una libre cuyo valor, según el Impuesto sobre Transmisiones Patrimoniales, exceda del 40% del precio de la vivienda que se pretende

adquirir (60% para familias numerosas, familias monoparentales con hijos, personas mayores de 65 años, personas dependientes o con discapacidad y las familias que las tengan a su cargo, mujeres víctimas de violencia de género, víctimas del terrorismo y personas separadas o divorciadas que estén al corriente de las pensiones alimenticias o compensatorias).

3. Estar inscrito en un registro público de demandantes de vivienda.

4. La actuación debe haber sido calificada como protegida por la CA.

5. La vivienda debe destinarse como residencia habitual del adjudicatario y ocuparse dentro de los plazos establecidos.

6. La persona beneficiaria deberá residir o desarrollar su actividad laboral en Galicia.

Características de la ayuda:

RENTA MÁXIMA anual por metro cuadrado de superficie útil del 4,5% del precio máximo de referencia para viviendas protegidas en alquiler a 25 años, o del 5,5% en caso de viviendas protegidas en alquiler a 10 años (se actualizará anualmente según el IPC). La renta establecida deberá figurar en la calificación provisional y definitiva de la vivienda, y en el visado del contrato de alquiler emitido por la CA.

OPCIÓN A COMPRA:

— Las viviendas protegidas para arrendamiento a 10 años podrán ser objeto de un contrato de arrendamiento con opción de compra; para poder ejercitar dicha opción, el inquilino deberá llevar como mínimo 5 años en la vivienda y deberá acreditar en el momento de la compra que cumple las condiciones de acceso a la vivienda protegida.

— En los contratos de arrendamiento con opción de compra, el precio máximo de venta transcurridos 10 años de arrendamiento será de 1,5 veces el precio máximo de venta establecido en la calificación provisional. En los municipios que pertenecen a un ATPMS este índice de revalorización será de 1,7.

— Del precio resultante se deducirá, en concepto de pagos parciales el 30% de la suma de los alquileres satisfechos por el inquilino.

2. VIVIENDA DE PROTECCIÓN AUTONÓMICA PARA ARRENDAR DE RÉGIMEN GENERAL

Características:

• La duración mínima del alquiler de las viviendas será de 10 o de 25 años.

• El precio máximo de referencia por metro cuadrado útil será:

VIVIENDA DE PROTECCIÓN AUTONÓMICA PARA ARRENDAR DE RÉGIMEN GENERAL A 25 AÑOS.

Zona 1.ª ATPMS C: Módulo Básico Estatal *1,84 - **5,23 euros m² útil de vivienda y 3,13 euros m² útil de garaje y trastero.**

Zona 1.ª (Otros municipios): Módulo Básico Estatal *1,60 - **4,54 euros m² útil de vivienda y 2,72 euros m² útil de garaje y trastero.**

Zona 2.ª (Resto de Municipios de Galicia): Modulo Básico Estatal *1,45 - **4,12 euros m² útil de vivienda y 2,47 euros m² útil de garaje y trastero.**

VIVIENDA DE PROTECCIÓN AUTONÓMICA PARA ARRENDAR DE RÉGIMEN GENERAL A 10 AÑOS.

Zona 1.ª ATPMS C: Módulo Básico Estatal *1,84 - **6,39 euros m² útil de vivienda y 3,83 euros m² útil de garaje y trastero.**

Zona 1.ª (Otros municipios): Módulo Básico Estatal *1,60 - **5,55 euros m² útil de vivienda y 3,33 euros m² útil de garaje y trastero.**

Zona 2.ª (Resto de Municipios de Galicia): Modulo Básico Estatal *1,45 - **5,03 euros m² útil de vivienda y 3,02 euros m² útil de garaje y trastero.**

— Si la vivienda no se vendiera o arrendara en un plazo de 2 años desde la calificación definitiva, el promotor podrá solicitar la revisión del precio establecido en la calificación provisional que pasará a ser el de las viviendas que se califiquen provisionalmente en el momento de la solicitud.

— La duración del régimen legal de protección de las viviendas destinadas a la venta o al arrendamiento será de 30 años desde la fecha de la calificación definitiva.

— Las viviendas con destino a arrendamiento podrán dedicarse a la venta transcurridos los 10 o 25 años desde su calificación definitiva, según sea la duración del préstamo, con independencia de la amortización anticipada del mismo.

— Hasta el 31 de diciembre de 2009 (período prorrogable por el Consejo de Ministros), los promotores de viviendas libres que hubieran obtenido una licencia de obras previa al 1 de septiembre de 2008 podrán solicitar su calificación como vivienda protegida para venta o alquiler, si estas cumplen las características exigidas para este tipo de viviendas, en cuanto a los máximos referentes a superficies, precios por m² de superficie útil, niveles de ingresos de los adquirentes y plazos mínimo de protección; si se califican en régimen de alquiler a 10 o 25 años, podrán obtener las subvenciones correspondientes a la promoción de vivienda protegida de nueva construcción de esa naturaleza, u si obtuvieran préstamo convenido será subsidiado en las mismas condiciones.

Requisitos de acceso:

1. Ingresos familiares no superiores a 4,5 veces el IPREM.

2. No ser titular de una vivienda protegida (salvo que la vivienda resulte sobrevenidamente inadecuada para sus circunstancias personales o familiares y siempre que no se posea simultáneamente más de una vivienda protegida), ni de una libre cuyo valor, según el Impuesto sobre Transmisiones Patrimoniales, exceda del 40% del precio de la vivienda que se pretende adquirir (60% para familias numerosas, familias monoparentales con hijos, personas mayores de 65 años, personas dependientes o con discapacidad y las familias que las tengan a su cargo, mujeres víctimas de violencia de género, víctimas del terrorismo y personas separadas o divorciadas que estén al corriente de las pensiones alimenticias o compensatorias).

3. Estar inscrito en un registro público de demandantes de vivienda.

4. La actuación debe haber sido calificada como protegida por la CA.

5. La vivienda debe destinarse como residencia habitual del adjudicatario y ocuparse dentro de los plazos establecidos.

6. La persona beneficiaria deberá residir o desarrollar su actividad laboral en Galicia.

Características de la ayuda:

RENTA MÁXIMA anual por metro cuadrado de superficie útil del 4,5% del precio máximo de referencia para viviendas protegidas en alquiler a 25 años, o del 5,5% en caso de viviendas protegidas en alquiler a 10 años (se actualizará anualmente según el IPC). La renta establecida deberá figurar en la calificación provisional y definitiva de la vivienda, y en el visado del contrato de alquiler emitido por la CA.

OPCIÓN A COMPRA:

— Las viviendas protegidas para arrendamiento a 10 años podrán ser objeto de un contrato de arrendamiento con opción de compra; para poder ejercitar dicha opción, el inquilino deberá llevar como mínimo 5 años en la vivienda y deberá acreditar en el momento de la compra que cumple las condiciones de acceso a la vivienda protegida.

— En los contratos de arrendamiento con opción de compra, el precio máximo de venta transcurridos 10 años de arrendamiento será de 1,5 veces el precio máximo de venta establecido en la calificación provisional. En los municipios que pertenecen a un ATPMS este índice de revalorización será de 1,7.

— Del precio resultante se deducirá, en concepto de pagos parciales el 30% de la suma de los alquileres satisfechos por el inquilino.

3. VIVIENDA DE PROTECCIÓN AUTONÓMICA PARA ARRENDAR DE RÉGIMEN CONCERTADO

Características:

• La duración mínima del alquiler de las viviendas será de 10 o de 25 años.

• El precio máximo de referencia por metro cuadrado útil será:

VIVIENDA DE PROTECCIÓN AUTONÓMICA PARA ARRENDAR DE RÉGIMEN CONCERTADO A 25 AÑOS.

Zona 1.ª ATPMS C: Módulo Básico Estatal *2,34 - **6,65 euros m² útil de vivienda y 3,99 euros m² útil de garaje y trastero.**

Zona 1.ª (Otros municipios): Módulo Básico Estatal *1,80 - **5,11 euros m² útil de vivienda y 3,06 euros m² útil de garaje y trastero**.

Zona 2.ª (Resto de Municipios de Galicia): Modulo Básico Estatal *1,65 - **4,69 euros m² útil de vivienda y 2,81 euros m² útil de garaje y trastero**.

VIVIENDA DE PROTECCIÓN AUTONÓMICA PARA ARRENDAR DE RÉGIMEN CONCERTADO A 10 AÑOS.

Zona 1.ª ATPMS C: Módulo Básico Estatal *2,34 - **8,12 euros m² útil de vivienda y 4,87 euros m² útil de garaje y trastero**.

Zona 1.ª (Otros municipios): Módulo Básico Estatal *1,80 - **6,25 euros m² útil de vivienda y 3,75 euros m² útil de garaje y trastero**.

Zona 2.ª (Resto de Municipios de Galicia): Modulo Básico Estatal *1,65 - **5,73 euros m² útil de vivienda y 3,43 euros m² útil de garaje y trastero**.

— Si la vivienda no se vendiera o arrendara en un plazo de 2 años desde la calificación definitiva, el promotor podrá solicitar la revisión del precio establecido en la calificación provisional que pasará a ser el de las viviendas que se califiquen provisionalmente en el momento de la solicitud.

— La duración del régimen legal de protección de las viviendas destinadas a la venta o al arrendamiento será de 30 años desde la fecha de la calificación definitiva.

— Las viviendas con destino a arrendamiento podrán dedicarse a la venta transcurridos los 10 o 25 años desde su calificación definitiva, según sea la duración del préstamo, con independencia de la amortización anticipada del mismo.

— Hasta el 31 de diciembre de 2009 (período prorrogable por el Consejo de Ministros), los promotores de viviendas libres que hubieran obtenido una licencia de obras previa al 1 de septiembre de 2008 podrán solicitar su calificación como vivienda protegida para venta o alquiler, si estas cumplen las características exigidas para este tipo de viviendas, en cuanto a los máximos referentes a superficies, precios por m² de superficie útil, niveles de ingresos de los adquirentes y plazos mínimo de protección; si se califican en régimen de alquiler a 10 o 25 años, podrán obtener las subvenciones correspondientes a la promoción de vivienda protegida de nueva construcción de esa naturaleza, u si obtuvieran préstamo convenido será subsidiado en las mismas condiciones.

Requisitos de acceso:

1. Ingresos familiares no superiores a 6,5 veces el IPREM.

2. No ser titular de una vivienda protegida (salvo que la vivienda resulte sobrevenidamente inadecuada para sus circunstancias personales o familiares y siempre que no se posea simultáneamente más de una vivienda protegida), ni de una libre cuyo valor, según el Impuesto sobre Transmisiones Patrimoniales, exceda del 40% del precio de la vivienda que se pretende adquirir (60% para familias numerosas, familias monoparentales con hijos, personas mayores de 65 años, personas dependientes o con discapacidad y las familias que las tengan a su cargo, mujeres víctimas de violencia de género, víctimas del terrorismo y personas separadas o divorciadas que estén al corriente de las pensiones alimenticias o compensatorias).

3. Estar inscrito en un registro público de demandantes de vivienda.

4. La actuación debe haber sido calificada como protegida por la CA.

5. La vivienda debe destinarse como residencia habitual del adjudicatario y ocuparse dentro de los plazos establecidos.

6. La persona beneficiaria deberá residir o desarrollar su actividad laboral en Galicia.

Características de la ayuda:

RENTA MÁXIMA anual por metro cuadrado de superficie útil del 4,5% del precio máximo de referencia para viviendas protegidas en alquiler a 25 años, o del 5,5% en caso de viviendas protegidas en alquiler a 10 años (se actualizará anualmente según el IPC). La renta establecida deberá figurar en la calificación provisional y definitiva de la vivienda, y en el visado del contrato de alquiler emitido por la CA.

OPCIÓN A COMPRA:

— Las viviendas protegidas para arrendamiento a 10 años podrán ser objeto de un contrato de arrendamiento con opción de compra; para poder ejercitar dicha opción, el inquilino deberá llevar como mínimo 5 años en la vivienda y deberá acreditar en el momento de la compra que cumple las condiciones de acceso a la vivienda protegida.

— En los contratos de arrendamiento con opción de compra, el precio máximo de venta transcurridos 10 años de arrendamiento será de 1,5 veces el precio máximo de venta establecido en la calificación provisional. En los municipios que pertenecen a un ATPMS este índice de revalorización será de 1,7.

— Del precio resultante se deducirá, en concepto de pagos parciales el 30% de la suma de los alquileres satisfechos por el inquilino.

4.1. AYUDAS AL INQUILINO-DECRETO 48/2006 POR EL QUE SE REGULA EL PROGRAMA DE VIVIENDA EN ALQUILER:

Características:

— El programa lo gestionará la Xunta y tendrá por objeto que las viviendas de titularidad privada deshabitadas se pongan en el mercado de vivienda de alquiler en condiciones beneficiosas para propietarios y arrendatarios.

— La superficie útil de las viviendas tiene que ser de hasta 120 m².

— Las viviendas tienen que reunir las condiciones mínimas de habitabilidad.

— El contrato tiene que ser como mínimo de 5 años.

— Los arrendatarios tienen que estar inscritos como demandantes de vivienda en alquiler.

— Los arrendatarios no tienen que ser propietarios ni titulares de un derecho real de uso y disfrute sobre otra vivienda salvo excepciones como el caso de las mujeres víctimas de violencia de género o que siendo una vivienda libre esta se encuentre en una localidad distinta de donde se va a alquilar la vivienda.

— La vivienda deberá destinarse a domicilio habitual y permanente del arrendatario.

— La renta se calculará según los precios medios del mercado, una vez deducidos los gastos de gestión, sin que se pueda sobrepasar la renta de alquiler tasada por la Xunta. Dicha renta de alquiler tasada deberá estar dentro de los parámetros que se indican en este Decreto y en el Real Decreto 2066/2008, pudiendo oscilar entre el 2% y el 8% del precio máximo establecido en dichas normas. A efectos del cálculo del límite máximo de los precios del alquiler la superficie máxima computable para las viviendas será de 90 m² de superficie útil.

— Los ingresos tienen que ser estar entre 0,7 y 3 veces el IPREM.

Características de la ayuda:

— El objeto de estas ayudas es subvencionar la diferencia entre la renta anual del alquiler y el 20% de los ingresos familiares anuales.

— La subvención tendrá un plazo de 1 año; al finalizar este período se podrá volver a solicitar por otro período anual y acreditando que se siguen cumpliendo las condiciones.

— El pago de la subvención está condicionado al pago de la renta mensual por parte del arrendatario.

— No podrán encadenarse ayudas por un período superior a 5 anualidades.

— Los beneficiarios que hayan encadenado ayudas por este período máximo de 5 años no podrán volver a solicitarlas hasta que hayan pasado 2 años desde la fecha de la última subvención otorgada.

— A los arrendatarios con ingresos entre 0,7 y 1 vez el IPREM se les podrá adjudicar una vivienda con una renta máxima de **390 euros** y la ayuda no podrá superar el 60% de la renta de alquiler.

A los arrendatarios con ingresos entre 1 y 2 veces el IPREM se les podrá adjudicar una vivienda de hasta **470 euros** de renta máxima y la ayuda no podrá superar el 50% de dicha renta.

— A los arrendatarios con ingresos entre 2 y 3 veces el IPREM se les podrá adjudicar una vivienda de hasta **600 euros** de renta máxima y la ayuda no podrá superar el 50% de dicha renta.

— Beneficiarios cualificados:

a) Mujeres que acrediten ser víctimas de violencia de género y no tengan ingresos superiores a 3 veces el IPREM; en este caso no hace falta acreditar ingresos mínimos.

La subvención podrá oscilar entre el 50 y el 80% de la renta del alquiler según tramo de ingresos; este colectivo tendrá prioridad en la adjudicación de viviendas dentro de este Programa.

b) Arrendatarios con ingresos inferiores a 0,7 veces el IPREM; en este caso tienen que acreditar encontrarse en una situación de riesgo de exclusión social y tener unos ingresos mínimos para poder costear la parte del alquiler no subvencionada.

La subvención será el 60% de la renta del alquiler.

c) Arrendatarios con discapacidad reconocida y con ingresos entre 0,7 y 3 veces el IPREM; la ayuda será del 60% de la renta del alquiler cuando los ingresos estén entre 0,7 y 1 vez el IPREM y del 50% cuando esté entre 1 y 3 veces.

d) Familias numerosas y personas mayores de 65 años y con ingresos entre 0,7 y 3 veces el IPREM; la ayuda será del 60% de la renta del alquiler cuando los ingresos estén entre 0,7 y 1 vez el IPREM y del 50% cuando esté entre 1 y 3 veces.

e) Familias monoparentales y con ingresos entre 0,7 y 3 veces el IPREM; la ayuda será del 60% de la renta del alquiler cuando los ingresos estén entre 0,7 y 1 vez el IPREM y del 50% cuando esté entre 1 y 3 veces.

— Estas subvenciones no son acumulables entre sí e incompatibles con cualquier otra ayuda al alquiler.

— Las subvenciones están sujetas a la existencia de la relación arrendaticia y al cumplimiento de las condiciones necesarias para ser acreedor de ellas.

4.2. AYUDAS AL INQUILINO-REAL DECRETO 2066/2008:

Características de la ayuda:

SUBVENCIÓN de hasta el 40% DE LA RENTA que se vaya a pagar, con un límite de **3.200 euros** por vivienda (independientemente del número de titulares existentes en el contrato), durante un máximo de 2 años.

Requisitos de acceso ayuda:

1. Ingresos familiares no superiores a 2,5 VECES EL IPREM (se tendrán en cuenta los ingresos de todos los TITULARES del contrato de alquiler).

2. No ser titular de una vivienda protegida, ni de una libre cuyo valor, según el Impuesto sobre Transmisiones Patrimoniales, exceda del 40% del precio de la vivienda que se pretende adquirir (60% para personas mayores, mujeres víctimas de violencia de género, víctimas del terrorismo, familias numerosas o monoparentales con hijos, personas con discapacidad y separadas o divorciadas).

3. La vivienda debe destinarse como residencia habitual del inquilino.

4. Ser titular de un contrato de alquiler realizado según la Ley 29/1994 de Arrendamientos Urbanos.

5. No ser beneficiario de la ayuda de la Renta Básica de Emancipación.

6. No tener parentesco en primer o segundo grado de consanguinidad o de afinidad con el arrendador, ni ser socio del organismo o entidad que alquile la vivienda.

4.3. AYUDAS PARA PROPIETARIOS-DECRETO 48/2006 POR EL QUE SE REGULA EL PROGRAMA DE VIVIENDA EN ALQUILER:

Características:

— Los propietarios a los que le sean admitidas y alquiladas las viviendas en el marco del Programa de Vivienda en alquiler tendrá derecho a:

a) Una renta periódica, que se calculará según los precios medios del mercado, una vez deducidos los gastos de gestión, sin que se pueda sobrepasar la renta de alquiler tasada por la Xunta. Dicha renta de alquiler tasada deberá estar dentro de los parámetros que se indican en este Decreto y en el Real Decreto 2066/2008, pudiendo oscilar entre el 2% y el 8% del precio máximo establecido en dichas normas. A efectos del cálculo del límite máximo de los precios del alquiler la superficie máxima computable para las viviendas será de 90 m² de superficie útil.

Esta renta periódica se pagará mensualmente al propietario desde el momento de la firma del primer contrato de arrendamiento y mientras la vivienda esté integrada en el programa de vivienda en alquiler independientemente de que la vivienda esté arrendada o no; en este caso el pago será asumido por una entidad aseguradora contratada al efecto.

b) Un seguro multirriesgo del hogar

c) Un seguro de asistencia jurídica para hacer frente a posibles reclamaciones.

— La persona propietaria de la vivienda podrá enajenarla, pero el nuevo propietario deberá respetar los contratos firmados.

— La inclusión de las viviendas en este programa no excluirá a sus titulares de poder ser beneficiarios de ayudas públicas que pudieran percibir para el desarrollo de la actuación, convocadas por otras administraciones, siempre que la ayuda no supere el 100% del precio del arrendamiento, reduciéndose la subvención si esto ocurriera hasta el límite máximo correspondiente, y en todo caso, con la excepción de las ayudas estatales para la rehabilitación de viviendas.

— Por otra parte podrán ser objeto de la subvención a las viviendas vacías los propietarios que tengan solicitada la incorporación de su vivienda libre al Programa de vivienda en alquiler, siempre que cumpla las condiciones necesarias para su incorporación al mismo y que no estén ocupadas ni arrendadas en los doce meses anteriores a su solicitud de incorporación al programa de vivienda en alquiler y sean arrendadas en el marco del mismo.; la renta máxima anual a percibir no podrá superar los parámetros fijados por el Real Decreto 2066/2008 y este Decreto.

La cuantía de esta subvención será de **6.000 euros** y esta subvención no es incompatible con las que se pudieran dar para rehabilitación de la vivienda.

E) PROMOTORES:

1. PROMOCIONES DE VIVIENDAS PROTEGIDAS EN ALQUILER

A). PROMOCIÓN PARA ALQUILER A 25 AÑOS.

Características:

Las viviendas protegidas podrán ser:

a) Régimen especial: destinadas a inquilinos con ingresos que no superen 2,5 veces el IPREM, y cuyo precio máximo de referencia por m² útil será de 1,50 veces el MBE.

b) Régimen general: destinadas a inquilinos con ingresos que no superen 4,5 veces el IPREM, y cuyo precio máximo de referencia por m² útil será de 1,60 veces el MBE.

c) Régimen concertado: destinadas a inquilinos con ingresos que no superen 6,5 veces el IPREM, y cuyo precio máximo de referencia por m² útil será de 1,80 veces el MBE.

Estos precios se incrementan según el ATPMS en el que se ubique la vivienda.

La duración mínima del alquiler será de 25 años desde su calificación definitiva.

La renta máxima anual por m² útil será el 4,5% del precio máximo.

Mientras sigan siendo protegidas, estas viviendas podrán venderse transcurridos 25 años. El precio máximo de venta será el que corresponda a una vivienda protegida del mismo tipo y en la misma ubicación, calificada provisionalmente en el momento de la venta.

Características de la ayuda

PRÉSTAMO CONVENIDO de hasta el 80% del precio de escritura o adjudicación a devolver en, al menos, 25 años. El tipo de interés podrá ser variable o fijo. En intereses variables será igual al euribor a 12 meses publicado por el Banco de España en el *Boletín Oficial del Estado (BOE)*, el mes anterior al de la fecha de formalización, más un diferencial de entre 25 y 125 puntos básicos. El período de carencia en el pago de intereses finalizará en la fecha de la calificación definitiva, con un límite de 4 años (10 años con el consentimiento de la CA).

SUBSIDIOS a los préstamos. Cantidad anual por cada 10.000 euros de préstamo durante 25 años:

— 350 euros para Viviendas de Régimen Especial.

— 250 euros para Viviendas de Régimen General.

— 100 euros para Viviendas de Régimen Concertado.

SUBVENCIÓN de 350 euros para la promoción de Viviendas de Régimen Especial y de 250 euros para Viviendas de Régimen General. Cuando la vivienda estuviera en un Ámbito Territorial de Precio Máximo Superior se incrementarán las ayudas en 60 euros para vivienda situadas en ámbitos del Grupo A, 30 para el B y 15 para el C.

— Como medida coyuntural hasta el 31 de diciembre de 2009 (fecha prorrogable por el Consejo de Ministros) estas subvenciones se aumentarán un 20%.

Requisitos de acceso ayuda:

Haber obtenido el préstamo cualificado.

B). PROMOCIÓN PARA ALQUILER A 10 AÑOS.

Características:

Las viviendas protegidas podrán ser:

a) Régimen especial: destinadas a inquilinos con ingresos que no superen 2,5 veces el IPREM, y cuyo precio máximo de referencia por m² útil será de 1,50 veces el MBE.

b) Régimen general: destinadas a inquilinos con ingresos que no superen 4,5 veces el IPREM, y cuyo precio máximo de referencia por m² útil será de 1,60 veces el MBE.

c) Régimen concertado: destinadas a inquilinos con ingresos que no superen 6,5 veces el IPREM, y cuyo precio máximo de referencia por m² útil será de 1,80 veces el MBE.

• Estos precios se incrementan según el ATPMS en el que se ubique la vivienda.

• La duración mínima del alquiler será de 10 años desde su calificación definitiva.

• La renta máxima anual por m² útil será el 5,5% del precio máximo.

• Mientras sigan siendo protegidas, estas viviendas podrán venderse transcurridos 10 años.

Características de la ayuda:

PRÉSTAMO CONVENIDO de hasta el 80% del precio de escritura o adjudicación a devolver en, al menos, 10 años. El tipo de interés podrá ser variable o fijo. En intereses variables será igual al euribor a 12 meses publicado por el Banco de España en el *Boletín Oficial del Estado (BOE),* el mes anterior al de la fecha de formalización, más un diferencial de entre 25 y 125 puntos básicos. El período de carencia en el pago de intereses finalizará en la fecha de la calificación definitiva, con un límite de 4 años (10 años con el consentimiento de la CA).

SUBSIDIOS a los préstamos. Cantidad anual por cada 10.000 euros de préstamo durante 10 años:

— 350 euros para Viviendas de Régimen Especial.

— 250 euros para Viviendas de Régimen General.

— 100 euros para Viviendas de Régimen Concertado.

SUBVENCIÓN de 250 euros para la promoción de Viviendas de Régimen Especial y de 200 euros para Viviendas de Régimen General. Cuando la vivienda estuviera en un Ámbito Territorial de Precio Máximo Superior se incrementarán las ayudas en 60 euros para vivienda situadas en ámbitos del Grupo A, 30 para el B y 15 para el C.

— Como medida coyuntural hasta el 31 de diciembre de 2009 (fecha prorrogable por el Consejo de Ministros) estas subvenciones se aumentarán un 20%.

Requisitos de acceso ayuda:

Haber obtenido el préstamo cualificado.

2. PROMOCIONES DE ALOJAMIENTOS PROTEGIDOS:

Características:

— Los alojamientos protegidos para colectivos especialmente vulnerables se destinarán a albergar a las personas con derecho una protección preferente (unidades familiares con ingresos inferiores a 2,5 veces el IPREM, jóvenes menores de 35 años, personas mayores de 65 años, mujeres víctimas de violencia de género, víctimas del terrorismo, afectados por situaciones catastróficas, personas dependientes o con discapacidad oficialmente reconocida y las familias que las tengan a su cargo, personas separadas o divorciadas al corriente en el pago de las pensiones alimenticias y compensatorias, personas sin hogar o procedentes de operaciones de erradicación del chabolismo y otros colectivos en situación o en riesgo de exclusión social).

— Los alojamientos protegidos para otros colectivos específicos se destinarán a albergar a personas relacionadas con la comunidad universitaria, o investigadores o científicos.

— La promoción de los alojamientos podrá ser pública o privada.

— Se podrán edificar sobre suelos a los que la ordenación urbanística atribuya cualquier uso compatible con los destinos de estos alojamientos.

— Deberán formar parte de edificios o conjuntos de edificios destinados por completo y en exclusiva a esta finalidad.

• La superficie útil de estos alojamientos será de 40 a 45 m².

• En el caso de que exista será también protegida la superficie útil correspondiente a servicios comunes o asistenciales, que no podrá exceder del 30% de la superficie del alojamiento, independientemente de que la superficie real sea superior, así como una plaza de garaje por vivienda vinculada registralmente y en proyecto según normativa municipal, la superficie útil de la plaza de garaje será de 25 m². En todo caso los servicios comunes conformarán un conjunto residencial integrado al servicio de los residentes en el mismo.

— La ocupación de los alojamientos protegidos podrá efectuarse mediante la firma de contratos de arrendamiento o bien de cesión temporal de uso o autorizaciones de permanencia.

— Las mujeres víctimas de violencia de género, víctimas del terrorismo y los afectados por situaciones catastróficas podrán ser titulares de otra vivienda en propiedad siempre que acrediten la imposibilidad de ocupación de la misma por las mismas razones que les hacen pertenecer a dichos colectivos.

— Los contratos de alquiler, cesión o autorizaciones de permanencia tendrán una duración bianual, prorrogable siempre que se mantengan las circunstancias que dieron origen al mismo.

— Para acceder a los alojamientos para albergar a personas relacionadas con la comunidad universitaria o investigadores y científicos, la universidad establecerá las condiciones de tutela y baremación de acuerdo con los principios de concurrencia, transparencia e igualdad.

— Los ingresos máximos para acceder a los alojamientos protegidos serán de 4,5 veces el IPREM; cuando los alojamientos protegidos sean promovidos por la universidad, o entidades o empresas que colaboren con ella, ya sean de titularidad pública o privada, y se destinen a personas estudiantes universitarias, los límites de ingresos para gente joven con edades comprendidas entre los 18 y los 35 años será de 2,5 veces el IPREM si acreditan ingresos propios y si no que los de la unidad familiar no superen 4,5 veces el IPREM.

— La renta máxima anual por m² útil será el 4,5% del precio máximo de una Vivienda Protegida de Régimen Especial para Alquiler durante 25 años (1,50 veces el MBE) en el caso de los alojamientos para colectivos especialmente vulnerables y en el caso de los colectivos específicos será el 4,5% del precio máximo de una Vivienda Protegida de Régimen General para Alquiler durante 25 años (1,60 veces el MBE).

ALOJAMIENTOS PARA COLECTIVOS ESPECIALMENTE VULNERABLES

Zona 1.ª ATPMS C: Módulo Básico Estatal *1,725 - **4,90 euros m² útil de vivienda y 2,94 euros m² útil de garaje.**

Zona 1.ª (Otros municipios): Módulo Básico Estatal *1,50 - **4,26 euros m² útil de vivienda y 2,55 euros m² útil de garaje.**

Zona 2.ª (Resto de Municipios de Galicia): Modulo Básico Estatal *1,30 - **3,69 euros m² útil de vivienda y 2,21 euros m² útil de garaje.**

ALOJAMIENTOS PARA COLECTIVOS ESPECÍFICOS

Zona 1.ª ATPMS C: Módulo Básico Estatal *1,84 - **5,23 euros m² útil de vivienda y 3,13 euros m² útil de garaje.**

Zona 1.ª (Otros municipios): Módulo Básico Estatal *1,60 - **4,54 euros m² útil de vivienda y 2,72 euros m² útil de garaje**.

Zona 2.ª (Resto de Municipios de Galicia): Modulo Básico Estatal *1,45 - **4,12 euros m² útil de vivienda y 2,47 euros m² útil de garaje.**

— La prestación de servicios comunes o asistenciales de las personas alojadas podrá suponer un incremento de la renta de las viviendas hasta el máximo correspondiente a las viviendas protegidas para arrendamiento a 25 años de régimen concertado; este incremento solo será aplicable a las personas inquilinas que voluntariamente quieran utilizar esos servicios.

— La renta inicial podrá actualizarse anualmente de conformidad con la evolución que experimente el IPC.

— La persona arrendadora podrá percibir, además de la renta inicial o revisada que corresponda, el importe del coste real de los servicios de que disfrute la persona inquilina y se satisfagan por la arrendadora, así como los derivados de las demás repercusiones autorizadas por la legislación aplicable.

Características de la ayuda:

A) AYUDA PARA LA PROMOCIÓN DE ALOJAMIENTOS PARA COLECTIVOS ESPECIALMENTE VULNERABLES:

AYUDA ESTATAL:

PRÉSTAMO CONVENIDO de hasta el 80% del precio de escritura o adjudicación a devolver en, al menos, 25 años. El tipo de interés podrá ser variable o fijo. En intereses variables será igual al euribor a 12 meses publicado por el Banco de España en el *Boletín Oficial del Estado (BOE)*, el mes anterior al de la fecha de formalización, más un diferencial de entre 25 y 125 puntos básicos. El período de carencia en el pago de intereses finalizará en la fecha de la calificación definitiva, con un límite de 4 años (10 años con el consentimiento de la CA).

SUBSIDIOS a los préstamos. Cantidad anual por cada 10.000 euros de préstamo durante 25 años: **350 euros**

SUBVENCIÓN de 500 euros por m² de superficie útil.

AYUDA AUTONÓMICA A LA PROMOCIÓN DE ALOJAMIENTOS PARA COLECTIVOS ESPECIALMENTE VULNERABLES:

—Subvención de **200 euros** por m² de superficie útil protegida del alojamiento y servicios comunes.

B) AYUDA PARA LA PROMOCIÓN DE ALOJAMIENTOS PARA COLECTIVOS ESPECÍFICOS:

AYUDA ESTATAL:

PRÉSTAMO CONVENIDO de hasta el 80% del precio de escritura o adjudicación a devolver en, al menos, 25 años. El tipo de interés podrá ser variable o fijo. En intereses variables será igual al euribor a 12 meses publicado por el Banco de España en el *Boletín Oficial del Estado (BOE)*, el mes anterior al de la fecha de formalización, más un diferencial de 25 y 125 puntos básicos. El período de carencia en el pago de intereses finalizará en la fecha de la calificación definitiva, con un límite de 4 años (10 años con el consentimiento de la CA).

SUBSIDIOS a los préstamos. Cantidad anual por cada 10.000 euros de préstamo durante 25 años: **250 euros.**

SUBVENCIÓN de **320 euros** por m² de superficie útil.

AYUDA AUTONÓMICA PARA LA PROMOCIÓN DE ALOJAMIENTOS PARA COLECTIVOS ESPECÍFICOS:

—Subvención de **200 euros** por m² de superficie útil protegida del alojamiento y servicios comunes.

3. AYUDAS PARA LA ADQUISICIÓN DE VIVIENDAS USADAS PARA ARRENDAR:

Características:

— Son ayudas destinadas a las entidades, organismos públicos y sociedades que adquieran viviendas para su cesión en arrendamiento.

Características de la ayuda

— Las ayudas son las mismas que perciben los promotores de viviendas de alquiler protegido ya mencionadas.

F) REHABILITACIÓN:

1.1. PROGRAMA DE ÁREAS DE REHABILITACIÓN INTEGRAL DE CONJUNTOS HISTÓRICOS, BARRIOS DEGRADADOS Y MUNICIPIOS RURALES (ARIS) Y DE ÁREAS DE RENOVACIÓN URBANA (ARUS):

— El presupuesto máximo protegido en actuaciones de rehabilitación acogidas al programa de ARIS es el coste máximo de ejecución de la rehabilitación de las viviendas y edificios, a cuyos efectos se computará un superficie útil máxima por vivienda de 90 m².

— El presupuesto máximo protegido en actuaciones de rehabilitación acogidas al programa de ARUS es el coste máximo de construcción de las viviendas protegidas a sustituir, que será el 85% del precio máximo de una vivienda protegida del mismo régimen, calificada en el momento de suscripción del acuerdo de la comisión bilateral y en la misma ubicación, con una superficie útil máxima, a efectos de financiación de 90 m². Si la actuación afectara a más de 500 viviendas el porcentaje sobre el precio máximo será del 80%.

— La cuantía mínima de presupuesto protegido por vivienda rehabilitada o que participe en los costes de rehabilitación de un edificio será de 1.000 euros.

— Las obras para la que se solicite financiación no podrán estar realizadas antes de la presentación de la solicitud.

— El plazo de ejecución de las obras no podrá exceder de 18 meses y deberá adecuarse a las anualidades previstas en los respectivos acuerdos suscritos en el marco de las comisiones bilaterales.

— La petición motivada de la persona promotora de la actuación, antes del plazo de la finalización del plazo de ejecución y por causa justificada, podrá concederse una ampliación del plazo que no excederá de la mitad del inicialmente concedido.

— Terminado el plazo de ejecución el promotor dispondrá de 1 mes desde el certificado de fin de obra, para comunicar su finalización. La falta de esta comunicación puede dar lugar a la denegación de la calificación definitiva por incumplimiento de las condiciones de la calificación provisional.

— Será causa de denegación de la calificación la no terminación de las obras en el plazo previsto, aunque se otorgará en aquellos casos en los que, una vez conseguida la seguridad estructural y la habitabilidad de la vivienda y cumplidos los demás requisitos, se compruebe que las obras ejecutadas son el 75% del presupuesto protegido que conste en la calificación provisional.

1.2. FINANCIACIÓN ESTATAL DE LAS ACTUACIONES PROTEGIDAS-ARIS:

— La financiación de las actuaciones protegidas consistirá en préstamos convenidos, sin subsidiación, cuya cuantía podrá ser del presupuesto total de la actuación, con un período máximo de amortización de 15 años, precedido de un período de carencia de 3 años de duración. Los propietarios u ocupantes de los edificios y viviendas afectados por las actuaciones de rehabilitación del ARI, podrán subrogarse en dicho préstamo, momento a partir del cual se iniciará el período de amortización.

En caso de que el promotor no hubiera obtenido préstamo convenido, dichos propietarios u ocupantes podrán solicitar préstamos convenidos directos, sin subsidiación, cuya cuantía podrá alcanzar la diferencia entre la totalidad del presupuesto protegido de la rehabilitación de su vivienda o edificio y el importe de las subvenciones concedidas, el plazo de amortización, que se iniciará tras le expedición de la calificación definitiva, será de 15 años como máximo, precedido de un período de carencia de 2 años ampliable a 3 años previo acuerdo con la entidad financiera y la Administración.

— También se podrán conceder las siguientes subvenciones:

a) Una subvención para la rehabilitación de viviendas y edificios, y superación de situaciones de infravivienda, por un importe máximo del 40% del presupuesto protegido, con una cuantía máxima por vivienda rehabilitada de **5.000 euros.** En ARIS de centros históricos y municipios rurales la subvención media se elevará a **6.600 euros** siempre que la cuantía global de las subvenciones no exceda del 50% del presupuesto protegido del ARI.

b) Una subvención destinada a las obras de urbanización y reurbanización en el espacio público del ARI, por un importe máximo del 20% del presupuesto de dichas obras, con el límite de **1.000 euros** por vivienda. En ARIS de centros históricos y municipios rurales la subvención podrá ser del 30% del presupuesto de dichas obras con un límite de **1.980 euros** por vivienda.

c) Una subvención para la financiación parcial del coste de los equipos de información y gestión, cuyo importe máximo no podrá exceder del 50% de dicho coste ni del 5% del presupuesto total del ARI.

— La concesión de subvenciones a los promotores de actuaciones de rehabilitación se otorgarán una vez obtenida la calificación definitiva de las actuaciones.

— Podrán ser beneficiarios de estas ayudas las personas promotoras de las actuaciones de rehabilitación y los propietarios de las viviendas o edificios, los inquilinos autorizados por el propietario o comunidades de propietarios incluidos en el perímetro del ARI.

— Los ingresos familiares ponderados de las personas físicas beneficiarias de las ayudas no podrán exceder de 6,5 veces el IPREM, cuando se trate de rehabilitación, para uso propio, de elementos privativos de las viviendas en las ARIS.

— También podrán ser beneficiarios de las ayudas los ayuntamientos, en las subvenciones concedidas para la financiación del coste de los equipos de información y gestión, para la urbanización y la reurbanización, así como para las ayudas correspondientes a las viviendas que sean propiedad de los mismos.

1.3. FINANCIACIÓN AUTONÓMICA DE LAS ACTUACIONES PROTE-GIDAS-ARIS:

— El Instituto Gallego de la Vivienda y el Suelo (IGVS) subvencionará con cargo a sus presupuestos las siguientes actuaciones de rehabilitación en barrios degradados y centros urbanos:

a) Hasta el 40% del presupuesto protegido de la rehabilitación de edificios y viviendas, sin que la subvención media pueda exceder de **5.000 euros** por vivienda objeto o, en su caso, resultante como consecuencia de las actuaciones de rehabilitación.

b) Hasta el 20% del presupuesto de las operaciones de urbanización y de reurbanización siempre que la cuantía no exceda de **1.000 euros** por vivienda.

— Las ayudas con cargo al IGVS en centros históricos y municipios rurales serán las siguientes:

a) Hasta el 25% del presupuesto protegido de las obras de rehabilitación de edificios y viviendas, sin que la subvención media pueda exceder de **5.000 euros** por vivienda objeto o, en su caso, resultante como consecuencia de las actuaciones de rehabilitación.

b) Hasta el 30% del presupuesto de las obras de urbanización y de reurbanización siempre que la cuantía resultante no supere los **1.500 euros** por vivienda.

— Estas ayudas son compatibles con las de rehabilitación de inmuebles situados en conjuntos históricos gallegos.

— Estas ayudas son incompatibles con las ayudas de rehabilitación y reconstrucción de viviendas unifamiliares en el medio rural.

1.4. FINANCIACIÓN ESTATAL DE LAS ACTUACIONES PROTEGIDAS-ARUS:

— La financiación de las actuaciones protegidas consistirá en préstamos convenidos al promotor, sin subsidiación, cuya cuantía máxima será la diferencia entre el presupuesto de construcción de las viviendas protegidas en el ARU y la cuantía de las subvenciones percibidas, con un período de amortización de 25 años como mínimo y de carencia de amortización máximo de 4 años desde la fecha de la amortización del préstamo aunque este período podría ampliarse hasta 10 años con el acuerdo con la entidad financiera y la aprobación de la Administración.

Los propietarios u ocupantes de las viviendas protegidas podrán subrogarse en dicho préstamo momento a partir del cual se iniciará el período de amortización.

— También se podrán conceder las siguientes subvenciones:

a) Una subvención para la sustitución de las viviendas existentes por un importe máximo del 35% del presupuesto protegido del ARUS, con una cuantía media máxima por vivienda renovada de **30.000 euros**, no extensibles a otras nuevas viviendas libres o protegidas, que ampliaran el número de las viviendas preexistentes.

b) Una subvención para las obras de urbanización en el espacio público del ARUS por un importe máximo del 40% del presupuesto de dichas obras con un límite de **12.000 euros** por vivienda.

A estos efectos, el coste máximo de construcción de las viviendas protegidas será el 85% del precio máximo de una vivienda protegida del mismo régimen, calificada en el momento de suscripción del acuerdo de la comisión bilateral y en la misma ubicación, con una superficie útil máxima, a efectos de financiación de 90 m². Si la actuación afectara a más de 500 viviendas el porcentaje sobre el precio máximo será del 80%.

c) Una subvención para realojos temporales, con una cuantía media máxima por unidad familiar a realojar de **4.500 euros** anuales hasta la calificación definitiva de la nueva vivienda, sin exceder un máximo de 4 años.

d) Una subvención para la financiación parcial del coste de los equipos de información y gestión, cuyo importe máximo no podrá exceder del 50% de dicho coste, ni del 7% del presupuesto protegido del ARU.

e) La promoción de nuevas viviendas protegidas que ampliaran el número de las existentes dentro de un ARU se podrá acoger a las ayudas que le correspondan según la tipología de las mismas.

— La concesión de subvenciones a los promotores de actuaciones de rehabilitación se otorgarán una vez obtenida la calificación definitiva de las actuaciones.

1.5. FINANCIACIÓN AUTONÓMICA DE LAS ACTUACIONES PROTEGIDAS-ARUS:

— El precio máximo de las viviendas protegidas de nueva construcción en las áreas de renovación urbana serán los siguientes:

a) Viviendas de régimen especial: en zona 1.ª 1,40 veces el MBE y en zona 2.ª 1,30 veces el MBE.

b) Viviendas de régimen general: en zona 1.ª 1,50 veces el MBE y en zona 2.ª 1,40 el MBE.

c) Viviendas de régimen concertado: en zona 1.ª 1,70 veces el MBE y en zona 2.ª 1,60 veces el MBE.

— Estos precios se incrementarán en el porcentaje correspondiente si las viviendas se encuentran en un ámbito territorial de precio máximo superior según el régimen al que pertenezcan.

— Las ayudas que otorgará el IGVS con cargo a sus presupuestos son las siguientes:

a) Una subvención para la sustitución de las viviendas existentes por un importe máximo del 20% del presupuesto protegido del ARU con una cuantía media máxima por vivienda renovada de **15.000 euros**.

b) Una subvención para obras de urbanización en el espacio público del ARU por un importe máximo del 35% del presupuesto de dichas obras con un límite de **5.250 euros** por vivienda.

c) Una subvención para realojos temporales, con una cuantía media máxima por unidad familiar a realojar de **1.500 euros** anuales, hasta la calificación definitiva de su nueva vivienda, sin exceder de un máximo de 4 años.

— La promoción de viviendas nuevas protegidas que ampliaran el número de las existentes en el ARU podrá acogerse a las ayudas para adquirentes, adjudicatarios y promotores para uso propio de viviendas de protección autonómica, siempre que se cumplan las condiciones y los requisitos.

— Estas ayudas son incompatibles con las de los programas autonómicos de subvenciones a las actuaciones de rehabilitación, renovación de calidad e infravivienda.

2.1. PROGRAMA DE AYUDAS PARA LA ERRADICACIÓN DEL CHABOLISMO:

— Las actuaciones y la financiación del programa de erradicación del chabolismo que lleven operaciones de realojo de las personas ocupantes de los asentamientos se instrumentarán mediante los acuerdos correspondientes en la comisión bilateral de seguimiento con la participación del ayuntamiento en cuyo término municipal se sitúe el asentamiento.

— En los casos en los que no se lleven a cabo operaciones de realojo, las actuaciones se instrumentarán mediante convenios entre el IGVS y los ayuntamientos solicitantes en cuyo término municipal se sitúen los asentamientos.

— En el caso de proyectos que no sean iniciativa propia de los ayuntamientos, las personas jurídicas públicas o privadas, sin ánimo de lucro, beneficiarias de las ayudas establecidas en este programa, deberán presentar sus propuestas en el ayuntamiento en el que se sitúe el asentamiento. Si el ayuntamiento asume esas propuestas realizará la correspondiente solicitud ante el IGVS, que gestionará, en su caso, la inclusión de los objetivos en los acuerdos de la comisión bilateral de seguimiento según la programación aprobada anualmente.

—En el caso de operaciones de realojo, la financiación concreta para cada anualidad del Plan, así como los objetivos asignados, serán propuestos por la Xunta al Ministerio de Vivienda. Para acogerse a las subvenciones para la financiación del coste de los equipos de gestión y acompañamiento social, los ayuntamientos deberán presentar ante el IGVS, antes de la celebración de la comisión bilateral, los presupuestos aproximados sobre los que se solicita subvención.

2.2. AYUDAS ESTATALES PARA EL PROGRAMA DE ERRADICACIÓN DEL CHABOLISMO:

— Podrán acogerse a los beneficios de este programa las personas jurídicas públicas o privadas, sin ánimo de lucro.

— Las personas destinatarias de los programas subvencionados para la erradicación del chabolismo serán las unidades familiares que, viviendo habitualmente en chabolas estén incluidas en la Memoria-Programa y que no hubieran obtenido ayudas anteriormente para el mismo objeto.

— El Ministerio de Vivienda podrá colaborar en las actuaciones a las que se refiere este programa, mediante ayudas destinadas al realojo de los ocupantes del asentamiento, en viviendas en régimen de arrendamiento, y al acompañamiento social en los procesos de realojo, con las siguientes subvenciones:

a) Una subvención para el realojo de cada unidad familiar, cuya cuantía máxima será el 50% de la renta anual que se vaya a satisfacer, con un máximo de **3.000 euros** anuales por vivienda.

La duración máxima de esta ayuda coincidirá con la del Plan de realojos previsto en la Memoria-Programa presentada, sin que pueda exceder de 4 años y condicionada a que se mantengan las condiciones que dieron lugar al derecho inicial a la ayuda.

b) Una subvención para la financiación parcial del coste de los equipos de gestión y de acompañamiento social, cuyo importe máximo será del 10% del importe total de las subvenciones al realojo de las unidades familiares del asentamiento.

— Las unidades familiares para poder acceder a estas ayudas deberán tener unos ingresos que no superen 1,5 veces el IPREM.

2.3. AYUDAS AUTONÓMICAS PARA EL PROGRAMA DE ERRADICACIÓN DEL CHABOLISMO:

a) Ayudas para la promoción de la propia vivienda:

— El IGVS subvencionará hasta el 50% del presupuesto de autopromoción de la vivienda por la persona chabolista, pudiendo esta ayuda incluir la contratación directa de las obras de urbanización y saneamiento y/o subvenciones de los gastos de proyectos y honorarios.

— Esta subvención es compatible con la financiación estatal de la promoción para uso propio de la vivienda de protección autonómica de régimen especial (préstamo convenido con subsidiación y AEDE) pero es incompatible con las ayudas autonómicas por el mismo concepto.

— Las superficies de las viviendas resultantes serán los que marca la legislación autonómica y estatal en la materia.

— El presupuesto de las actuaciones no podrá superar el establecido para las viviendas de protección autonómica de régimen especial.

b) Ayudas para la adquisición de vivienda:

— El IGVS subvencionará hasta el 30% del precio máximo de adquisición de una vivienda nueva o usada calificada como de protección autonómica de régimen especial, cuando la compra la efectúe una persona chabolista que esté incluida en este Plan. Esta subvención será compatible con las ayudas estatales para la compra de vivienda nueva o usada pero no con las ayudas autonómicas para este mismo objeto.

— El IGVS también subvencionará la compra por parte de entidades locales de viviendas nuevas o usadas destinadas al realojo de las personas chabolistas. La subvención podrá ser de hasta el 80% del coste de adquisición para municipios de población inferior a 50.000 habitantes y del 65% para el resto.

Las viviendas adquiridas deberán cederse por las autoridades locales para al arrendamiento, aunque transcurridos 2 años desde el comienzo de este y habiéndose acreditado la integración social de las personas que habitan la vivienda, podrán ser transmitidas en propiedad a estas, debiendo deducirse del importe de venta el de la subvención recibida.

El precio de compra de las viviendas adquiridas, nuevas o usadas, no podrá superar el de las viviendas de protección autonómica de régimen especial.

c) Promoción de viviendas por el IGVS:

— Cuando la promoción de las viviendas sea llevada a cabo por le IGVS en terrenos cedidos gratuitamente por le ayuntamiento, las viviendas se transmitirán en propiedad al ayuntamiento en cuestión por un precio que no excederá del 75% del coste de construcción. El pago de las mismas podrá fraccionarse en 5 anualidades sin intereses y el régimen para sus destinatarios será el del arrendamiento.

El precio del m² útil de la vivienda y anexos a efectos de financiación será el de las viviendas de protección autonómica de régimen especial.

d) Promoción de viviendas por otros promotores públicos:

— Cuando la promoción de viviendas la realice otro promotor público el IGVS podrá subvencionar a dicho promotor hasta el 80% del coste máximo de construcción en municipios de población inferior a 50.000 habitantes y con el 65% en el resto (excluido siempre el precio del suelo).

El precio del m² útil de la vivienda y anexos a efectos de financiación será el de las viviendas de protección autonómica de régimen especial.

— Si las viviendas que se promuevan para realojar a personas chabolistas son de régimen especial el promotor público podrá acceder a las ayudas autonómicas respectivas.

e) Ayudas para realojos y alquileres:

Subvención complementaria de la estatal del 30% de la renta anual que se vaya a satisfacer con un límite máximo de **960 euros** por vivienda alquilada en municipios menores de 50.000 habitantes y de **1.800 euros** en el resto por un máximo de 4 años.

3.1. PROGRAMA DE AYUDAS RENOVE A LA REHABILITACIÓN DE VIVIENDAS Y EDIFICIOS DE VIVIENDAS EXISTENTES:

— Las actuaciones protegidas serán las siguientes:

a) Actuaciones para mejorar la eficiencia energética, la higiene, la salud y la protección del medio ambiente en los edificios y viviendas, y la utilización de energías renovables:

1. Instalación de paneles solares, a fin de contribuir a la producción de agua caliente sanitaria demandada por las viviendas en un porcentaje, al menos, del 50% de la contribución mínima exigible para edificios nuevos.

2. Mejora de la envolvente térmica del edificio para reducir su demanda energética, mediante actuaciones como el aumento del aislamiento térmico, la sustitución de cristalerías y carpinterías de los huecos, u otras siempre que se demuestre su eficacia energética, considerando factores como la severidad climática y las orientaciones.

3. Cualquier mejora en los sistemas de instalaciones térmicas que incrementen su eficiencia energética o la utilización de energías renovables.

4. Mejora de las instalaciones de suministro e instalación de mecanismos que favorezcan el ahorro de agua y, así como la realización de redes de saneamiento separativas en el edificio que favorezcan la reutilización de las aguas grises en el propio edificio y reduzcan el volumen de vertido al sistema público de alcantarillado.

5. Cuantas otras mejoras que sirvan para cumplir los parámetros establecidos en el CTE de ahorro de energía y protección frente al ruido.

b) Actuaciones para asegurar la seguridad y la estanqueidad de los edificios:

1. Cualquier intervención sobre los elementos estructurales del edificio tales como muros, pilares, vigas y forjados, incluida la cimentación, que esté destinada a reforzar o consolidar sus deficiencias con objeto de alcanzar una resistencia mecánica, estabilidad y aptitud al servicio que sean adecuadas al uso del edificio.

2. Las instalaciones eléctricas con el fin de adaptarlas a la normativa vigente.

3. Cualquier intervención sobre los elementos de la envolvente afectados por humedades, como cubiertas y muros, de manera que se minimice el riego de afección al edificio y a sus elementos constructivos y estructurales, por humedades provenientes de precipitaciones atmosféricas, de escorrentías, del terreno y de condensaciones.

4. En los supuestos que sea necesario para su ejecución el vaciado total del edificio o la demolición de las fachadas para su posterior reposición, se necesitará la autorización del IGVS.

c) Actuaciones para la mejora de la accesibilidad al edificio y/o a sus viviendas:

1. La instalación de ascensores o la adaptación de los existentes a las necesidades de personas con discapacidad o a las nuevas normativas que hubieran entrado en vigor tras su instalación.

2. La instalación o mejora de rampas de acceso a los edificios, adaptadas a las necesidades de personas con discapacidad.

3. La instalación o mejora de dispositivos de acceso a los edificios, adaptados a las necesidades de personas con discapacidad sensorial.

4. La instalación de elementos de información que permitan la orientación en el uso de las escaleras y ascensores de manera que las personas tengan una referencia adecuada de donde se encuentran.

5. Obras de adaptación de la vivienda a las necesidades de personas con discapacidad o de personas mayores de 65 años.

— Las actuaciones de rehabilitación de viviendas unifamiliares deberán respetar y mantener las características tipológicas valiosas de la edificación primitiva, conservando todos los elementos que merezcan protección por su valor artístico, histórico, arquitectónico o de tipología tradicional.

— El presupuesto máximo protegido en actuaciones de rehabilitación acogidas al Plan Renove es, en el caso de edificios, el coste total de las obras a realizar sobre los elementos comunes e instalaciones generales, incluidas las necesarias sobre partes afectadas de viviendas y locales comerciales.

— El presupuesto máximo protegido en actuaciones de rehabilitación en viviendas será el coste total de la rehabilitación de las mismas.

— En los dos casos se computará 90 m² útiles por vivienda resultante de la actuación o local afectado por ella y en rehabilitación de edificios, para garajes o anejos y trasteros, la misma superficie útil máxima que en la promoción de viviendas protegidas, sin que la cuantía máxima del presupuesto protegido, por m² de superficie útil supere el 70% del MBE vigente en el momento de la calificación provisional de la actuación.

3.2 FINANCIACIÓN DE LAS ACTUACIONES PROTEGIDAS:

— Los beneficiarios de las ayudas de este programa son los promotores de la actuación y los propietarios de las viviendas o edificios, inquilinos autorizados por el propietario, o comunidades de propietarios.

— Los ingresos familiares de las personas físicas beneficiarias de las ayudas no podrán exceder de 6,5 veces el IPREM, cuando se trate de la rehabilitación para uso propio de los elementos privativos de las viviendas.

— Los beneficiarios de las ayudas deberán destinar la vivienda rehabilitada a residencia habitual y permanente de la persona propietaria o de la persona inquilina, y estar ocupadas por las mismas durante un plazo mínimo de 5 años, a contar desde la notificación de la resolución de la concesión de la ayuda.

— La financiación consistirá en:

a) Edificios de viviendas:

1. Préstamos convenidos con o sin subsidiación que podrá alcanzar la totalidad del presupuesto protegido.

— El plazo de amortización, que se iniciará con la expedición de la calificación definitiva, será de 15 años como máximo, precedido de un período de carencia de hasta 2 años, ampliable a 3 con el acuerdo de la entidad financiera y la comunidad autónoma.

— El préstamo convenido lo podrán obtener todos los propietarios u ocupantes de las viviendas con independencia de sus ingresos familiares.

— La cuantía de la subsidiación será la siguiente:

I. Cuando el titular del préstamo sea propietario o arrendatario de una o varias viviendas en el edificio objeto de rehabilitación y sus ingresos no excedan de 6,5 veces el IPREM, la subsidiación será de **140 euros** anuales por cada **10.000 euros** de préstamo convenido.

II. Cuando el titular del préstamo tuviera una o varias viviendas arrendadas con contrato de arrendamiento sujeto a prórroga forzosa por ser anterior a la entrada en vigor de la L.A.U., no se exigirá el requisito relativo al límite de los ingresos familiares y la subsidiación para el arrendador de dichas viviendas será de **175 euros** anuales por cada **10.000 euros** de préstamo.

2. Subvención a las comunidades de propietarios para la rehabilitación de edificios:

— Será incompatible con la subsidiación del préstamo convenido, y tendrá una cuantía máxima del 10% del presupuesto convenido y un límite de **1.100 euros** por vivienda, esta subvención se distribuirá para cada vivienda o local por la comunidad de propietarios según la cuota de participación en los gastos de la rehabilitación.

— También podrán obtener una subvención los propietarios u ocupantes de las viviendas del edificio, promotores de la rehabilitación cuyos ingresos familiares no excedan de 6,5 veces el IPREM y cuya cuantía máxima será del 15% del presupuesto protegido, con el límite de **1.600 euros** con carácter general o de **2.700 euros** cuando el beneficiario sea mayor de 65 años o se trate de personas con discapacidad y las obras se destinen a la eliminación de barreras o a la adecuación de la vivienda a sus necesidades específicas.

b) Viviendas:

1. Subvención del 25% del presupuesto protegido con el límite de **2.500 euros** con carácter general o de **3.400 euros** cuando el beneficiario sea mayor de 65 años o se trate de personas con discapacidad y las obras se destinen a la eliminación de barreras o a la adecuación de la vivienda a sus necesidades específicas.

2. En el supuesto de que el propietario u ocupante de una vivienda, promotor de su rehabilitación, la destine al alquiler durante un plazo mínimo de 5 años, en las condiciones de alquiler de vivienda protegida en cuanto a su renta y superficie la subvención será de **6.500 euros.**

— No será objeto de ayuda financiera la rehabilitación de locales, sin perjuicio de que se pueda obtener préstamo convenido cuando se trate de la rehabilitación de elementos comunes de un edificio y el local participe en los costes de ejecución.

— Condición necesaria para poder acceder a las ayudas será que al menos el 25% del presupuesto de las actuaciones protegidas esté dedicado a la utilización de energías renovables, la mejora de la eficiencia energética, la higiene, salud y protección del medio ambiente, y la accesibilidad del edificio.

— No podrán obtener las ayudas aquellas actuaciones de rehabilitación que tengan por objeto viviendas o edificios de viviendas ubicados en ARIS o en ARUS.

— En el supuesto de que se el edificio objeto de rehabilitación sea una vivienda unifamiliar la ayuda corresponderá a la actuación predominante.

4.1. REHABILITACIÓN Y RENOVACIÓN DE CALIDAD DE VIVIENDAS EN EL MEDIO RURAL Y EN CONJUNTOS HISTÓRICOS DE GALICIA-OBJETO:

— El fomento de la rehabilitación de calidad que, además de promover viviendas en condiciones dignas de habitabilidad contribuya a la conservación y puesta en valor del importante patrimonio construido en el medio rural y en los conjuntos históricos de Galicia, a fijar su población y a revitalizar su entorno.

— Creación de la cédula de rehabilitación de calidad y mediante subvenciones a fondo perdido que ayuden a las personas promotoras de bajos ingresos del medio rural e incentiven a las personas promotoras de actuaciones en inmuebles de los conjuntos históricos gallegos.

4.2. ÁMBITO DE ACTUACIÓN:

1. Ámbito rural:

— Viviendas unifamiliares situadas en:

a) Entidades de población inferiores a 500 habitantes.

b) Núcleos entre 500 y 1.500 habitantes de municipios con Planeamiento Municipal vigente, siempre que los núcleos sean rurales o, en el caso de que sean núcleos urbanos, siempre que la ordenanza de aplicación considere como compatible el uso de la vivienda unifamiliar.

c) Núcleos entre 500 y 1.500 habitantes de municipios sin Planeamiento, siempre que tengan un claro carácter rural y no sean característicos de aglomeraciones o concentraciones urbanas.

2. Núcleos o conjuntos históricos:

— Edificios y viviendas situados en aquellos:

a) Con declaración de conjunto histórico-artístico o similar oficialmente aprobada.

b) Definidos en el planeamiento general o en las normas subsidiarias municipales aprobadas.

c) Con plan especial de protección y reforma interior oficialmente aprobado.

d) Entidades por las que discurre el Camino Francés de Santiago.

e) Viviendas y edificios destinados a vivienda que figuren en un catálogo de protección oficialmente aprobado.

f) Viviendas y edificios destinados a vivienda situados en las zonas o contornos de protección delimitados, afectados por la declaración de Bien de Interés Cultural oficialmente aprobado

4.3. CREACIÓN DE LA CÉDULA DE REHABILITACIÓN DE CALIDAD:

— Se crea la cédula de rehabilitación de calidad que tiene por finalidad el asesoramiento y la tutela de la calidad de las actuaciones de rehabilitación y renovación.

4.4. BENEFICIARIOS DE LAS ACTUACIONES:

1. En el ámbito rural:

a) Podrán ser beneficiarios de estas subvenciones las personas físicas que sean propietarias, usufructuarias, inquilinas o quien esté facultado por la legislación vigente, que sean promotores de la rehabilitación o renovación para uso propio o para alquiler de las viviendas unifamiliares situadas en el ámbito rural y que no estén en el ámbito de núcleos o centros históricos, que obtengan unos ingresos familiares ponderados que no sobrepasen de 3,5 veces el IPREM.

Estas personas deberán acreditar que han residido durante los últimos 5 años en el término municipal donde está la vivienda que se va a rehabilitar.

A la población gallega que resida en el exterior de la Comunidad Autónoma no se le exigirá el requisito de residencia y se le exigirá el resto de los requisitos; a los que hubieran retornado en los últimos 5 años se les exigirá el requisito de residencia solamente desde la fecha de su retorno.

Las personas físicas que residan, sin pagar renta alguna, en viviendas propiedad de instituciones privadas sin ánimo de lucro, pueden acceder a las subvenciones aportando el documento de autorización de la institución correspondiente. La vivienda objeto de la actuación y la persona solicitante tienen que cumplir el resto de las condiciones.

b) También podrán ser beneficiarias las empresas o personas jurídicas propietarias de las viviendas o locales que promuevan su rehabilitación o renovación.

2. En conjuntos o núcleos históricos:

— Podrán ser beneficiarios de las subvenciones las personas físicas o jurídicas que sean las propietarias, usufructuarias, inquilinas o quien esté facultado por la legislación vigente, puedan realizar las obras en las viviendas y locales situados en el ámbito destinadas a su rehabilitación o renovación para uso propio tanto en venta como en alquiler.

4.5. REQUISITOS DE LAS VIVIENDAS:

—Para poder acceder a las subvenciones las viviendas deberán estar en posesión de la resolución de conformidad de las actuaciones propuestas para la obtención de la cédula de rehabilitación de calidad.

— Si finalmente no se obtuviera la cédula de rehabilitación de calidad se tendrán que devolver las ayudas percibidas.

4.6. SUBVENCIONES:

— La Xunta de Galicia podrá subvencionar con cargo a sus presupuestos las actuaciones de rehabilitación y renovación amparadas por la cédual de rehabilitación de calidad en la cuantía siguiente:

— 50% del presupuesto que figure en la cédula de rehabilitación de calidad.

4.7. DESTINO DE LAS VIVIENDAS:

— Las viviendas se destinarán a domicilio habitual y permanente durante el plazo mínimo de 5 años a partir del día siguiente de la notificación de la resolución de concesión.

— En el caso de la población gallega que reside en el exterior y que no destine las viviendas al alquiler, estas obligaciones se limitarán a la residencia en la vivienda rehabilitada o reconstruida durante por lo menos 15 días al año en el mismo período.

5. SUBVENCIONES A LOS AYUNTAMIENTOS PARA RESOLVER EL PROBLEMA DE LA INFRAVIVIENDA RURAL:

— Se considera infravivienda rural la que se encuentre en las siguientes condiciones:

1. Que no reúnan las condiciones mínimas de habitabilidad en los aspectos de: seguridad y estanqueidad, condiciones higiénico-sanitarias, espacio habitable suficiente, servicios de agua y electricidad, según la normativa vigente en materia de habitabilidad.

2. Que las edificaciones estén situadas en entidades de población de menos de 1.500 habitantes y no formen parte de grupos o asentamientos de chabolas.

— Los beneficiarios de estas ayudas deberán tener unos ingresos inferiores al IPREM y deberán estar empadronados en el municipio.

— Las ayudas destinadas a los municipios deberán destinarse a las siguientes actuaciones:

a) Actuaciones en infraviviendas o terrenos propiedad de las personas afectadas:

I. Rehabilitación de la vivienda.

II. Renovación de la infravivienda.

III. Nueva construcción de vivienda unifamiliar: comprende la construcción de vivienda unifamiliar con destino al realojamiento de la familia que habita en la infravivienda no susceptible de ninguna de las dos actuaciones anteriores.

b) Adquisición de vivienda rural por los municipios y actuaciones en edificaciones o terrenos del municipio:

I. Acondicionamiento de edificaciones del municipio para su uso como viviendas: comprende las actuaciones de rehabilitación o renovación para el acondicionamiento de edificaciones en el municipio con el fin de adaptarlas a su uso como viviendas para el alojamiento de las familias que habitan en infraviviendas no susceptibles de rehabilitación o renovación.

II. Nueva construcción de viviendas: comprende la construcción de viviendas nuevas con destino al realojamiento de familias que habitan en infraviviendas no susceptibles de rehabilitación o renovación.

III. Adquisición de vivienda rural: comprende la adquisición y acondicionamiento de vivienda rural por parte del ayuntamiento, con destino al realojamiento de la familia que habita en una infravivienda no susceptible de rehabilitación o renovación. Las edificaciones adquiridas o el resultante de las obras de acondicionamiento, no podrán tener una división que suponga más de dos viviendas.

— En todas las actuaciones se seguirá la normativa técnica y urbanística en vigor y deberán cumplir la normativa vigente en materia de habitabilidad y funcionalidad.

— Para las actuaciones de rehabilitación, renovación y acondicionamiento de edificaciones para su uso como viviendas se tendrán en cuenta los siguientes requisitos:

1. Las actuaciones relativas a la adecuación estructural y de seguridad serán preferentes a las previstas en materia de habitabilidad y protección patrimonial, por lo que, si el inmueble lo precisase no podrán acometerse estas sin la previa realización de las primeras.

2. Las actuaciones en mejora de la habitabilidad, la elección del tipo de refuerzo o nuevo sistema estructural, las de adecuación de espacios interiores, las de ampliación y las de inclusión o modificación de instalaciones tendrán siempre en consideración las condiciones de protección del patrimonio.

3. Las actuaciones deberán respetar y mantener las características tipológicas valiosas de la edificación primitiva, conservando todos los elementos merecedores de protección por su valor cultural, histórico, arquitectónico o tradicional y deberán, asimismo, garantizar su adecuación al medio y al paisaje en cuanto a la elección de materiales y a la disposición de los distintos elementos que componen en edificio o el conjunto. Deberán tener en consideración las cuestiones de uso racional de materiales, dando prioridad a los de procedencia local y de eficiencia energética, con los aislamientos y la elección adecuada de los sistemas de calefacción y agua caliente.

— Las ayudas a los municipios para estas actuaciones podrán alcanzar el 80% del presupuesto protegido de las obras para los municipios con una población inferior a 50.000 habitantes y el 65% para los restantes, sin que en ningún caso supere **30.000 euros** por vivienda para las actuaciones de rehabilitación de infraviviendas en terrenos propiedad de las personas afectadas o rehabilitación de edificaciones propiedad del municipio y de **45.000 euros** por vivienda para las actuaciones de renovación y nueva construcción en terrenos de las personas afectadas, o renovación para acondicionamiento de edificaciones del municipio, nueva construcción y adquisición de viviendas por los municipios.

— Estas ayudas son incompatibles con cualquier otra ayuda estatal o autonómica para el mismo fin.

G) FOMENTO DE LA ADQUISICIÓN Y URBANIZACIÓN DE SUELO DESTINADO A LA PROMOCIÓN DE VIVIENDAS PROTEGIDAS:

— Tendrán la consideración de actuaciones protegidas en materia de suelo las de urbanización del mismo, incluyendo su adquisición onerosa para su inmediata edificación, con destino predominante a las promociones de vivienda protegida.

— El IGVS reconocerá el derecho a obtener las ayudas financiadas por el Ministerio de la Vivienda y gestionará las ayudas al promotor siempre que se cumplan los requisitos propios de las viviendas protegidas en cuanto a su superficie útil máxima, precio máximo de venta por m² de superficie útil, niveles máximos de ingresos de los adquirentes y períodos mínimos de calificación de las viviendas.

Al menos el 50% de la edificabilidad deberá estar destinado a vivienda protegida.

— Las Áreas de Urbanización Prioritaria son aquellas en las que el 75% de la edificabilidad residencial se va a destinar a vivienda protegida y serán objeto de acuerdo de la comisión bilateral de seguimiento en la que participara el ayuntamiento correspondiente.

—También se considerará un AUP cuando el suelo objeto de urbanización pertenezca al patrimonio público y el 50% de las viviendas se destinen a viviendas protegidas en régimen de arrendamiento o a viviendas de régimen especial o de promoción pública.

Esta afección del suelo a dichas finalidades deberá hacerse constar registralmente.

— En las AUP la actuación protegida podrá incluir la adquisición onerosa del suelo a urbanizar siempre que este no se haya adquirido en el momento de la solicitud de las ayudas.

— Los promotores deberán cumplir los siguientes requisitos:

a) Acreditar previamente la propiedad del suelo, una opción de compra, un derecho de superficie o un concierto formalizado con quien ostente la titularidad del suelo o cualquier otro título o derecho que conceda facultades para realizar la urbanización.

b) Suscribir el compromiso de iniciar, dentro del plazo máximo de 3 años, el mismo o mediante concierto con promotores de vivienda, la construcción de, al menos, un 30% de las viviendas protegidas de nueva construcción.

c) Adjuntar a la solicitud una memoria de viabilidad técnico-financiera y urbanística del proyecto, en la que se especificara la aptitud del suelo para los objetivos perseguidos, los costes de la actuación protegida, la edificabilidad residencial, y el número de viviendas a construir ya sean libres o protegidas, según tipología y otras características que puedan dar lugar a la obtención de las subvenciones establecidas en esta materia. La memoria también tiene que contener la programación de la urbanización y edificación, el precio de venta de las viviendas protegidas y demás usos del suelo, el desarrollo financiero de la operación, así como los criterios de sostenibilidad que se aplicarán a la urbanización.

— No se podrá acceder a la financiación cuando la solicitud de ayudas sea presentada con posterioridad a la obtención del préstamo convenido correspondiente a las viviendas protegidas de nueva construcción a edificar en dicho suelo. Tampoco se recibirán ayudas cuando la unidad de ejecución, o parte de la misma, ya las hubieran recibido, incluso en el marco de Planes de Vivienda anteriores.

FINANCIACIÓN DE LAS ACTUACIONES PROTEGIDAS:

a) Préstamo Convenido:

1. La cuantía del préstamo convenido no podrá exceder del producto de la superficie edificable, según figure en la memoria técnico-financiera

del proyecto, multiplicada por el 20% del MBE vigente en el momento de la calificación como protegida, y sin exceder del coste total de la actuación.

2. La suma de los períodos de amortización y, en su caso, de carencia, que será como máximo de 2 años, no podrá superar los 4 años.

3. No será necesaria garantía hipotecaria, salvo que la entidad financiera colaboradora lo considere necesario. Si el préstamo tuviera garantía hipotecaria, quedará vencido anticipadamente si antes de acabarse los 4 años de amortización (con los 2 de carencia si la hubiera), el prestatario transmitiera a título oneroso el suelo objeto de financiación, salvo que el adquirente de dicho suelo se subrogara en dicho préstamo.

4. El préstamo concedido a una actuación de suelo vencerá anticipadamente cuando se obtuviera un nuevo préstamo para financiar la promoción de viviendas que acometa el prestatario por si mismo o en colaboración con un promotor.

La escritura de préstamo de suelo podrá prever que si el promotor del suelo, antes de haber concluido el plazo de amortización del préstamo, obtiene la calificación provisional de viviendas protegidas podrá adaptar las características de dicho préstamo a las del préstamo a promotores de vivienda protegida de nueva construcción, y por una cuantía máxima que no exceda de lo establecido para esas viviendas.

b) Subvención en función de:

1. El porcentaje de edificabilidad residencial destinado a viviendas protegidas.

2. El porcentaje previsto de viviendas protegidas que van a ser calificadas para arrendamiento o viviendas protegidas de régimen especial, dentro de las viviendas protegidas de la actuación, en los grupos siguientes:

Grupo 1	40%
Grupo 2	20% < 40%
Grupo 3	< 20%

3. La adquisición onerosa del suelo, en su caso.

4. La ubicación del suelo en algún ATPMS

5. Dichas subvenciones tendrán las siguientes cuantías máximas:

Porcentaje de edificabilidad residencial para viviendas protegida	Subvención general (€/vivienda protegida)	Subvención adicional en ATPMS (€/vivienda protegida)			Subvención adicional por vivienda protegida destinada a alquiler y/o a régimen especial (€/vivienda protegida)		
		A	B	C	Grupo 1	Grupo 2	Grupo 3
≥ 50% ≤ 75%	700	300	235	115	1.700	1.500	300
> 75% (AUP)							
Sin adquisición de suelo	1.700	700	470	225			
Con adquisición de suelo	2.000						

— El pago de estas subvenciones se fraccionará en función del grado de desarrollo y justificación de la inversión así como de la disponibilidad presupuestaria.

— Como medida coyuntural hasta el 31 de diciembre de 2009 (fecha prorrogable por el Consejo de Ministros) estas subvenciones se aumentarán un 20% en las AUP.

H) AYUDAS A INSTRUMENTOS DE GESTIÓN E INFORMACIÓN DEL PLAN:

— El IGVS podrá subvencionar las oficinas de gestión e información del Plan de los ayuntamientos que tengan convenios de colaboración para la gestión de las actuaciones; la ayuda será de un 50% de los gastos de mantenimiento, sin que en ningún caso la cuantía pueda exceder de **80.000 euros** en los municipios de más de 25.000 habitantes y de **60.000 euros** en los de menos de 25.000.

— Esta subvención se instrumentará a través de los convenios con los ayuntamientos.

12. Programa de Vivienda Protegida de las Islas Baleares

Decreto 68/2008, de 6 de junio, por el que se regulan las ayudas para favorecer el acceso a la vivienda en el marco del Plan estratégico de Vivienda 2008-2011 de las Islas Baleares, modificado por el Decreto 32/2009, de 29 de mayo

CONCEPTOS BÁSICOS

I. ACTUACIONES PROTEGIDAS

1. Acceso a la vivienda en arrendamiento.

2. Acceso a la vivienda en propiedad.

3. Ayudas a la primera hipoteca para jóvenes.

4. Impulso de la oferta de viviendas asequibles en arrendamiento

5. Medidas para impulsar la rehabilitación.

6. Otras actuaciones

II. SUPERFICIES MÁXIMAS Y MÍNIMAS DE LAS VIVIENDAS

La superficie útil mínima será de 45 metros y 30 respectivamente.

La superficie útil máxima será es de 90 m², o de 120 m² en caso de viviendas destinadas a familias numerosas. En este último supuesto, el número máximo de viviendas dentro de la promoción destinada a estas familias puede llegar al 10 por ciento del total. La superficie útil máxima por anexos es de 13 m² de trastero y 30 m² de garaje o anexo destinado a almacén de herramientas necesarias para actividades productivas en el ámbito rural.

III. PRECIOS MÁXIMOS DE LAS VIVIENDAS PROTEGIDAS

• Los precios se referirán a la superficie útil total de la vivienda, y podrán incluir el de un garaje o anejo y el de un trastero. Las superficies útiles computables serán, como máximo, de 25 m² para los garajes o anejos, y de 8 m² para los trasteros, con independencia de que las superficies reales fueran superiores. En estos anejos, el precio máximo del metro cuadrado de superficie útil computable será del 60 por ciento del correspondiente al metro cuadrado útil de la vivienda.

• El precio máximo de venta y de referencia para el arrendamiento, por metro cuadrado de superficie útil de las viviendas protegidas de nueva construcción, no puede exceder del resultado de multiplicar el módulo básico estatal por el coeficiente correspondiente a cada régimen establecidos en el Plan Estatal de Vivienda vigente, con independencia del incremento de precio que le corresponda para su ubicación eventual en un ámbito territorial de precio máximo superior. Este precio máximo puede incluir el de garaje o anexo y el de un trastero.

1. El precio máximo de venta de las viviendas protegidas de **precio concertado**, por metro cuadrado de superficie útil, será de 1,80 veces el precio básico nacional, con independencia del incremento adicional de precio que pudiera corresponder por la eventual ubicación de la vivienda en un ámbito territorial de precio máximo superior.

2. El precio máximo de venta de las viviendas protegidas de **precio general**, por metro cuadrado de superficie útil, será de 1,60 veces el precio básico nacional, con independencia del incremento adicional de precio que pudiera corresponder por la eventual ubicación de la vivienda en un ámbito territorial de precio máximo superior.

3. El precio máximo de venta de las viviendas protegidas de **precio especial,** por metro cuadrado de superficie útil, será de 1,50 veces el precio básico nacional, con independencia del incremento adicional de precio que pudiera corresponder por la eventual ubicación de la vivienda en un ámbito territorial de precio máximo superior.

4. El precio máximo por metro cuadrado de superficie útil de **viviendas usadas**, es el que corresponde a una vivienda de precio general en el momento de la transmisión, con independencia del incremento de precio que le corresponda según su ubicación eventual en un ámbito territorial de precio máximo superior.

Si la vivienda no se vende ni se arrienda en el plazo máximo de un año desde la cualificación definitiva, el precio total máximo hasta que se realice la venta será el equivalente al precio de vivienda protegida en segunda transmisión.

• Precios máximos de las viviendas protegidas y de las usadas en segundas y posteriores transmisiones y precios máximos de viviendas protegidas cualificadas con anterioridad al Plan Estatal de Vivienda 2009-2012 en segundas y posteriores transmisiones.

1. El precio máximo de venta de las viviendas protegidas y de las usadas, en segundas y posteriores transmisiones, es el que corresponde a una vivienda protegida calificada provisionalmente del mismo régimen, o a una de usada, según corresponda, y a la misma ubicación, en el momento de la venta.

2. El precio máximo de venta de las viviendas usadas y de las protegidas calificadas con anterioridad al Plan Estatal de Vivienda 2009-2012, en segunda y posteriores transmisiones, es el que corresponde a una vivienda protegida calificada provisionalmente del mismo régimen, o a una de usada, según corresponda, y en la misma ubicación, en el momento de la venta.

• Precio máximo de renta de las viviendas protegidas, con anterioridad al Real Decreto 1186/1998, de 12 de junio, en segunda y ulteriores transmisiones.

Las viviendas protegidas para venta, calificadas con anterioridad al Real Decreto 1186/1998, de 12 de junio, se pueden arrendar con una renta máxima anual que es la que resulte de aplicar el 5 por ciento al precio máximo de referencia para arrendar, sin que supere el precio máximo fijado en el Plan Estatal vigente.

IV. EL MÓDULO BÁSICO ESTATAL (MBE)

El Módulo Básico Estatal (MBE) es la cuantía en euros por metro cuadrado de superficie útil, que sirve como referencia para la determinación de los precios máximos de venta, adjudicación y renta de las viviendas objeto de las ayudas previstas en este Real Decreto, así como de los presupuestos protegidos máximos de las actuaciones de rehabilitación de viviendas y edificios, y en áreas de rehabilitación integral y renovación urbana.

El MBE será establecido por acuerdo del Consejo de Ministros en el mes de diciembre de cada año y será publicado en el *Boletín Oficial del Estado.*

Para el año 2009 se fija en 758 euros.

V. ÁMBITOS TERRITORIALES DE PRECIO MÁXIMO SUPERIOR (ATPMS)

La declaración de nuevos ámbitos territoriales de precio máximo superior, o de modificación de los existentes, se realizará mediante Orden del Ministerio de Vivienda, en los ámbitos territoriales declarados de precio máximo superior, las CC.AA. podrán incrementar el precio máximo general de venta de las viviendas, en los siguientes porcentajes máximos:

a) ATPMS del grupo A: hasta un 60 por ciento de incremento, para las viviendas protegidas de nueva construcción, salvo las de precio concertado; y hasta un 120 por ciento, para las viviendas libres usadas y las viviendas protegidas de precio concertado.

b) ATPMS del grupo B: hasta un 30 por ciento para las viviendas protegidas de nueva construcción, salvo las de precio concertado; y hasta un 60 por ciento, para las viviendas libres usadas y las viviendas protegidas de precio concertado.

c) ATPMS del grupo C: hasta un 15 por ciento para las viviendas protegidas de nueva construcción, salvo las de precio concertado; y hasta un 30 por ciento, para las viviendas libres usadas y las viviendas protegidas de precio concertado.

GRUPO A: Alcúdia, Andratx, Artà, Banyalbufar, Búger, Bunyola, Calvià, Campos, Capdepera, Ciutadella, Deià, Eivissa, Es Castell, Escorca, Es Migjorn, Esporles, Estellencs, Formentera, Fornalutx, Llubí, Llucmajor, Maó, Marratxí, Montuïri, Palma, Pollença, Puigpunyent, Sa Pobla, Santa Eulàlia, Santa Margalida, Sant Antoni, Santanyí, Sant Llorenç, Sant Lluís, Selva, Ses Salines, Sóller, Son Servera y Valldemossa.

GRUPO B: Alaior, Alaró, Algaida, Binissalem, Campanet, Costitx, Consell, Es Mercadal, Felanitx, Ferreries, Inca, Lloret, Lloseta, Manacor, Mancor, Maria de la Salut, Muro, Porreres, Santa Maria, Sant Joan Labritja, Sant Josep, Sencelles y Sineu.

GRUPO C: Ariany, Petra, Santa Eugènia, Sant Joan y Villafranca.

VI. CÓMPUTO DE INGRESOS FAMILIARES

Núm. MUF	Núm. perceptores	Coef.
1	1	0,90
2	1	0,85
2	2	0,80
3	1	0,75
3 o más	2	0,70
* MUF: miembros de la unidad familiar		

Los grupos de protección preferentes se asimilarán, a los efectos de determinar sus ingresos familiares, al coeficiente que se aplica para el supuesto de unidades familiares de 3 o más miembros.

La Comunidad Autónoma de las Illes Balears establece los *grupos de protección preferente* siguientes:

a) Unidades familiares con ingresos que no excedan de 1,5 veces el Indicador Público de renta de efectos múltiples (IPREM), para el acceso a una vivienda en arrendamiento, y de 2,5 veces el IPREM, para el acceso a una vivienda en propiedad.

b) Personas que accedan a una vivienda por primera vez.

c) Personas que tengan una edad no superior a 35 años.

d) Personas mayores de 65 años.

e) Personas víctimas de la violencia de género o del terrorismo.

f) Personas que hayan sufrido daños causados por catástrofes.

g) Familias numerosas.

h) Familias monoparentales con hijos.

i) Personas dependientes o con discapacidad oficialmente reconocida y las familias que las tengan a su cargo.

j) Personas separadas o divorciadas, que estén al corriente del pago de las pensiones que le correspondan.

k) Personas sin vivienda o provenientes de operaciones de erradicación del chabolismo.

l) Personas que pertenezcan a colectivos en situación o riesgo de exclusión social.

1. ACCESO A LA VIVIENDA EN ARRENDAMIENTO

Características:

• Vivienda destinada a residencia habitual y permanente del arrendatario.

• Tampoco podrá concederse si el solicitante es titular de otra vivienda, salvo que no disponga del uso ni del disfrute de la misma o, siendo una vivienda libre, se encuentre ubicada en otra localidad diferente a la de la vivienda alquilada.

• Superficie útil máxima computable de 90 m², aunque las superficies reales sean superiores.

• El solicitante ha de acreditar como mínimo cinco años de residencia en las Illes Balears.

Requisitos acceso ayuda:

• Ser personas físicas.

• Ser titular de un contrato de arrendamiento de vivienda, formalizado de acuerdo con la Ley 29/1994, de 24 de noviembre, de arrendamientos urbanos.

• Ocupar la vivienda como domicilio habitual y permanente.

• Tener unos ingresos que no excedan de 2,5 veces el IPREM. Los ingresos familiares anuales se refieren a los de todos los ocupantes de la vivienda, con independencia de que exista relación de parentesco entre ellos.

• No se puede conceder la ayuda si:

1. el solicitante es titular de otra vivienda, salvo que no disponga del usufructo por causas que no son de su voluntad.

2. El solicitante es beneficiario de esta ayuda o de la renta básica de emancipación regulada en el Real Decreto 1472/2007, de 2 de noviembre.

3. El solicitante tiene relación de parentesco en primer o en segundo grado de consanguinidad o de afinidad con el arrendador de su vivienda, o el arrendador es una persona jurídica y el solicitante es socio o participa en ella.

Características de la ayuda:

La Consejería de Vivienda y Obras Públicas reconocerá una AYUDA, con cargo a los fondos estatales de carácter finalista, destinada a sufragar parte de la RENTA de la vivienda a pagar por el inquilino, siempre que cumpla los requisitos y las condiciones.

La cuantía de la ayuda es del 40% de la renta anual que se haya de satisfacer el arrendatario, y no superará un máximo absoluto de 3.200 euros.

En la renta anual no se incluirá el resto de obligaciones económicas asumidas en el contrato por el arrendatario, como son los gastos comunitarios, gastos de servicio y suministro, tasas o impuestos.

La duración máxima de esta ayuda es de dos años, siempre que se mantengan las circunstancias que dieron lugar al reconocimiento inicial del derecho a la ayuda.

No se pueden volver a obtener estas ayudas hasta que hayan transcurrido al menos cinco años desde la fecha en que han sido reconocidas.

El solicitante ha de acreditar como mínimo cinco años de residencia en las Illes Balears y no puede ser propietario ni arrendatario de otra vivienda, libre o de protección pública.

ALOJAMIENTOS PROTEGIDOS:

Alojamientos protegidos para colectivos especialmente vulnerables y otros colectivos específicos

1. La promoción de alojamientos protegidos puede ser de iniciativa pública o privada.

2. Se pueden edificar sobre suelo al cual la ordenación urbanística le confiera cualquier uso compatible con los usos de estos alojamientos.

3. El régimen de ocupación es el arrendamiento protegido.

4. La destinación para estos colectivos lo será durante todo el plazo de duración del régimen de protección pública.

5. La duración del contrato de arrendamiento o de permanencia de los usuarios en estos alojamientos estará condicionada al mantenimiento de las circunstancias que han permitido el acceso. Esto incluye también las estancias del profesorado o personal relacionado con la comunidad universitaria, investigadores y científicos, que pueden tener una duración muy variada. Estas circunstancias se revisarán al menos anualmente.

6. En caso de alojamientos para colectivos vulnerables, se puede disponer de una vivienda en propiedad, siempre que no puedan disfrutarla por razones no imputables al solicitante del alojamiento o por otras causas justificadas pero en el supuesto de pertenecer a uno de los colectivos siguientes:

a) Unidades familiares con ingresos que no excedan de 1,5 veces el Indicador Público de renta de efectos múltiples (IPREM), para el acceso a una vivienda en arrendamiento, y de 2,5 veces el IPREM, para el acceso a una vivienda en propiedad.

d) Personas mayores de 65 años.

e) Personas víctimas de la violencia de género o del terrorismo.

f) Personas que hayan sufrido daños causados por catástrofes.

g) Familias numerosas.

h) Familias monoparentales con hijos.

i) Personas dependientes o con discapacidad oficialmente reconocida y las familias que las tengan a su cargo.

j) Personas separadas o divorciadas, que estén al corriente del pago de las pensiones que le correspondan.

k) Personas sin vivienda o provenientes de operaciones de erradicación del chabolismo.

l) Personas que pertenezcan a colectivos en situación o riesgo de exclusión social.

En caso de alojamientos destinados a otros colectivos específicos, destinados a alojar personas relacionadas con la comunidad universitaria, o investigadores y científicos, los solicitantes pueden disponer de una vivienda en propiedad siempre que sea fuera del ámbito territorial insular en el que se ubique el alojamiento.

Se habilita al Consejero de Vivienda y Obras Públicas para el despliegue, en su caso, de los alojamientos protegidos, mediante orden.

RENTA DE EMANCIPACIÓN PARA LOS JÓVENES:

Características de las ayudas:

210 euros mensuales durante cuatro años.

600 euros de préstamos de interés reintegrable cuando se extinga la fianza del último contrato de arrendamiento.

Posibilidad de solicitar 120 euros para el aval.

Requisitos de acceso ayuda:

• Haber cumplido seis meses de trabajo previo y continuado, o tener seis meses de contrato por delante en el momento de la solicitud. (Basta con la documentación que habitualmente proporciona la Seguridad Social).

2. ADQUISICIÓN DE VIVIENDA

ADQUISICIÓN VIVIENDAS DE PROTECCIÓN PÚBLICA DE NUEVA CONSTRUCCIÓN:

Características:

• Son viviendas de protección pública las que hayan obtenido la calificación definitiva por parte de la Dirección General de Arquitectura y Vivienda y cumplan los requisitos establecidos en la normativa reguladora específica.

• La Consejería de Vivienda y Obras Públicas podrá calificar viviendas protegidas de régimen especial, de precio general o de precio concertado las viviendas libres de nueva construcción, a instancia del promotor, durante su construcción y hasta el primer año cumplido desde la expedición de la licencia de primera ocupación, el certificado final de obra o la cédula de habitabilidad, según proceda, siempre que cumplan los requisitos necesarios a tal efecto por lo que se refiere a superficie útil máxima, precio máximo de venta por metro cuadrado de superficie útil y niveles máximos de ingresos de los adquirentes.

Únicamente se podrá solicitar la calificación de edificios completos o de escaleras completas.

• Las viviendas de nueva construcción de precio concertado tendrán un régimen de protección de 20 años.

• Se establece el derecho de tanteo y retracto sobre las viviendas protegidas promovidas por el IBAVI de régimen especial y general con destino a venta a favor de la Comunidad Autónoma de las Illes Balears. Dicho derecho de adquisición preferente se ejercerá por el IBAVI, se hará constar expresamente en las escrituras públicas de compraventa o de adjudicación y se inscribirá en el Registro de la Propiedad.

• Podrán ser beneficiarios de estas los adquirentes, adjudicatarios o promotores para uso propio de viviendas protegidas en régimen especial o general y cumplan los requisitos establecidos.

• Personas físicas de nacionalidad española o comunitaria con residencia en las Islas Baleares inscritos en el Registro Público de Demandantes

• Vivienda destinada a residencia habitual y permanente.

• Superficie útil máxima computable de 90 m², para familia numerosa 120 m².

• El régimen de protección será de al menos 30 años, y permanentemente mientras el suelo esté destinado a vivienda protegida o sea suelo dotacional público. Antes de los 10 años la vivienda no podrá venderse sin consentimiento de la Comunidad Autónoma, sin la devolución de las ayudas recibidas. Transcurridos 10 años podrá ser vendida. El precio máximo de venta será el legamente establecido en el momento de la transmisión.

• No hay posibilidad de descalificación voluntaria.

Requisitos de acceso a las ayudas:

Los límites de ingresos para Viviendas de régimen especial: 2,5 veces del IPREM.

Viviendas de precio general: 5,5 veces del IPREM.

Viviendas de precio concertado: 6,5 veces del IPREM.

Características de la ayuda:

ESTATAL: VIVIENDA DE RÉGIMEN ESPECIAL Y GENERAL:

PRÉSTAMO CONVENIDO de hasta el 80% del precio de escritura o adjudicación a devolver en, al menos, 25 años. El tipo de interés podrá ser variable o fijo. En intereses variables será igual al Euribor a 12 meses publicado por el Banco de España en el *Boletín Oficial del Estado (BOE)*, el mes anterior al de la fecha de formalización, más un diferencial de 65 puntos básicos (Euribor + 0,65).

SUBSIDIOS A LOS PRÉSTAMOS. Cantidad anual por cada 10.000 euros de préstamo durante 5 años, renovables 5 más:

— 100 euros para ingresos menores o iguales a 2,5 veces el IPREM (155 euros para familias numerosas, monoparentales con hijos y discapacitados, durante los 5 primeros años).

— 80 euros para ingresos entre 2,5 y 3,5 veces el IPREM (113 euros para familias numerosas, monoparentales con hijos y discapacitados durante los 5 primeros años).

— 60 euros para ingresos mayores de 3,5 y menores o iguales a 4,5 veces del IPREM (93 euros para familias numerosas, monoparentales con hijos y discapacitados durante los 5 primeros años).

La Consejería de Vivienda y Obras Públicas concederá una ayuda a fondo perdido con cargo a sus presupuestos, siendo los módulos para calcular su importe los siguientes:

a) Una cuantía equivalente al 10% del precio de adquisición de la vivienda con un límite de 8.000 euros para los adquirentes, adjudicatarios o promotores para uso propio cuyos ingresos familiares sean inferiores a 2,5 veces el IPREM.

b) Una cuantía equivalente al 8% del precio de adquisición de la vivienda con un límite de 8.000 euros para los adquirentes, adjudicatarios o promotores para uso propio cuyos ingresos familiares estén entre 2,5 y 3,5 veces el IPREM.

ESTATAL: VIVIENDA DE PRECIO CONCERTADO.

PRÉSTAMO CONVENIDO de hasta el 80% del precio de escritura o adjudicación a devolver en, al menos, 25 años. El tipo de interés podrá ser variable o fijo. En intereses variables será igual al Euribor a 12 meses publicado por el Banco de España en el *Boletín Oficial del Estado (BOE)*, el mes anterior al de la fecha de formalización, más un diferencial de 65 puntos básicos (Euribor + 0,65).

AUTONÓMICA:

AYUDA A LA CONSTITUCIÓN DE PRÉSTAMO ADICIONAL cuando los ingresos de los adquirentes de viviendas de protección pública, no superen las 3,5 veces el IPREM y que constituyan un préstamo adicional hasta un 20 por 100.

El importe de la ayuda ha de ser el equivalente a los gastos de constitución, formalización y tramitación del préstamo adicional, con un límite de 1.500 euros, que se abonarán después de haber presentado los justificantes de los gastos mencionados.

Una AYUDA consistente en una cantidad equivalente al 10 por 100 del precio de adquisición de la vivienda con un límite de 8.000 euros si sus ingresos familiares no superan 3,5 veces el IPREM.

Una cantidad equivalente al 8 por 100 del precio de adquisición de la vivienda con un límite de 8.000 euros para los adquirentes, adjudicatarios o promotores para un uso propio, los ingresos familiares de los cuales se encuentren entre 3,5 y 4,5 veces el IPREM.

Los jóvenes con una edad entre 18 y 35 años, con ingresos inferiores a 4,5 veces el IPREM percibirán el 10 por 100 del precio de adquisición de la vivienda, con un límite de 10.000 euros.

ADQUISICIÓN VIVIENDAS USADAS:

Características:

• A los efectos de este decreto, se considera adquisición de vivienda usada, la efectuada a título oneroso en segunda o posteriores transmisiones, siempre que el precio de venta por metro cuadrado de superficie útil no exceda los límites establecidos en el Plan estatal de vivienda en vigor.

• Para obtener la calificación de vivienda usada, debe de haber transcurrido como mínimo un año entre la fecha del certificado final de obra o de la cédula de habitabilidad, y la fecha del contrato de opción de compra o de compraventa.

• En todo caso, la vivienda deberá de disponer de la correspondiente cédula de habitabilidad en vigor.

Se consideran viviendas usadas:

a) Viviendas libres o protegidas en segunda o posteriores transmisiones (incluidas las que se hubiesen destinado al alquiler).

b) Viviendas libres de nueva construcción adquiridas después de, al menos, 1 año desde la expedición de la licencia de primera ocupación, el certificado final de obra o la cédula de habitabilidad.

c) Viviendas libres de nueva construcción cuya licencia de primera ocupación, certificado final de obra o cédula de habitabilidad hayan sido emitida antes del 24 de diciembre de 2008.

d) Viviendas rurales usadas, con una superficie útil que no exceda de 120 m² y sean adquiridas en municipios o núcleos de población que no superen los 10.000 habitantes.

• La superficie útil de la vivienda estará comprendida entre 30 m² (sólo si viven 1 o 2 personas) y 90 m².

Requisitos de acceso:

1. Ingresos familiares no superiores a 6,5 veces el IPREM.

2. No ser titular de una vivienda protegida, ni de una libre cuyo valor, según el Impuesto sobre Transmisiones Patrimoniales, exceda del 40% del precio de la vivienda que se pretende adquirir (60% para personas mayores, mujeres víctimas de violencia de género, víctimas del terrorismo, familias numerosas o monoparentales con hijos, personas con discapacidad y separadas o divorciadas).

3. Estar inscrito en un registro público de demandantes de vivienda.

4. La actuación debe haber sido calificada como protegida.

5. La vivienda debe destinarse como residencia habitual del adjudicatario.

Características de la ayuda:

ESTATAL:

PRÉSTAMO CONVENIDO de hasta el 80% del precio de escritura o adjudicación a devolver en, al menos, 25 años. El tipo de interés podrá ser variable o fijo. En intereses variables será igual al Euribor a 12 meses publicado por el Banco de España en el *Boletín Oficial del Estado (BOE)*, el mes anterior al de la fecha de formalización, más un diferencial de 65 puntos básicos (Euribor + 0,65).

SUBSIDIOS A LOS PRÉSTAMOS. Cantidad anual por cada 10.000 euros de préstamo durante 5 años, renovables 5 más:

— 100 euros para ingresos menores o iguales a 2,5 veces el IPREM (155 euros para familias numerosas, monoparentales con hijos y discapacitados, durante los 5 primeros años).

— 80 euros para ingresos entre 2,5 y 3,5 veces el IPREM (113 euros para familias numerosas, monoparentales con hijos y discapacitados durante los 5 primeros años).

— 60 euros para ingresos mayores de 3,5 y menores o iguales a 4,5 veces del IPREM (93 euros para familias numerosas, monoparentales con hijos y discapacitados durante los 5 primeros años).

AYUDA ESTATAL DIRECTA A LA ENTRADA (AEDE):

— 8.000 euros para ingresos menores o iguales a 2,5 veces el IPREM (9.000 euros en caso de jóvenes, 11.000 euros para mujeres víctimas de violencia de género, víctimas de terrorismo y personas separadas o divorciadas, y 12.000 euros para familias numerosas, monoparentales con hijos y discapacitados).

— 7.000 euros para ingresos entre 2,5 y 3,5 veces el IPREM (8.000 euros en caso de jóvenes, 9.000 euros para mujeres víctimas de violencia de género, víctimas de terrorismo y personas separadas o divorciadas, y 10.000 euros para familias numerosas, monoparentales con hijos y discapacitados).

— 5.000 euros para ingresos mayores de 3,5 y menores o iguales a 4,5 veces del IPREM (6.000 euros en caso de jóvenes, 7.000 euros para mujeres víctimas de violencia de género, víctimas de terrorismo y personas separadas o divorciadas, y 8.000 euros para familias numerosas, monoparentales con hijos y discapacitados).

Cuando la vivienda estuviera en un Ámbito Territorial de Precio Máximo Superior se incrementarán las ayudas en 1.200 euros para vivienda situadas en ámbitos del Grupo A, 600 para el B y 300 para el C.

AUTONÓMICA:

AYUDA A LA CONSTITUCIÓN DE PRÉSTAMO ADICIONAL cuando los ingresos de los adquirentes de viviendas de protección pública, no superen las 3,5 veces el IPREM y que constituyan un préstamo adicional hasta un 20 por 100.

El importe de la ayuda ha de ser el equivalente a los gastos de constitución, formalización y tramitación del préstamo adicional, con un límite de 1.500 euros, que se abonarán después de haber presentado los justificantes de los gastos mencionados.

La Consejería de Vivienda y Obras Públicas concederá una AYUDA a los adquirentes de una vivienda usada, equivalente al 8 por 100 del precio de adquisición de la vivienda que figure en la escritura pública de compraventa, con un límite máximo de 8.000 euros, siempre que los ingresos familiares del solicitante no superen 4,5 veces el IPREM.

Si el adquirente tiene una edad comprendida entre 18 y 35 años, el importe de la ayuda es equivalente al 10 por ciento del precio de adquisición, con un límite de 10.000 euros, con el mismo requisito de ingresos.

El plazo para la solicitud de ayuda es de dos meses a contar desde la inscripción de la escritura de hipoteca del Registro de la Propiedad.

ADQUISICIÓN DE VIVIENDAS PARA SU INMEDIATA REHABILITACIÓN:

Características y requisitos:

• Dicha actuación consiste en la adquisición, a título oneroso, de una vivienda o edificio de tipo unifamiliar para su rehabilitación inmediata.

• La vivienda debe destinarse a residencia habitual y permanente del comprador.

• Superficie útil máxima computable es de 120 m².

• Antigüedad 20 años.

• Plazo de ejecución de las obras: 24 meses a partir de la concesión de la calificación provisional.

• Precios máximos de adquisición es el mismo precio de las viviendas usadas.

• Para poder acceder a esta ayuda no se podrá exceder el plazo de 9 meses entre la fecha de adquisición de la vivienda y la fecha de registro de entrada de la correspondiente solicitud de la ayuda.

Características de la ayuda:

La Consejería de Vivienda y Obras Públicas puede conceder con cargo a sus presupuestos una AYUDA para los adquirentes con ingresos inferiores a 4,5 veces el IPREM, el módulo del cual ha de ser el 5 por 100 del precio de adquisición, con un límite de 6.000 euros, siempre que el precio de compra no exceda los límites legales establecidos para las viviendas usadas.

Si el adquirente es un joven con una edad entre 18 y 35 años, la ayuda es del 10 por ciento del precio de adquisición con un límite de 10.000 euros.

Para calcular el importe de la ayuda, la superficie máxima computable de la vivienda es de hasta a 120 m².

El pago de la ayuda se hará una vez obtenida la calificación definitiva de rehabilitación.

La ayuda de adquisición de vivienda para su rehabilitación inmediata es incompatible con la ayuda complementaria de rehabilitación de vivienda con cargo a los presupuestos de la Consejería de Vivienda y Obras Públicas.

3. AYUDAS A LA PRIMERA HIPOTECA PARA JÓVENES

Características y requisitos:

• La actuación protegible es la formalización de un préstamo hipotecario por parte de los jóvenes para adquirir la primera vivienda que constituya su domicilio habitual y permanente, con las condiciones establecidas en la Primera Hipoteca del Gobierno de las Illes Balears.

Préstamo hipotecario: Tipo de interés*: Euribor + 0,25 el primer año y Euribor + 0,45 a partir del segundo año. (*Condiciones supeditadas a la contratación de seguro del hogar, seguro de vida del titular y domiciliación de nómina o seguro autónomo de todos los titulares, con la entidad con que se contrata la hipoteca); Comisión de apertura 0%; Compensación de desistimiento: 0%.

• Pueden ser beneficiarios de la ayuda:

Las personas con edad entre 18 y 35 años que han obtenido la Primera Hipoteca del Gobierno de las Illes Balears.

Con unos ingresos hasta a 4,5 veces el IPREM.

El precio de la vivienda sea hasta 220.000 euros.

Características de las ayudas:

El importe de la ayuda es equivalente al 15 por 100 de la cuota anual del préstamo hipotecario hasta un máximo de 1.000 euros anuales durante cuatro años, cantidad que es el módulo, al efecto de lo que establezca el Reglamento de la Ley 38/2003, de 17 de noviembre, general de subvenciones.

Esta ayuda se ha de pagar de la manera siguiente:

a) El primer pago se ha de efectuar una vez presentada la escritura del préstamo hipotecario y el documento bancario en el cual figure la cuota y la acreditación de estar al corriente de pago de las cuotas.

b) El segundo, el tercero y el cuarto pago se deben efectuar dentro de los tres meses siguientes al del vencimiento de la última cuota del año anterior, con la presentación previa del documento bancario en el cual figure la cuota con la revisión anual y la acreditación de estar al corriente de pago de las cuotas.

El Consejero de Vivienda y Obras Públicas ha de resolver la concesión o la denegación de la ayuda, con una propuesta previa del Director General de Arquitectura y Vivienda, en un plazo máximo de tres meses desde la solicitud de la ayuda.

4. IMPULSO DE LA OFERTA DE VIVIENDAS ASEQUIBLES EN ARRENDAMIENTO

A) AYUDAS DE PROMOTORES DE VIVIENDAS PROTEGIDAS DE NUEVA CONSTRUCCIÓN CON DESTINO A ARRENDAMIENTO

ESTATALES:

A) PROMOCIÓN PARA ALQUILER A 25 AÑOS

Características:

Las viviendas protegidas podrán ser:

a) Régimen especial: destinadas a inquilinos con ingresos que no superen 2,5 veces el IPREM, y cuyo precio máximo de referencia por m² útil será de 1,50 veces el MBE.

b) Régimen general: destinadas a inquilinos con ingresos que no superen 4,5 veces el IPREM, y cuyo precio máximo de referencia por m² útil será de 1,60 veces el MBE.

c) Régimen concertado: destinadas a inquilinos con ingresos que no superen 6,5 veces el IPREM, y cuyo precio máximo de referencia por m² útil será de 1,80 veces el MBE.

• Estos precios se incrementan según el ATPMS en el que se ubique la vivienda.

• La duración mínima del alquiler será de 25 años desde su calificación definitiva.

852

• La renta máxima anual por m² útil será el 4,5% del precio máximo.

• Mientras sigan siendo protegidas, estas viviendas podrán venderse transcurridos 25 años. El precio máximo de venta será el que corresponda a una vivienda protegida del mismo tipo y en la misma ubicación, calificada provisionalmente en el momento de la venta.

Características de la ayuda:

PRÉSTAMO CONVENIDO de hasta el 80% del precio de escritura o adjudicación a devolver en, al menos, 25 años. El tipo de interés podrá ser variable o fijo. En intereses variables será igual al Euribor a 12 meses publicado por el Banco de España en el *Boletín Oficial del Estado (BOE)*, el mes anterior al de la fecha de formalización, más un diferencial de 65 puntos básicos. El período de carencia en el pago de intereses finalizará en la fecha de la calificación definitiva, con un límite de 4 años (10 años con el consentimiento de la CA).

SUBSIDIOS a los préstamos. Cantidad anual por cada 10.000 euros de préstamo durante 25 años:

— 350 euros para Viviendas de Régimen Especial.

— 250 euros para Viviendas de Régimen General.

— 100 euros para Viviendas de Régimen Concertado.

SUBVENCIÓN de 350 euros para la promoción de Viviendas de Régimen Especial y de 250 euros para Viviendas de Régimen General. Cuando la vivienda estuviera en un Ámbito Territorial de Precio Máximo Superior se incrementarán las ayudas en 60 euros para vivienda situadas en ámbitos del Grupo A, 30 para el B y 15 para el C.

Requisitos de acceso ayuda:

1. Haber obtenido el préstamo cualificado.

B) PROMOCIÓN PARA ALQUILER A 10 AÑOS

Características:

Las viviendas protegidas podrán ser:

a) Régimen especial: destinadas a inquilinos con ingresos que no superen 2,5 veces el IPREM, y cuyo precio máximo de referencia por m² útil será de 1,50 veces el MBE.

b) Régimen general: destinadas a inquilinos con ingresos que no superen 4,5 veces el IPREM, y cuyo precio máximo de referencia por m² útil será de 1,60 veces el MBE.

c) Régimen concertado: destinadas a inquilinos con ingresos que no superen 6,5 veces el IPREM, y cuyo precio máximo de referencia por m² útil será de 1,80 veces el MBE.

Estos precios se incrementan según el ATPMS en el que se ubique la vivienda.

La duración mínima del alquiler será de 10 años desde su calificación definitiva.

La renta máxima anual por m² útil será el 5,5% del precio máximo.

Mientras sigan siendo protegidas, estas viviendas podrán venderse transcurridos 10. El precio máximo de venta será de hasta 1,5 veces el precio máximo de referencia establecido en la calificación provisional.

Las viviendas podrán ser objeto de un contrato de alquiler con opción de compra. El precio de venta será de hasta 1,7 veces el precio máximo de referencia establecido en la calificación provisional. Del precio de venta se deducirá, al menos, el 30% de los alquileres satisfechos por el inquilino.

Características de la ayuda:

PRÉSTAMO CONVENIDO de hasta el 80% del precio de escritura o adjudicación a devolver en, al menos, 10 años. El tipo de interés podrá ser variable o fijo. En intereses variables será igual al Euribor a 12 meses publicado por el Banco de España en el *Boletín Oficial del Estado (BOE)*, el mes anterior al de la fecha de formalización, más un diferencial de 65 puntos básicos. El período de carencia en el pago de intereses finalizará en la fecha de la calificación definitiva, con un límite de 4 años (10 años con el consentimiento de la CA).

SUBSIDIOS a los préstamos. Cantidad anual por cada 10.000 euros de préstamo durante 10 años:

— 350 euros para Viviendas de Régimen Especial.

— 250 euros para Viviendas de Régimen General.

— 100 euros para Viviendas de Régimen Concertado.

SUBVENCIÓN de 250 euros para la promoción de Viviendas de Régimen Especial y de 200 euros para Viviendas de Régimen General. Cuando la vivienda estuviera en un Ámbito Territorial de Precio Máximo Superior se incrementarán las ayudas en 60 euros para vivienda situadas en ámbitos del Grupo A, 30 para el B y 15 para el C.

Requisitos de acceso ayuda:

1. Haber obtenido el préstamo cualificado.

AUTONÓMICA:

La Consejería de Vivienda y Obras Públicas concederá una AYUDA complementaria a la ayuda estatal, de acuerdo con sus disponibilidades presupuestarias, a los promotores de viviendas calificadas como protegidas para arrendar, de régimen especial y régimen general. La cantidad de la ayuda es de 1.000 euros por vivienda, y se abonará una vez obtenida la calificación definitiva.

B) AYUDAS DE PROMOTORES DE VIVIENDAS PROTEGIDAS DE NUEVA CONSTRUCCIÓN CON DESTINO A ARRENDAMIENTO PARA COLECTIVOS VULNERABLES Y OTROS COLECTIVOS ESPECÍFICOS

ESTATALES:

PROMOCIONES DE ALOJAMIENTOS PROTEGIDOS PARA COLECTIVOS ESPECIALMENTE VULNERABLES.

Características:

• Alojarán a unidades familiares con ingresos no superiores a 1,5 veces el IPREM, jóvenes menores de 35 años, personas mayores de 65 años, mujeres víctimas de violencia de género, víctimas del terrorismo, afectados por situaciones catastróficas, discapacitados, personas sin hogar y otros colectivos en situación de exclusión social.

• Formarán parte de edificios o conjuntos de edificios destinados en exclusiva a estos colectivos.

• Se accederá a ellos mediante alquiler.

• La renta máxima anual por m² útil será el 4,5% del precio máximo de una Vivienda Protegida de Régimen Especial para Alquiler durante 25 años (1,50 veces el MBE) Se imputará un máximo del 30% de la superficie destinada a servicios comunes y asistenciales. La prestación de estos servicios podrá suponer un incremento de la renta.

• Superficie útil mínima de 15 m² por persona, con un máximo de 45 m² (el 25% del total de los alojamientos podrá tener hasta 90 m²).

• La superficie útil protegida destinada a servicios comunes y asistenciales no podrás ser superior al 30%.

Características de la ayuda:

PRÉSTAMO CONVENIDO de hasta el 80% del precio de escritura o adjudicación a devolver en, al menos, 25 años. El tipo de interés podrá ser variable o fijo. En intereses variables será igual al Euribor a 12 meses publicado por el Banco de España en el *Boletín Oficial del Estado (BOE)*, el mes anterior al de la fecha de formalización, más un diferencial de 65 puntos básicos. El período de carencia en el pago de intereses finalizará en la fecha de la calificación definitiva, con un límite de 4 años (10 años con el consentimiento de la CA).

SUBSIDIOS a los préstamos. Cantidad anual por cada 10.000 euros de préstamo durante 25 años: 350 euros.

SUBVENCIÓN de 500 euros por m² de superficie útil.

PROMOCIONES DE ALOJAMIENTOS PROTEGIDOS PARA OTROS COLECTIVOS ESPECÍFICOS.

Características:

• Alojarán a personas relacionadas con la comunidad universitaria, o investigadores o científicos.

• Formarán parte de edificios o conjuntos de edificios destinados en exclusiva a estos colectivos.

• Se accederá a ellos mediante alquiler.

• La renta máxima anual por m² útil será el 4,5% del precio máximo de una Vivienda Protegida de Régimen General para Alquiler durante 25 años (1,60 veces el MBE). Se imputará un máximo del 30% de la superficie destinada a servicios comunes y asistenciales. La prestación de estos servicios podrá suponer un incremento de la renta.

• El número de alojamientos lo determinarán las CC.AA.

• Superficie útil mínima de 15 m² por persona, con un máximo de 45 m² (el 25% del total de los alojamientos podrá tener hasta 90 m²).

• La superficie útil protegida destinada a servicios comunes y asistenciales no podrás ser superior al 30%.

Características de la ayuda:

PRÉSTAMO CONVENIDO de hasta el 80% del precio de escritura o adjudicación a devolver en, al menos, 25 años. El tipo de interés podrá ser variable o fijo. En intereses variables será igual al Euribor a 12 meses publicado por el Banco de España en el *Boletín Oficial del Estado (BOE)*, el mes anterior al de la fecha de formalización, más un diferencial de 65 puntos básicos. El período de carencia en el pago de intereses finalizará en la fecha de la calificación definitiva, con un límite de 4 años (10 años con el consentimiento de la CA).

SUBSIDIOS a los préstamos. Cantidad anual por cada 10.000 euros de préstamo durante 25 años: 250 euros.

SUBVENCIÓN de 320 euros por m² de superficie útil.

AUTONÓMICA:

La Consejería de Vivienda y Obras Públicas concederá una AYUDA complementaria a la ayuda estatal, de acuerdo con sus disponibilidades presupuestarias, a los promotores de alojamientos protegidos para colectivos especialmente vulnerables y otros colectivos específicos con régimen de uso de arrendamiento o uso distinto del arrendamiento siempre y cuando no suponga la transmisión de la propiedad del alojamiento.

La cantidad de la ayuda es de 1.000 euros por alojamiento, y se abonará una vez obtenida la calificación definitiva.

C) AYUDAS A LA REHABILITACIÓN DE EDIFICIOS COMPLETOS DE VIVIENDAS LIBRES CON DESTINO A ARRENDAMIENTO

Características y requisitos:

• Se considera rehabilitación de edificios completos de viviendas con destino arrendamiento las actuaciones que tengan por objeto la remodelación, adecuación estructural o funcional, en edificios de viviendas que cumplan los requisitos establecidos en este capítulo y sean destinadas, una vez rehabilitadas, al arrendamiento por un plazo mínimo de cinco años.

• Se entienden por actuaciones de remodelación de un edificio en su totalidad, con viviendas o sin ellas, las que tengan por objeto modificar la superficie útil destinada a viviendas o modificar el número de éstas, siempre que el planeamiento lo autorice.

• Se entiende por adecuación estructural, las obras que proporcionen al edificio condiciones de seguridad constructiva, de manera que se garantice la estabilidad, resistencia, firmeza y solidez.

• Se entiende por adecuación funcional, la ejecución de las obras que proporcionen al edificio condiciones idóneas respecto a accesos, estanqueidad ante la lluvia y la humedad, aislamiento térmico, redes generales de agua, gas, electricidad, telefonía, saneamiento, servicios generales y seguridad ante accidentes y siniestros.

• Pueden ser promotores de estas actuaciones las personas físicas, comunidades de bienes o personas jurídicas, públicas o privadas.

• El edificio debe de cumplir los siguientes requisitos:

a) Que tengan una antigüedad superior a 40 años.

b) Que las actuaciones excluyan la demolición de las fachadas del edificio que dan a la vía pública.

c) Que el edificio en su totalidad, una vez hechas las actuaciones, tenga una superficie útil mínima destinada a viviendas de un 70 por 100 de la superficie útil total, excluidas del cómputo las plantas situadas por debajo de la rasante y las plantas bajas. La superficie útil máxima computable de las viviendas a los efectos de financiación, es de 90 m².

d) Que el número de viviendas que contenga el edificio, una vez rehabilitado, sea de un mínimo de cinco y, al efecto de financiación, un máximo de veinte.

• Las obras para las que se solicita la ayuda deberán estar sin empezar en el momento de hacer la visita inicial de inspección anterior a la entrega de la calificación provisional.

• Podrán ser objeto de ayudas aquellos edificios existentes en los que, mediante un cambio de uso, se promuevan viviendas.

• Se admitirá la ampliación de las viviendas hasta 120 m² útiles siempre que las ordenanzas municipales lo permitan.

• A efectos de ayuda, no se computará la superficie de los locales comerciales, y se tendrá que desglosar en el presupuesto de las obras el importe destinado a la rehabilitación de las viviendas.

• Durante el plazo de 10 años contados a partir de la fecha de la calificación definitiva, los beneficiarios de las subvenciones no podrán transmitir el edificio rehabilitado de viviendas destinadas a alquiler, sin previamente proceder a la devolución de las ayudas recibidas con el incremento de los intereses legales correspondientes. Esta limitación a la facultad de disponer debe inscribirse en el registro de la propiedad.

• Los arrendatarios que accedan a las viviendas rehabilitadas de manera individual o como unidad familiar, deberán tener unos ingresos anuales inferiores a 3,5 veces el IPREM.

• El alquiler anual no superará un 5,5% del precio básico nacional multiplicado por 1,80, con independencia del incremento adicional del precio que corresponda por la ubicación eventual de la vivienda en un ámbito territorial declarado de precio máximo superior.

Características de la ayuda:

El importe total de la AYUDA para la rehabilitación de edificios de viviendas destinados al arrendamiento será equivalente al 50% del coste de las obras de rehabilitación de cada vivienda con un límite máximo de 6.000 euros, que será el módulo a efecto de lo establecido en la Ley 38/2003, de 17 de noviembre, general de subvenciones. El presupuesto mínimo de las obras será de 12.000 euros por vivienda.

La ayuda será abonada una vez finalizada la obra y aportados los correspondientes contratos de arrendamiento, adjuntando copia del resguardo del depósito de la fianza en el Instituto Balear de la Vivienda, así como la acreditación de la anotación preventiva en el Registro de la Propiedad de la limitación temporal de transmisión de las viviendas rehabilitadas durante el plazo de diez años.

D) AYUDAS A LA REHABILITACIÓN DE VIVIENDAS LIBRES PARA ARRENDARLAS

Características y requisitos:

• Podrá llevarse a cabo esta actuación por promotores, personas físicas o comunidades de bienes, que las destinen a arrendamiento una vez rehabilitadas, durante un plazo mínimo de cinco años.

• Para poder acceder a esta ayuda el solicitante ha de reunir los requisitos siguientes:

a) No serán objeto de ayuda las solicitudes presentadas una vez transcurrido el plazo de un mes desde la firma del contrato de arrendamiento.

b) Las obras objeto de ayuda han de estar ejecutadas como máximo dentro de los 12 meses anteriores a la fecha del contrato de arrendamiento.

• La renta máxima anual inicial por metro cuadrado de superficie útil es la que corresponde a las viviendas protegidas en arrendamiento de régimen concertado a 10 años.

• El promotor de la rehabilitación no podrá suscribir el contrato de arrendamiento con aquellas personas con las que tenga una relación de parentesco en primer o segundo grado de consanguinidad o de afinidad. Este criterio se aplicará también a la relación entre el arrendador y el arrendatario cuando el primero sea una persona jurídica respecto de cualquiera de sus socios o personas que participen.

Características de las ayudas:

La Consejería de Vivienda y Obras Públicas reconocerá una AYUDA ESTATAL de 6.500 euros para vivienda destinada a arrendamiento en las condiciones establecidas en el Plan Estatal de Vivienda para las viviendas protegidas destinadas a este uso.

Si la vivienda rehabilitada se destina a una persona arrendataria joven con una edad entre 18 y 35 años, la ayuda de la Consejería de Vivienda y Obras Públicas es como máximo de 4.000 euros.

El promotor de la actuación está obligado a colocar en un lugar visible de la vivienda o del edificio los elementos de difusión de la actuación que le facilitará la Consejería. Estos elementos han de estar visibles durante la realización de las obras, condición previa al pago de la ayuda.

E) AYUDAS A LOS PROPIETARIOS DE VIVIENDAS LIBRES DESOCUPADAS PARA ARRENDARLAS

Características y requisitos:

• Pueden ser beneficiarias de esta ayuda las personas físicas o comunidades de bienes propietarias de viviendas libres desocupadas que las ofrezcan en arrendamiento.

• No pueden ser beneficiarias de la ayuda cuando el arrendatario tenga parentesco en primer o segundo grado de consanguinidad o de afinidad con el propietario.

• Pueden ser beneficiarios los promotores de la actuación, propietarios de las viviendas o de los edificios, arrendatarios u ocupantes autorizados por el propietario o comunidades de propietarios.

• Los ingresos familiares de las personas físicas beneficiarias de las ayudas no pueden exceder de 6,5 veces el IPREM.

• El promotor de la actuación está obligado a colocar en un lugar visible de la vivienda o del edificio los elementos de difusión de la actuación que le facilitará la Consejería. Estos elementos han de estar visibles durante la realización de las obras, condición previa al pago de la ayuda.

• La fecha del contrato de arrendamiento no podrá ser anterior a un mes de la fecha de la solicitud de esta ayuda.

• La renta máxima anual inicial a percibir por el titular de la vivienda libre será la establecida para la de una vivienda protegida de nueva construcción en alquiler, de renta concertada a 10 años, y computándose la superficie útil real de la vivienda, según lo dispuesto en la normativa estatal.

Características de la ayuda:

La Consejería de Vivienda y Obras Públicas reconocerá una AYUDA con cargo a los fondos del Estado a los propietarios de viviendas libres desocupadas que las ofrezcan a inquilinos con ingresos que no superen 3,5 veces el IPREM, por un período mínimo de cinco años, en arrendamiento directo.

La cuantía de la ayuda será de 6.000 euros que se abonarán al titular de la vivienda libre, previa presentación por el propietario del contrato de arrendamiento y copia del resguardo del depósito de la fianza en el Instituto Balear de la Vivienda.

5. MEDIDAS PARA IMPULSAR LA REHABILITACIÓN

A) AYUDAS A LA REHABILITACIÓN AISLADA DE EDIFICIOS Y DE VIVIENDAS

Características y requisitos:

• Las actuaciones de rehabilitación a realizar:

a) Mejorar las condiciones de accesibilidad, suprimir barreras de todo tipo, y adecuar el edificio o la vivienda a las necesidades de personas con discapacidad y de personas mayores de 65 años;

b) Reducción del consumo energético, de acuerdo con lo establecido para ello en el plan estatal de vivienda, mediante una disminución de la demanda energética, a través de mejoras alrededor del edificio y aumentando el rendimiento de las instalaciones térmicas;

c) Garantizar, en el caso de los edificios, la seguridad estructural y la estanqueidad ante la lluvia.

En los edificios de una o más viviendas que no tengan las condiciones estructurales, funcionales o de habitabilidad, no se protegerá la ejecución de obras que no incluyan las necesarias para la consecución de estas condiciones.

d) La rehabilitación de fachadas. Cuando las fachadas del inmueble no reúnan las condiciones mínimas de estanqueidad y ornamentación urbana, es requisito indispensable incluir el coste de éstas en la actuación.

e) Adecuar las viviendas a alguna de las condiciones de habitabilidad siguientes:

— accesibilidad de personas con discapacidad;

— existencia y funcionamiento correcto de servicios sanitarios, cocinas y lavanderías;

— existencia y funcionamiento correcto de instalaciones eléctricas;

— existencia y funcionamiento correcto de instalaciones de saneamiento y fontanería;

— existencia y funcionamiento correcto de sistema de calefacción;

— existencia y funcionamiento correcto de extracción de humos y ventilación;

— aislamiento térmico;

— aislamiento acústico;

— distribución adecuada de espacios interiores por conseguir o mejorar las condiciones de habitabilidad, iluminación y ventilación;

— sistemas de ahorro energético;

— cualquier otra actuación necesaria por reparar el evidente mal estado de los acabados.

• Los edificios y viviendas objeto de las actuaciones de rehabilitación reguladas en este capítulo deberán tener una antigüedad superior a veinte años.

• Quedan excluidos de esta condición los edificios y las viviendas objeto de mejoras de la accesibilidad y de eficiencia energética.

• La Comunidad Autónoma de las Illes Balears fija la cantidad mínima del presupuesto protegido para las actuaciones de rehabilitación en 5.000 euros por vivienda. Esta condición no se aplicará a las actuaciones de mejora de accesibilidad.

• Que la Dirección General de Arquitectura y Vivienda haya calificado como protegida la actuación de rehabilitación;

• Que el edificio o la vivienda objeto de las actuaciones de rehabilitación no se encuentre incluido en un área de rehabilitación integral o de centro histórico;

• Que el solicitante no haya obtenido previamente ayuda financiera para la rehabilitación de edificio o la vivienda, por el mismo concepto, al amparo de planes estatales de vivienda, durante los diez años anteriores a la solicitud actual.

• Que las obras para las cuales se solicita la ayuda estén sin empezar en el momento de realizar la visita inicial de inspección previa a la concesión de la calificación provisional. Quedan exoneradas de este requisito las obras que por motivos de urgencia y seguridad se tengan que realizar de manera inmediata, siempre y cuando tengan la orden municipal correspondiente.

• Que la vivienda objeto de rehabilitación se dedique a domicilio habitual y permanente del destinatario de la ayuda.

• Para la rehabilitación de elementos comunitarios en edificios de viviendas, la comunidad de propietarios tiene que adoptar el acuerdo oportuno según lo que dispone la normativa de propiedad horizontal aplicable.

• El plazo máximo de realización de las obras es de 24 meses a partir de la obtención de la calificación provisional de rehabilitación.

• La vivienda para la cual se ha obtenido ayuda con cargo al Gobierno de las Illes Balears no puede ser objeto de una nueva ayuda para cualquier otra actuación de rehabilitación en la misma vivienda o en el mismo edificio hasta que hayan pasado diez años desde la concesión de la calificación definitiva, excepto en casos concretos como incendio, hundimiento u otro tipo de catástrofe.

• Se admite la ampliación de la vivienda hasta 120 m² útiles siempre que las ordenanzas lo permitan.

Características de las ayudas:

VIVIENDAS:

ESTATAL:

SUBVENCIONES de hasta el 25% del presupuesto protegido (coste total de la rehabilitación de las viviendas, hasta un máximo de 90 m² útiles por vivienda afectada).

En el caso de que el PROPIETARIO DESTINE LA VIVIENDA AL ALQUILER durante, al menos, 5 años, la cuantía máxima de la subvención será de 6.500 euros.

AUTONÓMICA:

La Consejería de Vivienda y Obras Públicas concederá una ayuda de acuerdo con sus disponibilidades presupuestarias y con carácter de fondo perdido, complementaria a la ayuda estatal, de una cantidad equivalente al 25 por 100 de los presupuestos protegidos de rehabilitación, con un límite de 6.000 euros siempre que los ingresos familiares del promotor no superen 6,5 veces el IPREM.

Si la persona beneficiaria es joven con una edad entre 18 y 35 años, el límite es de 7.000 euros.

El pago de la ayuda se efectuará una vez obtenida la calificación definitiva, previa visita técnica de comprobación de las obras y de su adecuación con los presupuestos presentados.

EDIFICIOS:

ESTATAL:

PRÉSTAMOS CONVENIDOS de hasta el total del presupuesto protegido (coste total de las obras sobre los elementos comunes e instalaciones generales, incluidas las necesarias sobre las partes afectadas en viviendas y locales) a devolver hasta en 15 años. Podrán obtenerlo todos los propietarios u ocupantes de vivienda con independencia de sus ingresos.

SUBSIDIOS A LOS PRÉSTAMOS:

— Para inquilinos y propietarios de una o varias viviendas con ingresos no superiores a 6,5 veces el IPREM: 140 euros anuales por cada 10.000 euros de préstamo.

— Para propietarios de una o varias viviendas alquiladas con contrato sujeto a prórroga forzosa celebrado antes de la Ley 29/1994 de Arrendamientos Urbanos: 175 euros anuales por cada 10.000 euros de préstamo.

SUBVENCIONES:

— Para comunidades de propietarios: hasta el 10% del presupuesto protegido, sin superar los 1.100 euros por vivienda. Esta subvención será incompatible con la subsidiación.

— Además, para propietarios u ocupantes de las viviendas con ingresos no superiores a 6,5 veces el IPREM: hasta el 15% del presupuesto protegido, sin superar los 1.600 euros con carácter general, o los 2.700 euros cuando tengan más de 65 años o sean discapacitados y las obras se destinen a la eliminación de barreras o a la adecuación de la vivienda.

AUTONÓMICA:

La Consejería de Vivienda y Obras Públicas concederá una SUBVENCIÓN equivalente al 50 por ciento del presupuesto protegible con un límite de 6.000 euros por edificio de viviendas y con un contingente anual de 90 edificios de más de una vivienda.

B) ÁREAS DE REHABILITACIÓN INTEGRAL Y DE CENTROS HISTÓRICOS

Características:

• Se entiende por área de rehabilitación integral (ARI), las zonas o los barrios urbanos degradados o en proceso de degradación y los centros históricos y municipios rurales que el Gobierno de las Illes Balears declare como tales, con la petición previa motivada del ayuntamiento afectado.

Las áreas de rehabilitación integral, los centros históricos y municipios rurales tienen que cumplir, además, las condiciones que exige el Plan Estatal de Vivienda vigente.

• Actuaciones protegibles:

a) En elementos privativos del edificio —viviendas— las obras de mejora de la habitabilidad, seguridad, accesibilidad y eficiencia energética.

b) En elementos comunes del edificio, las obras de mejora de la seguridad, estanqueidad, accesibilidad y eficiencia energética, así como la utilización de energías renovables.

c) Urbanización o reurbanización de espacios públicos (plazas, jardines, pavimentación de calles y alumbrado público).

d) Supresión de barreras arquitectónicas en los edificios de uso público y en la vía pública.

e) Renovación y mejora de las redes básicas de infraestructura.

f) Soterramiento de líneas aéreas telefónicas, de gas y de electricidad.

g) Establecimiento de redes de climatización y agua caliente sanitaria centralizadas alimentadas con energías renovables.

• La declaración de área posibilita la concesión de ayudas a las iniciativas privadas de rehabilitación de viviendas, como también la mejora de los servicios de información y asesoramiento técnico y administrativo de los particulares interesados en la rehabilitación de viviendas y la articulación de las ayudas a los ayuntamientos para la remodelación urbana.

• Las personas beneficiarias de las ayudas de este programa pueden ser los promotores de la actuación y los propietarios de las viviendas o edificios, arrendatarios u ocupantes autorizados por el propietario o comunidades de propietarios incluidas en el perímetro del ARI.

• Los ingresos familiares de las personas físicas beneficiarias de las ayudas no pueden exceder de 6,5 veces el IPREM en caso de rehabilitación, para uso propio, de elementos privativos de los edificios —viviendas—.

• Los promotores, las personas beneficiarias y las actuaciones tienen que cumplir las condiciones y los requisitos establecidos en el Plan Estatal de Vivienda en vigor.

Características de la ayuda:

ESTATAL:

PRÉSTAMO CONVENIDO por la cuantía del presupuesto protegido (coste máximo de ejecución de la rehabilitación de las viviendas y edificios que incluirá, como tope, una superficie útil de 90 m² por vivienda) a devolver en 15 años como máximo.

SUBVENCIÓN para:

— Rehabilitación de edificios y viviendas y situaciones de infravivienda, por un importe de hasta el 40% del presupuesto protegido, con un máximo de 5.000 euros por vivienda rehabilitada (6.600 euros en centros históricos y municipios rurales, si la subvención no excede del 50% del presupuesto protegido total).

— Obras de urbanización del ARI, por un importe de hasta el 20% de dichas obras, con un límite del 20% de la subvención del apartado anterior. En centros históricos y municipios rurales, la subvención será de hasta el 30% del presupuesto de las obras, con el límite 30% de la subvención.

— Financiar los costes de los equipos de información y gestión, por un importe que no excederá el 5% del presupuesto protegido total del ARI ni el 50% del coste de estos equipos.

AUTONÓMICA:

La Consejería de Vivienda y Obras Públicas concederá una AYUDA de acuerdo con sus disponibilidades presupuestarias y con carácter de fondo perdido, complementaria a la ayuda estatal, de una cantidad equivalente al 40 por 100 del presupuesto protegido de rehabilitación, con un límite de 5.000 euros por vivienda.

El promotor de la actuación está obligado a colocar en lugar visible de la vivienda o del edificio los elementos de difusión de la actuación que le facilitará la Consejería. Estos elementos tienen que estar visibles durante la realización de las obras, condición previa al abono de la ayuda.

C) ÁREAS DE RENOVACIÓN URBANA

Características:

• Son áreas de renovación urbana los barrios o conjuntos de edificios de viviendas que necesiten de actuaciones de demolición y sustitución de los edificios, de urbanización o reurbanización, de la creación de dotaciones y equipamientos y de mejora de la accesibilidad de sus espacios públicos, incluyendo, en su caso, procesos de realojo temporal de los residentes.

• Se consideran actuaciones de carácter preferente las actuaciones dirigidas a la supresión de la infravivienda acompañadas de programas integrados de desarrollo social y económico en el ámbito del área así como las actuaciones que incorporen viviendas protegidas para arrendar en los incrementos de edificabilidad que se pudiesen producir.

• Actuaciones protegidas: a) La demolición de las edificaciones existentes.

b) La construcción de edificios destinados a viviendas protegidas.

c) La urbanización y reurbanización de los espacios públicos.

d) Los programas de realojo temporal de los residentes.

• Los promotores, las personas beneficiarias de las nuevas viviendas protegidas y las actuaciones de renovación tienen que cumplir las condiciones y los requisitos establecidos en el Plan de Vivienda en vigor.

• Los promotores deben iniciar la construcción de, al menos, el 50% de las viviendas protegidas objeto de las ayudas en los 3 primeros años.

• El promotor de la actuación está obligado a colocar en lugar visible de la vivienda o del edificio los elementos de difusión de la actuación que le facilitará la Consejería. Estos elementos tienen que estar visibles durante la realización de las obras, condición previa al abono de la ayuda.

Características de la ayuda:

ESTATAL:

PRÉSTAMO CONVENIDO por la cuantía resultante de la diferencia entre el presupuesto de construcción de las viviendas protegida en el ARU y la cuantía de las subvenciones concedidas. El presupuesto protegido será el coste máximo de la construcción de las viviendas protegidas a sustituir, que será el 85% del precio máximo de una vivienda protegida del mismo régimen, con una superficie útil máxima de 90 m² (80% si la actuación afectara a más de 500 viviendas).

SUBVENCIÓN para:

Sustituir las viviendas existentes, por un importe máximo del 35% del presupuesto protegido, con un límite de 30.000 euros por vivienda renovada.

Obras de urbanización del ARU, por un importe máximo del 40% del presupuesto, con un límite del 40% de la subvención establecida en el apartado anterior.

Realojos temporales, por un importe máximo de 4.500 euros por unidad familiar a realojar, sin superar los 4 años.

Financiar los costes de los equipos de información y gestión, por un importe que no excederá el 7% del presupuesto protegido total del ARU ni el 50% del coste de estos equipos.

Promoción de nuevas vivienda protegidas que ampliaran las preexistentes, por las cuantías establecidas para cada vivienda protegida en este Plan.

D) ERRADICACIÓN DEL CHABOLISMO

Características:

• Son las ayudas destinadas a actuaciones para la erradicación de asentamientos precarios e irregulares de población en situación o riesgo de exclusión social, con graves deficiencias de salubridad, hacinamiento de sus moradores y condiciones de seguridad y habitabilidad muy por debajo de los requerimientos mínimos aceptables.

Características de la ayuda:

La Consejería de Vivienda y Obras Públicas reconocerá con cargo a los presupuestos estatales, y tramitará las ayudas establecidas para este concepto de acuerdo con el Plan Estatal de Vivienda.

SUBVENCIÓN para el realojo de los ocupantes del asentamiento en viviendas en régimen de alquiler: hasta el 50% de la renta anual a pagar, con un máximo de 3.000 euros anuales por vivienda.

SUBVENCIÓN para financiar el coste de los equipos de gestión y de acompañamiento social: hasta el 10% del importe de las subvenciones del apartado anterior.

Requisitos de acceso ayuda:

1. Ser persona jurídica, pública o privada, sin ánimo de lucro.

2. Disponer de programas específicos o de colaboración para la erradicación de situaciones de chabolismo.

3. Suscribir los acuerdos correspondientes a este tipo de programas.

6. OTRAS ACTUACIONES

A) MEJORA DE LA ACCESIBILIDAD DE LOS EDIFICIOS Y DE LAS VIVIENDAS

• La Consejería de Vivienda y Obras Públicas, de acuerdo con sus disponibilidades presupuestarias, otorgará con cargo a sus presupuestos una ayuda equivalente al 50 por 100 del presupuesto de las obras, con un límite máximo de 8.000 euros, que ejecute la comunidad de propietarios o los propietarios del edificio de viviendas, el objeto de los cuales sea cumplir la normativa de las barreras arquitectónicas y el Reglamento 20/2003, de 28 de febrero, de supresión de barreras arquitectónicas, o, en el caso de imposibilidad técnica, que mejoren la accesibilidad de los edificios de viviendas.

• El pago de la ayuda se hará una vez obtenida la calificación definitiva, con una visita técnica previa para comprobar las obras y su adecuación con los presupuestos presentados

• Pueden ser beneficiarios de esta ayuda los promotores públicos y privados de viviendas protegidas en régimen especial y general que hagan obras en los edificios y las viviendas que supongan una mejora del ahorro energético e hídrico.

Características de la ayuda:

Comunidad de propietarios:

La Consejería de Vivienda y Obras Públicas, de acuerdo con sus disponibilidades presupuestarias, otorgará con cargo a sus presupuestos una AYUDA equivalente al 50 por 100 del presupuesto de las obras, con un límite máximo de 8.000 euros, que ejecute la comunidad de propietarios o los propietarios del edificio de viviendas, el objeto de los cuales sea cumplir la normativa de las barreras arquitectónicas y el Reglamento 20/2003, de 28 de febrero, de supresión de barreras arquitectónicas, o, en el caso de imposibilidad técnica, que mejoren la accesibilidad de los edificios de viviendas.

Propietarios:

La Consejería de Vivienda y Obras Públicas, de acuerdo con sus disponibilidades presupuestarias, otorgará con cargo a sus presupuestos una SUBVENCIÓN equivalente al 50% del presupuesto de las obras, con un límite máximo de 8.000 euros, que se ejecuten en las viviendas con objeto de realizar obras de supresión de barreras arquitectónicas efectuadas por el propietario o arrendatario, siempre que éstas sean para adaptar la vivienda que constituye su domicilio habitual y permanente a su propia discapacidad.

El pago de la ayuda se hará una vez obtenida la calificación definitiva, con una visita técnica previa para comprobar las obras y su adecuación con los presupuestos presentados.

B) IMPLANTACIÓN DE MEDIDAS PARA EL AHORRO ENERGÉTICO EN VIVIENDAS DE PROTECCIÓN OFICIAL

• Las actuaciones protegibles consistirán en:

1.Medidas de fomento de ahorro de energía en la edificación: en función del uso y de las características de la construcción, en la aplicación de medidas arquitectónicas dirigidas al aprovechamiento pasivo de la energía solar, a la instalación de elementos de protección solar, persianas o lamas, y en el diseño eficiente de todas las instalaciones consumidoras de energía.

2. Medidas de fomento de energía solar térmica: instalación de placas solares térmicas para la producción de agua caliente sanitaria que cubran, como mínimo, el 60% de sus necesidades, o la cantidad lograda en función de la disposición y condiciones físicas del edificio.

• Pueden ser beneficiarios de esta ayuda los promotores públicos y privados de viviendas protegidas en régimen especial y general que hagan obras en los edificios y las viviendas que supongan una mejora del ahorro energético e hídrico.

Características de la ayuda:

La Consejería de Vivienda y Obras Públicas reconocerá una ayuda estatal a los promotores de viviendas protegidas, los proyectos de los cuales obtengan una calificación energética de clase A, B o C, según lo que establezca la normativa básica para la certificación de eficiencia energética de edificios de nueva construcción con las cantidades siguientes:

a) Clase A, 3.500 euros por vivienda.

b) Clase B, 2.800 euros por vivienda.

c) Clase C, 2.000 euros por vivienda.

Estas ayudas son incompatibles para la misma finalidad, con las correspondientes del Plan de acción de ahorro y eficiencia energética para el período 2008-2012 y al Plan de energías renovables 2005-2010 del Instituto de Desarrollo y ahorro de Energía (IDAE).

La subvención se abonará una vez las viviendas hayan obtenido la correspondiente calificación definitiva.

C) ACTUACIONES DE URBANIZACIÓN EN MATERIA DE SUELO

Características:

Tendrán la consideración de actuaciones protegibles en materia de suelo las de urbanización del mismo para su inmediata edificación con destino a la promoción de viviendas protegidas, debiendo destinar al menos el 50% de la edificabilidad residencial del ámbito de urbanización a esta tipología de viviendas.

Características de la ayuda:

ESTATAL

PRÉSTAMOS CONVENIDOS a devolver hasta en 4 años por una cuantía no superior al producto de la superficie edificable multiplicada por el 20% del Módulo Básico Estatal (MBE), sin exceder el coste total de la actuación.

SUBVENCIÓN por cada vivienda protegida a construir en función de:

a) El porcentaje de edificabilidad residencial destinado a vivienda protegida.

b) El porcentaje previsto de viviendas protegidas de régimen especial o en alquiler dentro del conjunto de viviendas protegidas:

— Mayor o igual al 40%, será Grupo 1.

— Mayor o igual al 20% e inferior al 40%, será Grupo 2.

— Menor al 20%, será Grupo 3.

c) La adquisición del suelo.

d) La ubicación del suelo en alguno de los Ámbitos Territoriales de Precio Máximo Superior (ATPMS).

Porcentaje de edificabilidad residencial para viviendas protegidas	Subvención general (euros/vivienda protegida)	Subvención adicional en ATPMS (euros/vivienda protegida)			Subvención adicional por vivienda protegida destinada a alquiler y/o a régimen especial (euros/vivienda protegida)		
		A	B	C	Grupo 1	Grupo 2	Grupo 3
> 50% ≤ 75% > 75% (AUP)	700	300	235	115			
Sin adquisición de suelo	1.700	700	470	225	1.700	1.500	300
Con adquisición de suelo	2.000						

AUTONÓMICA:

La Consejería de Vivienda y Obras Públicas, a través de la Dirección General de Arquitectura y Vivienda, puede reconocer y otorgar, con cargo a sus presupuestos, una AYUDA adicional de 1.000 euros para vivienda calificada de régimen especial o en arrendamiento y de 500 euros para vivienda calificada de régimen general.

El promotor de la actuación está obligado a colocar en lugar visible de la vivienda o del edificio los elementos de difusión de la actuación que le facilitará la Consejería. Estos elementos deben estar visibles durante la realización de las obras, condición previa al abono de la ayuda.

Para la obtención de esta subvención es requisito previo el reconocimiento de la ayuda del Estado, una vez obtenida la calificación del suelo y finalizada la urbanización previa presentación del certificado final de obra correspondiente.

13. Plan de Vivienda de La Rioja 2009-2012

Decreto 22/2009

1. ACTUACIONES PROTEGIDAS

1. La promoción de viviendas protegidas en régimen de alquiler con opción a compra a cinco años.

2. El fomento de medidas para facilitar el acceso en propiedad a viviendas libres y protegidas como la Hipoteca Joven del Gobierno de La Rioja o instrumentos similares.

3. La potenciación y desarrollo de programas de fomento de alquiler, como la Bolsa de Vivienda en Alquiler del Gobierno de La Rioja o instrumentos similares.

2. SUPERFICIES MÁXIMAS Y MÍNIMAS DE LAS VIVIENDAS

— Las viviendas protegidas de nueva construcción promovidas en régimen de venta o de arrendamiento con opción de compra deberán tener una superficie igual o superior a 45 m² útiles.

— Las viviendas protegidas de nueva construcción promovidas en régimen de arrendamiento sin opción de compra deberán tener una superficie igual o superior a 40 m² útiles.

— En supuestos excepcionales y debidamente motivados la Dirección General de Vivienda podrá autorizar superficies mínimas inferiores a las ya indicadas.

— La superficie útil máxima de las viviendas acogidas al Plan de Vivienda 2009-2012 será la siguiente:

— 90 m² útiles salvo las excepciones para familias numerosas y personas con discapacidad que tengan movilidad reducida permanente.

La superficie máxima imputable para determinar el precio de venta de los garajes y los trasteros no podrá superar los 25 m², en el caso del garaje, y los 8 m², en el caso del trastero.

— La superficie útil máxima en todo caso a efectos de calificación es de 120 m².

3. PRECIOS MÁXIMOS DE VENTA DE LAS VIVIENDAS DE PROTECCIÓN OFICIAL

Los precios máximos por m² de superficie para las viviendas acogidas al Plan de Vivienda 2009-2012 de La Rioja se determinarán multiplicando el Módulo Básico Estatal por los coeficientes correspondientes a los distintos ámbitos territoriales:

a) Ámbito Territorial de Precio Máximo Superior (ATPMS) C: Logroño, Calahorra, Villamediana de Iregua y Lardero.

b) Resto de los municipios de La Rioja.

4. EL MÓDULO BÁSICO ESTATAL (MBE)

El Módulo Básico Estatal (MBE) es la cuantía en euros por metro cuadrado de superficie útil, que sirve como referencia para la determinación de los precios máximos de venta, adjudicación y renta de las viviendas objeto de las ayudas previstas en el Real Decreto 2066/2008, así como de los presupuestos protegidos máximos de las actuaciones de rehabilitación de viviendas y edificios, y en áreas de rehabilitación integral y renovación urbana.

El MBE será establecido por acuerdo del Consejo de Ministros en el mes de diciembre de cada año y será publicado en el Boletín Oficial del Estado.

Para el año 2009 se fija en 758 euros (838,8 euros para Canarias).

TIPOLOGÍAS Y CARACTERÍSTICAS DE LOS DIFERENTES TIPOS DE VIVIENDAS.

A) COMPRA:

1. VIVIENDA DE PROTECCIÓN OFICIAL DE RÉGIMEN ESPECIAL

Características:

• El precio máximo de referencia por metro cuadrado útil será:

ATPMS C (Logroño): **Módulo Básico Estatal * 1,50 * 1,15**

ATPMS C (Calahorra, Villamediana de Iregua y Lardero): **Módulo Básico Estatal * 1,50 * 1,10**

Resto de Municipios de La Rioja: **Modulo Básico Estatal * 1,50**

• El régimen de protección será de al menos 30 años, y permanente mientras el suelo esté destinado a vivienda protegida o sea suelo dotacional público. Antes de los 10 años la vivienda no podrá venderse sin consentimiento de la CA y sin la devolución de las ayudas recibidas.

• Transcurridos 10 años podrá ser vendida a personas inscritas en los registros públicos de vivienda protegida.

Requisitos de acceso:

1. Ingresos familiares entre 1 y 2,5 veces el IPREM.

2. No ser titular de una vivienda protegida, ni de una libre cuyo valor, según el Impuesto sobre Transmisiones Patrimoniales, exceda del 40% del precio de la vivienda que se pretende adquirir (60% para personas mayo-

res, mujeres víctimas de violencia de género, víctimas del terrorismo, familias numerosas o monoparentales con hijos, personas con discapacidad y separadas o divorciadas).

3. Estar inscrito en un registro público de demandantes de vivienda.

4. La actuación debe haber sido calificada como protegida por la CA.

5. La vivienda debe destinarse como residencia habitual del adjudicatario y ocuparse dentro de los plazos establecidos.

Características de la ayuda:

PRÉSTAMO CONVENIDO:

Amortización: 25 años o más con cuotas constantes (tres años o más de carencia para el caso de promoción para uso propio).

Garantía: Hipoteca.

Cuantía Máxima: 80% del precio de adquisición (vivienda + garaje + trastero vinculados) o del valor de la edificación más el del suelo para el caso de promotores individuales para uso propio.

Tipo de interés para el año 2009: Puede ser fijo o variable.

Interés fijo: Pendiente de publicación.

Interés variable: Euribor a 12 meses publicado por el Banco de España en el *BOE* el mes anterior al de la fecha de formalización del préstamo más un diferencial de entre 25 y 125 puntos básicos.

Este tipo de interés se revisará cada 12 meses teniendo como referencia el Euribor a 12 meses publicado por el Banco de España el mes anterior a la fecha de formalización.

Cuotas: Interés fijo: Constantes durante toda la vida del préstamo.

Interés variable: Constantes durante toda la vida del préstamo, dentro de cada uno de los períodos de amortización a los cuales les corresponde un mismo tipo de interés.

Comisiones: Exentas.

SUBSIDIOS A LOS PRÉSTAMOS: Cantidad anual por cada 10.000 euros de préstamo convenido.

— **100 euros** los 10 primeros años.

— **155 euros** los 5 primeros años en caso de:

— Familias numerosas.

— Familias monoparentales con hijos.

— Familias que incluyan o tengan a su cargo personas dependientes o con discapacidad oficialmente reconocida.

Esta subsidiación se concederá por un período de 5 años y podrá ser ampliada por otro período de la misma duración.

La ampliación se tiene que solicitar dentro del 5.º año del primer período y los solicitantes tienen que acreditar que siguen cumpliendo las condiciones para la concesión de la ayuda.

AYUDA ESTATAL DIRECTA A LA ENTRADA (AEDE):

a) En general: **8.000 euros.**

b) Jóvenes de hasta 35 años (cuando aporten la mayor parte de los ingresos familiares): **9.000 euros.**

c) Familias numerosas, familias monoparentales con hijos, y personas dependientes o con discapacidad oficialmente reconocida y las familias que las tengan a su cargo: **12.000 euros.**

e) Mujeres víctimas de violencia de género, víctimas del terrorismo y personas separadas o divorciadas que estén al corriente en el pago de pensiones alimenticias o compensatorias: **11.000 euros.**

Estas cuantías no son acumulables entre sí, y corresponderá únicamente la más favorable de todas las posibles.

Cuando las viviendas estén situadas en las zonas ATPMS A, ATPMS B y ATPMS C, las cuantías relacionadas antes se tienen que incrementar respectivamente en **1.200 euros, 600 euros** o **300 euros.**

AYUDA AL ESFUERZO DEL GOBIERNO DE LA RIOJA:

a) En general: Ayuda para que el esfuerzo de los adquirentes no supere el 30% de sus ingresos durante los 5 primeros años del préstamo.

b) Colectivos de protección preferente (jóvenes de hasta 35 años, familias numerosas o con dependientes a su cargo, personas con discapacidad o perceptores de ingresos que no superen 1,5 veces el IPREM): Ayuda para que el esfuerzo de los adquirentes no supere el 25% de sus ingresos durante los 5 primeros años del préstamo.

c) Esta ayuda se complementa con una ayuda de **360 euros** para gastos notariales y de registro.

Requisitos de acceso ayuda:

1. La vivienda tiene que haber obtenido la calificación definitiva.

2. El contrato de compraventa tiene que haber sido visado por la CA. Entre las firmas del contrato y la solicitud del visado no debe pasar más de 4 meses.

3. Entre el visado del contrato y la solicitud del préstamo no debe pasar más de 6 meses.

4. Los ingresos de la unidad familiar tienen que ser entre 1 y 2,5 veces el IPREM.

5. Tiene que ser el 1.er acceso a la propiedad del solicitante (se entiende que reúnen la condición de 1.er acceso a la propiedad los adquirentes que no tengan o no hayan tenido con anterioridad ninguna vivienda en propiedad o que siendo titular de alguna no disfruten de un derecho real de uso o disfrute sobre ella o el valor de la misma de acuerdo con la normativa del ITP no supere el 25% del precio máximo de venta de la vivienda que adquirieren).

6. Los solicitantes no pueden haber recibido anteriormente financiación al amparo de algún Plan de Vivienda durante los 10 años anteriores a la solicitud actual de ayudas; no será necesario cumplir este requisito cuando la adquisición de la vivienda sea como consecuencia del cambio de residencia del titular en otra localidad, cuando se trate de una familia numerosa que acceda a nueva vivienda de mayor superficie como consecuencia de haber ampliado el número de miembros de la unidad familiar o cuando la nueva solicitud se produzca por la necesidad de una vivienda adaptada a las condiciones de discapacidad sobrevenida de algún miembro de la

unidad familiar (en cualquier caso será necesario cancelar previamente el préstamo cualificado o convenido anteriormente obtenido y en el caso de las ayudas directas se podrá optar por devolver las ayudas o percibir la diferencia si procediera).

7. La cuantía del préstamo convenido no será inferior al 60% del precio de la vivienda durante los 5 primeros años de amortización del préstamo.

2. VIVIENDA DE PROTECCIÓN OFICIAL DE RÉGIMEN GENERAL

Características:

• El precio máximo de referencia por metro cuadrado útil será:

ATPMS C (Logroño): **Módulo Básico Estatal * 1,60 * 1,15**

ATPMS C (Calahorra, Villamediana de Iregua y Lardero): **Módulo Básico Estatal * 1,60 * 1,10**

Resto de Municipios de La Rioja: **Modulo Básico Estatal * 1,60**

• El régimen de protección será de al menos 30 años, y permanentemente mientras el suelo esté destinado a vivienda protegida o sea suelo dotacional público. Antes de los 10 años la vivienda no podrá venderse sin consentimiento de la CA y sin la devolución de las ayudas recibidas. Transcurridos 10 años podrá ser vendida a personas inscritas en los registros públicos de vivienda protegida.

Requisitos de acceso:

1. Ingresos familiares entre 1 y 4,5 veces el IPREM.

2. No ser titular de una vivienda protegida, ni de una libre cuyo valor, según el Impuesto sobre Transmisiones Patrimoniales, exceda del 40% del precio de la vivienda que se pretende adquirir (60% para personas mayores, mujeres víctimas de violencia de género, víctimas del terrorismo, familias numerosas o monoparentales con hijos, personas con discapacidad y separadas o divorciadas).

3. Estar inscrito en un registro público de demandantes de vivienda.

4. La actuación debe haber sido calificada como protegida por la CA.

5. La vivienda debe destinarse como residencia habitual del adjudicatario y ocuparse dentro de los plazos establecidos.

Características de la ayuda:

PRÉSTAMO CONVENIDO:

Amortización: 25 años o más con cuotas constantes (tres años o más de carencia para el caso de promoción para uso propio).

Garantía: Hipoteca.

Cuantía Máxima: 80% del precio de adquisición (vivienda + garaje + trastero vinculados) o del valor de la edificación más el del suelo para el caso de promotores individuales para uso propio.

Tipo de interés para el año 2009: Puede ser fijo o variable.

Interés fijo: Pendiente de publicación.

Interés variable: Euribor a 12 meses publicado por el Banco de España en el *BOE* el mes anterior al de la fecha de formalización del préstamo más un diferencial de entre 25 y 125 puntos básicos.

Este tipo de interés se revisará cada 12 meses teniendo como referencia el Euribor a 12 meses publicado por el Banco de España el mes anterior a la fecha de formalización.

Cuotas: Interés fijo: Constantes durante toda la vida del préstamo.

Interés variable: Constantes durante toda la vida del préstamo, dentro de cada uno de los períodos de amortización a los cuales les corresponde un mismo tipo de interés.

Comisiones: Exentas.

SUBSIDIOS A LOS PRÉSTAMOS: Cantidad anual por cada 10.000 euros de préstamo durante 5 años, renovables 5 más (la ampliación se tiene que solicitar dentro del 5.º año del primer período y los solicitantes tienen que acreditar que siguen cumpliendo las condiciones para la concesión de la ayuda; se entenderá que cumplen las condiciones cuando la media de los ingresos correspondientes a los dos años anteriores a la revisión no excedan en más o menos un 20% de las acreditadas inicialmente):

— **100 euros** para ingresos menores o iguales a 2,5 veces el IPREM los 10 primeros años (**155 euros** para familias numerosas, monoparentales con hijos y familias que incluyan personas dependientes o con discapacidad reconocida oficialmente durante los 5 primeros años).

— **80 euros** para ingresos entre 2,5 y 3,5 veces el IPREM los 5 primeros años (**113 euros** para familias numerosas, monoparentales con hijos y familias que incluyan personas dependientes o con discapacidad reconocida oficialmente durante los 5 primeros años).

— **60 euros** anuales a familias con ingresos familiares entre 3,5 y 4,5 veces el IPREM (**93 euros** para familias numerosas, monoparentales con hijos y familias que incluyan personas dependientes o con discapacidad reconocida oficialmente durante los 5 primeros años).

AYUDA ESTATAL DIRECTA A LA ENTRADA (AEDE):

ADQUIRENTES CON INGRESOS DE HASTA 2,5 VECES EL IPREM:

a) En general: **8.000 euros**.

b) Jóvenes de hasta 35 años (cuando aporten la mayor parte de los ingresos familiares): **9.000 euros**.

c) Familias numerosas, familias monoparentales con hijos, y personas dependientes o con discapacidad oficialmente reconocida y las familias que las tengan a su cargo: **12.000 euros**.

e) Mujeres víctimas de violencia de género, víctimas del terrorismo y personas separadas o divorciadas que estén al corriente en el pago de pensiones alimenticias o compensatorias: **11.000 euros**.

Estas cuantías no son acumulables entre sí, y corresponderá únicamente la más favorable de todas las posibles.

Cuando las viviendas estén situadas en las zonas ATPMS A, ATPMS B y ATPMS C, las cuantías relacionadas antes se tienen que incrementar respectivamente en **1.200 euros, 600 euros** o **300 euros**.

AYUDA AL ESFUERZO DEL GOBIERNO DE LA RIOJA:

a) En general: Ayuda para que el esfuerzo de los adquirentes no supere el 30% de sus ingresos durante los 5 primeros años del préstamo.

b) Colectivos de protección preferente (Jóvenes de hasta 35 años, familias numerosas o con dependientes a su cargo, personas con discapacidad o perceptores de ingresos que no superen 1,5 veces el IPREM): Ayuda para que el esfuerzo de los adquirentes no supere el 25% de sus ingresos durante los 5 primeros años del préstamo.

c) Esta ayuda se complementa con una ayuda de **360 euros** para gastos notariales y de registro.

Requisitos de acceso ayuda:

1. La vivienda tiene que haber obtenido la calificación definitiva.

2. El contrato de compraventa tiene que haber sido visado por la CA. Entre las firmas del contrato y la solicitud del visado no debe pasar más de 4 meses.

3. Entre el visado del contrato y la solicitud del préstamo no debe pasar más de 6 meses.

4. Los ingresos de la unidad familiar tienen que estar entre 1 y 2,5 veces el IPREM.

5. Tiene que ser el 1.er acceso a la propiedad del solicitante (se entiende que reúnen la condición de 1.er acceso a la propiedad los adquirentes que no tengan o no hayan tenido con anterioridad ninguna vivienda en propiedad o que siendo titular de alguna no disfruten de un derecho real de uso o disfrute sobre ella o el valor de la misma de acuerdo con la normativa del ITP no supere el 25% del precio máximo de venta de la vivienda que adquirieren).

6. Los solicitantes no pueden haber recibido anteriormente financiación al amparo de algún Plan de Vivienda durante los 10 años anteriores a la solicitud actual de ayudas; no será necesario cumplir este requisito cuando la adquisición de la vivienda sea como consecuencia del cambio de residencia del titular en otra localidad, cuando se trate de una familia numerosa que acceda a nueva vivienda de mayor superficie como consecuencia de haber ampliado el número de miembros de la unidad familiar o cuando

la nueva solicitud se produzca por la necesidad de una vivienda adaptada a las condiciones de discapacidad sobrevenida de algún miembro de la unidad familiar (en cualquier caso será necesario cancelar previamente el préstamo cualificado o convenido anteriormente obtenido y en el caso de las ayudas directas se podrá optar por devolver las ayudas o percibir la diferencia si procediera).

7. La cuantía del préstamo convenido no será inferior al 60% del precio de la vivienda durante los 5 primeros años de amortización del préstamo.

ADQUIRENTES CON INGRESOS ENTRE 2,5 VECES Y 3,5 VECES EL IPREM:

a) En general: **7.000 euros**.

b) Jóvenes de hasta 35 años (cuando aporten la mayor parte de los ingresos familiares): **8.000 euros**.

c) Familias numerosas, familias monoparentales con hijos, y personas dependientes o con discapacidad oficialmente reconocida y las familias que las tengan a su cargo: **10.000 euros**.

e) Mujeres víctimas de violencia de género, víctimas del terrorismo y personas separadas o divorciadas que estén al corriente en el pago de pensiones alimenticias o compensatorias: **9.000 euros**.

Estas cuantías no son acumulables entre sí, y corresponderá únicamente la más favorable de todas las posibles.

Cuando las viviendas estén situadas en las zonas ATPMS A, ATPMS B y ATPMS C, las cuantías relacionadas antes se tienen que incrementar respectivamente en **1.200 euros, 600 euros** o **300 euros**.

AYUDA AL ESFUERZO DEL GOBIERNO DE LA RIOJA:

a) En general: Ayuda para que el esfuerzo de los adquirentes no supere el 30% de sus ingresos durante los 5 primeros años del préstamo.

b) Colectivos de protección preferente (jóvenes de hasta 35 años, familias numerosas o con dependientes a su cargo, personas con discapacidad o perceptores de ingresos que no superen 1,5 veces el IPREM): Ayuda para que el esfuerzo de los adquirentes no supere el 25% de sus ingresos durante los 5 primeros años del préstamo.

c) Esta ayuda se complementa con una ayuda de **360 euros** para gastos notariales y de registro.

Requisitos de acceso a la ayuda:

1. La vivienda tiene que haber obtenido la calificación definitiva.

2. El contrato de compraventa tiene que haber sido visado por la CA. Entre las firmas del contrato y la solicitud del visado no debe pasar más de 4 meses.

3. Entre el visado del contrato y la solicitud del préstamo no debe pasar más de 6 meses.

4. Los ingresos de la unidad familiar tienen que ser inferiores a 3,5 veces el IPREM.

5. Tiene que ser el 1.er acceso a la propiedad del solicitante (se entiende que reúnen la condición de 1.er acceso a la propiedad los adquirentes que no tengan o no hayan tenido con anterioridad ninguna vivienda en propiedad o que siendo titular de alguna no disfruten de un derecho real de uso o disfrute sobre ella o el valor de la misma de acuerdo con la normativa del ITP no supere el 25% del precio máximo de venta de la vivienda que adquirieren).

6. Los solicitantes no pueden haber recibido anteriormente financiación al amparo de algún Plan de Vivienda durante los 10 años anteriores a la solicitud actual de ayudas; no será necesario cumplir este requisito cuando la adquisición de la vivienda sea como consecuencia del cambio de residencia del titular en otra localidad, cuando se trate de una familia numerosa que acceda a nueva vivienda de mayor superficie como consecuencia de haber ampliado el número de miembros de la unidad familiar o cuando la nueva solicitud se produzca por la necesidad de una vivienda adaptada a las condiciones de discapacidad sobrevenida de algún miembro de la unidad familiar (en cualquier caso será necesario cancelar previamente el préstamo cualificado o convenido anteriormente obtenido y en el caso de las ayudas directas se podrá optar por devolver las ayudas o percibir la diferencia si procediera).

7. La cuantía del préstamo convenido no será inferior al 60% del precio de la vivienda durante los 5 primeros años de amortización del préstamo.

ADQUIRENTES CON INGRESOS ENTRE 3,5 VECES Y 4,5 VECES EL IPREM:

a) En general: **5.000 euros.**

b) Jóvenes de hasta 35 años (cuando aporten la mayor parte de los ingresos familiares): **6.000 euros.**

c) Familias numerosas, familias monoparentales con hijos, y personas dependientes o con discapacidad oficialmente reconocida y las familias que las tengan a su cargo: **8.000 euros.**

e) Mujeres víctimas de violencia de género, víctimas del terrorismo y personas separadas o divorciadas que estén al corriente en el pago de pensiones alimenticias o compensatorias: **7.000 euros.**

Estas cuantías no son acumulables entre sí, y corresponderá únicamente la más favorable de todas las posibles.

Cuando las viviendas estén situadas en las zonas ATPMS A, ATPMS B y ATPMS C, las cuantías relacionadas antes se tienen que incrementar respectivamente en **1.200 euros, 600 euros** o **300 euros.**

AYUDA AL ESFUERZO DEL GOBIERNO DE LA RIOJA:

a) En general: Ayuda para que el esfuerzo de los adquirentes no supere el 30% de sus ingresos durante los 5 primeros años del préstamo.

b) Colectivos de protección preferente (Jóvenes de hasta 35 años, familias numerosas o con dependientes a su cargo, personas con discapacidad o perceptores de ingresos que no superen 1,5 veces el IPREM): Ayuda para que el esfuerzo de los adquirentes no supere el 25% de sus ingresos durante los 5 primeros años del préstamo.

c) Esta ayuda se complementa con una ayuda de **360 euros** para gastos notariales y de registro.

Requisitos de acceso a la ayuda:

1. La vivienda tiene que haber obtenido la calificación definitiva.

2. El contrato de compraventa tiene que haber sido visado por la CA. Entre las firmas del contrato y la solicitud del visado no debe pasar más de 4 meses.

3. Entre el visado del contrato y la solicitud del préstamo no debe pasar más de 6 meses.

4. Los ingresos de la unidad familiar tienen que ser inferiores a 4,5 veces el IPREM.

5. Tiene que ser el 1.er acceso a la propiedad del solicitante (se entiende que reúnen la condición de 1.er acceso a la propiedad los adquirentes que no tengan o no hayan tenido con anterioridad ninguna vivienda en propiedad o que siendo titular de alguna no disfruten de un derecho real de uso o disfrute sobre ella o el valor de la misma de acuerdo con la normativa del ITP no supere el 25% del precio máximo de venta de la vivienda que adquirieren).

6. Los solicitantes no pueden haber recibido anteriormente financiación al amparo de algún Plan de Vivienda durante los 10 años anteriores a la solicitud actual de ayudas; no será necesario cumplir este requisito cuando la adquisición de la vivienda sea como consecuencia del cambio de residencia del titular en otra localidad, cuando se trate de una familia numerosa que acceda a nueva vivienda de mayor superficie como consecuencia de haber ampliado el número de miembros de la unidad familiar o cuando la nueva solicitud se produzca por la necesidad de una vivienda adaptada a las condiciones de discapacidad sobrevenida de algún miembro de la unidad familiar (en cualquier caso será necesario cancelar previamente el préstamo cualificado o convenido anteriormente obtenido y en el caso de las ayudas directas se podrá optar por devolver las ayudas o percibir la diferencia si procediera).

7. La cuantía del préstamo convenido no será inferior al 60% del precio de la vivienda durante los 5 primeros años de amortización del préstamo.

3. VIVIENDA PROTEGIDA DE RÉGIMEN CONCERTADO.

Características:

• El precio máximo de referencia por metro cuadrado útil será:

ATPMS C (Logroño): **Módulo Básico Estatal * 1,80 * 1,30**

ATPMS C (Calahorra, Villamediana de Iregua y Lardero): **Módulo Básico Estatal * 1,80 * 1,25**

Resto de Municipios de La Rioja: **Módulo Básico Estatal * 1,80**

• El régimen de protección será de al menos 30 años, y permanente mientras el suelo esté destinado a vivienda protegida o sea suelo dotacional público. Antes de los 10 años la vivienda no podrá venderse sin consentimiento de la CA y sin la devolución de las ayudas recibidas.

• Transcurridos 10 años podrá ser vendida a personas inscritas en los registros públicos de vivienda protegida.

Requisitos de acceso:

1. Ingresos familiares no superiores a 7 veces el IPREM (como medida coyuntural y hasta el 31 de diciembre de 2009).

2. No ser titular de una vivienda protegida, ni de una libre cuyo valor, según el Impuesto sobre Transmisiones Patrimoniales, exceda del 40% del precio de la vivienda que se pretende adquirir (60% para personas mayores, mujeres víctimas de violencia de género, víctimas del terrorismo, familias numerosas o monoparentales con hijos, personas con discapacidad y separadas o divorciadas).

3. Estar inscrito en un registro público de demandantes de vivienda.

4. La actuación debe haber sido calificada como protegida por la CA.

5. La vivienda debe destinarse como residencia habitual del adjudicatario y ocuparse dentro de los plazos establecidos

Características de la ayuda:

PRÉSTAMO CONVENIDO:

Amortización: 25 años o más con cuotas constantes (tres años o más de carencia para el caso de promoción para uso propio).

Garantía: Hipoteca.

Cuantía Máxima: 80% del precio de adquisición (vivienda + garaje + trastero vinculados) o del valor de la edificación más el del suelo para el caso de promotores individuales para uso propio.

Tipo de interés para el año 2009: Puede ser fijo o variable.

Interés fijo: Pendiente de publicación.

Interés variable: Euribor a 12 meses publicado por el Banco de España en el *BOE* el mes anterior al de la fecha de formalización del préstamo más un diferencial de entre 25 y 125 puntos básicos.

Este tipo de interés se revisará cada 12 meses teniendo como referencia el Euribor a 12 meses publicado por el Banco de España el mes anterior a la fecha de formalización.

Cuotas: Interés fijo: Constantes durante toda la vida del préstamo.

Interés variable: Constantes durante toda la vida del préstamo, dentro de cada uno de los períodos de amortización a los cuales les corresponde un mismo tipo de interés.

Comisiones: Exentas.

Requisitos de acceso ayuda:

1. La vivienda tiene que haber obtenido la calificación definitiva.

2. El contrato de compraventa tiene que haber sido visado por la CA. Entre las firmas del contrato y la solicitud del visado no debe pasar más de 4 meses.

3. Entre el visado del contrato y la solicitud del préstamo no debe pasar más de 6 meses.

4. No haber obtenido ayudas financieras ni préstamo convenido para el mismo tipo de actuación durante los 10 años anteriores.

HIPOTECA JOVEN DEL GOBIERNO DE LA RIOJA:

Amortización: Hasta 40 años (siempre que cualquiera de los titulares del préstamo no supere los 65 años de edad al final del vencimiento inicialmente pactado).

Garantía: Hipoteca.

Cuantía Máxima: 80% del valor de tasación de la vivienda o del precio de compra que figure en el contrato de compraventa, reserva o arras, si fuera inferior al valor de tasación; esta cuantía se podrá incrementar hasta el 100% pudiendo las entidades financieras exigir avales.

El importe máximo en cualquier caso será de 200.000 euros.

Tipo de interés: variable con revisión semestral, Euribor a 12 meses publicado por el Banco de España en el *BOE* el mes anterior al de la fecha de formalización del préstamo más un diferencial de entre 35 y 65 puntos básicos.

Cuotas: Constantes durante toda la vida del préstamo, dentro de cada uno de los períodos de amortización a los cuales les corresponde un mismo tipo de interés.

Comisiones: Exentas.

AYUDA DIRECTA DEL GOBIERNO DE LA RIOJA A LA HIPOTECA JOVEN:

— Ayudas directas que consisten en:

a) Abono del importe de los gastos de tasación de la vivienda hasta un máximo de **190 euros**.

b) Abono del importe derivado del diferencial durante treinta y tres meses a partir de la cuarta cuota.

c) Abono del importe de la póliza de seguro de hogar durante los tres primeros años por un importe máximo de **200 euros** (póliza que garantiza el continente conforme a la tasación de la vivienda y 8.000 euros de contenido; el exceso de prima será a cargo de los prestatarios, así como la prima correspondiente a la mejora de las citadas coberturas).

d) Abono del importe de los gastos notariales y de registro con un máximo de **400 euros.**

Requisitos de acceso ayuda:

— Los beneficiarios tienen que ser personas entre 18 y 40 años.

— Las entidades que conceden este tipo de préstamo son Ibercaja y Caja Rioja.

— La vivienda tiene que ser domicilio habitual y permanente del solicitante.

— Los ingresos tienen que estar entre 1 y 8 veces el IPREM.

— Las entidades financieras tienen que establecer un compromiso con los titulares de la Hipoteca Joven del Gobierno de La Rioja de poder aplazar o interrumpir el pago de las cuotas en el supuesto de desempleo.

B) COMPRA DE VIVIENDA USADA:

Características:

Se consideran viviendas usadas:

a) Viviendas libres o protegidas en segunda o posteriores transmisiones (incluidas las que se hubiesen destinado al alquiler).

b) Viviendas libres de nueva construcción adquiridas después de, al menos, 1 año desde la expedición de la licencia de primera ocupación, el certificado final de obra o la cédula de habitabilidad.

c) Viviendas libres de nueva construcción cuya licencia de primera ocupación, certificado final de obra o cédula de habitabilidad hayan sido emitida antes del 24/12/2008.

d) Viviendas rurales usadas.

La obtención de la ayuda conllevará la limitación de su precio máximo de venta en posteriores transmisiones, durante, al menos, 15 años desde la fecha de adquisición, o durante la duración del préstamo convenido, si fuera superior.

e) La superficie de las viviendas usadas será de hasta 90 m² útiles salvo las destinadas a familias numerosas que será de hasta 120 m².

Precio de la vivienda usada:

ATPMS C (Logroño): **Módulo Básico Estatal * 1,60 * 1,30**

ATPMS C (Calahorra, Villamediana de Iregua y Lardero): **Módulo Básico Estatal * 1,60 * 1,25**

Resto de Municipios de La Rioja: **Modulo Básico Estatal * 1,60**

Requisitos de acceso:

1. Ingresos familiares no superiores a 6,5 veces el IPREM.

2. No ser titular de una vivienda protegida, ni de una libre cuyo valor, según el Impuesto sobre Transmisiones Patrimoniales, exceda del 40% del precio de la vivienda que se pretende adquirir (60% para personas mayores, mujeres víctimas de violencia de género, víctimas del terrorismo, familias numerosas o monoparentales con hijos, personas con discapacidad y separadas o divorciadas).

3. Estar inscrito en un registro público de demandantes de vivienda.

4. La actuación debe haber sido calificada como protegida por la CA.

5. La vivienda debe destinarse como residencia habitual del adjudicatario.

Características de la ayuda:

PRÉSTAMO CONVENIDO:

Amortización: 25 años o más con cuotas constantes (tres años o más de carencia para el caso de promoción para uso propio).

Garantía: Hipoteca.

Cuantía Máxima: 80% del precio de adquisición (vivienda + garaje + trastero vinculados) o del valor de la edificación más el del suelo para el caso de promotores individuales para uso propio.

Tipo de interés para el año 2009: Puede ser fijo o variable.

Interés fijo: Pendiente de publicación.

Interés variable: Euribor a 12 meses publicado por el Banco de España en el *BOE* el mes anterior al de la fecha de formalización del préstamo más un diferencial de entre 25 y 125 puntos básicos.

Este tipo de interés se revisará cada 12 meses teniendo como referencia el Euribor a 12 meses publicado por el Banco de España el mes anterior a la fecha de formalización.

Cuotas: Interés fijo: Constantes durante toda la vida del préstamo.

Interés variable: Constantes durante toda la vida del préstamo, dentro de cada uno de los períodos de amortización a los cuales les corresponde un mismo tipo de interés.

Comisiones: Exentas.

SUBSIDIOS A LOS PRÉSTAMOS: Cantidad anual por cada 10.000 euros de préstamo durante 5 años, renovables 5 más (la ampliación se tiene que solicitar dentro del 5.º año del primer período y los solicitantes tienen que acreditar que siguen cumpliendo las condiciones para la concesión de la ayuda; se entenderá que cumplen las condiciones cuando la media de los ingresos correspondientes a los dos años anteriores a la revisión no excedan en más o menos un 20% de las acreditadas inicialmente):

— **100 euros** para ingresos menores o iguales a 2,5 veces el IPREM los 10 primeros años (**155 euros** para familias numerosas, monoparentales con hijos y familias que incluyan personas dependientes o con discapacidad reconocida oficialmente durante los 5 primeros años).

— **80 euros** para ingresos entre 2,5 y 3,5 veces el IPREM los 5 primeros años (**113 euros** para familias numerosas, monoparentales con hijos y familias que incluyan personas dependientes o con discapacidad reconocida oficialmente durante los 5 primeros años).

— **60 euros** anuales a familias con ingresos familiares entre 3,5 y 4,5 veces el IPREM (**93 euros** para familias numerosas, monoparentales con hijos y familias que incluyan personas dependientes o con discapacidad reconocida oficialmente durante los 5 primeros años).

AYUDA ESTATAL DIRECTA A LA ENTRADA (AEDE):

ADQUIRENTES CON INGRESOS DE HASTA 2,5 VECES EL IPREM:

a) En general: **8.000 euros**.

b) Jóvenes de hasta 35 años (cuando aporten la mayor parte de los ingresos familiares): **9.000 euros**.

c) Familias numerosas, familias monoparentales con hijos, y personas dependientes o con discapacidad oficialmente reconocida y las familias que las tengan a su cargo: **12.000 euros**.

e) Mujeres víctimas de violencia de género, víctimas del terrorismo y personas separadas o divorciadas que estén al corriente en el pago de pensiones alimenticias o compensatorias: **11.000 euros**.

Estas cuantías no son acumulables entre sí, y corresponderá únicamente la más favorable de todas las posibles.

Cuando las viviendas estén situadas en las zonas ATPMS A, ATPMS B y ATPMS C, las cuantías relacionadas antes se tienen que incrementar respectivamente en **1.200 euros, 600 euros** o **300 euros**.

AYUDA AL ESFUERZO DEL GOBIERNO DE LA RIOJA:

— **Para percibir esta ayuda el precio máximo de venta de la vivienda usada tiene que ser el mismo que el de una vivienda de régimen general**.

a) En general: Ayuda para que el esfuerzo de los adquirentes no supere el 30% de sus ingresos durante los 5 primeros años del préstamo.

b) Colectivos de protección preferente (jóvenes de hasta 35 años, familias numerosas o con dependientes a su cargo, personas con discapacidad o perceptores de ingresos que no superen 1,5 veces el IPREM): Ayuda para que el esfuerzo de los adquirentes no supere el 25% de sus ingresos durante los 5 primeros años del préstamo.

c) Esta ayuda se complementa con una ayuda de **360 euros** para gastos notariales y de registro.

Requisitos de acceso ayuda:

1. La vivienda tiene que haber obtenido la calificación definitiva.

2. El contrato de compraventa tiene que haber sido visado por la CA. Entre las firmas del contrato y la solicitud del visado no debe pasar más de 4 meses.

3. Entre el visado del contrato y la solicitud del préstamo no debe pasar más de 6 meses.

4. Los ingresos de la unidad familiar tienen que estar entre 1 y 2,5 veces el IPREM.

5. Tiene que ser el 1.er acceso a la propiedad del solicitante (se entiende que reúnen la condición de 1.er acceso a la propiedad los adquirentes que no tengan o no hayan tenido con anterioridad ninguna vivienda en propiedad o que siendo titular de alguna no disfruten de un derecho real de uso o disfrute sobre ella o el valor de la misma de acuerdo con la normativa del ITP no supere el 25% del precio máximo de venta de la vivienda que adquirieren).

6. Los solicitantes no pueden haber recibido anteriormente financiación al amparo de algún Plan de Vivienda durante los 10 años anteriores a la solicitud actual de ayudas; no será necesario cumplir este requisito cuando la adquisición de la vivienda sea como consecuencia del cambio de residencia del titular en otra localidad, cuando se trate de una familia numerosa que acceda a nueva vivienda de mayor superficie como consecuencia de haber ampliado el número de miembros de la unidad familiar o cuando la nueva solicitud se produzca por la necesidad de una vivienda adaptada a las condiciones de discapacidad sobrevenida de algún miembro de la unidad familiar (en cualquier caso será necesario cancelar previamente el préstamo cualificado o convenido anteriormente obtenido y en el caso de las ayudas directas se podrá optar por devolver las ayudas o percibir la diferencia si procediera).

7. La cuantía del préstamo convenido no será inferior al 60% del precio de la vivienda durante los 5 primeros años de amortización del préstamo.

ADQUIRENTES CON INGRESOS ENTRE 2,5 VECES Y 3,5 VECES EL IPREM:

a) En general: **7.000 euros**.

b) Jóvenes de hasta 35 años (cuando aporten la mayor parte de los ingresos familiares): **8.000 euros**.

c) Familias numerosas, familias monoparentales con hijos, y personas dependientes o con discapacidad oficialmente reconocida y las familias que las tengan a su cargo: **10.000 euros.**

e) Mujeres víctimas de violencia de género, víctimas del terrorismo y personas separadas o divorciadas que estén al corriente en el pago de pensiones alimenticias o compensatorias: **9.000 euros.**

Estas cuantías no son acumulables entre sí, y corresponderá únicamente la más favorable de todas las posibles.

Cuando las viviendas estén situadas en las zonas ATPMS A, ATPMS B y ATPMS C, las cuantías relacionadas antes se tienen que incrementar respectivamente en **1.200 euros, 600 euros** o **300 euros.**

AYUDA AL ESFUERZO DEL GOBIERNO DE LA RIOJA:

— **Para percibir esta ayuda el precio máximo de venta de la vivienda usada tiene que ser el mismo que el de una vivienda de régimen general.**

a) En general: Ayuda para que el esfuerzo de los adquirentes no supere el 30% de sus ingresos durante los 5 primeros años del préstamo.

b) Colectivos de protección preferente (Jóvenes de hasta 35 años, familias numerosas o con dependientes a su cargo, personas con discapacidad o perceptores de ingresos que no superen 1,5 veces el IPREM): Ayuda para que el esfuerzo de los adquirentes no supere el 25% de sus ingresos durante los 5 primeros años del préstamo.

c) Esta ayuda se complementa con una ayuda de **360 euros** para gastos notariales y de registro.

Requisitos de acceso a la ayuda:

1. La vivienda tiene que haber obtenido la calificación definitiva.

2. El contrato de compraventa tiene que haber sido visado por la CA. Entre las firmas del contrato y la solicitud del visado no debe pasar más de 4 meses.

3. Entre el visado del contrato y la solicitud del préstamo no debe pasar más de 6 meses.

4. Los ingresos de la unidad familiar tienen que ser inferiores a 3,5 veces el IPREM.

5. Tiene que ser el 1.ᵉʳ acceso a la propiedad del solicitante (se entiende que reúnen la condición de 1.ᵉʳ acceso a la propiedad los adquirentes que no tengan o no hayan tenido con anterioridad ninguna vivienda en propiedad o que siendo titular de alguna no disfruten de un derecho real de uso o disfrute sobre ella o el valor de la misma de acuerdo con la normativa del ITP no supere el 25% del precio máximo de venta de la vivienda que adquirieren).

6. Los solicitantes no pueden haber recibido anteriormente financiación al amparo de algún Plan de Vivienda durante los 10 años anteriores a la solicitud actual de ayudas; no será necesario cumplir este requisito cuando la adquisición de la vivienda sea como consecuencia del cambio de residencia del titular en otra localidad, cuando se trate de una familia numerosa que acceda a nueva vivienda de mayor superficie como consecuencia de haber ampliado el número de miembros de la unidad familiar o cuando la nueva solicitud se produzca por la necesidad de una vivienda adaptada a las condiciones de discapacidad sobrevenida de algún miembro de la unidad familiar (en cualquier caso será necesario cancelar previamente el préstamo cualificado o convenido anteriormente obtenido y en el caso de las ayudas directas se podrá optar por devolver las ayudas o percibir la diferencia si procediera).

7. La cuantía del préstamo convenido no será inferior al 60% del precio de la vivienda durante los 5 primeros años de amortización del préstamo.

ADQUIRENTES CON INGRESOS ENTRE 3,5 VECES Y 4,5 VECES EL IPREM:

a) En general: **5.000 euros**.

b) Jóvenes de hasta 35 años (cuando aporten la mayor parte de los ingresos familiares): **6.000 euros**.

c) Familias numerosas, familias monoparentales con hijos, y personas dependientes o con discapacidad oficialmente reconocida y las familias que las tengan a su cargo: **8.000 euros**.

e) Mujeres víctimas de violencia de género, víctimas del terrorismo y personas separadas o divorciadas que estén al corriente en el pago de pensiones alimenticias o compensatorias: **7.000 euros**.

Estas cuantías no son acumulables entre sí, y corresponderá únicamente la más favorable de todas las posibles.

Cuando las viviendas estén situadas en las zonas ATPMS A, ATPMS B y ATPMS C, las cuantías relacionadas antes se tienen que incrementar respectivamente en **1.200 euros, 600 euros** o **300 euros**.

AYUDA AL ESFUERZO DEL GOBIERNO DE LA RIOJA:

— **Para percibir esta ayuda el precio máximo de venta de la vivienda usada tiene que ser el mismo que el de una vivienda de régimen general**.

a) En general: Ayuda para que el esfuerzo de los adquirentes no supere el 30% de sus ingresos durante los 5 primeros años del préstamo.

b) Colectivos de protección preferente (jóvenes de hasta 35 años, familias numerosas o con dependientes a su cargo, personas con discapacidad o perceptores de ingresos que no superen 1,5 veces el IPREM): Ayuda para que el esfuerzo de los adquirentes no supere el 25% de sus ingresos durante los 5 primeros años del préstamo.

c) Esta ayuda se complementa con una ayuda de **360 euros** para gastos notariales y de registro.

Requisitos de acceso a la ayuda:

1. La vivienda tiene que haber obtenido la calificación definitiva.

2. El contrato de compraventa tiene que haber sido visado por la CA. Entre las firmas del contrato y la solicitud del visado no debe pasar más de 4 meses.

3. Entre el visado del contrato y la solicitud del préstamo no debe pasar más de 6 meses.

4. Los ingresos de la unidad familiar tienen que ser inferiores a 4,5 veces el IPREM.

5. Tiene que ser el 1.er acceso a la propiedad del solicitante (se entiende que reúnen la condición de 1.er acceso a la propiedad los adquirentes que no tengan o no hayan tenido con anterioridad ninguna vivienda en propiedad o que siendo titular de alguna no disfruten de un derecho real de uso o disfrute sobre ella o el valor de la misma de acuerdo con la normativa del ITP no supere el 25% del precio máximo de venta de la vivienda que adquirieren).

6. Los solicitantes no pueden haber recibido anteriormente financiación al amparo de algún Plan de Vivienda durante los 10 años anteriores a la solicitud actual de ayudas; no será necesario cumplir este requisito cuando la adquisición de la vivienda sea como consecuencia del cambio de residencia del titular en otra localidad, cuando se trate de una familia numerosa que acceda a nueva vivienda de mayor superficie como consecuencia de haber ampliado el número de miembros de la unidad familiar o cuando la nueva solicitud se produzca por la necesidad de una vivienda adaptada a las condiciones de discapacidad sobrevenida de algún miembro de la unidad familiar (en cualquier caso será necesario cancelar previamente el préstamo cualificado o convenido anteriormente obtenido y en el caso de las ayudas directas se podrá optar por devolver las ayudas o percibir la diferencia si procediera).

7. La cuantía del préstamo convenido no será inferior al 60% del precio de la vivienda durante los 5 primeros años de amortización del préstamo.

C) ALQUILER:

1. VIVIENDA PROTEGIDA DE RÉGIMEN ESPECIAL

Características:

• La duración mínima del alquiler de las viviendas será de 10 o de 25 años.

• El precio máximo de referencia por metro cuadrado útil será:

VIVIENDA PROTEGIDA DE RÉGIMEN ESPECIAL DE ALQUILER A 25 AÑOS.

ATPMS C (Logroño): Módulo Básico Estatal * 1,50 * 1,15 - **4,90 euros m² útil de vivienda y 2,94 euros m² útil de garaje y trastero.**

ATPMS C (Calahorra, Villamediana de Iregua y Lardero): Módulo Básico Estatal * 1,50 * 1,10 - **4,69 euros** m² **útil de vivienda y 2,81 euros m² útil de garaje y trastero**.

Resto de Municipios de La Rioja: Modulo Básico Estatal * 1,50 - **4,26 euros** m² **útil de vivienda y 2,55 euros m² útil de garaje y trastero**.

VIVIENDA PROTEGIDA DE RÉGIMEN ESPECIAL DE ALQUILER A 10 AÑOS.

ATPMS C (Logroño): Módulo Básico Estatal * 1,50 * 1,15 - **5,99 euros** m² **útil de vivienda y 3,59 euros m² útil de garaje y trastero**.

ATPMS C (Calahorra, Villamediana de Iregua y Lardero): Módulo Básico Estatal * 1,50 * 1,10 - **5,73 euros** m² **útil de vivienda y 3,43 euros m² útil de garaje y trastero**.

Resto de Municipios de La Rioja: Modulo Básico Estatal * 1,50 - **5,21 euros** m² **útil de vivienda y 3,12 euros m² útil de garaje y trastero**.

• El régimen de protección será de al menos 30 años, y permanente mientras el suelo esté destinado a vivienda protegida o sea suelo dotacional público.

OPCIÓN A COMPRA:

• Las viviendas protegidas a 10 años podrán ser objeto de contrato de alquiler con opción a compra.

• El precio de compra será de hasta 1,7 veces el precio máximo de referencia de las viviendas protegidas de régimen general.

— Este precio máximo de venta se hará constar en la calificación provisional y en el contrato de arrendamiento con opción de compra.

• Del precio de venta se deducirá, en concepto de pagos parciales adelantados, el 50% de los alquileres pagados por el inquilino sin actualización.

— Transmitida la vivienda está tendrá la consideración de segunda transmisión, a efectos de limitaciones a la facultad de disponer; estas limitaciones se harán constar expresamente en la escritura de compraventa a efectos de su inscripción en el Registro de la Propiedad.

— La renta máxima anual inicial deberá figurar en la calificación provisional de la vivienda y en el contrato de arrendamiento.

— **Las ayudas financieras al adquirente por el ejercicio de la opción de compra serán las ya expuestas anteriormente para la adquisición de vivienda usada.**

Requisitos de acceso:

1. Ingresos familiares no superiores a 2,5 veces el IPREM.

2. No ser titular de una vivienda protegida, ni de una libre cuyo valor, según el Impuesto sobre Transmisiones Patrimoniales, exceda del 40% del precio de la vivienda que se pretende adquirir (60% para personas mayores, mujeres víctimas de violencia de género, víctimas del terrorismo, familias numerosas o monoparentales con hijos, personas con discapacidad y separadas o divorciadas).

3. Estar inscrito en un registro público de demandantes de vivienda.

4. La actuación debe haber sido calificada como protegida por la CA.

5. La vivienda debe destinarse como residencia habitual del adjudicatario y ocuparse dentro de los plazos establecidos.

Características de la ayuda:

RENTA MÁXIMA anual por metro cuadrado de superficie útil del 4,5% del precio máximo de referencia para viviendas protegidas en alquiler a 25 años, o del 5,5% en caso de viviendas protegidas en alquiler a 10 años (se actualizará anualmente según el IPC). La renta establecida deberá figurar en la calificación provisional y definitiva de la vivienda, y en el visado del contrato de alquiler emitido por la CA.

Para este tipo de viviendas también pueden solicitarse las AYUDAS A INQUILINOS.

2. VIVIENDA PROTEGIDA DE RÉGIMEN GENERAL

Características:

• La duración mínima del alquiler de las viviendas será de 10 o de 25 años.

• El precio máximo de referencia por metro cuadrado útil será:

VIVIENDA PROTEGIDA DE RÉGIMEN GENERAL DE ALQUILER A 25 AÑOS.

ATPMS C (Logroño): Módulo Básico Estatal * 1,60 * 1,15 - **5,23 euros** m² **útil de vivienda y 3,13 euros m² útil de garaje y trastero.**

ATPMS C (Calahorra, Villamediana de Iregua y Lardero): Módulo Básico Estatal * 1,60 * 1,10 - **5,00 euros** m² **útil de vivienda y 3,00 euros m² útil de garaje y trastero.**

Resto de Municipios de La Rioja: Modulo Básico Estatal * 1,60 - **4,54 euros** m² **útil de vivienda y 2,72 euros m² útil de garaje y trastero.**

VIVIENDA PROTEGIDA DE RÉGIMEN GENERAL DE ALQUILER DURANTE 10 AÑOS.

ATPMS C (Logroño): Módulo Básico Estatal * 1,60 * 1,15 - **6,39 euros** m² **útil de vivienda y 3,83 euros m² útil de garaje y trastero.**

ATPMS C (Calahorra, Villamediana de Iregua y Lardero): Módulo Básico Estatal * 1,60 * 1,10 - **6,11 euros** m² **útil de vivienda y 3,66 euros m² útil de garaje y trastero.**

Resto de Municipios de La Rioja: Modulo Básico Estatal * 1,60 - **5,55 euros** m² **útil de vivienda y 3,33 euros m² útil de garaje y trastero.**

• El régimen de protección será de al menos 30 años, y permanentemente mientras el suelo esté destinado a vivienda protegida o sea suelo dotacional público.

OPCIÓN A COMPRA:

• Las viviendas protegidas a 10 años podrán ser objeto de contrato de alquiler con opción a compra.

• El precio de compra será de hasta 1,7 veces el precio máximo de referencia de las viviendas protegidas de régimen general.

— Este precio máximo de venta se hará constar en la calificación provisional y en el contrato de arrendamiento con opción de compra.

• Del precio de venta se deducirá, en concepto de pagos parciales adelantados, el 50% de los alquileres pagados por el inquilino sin actualización.

— Transmitida la vivienda está tendrá la consideración de segunda transmisión, a efectos de limitaciones a la facultad de disponer; estas limitaciones se harán constar expresamente en la escritura de compraventa a efectos de su inscripción en el Registro de la Propiedad.

— La renta máxima anual inicial deberá figurar en la calificación provisional de la vivienda y en el contrato de arrendamiento.

— **Las ayudas financieras al adquirente por el ejercicio de la opción de compra serán las ya expuestas anteriormente para la adquisición de vivienda usada.**

Requisitos de acceso:

1. Ingresos familiares no superiores a 4,5 veces el IPREM.

2. No ser titular de una vivienda protegida, ni de una libre cuyo valor, según el Impuesto sobre Transmisiones Patrimoniales, exceda del 40% del precio de la vivienda que se pretende adquirir (60% para personas mayores, mujeres víctimas de violencia de género, víctimas del terrorismo, familias numerosas o monoparentales con hijos, personas con discapacidad y separadas o divorciadas).

3. Estar inscrito en un registro público de demandantes de vivienda.

4. La actuación debe haber sido calificada como protegida por la CA.

5. La vivienda debe destinarse como residencia habitual del adjudicatario y ocuparse dentro de los plazos establecidos.

Características de la ayuda:

RENTA MÁXIMA anual por metro cuadrado de superficie útil del 4,5% del precio máximo de referencia para viviendas protegidas en alquiler a 25 años, o del 5,5% en caso de viviendas protegidas en alquiler a 10 años (se actualizará anualmente según el IPC). La renta establecida deberá figurar en la calificación provisional y definitiva de la vivienda, y en el visado del contrato de alquiler emitido por la CA.

Para este tipo de viviendas también pueden solicitarse las AYUDAS A INQUILINOS (ingresos inferiores a 2,5 veces el IPREM).

3. VIVIENDA PROTEGIDA DE RÉGIMEN CONCERTADO

Características:

• La duración mínima del alquiler de las viviendas será de 10 o de 25 años.

• El precio máximo de referencia por metro cuadrado útil será:

VIVIENDA PROTEGIDA DE RÉGIMEN CONCERTADO DE ALQUILER A 25 AÑOS.

ATPMS C (Logroño): Módulo Básico Estatal * 1,80 * 1,30 - **6,65 euros** m² **útil de vivienda y 3,99 euros m² útil de garaje y trastero**.

ATPMS C (Calahorra, Villamediana de Iregua y Lardero): Módulo Básico Estatal * 1,80 * 1,25 - **6,39 euros** m² **útil de vivienda y 3,83 euros m² útil de garaje y trastero**.

Resto de Municipios de La Rioja: Modulo Básico Estatal * 1,80 - **5,11 euros** m² **útil de vivienda y 3,06 euros m² útil de garaje y trastero**.

VIVIENDA PROTEGIDA DE RÉGIMEN CONCERTADO DE ALQUILER DURANTE 10 AÑOS.

ATPMS C (Logroño): Módulo Básico Estatal * 1,80 * 1,30 - **8,12 euros** m² **útil de vivienda y 4,87 euros m² útil de garaje y trastero**.

ATPMS C (Calahorra, Villamediana de Iregua y Lardero): Módulo Básico Estatal * 1,80 * 1,25 - **7,81 euros** m² **útil de vivienda y 4,68 euros m² útil de garaje y trastero**.

Resto de Municipios de La Rioja: Modulo Básico Estatal * 1,80 - **6,25 euros** m² **útil de vivienda y 3,75 euros m² útil de garaje y trastero**.

• El régimen de protección será de al menos 30 años, y permanente mientras el suelo esté destinado a vivienda protegida o sea suelo dotacional público.

OPCIÓN A COMPRA:

• Las viviendas protegidas a 10 años podrán ser objeto de contrato de alquiler con opción a compra.

• El precio de compra será de hasta 1,7 veces el precio máximo de referencia de las viviendas protegidas de régimen general.

— Este precio máximo de venta se hará constar en la calificación provisional y en el contrato de arrendamiento con opción de compra.

• Del precio de venta se deducirá, en concepto de pagos parciales adelantados, el 50% de los alquileres pagados por el inquilino sin actualización.

— Transmitida la vivienda está tendrá la consideración de segunda transmisión, a efectos de limitaciones a la facultad de disponer; estas limitaciones se harán constar expresamente en la escritura de compraventa a efectos de su inscripción en el Registro de la Propiedad.

— La renta máxima anual inicial deberá figurar en la calificación provisional de la vivienda y en el contrato de arrendamiento.

— **Las ayudas financieras al adquirente por el ejercicio de la opción de compra serán las ya expuestas anteriormente para la adquisición de vivienda usada.**

Requisitos de acceso:

1. Ingresos familiares no superiores a 6,5 veces el IPREM.

2. No ser titular de una vivienda protegida, ni de una libre cuyo valor, según el Impuesto sobre Transmisiones Patrimoniales, exceda del 40% del precio de la vivienda que se pretende adquirir (60% para personas mayores, mujeres víctimas de violencia de género, víctimas del terrorismo, familias numerosas o monoparentales con hijos, personas con discapacidad y separadas o divorciadas).

3. Estar inscrito en un registro público de demandantes de vivienda.

4. La actuación debe haber sido calificada como protegida por la CA.

906

5. La vivienda debe destinarse como residencia habitual del adjudicatario y ocuparse dentro de los plazos establecidos.

Características de la ayuda:

RENTA MÁXIMA anual por metro cuadrado de superficie útil del 4,5% del precio máximo de referencia para viviendas protegidas en alquiler a 25 años, o del 5,5% en caso de viviendas protegidas en alquiler a 10 años (se actualizará anualmente según el IPC). La renta establecida deberá figurar en la calificación provisional y definitiva de la vivienda, y en el visado del contrato de alquiler emitido por la CA.

Para este tipo de viviendas también pueden solicitarse las AYUDAS A INQUILINOS (ingresos inferiores a 2,5 veces el IPREM).

4. ARRENDAMIENTO AUTONÓMICO A 5 AÑOS CON OPCIÓN DE COMPRA

Características:

— Podrán calificarse como de arrendamiento autonómico a 5 años las viviendas de nueva construcción de régimen general que cumplan las siguientes condiciones:

a) Las viviendas deberán destinarse al arrendamiento durante un plazo mínimo de 5 años desde la calificación definitiva de la promoción; transcurrido este plazo, el promotor deberá ofrecer en venta la vivienda al arrendatario.

b) El precio máximo de venta de la vivienda en la opción de compra será igual a 1,4 veces el precio máximo legal de referencia de las viviendas protegidas de régimen general establecido en la calificación provisional y en el contrato de arrendamiento con opción de compra.

c) De este precio se deducirá en concepto de pagos parciales adelantados el 50% de las cantidades desembolsadas durante el arrendamiento en concepto de alquiler sin actualización.

d) Transmitida la vivienda está tendrá la consideración de segunda transmisión a efectos de limitaciones a la facultad de disponer; las limitaciones a la facultad de disponer se harán constar en la escritura de compraventa, a efectos de la inscripción en el Registro de la Propiedad. El plazo de 10 años relativo a la limitación de la facultad de disponer se computa desde la fecha de la calificación definitiva.

e) Los arrendatarios de estas viviendas no tendrán derecho a ayudas.

f) Transcurridos 5 años desde la calificación definitiva de las viviendas el contrato podrá resolverse automáticamente sin que procedan las prórrogas previstas en la Ley de Arrendamientos Urbanos ni indemnización a favor del arrendatario que no ejecute la opción de compra.

g) Una vez transcurridos 5 años las viviendas continuarán siendo protegidas durante el plazo de 30 años desde la calificación definitiva.

i) **Las ayudas financieras al adquirente por el ejercicio de la opción de compra serán las ya expuestas anteriormente para la adquisición de vivienda usada o alternativamente poder solicitar la Hipoteca Joven del Gobierno de La Rioja y sus Ayudas Directas vinculadas.**

j) **Las viviendas protegidas calificadas de régimen general con destino a venta podrán ofrecerse en arrendamiento autonómico a cinco años con opción de compra, durante el plazo de 1 año contado desde a partir de la calificación definitiva de la promoción.**

• El precio máximo de referencia por metro cuadrado útil será:

— **3,3 euros/m² útil con un máximo de 90 m² para todo el territorio de La Rioja, con independencia de su ubicación en un ATPMS.**

Requisitos de acceso:

1. Ingresos familiares no superiores a 3,5 veces el IPREM.

2. No ser titular de una vivienda protegida, ni de una libre cuyo valor, según el Impuesto sobre Transmisiones Patrimoniales, exceda del 40% del precio de la vivienda que se pretende adquirir (60% para personas mayores, mujeres víctimas de violencia de género, víctimas del terrorismo, familias numerosas o monoparentales con hijos, personas con discapacidad y separadas o divorciadas).

3. Estar inscrito en un registro público de demandantes de vivienda.

4. La actuación debe haber sido calificada como protegida por la CA.

5. La vivienda debe destinarse como residencia habitual del adjudicatario y ocuparse dentro de los plazos establecidos.

5. AYUDAS AL ALQUILER PARA EL INQUILINO:

Características:

— Los arrendatarios no podrán ser titulares del pleno dominio o de un derecho real de uso y disfrute sobre otra vivienda salvo excepciones.

— Los arrendatarios no podrán tener relación de consanguinidad hasta el tercer grado o por afinidad hasta el segundo con el arrendador.

— Los arrendatarios deberán acreditar unos ingresos no inferiores a 1 vez el IPREM salvo acreditada emancipación laboral.

— Los arrendatarios deberán acreditar que la actividad laboral es su actividad principal.

— Los arrendatarios solicitantes no tienen que ser beneficiarios de las ayudas estatal o autonómica a los arrendatarios del Plan de Vivienda 2009-2012 o de la RBE.

— La vivienda deberá destinarse a domicilio habitual y permanente del arrendatario.

— La renta máxima mensual del arrendamiento de la vivienda incluidos anejos vinculados o no que figuren en el contrato de arrendamiento no exceda de **450 euros** mensuales; este límite del importe máximo mensual podrá actualizarse anualmente a partir del 1 de enero del 2010 con arreglo a las variaciones del IPC.

— Los arrendatarios no tienen que cumplir las condiciones para ser beneficiario de la RBE.

— Los ingresos tienen que ser inferiores a 3,5 veces el IPREM para la ayuda autonómica al esfuerzo y a 2,5 veces en el caso de la ayuda estatal.

— La renta anual de la vivienda no podrá exceder del 60% de los ingresos anuales acreditados.

Características de la ayuda:

SUBVENCIÓN de hasta el 40% DE LA RENTA que se vaya a pagar, con un límite de **3.200 euros** por vivienda (independientemente del número de titulares existentes en el contrato), durante un máximo de 2 años.

AYUDA AUTONÓMICA AL ESFUERZO PARA LOS ARRENDATARIOS

— Son ayudas complementarias de las estatales y encaminadas a conseguir que ningún solicitante destine más de 25% de su renta anual a pagar el alquiler de su vivienda., en el caso de jóvenes, familias numerosas o con personas dependientes a su cargo, personas con discapacidad o con ingresos anuales iguales o inferiores a 1,5 veces el IPREM este porcentaje será del 20%.

— Esta subvención se reconocerá por un período de 2 años y se abonara con carácter semestral.

— Transcurrido este período de 2 años se puede solicitar la renovación de esta ayuda por un período de 3 años si se siguen cumpliendo los requisitos que le hicieron acreedor del primer reconocimiento.

— No se podrá volver a solicitar esta subvención hasta que haya transcurrido un período de 5 desde la primera vez que se reconoció el derecho a esta ayuda.

— Los arrendatarios beneficiarios únicamente de la ayuda estatal durante 2 años podrán solicitar la ayuda autonómica al esfuerzo una vez haya transcurrido este período siempre y cuando cumplan las condiciones de acceso tanto estatales como autonómicas, se le concederá por un período de 3 años y no podrá volver a solicitarla hasta transcurridos 5 años desde que se le reconoció la ayuda estatal.

— Los beneficiarios únicamente de la ayuda autonómica por un período de 2 años no podrán solicitar la ayuda estatal hasta transcurridos 5 años desde el reconocimiento inicial de la ayuda autonómica.

6. AYUDA SOCIAL AL ALQUILER:

Características:

— Ayuda destinada específicamente para familias que pierdan su vivienda habitual (en propiedad o en alquiler) por imposibilidad de pago como consecuencia de alteración laboral y económica sobrevenida y ajena a su voluntad.

— El objetivo de la ayuda es paliar las situaciones de urgente necesidad de las familias desahuciadas mediante un alquiler de emergencia que tendrá carácter de prioritario a efectos del ofrecimiento de las viviendas de la Bolsa de Viviendas en Alquiler de La Rioja.

Requisitos para percibir la ayuda:

— Pérdida de la vivienda habitual posterior a fecha 1 de enero de 2009 por imposibilidad de pago derivada de una alteración sustancial de la situación económica o laboral de la unidad familiar sobrevenida y ajena a su voluntad.

— Que la unidad familiar tenga dos o más miembros.

— No cumplir las condiciones que les hicieran perceptores de la renta básica de emancipación o de las ayudas al inquilino del Plan de Vivienda 2009-2012 o aun cumpliendo las condiciones no acceder a las ayudas por exceso de cupo.

— Los ingresos familiares tienen que ser inferiores a 2,5 veces el IPREM.

— La vivienda objeto del contrato de arrendamiento se tendrá que destinar a domicilio habitual y permanente.

— Podrán obtener esta ayuda quienes hayan sido beneficiarios de ayudas económicas en los Planes de Vivienda estatales o autonómicos o de la Renta Básica de Emancipación.

— Los beneficiarios no tienen que tener relación de parentesco en primer o segundo grado de consanguinidad o de afinidad con el arrendador.

Características de la ayuda:

— El 50% de la renta del alquiler con un máximo de **250 euros** mensuales durante un período máximo de 2 años.

D) PROMOTORES:

1. PROMOCIONES DE VIVIENDAS PROTEGIDAS EN ALQUILER

A) PROMOCIÓN PARA ALQUILER A 25 AÑOS

Características:

Las viviendas protegidas podrán ser:

a) Régimen especial: destinadas a inquilinos con ingresos que no superen 2,5 veces el IPREM, y cuyo precio máximo de referencia por m² útil será de 1,50 veces el MBE.

b) Régimen general: destinadas a inquilinos con ingresos que no superen 4,5 veces el IPREM, y cuyo precio máximo de referencia por m² útil será de 1,60 veces el MBE.

c) Régimen concertado: destinadas a inquilinos con ingresos que no superen 6,5 veces el IPREM, y cuyo precio máximo de referencia por m² útil será de 1,80 veces el MBE.

Estos precios se incrementan según el ATPMS en el que se ubique la vivienda.

La duración mínima del alquiler será de 25 años desde su calificación definitiva.

La renta máxima anual por m² útil será el 4,5% del precio máximo.

Mientras sigan siendo protegidas, estas viviendas podrán venderse transcurridos 25 años. El precio máximo de venta será el que corresponda a una vivienda protegida del mismo tipo y en la misma ubicación, calificada provisionalmente en el momento de la venta.

Características de la ayuda

PRÉSTAMO CONVENIDO de hasta el 80% del precio de escritura o adjudicación a devolver en, al menos, 25 años. El tipo de interés podrá ser variable o fijo. En intereses variables será igual al Euribor a 12 meses publicado por el Banco de España en el *Boletín Oficial del Estado (BOE)*, el mes anterior al de la fecha de formalización, más un diferencial de entre 25 y 125 puntos básicos. El período de carencia en el pago de intereses finalizará en la fecha de la calificación definitiva, con un límite de 4 años (10 años con el consentimiento de la CA).

SUBSIDIOS a los préstamos. Cantidad anual por cada 10.000 euros de préstamo durante 25 años:

— **350 euros** para Viviendas de Régimen Especial.

— **250 euros** para Viviendas de Régimen General.

— **100 euros** para Viviendas de Régimen Concertado.

SUBVENCIÓN por cada m² útil de vivienda calificada de **350 euros** para la promoción de Viviendas de Régimen Especial y de **250 euros** para Viviendas de Régimen General. Cuando la vivienda estuviera en un Ámbito Territorial de Precio Máximo Superior se incrementarán las ayudas en **60 euros** para vivienda situadas en ámbitos del Grupo A, **30** para el B y **15** para el C.

Requisitos de acceso ayuda:

Haber obtenido el préstamo cualificado.

B) PROMOCIÓN PARA ALQUILER A 10 AÑOS

Características:

Las viviendas protegidas podrán ser:

a) Régimen especial: destinadas a inquilinos con ingresos que no superen 2,5 veces el IPREM, y cuyo precio máximo de referencia por m² útil será de 1,50 veces el MBE.

b) Régimen general: destinadas a inquilinos con ingresos que no superen 4,5 veces el IPREM, y cuyo precio máximo de referencia por m² útil será de 1,60 veces el MBE.

c) Régimen concertado: destinadas a inquilinos con ingresos que no superen 6,5 veces el IPREM, y cuyo precio máximo de referencia por m² útil será de 1,80 veces el MBE.

• Estos precios se incrementan según el ATPMS en el que se ubique la vivienda.

• La duración mínima del alquiler será de 10 años desde su calificación definitiva.

• La renta máxima anual por m² útil será el 5,5% del precio máximo.

• Mientras sigan siendo protegidas, estas viviendas podrán venderse transcurridos 10. El precio máximo de venta será de hasta 1,5 veces el precio máximo de referencia establecido en la calificación provisional.

• Las viviendas podrán ser objeto de un contrato de alquiler con opción de compra. El precio de venta será de hasta 1,7 veces el precio máximo de referencia establecido en la calificación provisional. Del precio de venta se deducirá, al menos, el 30% de los alquileres satisfechos por el inquilino.

Características de la ayuda:

PRÉSTAMO CONVENIDO de hasta el 80% del precio de escritura o adjudicación a devolver en, al menos, 10 años. El tipo de interés podrá ser variable o fijo. En intereses variables será igual al Euribor a 12 meses publicado por el Banco de España en el *Boletín Oficial del Estado (BOE)*, el mes anterior al de la fecha de formalización, más un diferencial de entre 25 y 125 puntos básicos. El período de carencia en el pago de intereses finalizará en la fecha de la calificación definitiva, con un límite de 4 años (10 años con el consentimiento de la CA).

SUBSIDIOS a los préstamos. Cantidad anual por cada 10.000 euros de préstamo durante 10 años:

— **350 euros** para Viviendas de Régimen Especial.

— **250 euros** para Viviendas de Régimen General.

— **100 euros** para Viviendas de Régimen Concertado.

SUBVENCIÓN por cada m² útil de vivienda calificada **de 250 euros** para la promoción de Viviendas de Régimen Especial y de **200 euros** para Viviendas de Régimen General. Cuando la vivienda estuviera en un Ámbito Territorial de Precio Máximo Superior se incrementarán las ayudas en **60 euros** para vivienda situadas en ámbitos del Grupo A, **30** para el B y **15** para el C.

Requisitos de acceso ayuda:

Haber obtenido el préstamo cualificado.

— Las viviendas protegidas de nueva construcción calificadas con destino a venta en cualquiera de sus regímenes podrán ofrecerse en régimen de arrendamiento a 10 o 25 años en el plazo de 1 año desde la fecha de la calificación definitiva.

— Las viviendas que se destinen al alquiler durante 10 años podrán ser objeto de opción de compra.

— Los promotores que se acojan a esta circunstancia no podrán solicitar las ayudas al promotor de viviendas protegidas con destino al arrendamiento.

FINANCIACIÓN DEL ARRENDAMIENTO AUTONÓMICO A CINCO AÑOS CON OPCIÓN DE COMPRA

Características de la ayuda:

— El promotor de viviendas calificadas en régimen de arrendamiento autonómico a 5 años con opción de compra podrán beneficiarse, en el momento de la presentación del correspondiente contrato visado de arrendamiento de una subvención autonómica de **13.200 euros** por vivienda situada en un municipio declarado ATPMS C y de **11.200 euros** en el resto de los municipios de La Rioja.

— Las viviendas protegidas de régimen general con destino a la venta podrán ofrecerse en arrendamiento autonómico a 5 con opción de compra durante el plazo de 1 año contado desde la calificación definitiva de la promoción, en este caso el promotor no tendrá derecho a percibir las ayudas al promotor de viviendas en arrendamiento autonómico con opción de compra a 5 años.

2. PROMOCIONES DE ALOJAMIENTOS PROTEGIDOS PARA COLECTIVOS ESPECIALMENTE VULNERABLES

Características:

• Alojarán a unidades familiares con ingresos no superiores a 1,5 veces el IPREM., jóvenes menores de 35 años, personas mayores de 65 años, mujeres víctimas de violencia de género, víctimas del terrorismo, afectados por situaciones catastróficas, discapacitados, personas sin hogar y otros colectivos en situación de exclusión social.

• Formarán parte de edificios o conjuntos de edificios destinados en exclusiva a estos colectivos.

• Se accederá a ellos mediante alquiler.

• La renta máxima anual por m² útil será el 4,5% del precio máximo de una Vivienda Protegida de Régimen Especial para Alquiler durante 25 años (1,50 veces el MBE) Se imputará un máximo del 30% de la superficie destinada a servicios comunes y asistenciales. La prestación de estos servicios podrá suponer un incremento de la renta.

• Superficie útil mínima de 15 m² por persona, con un máximo de 45 m² (el 25% del total de los alojamientos podrá tener hasta 90 m²).

• La superficie útil protegida destinada a servicios comunes y asistenciales no podrás ser superior al 30%.

Características de la ayuda:

PRÉSTAMO CONVENIDO de hasta el 80% del precio de escritura o adjudicación a devolver en, al menos, 25 años. El tipo de interés podrá ser variable o fijo. En intereses variables será igual al Euribor a 12 meses publicado por el Banco de España en el *Boletín Oficial del Estado (BOE)*, el mes anterior al de la fecha de formalización, más un diferencial de entre 25 y 125 puntos básicos. El período de carencia en el pago de intereses finalizará en la fecha de la calificación definitiva, con un límite de 4 años (10 años con el consentimiento de la CA).

SUBSIDIOS a los préstamos. Cantidad anual por cada 10.000 euros de préstamo durante 25 años: **350 euros**

SUBVENCIÓN de 500 euros por cada m² útil de vivienda calificada.

3. PROMOCIONES DE ALOJAMIENTOS PROTEGIDOS PARA OTROS COLECTIVOS ESPECÍFICOS

Características:

• Alojarán a personas relacionadas con la comunidad universitaria, o investigadores o científicos.

• Formarán parte de edificios o conjuntos de edificios destinados en exclusiva a estos colectivos.

• Se accederá a ellos mediante alquiler.

• La renta máxima anual por m² útil será el 4,5% del precio máximo de una Vivienda Protegida de Régimen General para Alquiler durante 25 años (1,60 veces el MBE). Se imputará un máximo del 30% de la superficie destinada a servicios comunes y asistenciales. La prestación de estos servicios podrá suponer un incremento de la renta.

• El número de alojamientos lo determinarán las CC.AA.

• Superficie útil mínima de 15 m² por persona, con un máximo de 45 m² (el 25% del total de los alojamientos podrá tener hasta 90 m²).

• La superficie útil protegida destinada a servicios comunes y asistenciales no podrás ser superior al 30%.

Características de la ayuda:

PRÉSTAMO CONVENIDO de hasta el 80% del precio de escritura o adjudicación a devolver en, al menos, 25 años. El tipo de interés podrá ser variable o fijo. En intereses variables será igual al Euribor a 12 meses publicado por el Banco de España en el *Boletín Oficial del Estado (BOE)*, el mes anterior al de la fecha de formalización, más un diferencial de 25 y 125 puntos básicos. El período de carencia en el pago de intereses finalizará en la fecha de la calificación definitiva, con un límite de 4 años (10 años con el consentimiento de la CA).

SUBSIDIOS a los préstamos. Cantidad anual por cada 10.000 euros de préstamo durante 25 años: **250 euros.**

SUBVENCIÓN de **320 euros** por cada m² útil de vivienda calificada.

4. AYUDAS PARA PROPIETARIOS-BOLSA DE ALQUILER DE LA RIOJA

Características:

— Son ayudas directas y garantías que ofrece el IRVI a propietarios de viviendas libres o protegidas que las pongan en alquiler a precios inferiores a los del mercado.

— Se presta a los propietarios y a los inquilinos un asesoramiento permanente y gratuito en materia de arrendamiento.

— No hay limitaciones en cuanto a superficie de la vivienda, debiendo cumplir esta las condiciones mínimas de habitabilidad y no disponer de cargas que impidan su arrendamiento.

— El propietario deberá admitir que los técnicos del IRVI inventaríen la vivienda y determinen la renta mensual a aplicar.

— El precio del arrendamiento no podrá superar los 450 euros al mes incluidos anejos vinculados que figuren en el contrato.

Características de la ayuda:

— Ayuda que recibe el propietario equivalente al importe del último recibo del IBI correspondiente a la vivienda alquilada durante los 5 primeros años de duración del alquiler así como también el del garaje si este estuviera incluido en el contrato de arrendamiento.

— Ayuda para pagar el seguro multirriesgo del hogar que contrate el propietario por un máximo de 100 euros.

— Cobro garantizado de las rentas acordadas durante los 5 años estipulados de duración del alquiler, siempre que la vivienda esté ocupada y hasta reponer al propietario en su propiedad ya sea por procedimiento judicial o extrajudicial.

5. AYUDAS PARA PROPIETARIOS-EMPRESAS

Características:

— Son ayudas destinadas a empresas promotoras de vivienda con el objetivo de dar salida a las viviendas libres terminadas y desocupadas por falta de comprador.

— El Gobierno de La Rioja compensará con una ayuda directa a cada promotor por cada vivienda vacía que alquilen a un precio limitado inferior al del mercado.

— Las viviendas tienen que estar en La Rioja y los promotores tener personalidad jurídica y domicilio fiscal en La Rioja.

— No podrá existir parentesco por consanguinidad hasta el tercer grado o por afinidad hasta el segundo entre el arrendatario y cualquiera de los socios de la empresa promotora.

— El contrato de arrendamiento deberá de celebrarse con posterioridad al 1 de enero de 2009 y al amparo de la LAU (las partes podrán pactar una opción de compra).

— La renta máxima mensual de la vivienda no podrá superar los **5 euros** por m² de superficie útil.

Características de la ayuda:

— La empresa promotora recibirá **900 euros** por vivienda alquilada y año, con un máximo de 3 años y siempre que se mantengan las condiciones que motivaron el reconocimiento inicial de la ayuda.

6. AYUDAS PARA LA MEJORA DE LA CALIDAD Y DE LA EFICIENCIA ENERGÉTICA

— Los promotores de viviendas calificadas como protegidas cuyos proyectos obtengan una calificación energética de clase A, B o C, podrán acceder a una subvención con las siguientes cuantías:

A) **3.500 euros por vivienda**.

B) **2.800 euros por vivienda**.

C) **2.000 euros por vivienda**.

— Estas ayudas son incompatibles con las correspondientes al Plan de Acción de Ahorro y Eficiencia Energética para el período 2008-2012 y al Plan de Energías Renovables 2005-2010, del Instituto para la Diversificación y Ahorro de la Energía.

14. Plan de Vivienda de la Comunidad de Madrid

Decreto 12/2005

1. ACTUACIONES PROTEGIDAS

1. El sistema de ayudas económicas en materia de vivienda previsto en el Decreto es aplicable a las siguientes actuaciones protegidas:

a) Promoción, adquisición, y arrendamiento de Viviendas con Protección Pública.

b) Rehabilitación con protección pública.

2. Asimismo, a efectos del Decreto 12/2005, se considera actuación protegida las Áreas de Rehabilitación Integrada a las que se refiere la normativa reguladora de los Planes Estatales de Vivienda y Suelo.

2. SUPERFICIES MÁXIMAS Y MÍNIMAS DE LAS VIVIENDAS

La superficie útil mínima será de 30 m², para un máximo de dos personas, ampliable 15 m² por cada persona adicional que conviva en ellas.

La superficie útil máxima a efectos de la financiación establecida en este Plan será de 90 m², de 108 m² cuando sean viviendas adaptadas a personas con discapacidad o de 120 m² cuando sean viviendas destinadas a familias numerosas.

En cualquier caso la superficie construida máxima no podrá exceder de 150 m².

Cuando el programa correspondiente admita anejos a la vivienda, las superficies útiles máximas de los mismos serán de 8 m² útiles para el trastero y 25 para el garaje.

3. PRECIOS MÁXIMOS DE LAS VIVIENDAS PROTEGIDAS

— A efectos de determinar el precio máximo de venta por m² de superficie útil de las viviendas protegidas se consideran las zonas declaradas ATPMS:

a) Zona A: Integrada por los municipios de ATPMS A: Alcobendas, Las Rozas de Madrid, Madrid, Majadahonda, Pozuelo de Alarcón y San Sebastián de los Reyes.

b) Zona B: Integrada por los municipios de ATPMS B: Ajalvir, Alcalá de Henares, Alcorcón, Algete, Aranjuez, Arganda del Rey, Arroyomolinos, Boadilla del Monte, Brunete, Ciempozuelos, Cobeña, Collado Villalba, Colmenar Viejo, Colmenarejo, Coslada, El Escorial, Fuenlabrada, Fuente el Saz del Jarama, Galapagar, Getafe, Humanes de Madrid, Leganés, Mejorada del Campo, Moraleja de Enmedio, Móstoles, Navalcarnero, Paracuellos del Jarama, Parla, Pinto, Rivas Vaciamadrid, San Fernando de Henares, San Lorenzo del Escorial, San Martín de la Vega, Torrejón de Ardoz, Torrelodones, Tres Cantos, Valdemoro, Velilla de San Antonio, Villanueva de la Cañada, Villanueva del Pardillo y Villaviciosa de Odón.

c) Zona C: Integrada por los municipios de ATPMS C: Alpedrete, Camarma de Esteruelas, Collado Mediano, Daganzo, El Molar, Griñón, Hoyo de Manzanares, Loeches, Meco, Moralzarzal, San Agustín del Guadalix, Torrejón de la Calzada y Valdetorres del Jarama.

d) Zona D: Integrada por el resto de los municipios de la Comunidad de Madrid.

4. EL MÓDULO BÁSICO ESTATAL (MBE)

El Módulo Básico Estatal (MBE) es la cuantía en euros por metro cuadrado de superficie útil, que sirve como referencia para la determinación de los precios máximos de venta, adjudicación y renta de las viviendas objeto de las ayudas previstas en el Real Decreto 2066/2008, así como de los presupuestos protegidos máximos de las actuaciones de rehabilitación de viviendas y edificios, y en áreas de rehabilitación integral y renovación urbana.

El MBE será establecido por acuerdo del Consejo de Ministros en el mes de diciembre de cada año y será publicado en el *Boletín Oficial del Estado*.

Para el año 2009 se fija en 758 euros (838,8 euros para Canarias).

TIPOLOGÍAS Y CARACTERÍSTICAS DE LOS DIFERENTES TIPOS DE VIVIENDAS.

A) COMPRA:

1. VIVIENDAS CON PROTECCIÓN PÚBLICA BÁSICA (VPPB)

Características:

— **El precio máximo de venta será el siguiente:**

Zona A: **1.940,48 euros/m² de superficie útil**

Zona B: **1.576,64 euros/m² de superficie útil**

Zona C: **1.394,72 euros/m² de superficie útil**

Zona D: **1.212,80 euros/m² de superficie útil**

• La superficie construida máxima de estas viviendas es de 110 m²; esta superficie podrá incrementarse hasta 150 m² construidos en el caso de familias numerosas.

• La duración del régimen legal de protección pública es de 20 años a contar desde la fecha de la Calificación Definitiva; si se hubiera obtenido préstamo cualificado la duración del período de protección se extenderá durante la duración del mismo contabilizada también desde la fecha de la Calificación Definitiva.

Requisitos de acceso:

1. Ingresos familiares no superiores a 5,5 veces el IPREM.

2. No ser titular del pleno dominio o de un derecho real de uso o disfrute sobre otra vivienda sujeta a régimen de protección en todo el territorio nacional, excepto en los casos de sentencia judicial de separación o divorcio cuando, como consecuencia de ésta, no se le haya adjudicado el uso de la vivienda que constituía la residencia familiar.

3. No ser titular del pleno dominio o de un derecho real de uso o disfrute sobre una vivienda libre en la Comunidad de Madrid cuyo valor, según el ITP, exceda del 40% del precio máximo total de venta o del 60% en caso de familias numerosas. Este requisito no deberá aplicarse en los casos de sentencia judicial de separación o divorcio cuando, como consecuencia de ésta, no se le haya adjudicado el uso de la vivienda que constituía la residencia familiar.

4. La vivienda debe destinarse como residencia habitual del adjudicatario y ocuparse dentro de los plazos establecidos.

Características de la ayuda:

PRÉSTAMO CONVENIDO:

Amortización: 25 años o más con cuotas constantes.

Garantía: Hipoteca.

Cuantía Máxima: 80% del precio de adquisición (vivienda + garaje + trastero vinculados).

Tipo de interés para el año 2009: Puede ser fijo o variable.

Interés fijo: Pendiente de publicación.

Interés variable: Euribor a 12 meses publicado por el Banco de España en el *BOE* el mes anterior al de la fecha de formalización del préstamo más un diferencial de entre 25 y 125 puntos básicos.

Este tipo de interés se revisará cada 12 meses teniendo como referencia el Euribor a 12 meses publicado por el Banco de España el mes anterior a la fecha de formalización.

Cuotas: Interés fijo: Constantes durante toda la vida del préstamo.

Interés variable: Constantes durante toda la vida del préstamo, dentro de cada uno de los períodos de amortización a los cuales les corresponde un mismo tipo de interés.

Comisiones: Exentas.

SUBSIDIOS A LOS PRÉSTAMOS: Cantidad anual por cada 10.000 euros de préstamo durante 5 años, renovables 5 más (la ampliación se tiene que solicitar dentro del 5.º año del primer período y los solicitantes tienen que acreditar que siguen cumpliendo las condiciones para la concesión de la ayuda; se entenderá que cumplen las condiciones cuando la media de los ingresos correspondientes a los dos años anteriores a la revisión no excedan en más o menos un 20% de las acreditadas inicialmente):

— **100 euros** para ingresos menores o iguales a 2,5 veces el IPREM los 10 primeros años (**155 euros** para familias numerosas, monoparentales con hijos y familias que incluyan personas dependientes o con discapacidad reconocida oficialmente durante los 5 primeros años).

— **80 euros** para ingresos entre 2,5 y 3,5 veces el IPREM los 5 primeros años (**113 euros** para familias numerosas, monoparentales con hijos y familias que incluyan personas dependientes o con discapacidad reconocida oficialmente durante los 5 primeros años).

— **60 euros** anuales a familias con ingresos familiares entre 3,5 y 4,5 veces el IPREM (**93 euros** para familias numerosas, monoparentales con hijos y familias que incluyan personas dependientes o con discapacidad reconocida oficialmente durante los 5 primeros años).

AYUDA ESTATAL DIRECTA A LA ENTRADA (AEDE):

ADQUIRENTES CON INGRESOS MENORES O IGUALES A 2,5 VECES EL IPREM:

a) En general: **7.000 euros**.

b) Familias monoparentales, miembro discapacitado, miembro de 65 años o más, miembro víctima de violencia de género o del terrorismo u otro colectivo en riesgo de exclusión social: **7.900 euros**.

c) Jóvenes de hasta 35 años: **10.000 euros**.

d) Jóvenes de hasta 35 años que reúna alguna de las condiciones especiales del apartado b): **11.000 euros**

e) Familias numerosas con 3 hijos: **10.000 euros**.

f) Familias numerosas con 4 hijos: **10.600 euros**.

g) Familias numerosas con 5 o más hijos: **11.200 euros**.

Estas cuantías no son acumulables entre sí, y corresponderá únicamente la más favorable de todas las posibles.

Cuando las viviendas estén situadas en las zonas A, B o C, las cuantías relacionadas antes se tienen que incrementar respectivamente en **1.200 euros, 600 euros** o **300 euros**.

CHEQUE-VIVIENDA VENTA PARA ADQUIRENTES CON INGRESOS MENORES O IGUALES A 2,5 VECES EL IPREM:

— Consiste en una subvención cuyo importe será del **10%** del precio de venta.

Requisitos de acceso a la ayuda:

1. Los ingresos tienen que ser igual o menor a 2,5 veces el IPREM y deberán representar al menos el 8% del precio total de la vivienda.

2. Tiene que ser el 1.ᵉʳ acceso a la propiedad del solicitante (se entiende que reúnen la condición de 1.ᵉʳ acceso a la propiedad los adquirentes que no tengan o no hayan tenido con anterioridad ninguna vivienda en propiedad o que siendo titular de alguna no disfruten de un derecho real de uso o disfrute sobre ella o el valor de la misma de acuerdo con la normativa del ITP no supere el 25% del precio máximo de venta de la vivienda que adquirieren), se asimila a esta condición a las personas separadas cuando la vivienda se le hubiera adjudicado al otro cónyuge.

3. Los solicitantes no pueden haber recibido anteriormente financiación al amparo de algún Plan de Vivienda durante los 10 años anteriores a la solicitud actual de ayudas (no será necesario cumplir esta condición cuando se adquiera la vivienda como consecuencia del incremento de miembros de la unidad familiar en caso de familias numerosas y se necesite una vivienda con mayor superficie que la que se tenía, tampoco cuando se necesite una vivienda adaptada a la situación de discapacidad sobrevenida de algún miembro de la unidad familiar ni por último cuando no se disponga de los derechos de uso y disfrute de la vivienda por pérdida de titularidad de la vivienda debida a la extinción del condominio por divorcio o separación cuando la vivienda se le adjudica a la otra parte).

ADQUIRENTES CON INGRESOS ENTRE 2,5 VECES Y 3,5 VECES EL IPREM:

a) En general: **4.000 euros**.

b) Familias monoparentales, miembro discapacitado, miembro de 65 años o más, miembro víctima de violencia de género o del terrorismo u otro colectivo en riesgo de exclusión social: **4.900 euros**.

c) Jóvenes de hasta 35 años: **7.000 euros**.

d) Jóvenes de hasta 35 años que reúna alguna de las condiciones especiales del apartado b): **8.000 euros**.

e) Familias numerosas con 3 hijos: **7.000 euros**.

f) Familias numerosas con 4 hijos: **7.600 euros**.

g) Familias numerosas con 5 o más hijos: **8.200 euros**.

Estas cuantías no son acumulables entre sí, y corresponderá únicamente la más favorable de todas las posibles.

Cuando las viviendas estén situadas en las zonas A, B o C, las cuantías relacionadas antes se tienen que incrementar respectivamente en **1.200 euros, 600 euros** o **300 euros**.

CHEQUE-VIVIENDA VENTA PARA ADQUIRENTES CON INGRESOS ENTRE 2,5 Y 3,5 VECES EL IPREM:

— Consiste en una subvención cuyo importe será del **7%** del precio de venta.

Requisitos de acceso a la ayuda:

1. Los ingresos familiares tienen que ser menores o iguales a 3,5 veces el IPREM y deberán representar al menos el 8% del precio total de la vivienda.

2. Tiene que ser el 1.er acceso a la propiedad del solicitante (se entiende que reúnen la condición de 1.er acceso a la propiedad los adquirentes que no tengan o no hayan tenido con anterioridad ninguna vivienda en propiedad o que siendo titular de alguna no disfruten de un derecho real de uso o disfrute sobre ella o el valor de la misma de acuerdo con la normativa del ITP no supere el 25% del precio máximo de venta de la vivienda que adquirieren).

3. Los solicitantes no pueden haber recibido anteriormente financiación al amparo de algún Plan de Vivienda durante los 10 años anteriores a la solicitud actual de ayudas (no será necesario cumplir esta condición cuando se adquiera la vivienda como consecuencia del incremento de miembros de la unidad familiar en caso de familias numerosas y se necesite una vivienda con mayor superficie que la que se tenía, tampoco cuando se necesite una vivienda adaptada a la situación de discapacidad sobrevenida de algún miembro de la unidad familiar ni por último cuando no se disponga de los derechos de uso y disfrute de la vivienda por pérdida de titularidad de la vivienda debida a la extinción del condominio por divorcio o separación cuando la vivienda se le adjudica a la otra parte).

CHEQUE-VIVIENDA VENTA PARA ADQUIRENTES CON INGRESOS ENTRE 3,5 Y 5,5 VECES EL IPREM:

— Consiste en una subvención cuyo importe será del **5%** del precio de venta.

Requisitos de acceso a la ayuda:

— Los ingresos familiares tienen que ser menores o iguales a 5,5 veces el IPREM y deberán representar al menos el 8% del precio total de la vivienda.

CHEQUE-VIVIENDA VENTA PARA ADQUIRENTES QUE REÚNAN LA CONDICIÓN DE FAMILIA NUMEROSA:

— Consiste en una subvención cuyo importe será del **10%** del precio de venta.

Requisitos de acceso a la ayuda:

— Los ingresos familiares tienen que ser menores o iguales a 5,5 veces el IPREM y deberán representar al menos el 8% del precio total de la vivienda.

— Reunir la unidad familiar la condición de familia numerosa.

2. VIVIENDAS CON PROTECCIÓN PÚBLICA DE PRECIO LIMITADO (VPPL)

Características:

— **El precio máximo de venta será el siguiente:**

Zona A: **2.425,60 euros/m² de superficie útil**

Zona B: **1.970,80 euros/m² de superficie útil**

Zona C: **1.743,40 euros/m² de superficie útil**

Zona D: **1.516,00 euros/m² de superficie útil**

• Tienen una superficie construida máxima entre 110 y 150 m².

• La duración del régimen legal de protección pública es de 20 años a contar desde la fecha de la Calificación Definitiva; si se hubiera obtenido préstamo cualificado la duración del período de protección se extenderá durante la duración del mismo contabilizada también desde la fecha de la Calificación Definitiva.

— Sólo se pueden promover sobre suelo destinado expresamente a vivienda libre, a Vivienda con Protección Pública de más de 110 m² o a Vivienda de Precio Tasado.

Requisitos de acceso:

1. Ingresos familiares no superiores a 7,5 veces el IPREM.

2. No ser titular del pleno dominio o de un derecho real de uso o disfrute sobre otra vivienda sujeta a régimen de protección en todo el territorio nacional, excepto en los casos de sentencia judicial de separación o divorcio cuando, como consecuencia de ésta, no se le haya adjudicado el uso de la vivienda que constituía la residencia familiar.

3. No ser titular del pleno dominio o de un derecho real de uso o disfrute sobre una vivienda libre en la Comunidad de Madrid cuyo valor, según el ITP, exceda del 40% del precio máximo total de venta o del 60% en caso de familias numerosas. Este requisito no deberá aplicarse en los casos de sentencia judicial de separación o divorcio cuando, como consecuencia de esta no se le haya adjudicado el uso de la vivienda que constituía la residencia familiar.

4. La vivienda debe destinarse como residencia habitual del adjudicatario y ocuparse dentro de los plazos establecidos.

Características de la ayuda:

PRÉSTAMO CONVENIDO:

Amortización: 25 años o más con cuotas constantes.

Garantía: Hipoteca.

Cuantía Máxima: 80% del precio de adquisición (vivienda + garaje + trastero vinculados).

Tipo de interés para el año 2009: Puede ser fijo o variable.

Interés fijo: Pendiente de publicación.

Interés variable: Euribor a 12 meses publicado por el Banco de España en el *BOE* el mes anterior al de la fecha de formalización del préstamo más un diferencial de entre 25 y 125 puntos básicos.

Este tipo de interés se revisará cada 12 meses teniendo como referencia el Euribor a 12 meses publicado por el Banco de España el mes anterior a la fecha de formalización.

Cuotas: Interés fijo: Constantes durante toda la vida del préstamo.

Interés variable: Constantes durante toda la vida del préstamo, dentro de cada uno de los períodos de amortización a los cuales les corresponde un mismo tipo de interés.

Comisiones: Exentas.

Requisitos de acceso ayuda:

1. Los ingresos tienen que ser inferiores a 6,5 veces el IPREM.

2. La superficie útil de la vivienda tiene que ser de hasta 120 m².

3. Entre el visado del contrato y la solicitud del préstamo no debe pasar más de 6 meses.

4. No haber obtenido ayudas financieras ni préstamo convenido para el mismo tipo de actuación durante los 10 años anteriores con cargo a Planes de Vivienda Estatales.

CHEQUE-VIVIENDA VENTA PARA ADQUIRENTES QUE REÚNAN LA CONDICIÓN DE FAMILIA NUMEROSA:

— Consiste en una subvención cuyo importe será del **7%** del precio de venta.

Requisitos de acceso a la ayuda:

— Los ingresos familiares tienen que ser menores o iguales a 7,5 veces el IPREM; los ingresos de la unidad familiar deberán representar al menos el 8% del precio total de la vivienda.

B) COMPRA DE VIVIENDA USADA:

Características:

— **El precio máximo de venta será el siguiente:**

Zona A: **2.668,16 euros/m² de superficie útil**

Zona B: **1.940,48 euros/m² de superficie útil**

Zona C: **1.576,64 euros/m² de superficie útil**

Zona D: **1.212,80 euros/m² de superficie útil**

Se consideran viviendas usadas:

a) Viviendas libres o protegidas en segundas o posteriores transmisiones (incluidas las que se hubiesen destinado al alquiler);

b) Viviendas libres de nueva construcción adquiridas después de, al menos, 1 año desde la expedición de la licencia de primera ocupación, el certificado final de obra o la cédula de habitabilidad;

c) Viviendas libres de nueva construcción cuya licencia de primera ocupación, certificado final de obra o cédula de habitabilidad hayan sido emitida antes del 24/12/2008;

d) Viviendas rurales usadas según las condiciones establecidas por las CC.AA.

— La obtención de la ayuda conllevará la limitación de su precio máximo de venta en posteriores transmisiones, durante, al menos, 15 años desde la fecha de adquisición, o durante la duración del préstamo convenido, si fuera superior.

— La superficie útil de la vivienda no puede superar los 90 m² útiles, 108 m² útiles en el caso de las viviendas adaptadas para discapacitados y 120 m² en el caso de las viviendas destinadas a familias numerosas.

Requisitos de acceso:

1. Ingresos familiares no superiores a 6,5 veces el IPREM.

2. No ser titular de una vivienda protegida, ni de una libre cuyo valor, según el Impuesto sobre Transmisiones Patrimoniales, exceda del 40% del precio de la vivienda que se pretende adquirir (60% para personas mayores, mujeres víctimas de violencia de género, víctimas del terrorismo, familias numerosas o monoparentales con hijos, personas con discapacidad y separadas o divorciadas).

3. La vivienda debe destinarse como residencia habitual del adjudicatario.

Características de la ayuda:

PRÉSTAMO CONVENIDO:

Amortización: 25 años o más con cuotas constantes.

Garantía: Hipoteca.

Cuantía Máxima: 80% del precio de adquisición (vivienda + garaje + trastero vinculados).

Tipo de interés para el año 2009: Puede ser fijo o variable.

Interés fijo: Pendiente de publicación.

Interés variable: Euribor a 12 meses publicado por el Banco de España en el *BOE* el mes anterior al de la fecha de formalización del préstamo más un diferencial de entre 25 y 125 puntos básicos.

Este tipo de interés se revisará cada 12 meses teniendo como referencia el Euribor a 12 meses publicado por el Banco de España el mes anterior a la fecha de formalización.

Cuotas: Interés fijo: Constantes durante toda la vida del préstamo.

Interés variable: Constantes durante toda la vida del préstamo, dentro de cada uno de los períodos de amortización a los cuales les corresponde un mismo tipo de interés.

Comisiones: Exentas.

SUBSIDIOS A LOS PRÉSTAMOS: Cantidad anual por cada 10.000 euros de préstamo durante 5 años, renovables 5 más (la ampliación se tiene que solicitar dentro del 5.º año del primer período y los solicitantes tienen que acreditar que siguen cumpliendo las condiciones para la concesión de la ayuda; se entenderá que cumplen las condiciones cuando la media de los ingresos correspondientes a los dos años anteriores a la revisión no excedan en más o menos un 20% de las acreditadas inicialmente):

— **100 euros** para ingresos menores o iguales a 2,5 veces el IPREM los 10 primeros años (**155 euros** para familias numerosas, monoparentales con hijos y familias que incluyan personas dependientes o con discapacidad reconocida oficialmente durante los 5 primeros años).

— **80 euros** para ingresos entre 2,5 y 3,5 veces el IPREM los 5 primeros años (**113 euros** para familias numerosas, monoparentales con hijos y familias que incluyan personas dependientes o con discapacidad reconocida oficialmente durante los 5 primeros años).

— **60 euros** anuales a familias con ingresos familiares entre 3,5 y 4,5 veces el IPREM (**93 euros** para familias numerosas, monoparentales con hijos y familias que incluyan personas dependientes o con discapacidad reconocida oficialmente durante los 5 primeros años).

AYUDA ESTATAL DIRECTA A LA ENTRADA (AEDE):

ADQUIRENTES CON INGRESOS MENORES O IGUALES A 2,5 VECES EL IPREM:

a) En general: **7.000 euros**.

b) Familias monoparentales, miembro discapacitado, miembro de 65 años o más, miembro víctima de violencia de género o del terrorismo u otro colectivo en riesgo de exclusión social: **7.900 euros**.

c) Jóvenes de hasta 35 años: **10.000 euros**.

d) Jóvenes de hasta 35 años que reúna alguna de las condiciones especiales del apartado b): **11.000 euros**.

e) Familias numerosas con 3 hijos: **10.000 euros**.

f) Familias numerosas con 4 hijos: **10.600 euros**.

g) Familias numerosas con 5 o más hijos: **11.200 euros**.

Estas cuantías no son acumulables entre sí, y corresponderá únicamente la más favorable de todas las posibles.

Cuando las viviendas estén situadas en las zonas A, B o C, las cuantías relacionadas antes se tienen que incrementar respectivamente en **1.200 euros, 600 euros** o **300 euros.**

Requisitos de acceso a la ayuda:

1. Los ingresos tienen que ser igual o menor a 2,5 veces el IPREM.

2. Tiene que ser el 1.er acceso a la propiedad del solicitante (se entiende que reúnen la condición de 1.er acceso a la propiedad los adquirentes que no tengan o no hayan tenido con anterioridad ninguna vivienda en propiedad o que siendo titular de alguna no disfruten de un derecho real de uso o disfrute sobre ella o el valor de la misma de acuerdo con la normativa del ITP no supere el 25% del precio máximo de venta de la vivienda que adquirieren), se asimila a esta condición a las personas separadas cuando la vivienda se le hubiera adjudicado al otro cónyuge.

3. Los solicitantes no pueden haber recibido anteriormente financiación al amparo de algún Plan de Vivienda durante los 10 años anteriores a la solicitud actual de ayudas (no será necesario cumplir esta condición cuando se adquiera la vivienda como consecuencia del incremento de miembros de la unidad familiar en caso de familias numerosas y se necesite una vivienda con mayor superficie que la que se tenía, tampoco cuando se necesite una vivienda adaptada a la situación de discapacidad sobrevenida de algún miembro de la unidad familiar ni por último cuando no se disponga de los derechos de uso y disfrute de la vivienda por pérdida de titularidad de la vivienda debida a la extinción del condominio por divorcio o separación cuando la vivienda se le adjudica a la otra parte).

ADQUIRENTES CON INGRESOS ENTRE 2,5 VECES Y 3,5 VECES EL IPREM:

a) En general: **4.000 euros**.

b) Familias monoparentales, miembro discapacitado, miembro de 65 años o más, miembro víctima de violencia de género o del terrorismo u otro colectivo en riesgo de exclusión social: **4.900 euros**.

c) Jóvenes de hasta 35 años: **7.000 euros**.

d) Jóvenes de hasta 35 años que reúna alguna de las condiciones especiales del apartado b): **8.000 euros**.

e) Familias numerosas con 3 hijos: **7.000 euros**.

f) Familias numerosas con 4 hijos: **7.600 euros**.

g) Familias numerosas con 5 o más hijos: **8.200 euros**.

Estas cuantías no son acumulables entre sí, y corresponderá únicamente la más favorable de todas las posibles.

Cuando las viviendas estén situadas en las zonas A, B o C, las cuantías relacionadas antes se tienen que incrementar respectivamente en **1.200 euros, 600 euros** o **300 euros**.

Requisitos de acceso a la ayuda:

1. Los ingresos familiares tienen que ser menores o iguales a 3,5 veces el IPREM.

2. Tiene que ser el 1.er acceso a la propiedad del solicitante (se entiende que reúnen la condición de 1.er acceso a la propiedad los adquirentes que no tengan o no hayan tenido con anterioridad ninguna vivienda en propiedad o que siendo titular de alguna no disfruten de un derecho real de uso o disfrute sobre ella o el valor de la misma de acuerdo con la normativa del ITP no supere el 25% del precio máximo de venta de la vivienda que adquirieren).

3. Los solicitantes no pueden haber recibido anteriormente financiación al amparo de algún Plan de Vivienda durante los 10 años anteriores a la solicitud actual de ayudas (no será necesario cumplir esta condición cuando se adquiera la vivienda como consecuencia del incremento de miembros de la unidad familiar en caso de familias numerosas y se necesite una vivienda con mayor superficie que la que se tenía, tampoco cuando se necesite una vivienda adaptada a la situación de discapacidad sobrevenida de

algún miembro de la unidad familiar ni por último cuando no se disponga de los derechos de uso y disfrute de la vivienda por pérdida de titularidad de la vivienda debida a la extinción del condominio por divorcio o separación cuando la vivienda se le adjudica a la otra parte).

C) ALQUILER:

1. VIVIENDA PROTEGIDA DE RÉGIMEN ESPECIAL

Características:

• La duración mínima del alquiler de las viviendas será de 10 o de 25 años.

• La renta anual máxima inicial de las viviendas con protección oficial de régimen especial destinadas al arrendamiento durante 25 años equivale a un porcentaje del 4,5% del precio máximo de referencia que resulte del cálculo siguiente:

Zona A: **6,82 euros m² útil de vivienda y 4,09 euros m² útil de garaje y trastero**.

Zona B: **5,54 euros m² útil de vivienda y 3,32 euros m² útil de garaje y trastero**.

Zona C: **4,90 euros m² útil de vivienda y 2,94 euros m² útil de garaje y trastero**.

Zona D: **4,26 euros m² útil de vivienda y 2,55 euros m² de garaje y trastero**.

• La renta anual máxima inicial de las viviendas con protección oficial de régimen especial destinadas al arrendamiento durante 10 años equivale a un porcentaje del 5,5% del precio máximo de referencia que resulte del cálculo siguiente:

Zona A: **8,33 euros m² útil de vivienda y 5,00 euros m² útil de garaje y trastero**.

Zona B: **6,77 euros m² útil de vivienda y 4,06 euros m² útil de garaje y trastero**.

Zona C: **5,99 euros m² útil de vivienda y 3,59 euros m² útil de garaje y trastero**.

Zona D: **5,21 euros m² útil de vivienda y 3,12 euros m² de garaje y trastero**.

• La superficie útil máxima que pueden tener estas viviendas son 90 m² en el caso general, 108 m² en el caso de viviendas adaptadas a personas con discapacidad y 120 m² en el caso de viviendas destinadas a familias numerosas.

— El régimen legal de protección para las viviendas de protección oficial de régimen especial es de 30 años desde la obtención de la Calificación Definitiva.

Requisitos de acceso:

1. Ingresos familiares no superiores a 2,5 veces el IPREM.

2. No ser titular de una vivienda protegida, ni de una libre cuyo valor, según el Impuesto sobre Transmisiones Patrimoniales, exceda del 40% del precio de la vivienda que se pretende adquirir (60% para personas mayores, mujeres víctimas de violencia de género, víctimas del terrorismo, familias numerosas o monoparentales con hijos, personas con discapacidad y separadas o divorciadas).

3. La actuación debe haber sido calificada como protegida por la CA.

4. La vivienda debe destinarse como residencia habitual del adjudicatario y ocuparse dentro de los plazos establecidos.

Características de la ayuda:

RENTA MÁXIMA anual por metro cuadrado de superficie útil del 4,5% del precio máximo de referencia para viviendas protegidas en alquiler a 25 años, o del 5,5% en caso de viviendas protegidas en alquiler a 10 años (se actualizará anualmente según el IPC). La renta establecida deberá figurar en la calificación provisional y definitiva de la vivienda, y en el visado del contrato de alquiler emitido por la CA.

Para este tipo de viviendas también pueden solicitarse las AYUDAS A INQUILINOS.

2. VIVIENDAS CON PROTECCIÓN PÚBLICA PARA ARRENDAMIENTO (VPPA)

Características:

• La duración mínima del alquiler de las viviendas será de 10 o de 25 años.

• La renta anual máxima inicial de las viviendas con protección pública destinadas al arrendamiento durante 25 años equivale a un porcentaje del 4% del precio máximo de referencia que resulte del cálculo siguiente:

Zona A: **6,46 euros m² útil de vivienda y 3,88 euros m² útil de garaje y trastero.**

Zona B: **5,25 euros m² útil de vivienda y 3,15 euros m² útil de garaje y trastero.**

Zona C: **4,64 euros m² útil de vivienda y 2,78 euros m² útil de garaje y trastero.**

Zona D: **4,04 euros m² útil de vivienda y 2,42 euros m² de garaje y trastero.**

• La renta anual máxima inicial de las viviendas con protección pública destinadas al arrendamiento durante 10 años equivale a un porcentaje del 5,5% del precio máximo de referencia que resulte del cálculo siguiente:

Zona A: **8,89 euros m² útil de vivienda y 5,33 euros m² útil de garaje y trastero.**

Zona B: **7,22 euros m² útil de vivienda y 4,33 euros m² útil de garaje y trastero.**

Zona C: **6,39 euros m² útil de vivienda y 3,83 euros m² útil de garaje y trastero.**

Zona D: **5,55 euros m² útil de vivienda y 3,33 euros m² de garaje y trastero.**

• La superficie construida máxima de estas viviendas es de 110 m² pudiendo ser de hasta 150 m² construidos en el caso de familias numerosas.

— La duración del régimen legal de protección es de 25 años a contar desde la fecha de la Calificación Definitiva si el promotor no ha pedido ayudas dentro del Plan Estatal y de 30 años si se ha obtenido financiación estatal.

— Estas viviendas deberán destinarse al arrendamiento durante todo el plazo que dure el régimen legal de protección; no obstante cuando se trate de un promotor público este podrá enajenar las viviendas a favor de sus inquilinos. En este caso la vivienda enajenada quedará sujeta al régimen de protección durante 25 años aunque su vinculación inicial fuera menor.

Requisitos de acceso:

1. Ingresos familiares no superiores a 5,5 veces el IPREM.

2. No ser titular de una vivienda protegida, ni de una libre cuyo valor, según el Impuesto sobre Transmisiones Patrimoniales, exceda del 40% del precio de la vivienda que se pretende adquirir (60% para personas mayores, mujeres víctimas de violencia de género, víctimas del terrorismo, familias numerosas o monoparentales con hijos, personas con discapacidad y separadas o divorciadas).

3. La actuación debe haber sido calificada como protegida por la CA.

4. La vivienda debe destinarse como residencia habitual del adjudicatario y ocuparse dentro de los plazos establecidos.

Características de la ayuda:

RENTA MÁXIMA anual por metro cuadrado de superficie útil del 4% del precio máximo de referencia para viviendas protegidas en alquiler a 25 años, o del 5,5% en caso de viviendas protegidas en alquiler a 10 años (se actualizará anualmente según el IPC) La renta establecida deberá figurar en la calificación provisional y definitiva de la vivienda, y en el visado del contrato de alquiler emitido por la CA.

Para este tipo de viviendas también pueden solicitarse las AYUDAS A INQUILINOS (ingresos inferiores a 2,5 veces el IPREM).

3. VIVIENDAS CON PROTECCIÓN PÚBLICA PARA ARRENDAMIENTO DE RENTA CONCERTADA (VPPA RC)

Características:

• La duración mínima del alquiler de las viviendas será de 10 o de 25 años.

• La renta anual máxima inicial de las viviendas con protección pública destinadas al arrendamiento de renta concertada durante 25 años equivale a un porcentaje del 4% del precio máximo de referencia que resulte del cálculo siguiente:

Zona A: **7,27 euros m² útil de vivienda y 4,36 euros m² útil de garaje y trastero.**

Zona B: **5,91 euros m² útil de vivienda y 3,54 euros m² útil de garaje y trastero.**

Zona C: **5,23 euros m² útil de vivienda y 3,13 euros m² útil de garaje y trastero.**

Zona D: **4,54 euros m² útil de vivienda y 2,72 euros m² de garaje y trastero.**

• La renta anual máxima inicial de las viviendas con protección pública destinadas al arrendamiento de renta concertada durante 10 años equivale a un porcentaje del 5,5% del precio máximo de referencia que resulte del cálculo siguiente:

Zona A: **10,00 euros m² útil de vivienda y 6,00 euros m² útil de garaje y trastero.**

Zona B: **8,12 euros m² útil de vivienda y 4,87 euros m² útil de garaje y trastero.**

Zona C: **7,19 euros m² útil de vivienda y 4,31 euros m² útil de garaje y trastero.**

Zona D: **6,25 euros m² útil de vivienda y 3,75 euros m² de garaje y trastero.**

• La superficie útil máxima que pueden tener estas viviendas son 90 m² en el caso general, 108 m² en el caso de viviendas adaptadas a personas con discapacidad y 120 m² en el caso de viviendas destinadas a familias numerosas.

— El régimen legal de protección para las viviendas de protección pública destinadas al arrendamiento de renta concertada dependerá del plazo de amortización del préstamo convenido que haya obtenido el promotor si el préstamo es a 10 años, la duración del régimen legal será de 10 años, y si el plazo es de 25 años la duración del régimen legal será de 30 años a contar siempre desde la fecha de la obtención de la Calificación Definitiva.

— Deben destinarse al arrendamiento durante todo el tiempo que dure el régimen legal de protección.

Requisitos de acceso:

1. Ingresos familiares no superiores a 6,5 veces el IPREM.

2. No ser titular de una vivienda protegida, ni de una libre cuyo valor, según el Impuesto sobre Transmisiones Patrimoniales, exceda del 40% del precio de la vivienda que se pretende adquirir (60% para personas mayores, mujeres víctimas de violencia de género, víctimas del terrorismo, familias numerosas o monoparentales con hijos, personas con discapacidad y separadas o divorciadas).

3. Estar inscrito en un registro público de demandantes de vivienda.

4. La vivienda debe destinarse como residencia habitual del adjudicatario y ocuparse dentro de los plazos establecidos.

Características de la ayuda:

RENTA MÁXIMA anual por metro cuadrado de superficie útil del 4% del precio máximo de referencia para viviendas protegidas en alquiler a 25 años, o del 5,5% en caso de viviendas protegidas en alquiler a 10 años (se actualizará anualmente según el IPC). La renta establecida deberá figurar en la calificación provisional y definitiva de la vivienda, y en el visado del contrato de alquiler emitido por la CA.

Para este tipo de viviendas también pueden solicitarse las AYUDAS A INQUILINOS (ingresos inferiores a 2,5 veces el IPREM).

4. VIVIENDAS CON PROTECCIÓN PÚBLICA PARA ARRENDAMIENTO CON OPCIÓN DE COMPRA (VPPA OC)

Características:

• La renta anual máxima inicial de las viviendas con protección pública destinadas al arrendamiento con opción de compra equivale a un porcentaje del 5,5% del precio máximo de referencia que resulte del cálculo siguiente:

Zona A: **8,89 euros m² útil de vivienda y 5,33 euros m² útil de garaje y trastero**.

Zona B: **7,22 euros m² útil de vivienda y 4,33 euros m² útil de garaje y trastero**.

Zona C: **6,39 euros m² útil de vivienda y 3,83 euros m² útil de garaje y trastero**.

Zona D: **5,55 euros m² útil de vivienda y 3,33 euros m² de garaje y trastero**.

• La superficie construida máxima que pueden tener estas viviendas es de 150 m².

— La duración del régimen legal de protección pública es de 7 años a contar desde la fecha de la Calificación Definitiva.

Requisitos de acceso:

1. Ingresos familiares no superiores a 5,5 veces el IPREM.

2. No ser titular de una vivienda protegida, ni de una libre cuyo valor, según el Impuesto sobre Transmisiones Patrimoniales, exceda del 40% del precio de la vivienda que se pretende adquirir (60% para personas mayores, mujeres víctimas de violencia de género, víctimas del terrorismo, familias numerosas o monoparentales con hijos, personas con discapacidad y separadas o divorciadas).

3. La vivienda debe destinarse como residencia habitual del adjudicatario y ocuparse dentro de los plazos establecidos.

Requisitos para ejercer la opción de compra:

1. Ser inquilino de la vivienda en ese momento.

2. La vivienda debe destinarse como residencia habitual del adjudicatario y ocuparse dentro de los plazos establecidos.

3. Una vez el inquilino ejerza la opción de compra, durante los 3 años siguientes no podrá venderla a un precio superior por m² de superficie útil del que tenga una vivienda VPPB que se califique provisionalmente en la misma fecha en la que se produzca la venta y en la misma ciudad en la que se encuentra la vivienda.

4. El precio de la vivienda en el momento de ejercer la opción de compra, transcurrido los 7 años, será el resultado de multiplicar el precio máximo que figure en la Calificación Definitiva, por un coeficiente de actualización de 1,5 a esta cantidad hay que restarle el 50% de las cantidades desembolsadas durante el arrendamiento en concepto de renta.

Características de la ayuda:

CHEQUE-VIVIENDA ALQUILER:

— Consiste en una subvención cuyo importe será del **5%** del precio de venta.

Requisitos de acceso a la ayuda:

— Los ingresos familiares tienen que ser menores o iguales a 5,5 veces el IPREM.

5. VIVIENDAS CON PROTECCIÓN PÚBLICA PARA ARRENDAMIENTO CON OPCIÓN DE COMPRA PARA JÓVENES (VPPA OCJ)

Características:

• La renta anual máxima inicial de las viviendas con protección pública destinadas al arrendamiento con opción de compra equivale a un porcentaje del 5,5% del precio máximo de referencia que resulte del cálculo siguiente:

Zona A: **8,89 euros m² útil de vivienda y 5,33 euros m² útil de garaje y trastero**.

Zona B: **7,22 euros m² útil de vivienda y 4,33 euros m² útil de garaje y trastero**.

Zona C: **6,39 euros m² útil de vivienda y 3,83 euros m² útil de garaje y trastero**.

Zona D: **5,55 euros m² útil de vivienda y 3,33 euros m² de garaje y trastero**.

• La superficie construida máxima que pueden tener estas viviendas es de 70 m².

— La duración del régimen legal de protección pública es de 7 años a contar desde la fecha de la Calificación Definitiva.

Requisitos de acceso:

1. Ingresos familiares no superiores a 5,5 veces el IPREM.

2. No ser titular de una vivienda protegida, ni de una libre cuyo valor, según el Impuesto sobre Transmisiones Patrimoniales, exceda del 40% del precio de la vivienda que se pretende adquirir (60% para personas mayores, mujeres víctimas de violencia de género, víctimas del terrorismo, familias numerosas o monoparentales con hijos, personas con discapacidad y separadas o divorciadas).

3. La vivienda debe destinarse como residencia habitual del adjudicatario y ocuparse dentro de los plazos establecidos.

4. Estar inscrito en la Lista Única de Solicitantes de VPPA OCJ.

5. Ser mayor de edad o menor legalmente emancipado.

6. Tener menos de 35 años a fecha de contrato salvo los beneficiarios de sorteos del Plan de Vivienda Joven.

Requisitos para ejercer la opción de compra:

1. Ser inquilino de la vivienda en ese momento.

2. La vivienda debe destinarse como residencia habitual del adjudicatario y ocuparse dentro de los plazos establecidos.

3. Una vez el inquilino ejerza la opción de compra, durante los 3 años siguientes no podrá venderla a un precio superior por m² de superficie útil del que tenga una vivienda VPPB que se califique provisionalmente en la misma fecha en la que se produzca la venta y en la misma cuidad en la que se encuentra la vivienda.

4. El precio de la vivienda en el momento de ejercer la opción de compra, transcurrido los 7 años, será el resultado de multiplicar el precio máximo que figure en la Calificación Definitiva, por un coeficiente de actualización de 1,5 a esta cantidad hay que restarle el 50% de las cantidades desembolsadas durante el arrendamiento en concepto de renta.

Características de la ayuda:

CHEQUE-VIVIENDA ALQUILER:

— Consiste en una subvención cuyo importe será del **10%** del precio de venta; la subvención será del **15%** caso de encontrarse el joven en situación de desempleo.

Requisitos de acceso a la ayuda:

— Los ingresos familiares tienen que ser menores o iguales a 5,5 veces el IPREM.

D) 1. AYUDAS AL INQUILINO

Características:

— Edad de hasta 35 años.

— Estar empadronado en la Comunidad de Madrid al menos 3 años antes de la solicitud.

— Los ingresos familiares tienen que ser inferiores a 2,5 veces el IPREM.

— La vivienda no debe estar sujeta a ningún régimen de protección pública (salvo las viviendas de Renta Concertada de nueva construcción).

— El contrato de arrendamiento no debe estar suscrito con personas con las que el arrendatario guarde relación de parentesco de primer o segundo grado de consanguinidad o afinidad ni con personas jurídicas respecto de las cuales sea socio o partícipe.

— El contrato de arrendamiento debe incluir una cláusula de prohibición de cesión o subarriendo.

— Ninguno de los inquilinos titulares del contrato debe ser beneficiario de esta ayuda o de la RBE.

— No ser titular de otra vivienda salvo que no disponga del uso y disfrute de la misma o esté localizada en otra localidad.

— En caso de renovación de la ayuda debe haber pagado todas las mensualidades correspondientes al año anterior.

Características de la ayuda:

SUBVENCIÓN de hasta el 40% de la renta que se vaya a pagar, con un límite de **2.880 euros** por vivienda (independientemente del número de titulares existentes en el contrato), durante un máximo de 2 años condicionada a que se mantengan las circunstancias que dieron lugar al reconocimiento inicial del derecho a la ayuda; no se podrá volver a solicitar esta subvención hasta transcurridos al menos cinco años desde la percepción.

2. PLAN ALQUILA:

Características:

— El Plan Alquila es un servicio de gestión profesionalizada del alquiler para la intermediación entre propietarios e inquilinos. Se gestionará el contrato de alquiler desde la firma hasta su resolución, se mediará en conflictos entre las partes y se contratará un seguro que cubrirá durante 24 meses los impagos y desperfectos en las viviendas alquiladas.

— El Plan tiene un modelo de contrato de alquiler al que deberán ceñirse todos los contratos que se celebren.

— Sometimiento de los contratos de alquiler a arbitraje, procurando resolver los conflictos sin necesidad de acudir a la jurisdicción civil agilizando los trámites para su resolución.

— Servicio de puesta en uso de las viviendas para la preparación de las mismas de cara a su alquiler. Para pequeñas reparaciones existirá un equipo de mantenimiento que lo llevará a cabo sin coste alguno.

— Creación de un Mapa de las Viviendas Disponibles en Alquiler en la Comunidad de Madrid y un Registro de Demandantes para facilitar la puesta en contacto entre oferentes y demandantes.

3. BOLSA DE VIVIENDA JOVEN EN ALQUILER

Características:

— Está adherida al Plan Alquila de la Comunidad de Madrid.

— Destinada a jóvenes entre 18 y 35 años.

— Modelo de contrato de alquiler al que deberán acogerse todos los contratos que se celebren.

— Sometimiento de los contratos de alquiler a arbitraje, procurando resolver los conflictos sin necesidad de acudir a la jurisdicción civil agilizando los trámites para su resolución.

— Contratación durante 2 años de un seguro de impago que garantice el cobro de las rentas.

— Contratación durante 2 años de un seguro multirriesgo de hogar.

E) PROMOTORES

1. PROMOCIONES DE VIVIENDAS PROTEGIDAS EN ALQUILER QUE SE ACOJAN A LA FINANCIACIÓN ESTATAL

A) PROMOCIÓN PARA ALQUILER A 25 AÑOS

Características:

Las viviendas protegidas podrán ser:

a) Régimen especial: destinadas a inquilinos con ingresos que no superen 2,5 veces el IPREM, y cuyo precio máximo de referencia por m² útil será de 1,50 veces el MBE.

b) Renta Básica: destinadas a inquilinos con ingresos que no superen 5,5 veces el IPREM, y cuyo precio máximo de referencia por m² útil será de 1,60 veces el MBE.

c) Renta Concertada: destinadas a inquilinos con ingresos que no superen 6,5 veces el IPREM, y cuyo precio máximo de referencia por m² útil será de 1,80 veces el MBE.

— Estos precios se incrementan según el ATPMS en el que se ubique la vivienda.

— La duración mínima del alquiler será de 25 años desde su calificación definitiva.

— Mientras sigan siendo protegidas, estas viviendas podrán venderse transcurridos 25 años. El precio máximo de venta será el que corresponda a una vivienda protegida del mismo tipo y en la misma ubicación, calificada provisionalmente en el momento de la venta.

Características de la ayuda

PRÉSTAMO CONVENIDO de hasta el 80% del precio de escritura o adjudicación a devolver en, al menos, 25 años. El tipo de interés podrá ser variable o fijo. En intereses variables será igual al Euribor a 12 meses publicado por el Banco de España en el *Boletín Oficial del Estado (BOE)*, el mes anterior al de la fecha de formalización, más un diferencial de entre 25 y 125 puntos básicos. El período de carencia en el pago de intereses finalizará en la fecha de la calificación definitiva, con un límite de 4 años (10 años con el consentimiento de la CA).

SUBSIDIOS a los préstamos. Cantidad anual por cada 10.000 euros de préstamo durante 25 años:

— **350 euros** para Viviendas de Régimen Especial

— **250 euros** para Viviendas de Régimen General o Renta Básica.

— **100 euros** para Viviendas de Régimen Concertado o Renta Concertada.

SUBVENCIÓN de 350 euros para la promoción de Viviendas de Régimen Especial y de **250 euros** por m² de superficie útil para Viviendas de Régimen General o Renta Básica. Cuando la vivienda estuviera en un Ámbito Territorial de Precio Máximo Superior se incrementarán las ayudas en **60 euros** para vivienda situadas en ámbitos del Grupo A, **30** para el B y **15** para el C.

Requisitos de acceso ayuda:

Haber obtenido el préstamo cualificado.

B) PROMOCIÓN PARA ALQUILER A 10 AÑOS

Características:

Las viviendas protegidas podrán ser:

a) Régimen especial: destinadas a inquilinos con ingresos que no superen 2,5 veces el IPREM, y cuyo precio máximo de referencia por m² útil será de 1,50 veces el MBE.

b) Renta Básica: destinadas a inquilinos con ingresos que no superen 5,5 veces el IPREM, y cuyo precio máximo de referencia por m² útil será de 1,60 veces el MBE.

c) Renta Concertada: destinadas a inquilinos con ingresos que no superen 6,5 veces el IPREM, y cuyo precio máximo de referencia por m² útil será de 1,80 veces el MBE.

• Estos precios se incrementan según el ATPMS en el que se ubique la vivienda.

• La duración mínima del alquiler será de 10 años desde su calificación definitiva.

• La renta máxima anual por m² útil será el 5,5% del precio máximo.

• Mientras sigan siendo protegidas, estas viviendas podrán venderse transcurridos 10. El precio máximo de venta será de hasta 1,5 veces el precio máximo de referencia establecido en la calificación provisional.

• Las viviendas podrán ser objeto de un contrato de alquiler con opción de compra. El precio de venta será de hasta 1,7 veces el precio máximo de referencia establecido en la calificación provisional. Del precio de venta se deducirá, al menos, el 50% de los alquileres satisfechos por el inquilino.

Características de la ayuda:

PRÉSTAMO CONVENIDO de hasta el 80% del precio de escritura o adjudicación a devolver en, al menos, 10 años. El tipo de interés podrá ser variable o fijo. En intereses variables será igual al Euribor a 12 meses publicado por el Banco de España en el *Boletín Oficial del Estado (BOE)*, el mes anterior al de la fecha de formalización, más un diferencial de entre 25 y 125 puntos básicos. El período de carencia en el pago de intereses finalizará en la fecha de la calificación definitiva, con un límite de 4 años (10 años con el consentimiento de la CA).

SUBSIDIOS a los préstamos. Cantidad anual por cada 10.000 euros de préstamo durante 10 años:

— **350 euros** para Viviendas de Régimen Especial.

— **250 euros** para Viviendas de Régimen General o Renta Básica.

— **100 euros** para Viviendas de Régimen Concertado o Renta Concertada.

SUBVENCIÓN de 350 euros para la promoción de Viviendas de Régimen Especial, **de 250 euros** por m² de superficie útil para Viviendas de Régimen General. Cuando la vivienda estuviera en un Ámbito Territorial de Precio Máximo Superior se incrementarán las ayudas en **60 euros** para vivienda situadas en ámbitos del Grupo A, **30** para el B y **15** para el C.

Requisitos de acceso ayuda:

Haber obtenido el préstamo cualificado.

2. PROMOCIONES DE ALOJAMIENTOS PROTEGIDOS PARA COLECTIVOS ESPECIALMENTE VULNERABLES (PLAN ESTATAL 2009-2012)

Características:

• Alojarán a unidades familiares con ingresos no superiores a 1,5 veces el IPREM, jóvenes menores de 35 años, personas mayores de 65 años, mujeres víctimas de violencia de género, víctimas del terrorismo, afectados por situaciones catastróficas, discapacitados, personas sin hogar y otros colectivos en situación de exclusión social.

• Formarán parte de edificios o conjuntos de edificios destinados en exclusiva a estos colectivos.

• Se accederá a ellos mediante alquiler.

• La renta máxima anual por m² útil será el 4,5% del precio máximo de una Vivienda Protegida de Régimen Especial para Alquiler durante 25 años (1,30 veces el MBE) Se imputará un máximo del 30% de la superficie destinada a servicios comunes y asistenciales. La prestación de estos servicios podrá suponer un incremento de la renta.

• Superficie útil mínima de 15 m² por persona, con un máximo de 45 m² (el 25% del total de los alojamientos podrá tener hasta 90 m²).

• La superficie útil protegida destinada a servicios comunes y asistenciales no podrás ser superior al 30%.

Características de la ayuda:

PRÉSTAMO CONVENIDO de hasta el 80% del precio de escritura o adjudicación a devolver en, al menos, 25 años. El tipo de interés podrá ser variable o fijo. En intereses variables será igual al Euribor a 12 meses publicado por el Banco de España en el *Boletín Oficial del Estado (BOE)*, el mes anterior al de la fecha de formalización, más un diferencial de entre 25 y 125 puntos básicos. El período de carencia en el pago de intereses finalizará en la fecha de la calificación definitiva, con un límite de 4 años (10 años con el consentimiento de la CA).

SUBSIDIOS a los préstamos. Cantidad anual por cada 10.000 euros de préstamo durante 25 años: 350 euros.

SUBVENCIÓN de 500 euros por m² de superficie útil.

3. PROMOCIONES DE ALOJAMIENTOS PROTEGIDOS PARA OTROS COLECTIVOS ESPECÍFICOS (PLAN ESTATAL 2009-2012)

Características:

• Alojarán a personas relacionadas con la comunidad universitaria, o investigadores o científicos.

• Formarán parte de edificios o conjuntos de edificios destinados en exclusiva a estos colectivos.

• Se accederá a ellos mediante alquiler.

• La renta máxima anual por m² útil será el 4% del precio máximo de una Vivienda Protegida de Régimen General o Renta Básica para Alquiler durante 25 años (1,60 veces el MBE) Se imputará un máximo del 30% de la superficie destinada a servicios comunes y asistenciales. La prestación de estos servicios podrá suponer un incremento de la renta.

• El número de alojamientos lo determinarán las CC.AA.

• Superficie útil mínima de 15 m² por persona, con un máximo de 45 m² (el 25% del total de los alojamientos podrá tener hasta 90 m²).

• La superficie útil protegida destinada a servicios comunes y asistenciales no podrás ser superior al 30%.

Características de la ayuda:

PRÉSTAMO CONVENIDO de hasta el 80% del precio de escritura o adjudicación a devolver en, al menos, 25 años. El tipo de interés podrá ser variable o fijo. En intereses variables será igual al Euribor a 12 meses publicado por el Banco de España en el *Boletín Oficial del Estado (BOE)*, el mes anterior al de la fecha de formalización, más un diferencial de 25 y 125 puntos básicos. El período de carencia en el pago de intereses finalizará en la fecha de la calificación definitiva, con un límite de 4 años (10 años con el consentimiento de la CA).

SUBSIDIOS a los préstamos. Cantidad anual por cada 10.000 euros de préstamo durante 25 años: 250 euros.

SUBVENCIÓN de 320 euros por m² de superficie útil.

4. PROMOCIONES DE VIVIENDAS DE INTEGRACIÓN SOCIAL

Características:

• Están destinadas a personas necesitadas de protección social.

• Su promoción y administración se regulará mediante convenios entre las Administraciones Públicas intervinientes y, en su caso, con entidades privadas sin ánimo de lucro.

• En esos convenios se fijarán:

a) La superficie construida de las viviendas (que no podrá superar los 130 m²).

b) El sistema de acceso a las mismas (que podrá ser en arrendamiento o en otra forma de cesión de uso justificada por razones sociales, nunca en propiedad).

c) Los requisitos de acceso.

d) La previsión de instalaciones complementarias de carácter sanitario, educativo u otro situadas en el edificio para la capacitación e integración social de los destinatarios.

Características de la ayuda:

— La ayuda económica a la Vivienda de Integración Social se concederá al promotor y consistirá en una subvención denominada **CHEQUE VIVIENDA SOCIAL** por una cuantía equivalente al **50%** del coste de construcción de las viviendas.

— En los convenios que se celebren para la promoción de Viviendas de Integración Social se establecerá el coste máximo de construcción subvencionable de la misma.

— El abono de la subvención se practicará una vez obtenida la calificación definitiva si bien podrá anticiparse total o parcialmente con la provisional.

5. PROMOCIONES DE VIVIENDAS CON PROTECCIÓN PÚBLICA DE CARÁCTER SOSTENIBLE

Características:

• Las viviendas con Protección Pública podrán promoverse con el fin de fomentar la denominada vivienda sostenible, que es la vivienda compatible con los requerimientos económicos y de conservación del medio ambiente, mediante la aplicación de técnicas de construcción que supongan un menor uso de materiales contaminantes, un mayor ahorro energético y de consumo de agua, incluyendo el diseño de viviendas adaptadas a las condiciones bioclimáticas de la zona en la que se ubiquen, así como mediante la aplicación de innovaciones tecnológicas de toda índole.

Características de la ayuda:

— El promotor de este tipo de viviendas tendrá derecho a una subvención por vivienda denominada **CHEQUE VIVIENDA SOSTENIBLE** por una cuantía equivalente al **1%** de su precio máximo total de venta con el límite de **2.400 euros**.

REGLAMENTO DE VIVIENDAS CON PROTECCIÓN PÚBLICA DE LA COMUNIDAD DE MADRID (DECRETO 74/2009)

A) LA VIVIENDA CON PROTECCIÓN PÚBLICA

1. OBJETO DEL REGLAMENTO

1. Configura desde el punto de vista jurídico el Plan de Vivienda 2009-2012.

2. Regula el sistema de promoción y acceso a la vivienda de protección pública, estableciendo precios máximos de venta y arrendamiento.

3. Establece un seguro de impago de rentas en el arrendamiento con opción de compra.

4. Se permite modificar la calificación definitiva para adaptar el régimen de uso a las necesidades de la demanda.

5. Se establece la posibilidad de que las viviendas terminadas puedan acogerse al régimen de protección cuando cumplan con la normativa de vivienda protegida incluyendo también el arrendamiento con opción de compra.

6. Establece nuevas directrices en cuanto al régimen legal de las viviendas protegidas (extensión de la protección pública, cómputo de superficies...).

7. Se mantiene el arrendamiento con opción de compra para menores de 35 años y se amplía para el colectivo de las personas que superan esta edad.

2. SUPERFICIES MÁXIMAS DE LAS VIVIENDAS

— La superficie construida máxima será de 150 m² excepto las VPPAOCJ que tendrán una superficie construida máxima de 70 m².

3. DESTINO DE LAS VIVIENDAS

— Podrán estar destinadas a la venta o uso propio, al arrendamiento o al arrendamiento con opción de compra y deberán constituir el domicilio habitual y permanente de sus ocupantes.

4. PRECIO MÁXIMO DE LAS VIVIENDAS

— El precio máximo será básico o limitado; la VPPAOCJ estará sujeta en cualquier caso al precio básico.

— No se podrá repercutir en este precio máximo las mejoras o cambios de calidades aún siendo estos aceptados por el adquirente.

— En el caso de viviendas para uso propio no se incluirán en el precio máximo las aportaciones al capital social ni las cuotas sociales ni las de participación de otras actividades que pueda desarrollar la comunidad de propietarios.

— En el caso de segundas o posteriores transmisiones que se produzcan dentro del plazo legal de protección el precio máximo de venta por m² de superficie útil no podrá superar el establecido para las viviendas calificadas provisionalmente en la fecha en la que se produzca esa transmisión .

— Las VPO de promoción pública a las que se le puede aplicar el R.D. Ley 31/1978 tendrán un precio máximo por m² de superficie útil del 80% del que este establecido para las VPO de promoción privada de régimen especial en la misma fecha y en la misma localidad.

Este precio máximo se aplicará también en las segundas o posteriores transmisiones de estas viviendas mientras dure su vinculación al régimen de protección.

— Los precios máximos establecidos para las VPPB serán los que se aplicarán en las segundas o posteriores transmisiones de viviendas acogidas a los Decretos 43/1997, 228/1998 o 11/2001 y las VPO de régimen general acogidas al RD Ley 31/1978.

— El precio máximo de venta en segundas o posteriores transmisiones de las VPP o de las VPO acogidas al RD 801/2005 será el resultado de actualizar el precio de venta inicial mediante la aplicación del IPC correspondiente desde la primera transmisión hasta la segunda o posterior de la que se trate y aplicarle un coeficiente de 1,5.

— El garaje y el trastero vinculados tendrán un precio máximo por m² útil que supondrá un 50% (el 20% si se trata de una plaza de garaje bajo porches no cerrados lateralmente en todos sus lados) del precio máximo por m² útil de vivienda.

5. RENTA MÁXIMA DE LAS VIVIENDAS

— La renta máxima inicial anual por m² de superficie útil de las VPPA o VPPAOC será del 5,5% del precio máximo de venta de dichas viviendas vigente a la fecha de celebración del contrato de arrendamiento, cuando se trate de VPPA o del que figure en la Calificación Definitiva en el caso de VPPAOC.

— En el caso de que las viviendas hubieran obtenido financiación estatal el porcentaje será el que se fije en el Plan Estatal vigente en el momento de la obtención de dicha financiación.

— El arrendador tiene la obligación de alquilar la cocina amueblada entendiéndose por esto el frente de mayor longitud amueblado e instalación integrada de módulos de cocina con horno, fregadero y campana extractora; si el resto de la vivienda se encuentra amueblada esto no puede suponer una mayor renta anual para el inquilino.

— La renta anual podrá actualizarse en función de la variación que experimente el IPC.

— El arrendador podrá percibir además de la renta inicial o revisada que corresponda, el coste real de los servicios de los que el inquilino disfrute y se satisfagan por el arrendador así como las demás repercusiones autorizadas por la legislación vigente.

— El arrendador deberá asumir la administración, explotación y mantenimiento del inmueble hasta que concluya el período de vinculación al régimen de protección.

6. ACCESO A LAS VIVIENDAS CON PROTECCIÓN PÚBLICA

1. Para acceder a una VPPB en régimen de venta o uso propio, arrendamiento o arrendamiento con opción de compra los ingresos de la unidad familiar no podrán superar 5,5 veces el IPREM.

2. Para acceder a una VPPAOCJ será necesario tener una edad no superior a 35 años y unos ingresos familiares de 5,5 veces el IPREM.

3. Para acceder a una VPPL en régimen de venta o uso propio, arrendamiento o arrendamiento con opción de compra los ingresos de la unidad familiar no podrán superar 7,5 veces el IPREM.

4. Ser mayor de edad o menor emancipado y no encontrarse incapacitado para obligarse contractualmente.

5. No ser titular del pleno dominio o de un derecho real de uso o disfrute sobre otra vivienda sujeta a régimen de protección en todo el territorio nacional.

6. No ser titular del pleno dominio o de un derecho real de uso o disfrute sobre una vivienda libre en el territorio nacional con las siguientes excepciones:

— Que el derecho recaiga sobre una parte alícuota de la vivienda no superior al 50% y se haya adquirido la misma por título de herencia.

— En los casos de sentencia judicial de separación o divorcio cuando, como consecuencia de ésta, no se le haya adjudicado el uso de la vivienda que constituía la residencia familiar.

7. Si las viviendas hubieran obtenido algún tipo de financiación estatal a estos requisitos habría que sumarles los propios de los Planes de Vivienda del Estado.

8. Los requisitos de acceso a la vivienda habrán de cumplirse a la fecha de suscripción del contrato privado de compraventa de la vivienda o título da adjudicación en los casos de primera transmisión de viviendas califica-

das expresamente para venta o uso propio; en la fecha de celebración del contrato de arrendamiento cuando se trate de la cesión de uso en régimen de alquiler de viviendas calificadas expresamente para arrendamiento o arrendamiento con opción a compra, y a la fecha de la solicitud de la calificación provisional cuando se trate de la promoción individual para uso propio.

9. Cuando la designación como arrendatario de una VPPAOCJ sea el resultado de la celebración de un sorteo público por parte de la Administración el requisito de edad habrá de cumplirse el último día del mes anterior a la publicación en el Boletín Oficial de la Comunidad de Madrid de la convocatoria del sorteo.

10. El control administrativo del cumplimiento de los requisitos de acceso a las V.P.P., se efectuara mediante el otorgamiento de la calificación provisional de la vivienda cuando se trate de la promoción individual para uso propio, y mediante el visado del contrato de compraventa o arrendamiento o del título de adjudicación en los demás supuestos.

7. EXTENSIÓN DE LA PROTECCIÓN PÚBLICA

1. Los locales de negocio situados en los inmuebles destinados a vivienda con protección pública contarán también con protección pública y su venta o alquiler serán libres salvo que se vendan o alquilen a los adquirentes o adjudicatarios de las viviendas de la promoción en cuyo caso el precio máximo de venta o renta por m² de superficie útil no podrá superar el 40% del precio de la vivienda protegida.

2. Los garajes y los trasteros vinculados en proyecto y registralmente a las viviendas tendrán un precio máximo que no supere el 50% (el 20% si se trata de plazas de garaje bajo porches no cerrados lateralmente en todos sus lados) del precio máximo por m² útil de superficie de vivienda.

A estos efectos se computará 25 m² útiles de garaje y 8 m² de trastero con independencia de que la superficie útil real sea mayor.

Cuando se vincule una segunda plaza el precio de esta no podrá exceder del 40% del precio máximo por m² útil de superficie de vivienda.

No se podrán vincular más de 2 plazas por vivienda.

Las plazas no vinculadas no podrán superar el 50% del precio máximo por m² útil de superficie de vivienda y si se adquieren por compradores de vivienda protegida no podrá superar el 30% del precio máximo por m² útil de superficie de vivienda.

3. También tendrán protección los jardines, parques y piscinas y no se podrá cobrar ningún precio adicional por ellos entendiendo que el precio de los mismos está incluido en el precio de la vivienda.

8. DURACIÓN DEL RÉGIMEN LEGAL DE PROTECCIÓN PÚBLICA

1. Para las Viviendas con Protección Pública para venta o uso propio: 15 años.

2. Para las Viviendas con Protección Pública para arrendamiento: 15 años.

3. Para las viviendas con Protección Pública en régimen de arrendamiento con opción de compra: 10 años.

4. Si se hubiera obtenido financiación cualificada al amparo de Planes de Vivienda Estatales la duración del régimen legal de protección será la que se fije en el Plan correspondiente.

5. Estas viviendas no podrán ser objeto de descalificación voluntaria.

9. VISADO DEL CONTRATO

— Los contratos de compraventa o títulos de adjudicación deberán ser presentados por el promotor en la Consejería competente en materia de vivienda para su visado con la solicitud de Calificación definitiva y si la venta se produjera después de la concesión de la Calificación en el plazo máximo de 10 días a partir de la firma del mismo.

— Los contratos de arrendamiento deberán presentarse por el promotor en un plazo máximo de 10 días desde la firma del mismo.

— El visado acredita que los contratos tienen todas las cláusulas exigibles en la tipología de vivienda a la que correspondan así como que los adquirentes o arrendatarios cumplen las condiciones de acceso necesarias.

— En un plazo de seis meses desde la fecha de concesión del visado la administración tiene que devolver al promotor el contrato original visado y una fotocopia para el adquirente o inquilino, una tercera copia quedará en el expediente; si transcurre un tiempo superior a esos 6 meses y no se ha producido el visado este se entenderá concedido por silencio administrativo.

— Si el contrato tuviera algún defecto subsanable se dará un plazo de 10 días al promotor para la subsanación del mismo.

— La denegación del visado por incumplimiento conllevará el inicio de un expediente sancionador.

10. CESIÓN EN ARRENDAMIENTO DE VPP PARA VENTA O USO PROPIO

1— Una vez conseguido el permiso administrativo el contrato de arrendamiento que se suscriba entre arrendador y arrendatario deberá ser presentado para su visado en la Consejería.

2— La renta anual máxima inicial a cobrar será del 5,5% del precio máximo legal de venta de las viviendas protegidas para venta o uso propio que esté vigente en la fecha de celebración del contrato.

11. TRANSMISIÓN DE PROMOCIÓNES DE VPPA O VPPAOC A TERCEROS

1. Las VVPA Y VPPAOC se pueden enajenar por sus promotores, sean estos públicos o privados, por promociones completas y a precio libre en cualquier momento del período de vinculación a dicho régimen de uso y previa autorización de la Consejería a un nuevo titular que tiene que ser persona jurídica, incluyendo sociedades o fondos de gestión inmobiliaria, pudiendo retener la gestión de las promociones, siempre que los nuevos propietarios respeten las condiciones, plazos y rentas máximos establecidos, subrogándose en sus derechos y obligaciones.

B) CALIFICACIÓN DE LA VIVIENDA CON PROTECCIÓN PÚBLICA

1. CALIFICACIÓN PROVISIONAL

1. Se solicitará para edificios completos y por regla general de un mismo régimen de uso, aunque también se puede solicitar para edficios que

comprendan viviendas de distinto régimen de uso y excepcionalmente para promociones que incluyan vivienda protegida y vivienda libre; en estos casos se tienen que separar por edificios o portales las viviendas que correspondan a distinto régimen de uso y las libres de las protegidas, esta separación también deberá existir cuando en una misma promoción exista vivienda en régimen de arrendamiento y de arrendamiento con opción de compra.

2. Una vez concedida la calificación provisional no se podrá proceder a la actualización del precio por m² de superficie útil de vivienda que aparezca en la misma.

3. Si durante la ejecución de las obras hubiera modificaciones con respecto a lo inicialmente aprobado estas deberán autorizarse por la Consejería.

4. Si un promotor renunciase a la calificación provisional concedida y posteriormente se volviera a solicitar una nueva calificación para el mismo tipo de viviendas y en la misma parcela (aunque lo solicitara otro promotor), la calificación que se obtuviera sería con arreglo a los mismos precios máximos que había en la calificación objeto de renuncia.

2. CALIFICACIÓN DEFINITIVA

1. Los promotores tienen un plazo de 24 meses desde la concesión de la calificación provisional para solicitar la calificación definitiva; este plazo se puede prorrogar excepcionalmente y previa autorización por un máximo de ocho meses, si transcurrido ese plazo no se produce la solicitud se caducará la concesión de la calificación provisional y el promotor no podrá volver a solicitarla para la misma parcela.

2. En la cédula de calificación definitiva se recogerá que las viviendas están acogidas a este Decreto, el expediente de construcción, la identificación del promotor, la ubicación de las viviendas, su número, superficie y dependencias, la fecha de la calificación provisional y de terminación de las obras, el régimen de uso de las viviendas, la calificación urbanística del suelo en el que se ubican, el plazo de duración del régimen legal de protección y los precios de venta o renta.

3. Se podrán conceder calificaciones definitivas parciales en un mismo expediente de construcción.

4. No se puede proceder a la entrega de las viviendas o a la elevación a público de las escrituras de compraventa sin que esté concedida la calificación definitiva.

5. Las resoluciones administrativas o jurisdiccionales que modifiquen aspectos de la calificación definitiva ocasionarán la rectificación de la misma que se verá reflejada en una diligencia en la propia calificación.

6. En caso de denegación de la calificación definitiva por causa imputable al promotor los adquirentes pueden optar por: a) Ejecutar la garantía otorgada conforme a lo establecido en la Ley 57/1968 de Percepción de Cantidades Anticipadas en la Construcción y Venta de Viviendas.

Cuando no existan adquirentes o estos hayan optado por ejecutar la garantía y en caso de existir préstamo este quedará vencido por las cuantías entregadas a cuenta y será de cargo exclusivo del promotor que deberá abonarlo.

b) Solicitar en el plazo máximo de 3 meses desde la fecha de la denegación la rehabilitación del expediente a su favor, siempre y cuando hayan firmado contrato de compraventa o entregado cantidades a cuenta; los adquirentes se comprometerán a terminar las obras o a subsanar los defectos que provocaron la denegación de la calificación en el plazo y con el presupuesto que le indique la Administración.

En este caso se deducirá de las cantidades pendientes de entregar al promotor el dinero invertido en la terminación de las obras; por otra parte los adquirentes se subrogarán en el préstamo al promotor.

C) VIVIENDAS CON PROTECCIÓN PÚBLICA PARA ARRENDAMIENTO CON OPCIÓN DE COMPRA

— Además de las condiciones ya mencionadas en epígrafes anteriores en cuanto a condiciones de acceso, superficies y precios máximos el ejercicio de la opción de compra se realizará bajo las siguientes condiciones:

a) El tiempo mínimo para que el inquilino pueda ejercer la opción de compra es de 5 años a contar desde la fecha de concesión de la calificación definitiva y podrá ejercerse en el 5.º, 6.º o 7.º año desde esa fecha, comunicándoselo al arrendador 3 meses antes del vencimiento de la anualidad, si esta notificación no se produjera el arrendatario perdería el derecho a ejercer la opción de compra en esa anualidad.

Una vez ejercida la opción de compra se deberá elevar a público la Escritura de Compraventa en un plazo máximo de 2 meses y en un plazo máximo de 15 días desde su otorgamiento remitir una copia de la misma a la Consejería.

b) Una vez adquirida la vivienda y mientras esté en vigor el plazo de protección de 10 años la vivienda no se podrá transmitir por un precio superior al precio máximo vigente en el momento de celebración de la compraventa para una VPPB.

c) El precio de la vivienda será el resultado de multiplicar el precio máximo de venta por m² de superficie útil de vivienda que conste en la Calificación Definitiva por los siguientes porcentajes:

— 1,3 si la opción de compra se ejerce en el 5.º año.

— 1,4 si la opción de compra se ejerce en el 6.º año.

— 1,5 si la opción de compra se ejerce en el 7.º año.

A esta cantidad hay que restarle el 50% de las cantidades desembolsadas durante el arrendamiento en concepto de renta.

d) La Comunidad financiará la suscripción de un seguro de impago de rentas durante la vigencia del contrato de arrendamiento.

e) En el supuesto de que un arrendatario abandonase la vivienda el nuevo contrato que se estableciese sería por el importe de la renta inicial máxima actualizada con el IPC.

D) CAMBIO DE RÉGIMEN DE LAS VIVIENDAS PROTEGIDAS

1. Las promociones de VPP calificadas para venta podrán, a instancia del promotor y previa autorización de la Consejería, solicitar el cambio de régimen a arrendamiento.

2. Se podrán celebrar contratos de arrendamiento durante los 5 años posteriores a la concesión de la calificación sujetos en su duración máxima

a lo estipulado en la L.A.U y cuanto a la renta a aplicar a lo estipulado en este Decreto.

3. Las promociones de viviendas sobre suelo libre podrán calificarse como protegidas si cumplen los requisitos establecidos por la Comunidad de Madrid.

4. Si estas viviendas se calificaran como de arrendamiento con opción de compra el precio de venta en el momento de ejercer la opción de compra será el resultado de multiplicar el precio máximo de venta por m² de superficie útil que conste en la calificación definitiva por los siguientes coeficientes:

— 1,5 si la opción de compra se ejecuta durante el 5.º año.

— 1,6 si la opción de compra se ejecuta durante el 6.º año.

— 1,7 si la opción de compra se ejecuta durante el 7.º año.

A estas cantidades habrá que restarles el 50% de las desembolsadas en concepto de renta durante la duración del arrendamiento.

E) REHABILITACIÓN (DECRETO 88/2009)

1. REHABILITACIÓN DE EDIFICIOS RESIDENCIALES Y RECUPERACIÓN DE ENTORNOS URBANOS

— Mediante este Decreto se desarrolla el Plan de Rehabilitación 2009-2012 en la Comunidad de Madrid.

— El objeto del Decreto es el fomento y la regulación de las ayudas económicas, con cargo a los presupuestos de la Comunidad de Madrid, destinadas a la rehabilitación de edificios residenciales, la rehabilitación integral de la edificación tradicional y la recuperación de entornos urbanos.

— Se consideran actuaciones subvencionables en materia de rehabilitación las siguientes:

1. Embellecimiento exterior de los edificios residenciales con el objeto de mejorar el aspecto de las ciudades y el medio ambiente urbano.

2. Mejora de la funcionalidad en los elementos y zonas comunes de los edificios residenciales:

a) Con respecto a la seguridad, medidas que supongan adaptar los edificios a las exigencias básicas de seguridad estructural, de protección frente al ruido, de seguridad de utilización y de seguridad en caso de incendio del Código Técnico de la Edificación (CTE).

b) Con respecto a la accesibilidad, la instalación de ascensores y cualquier otra medida que implique una mejora de las condiciones de accesibilidad y adaptación a la normativa de accesibilidad, con el fin de eliminar barreras arquitectónicas y de comunicación y así permitir el acceso a las viviendas y el acceso y uso a los elementos y zonas comunes del edificio por todas las personas.

En caso de no poder cumplir la normativa deberá justificarse de forma razonada los motivos técnicos que lo impiden y proponer las medidas que más se acerquen al objetivo.

c) Con respecto a la salubridad, medidas que subsanen deficiencias o supongan una adaptación a la normativa vigente de las instalaciones comunes del edificio o persigan recuperar la estanqueidad de los cerramientos exteriores.

3. Acondicionamiento de los elementos constructivos existentes e implantación o sustitución de instalaciones de los edificios residenciales que permitan la reducción de emisiones de CO_2, el ahorro de energía y un uso racional de los recursos naturales con el objeto de mejorar la eficiencia energética de los edificios.

4. Rehabilitación de edificios residenciales de tipología especial, ya sea de corrala, o bien edificaciones tradicionales que presenten un alto grado de deterioro, con el objeto de preservar el valor arquitectónico de la Comunidad de Madrid.

5. Recuperación de entornos urbanos mediante Áreas de Rehabilitación de Barrios o Centros Urbanos:

a) En la edificación actuaciones comprendidas en los apartados 1,2,3 y 4 ya mencionados.

b) En los espacios libres públicos, la renovación de sus instalaciones urbanas e infraestructuras básicas, incluida la rehabilitación y/o creación de aparcamientos subterráneos, con el fin de mejorar la movilidad y el medio ambiente urbano, así como el ahorro energético, el embellecimiento de los espacios libres públicos y la supresión de barreras arquitectónicas y de comunicación.

c) La demolición y reconstrucción de edificaciones que se justifiquen necesarias.

2. DEL PROCEDIMIENTO DE LAS AYUDAS ECONÓMICAS:

— Las ayudas económicas serán en forma de subvenciones.

— La concesión de las ayudas estará sujeta a la disponibilidad presupuestaria.

— Será necesario, para acceder a las subvenciones, que las actuaciones subvencionables hayan obtenido la Calificación Provisional, previamente a su ejecución, y la Calificación Definitiva, que se otorgará una vez concluidas y aprobadas las obras de conformidad con lo establecido en la Calificación Provisional.

— Todas las ayudas previstas en este Decreto podrán ser anticipadas en un 50%, si así lo solicita el beneficiario de las mismas, una vez se haya concedido la Calificación Provisional; en caso de incumplimiento por parte del solicitante de las condiciones y plazos previstos en la Calificación Provisional tendrá que devolver las ayudas percibidas incrementadas con los intereses de demora desde la fecha de la Calificación Provisional.

— Los beneficiarios de las ayudas deberán cumplir las condiciones de las Leyes de Subvenciones estatal y autonómica; las comunidades de propietarios estarán exoneradas de la acreditación de estar al corriente de sus obligaciones fiscales y frente a la Seguridad Social bastando en este caso una declaración responsable de la existencia de deudas.

— Las ayudas económicas serán compatibles con otras ayudas a la rehabilitación promovidas por la Comunidad de Madrid siempre que no sean para el mismo concepto; también serán compatibles con las ayudas estatales del Plan 2009-2012 siempre que cumplan las condiciones fijadas en el mismo.

3. DECLARACIÓN DE ÁREA DE REHABILITACIÓN DE BARRIOS O DE CENTROS URBANOS:

— Esta declaración se puede hacer de oficio por la Consejería competente en materia de vivienda, o a instancia del Ayuntamiento correspondiente, o de las Comunidades de Propietarios, Comunidades de Bienes, y de los propietarios de edificios no divididos horizontalmente de dicho ámbito que representen al menos, un 50% del total de Comunidades de Propietarios, Comunidades de Bienes y de los propietarios de edificios no divididos horizontalmente del Área delimitada.

— La declaración se realizará por razones urbanísticas, arquitectónicas, socioeconómicas o histórico-artísticas.

— La declaración de un Área de Rehabilitación se basará en estudios o informes técnicos que determinen el deterioro arquitectónico, urbanístico o socioeconómico de la zona, o el valor histórico artístico que sea preciso preservar.

— La declaración del Área será mediante Orden de la Consejería competente en materia de vivienda.

— Para proceder a la declaración de un Área de Rehabilitación de Barrios o Centros Urbanos será necesario el cumplimiento de los siguientes requisitos:

a) Que se trate de un área concreta, continua o discontinua, o un conjunto urbano deteriorado arquitectónica, urbanística o socioeconómicamente o que presente un valor histórico-artístico que sea preciso preservar.

b) Que el destino de los edificios incluidos en la zona sea primordialmente de carácter residencial y tengan una antigüedad de más de 25 años.

c) Que en el supuesto de que sea necesaria la demolición de edificaciones, estas no superen el 30% del total de los edificios susceptibles de solicitar la declaración. En este caso, las ayudas también podrán dirigirse a las demoliciones y a las nuevas construcciones.

— La inversión subvencionable comprenderá el coste total del contrato de ejecución de las obras, los honorarios de los profesionales intervinien-

966

tes, los informes técnicos y certificados necesarios así como los tributos satisfechos por razón de las actuaciones, todos ellos debidamente acreditados.

4. SOLICITANTES Y BENEFICIARIOS DE LAS AYUDAS:

— Podrán solicitar las ayudas y ser beneficiarios de las mismas, las comunidades de propietarios de edificios residenciales, incluidos o no en un Área de Rehabilitación, que estén legalmente constituidas a través de sus representantes legales, debiendo hacerse constar los compromisos de ejecución asumidos por cada miembro de la Comunidad, así como el importe de la subvención a aplicar a cada uno de ellos, que tendrán igualmente la condición de beneficiarios. También podrán solicitar las ayudas y ser beneficiarios las comunidades de bienes y los propietarios de edificios de viviendas no divididos horizontalmente, ya sean personas físicas o jurídicas.

Si el edificio no está dividido horizontalmente, la subvención se abonará al propietario, ya sea persona física o jurídica. La subvención total máxima para el edificio operará en función del número de viviendas de dicho inmueble.

— Podrán solicitar las ayudas establecidas en este Decreto referentes a espacios libres públicos de Áreas de Rehabilitación y ser beneficiarios de las mismas, los Ayuntamientos de municipios en los que se haya declarado esta Área de Rehabilitación o las empresas públicas municipales o mixtas que gestionen las instalaciones urbanas e infraestructuras básicas del Área de Rehabilitación, para solicitar las ayudas será necesario la presentación de una memoria programa en la que se recojan el ámbito geográfico y los aspectos técnicos y económicos de las actuaciones previstas.

Solo se podrán solicitar las ayudas relativas a renovación de instalaciones urbanas e infraestructuras básicas en aquellos municipios que tengan menos de 50000 habitantes en el momento de la solicitud.

5. AYUDAS A LAS ACTUACIONES SUBVENCIONABLES:

— Las actuaciones subvencionables podrán obtener las siguientes ayudas para:

1. Por el embellecimiento exterior de los edificios se podrá obtener una ayuda del 25% de la inversión subvencionable con un máximo de **6.000 euros** por vivienda o local.

2. Por la mejora de la funcionalidad en los edificios con respecto a la seguridad, accesibilidad y salubridad podrá obtener una ayuda del 25% de la inversión subvencionable con un máximo de **9.000 euros** por vivienda o local.

3. Por la mejora de la funcionalidad en los edificios con respecto a la accesibilidad para el acceso y comunicación horizontal y vertical de los edificios, a excepción de la instalación de ascensores, podrán optar por obtener una ayuda del 70% de la inversión subvencionable con un máximo de **10.000 euros** por edificio.

4. Por la mejora de la funcionalidad en los edificios con respecto a la accesibilidad que tengan por finalidad la instalación de ascensores en edificios residenciales para dar acceso a las viviendas y posibilitar el acceso y conexión de estas con elementos y zonas comunes (garajes, trasteros, etc.) podrán obtener una subvención del 70% de la inversión subvencionable para su instalación, con el límite de **50.000 euros** por ascensor.

Podrán acogerse a estas ayudas, con independencia del cumplimiento de la condición de antigüedad, aquellos edificios en los que resida de forma habitual y permanente una persona que pueda acreditar una discapacidad mayor o igual al 33% o una persona de 65 años o más.

5. Por la mejora de la eficiencia energética de los edificios, siempre que supongan una disminución de al menos un 15% de emisiones de CO_2, mediante la adopción de alguna medida subvencionable, podrán obtener una ayuda de un 25% de la inversión subvencionable con un máximo de **12.000 euros** por vivienda o local.

6. Por la rehabilitación de edificios con tipología especial, ya sea de corrala, o bien edificaciones tradicionales, con antigüedad de más de 50 años, podrán obtener una ayuda del 25% de la inversión subvencionable, con un máximo de **10.000 euros** por vivienda para poder acometer obras de rehabilitación hasta el grado de integral.

Las ayudas relativas a la rehabilitación integral de edificios rurales tradicionales serán de aplicación únicamente en municipios con menos de 10.000 habitantes.

6. AYUDAS ECONÓMICAS A LAS ÁREAS DE REHABILITACIÓN DE BARRIOS O DE CENTROS URBANOS:

1. En los edificios residenciales incluidos en un Área de Rehabilitación declarada, las actuaciones referentes al embellecimiento exterior, la funcionalidad, la eficiencia energética y tipologías especiales podrán obtener las mismas ayudas que se han visto en el epígrafe anterior.

2. En los espacios libres públicos incluidos en un Área de Rehabilitación declarada, las actuaciones referidas a la recuperación de entornos urbanos, podrán obtener una ayuda del 25% de la inversión subvencionable, siempre que esta cantidad no supere el 35% de las ayudas previstas en la memoria-programa del expediente de declaración del Área para la rehabilitación de los edificios residenciales en ella incluidos.

Las ayudas referidas a la renovación de instalaciones urbanas e infraestructuras básicas serán de aplicación únicamente en Áreas de Rehabilitación declaradas en municipios de menos de 50.000 habitantes.

Esta ayuda se le dará al promotor de la actuación que podrán ser Ayuntamientos o empresas públicas municipales o mixtas.

3. Las ayudas expresadas en los puntos 1 y 2 se harán extensivas, en su caso, a aquellas actuaciones que impliquen la demolición de edificios por ser inviables técnica o económicamente su mantenimiento, con el límite del 30% del total de los edificios susceptibles de solicitar la declaración.

4. El plazo máximo de vigencia de la Declaración del Área vendrá determinada en la memoria-programa para la ejecución de las obras, no pudiéndose solicitar ayudas fuera de ese plazo, salvo que por causa justificada la Administración prorrogue ese plazo.

Si después de transcurridos 2 años desde la fecha de la publicación de la declaración del Área de Rehabilitación en el Boletín de la Comunidad de Madrid, no se han presentado ayudas económicas para, al menos, el 10% de los edificios del Área, la Consejería competente en materia de vivienda podrá archivar el expediente.

5. Para la obtención de las ayudas será necesaria la calificación provisional como actuación subvencionable, previa a la ejecución, por parte de la Consejería competente en materia de vivienda y cumplirse los siguientes requisitos:

a) Requisitos generales:

1.º. Que el uso del edificio sea primordialmente residencial (al menos un 50% del conjunto de viviendas y locales).

2.º. Que el edificio, ya sea antes de las actuaciones o después de rehabilitarse, tenga por destino (al menos un 50% del conjunto de viviendas y locales) ser domicilio habitual y permanente.

3.º. Que el edificio tenga una antigüedad mayor de 25 años (en el caso de edificios incluidos en un Área de Rehabilitación el 50% de los edificios deberán destinarse a uso primordialmente residencial y de estos al menos el 70% tener más de 25 años de antigüedad).

b) Requisitos específicos:

1.º. De actuaciones referentes a la seguridad estructural: que presente una patología estructural provocada por causas ajenas a la conservación y mantenimiento del edificio, ya sean directas o indirectas, debidamente justificadas por un técnico competente en la materia.

2.º De actuaciones referentes a la accesibilidad: que tenga una antigüedad mayor a 15 años (en el caso de que en el edificio resida una persona con una discapacidad mayor o igual al 33% o una persona de 65 años o más no será necesario cumplir este requisito de antigüedad).

7. GESTIÓN DE LAS ACTUACIONES Y DE LAS AYUDAS:

— La Comunidad de Madrid pondrá a disposición de los ciudadanos, como instrumento de información, asesoramiento, tramitación y gestión, las Oficinas de Rehabilitación, cada una de las cuales tendrá por lo menos un Gestor Personal de Rehabilitación.

— La Consejería competente en materia de Rehabilitación podrá suscribir convenios con el Ayuntamiento en el que se sitúe el Área de Rehabilitación y con el Ministerio competente en materia de Rehabilitación, en el caso de que se vayan a recibir ayudas estatales; en estos convenios se concretarán los objetivos de la Rehabilitación a realizar, siempre que se refiera a la recuperación de entornos urbanos y otros objetivo marcados en el Plan Estatal.

15. Plan de Vivienda de la Ciudad Autónoma de Melilla 2009-2012

Decreto del Consejo de Gobierno de 1 de junio de 2009

1. ACTUACIONES PROTEGIDAS

1. La promoción de viviendas protegidas de nueva construcción, o procedentes de la rehabilitación, destinadas a la venta, el uso propio o el arrendamiento, incluidas, en este último supuesto, las promovidas en régimen de derecho de superficie o de concesión administrativa, así como la promoción de alojamientos protegidos para grupos especialmente vulnerables y otros grupos específicos; en la Ciudad de Melilla no se considerará actuación protegida la promoción de viviendas unifamiliares aisladas.

2. El alquiler de viviendas nuevas o usadas, libres o protegidas, así como la adquisición de viviendas protegidas de nueva construcción para venta, y la de viviendas usadas, para su utilización como vivienda habitual del adquirente.

3. La rehabilitación de conjuntos históricos, centros urbanos, barrios degradados y municipios rurales; la renovación de áreas urbanas y la erradicación de la infravivienda y del chabolismo.

4. La mejora de la eficiencia energética y de la accesibilidad y la utilización de energía renovables, ya sea en la promoción, en la rehabilitación o en la renovación de viviendas y edificios.

5. La adquisición y urbanización de suelo para vivienda protegida.

6. La aplicación en la Ciudad Autónoma de Melilla del Plan Estatal 2009-2012 y la información a los ciudadanos sobre el mismo.

2. SUPERFICIES MÁXIMAS Y MÍNIMAS DE LAS VIVIENDAS

La superficie útil mínima será establecida por las CC.AA. En su defecto, la superficie útil mínima será de 30 m², para un máximo de dos personas, ampliable 15 m² por cada persona adicional que conviva en ellas.

La superficie útil máxima será la establecida por las CC.AA. La superficie útil máxima, a efectos de la financiación establecida en este Plan, será de 90 m².

Cuando el programa correspondiente admita anejos a la vivienda, las superficies útiles máximas de los mismos serán de 8 m² útiles para el trastero y 25 para el garaje o anejo destinado a almacenamiento de útiles necesarios para el desarrollo de actividades productivas en el medio rural. Cuando la superficie útil no exceda de 45 m², podrá computarse, a efectos de financiación, una superficie útil adicional de hasta el 30 por ciento de dicha superficie útil, destinada a servicios comunitarios vinculados a dichas viviendas en los términos que establezca la normativa propia de las CC.AA.

3. PRECIOS MÁXIMOS DE LAS VIVIENDAS PROTEGIDAS

— La Ciudad Autónoma de Melilla pertenece a un ATPMS del grupo C (según Orden VIV/1952/2009).

4. EL MÓDULO BÁSICO ESTATAL (MBE)

El Módulo Básico Estatal (MBE) es la cuantía en euros por metro cuadrado de superficie útil, que sirve como referencia para la determinación de los precios máximos de venta, adjudicación y renta de las viviendas objeto de las ayudas previstas en el Real Decreto 2066/2008, así como de los presupuestos protegidos máximos de las actuaciones de rehabilitación de viviendas y edificios, y en áreas de rehabilitación integral y renovación urbana.

El MBE será establecido por acuerdo del Consejo de Ministros en el mes de diciembre de cada año y será publicado en el *Boletín Oficial del Estado.*

Para el año 2009 se fija en 758 euros (838,8 euros para Canarias).

TIPOLOGÍAS Y CARACTERÍSTICAS DE LOS DIFERENTES TIPOS DE VIVIENDAS

A) COMPRA

1. VIVIENDA PROTEGIDA DE RÉGIMEN ESPECIAL

Características:

— El precio máximo en la Ciudad de Melilla será el siguiente: MBE * 1,30

• El régimen de protección será de al menos 30 años, y permanente mientras el suelo esté destinado a vivienda protegida o sea suelo dotacional público. Antes de los 10 años la vivienda no podrá venderse sin consentimiento de la CA y sin la devolución de las ayudas recibidas.

• Transcurridos 10 años podrá ser vendida a personas inscritas en los registros públicos de vivienda protegida.

Salvo normativa autonómica diferente, la superficie útil de la vivienda estará comprendida entre 30 m² (si viven 1 o 2 personas) y 90 m².

Requisitos de acceso:

1. Ingresos familiares no superiores a 2,5 veces el IPREM.

2. No ser titular de una vivienda protegida, ni de una libre cuyo valor, según el Impuesto sobre Transmisiones Patrimoniales, exceda del 40% del precio de la vivienda que se pretende adquirir (60% para personas mayores, mujeres víctimas de violencia de género, víctimas del terrorismo, familias numerosas o monoparentales con hijos, personas con discapacidad y separadas o divorciadas).

3. Estar inscrito en un registro público de demandantes de vivienda.

4. La actuación debe haber sido calificada como protegida por la CA.

5. La vivienda debe destinarse como residencia habitual del adjudicatario y ocuparse dentro de los plazos establecidos.

6. Los adquirentes deberán acreditar que tienen unos ingresos mínimos de al menos una doceava parte del precio total de la vivienda y anejos vinculados. En el caso de que estos ingresos mínimos no resultaran debidamente acreditados se puede conceder el acceso al préstamo convenido pero no las ayudas o subsidios solicitados.

Características de la ayuda:

PRÉSTAMO CONVENIDO de hasta el 80% del precio de escritura o adjudicación a devolver en, al menos, 25 años. El tipo de interés podrá ser variable o fijo. En intereses variables será igual al Euribor a 12 meses publicado por el Banco de España en el *Boletín Oficial del Estado (BOE)*, el mes anterior al de la fecha de formalización, más un diferencial de entre 25 y 125 puntos básicos.

SUBSIDIOS A LOS PRÉSTAMOS. Cantidad anual por cada 10.000 euros de préstamo durante 5 años, renovables 5 más: 100 euros (155 euros para familias numerosas, monoparentales con hijos y discapacitados, durante los 5 primeros años).

AYUDA ESTATAL DIRECTA A LA ENTRADA (AEDE):

8.000 euros (9.000 euros en caso de jóvenes, 11.000 euros para mujeres víctimas de violencia de género, víctimas de terrorismo y personas separadas o divorciadas, y 12.000 euros para familias numerosas, monoparentales con hijos y discapacitados).

Cuando la vivienda estuviera en un Ámbito Territorial de Precio Máximo Superior se incrementarán las ayudas en 1.200 euros para vivienda situadas en ámbitos del Grupo A, 600 para el B y 300 para el C.

Requisitos de acceso ayuda:

1. La vivienda tiene que haber obtenido la calificación definitiva.

2. El contrato de compraventa tiene que haber sido visado por la CA. Entre las firmas del contrato y la solicitud del visado no debe pasar más de 4 meses.

3. Entre el visado del contrato y la solicitud del préstamo no debe pasar más de 6 meses.

4. No haber obtenido ayudas financieras ni préstamo convenido para el mismo tipo de actuación durante los 10 años anteriores, este requisito no será exigible cuando:

a) La nueva solicitud de ayudas financieras a la vivienda se deba a un incremento del número de miembros de la unidad familiar para adquirir una vivienda por parte de una familia numerosa, con mayor superficie que la que tenía.

b) Cuando la nueva solicitud de ayudas financieras se produzca por la necesidad de una vivienda adaptada a las condiciones de discapacidad sobrevenida de algún miembro de la unidad familiar del solicitante.

c) Cuando se cumplan los supuestos de no disposición de los derechos de uso o disfrute de la vivienda por pérdida de la titularidad de la vivienda debida a extinción de condominio como consecuencia de una separación o divorcio de la pareja administrativamente reconocida como tal, cuando la vivienda se le adjudica a la otra parte.

5. No haber sido nunca antes titular de una vivienda en propiedad (salvo excepciones).

6. La cuantía del préstamo convenido no será inferior al 60% del precio de la vivienda durante los 5 primeros años de amortización del préstamo.

2. VIVIENDA PROTEGIDA DE RÉGIMEN GENERAL

Características:

— **El precio máximo en la Ciudad de Melilla será el siguiente: MBE * 1,76**

• El régimen de protección será de al menos 30 años, y permanente mientras el suelo esté destinado a vivienda protegida o sea suelo dotacional público. Antes de los 10 años la vivienda no podrá venderse sin consentimiento de la CA y sin la devolución de las ayudas recibidas. Transcurridos 10 años podrá ser vendida a personas inscritas en los registros públicos de vivienda protegida.

• Salvo normativa autonómica diferente, la superficie útil de la vivienda estará comprendida entre 30 m² (sólo si viven 1 o 2 personas) y 90 m².

Requisitos de acceso:

1. Ingresos familiares no superiores a 4,5 veces el IPREM.

2. No ser titular de una vivienda protegida, ni de una libre cuyo valor, según el Impuesto sobre Transmisiones Patrimoniales, exceda del 40% del precio de la vivienda que se pretende adquirir (60% para personas mayores, mujeres víctimas de violencia de género, víctimas del terrorismo, familias numerosas o monoparentales con hijos, personas con discapacidad y separadas o divorciadas).

3. Estar inscrito en un registro público de demandantes de vivienda.

4. La actuación debe haber sido calificada como protegida por la CA.

5. La vivienda debe destinarse como residencia habitual del adjudicatario y ocuparse dentro de los plazos establecidos.

6. Los adquirentes deberán acreditar que tienen unos ingresos mínimos de al menos una doceava parte del precio total de la vivienda y anejos vinculados. En el caso de que estos ingresos mínimos no resultaran debidamente acreditados se puede conceder el acceso al préstamo convenido pero no las ayudas o subsidios solicitados.

Características de la ayuda:

PRÉSTAMO CONVENIDO de hasta el 80% del precio de escritura o adjudicación a devolver en, al menos, 25 años. El tipo de interés podrá ser variable o fijo. En intereses variables será igual al Euribor a 12 meses publicado por el Banco de España en el *Boletín Oficial del Estado (BOE)*, el mes anterior al de la fecha de formalización, más un diferencial de entre 25 y 125 puntos básicos.

SUBSIDIOS A LOS PRÉSTAMOS. Cantidad anual por cada 10.000 euros de préstamo durante 5 años, renovables 5 más:

— 100 euros para ingresos menores o iguales a 2,5 veces el IPREM (155 euros para familias numerosas, monoparentales con hijos y discapacitados, durante los 5 primeros años).

— 80 euros para ingresos entre 2,5 y 3,5 veces el IPREM (113 euros para familias numerosas, monoparentales con hijos y discapacitados durante los 5 primeros años).

— 60 euros para ingresos mayores de 3,5 y menores o iguales a 4,5 veces del IPREM (93 euros para familias numerosas, monoparentales con hijos y discapacitados durante los 5 primeros años).

AYUDA ESTATAL DIRECTA A LA ENTRADA (AEDE):

— 8.000 euros para ingresos menores o iguales a 2,5 veces el IPREM (9.000 euros en caso de jóvenes, 11.000 euros para mujeres víctimas de violencia de género, víctimas de terrorismo y personas separadas o divorciadas, y 12.000 euros para familias numerosas, monoparentales con hijos y discapacitados).

— 7.000 euros para ingresos entre 2,5 y 3,5 veces el IPREM (8.000 euros en caso de jóvenes, 9.000 euros para mujeres víctimas de violencia de género, víctimas de terrorismo y personas separadas o divorciadas, y 10.000 euros para familias numerosas, monoparentales con hijos y discapacitados).

— 5.000 euros para ingresos mayores de 3,5 y menores o iguales a 4,5 veces del IPREM (6.000 euros en caso de jóvenes, 7.000 euros para mujeres víctimas de violencia de género, víctimas de terrorismo y personas separadas o divorciadas, y 8.000 euros para familias numerosas, monoparentales con hijos y discapacitados).

Cuando la vivienda estuviera en un Ámbito Territorial de Precio Máximo Superior se incrementarán las ayudas en 1.200 euros para vivienda situadas en ámbitos del Grupo A, 600 para el B y 300 para el comprador.

Requisitos de acceso ayuda:

1. La vivienda tiene que haber obtenido la calificación definitiva.

2. El contrato de compraventa tiene que haber sido visado por la CA. Entre las firmas del contrato y la solicitud del visado no debe pasar más de 4 meses.

3. Entre el visado del contrato y la solicitud del préstamo no debe pasar más de 6 meses.

4. No haber obtenido ayudas financieras ni préstamo convenido para el mismo tipo de actuación durante los 10 años anteriores, este requisito no será exigible cuando:

a) La nueva solicitud de ayudas financieras a la vivienda se deba a un incremento del número de miembros de la unidad familiar para adquirir una vivienda por parte de una familia numerosa, con mayor superficie que la que tenía.

b) Cuando la nueva solicitud de ayudas financieras se produzca por la necesidad de una vivienda adaptada a las condiciones de discapacidad sobrevenida de algún miembro de la unidad familiar del solicitante.

c) Cuando se cumplan los supuestos de no disposición de los derechos de uso o disfrute de la vivienda por pérdida de la titularidad de la vivienda debida a extinción de condominio como consecuencia de una separación o divorcio de la pareja administrativamente reconocida como tal, cuando la vivienda se le adjudica a la otra parte.

5. No haber sido nunca antes titular de una vivienda en propiedad (salvo excepciones).

6. La cuantía del préstamo convenido no será inferior al 60% del precio de la vivienda durante los 5 primeros años de amortización del préstamo.

3. VIVIENDA PROTEGIDA DE RÉGIMEN CONCERTADO

Características:

— El precio máximo en la Ciudad de Melilla será el siguiente: MBE * 2,25

• El régimen de protección será de al menos 30 años, y permanente mientras el suelo esté destinado a vivienda protegida o sea suelo dotacional público. Antes de los 10 años la vivienda no podrá venderse sin consentimiento de la CA y sin la devolución de las ayudas recibidas.

• Transcurridos 10 años podrá ser vendida a personas inscritas en los registros públicos de vivienda protegida.

• Salvo normativa autonómica diferente, la superficie útil de la vivienda estará comprendida entre 30 m² (sólo si viven 1 o 2 personas) y 90 m².

Requisitos de acceso:

1. Ingresos familiares no superiores a 6,5 veces el IPREM.

2. No ser titular de una vivienda protegida, ni de una libre cuyo valor, según el Impuesto sobre Transmisiones Patrimoniales, exceda del 40% del precio de la vivienda que se pretende adquirir (60% para personas mayores, mujeres víctimas de violencia de género, víctimas del terrorismo, familias numerosas o monoparentales con hijos, personas con discapacidad y separadas o divorciadas).

3. Estar inscrito en un registro público de demandantes de vivienda.

4. La actuación debe haber sido calificada como protegida por la CA.

5. La vivienda debe destinarse como residencia habitual del adjudicatario y ocuparse dentro de los plazos establecidos.

6. Los adquirentes deberán acreditar que tienen unos ingresos mínimos de al menos una doceava parte del precio total de la vivienda y anejos vinculados. En el caso de que estos ingresos mínimos no resultaran debidamente acreditados se puede conceder el acceso al préstamo convenido pero no las ayudas o subsidios solicitados.

Características de la ayuda:

PRÉSTAMO CONVENIDO de hasta el 80% del precio de escritura o adjudicación a devolver en, al menos, 25 años. El tipo de interés podrá ser variable o fijo. En intereses variables será igual al Euribor a 12 meses publicado por el Banco de España en el *Boletín Oficial del Estado (BOE)*, el mes anterior al de la fecha de formalización, más un diferencial de entre 25 y 125 puntos básicos.

Requisitos de acceso ayuda:

1. La vivienda tiene que haber obtenido la calificación definitiva.

2. El contrato de compraventa tiene que haber sido visado por la CA. Entre las firmas del contrato y la solicitud del visado no debe pasar más de 4 meses.

3. Entre el visado del contrato y la solicitud del préstamo no debe pasar más de 6 meses.

4. No haber obtenido ayudas financieras ni préstamo convenido para el mismo tipo de actuación durante los 10 años anteriores, este requisito no será exigible cuando:

a) La nueva solicitud de ayudas financieras a la vivienda se deba a un incremento del número de miembros de la unidad familiar para adquirir una vivienda por parte de una familia numerosa, con mayor superficie que la que tenía.

b) Cuando la nueva solicitud de ayudas financieras se produzca por la necesidad de una vivienda adaptada a las condiciones de discapacidad sobrevenida de algún miembro de la unidad familiar del solicitante.

c) Cuando se cumplan los supuestos de no disposición de los derechos de uso o disfrute de la vivienda por pérdida de la titularidad de la vivienda debida a extinción de condominio como consecuencia de una separación o divorcio de la pareja administrativamente reconocida como tal, cuando la vivienda se le adjudica a la otra parte.

B) COMPRA DE VIVIENDA USADA

Características:

— **El precio máximo en la Ciudad de Melilla será el siguiente: MBE * 2,25 (en el caso de las viviendas libres usadas de menos de 3 años desde el Certificado Final de Obra).**

— **MBE * 2,07 (en el caso de las viviendas que sí superen esos 3 años).**

— **El precio de las viviendas acogidas a algún régimen de protección será el que corresponda a dicho régimen siempre que no exceda de los precios marcados en el párrafo anterior.**

Se consideran viviendas usadas:

a) Viviendas libres o protegidas en segunda o posteriores transmisiones (incluidas las que se hubiesen destinado al alquiler).

b) Viviendas libres de nueva construcción adquiridas después de, al menos, 1 año desde la expedición de la licencia de primera ocupación, el certificado final de obra o la cédula de habitabilidad.

c) Viviendas libres de nueva construcción cuya licencia de primera ocupación, certificado final de obra o cédula de habitabilidad hayan sido emitida antes del 24 de diciembre de 2008.

d) Viviendas rurales usadas según las condiciones establecidas por las CC.AA.

e) En la Ciudad de Melilla no se considerará a estos efectos vivienda usada o ya existente las viviendas unifamiliares aisladas.

La obtención de la ayuda conllevará la limitación de su precio máximo de venta en posteriores transmisiones, durante, al menos, 15 años desde la fecha de adquisición, o durante la duración del préstamo convenido, si fuera superior.

Salvo normativa autonómica diferente, la superficie útil de la vivienda estará comprendida entre 30 m² (sólo si viven 1 o 2 personas) y 90 m².

Requisitos de acceso:

1. Ingresos familiares no superiores a 6,5 veces el IPREM.

2. No ser titular de una vivienda protegida, ni de una libre cuyo valor, según el Impuesto sobre Transmisiones Patrimoniales, exceda del 40% del precio de la vivienda que se pretende adquirir (60% para personas mayores, mujeres víctimas de violencia de género, víctimas del terrorismo, familias numerosas o monoparentales con hijos, personas con discapacidad y separadas o divorciadas).

3. Estar inscrito en un registro público de demandantes de vivienda.

4. La actuación debe haber sido calificada como protegida por la CA.

5. La vivienda debe destinarse como residencia habitual del adjudicatario.

6. Los adquirentes deberán acreditar que tienen unos ingresos mínimos de al menos una doceava parte del precio total de la vivienda y anejos vinculados. En el caso de que estos ingresos mínimos no resultaran debidamente acreditados se puede conceder el acceso al préstamo convenido pero no las ayudas o subsidios solicitados.

Características de la ayuda:

PRÉSTAMO CONVENIDO de hasta el 80% del precio de escritura o adjudicación a devolver en, al menos, 25 años. El tipo de interés podrá ser variable o fijo. En intereses variables será igual al Euribor a 12 meses publicado por el Banco de España en el *Boletín Oficial del Estado (BOE)*, el mes anterior al de la fecha de formalización, más un diferencial de entre 25 y 125 puntos básicos.

SUBSIDIOS A LOS PRÉSTAMOS. Cantidad anual por cada 10.000 euros de préstamo durante 5 años, renovables 5 más:

— 100 euros para ingresos menores o iguales a 2,5 veces el IPREM (155 euros para familias numerosas, monoparentales con hijos y discapacitados, durante los 5 primeros años).

— 80 euros para ingresos entre 2,5 y 3,5 veces el IPREM (113 euros para familias numerosas, monoparentales con hijos y discapacitados durante los 5 primeros años).

— 60 euros para ingresos mayores de 3,5 y menores o iguales a 4,5 veces del IPREM (93 euros para familias numerosas, monoparentales con hijos y discapacitados durante los 5 primeros años).

AYUDA ESTATAL DIRECTA A LA ENTRADA (AEDE):

— 8.000 euros para ingresos menores o iguales a 2,5 veces el IPREM (9.000 euros en caso de jóvenes, 11.000 euros para mujeres víctimas de violencia de género, víctimas de terrorismo y personas separadas o divorciadas, y 12.000 euros para familias numerosas, monoparentales con hijos y discapacitados).

— 7.000 euros para ingresos entre 2,5 y 3,5 veces el IPREM (8.000 euros en caso de jóvenes, 9.000 euros para mujeres víctimas de violencia de género, víctimas de terrorismo y personas separadas o divorciadas, y 10.000 euros para familias numerosas, monoparentales con hijos y discapacitados).

— 5.000 euros para ingresos mayores de 3,5 y menores o iguales a 4,5 veces del IPREM (6.000 euros en caso de jóvenes, 7.000 euros para mujeres víctimas de violencia de género, víctimas de terrorismo y personas separadas o divorciadas, y 8.000 euros para familias numerosas, monoparentales con hijos y discapacitados).

Cuando la vivienda estuviera en un Ámbito Territorial de Precio Máximo Superior se incrementarán las ayudas en 1.200 euros para vivienda situadas en ámbitos del Grupo A, 600 para el B y 300 para el C.

Requisitos de acceso ayuda:

1. El contrato de compraventa tiene que haber sido visado por la CA. Entre las firmas del contrato y la solicitud del visado no debe pasar más de 4 meses.

2. Entre el visado del contrato y la solicitud del préstamo no debe pasar más de 6 meses.

4. No haber obtenido ayudas financieras ni préstamo convenido para el mismo tipo de actuación durante los 10 años anteriores, este requisito no será exigible cuando:

a) La nueva solicitud de ayudas financieras a la vivienda se deba a un incremento del número de miembros de la unidad familiar para adquirir una vivienda por parte de una familia numerosa, con mayor superficie que la que tenía.

b) Cuando la nueva solicitud de ayudas financieras se produzca por la necesidad de una vivienda adaptada a las condiciones de discapacidad sobrevenida de algún miembro de la unidad familiar del solicitante.

c) Cuando se cumplan los supuestos de no disposición de los derechos de uso o disfrute de la vivienda por pérdida de la titularidad de la vivienda debida a extinción de condominio como consecuencia de una separación o divorcio de la pareja administrativamente reconocida como tal, cuando la vivienda se le adjudica a la otra parte.

5. No haber sido nunca antes titular de una vivienda en propiedad (salvo excepciones).

6. La cuantía del préstamo convenido no será inferior al 60% del precio de la vivienda durante los 5 primeros años de amortización del préstamo.

C) ALQUILER

1. VIVIENDA PROTEGIDA DE RÉGIMEN ESPECIAL

Características:

• La duración mínima del alquiler de las viviendas será de 10 o de 25 años.

— **El precio máximo en la Ciudad de Melilla será el siguiente: MBE * 1,30**

• El régimen de protección será de al menos 30 años, y permanente mientras el suelo esté destinado a vivienda protegida o sea suelo dotacional público.

— Las viviendas protegidas para arrendamiento a 10 años, una vez transcurrido dicho plazo y mientras continúen siendo protegidas podrán venderse a un precio de hasta 1,5 veces el precio de referencia establecido en la calificación provisional de la misma.

OPCIÓN A COMPRA:

• Las viviendas protegidas a 10 años podrán ser objeto de contrato de alquiler con opción a compra.

• El precio de compra será de hasta 1,7 veces el precio máximo de referencia.

• Del precio de venta se deducirá al menos el 30% de los alquileres pagados por el inquilino.

Requisitos de acceso:

1. Ingresos familiares no superiores a 2,5 veces el IPREM.

2. No ser titular de una vivienda protegida, ni de una libre cuyo valor, según el Impuesto sobre Transmisiones Patrimoniales, exceda del 40% del precio de la vivienda que se pretende adquirir (60% para personas mayores, mujeres víctimas de violencia de género, víctimas del terrorismo, familias numerosas o monoparentales con hijos, personas con discapacidad y separadas o divorciadas).

3. Estar inscrito en un registro público de demandantes de vivienda.

4. La actuación debe haber sido calificada como protegida por la CA.

5. La vivienda debe destinarse como residencia habitual del adjudicatario y ocuparse dentro de los plazos establecidos.

Características de la ayuda:

RENTA MÁXIMA anual por metro cuadrado de superficie útil del 4,5% del precio máximo de referencia para viviendas protegidas en alquiler a 25 años, o del 5,5% en caso de viviendas protegidas en alquiler a 10 años (se actualizará anualmente según el IPC). La renta establecida deberá figurar en la calificación provisional y definitiva de la vivienda, y en el visado del contrato de alquiler emitido por la CA.

Para este tipo de viviendas también pueden solicitarse las AYUDAS A INQUILINOS.

2. VIVIENDA PROTEGIDA DE RÉGIMEN GENERAL

Características:

• La duración mínima del alquiler de las viviendas será de 10 o de 25 años.

— **El precio máximo en la Ciudad de Melilla será el siguiente: MBE * 1,76**

• El régimen de protección será de al menos 30 años, y permanente mientras el suelo esté destinado a vivienda protegida o sea suelo dotacional público.

— Las viviendas protegidas para arrendamiento a 10 años, una vez transcurrido dicho plazo y mientras continúen siendo protegidas podrán venderse a un precios de hasta 1,5 veces el precio de referencia establecido en la calificación provisional de la misma.

OPCIÓN A COMPRA:

• Las viviendas protegidas a 10 años podrán ser objeto de contrato de alquiler con opción a compra.

• El precio de compra será de hasta 1,7 veces el precio máximo de referencia.

• Del precio de venta se deducirá al menos el 30% de los alquileres pagados por el inquilino.

Requisitos de acceso:

1. Ingresos familiares no superiores a 4,5 veces el IPREM.

2. No ser titular de una vivienda protegida, ni de una libre cuyo valor, según el Impuesto sobre Transmisiones Patrimoniales, exceda del 40% del precio de la vivienda que se pretende adquirir (60% para personas mayores, mujeres víctimas de violencia de género, víctimas del terrorismo, familias numerosas o monoparentales con hijos, personas con discapacidad y separadas o divorciadas).

3. Estar inscrito en un registro público de demandantes de vivienda.

4. La actuación debe haber sido calificada como protegida por la CA.

5. La vivienda debe destinarse como residencia habitual del adjudicatario y ocuparse dentro de los plazos establecidos.

Características de la ayuda:

RENTA MÁXIMA anual por metro cuadrado de superficie útil del 4,5% del precio máximo de referencia para viviendas protegidas en alquiler a 25 años, o del 5,5% en caso de viviendas protegidas en alquiler a 10 años (se actualizará anualmente según el IPC). La renta establecida deberá figurar en la calificación provisional y definitiva de la vivienda, y en el visado del contrato de alquiler emitido por la CA.

Para este tipo de viviendas también pueden solicitarse las AYUDAS A INQUILINOS (ingresos inferiores a 2,5 veces el IPREM).

3. VIVIENDA PROTEGIDA DE RÉGIMEN CONCERTADO

Características:

• La duración mínima del alquiler de las viviendas será de 10 o de 25 años.

— El precio máximo en la Ciudad de Melilla será el siguiente: MBE * 2,25

• El régimen de protección será de al menos 30 años, y permanente mientras el suelo esté destinado a vivienda protegida o sea suelo dotacional público.

— Las viviendas protegidas para arrendamiento a 10 años, una vez transcurrido dicho plazo y mientras continúen siendo protegidas podrán venderse a un precios de hasta 1,5 veces el precio de referencia establecido en la calificación provisional de la misma.

OPCIÓN A COMPRA:

• Las viviendas protegidas a 10 años podrán ser objeto de contrato de alquiler con opción a compra.

• El precio de compra será de hasta 1,7 veces el precio máximo de referencia.

• Del precio de venta se deducirá al menos el 30% de los alquileres pagados por el inquilino.

Requisitos de acceso:

1. Ingresos familiares no superiores a 6,5 veces el IPREM.

2. No ser titular de una vivienda protegida, ni de una libre cuyo valor, según el Impuesto sobre Transmisiones Patrimoniales, exceda del 40% del precio de la vivienda que se pretende adquirir (60% para personas mayores, mujeres víctimas de violencia de género, víctimas del terrorismo, familias numerosas o monoparentales con hijos, personas con discapacidad y separadas o divorciadas).

3. Estar inscrito en un registro público de demandantes de vivienda.

4. La actuación debe haber sido calificada como protegida por la CA.

5. La vivienda debe destinarse como residencia habitual del adjudicatario y ocuparse dentro de los plazos establecidos.

Características de la ayuda:

RENTA MÁXIMA anual por metro cuadrado de superficie útil del 4,5% del precio máximo de referencia para viviendas protegidas en alquiler a 25 años, o del 5,5% en caso de viviendas protegidas en alquiler a 10 años (se actualizará anualmente según el IPC). La renta establecida deberá figurar en la calificación provisional y definitiva de la vivienda, y en el visado del contrato de alquiler emitido por la CA.

Para este tipo de viviendas también pueden solicitarse las AYUDAS A INQUILINOS (ingresos inferiores a 2,5 veces el IPREM).

4. AYUDAS AL INQUILINO CON CARGO AL PLAN ESTATAL

Características:

— Se considera arrendamiento, a efectos de percepción de las ayudas, el que recae sobre una edificación habitable cuyo destino primordial sea satisfacer la necesidad permanente de vivienda del arrendatario sometido a la Ley 29/1994 de Arrendamientos Urbanos.

— La vivienda podrá ser libre o protegida (las CC.AA. podrán restringir la ayuda sólo a la vivienda libre, o a la vivienda libre más determinados tipos de vivienda protegida).

— Por parte de la Ciudad Autónoma de Melilla se exceptúan de estas ayudas:

a) Las viviendas de protección pública de promoción directa, al estar incluidas en otra línea de ayudas.

b) Los subarriendos.

c) Los arriendos de habitaciones.

d) Los locales usados como viviendas.

e) Las viviendas cuyo arrendador sea una administración pública.

f) Las viviendas sometidas a algún régimen de protección pública que establezca límites a su renta máxima en alquiler de conformidad con la normativa en la materia, salvo en las viviendas protegidas de nueva construcción de renta concertada.

— Las viviendas cuyo arrendamiento sea objeto de la subvención deberá reunir los siguientes requisitos:

a) Tiene que reunir las condiciones mínimas de habitabilidad, lo que se acreditará mediante la Cédula de Habitabilidad, si ésta se ha expedido a partir del año 2000 o mediante informe técnico actual de los Servicios de Arquitectura de la Consejería de Fomento de la Ciudad Autónoma de Melilla.

b) Que la vivienda alquilada no esté sometida a ninguna limitación derivada de su calificación como de protección oficial que impida su alquiler.

Características de la ayuda:

SUBVENCIÓN de hasta el 40% de la renta que se vaya a pagar, con un límite de **3.200 euros** por vivienda (independientemente del número de titulares existentes en el contrato), durante un máximo de 2 años condicionada a que se mantengan las circunstancias que dieron lugar al reconocimiento inicial del derecho a la ayuda; no se podrá volver a solicitar esta subvención hasta transcurridos al menos cinco años desde la percepción.

Estas ayudas son incompatibles con otras que el beneficiario pueda obtener de cualquier otra Administración para el mismo fín, tampoco podrán percibir esta ayuda si alguno de los solicitantes es perceptor de la RBE.

Requisitos de acceso ayuda:

1. La unidad familiar arrendataria tiene que tener un contrato de alquiler de una vivienda para su domicilio habitual y permanente; la renta mensual de la misma tiene que ser entre **150** y **500 euros**. En el caso de familias numerosas, el importe de la renta mensual podrá elevarse a **575 euros**.

2. El arrendatario tiene que estar al corriente en el pago del alquiler de la vivienda.

3. El arrendatario tiene que justificar suficientemente que podrá hacer frente al 60% del alquiler restante que no es objeto de subvención.

4. Tiene que ser mayor de edad o mayor de 16 años emancipado y no encontrarse incapacitado para obligarse contractualmente.

5. Tiene que ser español o residente legal permanente en España, de este último requisito se exime a las víctimas de violencia de género o del terrorismo.

6. No ser titular del pleno dominio o de un derecho real de uso y disfrute, ninguno de los miembros de los que convivan en la vivienda, de otra vivienda sujeta a régimen de protección pública, ni lo sean sobre una vivienda libre en la Ciudad de Melilla.

7. Que entre el arrendador, titular de la vivienda y las personas que convivan en ella, no exista relación de parentesco, hasta el segundo grado por consanguinidad o afinidad, o bien el arrendador es una persona jurídica y el solicitante es socio o partícipe de la misma.

8. Estar al corriente de las obligaciones fiscales con el Estado y la Ciudad de Melilla.

9. Acreditar la residencia en Melilla durante un período mínimo de doce meses inmediatamente anteriores a la presentación de la solicitud.

10. Los ingresos correspondientes a la unidad familiar no serán superiores a 2,5 veces el IPREM.

11. Tienen que acreditar unos ingresos mínimos de 3.000 euros anuales o de 1.500 euros semestrales; no se exigirá este requisito en el caso de víctimas de violencia de género o del terrorismo.

5. AYUDAS AL INQUILINO CON CARGO A LOS PRESUPUESTOS DE LA CIUDAD AUTÓNOMA

Características:

— Se considera arrendamiento, a efectos de percepción de las ayudas, el que recae sobre una edificación habitable cuyo destino primordial sea satisfacer la necesidad permanente de vivienda del arrendatario sometido a la Ley 29/1994 de Arrendamientos Urbanos.

— La vivienda podrá ser libre o protegida (las CC.AA. podrán restringir la ayuda sólo a la vivienda libre, o a la vivienda libre más determinados tipos de vivienda protegida).

— Por parte de la Ciudad Autónoma de Melilla se exceptúan de estas ayudas:

a) Las viviendas de protección pública de promoción directa, al estar incluidas en otra línea de ayudas.

b) Los subarriendos.

c) Los arriendos de habitaciones.

d) Los locales usados como viviendas.

e) Las viviendas cuyo arrendador sea una administración pública.

— Las viviendas cuyo arrendamiento sea objeto de la subvención deberá reunir los siguientes requisitos:

a) Tiene que reunir las condiciones mínimas de habitabilidad, lo que se acreditará mediante la Cédula de Habitabilidad. Para las viviendas con más de 25 años, la cédula de habitabilidad que se presentará deberá haber sido emitida con posterioridad al 01 de enero de 2002.

b) Que la vivienda alquilada no esté sometida a ninguna limitación derivada de su calificación como de protección oficial que impida su alquiler.

c) La vivienda tiene que tener su referencia catastral correspondiente.

Características de la ayuda:

SUBVENCIÓN que consiste en la diferencia que exista entre la parte de la renta que deberá abonar el solicitante según sus ingresos familiares ponderados y el importe real de aquella con el límite de subvención mensual siguiente:

— **Ingresos entre 0 y 200 euros mensuales - 8% de la renta mensual destinada al alquiler: Subvención máxima de 350 euros mensuales.**

— **Ingresos entre 200,01 y 300 euros mensuales - 10% de la renta mensual destinada al alquiler: Subvención máxima de 350 euros mensuales.**

— **Ingresos entre 300,01 y 400 euros mensuales - 12% de la renta mensual destinada al alquiler: Subvención máxima de 325 euros mensuales.**

— **Ingresos entre 400,01 y 500 euros mensuales - 15% de la renta mensual destinada al alquiler: Subvención máxima de 300 euros mensuales.**

— **Ingresos entre 500,01 y 600 euros mensuales - 18% de la renta mensual destinada al alquiler: Subvención máxima de 250 euros mensuales.**

— **Ingresos entre 600,01 y 700 euros mensuales - 20% de la renta mensual destinada al alquiler: Subvención máxima de 225 euros mensuales.**

En todo caso el solicitante deberá abonar como mínimo, con independencia de sus ingresos familiares, el 5% del importe del alquiler.

Requisitos de acceso ayuda:

1. Los solicitantes con contrato de alquiler vigente:

a) El alquiler anual deberá ser superior al 10% de la Renta Familiar Ponderada.

b) Acreditar estar al corriente en el pago del alquiler de la vivienda.

2. Los solicitantes sin contrato de alquiler:

a) El alquiler anual deberá ser superior al 10% de la Renta Familiar Ponderada.

b) Que la vivienda en la que residían anteriormente haya sido declarada en ruina o esté afectada por deficiencias estructurales graves, según informe técnico justificativo.

c) Que haya sido desahuciado de la vivienda en la que vivía anteriormente por motivo distinto a la falta de pago.

d) Que se hayan producido cambios en la composición o circunstancias socio familiares del solicitante que justifiquen el cambio de residencia.

3. Tiene que ser mayor de edad o mayor de 16 años emancipado y no encontrarse incapacitado para obligarse contractualmente.

4. Tiene que ser español o residente legal permanente en España, de este último requisito se exime a las víctimas de violencia de género o del terrorismo.

5. Acreditar la residencia en Melilla durante un período mínimo de doce meses inmediatamente anteriores a la presentación de la solicitud; se exceptuarán de este requisito aquellos solicitantes aquellos solicitantes que hayan residido de una manera legal en la Ciudad de Melilla durante más de 24 meses en los últimos 5 años.

6. No ser titular del pleno dominio o de un derecho real de uso o disfrute ninguno de los miembros que convivan en la vivienda o vayan a convivir, de ningún inmueble apto para destinarlo a vivienda ni haberlo sido en los últimos 4 años.

7. Que entre el arrendador, titular de la vivienda, y las personas que convivan en ella, no exista relación de parentesco hasta el tercer grado por consanguinidad o por afinidad.

8. Que los ascendientes o descendientes de cualquiera de los miembros de la unidad familiar del solicitante de la subvención no sean titulares o usuarios en Melilla de 2 o más viviendas o de 1 si la superficie útil fuera lo suficientemente amplia como para permitir la convivencia en ella de ambas unidades familiares sin que se produzca hacinamiento.

9. No ser titular, ninguno de los miembros de la unidad familiar del solicitante, de bienes o valores mobiliarios con un valor superior a 10.000 euros.

10. Estar al corriente en las obligaciones fiscales frente al estado y a la Ciudad Autónoma de Melilla.

11. No tener pendiente de justificar ninguna subvención anterior.

12. Los ingresos de los beneficiarios deberán ser inferiores a 700 euros mensuales.

D) PROMOTORES

1. PROMOCIONES DE VIVIENDAS PROTEGIDAS EN ALQUILER

A) PROMOCIÓN PARA ALQUILER A 25 AÑOS

Características:

Las viviendas protegidas podrán ser:

a) Régimen especial: destinadas a inquilinos con ingresos que no superen 2,5 veces el IPREM, y cuyo precio máximo de referencia por m^2 útil será de 1,50 veces el MBE.

b) Régimen general: destinadas a inquilinos con ingresos que no superen 4,5 veces el IPREM, y cuyo precio máximo de referencia por m^2 útil será de 1,60 veces el MBE.

c) Régimen concertado: destinadas a inquilinos con ingresos que no superen 6,5 veces el IPREM, y cuyo precio máximo de referencia por m^2 útil será de 1,80 veces el MBE.

Estos precios se incrementan según el ATPMS en el que se ubique la vivienda.

La duración mínima del alquiler será de 25 años desde su calificación definitiva.

La renta máxima anual por m² útil será el 4,5% del precio máximo.

Mientras sigan siendo protegidas, estas viviendas podrán venderse transcurridos 25 años. El precio máximo de venta será el que corresponda a una vivienda protegida del mismo tipo y en la misma ubicación, calificada provisionalmente en el momento de la venta.

Características de la ayuda:

PRÉSTAMO CONVENIDO de hasta el 80% del precio de escritura o adjudicación a devolver en, al menos, 25 años. El tipo de interés podrá ser variable o fijo. En intereses variables será igual al Euribor a 12 meses publicado por el Banco de España en el *Boletín Oficial del Estado (BOE)*, el mes anterior al de la fecha de formalización, más un diferencial de entre 25 y 125 puntos básicos. El período de carencia en el pago de intereses finalizará en la fecha de la calificación definitiva, con un límite de 4 años (10 años con el consentimiento de la CA).

SUBSIDIOS a los préstamos. Cantidad anual por cada 10.000 euros de préstamo durante 25 años:

— 350 euros para Viviendas de Régimen Especial.

— 250 euros para Viviendas de Régimen General.

— 100 euros para Viviendas de Régimen Concertado.

SUBVENCIÓN de 350 euros para la promoción de Viviendas de Régimen Especial y de 250 euros para Viviendas de Régimen General. Cuando la vivienda estuviera en un Ámbito Territorial de Precio Máximo Superior se incrementarán las ayudas en 60 euros para vivienda situadas en ámbitos del Grupo A, 30 para el B y 15 para el C.

Requisitos de acceso ayuda:

Haber obtenido el préstamo cualificado.

B) PROMOCIÓN PARA ALQUILER A 10 AÑOS

Características:

Las viviendas protegidas podrán ser:

a) Régimen especial: destinadas a inquilinos con ingresos que no superen 2,5 veces el IPREM, y cuyo precio máximo de referencia por m² útil será de 1,30 veces el MBE.

b) Régimen general: destinadas a inquilinos con ingresos que no superen 4,5 veces el IPREM, y cuyo precio máximo de referencia por m² útil será de 1,60 veces el MBE.

c) Régimen concertado: destinadas a inquilinos con ingresos que no superen 6,5 veces el IPREM, y cuyo precio máximo de referencia por m² útil será de 1,80 veces el MBE.

• Estos precios se incrementan según el ATPMS en el que se ubique la vivienda.

• La duración mínima del alquiler será de 10 años desde su calificación definitiva.

• La renta máxima anual por m² útil será el 5,5% del precio máximo.

• Mientras sigan siendo protegidas, estas viviendas podrán venderse transcurridos 10. El precio máximo de venta será de hasta 1,5 veces el precio máximo de referencia establecido en la calificación provisional.

• Las viviendas podrán ser objeto de un contrato de alquiler con opción de compra. El precio de venta será de hasta 1,7 veces el precio máximo de referencia establecido en la calificación provisional. Del precio de venta se deducirá, al menos, el 30% de los alquileres satisfechos por el inquilino.

Características de la ayuda:

PRÉSTAMO CONVENIDO de hasta el 80% del precio de escritura o adjudicación a devolver en, al menos, 10 años. El tipo de interés podrá ser variable o fijo. En intereses variables será igual al Euribor a 12 meses publicado por el Banco de España en el *Boletín Oficial del Estado (BOE)*, el mes anterior al de la fecha de formalización, más un diferencial de entre 25 y 125 puntos básicos. El período de carencia en el pago de intereses finalizará en la fecha de la calificación definitiva, con un límite de 4 años (10 años con el consentimiento de la CA).

SUBSIDIOS a los préstamos. Cantidad anual por cada 10.000 euros de préstamo durante 10 años:

— 350 euros para Viviendas de Régimen Especial.

— 250 euros para Viviendas de Régimen General.

— 100 euros para Viviendas de Régimen Concertado.

SUBVENCIÓN de 250 euros para la promoción de Viviendas de Régimen Especial y de 200 euros para Viviendas de Régimen General. Cuando la vivienda estuviera en un Ámbito Territorial de Precio Máximo Superior se incrementarán las ayudas en 60 euros para vivienda situadas en ámbitos del Grupo A, 30 para el B y 15 para el C.

Requisitos de acceso ayuda:

Haber obtenido el préstamo cualificado.

2. PROMOCIONES DE VIVIENDAS PARA VENTA O USO PROPIO (Cooperativas autopromoción)

Características:

Las viviendas protegidas podrán ser:

a) Régimen especial: destinadas a inquilinos con ingresos que no superen 2,5 veces el IPREM, y cuyo precio máximo de referencia por m² útil será de 1,30 veces el MBE.

b) Régimen general: destinadas a inquilinos con ingresos que no superen 4,5 veces el IPREM, y cuyo precio máximo de referencia por m² útil será de 1,60 veces el MBE.

c) Régimen concertado: destinadas a inquilinos con ingresos que no superen 6,5 veces el IPREM, y cuyo precio máximo de referencia por m² útil será de 1,80 veces el MBE.

Para promotores para uso propio el precio máximo de adjudicación (o la suma de los valores de la edificación y el suelo si se trata de promotores individuales), tendrán los mismos límites que en el apartado anterior.

Estos precios se incrementan según el ATPMS en el que se ubique la vivienda.

Características de la ayuda:

PRÉSTAMO CONVENIDO de hasta el 80% del precio de escritura o adjudicación a devolver en, al menos, 25 años. El tipo de interés podrá ser variable o fijo. En intereses variables será igual al Euribor a 12 meses publicado por el Banco de España en el *Boletín Oficial del Estado (BOE)*, el mes anterior al de la fecha de formalización, más un diferencial de entre 25 y 125 puntos básicos. El período de carencia en el pago de intereses finalizará en la fecha de la calificación definitiva, con un límite de 4 años (10 años con el consentimiento de la CA).

3. PROMOCIONES DE ALOJAMIENTOS PROTEGIDOS PARA COLECTIVOS ESPECIALMENTE VULNERABLES

Características:

• Alojarán a unidades familiares con ingresos no superiores a 1,5 veces el IPREM, jóvenes menores de 35 años, personas mayores de 65 años, mujeres víctimas de violencia de género, víctimas del terrorismo, afectados por situaciones catastróficas, discapacitados, personas sin hogar y otros colectivos en situación de exclusión social.

• Formarán parte de edificios o conjuntos de edificios destinados en exclusiva a estos colectivos.

• Se accederá a ellos mediante alquiler.

• La renta máxima anual por m² útil será el 4,5% del precio máximo de una Vivienda Protegida de Régimen Especial para Alquiler durante 25 años (1,30 veces el MBE). Se imputará un máximo del 30% de la superficie destinada a servicios comunes y asistenciales. La prestación de estos servicios podrá suponer un incremento de la renta.

• Superficie útil mínima de 15 m² por persona, con un máximo de 45 m² (el 25% del total de los alojamientos podrá tener hasta 90 m²).

• La superficie útil protegida destinada a servicios comunes y asistenciales no podrás ser superior al 30%.

Características de la ayuda:

PRÉSTAMO CONVENIDO de hasta el 80% del precio de escritura o adjudicación a devolver en, al menos, 25 años. El tipo de interés podrá ser variable o fijo. En intereses variables será igual al Euribor a 12 meses

publicado por el Banco de España en el *Boletín Oficial del Estado (BOE)*, el mes anterior al de la fecha de formalización, más un diferencial de entre 25 y 125 puntos básicos. El período de carencia en el pago de intereses finalizará en la fecha de la calificación definitiva, con un límite de 4 años (10 años con el consentimiento de la CA).

SUBSIDIOS a los préstamos. Cantidad anual por cada 10.000 euros de préstamo durante 25 años: 350 euros.

SUBVENCIÓN de 500 euros por m² de superficie útil.

4. PROMOCIONES DE ALOJAMIENTOS PROTEGIDOS PARA OTROS COLECTIVOS ESPECÍFICOS

Características:

• Alojarán a personas relacionadas con la comunidad universitaria, o investigadores o científicos.

• Formarán parte de edificios o conjuntos de edificios destinados en exclusiva a estos colectivos.

• Se accederá a ellos mediante alquiler.

• La renta máxima anual por m² útil será el 4,5% del precio máximo de una Vivienda Protegida de Régimen General para Alquiler durante 25 años (1,60 veces el MBE) Se imputará un máximo del 30% de la superficie destinada a servicios comunes y asistenciales. La prestación de estos servicios podrá suponer un incremento de la renta.

• El número de alojamientos lo determinarán las CC.AA.

• Superficie útil mínima de 15 m² por persona, con un máximo de 45 m² (el 25% del total de los alojamientos podrá tener hasta 90 m²).

• La superficie útil protegida destinada a servicios comunes y asistenciales no podrás ser superior al 30%.

Características de la ayuda:

PRÉSTAMO CONVENIDO de hasta el 80% del precio de escritura o adjudicación a devolver en, al menos, 25 años. El tipo de interés podrá ser variable o fijo. En intereses variables será igual al Euribor a 12 meses

publicado por el Banco de España en el *Boletín Oficial del Estado (BOE)*, el mes anterior al de la fecha de formalización, más un diferencial de 25 y 125 puntos básicos. El período de carencia en el pago de intereses finalizará en la fecha de la calificación definitiva, con un límite de 4 años (10 años con el consentimiento de la CA).

SUBSIDIOS a los préstamos. Cantidad anual por cada 10.000 euros de préstamo durante 25 años: 250 euros.

SUBVENCIÓN de 320 euros por m² de superficie útil.

16. Plan de Vivienda Protegida de la Región de Murcia

Decreto 321/2009, de 2 de octubre, por el que se regula el Plan Regional de Vivienda para el cuatrienio 2009-2012

CONCEPTOS BÁSICOS

I. ACTUACIONES PROTEGIDAS

1. Viviendas protegidas de nueva construcción: RÉGIMEN ESPECIAL, GENERAL, CONCERTADO, DE PRECIO LIMITADO Y DE VIVIENDA USADA.

2. Promoción de vivienda protegida y alojamientos con destino a arrendamiento

3. Áreas de rehabilitación.

4. Ayudas al propietario de vivienda con destino a alquiler.

5. Ayudas al inquilino.

6. Áreas de rehabilitación.

7. Actuaciones protegidas en materia de suelo y urbanización

II. SUPERFICIES MÁXIMAS Y MÍNIMAS DE LAS VIVIENDAS

1. La superficie útil mínima de las viviendas será de 40 m². La superficie útil máxima será de 90 m² excepto cuando se trate de familias numerosas, o de personas con discapacidad con movilidad reducida permanente o dependientes y las familias que las tengan a su cargo, en cuyo caso la su-

perficie útil será como máximo de 120 m², si bien a efectos de la obtención de préstamo convenido y ayudas financieras serán computables 90 m².

2. Cuando la superficie útil de cada una de las viviendas de una promoción no exceda de 45 m², podrá computarse, a efectos de la financiación establecida en el Real Decreto 2066/2008, de 12 de diciembre, una superficie útil adicional de hasta el 30% de la superficie útil total de las viviendas, destinada a servicios comunitarios de lavadero y zona de estar común, vinculados a dichas viviendas.

3. La superficie útil máxima computable a efectos del cálculo del precio máximo de los anejos de viviendas protegidas, estén o no vinculados a las mismas, será de 25 m² para el garaje o anejo y de 8 m² para el trastero, con independencia de que su superficie útil real sea superior.

III. ÁREAS SINGULARES-ÁREAS GEOGRÁFICAS

A propuesta de los ayuntamientos se configuran como área singular determinadas zonas de los cascos urbanos consolidados y ensanches de los municipios de la Región de Murcia, delimitadas cartográficamente por aquellos y autorizadas por la correspondiente norma reglamentaria, que no sean declaradas ámbitos territoriales de precio máximo superior por Orden del Ministerio de Vivienda.

Para la determinación del precio máximo por metro cuadrado útil a los efectos de determinar el precio de venta y renta de las viviendas protegidas y de viviendas usadas a precio protegido, así como de las condiciones de financiación de las diferentes actuaciones protegidas en materia de vivienda y suelo, los municipios, pedanías o diputaciones de la Región de Murcia quedarán integrados en las siguientes áreas geográficas homogéneas:

ÁMBITO TERRITORIAL DE PRECIO MÁXIMO SUPERIOR B: Los cascos urbanos consolidados y ensanches de Cartagena, Lorca y Murcia, delimitadas en los planos incorporados como anexo al Decreto 321/2009, de 2 de octubre.

DIPUTACIONES DE CARTAGENA: Canteras, Hondón, El Plan, San Antonio Abad, San Félix, Santa Ana, La Magdalena, Santa Lucía.

PEDANÍAS DE MURCIA: La Alberca, Algezares, Beniaján, Cabezo de Torres, Cobatillas, Churra, Los Dolores. Esparragal, Garres y Lages, Guadalupe, Javalí Nuevo, Javalí Viejo, Monteagudo, La Ñora, El Palmar, Puente Tocinos, El Puntal, Los Ramos, San Benito, San Ginés, Sangonera la Seca, Sangonera la Verde, Santiago y Zaraiche, Santo Ángel, Torreagüera y Zarandona.

ÁMBITO TERRITORIAL DE PRECIO MÁXIMO SUPERIOR C: Alcantarilla y casco urbano y ensanche de Molina de Segura (Altorreal, La Alcayna, Los Conejos, Los Vientos, Los Olivos, Monte Príncipe, El Chorrico y Las Salinas)

PEDANÍAS DE LORCA: Agüaderas, La Hoya, Purias-Campillo-Cazalla, Pulgara, Tiata, Tercia y Torrecilla.

ÁREA SINGULAR: Municipios de Águilas, Alhama, Caravaca, Los Alcázares, Cieza, Jumilla, Mazarrón, San Javier, San Pedro del Pinatar, Santomera, Las Torres de Cotillas, Torre Pacheco, Casco urbano de Totana, La Unión y de Yecla.

PEDANÍAS DE CARAVACA: Archivel, Barranda, Caneja, La Almudema, La Encarnación, Los Prados, Navares, Pinilla y Singla.

DIPUTACIONES DE CARTAGENA: Albujón, El Algar, La Aljorra, Alumbres, Beal, Escombreras, Lentiscar, Los Médicos, Miranda, La Palma, Pozo Estrecho y Rincón de San Ginés.

PEDANÍAS DE LORCA: Almendricos, La Escucha, La Paca, Pozo Higuera-La Campana y Zarcilla de Ramos.

PEDANÍAS DE MOLINA DE SEGURA: El Llano, Ribera de Molina, Romeral y Torrealta.

PEDANÍAS DE MURCIA: La Albatalía, Aljucer, Alquerías, La Arboleja, Casillas, Era Alta, Llano de Brujas, Nonduermas, Puebla de Soto, El Raal, La Raya, Rincón de Beniscornia, Rincón de Seca, Santa Cruz y Zeneta.

PEDANÍAS DE TOTANA: Paretón-Cantareros.

ÁREA 1: Abanilla, Abarán, Alguazas, Archena, Beniel, Blanca, Bullas, Calasparra, Cehegín, Ceutí, Fortuna, Fuente Álamo, Lorquí, Moratalla, casco urbano de Mula y Puerto Lumbreras.

PEDANÍAS DE LORCA: Resto de pedanías no incluidas en las áreas anteriores.

PEDANÍAS DE MOLINA DE SEGURA: Albarda, Campotejar Alta, Campotejar Baja, Comala, La Espada, Fenazar, La Hornera, La Hurona y Rellano.

PEDANÍAS DE MURCIA: Baños y Méndigo, Corvera, Gea y Truyols, Jerónimos y Avileses, Lobosillo, Los Martínez del Puerto, Sucina, Valladolises y Lo Jurado.

PEDANÍAS DE TOTANA: Resto de pedanías.

PEDANÍAS DE LA UNIÓN: Todas excepto casco urbano.

ÁREA 2: Albudeite, Aledo, Campos del Río, Librilla, Ojós, Pliego, Ricote, Ulea y Villanueva de Segura.

PEDANÍAS DE CARAVACA: Resto de pedanías no incluidas en las áreas anteriores.

DIPUTACIONES DE CARTAGENA: Campo Nubla, Perín y Los Puertos.

PEDANÍAS DE MOLINA DE SEGURA: Resto de pedanías.

PEDANÍAS DE MULA: Todas excepto casco urbano.

PEDANÍAS DE MURCIA: Barqueros, Cañada Hermosa, Cañada de San Pedro y Carrascoy.

PEDANÍAS DE YECLA: Todas excepto casco urbano.

La declaración de ámbito territorial de precio máximo superior implica automáticamente la modificación en la delimitación del área afectada.

Se puede modificar mediante la correspondiente norma reglamentaria, el encuadramiento de los distintos municipios, pedanías o diputaciones en cada una de las áreas geográficas homogéneas.

IV. PRECIOS MÁXIMOS DE LAS VIVIENDAS PROTEGIDAS DE VENTA Y RENTA

Los precios máximos de venta y renta por metro cuadrado de superficie útil aplicables en cada área geográfica a las viviendas protegidas de nueva construcción, se determinan multiplicando el precio básico nacional por los coeficientes que se establecen en la siguiente tabla:

Área Geográfica	Régimen especial	Régimen general	Régimen concertado	Vivienda usada (libre 2.ª, opost. transmisión)	Vivienda usada (resto viv. usada)	Vivienda de precio limitado
ATPMS* B	1,95	2,08	2,88	2,56	2,08	2,91
ATPMS C	1,73	1,84	2,34	2,08	1,84	2,58
Singular	1,50	1,60	1,80	1,60	1,60	2,24
1.ª	1,47	1,55	1,75	1,55	1,55	2,17
2.ª	1,38	1,45	1,65	1,45	1,45	2,03

*ATPMS: Ámbito Territorial de Precio Máximo Superior.

El precio máximo de venta por metro cuadrado de superficie útil aplicable a garajes o anejos en vivienda rural y trasteros, no podrá superar el 60% del precio máximo de venta de la vivienda.

El precio máximo de las viviendas acogidas al presente decreto permanecerá invariable durante un año desde la calificación definitiva. Si transcurrido dicho plazo las viviendas no hubieran sido vendidas ni arrendadas, el precio máximo podrá actualizarse aplicando el vigente en el momento de celebrar el contrato de venta o arrendamiento.

Los precios máximos de venta y renta se actualizarán conforme a la actualización del módulo básico estatal que disponga el Ministerio de Vivienda con efectos desde la fecha de publicación del mismo en el *Boletín Oficial del Estado*, en relación con la evolución del Plan Regional de Vivienda 2009-2012 y los objetivos de política económica del Gobierno Regional.

El precio máximo de venta de las viviendas protegidas de nueva construcción y cuando se ha obtenido ayuda para adquisición de vivienda usada, en las segundas y ulteriores transmisiones, será el que corresponda en el momento de la venta, a una vivienda protegida calificada provisionalmente del mismo régimen y en la misma ubicación.

Este precio máximo de venta será de aplicación mientras esté vigente el régimen legal de protección.

V. EL MÓDULO BÁSICO ESTATAL (MBE)

El Módulo Básico Estatal (MBE) es la cuantía en euros por metro cuadrado de superficie útil, que sirve como referencia para la determinación de los precios máximos de venta, adjudicación y renta de las viviendas objeto de las ayudas previstas en este Real Decreto, así como de los presupuestos protegidos máximos de las actuaciones de rehabilitación de viviendas y edificios, y en áreas de rehabilitación integral y renovación urbana.

El MBE será establecido por acuerdo del Consejo de Ministros en el mes de diciembre de cada año y será publicado en el *Boletín Oficial del Estado*.

Para el año 2009 se fija en 758 euros

Núm. Miembros unidad familiar	Coeficiente
1-2	0,76
3-4	0,71
5 o más y familias numerosas	0,70

VI. INGRESOS FAMILIARES MÁXIMOS

Las familias con una persona dependiente o con discapacidad oficialmente reconocida a su cargo se considerarán con un miembro más.

En el supuesto de régimen económico matrimonial de separación de bienes, y cuando la adquisición de la vivienda lo sea a título privativo de uno de los cónyuges, se tendrán en cuenta los ingresos de ambos, puesto que son constituyentes de una misma unidad familiar.

Cuando al otorgar la escritura pública de compraventa el adquirente ha contraído matrimonio, se tendrán en cuenta para la concesión de la subvención los ingresos de la nueva unidad familiar en el período impositivo anterior a la solicitud de subvención, así como la acreditación de que el nuevo cónyuge no es titular de otra vivienda.

VII. TIPOLOGÍAS Y CARACTERÍSTICAS DE LOS DIFERENTES TIPOS DE VIVIENDAS

1. VIVIENDAS PROTEGIDAS DE NUEVA CONSTRUCCIÓN: RÉGIMEN ESPECIAL, GENERAL, CONCERTADO, DE PRECIO LIMITADO Y DE VIVIENDA USADA

Características y requisitos de acceso:

Los demandantes de vivienda deberán tener los siguientes ingresos mínimos: *R. especial:* 2,5 veces IPREM; *R. general:* 4,5 veces IPREM; *R. concertado, vivienda usada y precio limitado:* 6,5 veces IPREM.

Que los adquirentes, adjudicatarios o promotores individuales para uso propio y los inquilinos, con las excepciones previstas en el Real Decreto 2066/2008, de 12 de diciembre, no sean titulares del pleno dominio o de un derecho real de uso o disfrute sobre alguna vivienda sujeta a protección pública en España, salvo que la vivienda resulte sobrevenidamente inadecuada para sus circunstancias personales o familiares, y siempre que se garantice que no poseen simultáneamente más de una vivienda protegida. Se entiende que las viviendas son inadecuadas en los siguientes supuestos:

a) Familias numerosas que adquieren una vivienda mayor por incremento del número de hijos.

b) Situaciones de dependencia o discapacidad reconocidas oficialmente, producidas con posterioridad a la adquisición de la vivienda protegida.

c) Situaciones catastróficas.

Tampoco podrán ser titulares de una vivienda libre, salvo que hayan sido privados de su uso por causas no imputables a los interesados, o cuando el valor de la vivienda, o del derecho del interesado sobre la misma, determinado de acuerdo con la normativa del Impuesto sobre Transmisiones Patrimoniales, exceda del 40 por cien del precio de la vivienda que se pretende adquirir, o del 60 por cien, en los supuestos de personas mayores de 65 años, de mujeres víctimas de la violencia de género, de víctimas del terrorismo, de familias numerosas, de familias monoparentales con hijos, de personas dependientes o con discapacidad oficialmente reconocida, y las familias que las tengan a su cargo y de personas separadas o divorciadas, al corriente del pago de pensiones alimenticias y compensatorias, en su caso.

Quienes deseen optar a la adquisición o al arrendamiento de una vivienda protegida, deben hallarse inscritos necesariamente en el Registro de Demandantes de Vivienda de la Región de Murcia con anterioridad al otorgamiento del contrato.

Referente a la duración del régimen legal de protección, las *viviendas usadas* tendrá una duración de 15 años, contados desde la fecha de adquisición, o igual a la duración del préstamo convenido si ésta fuera mayor; las *viviendas de precio limitado* tendrá una duración de 15 años, contados desde la formalización de la escritura de compraventa.

Transcurridos diez años se podrá solicitar la descalificación voluntaria, que podrá ser autorizada previo reintegro de la subvención recibida, incrementada con los intereses legales producidos desde el momento de su percepción.

La vivienda adquirida, adjudicada o promovida para uso propio, se destinará a residencia habitual y permanente del beneficiario de las ayudas, dentro del plazo de seis meses desde la fecha de formalización de la escritura pública de compraventa o adjudicación, salvo en el caso de emigrantes, que será de tres meses desde el retorno.

La transmisión intervivos o cesión del uso de las viviendas y sus anejos, por cualquier título, antes del transcurso de 10 años desde la formalización de la adquisición, o de cinco años desde la misma en el caso de viviendas protegidas de precio limitado, requerirá autorización expresa de la Dirección General competente en materia de vivienda, que podrá otorgarse por los siguientes supuestos:

1. Cambio de domicilio a otro municipio.

2. Familias que adquieren una vivienda mayor o menor por causas sobrevenidas con incidencia en el número de miembros de la unidad familiar.

3. Traslado de domicilio por ser algún miembro de la familia víctima de terrorismo o víctima de violencia de género.

4. Situaciones de dependencia o discapacidad reconocidas oficialmente, producidas con posterioridad a la adquisición de la vivienda protegida.

5. Situaciones catastróficas.

6. Personas separadas o divorciadas con posterioridad a la adquisición de la vivienda protegida, al corriente del pago de pensiones alimenticias y compensatorias, en su caso.

En todos los casos, será necesaria la previa cancelación del préstamo convenido y reintegro de los subsidios y subvenciones recibidas, incrementadas con los intereses legales devengados desde el momento de su percepción. Estas limitaciones deberán constar expresamente en la escritura de compraventa y en la del préstamo hipotecario.

Se establecen los derechos de tanteo y retracto de la siguiente forma:

a) Derecho de tanteo con una vigencia de 10 años. Este derecho se podrá ejercitar en el plazo de 60 días naturales, a contar desde el siguiente a aquel en que se notifique de forma fehaciente por el vendedor al titular de derecho de tanteo, la decisión de vender o dar en pago la vivienda, el precio ofrecido, las condiciones esenciales de la transmisión y el nombre, domicilio y circunstancias del que pretende adquirir la vivienda.

b) Derecho de retracto en igual plazo de 10 años, cuando no se hubiere hecho la notificación del tanteo prevista en el apartado anterior, se omitiere en ella cualquiera de los requisitos exigidos o resultare inferior el precio efectivo de la transmisión o menos onerosas las restantes condiciones de éstas.

En todo caso, el retrayente se subrogará en las acciones judiciales o administrativas que puedan corresponder al comprador para el reintegro de las cantidades percibidas en exceso sobre los precios máximos de venta fijados en la legislación vigente.

No será obligatoria la constitución de los derechos de tanteo y retracto para las viviendas protegidas de precio limitado.

Requisitos ayudas:

Podrán obtener las ayudas financieras y la subvención para facilitar el primer acceso a la vivienda en propiedad, aquellos demandantes que cumplan los requisitos establecidos en el art. 40.3 y 4 del Real Decreto 2066/2008, de 12 de diciembre, es decir:

a) Aquellas personas que nunca han tenido una vivienda en propiedad, o que han sido privados de su uso por causas no imputables a los interesados, o cuando el valor de la vivienda, o del derecho sobre la misma, no exceda del 25 por ciento del precio de la vivienda que se pretende adquirir.

b) Mujeres víctimas de la violencia de género, víctimas del terrorismo y familias monoparentales con hijos.

Los solicitantes de préstamos convenidos, ayudas financieras y subvenciones, no podrán haber obtenido previamente ayudas financieras ni préstamo convenido para el mismo tipo de actuación, al amparo de planes estatales o autonómicos, durante los diez años anteriores a la solicitud actual. Como excepción al amparo de lo dispuesto en el apartado 1 f) del art. 3 del Real Decreto 2066/2008, de 12 de diciembre, se establecen los siguientes supuestos:

— Cambio de domicilio a otro municipio.

— Familias numerosas que adquieren una vivienda mayor por incremento del número de hijos.

— Situaciones de dependencia o discapacidad reconocidas oficialmente, producidas con posterioridad a la adquisición de la vivienda protegida.

— Situaciones catastróficas.

— Personas separadas o divorciadas, al corriente del pago de pensiones alimenticias y compensatorias, en su caso.

En todo caso, la obtención de nueva financiación requerirá la cancelación previa o simultanea del préstamo anteriormente obtenida, y la devolución de las ayudas financieras percibidas.

Que el beneficiario de las ayudas se encuentre al corriente de sus obligaciones tributarias con el Estado, la Comunidad Autónoma de la Región de Murcia y de la Seguridad Social.

Que, para la obtención de subvención con cargo a los Presupuestos Generales de la Comunidad Autónoma, la adquisición, adjudicación o promoción para uso propio de vivienda protegida de nueva construcción o la adquisición de una vivienda usada, haya obtenido financiación mediante préstamo convenido en la modalidad de primer acceso a la vivienda en propiedad, de acuerdo con el Real Decreto 2066/2008, de 12 de diciembre, excepto para la adquisición de viviendas protegidas de precio limitado o para actuaciones de adquisición protegida de vivienda usada de precio limitado. La cuantía mínima del préstamo convenido para poder tener derecho a subvención no sea inferior al 60 por 100 del precio total de la vivienda.

Características:

AYUDAS ESTATALES: R. especial, general y vivienda usada

PRÉSTAMO CONVENIDO, los conceden las entidades de crédito que hayan suscrito Convenio con el Ministerio de Vivienda, a un tipo de interés especial. PRÉSTAMO CONVENIDO de hasta el 80% del precio de escritura o adjudicación a devolver en, al menos, 25 años. El tipo de interés podrá ser variable o fijo. En intereses variables será igual al euribor a 12 meses publicado por el Banco de España en el *Boletín Oficial del Estado (BOE)*, el mes anterior al de la fecha de formalización, más un diferencial de 65 puntos básicos (Euribor+0,65).

SUBSIDIACIÓN DE PRÉSTAMOS:

82 euros al año, por cada 10.000 euros de préstamo, durante un máximo de 10 años, cuando los ingresos familiares no excedan de 2,5 veces el Indicador Público de Renta de Efectos Múltiples.

48 euros al año, por cada 10.000 euros de préstamo, durante un máximo de 5 años, cuando los ingresos familiares sean superiores a 2,5 veces el Indicador Público de Renta de Efectos Múltiples y no excedan de 3,5 veces dicho Indicador.

En el caso de una *vivienda usada* situada en un ámbito territorial de precio máximo superior la subsidiación será:

69 euros al año, por cada 10.000 euros de préstamo, durante un máximo de 10 años, cuando los ingresos familiares no excedan de 2,5 veces el Indicador Público de Renta de Efectos Múltiples.

40 euros al año, por cada 10.000 euros de préstamo, durante un máximo de 5 años, cuando los ingresos familiares sean superiores a 2,5 veces el Indicador Público de Renta de Efectos Múltiples y no excedan de 3,5 veces el citado Indicador

Cuando se trate de una *familia numerosa,* la cuantía fija de subsidiación correspondiente en cada caso se incrementará durante los primeros cinco años del período de amortización del préstamo convenido, en una cuantía anual por cada 10.000 euros de préstamo, de 50 euros, si los ingresos familiares no exceden de 2,5 veces el Indicador Público de Renta de Efectos Múltiples, o de 30 euros, si dichos ingresos superan 2,5 veces, pero no exceden de 3,5 veces el citado Indicador.

R. concertado: PRÉSTAMO CONVENIDO de hasta el 80% del precio de escritura o adjudicación a devolver en, al menos, 25 años. El tipo de interés podrá ser variable o fijo. En intereses variables será igual al euribor a 12 meses publicado por el Banco de España en el *Boletín Oficial del Estado (BOE),* el mes anterior al de la fecha de formalización, más un diferencial de 65 puntos básicos (Euribor+0,65).

AYUDA ESTATAL DIRECTA A LA ENTRADA (AEDE): R. especial, general y vivienda usada

— 8.000 euros para ingresos menores o iguales a 2,5 veces el IPREM (9.000 euros en caso de jóvenes, 11.000 euros para mujeres víctimas de violencia de género, víctimas de terrorismo y personas separadas o divorciadas, y 12.000 euros para familias numerosas, monoparentales con hijos y discapacitados).

— 7.000 euros para ingresos entre 2,5 y 3,5 veces el IPREM (8.000 euros en caso de jóvenes, 9.000 euros para mujeres víctimas de violencia de género, víctimas de terrorismo y personas separadas o divorciadas, y 10.000 euros para familias numerosas, monoparentales con hijos y discapacitados).

— 5.000 euros para ingresos mayores de 3,5 y menores o iguales a 4,5 veces del IPREM (6.000 euros en caso de jóvenes, 7.000 euros para mujeres víctimas de violencia de género, víctimas de terrorismo y personas separadas o divorciadas, y 8.000 euros para familias numerosas, monoparentales con hijos y discapacitados).

Cuando la vivienda estuviera en un Ámbito Territorial de Precio Máximo Superior se incrementarán las ayudas en 1.200 euros para vivienda situadas en ámbitos del Grupo A, 600 para el B y 300 para el comprador.

SUBVENCIÓN DE LA CARM:

Los límites máximos de ingresos fijados para cada tipo de vivienda será:

Cuando se trate de viviendas protegidas calificadas de *régimen especial, general y concertado,* o adquisición de *vivienda usada:*

1. Para beneficiarios con edad inferior o igual a 35 años:

a) De 4.200 euros en el supuesto de solicitantes cuyos ingresos familiares anuales sean iguales o superiores a una vez el IPREM, e inferiores o iguales a 2,5 veces el IPREM ponderado.

b) De 3.200 euros en el supuesto de solicitantes cuyos ingresos familiares anuales sean superiores a 2,5 veces el IPREM ponderado e inferiores o iguales a 3,5 veces el IPREM ponderado.

c) De 2.200 euros en el supuesto de solicitantes cuyos ingresos familiares anuales sean superiores a 3,5 veces el IPREM ponderado e inferiores o iguales a 4,5 veces el IPREM ponderado.

2. Para beneficiarios con edad superior a 35 años:

a) De 3.000 euros en el supuesto de solicitantes cuyos ingresos familiares anuales sean iguales o superiores a una vez el IPREM, e inferiores o iguales a 2,5 veces el IPREM ponderado.

b) De 2.000 euros en el supuesto de solicitantes cuyos ingresos familiares anuales sean superiores a 2,5 veces el IPREM ponderado e inferiores o iguales a 3,5 veces el IPREM ponderado.

c) De 1.000 euros en el supuesto de solicitantes cuyos ingresos familiares anuales sean superiores a 3,5 veces el IPREM ponderado e inferiores o iguales a 4,5 veces el IPREM ponderado.

Cuando se trate de viviendas protegidas calificadas de *precio limitado:*

1. Para beneficiarios con edad inferior o igual a 35 años:

De 4.200 euros en el supuesto de solicitantes cuyos ingresos familiares anuales sean iguales o superiores a una vez el IPREM, e inferiores o iguales a 4,5 veces el IPREM ponderado.

2. Para beneficiarios con edad superior a 35 años:

De 3.000 euros en el supuesto de solicitantes cuyos ingresos familiares anuales sean iguales o superiores a una vez el IPREM, e inferiores o iguales a

4,5 veces el IPREM ponderado.

En función de otras circunstancias personales o familiares, para todos los tipos de vivienda protegida, corresponderá una SUBVENCIÓN ADICIONAL, sin que sean acumulables entre sí:

a) De 1.800 euros cuando en la unidad familiar del solicitante de la subvención se acrediten alguna de estas circunstancias:

— Que se trate de familias numerosas.

— Personas dependientes o con discapacidad oficialmente reconocida, y las familias que las tengan a su cargo.

— Que la unidad familiar esté formada únicamente por la madre o el padre y los hijos.

b) De 800 euros cuando en la unidad familiar del solicitante de la subvención se acrediten alguna de estas circunstancias:

— Víctimas de la violencia de género o del terrorismo.

— Personas separadas o divorciadas, al corriente del pago de pensiones alimenticias y compensatorias, en su caso.

2. PROMOCIÓN DE VIVIENDA PROTEGIDA Y ALOJAMIENTOS CON DESTINO A ARRENDAMIENTO

A) PROMOCIÓN DE VIVIENDA PROTEGIDA

Características:

La Comunidad Autónoma de la Región de Murcia calificará como viviendas protegidas destinadas a arrendamiento las que cumplan las condiciones específicas del Real Decreto 2066/2008, de 12 de diciembre.

Régimen especial: Viviendas destinadas a inquilinos con ingresos familiares que no excedan de 2,5 veces el IPREM, y cuyo precio máximo de referencia, por metro cuadrado de superficie útil computable a efectos de financiación, será de 1,50 veces el MBE.

Régimen general: Viviendas destinadas a inquilinos con ingresos familiares que no excedan de 4,5 veces el IPREM, y cuyo precio máximo de referencia, por metro cuadrado de superficie útil computable a efectos de financiación será de 1,60 veces el MBE.

Régimen concertado: Viviendas destinadas a inquilinos con ingresos familiares que no excedan de 6,5 veces el IPREM, y cuyo precio máximo de referencia, por metro cuadrado de superficie útil computable a efectos de financiación será de 1,80 veces el MBE.

Estos precios máximos se incrementarán en el porcentaje que corresponda si la vivienda se ubica en un ATPMS según el régimen de protección al que pertenezcan.

Estas viviendas protegidas podrán edificarse sobre suelos cedidos en derecho de superficie, por al menos 30 años.

La duración mínima del arrendamiento de las viviendas será de 10 o de 25 años contados desde su calificación definitiva.

La renta máxima anual, por metro cuadrado de superficie útil, será el 4,5% o el 5,5% del precio máximo de referencia de la vivienda protegida en alquiler de que se trate, según la duración del contrato de arrendamiento sea de 25 o 10 años, respectivamente. Dicha renta máxima habrá de figurar en la calificación provisional de la vivienda y podrá actualizarse anualmente en función de la evolución del Índice Nacional General del Sistema de Índices de Precios al Consumo (en adelante, IPC).

Las viviendas protegidas para arrendamiento a 10 años podrán ser objeto de contrato de arrendamiento con OPCIÓN A COMPRA, en cuyo caso el inquilino podrán adquirirla a un precio de hasta 1,7 veces el precio máximo de referencia establecido en la calificación provisional. Del precio de venta se deducirá, en concepto de pagos parciales adelantados, al menos un 50% de la suma de los alquileres satisfechos por el inquilino, siempre que la opción de compra se ejercite tras una duración mínima del contrato de tres años.

Características de la ayuda

1. PROMOCIÓN A 25 AÑOS

PRÉSTAMO CONVENIDO de hasta el 80% del precio de escritura o adjudicación a devolver en, al menos, 25 años. El tipo de interés podrá ser variable o fijo. En intereses variables será igual al euribor a 12 meses publicado por el Banco de España en el *Boletín Oficial del Estado (BOE)*, el mes anterior al de la fecha de formalización, más un diferencial de 65 puntos básicos. El período de carencia en el pago de intereses finalizará en la fecha de la calificación definitiva, con un límite de 4 años (10 años con el consentimiento de la CA).

SUBSIDIOS a los préstamos. Cantidad anual por cada 10.000 euros de préstamo durante 25 años:

— 350 euros para Viviendas de Régimen Especial.

— 250 euros para Viviendas de Régimen General.

— 100 euros para Viviendas de Régimen Concertado.

SUBVENCIÓN de 350 euros para la promoción de Viviendas de Régimen Especial y de 250 euros para Viviendas de Régimen General. Cuando la vivienda estuviera en un Ámbito Territorial de Precio Máximo Superior se incrementarán las ayudas en 60 euros para vivienda situadas en ámbitos del Grupo A, 30 para el B y 15 para el C.

2. PROMOCIÓN A 10 AÑOS

PRÉSTAMO CONVENIDO de hasta el 80% del precio de escritura o adjudicación a devolver en, al menos, 10 años. El tipo de interés podrá ser variable o fijo. En intereses variables será igual al euribor a 12 meses publicado por el Banco de España en el *Boletín Oficial del Estado (BOE)*, el mes anterior al de la fecha de formalización, más un diferencial de 65 puntos básicos. El período de carencia en el pago de intereses finalizará en la fecha de la calificación definitiva, con un límite de 4 años (10 años con el consentimiento de la CA).

SUBSIDIOS a los préstamos. Cantidad anual por cada 10.000 euros de préstamo durante 10 años:

— 350 euros para Viviendas de Régimen Especial.

— 250 euros para Viviendas de Régimen General.

— 100 euros para Viviendas de Régimen Concertado.

SUBVENCIÓN de 250 euros para la promoción de Viviendas de Régimen Especial y de 200 euros para Viviendas de Régimen General. Cuando la vivienda estuviera en un Ámbito Territorial de Precio Máximo Superior se incrementarán las ayudas en 60 euros para vivienda situadas en ámbitos del Grupo A, 30 para el B y 15 para el C.

B) ALOJAMIENTOS PARA COLECTIVOS VULNERABLES

Alojarán a unidades familiares con ingresos no superiores a 1,5 veces el IPREM, jóvenes menores de 35 años, personas mayores de 65 años, mujeres víctimas de violencia de género, víctimas del terrorismo, afectados por situaciones catastróficas, discapacitados, personas sin hogar y otros colectivos en situación de exclusión social.

Formarán parte de edificios o conjuntos de edificios destinados en exclusiva a estos colectivos.

Se accederá a ellos mediante alquiler.

La renta máxima anual por m² útil será el 4,5% del precio máximo de una Vivienda Protegida de Régimen Especial para Alquiler durante 25 años (1,50 veces el MBE). Se imputará un máximo del 30% de la superficie destinada a servicios comunes y asistenciales. La prestación de estos servicios podrá suponer un incremento de la renta, hospedaje u otra contraprestación, hasta el máximo correspondiente a la vivienda protegida para arrendamiento a 25 años en régimen concertado. Superficie útil mínima de 15 m² por persona, con un máximo de 45 m² (el 25% del total de los alojamientos podrá tener hasta 90 m²).

La superficie útil protegida destinada a servicios comunes y asistenciales no podrás ser superior al 30%.

Características de la ayuda:

PRÉSTAMO CONVENIDO de hasta el 80% del precio de escritura o adjudicación a devolver en, al menos, 25 años. El tipo de interés podrá ser variable o fijo. En intereses variables será igual al euribor a 12 meses publicado por el Banco de España en el *Boletín Oficial del Estado (BOE),* el mes anterior al de la fecha de formalización, más un diferencial de 65 puntos básicos. El período de carencia en el pago de intereses finalizará en la fecha de la calificación definitiva, con un límite de 4 años (10 años con el consentimiento de la CA).

SUBSIDIOS a los préstamos. Cantidad anual por cada 10.000 euros de préstamo durante 25 años: 350 euros.

SUBVENCIÓN de 500 euros por m² de superficie útil.

C) ALOJAMIENTOS PROTEGIDOS PARA OTROS COLECTIVOS ESPE-CÍFICOS

Características:

Alojarán a personas relacionadas con la comunidad universitaria, o investigadores o científicos.

Formarán parte de edificios o conjuntos de edificios destinados en exclusiva a estos colectivos.

Se accederá a ellos mediante alquiler.

La renta máxima anual por m² útil será el 4,5% del precio máximo de una Vivienda Protegida de Régimen General para Alquiler durante 25 años (1,60 veces el MBE). Se imputará un máximo del 30% de la superficie destinada a servicios comunes y asistenciales. La prestación de estos servicios podrá suponer un incremento de la renta.

El número de alojamientos lo determinará la CA.

Superficie útil mínima de 15 m² por persona, con un máximo de 45 m² (el 25% del total de los alojamientos podrá tener hasta 90 m²).

La superficie útil protegida destinada a servicios comunes y asistenciales no podrás ser superior al 30%.

Características de la ayuda:

PRÉSTAMO CONVENIDO de hasta el 80% del precio de escritura o adjudicación a devolver en, al menos, 25 años. El tipo de interés podrá ser variable o fijo. En intereses variables será igual al euribor a 12 meses publicado por el Banco de España en el *Boletín Oficial del Estado (BOE)*, el mes anterior al de la fecha de formalización, más un diferencial de 65 puntos básicos. El período de carencia en el pago de intereses finalizará en la fecha de la calificación definitiva, con un límite de 4 años (10 años con el consentimiento de la CA).

SUBSIDIOS a los préstamos. Cantidad anual por cada 10.000 euros de préstamo durante 25 años: 250 euros.

SUBVENCIÓN de 320 euros por m² de superficie útil.

3. AYUDAS AL PROPIETARIO DE VIVIENDA CON DESTINO A AL-QUILER

Podrán ser beneficiarios de las ayudas previstas en esta sección los promotores de viviendas de nueva construcción calificadas con destino a alquiler de régimen especial y general y de alojamientos para colectivos vulnerables de iniciativa privada, al amparo del Real Decreto 2066/2008, de 12 de diciembre, y las personas físicas propietarias de viviendas libres desocupadas, desligadas de cualquier actividad económica o profesional del propietario, que las destinen a arrendamiento en los plazos legalmente establecidos o por un mínimo de cinco años.

Características de la ayuda:

La ayuda consistirá en el pago del 75% del coste de un seguro por impago de rentas y posibles daños provocados por los inquilinos, con una duración de dos años consecutivos, siempre que durante el segundo año se mantengan las circunstancias que dieron lugar al reconocimiento inicial, y con un máximo de 400 euros al año.

Esta ayuda no será compatible con cualquier otra subvención que tenga el mismo objeto.

El número máximo de subvenciones a conceder con cargo a los Presupuestos Generales de la Comunidad Autónoma de la Región de Murcia será de 3.870, de las cuales 2.370 corresponderán a promotores de viviendas o alojamientos protegidos, y 1.500 a las personas físicas propietarias de viviendas libres desocupadas.

4. AYUDAS AL INQUILINO

• Previa a la concesión de las ayudas, el arrendatario debe de presentar la solicitud para el visado del contrato de arrendamiento cuyos *requisitos* son los siguientes:

1. La suma de los ingresos familiares íntegros mínimos anuales de los titulares del contrato de arrendamiento deberá ser igual o superior a 0,50 veces el IPREM, excepto en situaciones de desempleo. A estos efectos se considerará que constituyen los ingresos mínimos exigidos las pensiones de las personas dependientes, con discapacidad oficialmente reconocida, las de jubilación y de viudedad, aunque no alcancen este límite.

2. Igualmente, la suma de ingresos familiares referidos a todos los titulares del contrato de arrendamiento de la vivienda, no excederá de 2,5 veces el IPREM ponderados.

2. No tener otra vivienda protegida, o libre, salvo que no disponga del uso ni del disfrute de la misma, o que siendo una vivienda libre se encuentre ubicada en otra localidad diferente a la de la vivienda alquilada.

3. Empadronamiento en la localidad donde se ubica la vivienda que se alquila, en el que figuren todos los miembros de la unidad familiar y el resto de ocupantes de la vivienda exista o no relación de parentesco.

4. La vivienda ha de destinarse a residencia habitual y permanente, dentro de los plazos establecidos.

5. El inquilino deberá estar inscrito en el Registro de Demandantes de Vivienda Protegida de la Región de Murcia.

Características:

SUBVENCIÓN DE LA CARM: 10% DE LA RENTA, con un máximo de 840 euros, solamente al inquilino, que deberá acreditar la residencia legal y permanente en España. En el caso de que todos los miembros de la unidad familiar de los titulares del contrato de arrendamiento acredite que ha agotado el derecho al cobro de subsidio de desempleo, la cuantía de la subvención anterior será del 20% con un máximo de 1.780 euros, mientras se mantenga la situación de desempleo. La duración de esta subvención será de 12 meses, prorrogable otros 12 meses. La ampliación de la subvención exige que el beneficiario la solicite y acredite que se mantienen las mismas circunstancias económicas que dieron lugar a su otorgamiento inicial.

SUBVENCIÓN ESTATAL de hasta el 40% DE LA RENTA que se vaya a pagar, con un límite de 3.200 euros por vivienda (independientemente del número de titulares existentes en el contrato), durante un máximo de 2 años. La duración máxima de esta subvención será de 2 años, siempre que se mantengan las circunstancias que dieron lugar al reconocimiento inicial del derecho a la ayuda.

5. ÁREAS DE REHABILITACIÓN

REHABILITACIÓN DE EDIFICIOS: adecuación estructural y funcional de los edificios dedicados a viviendas

REHABILITACIÓN DE VIVIENDAS: adecuación de las condiciones de habitabilidad de la vivienda

Características de las actuaciones protegidas:

a) Actuaciones para la mejora de la eficiencia energética, la higiene, salud y protección del medio ambiente en los edificios y viviendas, y la utilización de energías renovables:

— Paneles solares para agua caliente.

— Envolvente térmica del edificio para reducir el consumo energético.

— Sistemas de instalaciones térmicas que incremente la eficiencia energética.

— Instalaciones de suministro y para el ahorro de agua.

— Otras establecidas en el Código Técnico de la Edificación.

b) Actuaciones para la mejora de la accesibilidad:

— Instalación de ascensores o adaptación de los mismos a las necesidades de discapacitados.

— Instalación y mejora de rampas de acceso.

— Instalación o mejora de dispositivos de acceso a los edificios, adaptados a las necesidades de discapacitados.

— Instalación de elementos de información y orientación.

— Adaptación de viviendas a las necesidades de personas con discapacidad o mayores de 65 años.

Características de las AYUDAS ESTATALES:

EDIFICIOS DE VIVIENDAS

PRÉSTAMOS CONVENIDOS de hasta el total del presupuesto protegido (coste total de las obras sobre los elementos comunes e instalaciones generales, incluidas las necesarias sobre las partes afectadas en viviendas y locales) a devolver hasta en 15 años. Podrán obtenerlo todos los propietarios u ocupantes de vivienda con independencia de sus ingresos.

SUBSIDIOS A LOS PRÉSTAMOS:

— Para inquilinos y propietarios de una o varias viviendas con ingresos no superiores a 6,5 veces el IPREM: 140 euros anuales por cada 10.000 euros de préstamo.

— Para propietarios de una o varias viviendas alquiladas con contrato sujeto a prórroga forzosa celebrado antes de la Ley 29/1994 de Arrendamientos Urbanos: 175 euros anuales por cada 10.000 euros de préstamo.

SUBVENCIONES:

— Para comunidades de propietarios: hasta el 10% del presupuesto protegido, sin superar los 1.100 euros por vivienda. Esta subvención será incompatible con la subsidiación.

— Además, para propietarios u ocupantes de las viviendas con ingresos no superiores a 6,5 veces el IPREM: hasta el 15% del presupuesto protegido, sin superar los 1.600 euros con carácter general, o los 2.700 euros cuando tengan más de 65 años o sean discapacitados y las obras se destinen a la eliminación de barreras o a la adecuación de la vivienda.

VIVIENDAS

SUBVENCIONES de hasta el 25% del presupuesto protegido (coste total de la rehabilitación de las viviendas, hasta un máximo de 90 m² útiles por vivienda afectada).

En el caso de que el PROPIETARIO DESTINE LA VIVIENDA AL ALQUILER durante, al menos, 5 años, la cuantía máxima de la subvención será de 6.500 euros.

3.720 euros: Para arrendadores sujetos a prórroga forzosa

Características de SUBVENCIONES DE LA CARM:

Para actuaciones de rehabilitación de elementos comunes en edificios:

A) Una subvención lineal del 15% del presupuesto protegido, que se hará efectiva a la comunidad de propietarios, con un máximo de 1.000 euros por vivienda, garaje o anejo, trastero y local.

B) Una subvención individual para los propietarios o inquilinos con autorización del propietario de la viviendas en función de sus ingresos y su edad.

1. Para beneficiarios con edad inferior o igual a 35 años:

a) Si los ingresos familiares del solicitante son inferiores o iguales a 3,5 veces el IPREM ponderado: una subvención del 30% del presupuesto protegido, con un máximo de 1.500 euros. En el caso de que algún miembro de la unidad familiar sea mayor de 65 años o se trate de personas con discapacidad o dependientes y las obras se destinen a la eliminación de barreras o a la adecuación de la vivienda a sus necesidades específicas, la subvención será del 35% del presupuesto protegido con un máximo de 2.500 euros.

b) Si los ingresos familiares del solicitante son superiores a 3,5 veces el IPREM ponderado e inferiores o iguales a 6,5 veces el IPREM ponderado: una subvención del 30% del presupuesto protegido, con un máximo de 900 euros.

En el caso de que algún miembro de la unidad familiar sea mayor de 65 años o se trate de personas con discapacidad o dependientes y las obras se destinen a la eliminación de barreras o a la adecuación de la vivienda a sus necesidades específicas, la subvención será del 35% del presupuesto protegido con un máximo de 1.900 euros.

2. Para beneficiarios con edad superior a 35 años:

a) Si los ingresos familiares del solicitante son inferiores o iguales a 3,5 veces el IPREM ponderado: una subvención del 20% del presupuesto protegido, con un máximo de 1.200 euros. En el caso de que algún miembro de la unidad familiar sea mayor de 65 años o se trate de personas con discapacidad o dependientes y las obras se destinen a la eliminación de barreras o a la adecuación de la vivienda a sus necesidades específicas, la subvención será del 25% del presupuesto protegido con un máximo de 2.200 euros.

b) Si los ingresos familiares del solicitante son superiores a 3,5 veces el IPREM ponderado e inferiores o iguales a 6,5 veces el IPREM ponderado: una subvención del 20% del presupuesto protegido, con un máximo de 700 euros.

En el caso de que algún miembro de la unidad familiar sea mayor de 65 años o se trate de personas con discapacidad o dependientes y las obras se destinen a la eliminación de barreras o a la adecuación de la vivienda a sus necesidades específicas, la subvención será del 25% del presupuesto protegido con un máximo de 1.700 euros.

Para actuaciones de rehabilitación de viviendas en edificios que afecten únicamente a elementos privativos de la vivienda y rehabilitación de viviendas unifamiliares con actuación predominante de vivienda:

Cuando la actuación de rehabilitación afecte únicamente a elementos privativos de las viviendas ubicadas en edificios, o se trate de edificios de una sola vivienda cuando la actuación predominante sea la de rehabilitación de vivienda, el propietario o inquilino con autorización del propietario tendrá una subvención en función de sus ingresos y su edad:

1. Para beneficiarios con edad inferior o igual a 35 años:

a) Si los ingresos familiares del solicitante son inferiores o iguales a 3,5 veces el IPREM ponderado: una subvención del 40% del presupuesto protegido, con un máximo de 4.600 euros. En el caso de que algún miembro de la unidad familiar sea mayor de 65 años o se trate de personas con discapacidad o dependientes y las obras se destinen a la eliminación de barreras o a la adecuación de la vivienda a sus necesidades específicas, la subvención será del 45% del presupuesto protegido con un máximo de 5.600 euros.

b) Si los ingresos familiares del solicitante son superiores a 3,5 veces el IPREM ponderado e inferiores o iguales a 6,5 veces el IPREM ponderado: una subvención del 40% del presupuesto protegido, con un máximo de 4.000 euros. En el caso de que algún miembro de la unidad familiar sea mayor de 65 años o se trate de personas con discapacidad o dependientes y las obras se destinen a la eliminación de barreras o a la adecuación de la vivienda a sus necesidades específicas, la subvención será del 45% del presupuesto protegido con un máximo de 5.000 euros.

2. Para beneficiarios con edad superior a 35 años:

a) Si los ingresos familiares del solicitante son inferiores o iguales a 3,5 veces el IPREM ponderado: una subvención del 30% del presupuesto protegido, con un máximo de 3.500 euros. En el caso de que algún miembro de la unidad familiar sea mayor de 65 años o se trate de personas con discapacidad o dependientes y las obras se destinen a la eliminación de barreras o a la adecuación de la vivienda a sus necesidades específicas, la subvención será del 35% del presupuesto protegido con un máximo de 4.500 euros.

b) Si los ingresos familiares del solicitante son superiores a 3,5 veces el IPREM ponderado e inferiores o iguales a 6,5 veces el IPREM ponderado: una subvención del 30% del presupuesto protegido, con un máximo de 3.000 euros. En el caso de que algún miembro de la unidad familiar sea mayor de 65 años o se trate de personas con discapacidad o dependientes y las obras se destinen a la eliminación de barreras o a la adecuación de la vivienda a sus necesidades específicas, la subvención será del 35% del presupuesto protegido con un máximo de 4.000 euros.

Para actuaciones de rehabilitación de viviendas unifamiliares con actuación predominante de edificio:

Cuando se trate de viviendas unifamiliares aisladas con actuaciones predominantes de rehabilitación de edificios, los propietarios o inquilinos con autorización del propietario podrán obtener una subvención en función de sus ingresos y su edad de la siguiente cuantía:

1. Para beneficiarios con edad inferior o igual a 35 años:

a) Si los ingresos familiares del solicitante son inferiores o iguales a 3,5 veces el IPREM ponderado: una subvención del 45% del presupuesto protegido, con un máximo de 7.000 euros. En el caso de que algún miembro de la unidad familiar sea mayor de 65 años o se trate de personas con discapacidad o dependientes y las obras se destinen a la eliminación de barreras o a la adecuación de la vivienda a sus necesidades específicas, la subvención será del 50% del presupuesto protegido con un máximo de 8.000 euros.

b) Si los ingresos familiares del solicitante son superiores a 3,5 veces el IPREM ponderado e inferiores o iguales a 6,5 veces el IPREM ponderado: una subvención del 45% del presupuesto protegido, con un máximo de 5.000 euros. En el caso de que algún miembro de la unidad familiar sea mayor de 65 años o se trate de personas con discapacidad o dependientes y las obras se destinen a la eliminación de barreras o a la adecuación de la vivienda a sus necesidades específicas, la subvención será del 50% del presupuesto protegido con un máximo de 6.000 euros.

2. Para beneficiarios con edad superior a 35 años:

a) Si los ingresos familiares del solicitante son inferiores o iguales a 3,5 veces el IPREM ponderado: una subvención del 35% del presupuesto protegido, con un máximo de 5.700 euros. En el caso de que algún miembro de la unidad familiar sea mayor de 65 años o se trate de personas con discapacidad o dependientes y las obras se destinen a la eliminación de barreras o a la adecuación de la vivienda a sus necesidades específicas, la subvención será del 40% del presupuesto protegido con un máximo de 6.700 euros.

b) Si los ingresos familiares del solicitante son superiores a 3,5 veces el IPREM ponderado e inferiores o iguales a 6,5 veces el IPREM ponderado: una subvención del 35% del presupuesto protegido, con un máximo de 4.000 euros. En el caso de que algún miembro de la unidad familiar sea mayor de 65 años o se trate de personas con discapacidad o dependientes y las obras se destinen a la eliminación de barreras o a la adecuación de la vivienda a sus necesidades específicas, la subvención será del 40% del presupuesto protegido con un máximo de 5.000 euros.

Con independencia de las subvenciones contempladas, la Comunidad Autónoma de la Región de Murcia, subvencionará el 75% de los honorarios técnicos de redacción del proyecto, incluido el IVA, con un máximo de 1.000 euros, siempre que éste sea necesario para la actuación según la normativa aplicable.

Requisitos de acceso ayuda:

1. Ser promotor de la actuación, propietario de la vivienda o edificio, inquilino autorizado por el propietario o comunidad de propietarios y personas

2. Al menos el 25% del presupuesto protegido tendrá que estar dedicado al uso de energías renovables, la mejora de la eficiencia energética, la higiene, salud y protección del medio ambiente, y la accesibilidad del edificio.

ÁREAS DE REHABILITACIÓN INTEGRAL (ARI) DE CONJUNTOS HISTÓRICOS, CENTROS URBANOS, BARRIOS DEGRADADOS Y MUNICIPIOS RURALES.

Características del ámbito protegido:

El ARI habrá de incluir al menos 200 viviendas (salvo excepciones) y contar con un plan especial de rehabilitación. Los municipios rurales con ARI tendrán menos de 5.000 habitantes (salvo excepciones).

Las viviendas y edificios deben tener una antigüedad superior a 10 años (salvo excepciones).

Características de las AYUDAS ESTATALES:

PRÉSTAMO CONVENIDO por la cuantía del presupuesto protegido (coste máximo de ejecución de la rehabilitación de las viviendas y edificios que incluirá, como tope, una superficie útil de 90 m² por vivienda) a devolver en 15 años como máximo.

SUBVENCIÓN para:

— Rehabilitación de edificios y viviendas y situaciones de infravivienda, por un importe de hasta el 40% del presupuesto protegido, con un máximo de 5.000 euros por vivienda rehabilitada (6.600 euros en centros históricos y municipios rurales, si la subvención no excede del 50% del presupuesto protegido total).

— Obras de urbanización del ARI, por un importe de hasta el 20% de dichas obras, con un límite del 20% de la subvención del apartado anterior. En centros históricos y municipios rurales, la subvención será de hasta el 30% del presupuesto de las obras, con el límite 30% de la subvención.

— Financiar los costes de los equipos de información y gestión, por un importe que no excederá el 5% del presupuesto protegido total del ARI ni el 50% del coste de estos equipos.

Requisitos de acceso ayuda:

1. Ser promotor de la actuación de rehabilitación, propietario de vivienda o edificio, inquilino autorizado por el propietario o comunidad de propietario incluido dentro del ARI.

2. Cuando se trate de rehabilitación de viviendas para uso propio, los ingresos familiares de las personas beneficiarias no podrán superar 6,5 veces el IPREM.

3. Las viviendas que hayan obtenido ayudas habrán de destinarse como domicilio habitual de su propietario, o al alquiler, durante al menos 5 años.

Características de las AYUDAS DE LA CARM:

Una subvención individual por vivienda para todos los tipos de actuaciones del 35% del presupuesto protegido, con un máximo de 5.800 euros por vivienda.

En el caso de que algún miembro de la unidad familiar sea mayor de 65 años o se trate de personas con discapacidad o dependientes y las obras se destinen a la eliminación de barreras o a la adecuación de la vivienda a sus necesidades específicas, la subvención será del 40% del presupuesto protegido con un máximo de 6.800 euros por vivienda.

Con independencia de las subvenciones contempladas, la Comunidad Autónoma de la Región de Murcia, subvencionará el 75 por cien de los honorarios técnicos de redacción del proyecto, incluido el IVA, con un máximo de 1.000 euros, siempre que éste sea necesario para la actuación según la normativa aplicable.

ÁREAS DE RENOVACIÓN URBANA (ARU):

Características del ámbito protegido:

El ARU, habrá de incluir al menos 200 viviendas o su conjunto agrupar más de 4 manzanas de edificios (salvo excepciones).

Las viviendas deben tener una antigüedad superior a 30 años (salvo excepciones).

La situación de la mayor parte de las viviendas del ARU deben encontrarse por debajo de los estándares mínimos establecidos legalmente.

La mayor parte de los edificios deben encontrarse en una situación que exija la demolición y reconstrucción de los mismos.

Al menos el 60% de la edificabilidad existente debe estar destinada a uso residencial.

Si es necesaria una nueva ordenación urbanística como consecuencia de las actuaciones a realizar, al menos se tendrá de contar con la aprobación inicial del instrumento urbanístico necesario para ello.

Características de la ayuda:

PRÉSTAMO CONVENIDO por la cuantía resultante de la diferencia entre el presupuesto de construcción de las viviendas protegida en el ARU y la cuantía de las subvenciones concedidas. El presupuesto protegido será el coste máximo de la construcción de las viviendas protegidas a sustituir, que será el 85% del precio máximo de una vivienda protegida del mismo régimen, con una superficie útil máxima de 90 m² (80% si la actuación afectara a más de 500 viviendas).

SUBVENCIÓN para:

Sustituir las viviendas existentes, por un importe máximo del 35% del presupuesto protegido, con un límite de 30.000 euros por vivienda renovada.

Obras de urbanización del ARU, por un importe máximo del 40% del presupuesto, con un límite del 40% de la subvención establecida en el apartado anterior.

Realojos temporales, por un importe máximo de 4.500 euros por unidad familiar a realojar, sin superar los 4 años.

Financiar los costes de los equipos de información y gestión, por un importe que no excederá el 7% del presupuesto protegido total del ARU ni el 50% del coste de estos equipos.

PROGRAMA ERRADICACIÓN DEL CHABOLISMO:

Características del ámbito protegido:

Situación de chabolismo: asentamiento precario e irregular de población en situación o riesgo de exclusión social, con graves deficiencias de salubridad, hacinamiento de sus moradores y condiciones de seguridad y habitabilidad muy por debajo de los requerimientos mínimos aceptables.

Características de la ayuda:

SUBVENCIÓN para el realojo de los ocupantes del asentamiento en viviendas en régimen de alquiler: hasta el 50% de la renta anual a pagar, con un máximo de 3.000 euros anuales por vivienda.

SUBVENCIÓN para financiar el coste de los equipos de gestión y de acompañamiento social: hasta el 10% del importe de las subvenciones del apartado anterior.

Requisitos de acceso ayuda:

1. Ser persona jurídica, pública o privada, sin ánimo de lucro.

2. Disponer de programas específicos o de colaboración para la erradicación de situaciones de chabolismo.

3. Suscribir los acuerdos correspondientes a este tipo de programas.

AYUDAS PARA LA INSTALACIÓN DE DISPOSITIVOS DE DOMÓTICA EN VIVIENDAS:

Características:

La comunidad Autónoma de la Región de Murcia reconocerá y otorgará subvenciones con cargo a sus presupuestos generales para la instalación de dispositivos que permitan la domotización de viviendas, tales como la gestión de instalaciones eléctricas, de climatización, suministros de agua y gas, sistemas de protección como alarmas de presencia, alertas de incendios o rotura de instalaciones, sistemas de apertura y cierre automático de ventanas o persianas u otros dispositivos, sistemas de alerta médica, u otras similares.

Los beneficiarios podrán ser personas físicas propietarias o inquilinos con autorización del propietario, que tengan movilidad reducida, sean dependientes, discapacitados motores o sensoriales, o las familias que las tengan a su cargo, que precisen la adaptación de su vivienda a sus circunstancias personales.

Los ingresos familiares de las personas físicas beneficiarias de las ayudas no podrá exceder de 6,5 veces el IPREM.

La vivienda deberá ser destinada a domicilio habitual y permanente del beneficiario.

Las ayudas consistirán en una SUBVENCIÓN del 75% del presupuesto protegido de las obras o instalaciones a realizar con un máximo de 4.000 euros por vivienda.

El presupuesto protegido será el coste total de las obras, que incluirá el presupuesto de contrata de las mismas y el IVA correspondiente.

Se otorgarán una máximo de 500 subvenciones para el período de vigencia del Plan 2009-2012.

6. ACTUACIONES PROTEGIDAS EN MATERIA DE SUELO Y URBANIZACIÓN

Características de la ayuda:

PRÉSTAMOS CONVENIDOS a devolver hasta en 4 años por una cuantía no superior al producto de la superficie edificable multiplicada por el 20% del Módulo Básico Estatal (MBE), sin exceder el coste total de la actuación.

SUBVENCIÓN por cada vivienda protegida a construir en función de:

a) El porcentaje de edificabilidad residencial destinado a vivienda protegida.

b) El porcentaje previsto de viviendas protegidas de régimen especial o en alquiler dentro del conjunto de viviendas protegidas:

— mayor o igual al 40%, será Grupo 1.

— mayor o igual al 20% e inferior al 40%, será Grupo 2.

— Menor al 20%, será Grupo 3.

c) La adquisición del suelo.

d) La ubicación del suelo en alguno de los Ámbitos Territoriales de Precio Máximo Superior (ATPMS).

Porcentaje de edificabilidad residencial para viviendas protegidas	Subvención general (€/ vivienda protegida)	Subvención adicional en ATPMS (€/ vivienda protegida)			Subvención adicional por vivienda protegida destinada a alquiler y/o a régimen especial (€/vivienda protegida)		
> 50% ≤ 75% > 75% (AUP)		A	B	C	Grupo 1	Grupo 2	Grupo 3
	700	300	235	115			
Sin adquisición de suelo	1.700	700	470	225	1.700	1.500	300

Requisitos para acceder a la ayuda

1. Al menos el 50% de la edificabilidad residencial deberá destinarse a vivienda protegida

2. Acreditar la propiedad del suelo.

3. Iniciar en el plazo máximo de 3 años la construcción de, al menos, un 30% de las viviendas protegidas.

4. Presentar una memoria de viabilidad técnico-financiera y urbanística del proyecto.

5. Presentar la solicitud de las ayudas antes de obtener el préstamo convenido de las viviendas protegidas a construir.

6. Realizar la correspondiente inscripción del suelo en el Registro de la Propiedad.

A la entrada en vigor del presente Decreto, quedarán **derogadas** las siguientes disposiciones:

1. Decreto 141/2005, de 30 de diciembre, por el que se regulan las actuaciones protegidas en materia de vivienda y suelo en el ámbito de la Región de Murcia para el cuatrienio 2005-2008, sin perjuicio de su aplicación a las situaciones creadas a su amparo.

2. Decreto 86/2008, de 14 de mayo, de modificación parcial del Decreto 141/2005, de 14 de junio, por el que se regulan las actuaciones protegidas en materia de vivienda y suelo en el ámbito de la Región de Murcia para el cuatrienio 2005-2008, sin perjuicio de su aplicación a las situaciones creadas a su amparo.

3. Decreto 139/2008, de 6 de noviembre, por el que se regulan en el Plan Regional de Vivienda 2007-2010 la vivienda protegida de precio limitado y la adquisición protegida de suelo, sin perjuicio de su aplicación a las situaciones creadas a su amparo.

4. Orden de 8 de noviembre de 2006, de la Consejería de Obras Públicas y Ordenación del Territorio, de convocatoria de ayudas a la promoción de viviendas y alojamientos protegidos para el colectivo de inmigrantes.

5. Y cuantas disposiciones de igual o inferior rango se opongan a lo dispuesto en el presente Decreto.

17. Programa de Vivienda Protegida de Navarra

Decreto foral 4/2006, de 9 de enero, por el que se regulan las actuaciones protegibles en materia de vivienda y el fomento de la edificación residencial

Ley foral 8/2004, de 24 de junio, de protección pública a la vivienda en Navarra

CONCEPTOS BÁSICOS

I. ACTUACIONES PROTEGIDAS

1. Viviendas protegidas en régimen de venta y alquiler.

2. Viviendas en alquiler con opción a compra.

3. Viviendas de integración social.

4. Ayudas económicas.

5. Actuaciones en materia de rehabilitación

5. Otras actuaciones protegibles.

6. Plan anticrisis. Medidas urgentes.

II. INGRESOS FAMILIARES-RENTA PONDERADA

1. La renta ponderada para el acceso a la vivienda protegida y a la financiación cualificada de las actuaciones protegibles se acreditará mediante la presentación del modelo oficial de la declaración o declaraciones del Impuesto sobre la Renta de las Personas Físicas. La ponderación de los ingresos de los solicitantes y sus cónyuges o parejas de hecho se efectúa conforme a la siguiente fórmula:

$$IPS = BI \times N \times T$$

IPS: Cuantía de ingresos ponderados.

BI: Cuantía de la parte general de la base o bases imponibles acreditadas de los solicitantes y sus cónyuges o parejas de hecho.

La parte general de la base imponible se incrementará, a estos efectos, con el importe de las rentas efectivamente percibidas y que se hallen exentas de tributación, de conformidad con lo dispuesto en la legislación del Impuesto sobre la Renta de las Personas Físicas. La parte general de base imponible que resulte negativa se asimilará a cero. En el caso de que la declaración de renta se haya realizado ante una Administración distinta de la Administración de la Comunidad Foral de Navarra, para la determinación de la parte general de la base imponible, a efectos de lo previsto en este Decreto Foral, se utilizarán los mismos criterios aplicables a las personas que declaran ante la Administración de la Comunidad Foral de Navarra.

Situaciones especiales que dan lugar a un cálculo distinto de los ingresos:

En el caso de personas viudas, separadas judicialmente, divorciadas o que hayan roto su relación afectiva, y cuya última declaración sobre el IRPF corresponda a un período en el que existía el vínculo matrimonial o la relación afectiva, para el cálculo de los ingresos ponderados computables se actuará del siguiente modo:

a) Si el régimen económico es de separación de bienes, se computarán únicamente los ingresos del solicitante.

b) En los demás casos, se imputarán como ingresos estimados los correspondientes a la mayor de las siguientes cantidades:

1) Los ingresos individuales del solicitante.

2) El 50% de los ingresos conjuntos del matrimonio o pareja.

Cuando las decisiones judiciales relativas a separación, divorcio o ruptura de la relación afectiva conlleven la obligación de proporcionar pensiones de alimentos a los hijos, el obligado que acredite haber efectuado todos los pagos correspondientes a los plazos vencidos podrá deducir las cuantías de dichas pensiones para calcular la parte general de su base imponible.

N: Coeficiente ponderador en función del número de miembros de la unidad familiar.

Familia de 1 miembro: 0,90.

Familia de 2 miembros: 0,75.

Familia de 3 miembros: 0,70.

Familia de 4 miembros: 0,66.

Por cada miembro adicional, el valor ponderador se reducirá en 0,04.

Cuando uno o varios miembros de las unidades familiares solicitantes tengan la consideración de minusválido con un grado igual o superior al 33%, el coeficiente ponderador N aplicable será el del tramo siguiente al que correspondería en otro caso. Si uno o varios miembros de las unidades familiares solicitantes tienen una edad igual o superior a 65 años, el coeficiente N aplicable será, asimismo, el del tramo siguiente al que correspondería en otro caso. Si concurren ambas circunstancias en una misma solicitud, el coeficiente ponderador N aplicable será el del segundo tramo siguiente al que correspondería en otro caso.

T: Coeficiente ponderador en relación con la ubicación de la localidad en que se encuentra la vivienda en la correspondiente área geográfica homogénea.

Área geográfica única: 0,94.

Los ingresos ponderados se dividirán por el importe del IPREM a efectos de integrarlos en los diferentes tramos de renta.

III. SUPERFICIES MÁXIMAS Y MÍNIMAS DE LAS VIVIENDAS

La superficie útil de las viviendas protegidas no superará los máximos establecidos para cada tipo de vivienda protegida. En el cómputo de la superficie útil de las viviendas protegidas, los espacios exteriores, como terrazas y balcones, no podrán suponer en su conjunto más del 10% de la superficie útil interior de la vivienda a la que pertenecen.

El número de dormitorios de las viviendas protegidas en relación con la superficie útil de las mismas deberá acomodarse al siguiente cuadro:

NÚM. DORMITORIOS	SUPERFICIE ÚTIL
1	Hasta 60 m²
2	Hasta 85 m²
3 o más	Hasta el máximo legal

Las viviendas de la reserva destinada a familias numerosas deberán contar con cuatro dormitorios, como mínimo.

Las viviendas protegidas podrán contar con anejos vinculados, conforme a las siguientes dimensiones y condiciones:

a) La superficie útil mínima de la plaza de garaje será de 10,81 m². La superficie útil máxima por plaza será de 14 m², excepto cuando se destine a personas con minusvalía motriz.

b) Las plazas de garaje destinadas a personas con minusvalía motriz podrán superar los 14 m² de superficie útil, si bien únicamente estos últimos computarán a efectos de ayudas públicas y del precio máximo de venta, de tal modo que ni el exceso sobre dicha superficie ni los espacios de acceso a la misma se tendrán en cuenta a dichos efectos.

c) La superficie útil máxima de los trasteros será de 15 m², incluida toda su superficie con altura libre superior a 1,5 metros. La superficie útil mínima será de 2 m².

d) Ninguno de los locales vinculados a la vivienda podrá contar con huecos de iluminación por debajo de la altura de 1,8 metros sobre el pavimento terminado. La superficie total de iluminación de cada local no podrá superar el 5% de su superficie útil.

La suma de las superficies útiles de los locales no vinculados a las viviendas, incluidas las plazas de garaje no vinculadas, no podrá exceder del 40% de la superficie útil total de la promoción. Si no consta la superficie útil real de los locales no vinculados, se considerará como tal el 85% de la superficie construida correspondiente.

IV. PRECIOS MÁXIMOS DE LAS VIVIENDAS PROTEGIDAS-MÓDULO PONDERADO

El precio máximo de venta y renta de las viviendas protegidas se establece en función de los módulos sin ponderar y ponderado. Este último se determina ajustando el módulo sin ponderar en función de la evolución previsible de los costes de construcción.

El módulo ponderado es de aplicación, al menos:

1. A las actuaciones relativas a la construcción de nuevas viviendas protegidas.

2. A las de rehabilitación.

3. Al tanteo y retracto de viviendas protegidas en construcción, o en primera transmisión hasta un año después de la calificación definitiva.

El módulo sin ponderar se aplica para determinar el precio máximo de venta o alquiler de las viviendas protegidas en los siguientes supuestos:

a) Viviendas que se hayan calificado definitivamente con más de un año.

b) Viviendas incluidas en programas de integración social o de fomento de alquiler de viviendas desocupadas.

c) Viviendas que sean objeto de tanteo o retracto en segunda transmisión, o en primera cuando haya transcurrido más de un año desde calificación definitiva.

d) Segundas y ulteriores transmisiones de viviendas protegidas.

e) En su caso, otros que reglamentariamente se determinen.

Los módulos de precios máximos de venta y alquiler se establecen con periodicidad anual, y se expresan en euros por metro cuadrado útil de vivienda. El producto de multiplicar el módulo por el coeficiente que corresponda determina los precios máximos de venta y de alquiler por metro cuadrado útil de las viviendas protegidas y sus anejos, así como la cuantía de las subvenciones y los préstamos cualificados.

Módulo ponderado revisado mediante la siguiente fórmula:

$$M' = M \times [1 + (0{,}725 \times ICE + 0{,}275 \times IPC) : 100]$$

M' = Nuevo módulo.

M = Módulo anterior.

ICE = Variación porcentual del índice de costes de edificación en función de los últimos subíndices mensuales conocidos en relación con el mismo mes del año anterior. Dichos costes serán los relativos a mano de obra, energía y materiales.

IPC = Variación porcentual del índice general de precios al consumo entre el último mes cuyo índice se conozca y el del mismo mes del año anterior.

Si el último mes de índices y subíndices conocidos no coinciden, el módulo se referirá al IPC y el ICE del último mes cuyos índices correspondientes a ambos conceptos sean conocidos en relación con los correspondientes al mismo mes del año anterior.

Esta fórmula de cálculo de la evolución del módulo se desarrolla del siguiente modo:

El factor IPC será el correspondiente a la variación del índice general del sistema de índices de precios de consumo referido a Navarra.

El factor ICE se determinará mediante la siguiente fórmula:

$$ICE = 0.40\ H + 0.10\ E + 0.11\ C + 0.10\ S + 0.10\ Cr + 0.04\ M\ 0.15\ IPC$$

Las letras corresponden a la variación porcentual anual de los precios siguientes: H, mano de obra; E, energía; C, cemento; S, productos siderúrgicos; Cr, materiales cerámicos; M, madera. Al resto de materiales, ponderados conforme al coeficiente 0,15, se les aplicará la variación porcentual anual del índice de precios al consumo en el período referido.

Los precios máximos son los siguientes:

VENTA:

A) Precios máximos de las viviendas de **Protección Oficial:**

1. Los precios máximos de adjudicación o venta en primera transmisión de viviendas de Protección Oficial, en tanto no haya transcurrido un año desde la fecha de calificación definitiva del expediente, siempre en función del módulo ponderado vigente en el momento de solicitud de la calificación provisional, serán los siguientes:

a) Para viviendas de Protección Oficial en *régimen especial:* 1,2 veces el módulo ponderado por metro cuadrado útil de vivienda y de garaje vinculado, y 0,48 veces el módulo ponderado por metro cuadrado útil de trasteros y otros anejos.

b) Para viviendas de Protección Oficial en *régimen general:* 1,3 veces el módulo ponderado por metro cuadrado útil de vivienda y de garaje vinculado, y 0,52 veces el módulo ponderado por metro cuadrado útil de trasteros y otros anejos.

2. Los precios máximos de adjudicación o venta de viviendas de Protección Oficial en segunda y posteriores transmisiones, o en primera transmisión cuando haya transcurrido al menos un año desde la fecha de calificación definitiva, siempre en función del módulo sin ponderar vigente en el momento de la suscripción del contrato, serán los siguientes:

a) Para viviendas de Protección Oficial en *régimen especial:* 1,2 veces el módulo sin ponderar por metro cuadrado útil de vivienda y garaje vinculado, y 0,48 veces el módulo sin ponderar por metro cuadrado útil de trasteros y otros anejos.

b) Para viviendas de Protección Oficial en *régimen general:* 1,3 veces el módulo sin ponderar por metro cuadrado útil de vivienda y garaje vinculado, y 0,52 veces el módulo sin ponderar por metro cuadrado útil de trasteros y otros anejos.

B) Precios máximos de las viviendas de **Precio Tasado:**

1. Los precios máximos de adjudicación o venta en primera transmisión de viviendas de Precio Tasado, en tanto no haya transcurrido un año desde la fecha de calificación definitiva del expediente, siempre en función del módulo ponderado vigente en el momento de solicitud de la calificación provisional, serán equivalentes a 1,5 veces el módulo ponderado por metro cuadrado útil de vivienda y de garaje vinculado, y 0,6 veces el módulo ponderado por metro cuadrado útil de trasteros y otros anejos.

2. Los precios máximos de adjudicación o venta de viviendas de Precio Tasado en segunda y posteriores transmisiones, o en primera transmisión cuando haya transcurrido al menos un año desde la fecha de calificación definitiva, siempre en función del módulo sin ponderar vigente en el momento de la suscripción del contrato, serán equivalentes a 1,5 veces el módulo sin ponderar por metro cuadrado útil de vivienda de garaje o ga-

rajes vinculados, y 0,6 veces el módulo sin ponderar por metro cuadrado útil de trasteros y otros anejos.

C) Precios máximos de las viviendas de **Precio Pactado:**

1. Los precios máximos de adjudicación o venta en primera transmisión de viviendas de Precio Pactado, en tanto no haya transcurrido un año desde la fecha de calificación definitiva del expediente, siempre en función del módulo ponderado vigente en el momento de solicitud de la calificación provisional, serán los que se hayan establecido en los convenios de promoción de estas viviendas, o bien en el planeamiento urbanístico correspondiente, con un máximo de 1,65 veces el módulo ponderado por metro cuadrado útil de vivienda y de garaje vinculado, y 0,66 veces el módulo ponderado por metro cuadrado útil de trasteros y otros anejos.

En caso de que no se haya suscrito convenio ni se prevean límites de precio en el planeamiento, se considerará precio máximo el resultante de multiplicar por 1,65 el módulo ponderado por metro cuadrado útil de vivienda y de garaje vinculado, y por 0,66 el previsto para trasteros y otros anejos.

2. Los precios máximos de adjudicación o venta de viviendas de Precio Pactado en segunda y posteriores transmisiones, o en primera transmisión cuando haya transcurrido al menos un año desde la fecha de calificación definitiva, siempre en función del módulo sin ponderar vigente en el momento de la suscripción del contrato, serán los siguientes, dependiendo del modo en que se haya fijado el precio de salida de esas viviendas:

a) *Precio de salida expresamente previsto en Convenio, sin derecho de tanteo municipal:*

• En caso de que exista convenio suscrito entre Ayuntamiento y promotor, sin derecho de tanteo municipal, el precio máximo en segunda y posteriores transmisiones, durante el plazo que el convenio prevea. Una vez vencido el plazo previsto en el convenio, el precio máximo en segunda y posteriores transmisiones será 1,65 veces el módulo sin ponderar por metro cuadrado útil de vivienda, garaje o garajes vinculados y 0,66 veces el módulo sin ponderar por metro cuadrado útil de trasteros y otros anejos.

b) *Derecho de tanteo municipal expresamente previsto en Convenio:*

• Si el convenio incluye derecho de tanteo convencional en favor del Ayuntamiento, durante la vigencia de este derecho el precio máximo en segunda y posteriores transmisiones deberá ser el establecido a efectos de su ejercicio, actualizado. Una vez vencido el plazo de ejercicio del derecho de tanteo convencional, el precio máximo en segunda y posteriores transmisiones será 1,65 veces el módulo sin ponderar por metro cuadrado útil de vivienda, garaje o garajes vinculados y 0,66 veces el módulo sin ponderar por metro cuadrado útil de trasteros y otros anejos.

• A efectos de ejercicio de los derechos de tanteo. Tendrá prioridad para su ejercicio el Departamento de Medio Ambiente, Ordenación del Territorio y Vivienda. Será requisito necesario de toda comunicación, la inclusión de la aceptación expresa de objeto y precio de la enajenación por parte del futuro adquirente.

• Cuando ni el Ayuntamiento ni el Departamento ejerciten el derecho de tanteo en los plazos establecidos, se podrá efectuar la venta por el precio, siempre que no supere el máximo legal de 1,65 veces el módulo sin ponderar por metro cuadrado útil de vivienda, garaje o garajes vinculados, y 0,66 veces el módulo sin ponderar por metro cuadrado útil de trasteros y otros anejos.

c) *Precio de salida establecido directamente en el planeamiento:*

• El planeamiento municipal podrá prever condiciones obligatorias de adhesión a un determinado precio máximo de salida, vinculantes para todo promotor que pretenda construir vivienda de Precio Pactado en la zona afectada por las mismas.

• El precio máximo en segunda y posteriores transmisiones será el precio de salida establecido en el planeamiento, salvo que un convenio expreso con el promotor prevea otro precio máximo inferior. Dicho precio máximo será actualizado y regirá durante el plazo que prevea dicho planeamiento o, en su caso, el convenio citado; y, en defecto de previsión expresa, durante diez años.

• Una vez vencido el plazo, el precio máximo en segunda y posteriores transmisiones será 1,65 veces el módulo sin ponderar por metro cuadrado útil de vivienda, garaje o garajes vinculados y 0,66 veces el módulo sin ponderar por metro cuadrado útil de trasteros y otros anejos.

d) *Inexistencia de previsiones sobre precio de salida o tanteo, ni en convenio ni en el planeamiento.*

En caso de que no existan previsiones sobre precio de salida o tanteo ni en convenio ni en el planeamiento, el precio máximo en segunda y posteriores transmisiones será 1,65 veces el módulo sin ponderar por metro cuadrado útil de vivienda, garaje o garajes vinculados y 0,66 veces el módulo sin ponderar por metro cuadrado útil de trasteros y otros anejos.

V. ÁREAS GEOGRÁFICAS

Se adscriben todos los municipios de Navarra a única área geográfica.

VI. TIPOLOGÍAS Y CARACTERÍSTICAS DE LOS DIFERENTES TIPOS DE VIVIENDAS

1. VIVIENDAS PROTEGIDAS EN RÉGIMEN DE VENTA Y ALQUILER

A) VIVIENDA DE PROTECCIÓN OFICIAL: RÉGIMEN GENERAL Y RÉGIMEN ESPECIAL

Características generales:

• Tendrán la consideración de viviendas de protección oficial aquéllas que obtengan la correspondiente calificación por cumplir los requisitos legal y reglamentariamente establecidos para este tipo de vivienda protegida. La repercusión del coste del suelo y la urbanización sobre el precio máximo de venta, conforme a lo reglamentariamente previsto, no superará el 17,5 por 100.

• Que la vivienda cumpla las exigencias de la normativa técnica y constructiva para viviendas de protección oficial.

• Que el precio final de la vivienda por metro cuadrado útil no supere el equivalente a 1,30 veces el módulo ponderado vigente para la vivienda propiamente dicha. El precio máximo del metro cuadrado útil destinado a anejos no superará el 40 por 100 del precio máximo del metro cuadrado útil destinado a vivienda de esta tipología.

RÉGIMEN GENERAL: PRECIO MÁXIMO DE VENTA Y ALQUILER por m², a menos de un año desde su Calificación Definitiva:

VENTA	ALQUILER: Calif. alquiler	ALQUILER: Calif. compra
Vivienda: 1.569,06 euros/m²	Vivienda: 7,50 euros/m² mes	Vivienda: 6,25 euros/m² mes
Plaza de garaje (1): 1.569,06 euros/m²	Plaza garaje (1): 7,50 euros/m² mes	Plaza garaje (1): 6,25 euros/m² mes
Locales anejos: 627,62 euros/m²	Locales anejos: 3,00 euros/m² mes	Locales anejos: 2,50 euros/m² mes

RÉGIMEN GENERAL: PRECIO MÁXIMO DE VENTA Y ALQUILER por m², viviendas vendidas por 1.ª vez, o las nuevas si ha transcurrido más de un año desde su Calificación Definitiva.

VENTA	ALQUILER: Calif. alquiler	ALQUILER: Calif. compra
Vivienda: 1.501,50 euros/m²	Vivienda: 7,50 euros/m² mes	Vivienda: 6,25 euros/m² mes
Plaza de garaje (1): 1.501,50 euros/m²	Plaza garaje (1): 7,50 euros/m² mes	Plaza garaje (1): 6,25 euros/m² mes
Locales anejos: 600,60 euros/m²	Locales anejos: 3,00 euros/m² mes	Locales anejos: 2,50 euros/m² mes

RÉGIMEN ESPECIAL: PRECIO MÁXIMO DE VENTA Y ALQUILER por m², a menos de un año desde su Calificación Definitiva:

VENTA	ALQUILER
Vivienda: 1.448,36 euros/m²	Vivienda: 5,77 euros/m² mes
Plaza de garaje (1): 1.448,36 euros/m²	Plaza garaje (1): 5,77 euros/m² mes
Locales anejos: 579,34 euros/m²	Locales anejos: 2,31 euros/m² mes

RÉGIMEN ESPECIAL: PRECIO MÁXIMO DE VENTA Y ALQUILER por m², viviendas vendidas por 1.ª vez, o las nuevas si ha transcurrido más de un año desde su Calificación Definitiva.

VENTA	ALQUILER
Vivienda: 1.386,00 euros/m²	Vivienda: 5,77 euros/m² mes
Plaza de garaje(1): 1.386,00 euros/m²	Plaza garaje(1): 5,77 euros/m² mes
Locales anejos: 554,40 euros/m²	Locales anejos: 2,31 euros/m² mes

• Superficie útil máxima: El total de superficie útil de las viviendas de Protección Oficial, excluidos anejos, no excederá de 90 m² en viviendas de Protección Oficial, o 120 m² útiles cuando sean promovidas para familias numerosas.

• Superficie construida máxima: El total de superficie construida de las viviendas de Protección Oficial, incluida la superficie de todos los anejos vinculados a las mismas, no excederá de 260 m², o 300 m² cuando sean promovidas para familias numerosas.

• Las viviendas se destinan a domicilio habitual y permanente. En ningún caso se admitirá el destino para segunda residencia. Deberán ser ocupadas en un plazo máximo de seis meses a partir de la calificación definitiva, salvo en caso de demora superior a tres meses en la transferencia de la propiedad que resulte imputable al promotor, o a otra persona o entidad distinta del adquirente.

• En el caso del alquiler, el plazo para ocupar la vivienda será de tres meses, contado a partir de la fecha de suscripción del contrato.

• Se entenderá por domicilio permanente el que constituya el lugar de residencia efectiva.

• Se entenderá que existe habitualidad en la ocupación de la vivienda cuando esta permanezca ocupada durante al menos nueve meses al año, salvo que medie justa causa. En ningún caso se admitirá el destino para segunda residencia. Deberán ser ocupadas en un plazo máximo de seis meses a partir de la calificación definitiva, salvo en caso de demora superior a tres meses en la transferencia de la propiedad que resulte imputable al promotor, o a otra persona o entidad distinta del adquirente.

• Las viviendas en compraventa quedan vinculadas al régimen protegido durante 30 años desde su Calificación Definitiva.

• Deben ser calificadas como tales por el Gobierno de Navarra y adjudicadas por convocatoria pública y baremo.

• El arrendador podrá repercutir en el arrendatario el coste de los servicios y la cuota de la Contribución Territorial Urbana.

• Los ingresos familiares ponderados del arrendatario no podrán superar las 2,5 veces el IPREM, en primer alquiler de vivienda calificada de alquiler o 5,5 veces el IPREM en posteriores alquileres o viviendas no calificadas de alquiler.

• En viviendas de alquiler con opción a compra o derecho preferente de adquisición, al ejercer el derecho de compra o adquisición, se descontará del precio máximo de venta el 20% de las rentas abonadas en los 5 últimos años.

Requisitos de acceso:

• Podrán solicitar viviendas protegidas las personas físicas que hayan alcanzado la mayoría de edad o sean menores emancipados y no se encuentren incapacitados civilmente para obligarse.

• Todos los solicitantes de una vivienda protegida que resulten adjudicatarios de la misma deberán aceptar ser cotitulares registrales de la misma a partes iguales.

Las familias numerosas que acrediten estar en posesión del correspondiente título tendrán la consideración de unidad familiar a los siguientes efectos:

a) Acceder a la reserva legal de viviendas protegidas para tales familias.

b) Acceder a las subvenciones específicamente previstas para familias numerosas.

c) Percibir el precio de venta, en el supuesto de ofrecimiento de su vivienda.

d) Considerar inadecuada la superficie de su vivienda en relación con la composición familiar.

e) Obtener la puntuación específica en el apartado «necesidad de vivienda» del baremo de adjudicación.

• Que el adquirente, adjudicatario, promotor para uso propio, arrendatario o beneficiario de la vivienda reúna los requisitos de capacidad económica que se fijen para cada régimen de viviendas y para cada modalidad de ayudas, incluyendo los ingresos familiares ponderados y, en su caso, el patrimonio de que dispongan.

RÉGIMEN GENERAL: Dirigidas a familias con ingresos ponderados inferiores a 5,5 veces el IPREM y superiores a 9.000 euros, que no tengan obligación de efectuar la declaración del Impuesto sobre el Patrimonio y que no sean propietarios de otra vivienda, ni hayan suscrito contrato de adquisición de otra vivienda, salvo renuncia al mismo en el caso de vivienda libre; ni hayan transmitido una en los últimos 5 años, salvo excepciones legales.

RÉGIMEN ESPECIAL: Dirigidas a familias con ingresos ponderados inferiores a 2,5 veces el IPREM y superiores a 8.000 euros, que no tengan obligación de efectuar la declaración del Impuesto sobre el Patrimonio y que no sean propietarios de otra vivienda, ni hayan suscrito contrato de adquisición de otra vivienda, salvo renuncia al mismo en el caso de vivienda libre; ni hayan transmitido una en los últimos 5 años, salvo excepciones legales.

• El beneficiario de la vivienda deberá estar empadronado en Navarra y contar, en su caso, con permiso de residencia.

• Todos los solicitantes de una vivienda protegida que resulten adjudicatarios de la misma deben aceptar ser cotitulares registrales de la misma a partes iguales.

• Los solicitantes y sus cónyuges o parejas de hecho no debe haber suscrito ningún contrato de adquisición en propiedad de otra vivienda protegida situada a menos de 10 km de distancia. Debe además estar visado en un plazo de 30 meses anteriores a la presentación a visado del contrato referido de la nueva vivienda.

• No puede ser titular del dominio o de un derecho real de uso y disfrute sobre alguna otra vivienda o parte alícuota de la misma, salvo que se cumplan los requisitos de inadecuación y ofrecimiento de su actual vivienda.

• El régimen de protección será de al menos 30 años, y permanentemente mientras el suelo esté destinado a vivienda protegida o sea suelo dotacional público. Antes de los 10 años la vivienda no podrá venderse sin consentimiento de la Comunidad Autónoma y sin la devolución de las ayudas recibidas.

B) VIVIENDA DE PRECIO TASADO Y VIVIENDA PRECIO PACTADO

Características:

• Son viviendas de PRECIO TASADO, aquellas que obtengan la correspondiente calificación por cumplir los requisitos legal y reglamentariamente establecidos para este tipo de vivienda protegida. La repercusión del coste del suelo y la urbanización sobre el precio máximo de venta, conforme a lo reglamentariamente previsto, no puede superar el 21,5%.

• Son viviendas de PRECIO PACTADO, aquellas que obtengan la correspondiente calificación por cumplir los requisitos legal y reglamentariamente establecidos para la tipología de precio tasado, con la salvedad del precio máximo, sin perjuicio de la posibilidad de convenir con el promotor condiciones adicionales. La repercusión del coste del suelo y la urbanización sobre el precio máximo de venta, no puede superar el 21,5%.

• Que la vivienda cumpla las exigencias de la normativa técnica y constructiva para viviendas de protección oficial.

• Que el precio final de la vivienda de Precio Tasado, por metro cuadrado útil no supere el equivalente a 1,50 veces el módulo ponderado vigente para la vivienda propiamente dicha. El precio máximo del metro cuadrado útil destinado a anejos no superará el 40 por 100 del precio máximo del metro cuadrado útil destinado a vivienda de esta tipología.

• Que el precio final de la vivienda de Precio Pactado, por metro cuadrado útil no exceda del que, en su caso, prevea el correspondiente convenio, sin que pueda superarse en ningún caso el equivalente a 1,65 veces el módulo ponderado vigente. El precio máximo del metro cuadrado útil destinado a anejos no superará el 40 por 100 del precio máximo del metro cuadrado útil destinado a vivienda de esta tipología.

PRECIO TASADO: PRECIO MÁXIMO DE VENTA Y ALQUILER por m², para promociones que soliciten Calificación Provisional este año:

VENTA	ALQUILER: Calif. alquiler	ALQUILER: Calif. compra
Vivienda: 1.810,45 euros/m²	Vivienda: 8,66 euros/m² mes	Vivienda: 7,21 euros/m² mes
Plaza de garaje (1): 1.810,45 euros/m²	Plaza garaje (1): 8,66 euros/m² mes	Plaza garaje (1): 7,21 euros/m² mes
Locales anejos: 724,18 euros/m²	Locales anejos: 3,46 euros/m² mes	Locales anejos: 2,88 euros/m² mes

PRECIO TASADO: PRECIO MÁXIMO DE VENTA Y ALQUILER por m², viviendas vendidas por 1.ª vez, o las nuevas si ha transcurrido más de un año desde su Calificación Definitiva.

VENTA	ALQUILER: Calif. alquiler	ALQUILER: Calif. compra
Vivienda: 1.732,50 euros/m²	Vivienda: 8,66 euros/m² mes	Vivienda: 7,21 euros/m² mes
Plaza de garaje (1) 1.732,50 euros/m²	Plaza garaje (1): 8,66 euros/m² mes	Plaza garaje (1): 7,21 euros/m² mes
Locales anejos: 693,00 euros/m²	Locales anejos: 3,46 euros/m² mes	Locales anejos: 2,88 euros/m² mes

PRECIO PACTADO: PRECIO MÁXIMO DE VENTA Y ALQUILER por m², para promociones que soliciten Calificación Provisional este año:

VENTA	ALQUILER: Calif. alquiler	ALQUILER: Calif. compra
Vivienda: 1.991,50 euros/m²	Renta anual:	Renta anual:
Plaza de garaje (1): 1.991,50 euros/m²	6% del precio de venta en segunda transmisión	5% del precio de venta en segunda transmisión
Locales anejos: 796,60 euros/m²		

PRECIO PACTADO: PRECIO MÁXIMO DE VENTA Y ALQUILER por m², viviendas vendidas por 1.ª vez, o las nuevas si ha transcurrido más de un año desde su Calificación Definitiva.

VENTA	ALQUILER: Calif. alquiler	ALQUILER: Calif. compra
Según precio de salida de las viviendas y otros	6% del precio de venta en segunda transmisión	5% del precio de venta en segunda transmisión

• Las viviendas de precio tasado y de precio pactado deberán tener una superficie útil igual o inferior a 120 m² o a 140 m² en caso de que se destinen a familias numerosas.

• No obstante lo anterior, las viviendas rurales de protección oficial, de precio tasado o de precio pactado podrán contar, además, con un máximo de 100 m² de anejos vinculados a las mismas y destinados a usos adecuados a las necesidades del medio rural, ampliables a 120 m² en el caso de las viviendas de precio tasado o 140 m² en el caso de las viviendas de precio pactado, conforme a lo que reglamentariamente se determine.

• Deben ser calificadas como tales por el Gobierno de Navarra y adjudicadas por convocatoria pública y baremo.

• El régimen de protección será de al menos 30 años, y permanentemente mientras el suelo esté destinado a vivienda protegida o sea suelo dotacional público.

• El arrendador podrá repercutir en el arrendatario el coste de los servicios y la cuota de la Contribución Territorial Urbana.

• Los ingresos familiares ponderados del arrendatario no podrán superar las 7,5 veces el IPREM.

Requisitos de acceso:

• Dirigidas a familias con ingresos ponderados inferiores a 7,5 veces el IPREM y superiores a 12.000 euros, que no tengan obligación de efectuar la declaración del Impuesto sobre el Patrimonio y que no sean propietarios de otra vivienda, ni hayan suscrito contrato de adquisición de otra vivienda, salvo renuncia al mismo en el caso de vivienda libre; ni hayan transmitido una en los últimos 5 años, salvo excepciones legales.

• El beneficiario de la vivienda deberá estar empadronado en Navarra y contar, en su caso, con permiso de residencia.

• El régimen de protección será de al menos 30 años, y permanentemente mientras el suelo esté destinado a vivienda protegida o sea suelo dotacional público. Antes de los 10 años la vivienda no podrá venderse sin consentimiento de la Comunidad Autónoma y sin la devolución de las ayudas recibidas.

2. VIVIENDA EN ARRENDAMIENTO CON OPCIÓN A COMPRA

Características generales:

Los tipos básicos de alquiler son los siguientes:

a) ALQUILER CON OPCIÓN DE COMPRA de la misma vivienda protegida alquilada. Se entiende por opción de compra el derecho de adquisición sobre viviendas ya construidas o que cuenten al menos con calificación provisional

b) ALQUILER CON DERECHO PREFERENTE DE ADQUISICIÓN SOBRE OTRA VIVIENDA PROTEGIDA DISTINTA DE LA ALQUILADA, en razón de:

1) Inadecuación de la vivienda alquilada a las necesidades de la unidad familiar en el momento de ejercitar la opción de compra.

2) Previsiones de programas de alquiler de viviendas pertenecientes al Banco Foral del Suelo Público previsto en la Ley Foral 35/2002, de 20 de diciembre, de Ordenación del Territorio y Urbanismo; o bien de programas específicos de alquiler, incluidos los de Alquiler Joven, con derecho preferente de adquisición.

Se entiende por derecho preferente de adquisición aquel que recae sobre futuras viviendas previstas en el correspondiente programa, pero que no cuentan con calificación provisional. Este derecho está condicionado a la efectiva realización de las viviendas previstas en el programa, y no tendrá efectividad si éstas no se ejecutan.

EL procedimiento para ejercitar el derecho preferente de adquisición en vivienda distinta de la alquilada diferencia los trámites según la causa:

1. Por causa de inadecuación: El inquilino de una vivienda protegida perteneciente a una promoción calificada para el alquiler que cuente con opción de compra y cuya vivienda llegue a ser considerada inadecuada podrá solicitar al Departamento de Medio Ambiente, Ordenación del Territorio y Vivienda, en el momento de ejercitar dicha opción, la adjudicación en propiedad de una vivienda adecuada. Cuando se haya solicitado el cambio de la vivienda protegida adjudicada por otra debido a la inadecuación de su superficie o número de habitaciones para el número de miembros de la unidad familiar, el Gobierno de Navarra resolverá proporcionar al solicitante otra vivienda protegida adecuada en la misma localidad o en un radio máximo de diez kilómetros, medido desde la vivienda inadecuada. A efectos de adquisición por el Gobierno de Navarra de la vivienda anterior, será aplicable el precio máximo legal.

A los efectos previstos en la presente disposición, los solicitantes se considerarán integrantes de la reserva destinada a realojados, cuando se trate de promociones sobre suelo privado, en las promociones sobre suelo público, así como las adquiridas en virtud del ofrecimiento al que se refiere.

Si esta obligación no resulta satisfecha en el plazo de seis meses a partir del momento de la solicitud, podrá solicitarse la descalificación anticipada de la vivienda inadecuada.

Cuando se acredite que el solicitante sea objetivo de una organización terrorista y el cambio de vivienda sea necesario para la mejor protección de su seguridad, la facultad prevista en la presente disposición adicional se podrá ejercitar en condiciones de ubicación y plazo distintas de las establecidas con carácter general, conforme a lo que se resuelva en cada caso.

2. Otras causas: El inquilino de una vivienda protegida en alquiler que ejercite su derecho preferente de adquisición, podrá acceder a la propiedad de otra vivienda protegida conforme a lo dispuesto en dicho programa. Si el programa no prevé una distancia máxima al efecto, esta última vivienda no podrá estar ubicada a más de diez kilómetros de distancia de la vivienda alquilada. En tanto no se le proporcione la vivienda en propiedad correspondiente, el inquilino con derecho prefe-

rente podrá continuar en el régimen de alquiler durante todo el período de vigencia del programa.

Requisitos de acceso:

• Para acceder al alquiler con opción de compra o derecho preferente de adquisición.

1. Los inquilinos de viviendas protegidas destinadas al alquiler con opción de compra o derecho preferente de adquisición podrán ejercitar dicha opción al precio de protección pública que corresponda, en el período temporal que acuerden con el promotor dentro del plazo de vigencia del régimen de protección.

2. Que el acceso al régimen de alquiler con opción de compra haya derivado de la aplicación del baremo regulado para la selección de adjudicatarios.

3. Permanencia previa mínima de 5 años en régimen de alquiler.

5. Que el promedio de los ingresos familiares ponderados del arrendatario, durante los cuatro últimos ejercicios del Impuesto sobre la Renta de las Personas Físicas cuyo plazo de presentación haya concluido antes de la fecha de la venta, no exceda de 5,5 veces el IPREM en las viviendas de Protección Oficial y de 7,5 veces en las viviendas de Precio Tasado o de Precio Pactado.

4. Que el arrendatario no haya incurrido en retrasos superiores a dos meses en los pagos al arrendador.

5. En su caso, otros requisitos adicionales que prevea el correspondiente programa.

• Condiciones de ejercicio de la opción de compra o derecho preferente de adquisición.

1. Del precio máximo de venta que corresponda a la vivienda de Protección Oficial en el momento de ejercitar la opción de compra se descontará una cuantía equivalente al 20% del precio de las rentas abonadas durante los cinco últimos años de permanencia en alquiler, salvo que el programa correspondiente prevea porcentajes o períodos superiores de descuento. La citada cantidad se calculará mediante la mera suma aritmé-

tica de las cantidades efectivamente abonadas durante los últimos cincos años.

En las viviendas de Precio Tasado o Pactado sólo se efectuará descuento sobre el precio de compra cuando así lo prevea el correspondiente programa.

2. Cuando se ejercite el derecho preferente de adquisición de vivienda distinta de la alquilada, el des-cuento se sustituirá por un abono equivalente con cargo al promotor público o privado que hubiera suscrito el documento de opción de compra con el arrendatario. En las viviendas alquiladas de Protección Oficial que pertenezcan al Banco Foral de Suelo Público se descontará una cantidad equivalente al 20% del precio de las rentas abonadas durante los cinco últimos años de permanencia en alquiler, calculado del modo que se indica en el número 1 del presente artículo.

3. Si la vivienda es de Precio Pactado, el precio del alquiler se calculará sobre la base del precio de salida autorizado por el Ayuntamiento a efectos de cálculo del 21,5% máximo en concepto de precio de suelo y gastos de urbanización. En caso de que la venta se efectúe una vez transcurrido el plazo marcado al efecto por el Ayuntamiento para la vigencia del precio de salida, el promotor podrá vender la Vivienda de Precio Pactado a un precio superior al de salida, siempre que el mismo, o el modo de calcularlo, se establezca en el contrato de arrendamiento con opción de compra y el precio de venta no supere el precio máximo legal.

4. El arrendatario de Vivienda de Integración Social que ejercite la opción de compra o el derecho de adquisición preferente se subrogará en las obligaciones asumidas por los entes sin ánimo de lucro al amparo de lo dispuesto en el presente Decreto Foral.

3. VIVIENDA DE INTEGRACIÓN SOCIAL

Características generales:

• Se consideran Viviendas de Integración Social las viviendas usadas radicadas en Navarra destinadas a la población necesitada de mayor protección social, previo reconocimiento de las mismas como tales por parte de la Administración de la Comunidad Foral, o de una entidad local si así lo prevé el correspondiente convenio.

Se consideran protegibles las siguientes actuaciones relativas a Viviendas de Integración Social:

1. La adquisición de vivienda usada por personas que participen en Programas o Actuaciones de Vivienda de Integración Social de la Administración de la Comunidad Foral, o bien reconocidas por ésta mediante convenios suscritos con entidades locales y/o entes sin ánimo de lucro.

2. La adquisición de vivienda usada por entidades locales o entes sin ánimo de lucro que colaboren mediante convenio con la Administración de la Comunidad Foral de Navarra en Programas o Actuaciones de Vivienda de Integración Social, a fin de que queden afectas al alquiler.

• El reconocimiento de los Programas o Actuaciones de Vivienda de Integración Social y la suscripción de los convenios por parte de la Administración de la Comunidad Foral podrán ser efectuados a través de los órganos competentes en la materia de los Departamentos de Bienestar Social, Deporte y Juventud y de Medio Ambiente, Ordenación del Territorio y Vivienda, actuando de forma conjunta.

• La antigüedad de la vivienda no será inferior a 15 años.

• La vivienda deberá cumplir las condiciones mínimas de habitabilidad.

El precio de adquisición por metro cuadrado útil de vivienda no excederá del módulo sin ponderar aprobado anualmente. Si la vivienda tiene anejos, el precio por metro cuadrado útil de éstos no excederá del 40% del módulo sin ponderar aplicable.

COMPRA (Precio máximo)	ALQUILER (Renta mensual máxima)
Vivienda: 1.155 euros/m²	Vivienda: 4,81 euros/m² mes
Anejos: 462 euros/m²	Anejos: 1,92 euros/m²

• La superficie útil de la vivienda no excederá de 120 m² útiles, y la superficie subvencionable máxima será de 90 m² útiles, excepto cuando los beneficiarios constituyan familia numerosa, en cuyo caso la superficie subvencionable podrá incrementarse en 10 m² por cada miembro que exceda de seis.

• El alquiler anual no superará del 5% del precio de compra más coste de rehabilitación, ni los máximos arriba indicados.

• Las viviendas en alquiler deberán pertenecer a las entidades sin ánimo de lucro(1).

• Los alquileres máximos se reducirán a la mitad si el propietario recibió subvención del 60%.

• Los alquileres se podrán incrementar con el coste real de los servicios y con la cuota de la Contribución Territorial Urbana.

• La renta podrá actualizarse anualmente según el índice nacional de Índice de Precios de Consumo.

• Los arrendatarios podrán ejercer la opción de compra si así se hubiera pactado en el contrato de arrendamiento.

Requisitos de acceso:

1. Participar en Programas o Actuaciones de Vivienda de Integración Social reconocidos conforme a lo dispuesto en el artículo anterior, y comprometerse a suscribir un contrato de integración social con alguna de las entidades que haya suscrito el correspondiente convenio con el Gobierno de Navarra, en los términos previstos por dicho convenio.

2. Disponer de ingresos familiares inferiores a 1,7 veces el IPREM.

3. No disponer de otra vivienda o haberla transmitido en los últimos cinco años, salvo excepciones previstas en el decreto foral.

4. Cumplir el resto de los requisitos exigibles para el acceso a una vivienda protegida, excepto ingresos mínimos.

5. Residir ininterrumpidamente en Navarra, al menos durante los últimos tres años.

6. Las viviendas no podrán ser transmitidas en los 10 años posteriores a su escritura sin reintegrar ayudas e intereses legales.

7. Para el alquiler de las Viviendas de Integración Social adquiridas por entidades locales o entes sin ánimo de lucro en el marco de Programas o Actuaciones de Integración Social, la renta máxima inicial anual será del 5% del precio de compra incrementado con la cantidad que se hubiere satisfecho en concepto de la rehabilitación acogida a las ayudas previstas Si la renta máxima anual así calculada resultara ser superior a la cuantía resultante de aplicar el 5% del módulo sin ponderar a cada metro cuadrado útil de vivienda, y el 2% del módulo sin ponderar aplicable a cada metro cuadrado de anejos, aquélla será sustituida por esta última. Cuando la entidad local o el ente sin ánimo de lucro perciban la subvención prevista, la renta máxima inicial anual será del 2,5%.

8. Las entidades locales y entes sin ánimo de lucro que obtengan ayudas para la compra de vivienda de Integración Social deberán mantener el destino de alquiler para beneficiarios de Programas de Viviendas de Integración Social durante al menos 10 años, a contar desde la fecha de escrituración de la compraventa. El inquilino que acceda a la propiedad antes de vencer dicho plazo, previa devolución de las ayudas por parte de la entidad obligada a ello, podrá subrogarse en el préstamo cualificado correspondiente. El cambio de uso antes de vencer el plazo de 10 años implicará la cancelación y el reintegro de las ayudas económicas directas percibidas, incrementadas en la cantidad que resulte de aplicar a las mismas el interés legal durante el período de disfrute.

9. Las viviendas adquiridas por beneficiarios de los Programas de Viviendas de Integración Social en los 10 años posteriores a la fecha de la escritura de compra sólo podrán ser transmitidas o cedidas previo reintegro a la Administración de la Comunidad Foral de Navarra de las ayudas económicas recibidas, incrementadas en la cantidad que resulte de aplicar a las mismas el interés legal durante el período de su disfrute. Cuando la transmisión afecte a los derechos de una parte de los propietarios de la vivienda, la devolución se referirá al cociente entre el número de propietarios correspondiente a dicha parte y el total de propietarios. Quedan exceptuadas de esta exigencia las cesiones «mortis causa».

10. Los requisitos de vinculación al mismo uso y de mantenimiento de la vivienda sin cesión o transmisión durante 10 años establecidos, operarán como condición resolutoria de todas las ayudas que otorgue la Administración de la Comunidad Foral de Navarra con este fin. En caso de operar la

resolución, deberán devolverse a la Administración de la Comunidad Foral las ayudas recibidas, incrementadas en la cantidad que resulte de aplicar a las mismas el interés legal desde la fecha del incumplimiento. Se exceptúa de esta regla el ejercicio de la opción de compra por el inquilino.

4. AYUDAS ECONÓMICAS GENERALES

A) SUBVENCIONES

Serán beneficiarios de las ayudas:

1. Adquirentes y adjudicatarios en primera transmisión y promotores para uso propio.

2. A los promotores de viviendas de protección oficial destinadas al arrendamiento.

3. Al arrendatario de viviendas de protección oficial de régimen especial.

4. Programa de alquiler joven.

5. Ayudas a la compra y al alquiler de vivienda de integración social

6. Ayudas al acceso a la vivienda protegida en primera transmisión, promoción para uso propio o arrendamiento e integración social.

1. ADQUIRENTES Y ADJUDICATARIOS EN PRIMERA TRANSMISIÓN Y PROMOTORES PARA USO PROPIO

El Departamento de Medio Ambiente, Ordenación del Territorio y Vivienda otorgará subvenciones a los adquirentes y adjudicatarios en primera transmisión, así como a los promotores para uso propio de viviendas protegidas calificadas provisionalmente, siempre que reúnan las condiciones establecidas.

La superficie útil de las viviendas computable a estos efectos no excederá de 90 m², salvo en el caso de las viviendas reservadas a familias numerosas, cuya superficie útil computable a efectos de subvención será de 120 m² en viviendas de Protección Oficial y de 140 m² en viviendas de Precio Tasado o Pactado. La superficie real podrá ser superior a la computable a efectos de subvención cuando así lo permita la normativa aplicable.

Las subvenciones se devengarán en función de los niveles de ingresos familiares ponderados de los solicitantes, expresados en número de veces el IPREM, correspondientes al último período impositivo del Impuesto sobre la Renta de las Personas Físicas.

Las cuantías de las subvenciones, según tramos de ingresos familiares ponderados, serán las siguientes, expresadas en porcentajes sobre el precio de venta o adjudicación de viviendas, garajes y trasteros anejos:

TIPO DE VIVIENDA	HASTA 1,5 IPREM	DE 1,5 HASTA 2,5 IPREM	DE 2,5 HASTA 3,5 IPREM
Vivienda de Protección Oficial	16%	13%	8%
Vivienda de precio Tasado o Pactado	6%	4%	2%

En las PROMOCIONES INDIVIDUALES EN USO PROPIO, se aplicarán los mismos porcentajes sobre el coste total de viviendas, garajes y trasteros anejos.

Cuando las viviendas unifamiliares cuenten con superficies construidas susceptibles de utilización como garaje y otras destinadas a trasteros u otros anejos que formen, entre todas ellas, un solo espacio por ser contiguas y sin separación física entre sí, obtendrán la subvención correspondiente a los garajes de 14 m². Además, si la superficie total de dicho espacio no supera los 45 m², obtendrán otra subvención por el importe que correspondería a un trastero por la superficie que exceda de 30 m². Los locales no utilizables legalmente como garajes que excedan de la dimensión máxima de 15 m² admisible para trasteros serán considerados, a estos efectos, como otros anejos, sin derecho a subvención.

Las familias numerosas que accedan a la propiedad de viviendas protegidas cuyos ingresos familiares ponderados no excedan de 3,5 veces el IPREM tendrán derecho a las siguientes subvenciones complementarias:

a) Para familias numerosas de categoría general, el 3% del precio de venta o de adjudicación de la vivienda, garaje y trastero o, en el caso de los promotores de una vivienda unifamiliar en uso propio, del 3% del coste real computable de la vivienda, garaje y trastero.

b) Para familias numerosas de categoría especial, el 6% del precio de venta o de adjudicación de la vivienda, garaje y trastero o, en el caso de los promotores de una vivienda unifamiliar en uso propio, del 6% del coste real computable de la vivienda, garaje y trastero.

2. SUBVENCIONES A LOS PROMOTORES DE VIVIENDAS DE PROTECCIÓN OFICIAL DESTINADAS AL ARRENDAMIENTO

El Departamento de Medio Ambiente, Ordenación del Territorio y Vivienda otorgará subvenciones, en las condiciones establecidas en el presente Decreto Foral, a los promotores de viviendas de Protección Oficial destinadas al arrendamiento, conforme a los siguientes porcentajes:

Tipo de vivienda de Protección Oficial: Régimen general con opción de compra o derecho de adquisición preferente: Porcentaje: 15.

Tipo de vivienda de Protección Oficial: Régimen general sin opción de compra o derecho de adquisición preferente: Porcentaje: 5.

Tipo de vivienda de Protección Oficial: Régimen especial con opción de compra o derecho de adquisición preferente: Porcentaje: 25.

Tipo de vivienda de Protección Oficial: Régimen especial sin opción de compra o derecho de adquisición preferente. Porcentaje: 15.

La cuantía de la subvención se obtendrá aplicando los porcentajes señalados al precio de venta de la vivienda y al precio protegible del garaje y los trasteros vinculados. El precio protegible de los trasteros anejos se calculará multiplicando su superficie útil por el 52% del módulo ponderado vigente en el momento de la solicitud de calificación provisional para las viviendas de régimen general, y por el 48% del módulo para las viviendas de régimen especial.

Los porcentajes previstos en el presente número se incrementarán en dos puntos porcentuales más cuando se trate de viviendas acogidas a programas de Alquiler Joven reconocidos por el Departamento de Medio Ambiente, Ordenación del Territorio y Vivienda.

Los promotores de viviendas de Protección Oficial destinadas al arrendamiento que opten por no acogerse a la subsidiación del préstamo cualificado, podrán obtener las siguientes subvenciones:

a) En el caso de viviendas de Protección Oficial en régimen general, el 4% del precio máximo de venta vigente en el momento de la solicitud de calificación provisional de la vivienda, garajes y trasteros vinculados.

b) En el caso de viviendas de Protección Oficial en régimen especial, el 8% del precio máximo de venta vigente en el momento de la solicitud de calificación provisional de la vivienda, garajes y trasteros vinculados.

La opción por esta subvención deberá manifestarse en el momento de solicitar la calificación provisional, e implica la renuncia a la subsidiación del préstamo.

Las subvenciones para promotores de vivienda de Protección Oficial destinadas al arrendamiento se abonarán del siguiente modo: El promotor podrá percibir hasta un 50% de la subvención tras obtener la calificación provisional, previa presentación de aval suficiente que cubra el importe de la subvención concedida. El resto de la subvención se abonará tras la obtención de la calificación definitiva.

Si el promotor altera el régimen del alquiler durante el tiempo en que la vivienda permanezca sometida a régimen de protección sin mediar autorización al efecto del Departamento de Medio Ambiente, Ordenación del Territorio y Vivienda, vendrá obligado a reintegrar los importes recibidos, sin perjuicio de otras actuaciones sancionadoras y de restauración de la legalidad que procedan.

3. SUBVENCIONES AL ARRENDATARIO DE VIVIENDAS DE PROTECCIÓN OFICIAL DE RÉGIMEN ESPECIAL

Los ARRENDATARIOS de viviendas de Protección Oficial calificadas definitivamente para arrendamiento en régimen especial que hayan suscrito un contrato de arrendamiento podrán obtener subvenciones, en función de sus ingresos familiares ponderados, cuando conste el visado administrativo del correspondiente contrato de alquiler y los arrendatarios estén al corriente del pago de los recibos de las rentas, de los gastos de comunidad, mantenimiento, contribuciones, tasas e impuestos municipales.

Las subvenciones a arrendatarios, en porcentaje sobre el total de la renta mensual por arrendamiento que corresponda, serán las recogidas en la siguiente tabla:

Ingresos familiares ponderados entre 1,7 y 1,4 veces el IPREM: 25%.

Ingresos familiares ponderados entre 1,4 y 1 veces el IPREM: 50%.

Ingresos familiares ponderados menores que el IPREM: 75%.

Víctimas de violencia de género durante el primer año de alquiler: 90%.

Víctimas de violencia de género, durante el segundo año de alquiler: 75%.

EL PROMOTOR deberá deducir mensualmente el importe de las subvenciones a los arrendatarios, solicitando su reintegro al Servicio de Vivienda con periodicidad trimestral, semestral o anual.

4. PROGRAMA DE ALQUILER JOVEN

Los programas de Alquiler Joven podrán ser reconocidos como tales por el Departamento de Medio Ambiente, Ordenación del Territorio y Vivienda cuando cumplan los siguientes requisitos:

1. Que ninguno de los solicitantes haya cumplido 35 años en el momento de la solicitud.

2. Que la superficie útil de la vivienda no exceda de 75 m² útiles.

3. Que el número de miembros de la unidad familiar del solicitante no exceda de cuatro.

4. Que la renta inicial anual no supere el cinco por ciento del precio de venta máximo a que hubieran podido venderse en segunda transmisión las viviendas y sus anejos si se hubieran calificado para venta en régimen general de Protección Oficial.

5. SUBVENCIONES PARA COMPRA Y ALQUILER DE VIVIENDA DE INTEGRACIÓN SOCIAL

El Gobierno de Navarra, a través del Departamento de Medio Ambiente, Ordenación del Territorio y Vivienda, otorgará a los adquirentes o adjudicatarios de Vivienda de Integración Social las siguientes subvenciones:

a) El 30 por ciento del precio de compra de la vivienda usada sin anejos.

b) En el caso de que el adquirente posea, además, unos ingresos familiares ponderados inferiores al IPREM, la subvención ascenderá al 45 por ciento.

El Gobierno de Navarra, a través del Departamento de Medio Ambiente, Ordenación del Territorio y Vivienda, otorgará una subvención equivalente al 35% por ciento del precio de compra de la vivienda usada sin anejos a los entes sin ánimo de lucro que adquieran una vivienda usada destinada al alquiler a personas que participen en programas o actuaciones de integración social de las entidades locales o del Gobierno de Navarra.

Si el ente sin ánimo de lucro destina la Vivienda de Integración Social al alquiler para personas que posean ingresos familiares ponderados inferiores al IPREM, la subvención se elevará hasta el 60% del precio de compra de la vivienda. Dicha subvención, debidamente actualizada con los intereses legales correspondientes, deberá ser devuelta si durante el período de la vinculación de la vivienda al régimen de alquiler se destina a personas con ingresos familiares ponderados superiores al IPREM. Asimismo, deberá ser devuelta cuando se supere la renta máxima prevista en la normativa vigente. La percepción de esta subvención obligará al ente sin ánimo de lucro a destinar la vivienda al alquiler durante todo el período de su vinculación a personas con ingresos familiares ponderados inferiores al IPREM.

El Gobierno de Navarra, a través del Instituto Navarro de Bienestar Social, podrá hacerse cargo de los gastos derivados de la escrituración, anotación registral, transmisión de la propiedad y apertura de préstamo hipotecario, en su caso, de la Vivienda de Integración Social, así como de los gastos ocasionados por la firma de los contratos de suministros de servicios hasta un importe máximo equivalente al 10% del precio de compra de la vivienda.

Los entes sin ánimo de lucro podrán acogerse a la convocatoria anual de subvenciones que para el funcionamiento de las mismas efectúe el Instituto Navarro de Bienestar Social por estos programas específicos.

6. AYUDAS AL ACCESO A LA VIVIENDA PROTEGIDA EN PRIMERA TRANSMISIÓN, PROMOCIÓN PARA USO PROPIO O ARRENDAMIENTO E INTEGRACIÓN SOCIAL

En el período de tiempo que media entre el visado de los contratos de adquisición o adjudicación en primera transmisión y la calificación definitiva del expediente de construcción, los promotores podrán solicitar que se les abonen las subvenciones que corresponden a los beneficiarios de ayudas para la adquisición de vivienda protegida. A tal fin, los promotores podrán ser considerados entidades colaboradoras conforme a la legislación reguladora de las subvenciones, y deberán descontar del precio de la vivienda y anejos las cantidades percibidas como subvención. Para ello, será obligado cumplir las siguientes condiciones:

1. Junto con la solicitud deberá aportarse garantía, mediante aval suficiente bastanteado por el Departamento de Economía y Hacienda del Gobierno de Navarra o contrato de seguro que cubra el importe de la subvención concedida, hasta que el Gobierno de Navarra autorice su cancelación previa entrega de la vivienda y registro de la escritura pública de compraventa o adjudicación.

2. Los promotores de viviendas protegidas no podrán exigir a los adquirentes, en concepto de cantidades a cuenta, importes superiores a la diferencia entre el precio de venta de la vivienda con sus anejos y el importe del préstamo cualificado incrementado con las subvenciones que hayan sido percibidas por el promotor. Lo previsto en este párrafo se aplicará sin perjuicio de la intermediación del promotor en el cobro de las cantidades devengadas en concepto de Impuesto sobre el Valor Añadido.

Cuando la vivienda cuente con calificación definitiva, el adquirente o adjudicatario de la vivienda protegida podrá solicitar las correspondientes ayudas públicas de forma directa, si antes no lo hizo el promotor. El plazo límite máximo de presentación de las solicitudes de ayudas será de seis meses des-de la fecha de elevación a escritura pública del contrato que atribuya derecho a las mismas. La documentación a presentar por los adquirentes o adjudicatarios deberá constar en los modelos oficiales de solicitud que al efecto apruebe el Departamento de Medio Ambiente, Ordenación del Territorio y Vivienda.

La documentación a presentar por los adquirentes o adjudicatarios junto con las solicitudes de subvenciones para promoción en uso propio deberá constar en los modelos oficiales de solicitud que al efecto apruebe el Departamento de Medio Ambiente, Ordenación del Territorio y Vivienda.

Las solicitudes de subvenciones a inquilinos podrán efectuarse junto con la solicitud de visado del contrato de alquiler o en cualquier momento posterior. Además del requisito de acreditación de renta, el abono de la ayuda otorgada requerirá justificar el cobro de las mensualidades objeto de subvención. A las solicitudes de subvenciones al arrendatario de vivienda de Protección Oficial de régimen especial, se deberá acompañar, además, la documentación que acredite que están al corriente del pago de los gastos de comunidad y mantenimiento. Las solicitudes de renovación de las subvenciones a arrendatarios serán anuales, y deberán presentarse con un mínimo de 15 días de antelación respecto de la fecha de inicio de la nueva anualidad.

Los solicitantes de subvenciones para adquisición o adjudicación de Vivienda de Integración Social deberán presentar, en el plazo máximo de 15 días desde la fecha de suscripción del contrato de adquisición, una copia de dicho documento dirigida al Servicio de Vivienda del Gobierno de Navarra. Se acompañará a la copia la documentación acreditativa del cumplimiento de las condiciones de acceso por parte del destinatario y de los requisitos que debe reunir la vivienda a adquirir. Además, será preciso aportar informe favorable del Instituto Navarro de Bienestar Social.

Si la solicitud cumple los requisitos, reconocerá la vivienda adquirida como de Integración Social, y otorgará las ayudas económicas que puedan corresponder. Acreditada la elevación a escritura de la transmisión de la Vivienda de Integración Social en las condiciones aprobadas, el Servicio de Vivienda abonará las subvenciones otorgadas. Se podrán entregar anticipos a cuenta a los entes sin ánimo de lucro firmantes del Convenio, previendo, en su caso, garantías adicionales.

Las ayudas otorgadas se recogerán en el Portal informático que al efecto habilite el Gobierno de Navarra conforme a la legislación general reguladora de las subvenciones en la Comunidad Foral de Navarra.

A) PRÉSTAMOS CUALIFICADOS

Características generales:

• Tendrán la consideración de préstamos cualificados los que autorice el Departamento de Medio Ambiente, Ordenación del Territorio y Vivienda para financiar actuaciones en materia de vivienda protegida y actuaciones protegibles, con o sin subsidiación.

• La cuantía máxima de los préstamos cualificados será equivalente al 80% del precio máximo de venta de las viviendas protegidas en primera transmisión, incluyendo garajes y trasteros vinculados en su caso, así como otros locales vinculados en el caso de viviendas unifamiliares.

• El plazo de amortización podrá ser de hasta treinta y cinco años, añadidos, en su caso, a un período de carencia de hasta tres años desde la formalización del préstamo al promotor.

• El importe de las anualidades de amortización de capital e interés a pagar a la entidad de crédito para los préstamos subsidiables será constante.

• Los préstamos serán garantizados mediante hipoteca u otras garantías que las entidades de crédito puedan exigir a los prestatarios.

• El tipo de interés efectivo máximo vigente en el primer año para cada uno de los préstamos concedidos conforme el presente Decreto Foral será el resultado del cálculo mensual conforme a la siguiente fórmula: El 80% del promedio de los seis últimos meses conocidos del tipo de referencia de los préstamos hipotecarios del conjunto de entidades de crédito, elaborado y publicado por el Banco de España, ponderando el doble del valor correspondiente a los dos últimos de entre dichos meses, en caso de que este tipo de referencia sea inferior al dato de referencia interbancaria a un año más 0,25 puntos. A estos efectos, se tendrá en cuenta el último dato de referencia interbancaria a un año publicado por el Banco de España, en los términos de la Circular 7/1999, de 29 de junio, o la que le sustituya en el futuro.

a) Si el citado tipo de referencia fuera superior al dato de la referencia interbancaria a un año más 0,25 puntos, se aplicará el tipo correspondiente a esta última suma.

b) Se podrá descomponer esta TAE entre una comisión de apertura máxima de 0,25% y el interés nominal que resulte, siempre que no sobrepase en ningún caso el tipo de interés efectivo inicial calculado.

• El cálculo del tipo se basará en los datos elaborados y publicados por el Banco de España en el mes inmediatamente anterior al de la fecha de formalización del préstamo.

• El tipo de interés efectivo inicial se calculará con tres decimales, tanto en los datos originales publicados por el Banco de España como en el resultado final.

• El tipo de interés efectivo anual (TAE) inicial a que se refiere el artículo anterior, fijado para cada préstamo, será revisado anualmente hasta la amortización de los préstamos concedidos.

• Dicho tipo anual efectivo no podrá ser superior al obtenido de aplicar la siguiente fórmula: el 90% del promedio de los seis últimos meses conocidos del tipo de referencia de los préstamos hipotecarios del conjunto de entidades de crédito, elaborado y publicado por el Banco de España ponderando el doble del valor correspondiente a los dos últimos de dichos meses, siempre que este tipo de referencia obtenido esté comprendido entre el tipo de referencia interbancaria a un año más 0,25 puntos y el dato de referencia interbancaria a un año más un punto.

a) Si el citado tipo de referencia calculado resulta ser inferior al dato de la referencia interbancaria a un año más 0,25 puntos, se aplicará este último tipo de referencia a un año más 0,25 puntos.

b) Si el citado tipo de referencia calculado resulta ser superior al dato de la referencia interbancaria a un año más un punto, se aplicará este último tipo de referencia interbancaria a un año más un punto.

Se tomarán para el cálculo los datos elaborados y publicados por el Banco de España en el inmediato mes anterior al de la fecha de revisión del tipo de interés del préstamo.

El tipo de interés efectivo revisado se calculará con tres decimales, tanto en los datos originales publicados por el Banco de España como en el resultado final.

1. PRÉSTAMOS A PROMOTORES DE VIVIENDAS PROTEGIDAS

• Podrán concederse préstamos cualificados a los promotores de viviendas protegidas con calificación provisional.

• La disposición de los préstamos podrá atenerse a un calendario pactado con la entidad prestamista, en función de la ejecución de la inversión y, en su caso, del ritmo de ventas o adjudicaciones de las viviendas.

• Las entidades de crédito podrán reservarse una retención máxima del quince por ciento del préstamo hasta que se acredite uno de los siguientes extremos:

a) La calificación definitiva o el otorgamiento e inscripción registral de escritura pública de compraventa o adjudicación.

b) El visado de los respectivos contratos, cuando se trate de promoción de viviendas para arrendamiento.

c) La escritura de declaración de final de obra, inscrita en el Registro de la Propiedad, en supuestos de autopromoción de una vivienda unifamiliar para uso propio.

• Una vez finalizado el período de carencia, que tendrá una duración máxima de tres años, se iniciará el período de amortización, coincidiendo con los siguientes momentos:

a) En los supuestos de venta y adjudicación: en la fecha de otorgamiento de la escritura pública de venta o adjudicación.

b) En los supuestos de promoción para uso propio por promotores que no sean cooperativas o agrupaciones, o en promociones para arrendamiento:

• No obstante, la entidad financiera podrá posponer el inicio de período de amortización hasta el primer día del mes natural inmediato a las fechas citadas. En este caso, la subsidiación de intereses, si la hubiere, se aplicará al período de amortización y no al período de carencia.

• Si el promotor altera el régimen del alquiler durante el tiempo en que la vivienda permanezca sometida a régimen de protección sin mediar autorización al efecto del Departamento de Medio Ambiente, Ordenación del Territorio y Vivienda, vendrá obligado a reintegrar los importes recibidos salvo en caso de ejercicio de opción de compra por el inquilino, y sin perjuicio de otras actuaciones sancionadoras y de restauración de la legalidad que procedan.

2. PRÉSTAMOS A ADQUIRIENTES O ADJUDICATARIOS

• El préstamo cualificado al adquirente o adjudicatario de viviendas protegidas podrá otorgarse en las siguientes modalidades:

a) De forma directa.

b) Mediante subrogación del adquirente o adjudicatario en las obligaciones de pago de la carga hipotecaria del préstamo al promotor.

• La concesión de los préstamos directos al adquirente estará sujeta a las siguientes condiciones:

a) Que la vivienda haya obtenido la calificación definitiva de vivienda de Protección Oficial, o de Precio Tasado, o de Precio Pactado.

b) Que se haya celebrado contrato de compraventa o de adjudicación, debidamente visado, entre el adquirente y el promotor de la vivienda.

• Que cuando el promotor hubiese recibido préstamo cualificado por la misma vivienda, lo cancele previa o simultáneamente a la concesión y formalización del préstamo al adquirente o adjudicatario.

• Que entre la celebración del contrato de compraventa o adjudicación y la solicitud del préstamo cualificado no hayan transcurrido doce meses, o bien que no hayan transcurrido 12 meses desde la calificación definitiva.

• En caso de subrogación, el comprador o adjudicatario que acceda a la propiedad de la vivienda, mediante escritura, asumirá las obligaciones derivadas de la hipoteca correspondiente. A tal efecto, se remitirá primera copia de dicho documento a la entidad de crédito, siendo de cuenta del promotor los gastos de dicha copia.

• Cuando se haya pactado que el adquirente o adjudicatario se subrogue no solamente en dicha responsabilidad hipotecaria, sino también en la obligación personal con ella garantizada, el adquirente quedará subrogado en esta última si así lo autoriza expresa o tácitamente la entidad de crédito.

• En los préstamos al promotor, la adquisición de la vivienda mediante el otorgamiento de la correspondiente escritura pública de compraventa o adjudicación, una vez calificada definitivamente, interrumpirá tanto el período de carencia como el devengo de intereses del período correspondiente, y determinará el inicio del período de amortización. Este último tendrá lugar, en todo caso, una vez transcurrido un período de tres años desde la formalización del préstamo. No obstante, la entidad financiera podrá posponer el inicio del período de amortización hasta el día primero del inmediato mes natural.

Las condiciones del préstamo cualificado formalizado por el promotor podrán ser novadas en el momento de la subrogación previo acuerdo entre el comprador o adjudicatario y la entidad financiera, conforme a lo establecido en el acuerdo de colaboración vigente y operativo en el momento de formalización del préstamo.

Los promotores individuales en uso propio de viviendas de nueva planta o rehabilitación podrán novar las condiciones del préstamo cualificado en el momento del término del período de carencia, previo acuerdo que incluya al prestatario y la entidad financiera, conforme a lo establecido en el acuerdo de colaboración que se encuentre vigente en el momento de la finalización del período de carencia.

3. SUBSIDIOS A PRÉSTAMOS CUALIFICADOS

La subsidiación consistirá en el abono a la entidad de crédito prestamista, con cargo a los Presupuestos Generales de Navarra, de una parte del importe que el beneficiario de la subsidiación debe abonar a dicha entidad por efecto de la amortización del préstamo formalizado. Dicha parte consistirá en la diferencia entre dicho pago al tipo de interés efectivo fijado en los correspondientes convenios suscritos entre el Gobierno de Navarra y las entidades de crédito correspondientes y el pago que hubiera correspondido al tipo de interés subsidiado aplicable, entendido siempre como tipo efectivo.

El plazo de subsidiación de los préstamos para régimen de alquiler protegido se extenderá hasta el final del período de amortización del préstamo, siempre que no se supere un período máximo de 20 años en actuaciones protegibles relativas a VPO de régimen especial y de 15 años en otras actuaciones protegibles.

La subsidiación cesará si se altera el régimen de alquiler o el precio de éste supera los límites legales, sin perjuicio de otras actuaciones que al efecto procedan. En caso de que el tipo de interés subsidiado resulte inferior al tipo sin subsidiar, se aplicará el primero.

El Gobierno de Navarra subsidiará los préstamos cualificados concedidos a promotores de viviendas de Protección Oficial para arrendamiento en función del régimen de las viviendas:

a) En promociones de viviendas de Protección Oficial en régimen especial con destino al arrendamiento, el tipo de interés subsidiado será el 3% TAE La subsidiación se prolongará durante los 20 primeros años del período de amortización.

b) En promociones de viviendas de Protección Oficial en régimen general con destino al arrendamiento, el tipo de interés subsidiado será el 4% TAE La subsidiación se prolongará durante los 15 primeros años del período de amortización.

El tipo de interés subsidiado para los préstamos otorgados por entidades de crédito públicas y privadas en actuaciones acogidas a programas de Integración Social será fijado por Decreto Foral. Dicho tipo de interés se aplicará a los Acuerdos de colaboración que suscriba el Gobierno de Navarra con las citadas entidades de crédito. Si el ente sin ánimo de lucro transfiere la titularidad de la vivienda al arrendatario, éste se subrogará en las obligaciones asumidas.

En el marco de los acuerdos de colaboración con las entidades de crédito, los promotores y, en caso de préstamo directo, también los adquirentes y adjudicatarios, podrán solicitar préstamos cualificados a las entidades de crédito. Los promotores deberán presentar la solicitud antes de transcurrir 6 meses desde la calificación definitiva. A la solicitud se acompañarán los siguientes documentos, según proceda en cada caso:

a) Copia de la cédula de calificación provisional o definitiva.

b) Contrato visado por el Departamento de Medio Ambiente, Ordenación del Territorio y Vivienda.

Cuando se deniegue la calificación definitiva o la descalificación de las viviendas, la resolución se comunicará a la entidad de crédito correspondiente, a efectos de suspensión y reintegro de beneficios otorgados, incrementados en el interés legal, y de eventual modificación del contrato de préstamo. En caso de revocación o anulación del visado o de las calificaciones, se operará del mismo modo, y los préstamos no se computarán con cargo al Acuerdo de colaboración que entre el Gobierno de Navarra y la entidad de crédito hubiera sido suscrito.

En los supuestos en los que, por causa de separación judicial o de divorcio, o por sucesión «mortis causa», se haya producido un cambio en la titularidad del inmueble hipotecado, deberán aportarse las Declaraciones de la Renta de la persona o personas que, con autorización del Departamento de Medio Ambiente, Ordenación del Territorio y Vivienda, se hayan subrogado en el préstamo cualificado como nuevos titulares.

La subsidiación de los préstamos concedidos a promotores de viviendas de Protección Oficial en alquiler durará 15 años en el régimen general, y 20 años en el régimen especial. No será precisa renovación expresa, sin perjuicio de la facultad del Departamento de Medio Ambiente, Ordenación del Territorio y Vivienda de suspender cautelarmente la subsidiación del préstamo si detecta incumplimientos de las condiciones establecidas.

5. ACTUACIONES EN MATERIA DE REHABILITACIÓN

Características:

• Las actuaciones protegibles de rehabilitación de edificios y viviendas podrán tener por objeto:

1. Obtener o mejorar la adecuación estructural, funcional o ambas de un edificio en el que el cincuenta por ciento, al menos, de su superficie útil total, deducidas la planta baja y las superficies bajo rasante, se destine a vivienda.

Se consideran obras para la adecuación estructural las que proporcionan al edificio condiciones suficientes de seguridad constructiva, de modo que resulte garantizada su estabilidad, resistencia, firmeza y solidez.

Se consideran obras para la adecuación funcional las que proporcionan al edificio condiciones suficientes respecto de accesos, estanqueidad frente a la lluvia y la humedad, aislamiento térmico, redes generales de agua, gas, electricidad, telefonía y saneamiento, acabados de elementos comunes y seguridad frente a accidentes y siniestros, así como las actuaciones que tengan por finalidad la supresión de barreras arquitectónicas para facilitar el acceso y uso por personas con minusvalías motrices.

Para ello se llevan a cabo obras de mejora que posibiliten, en los edificios y viviendas, ahorro de consumo energético y adaptación a la normativa vigente en materia de agua, gas, electricidad, antenas colectivas, protección contra incendios y saneamiento, y la instalación de calefacción mediante unidades de obra incorporadas permanentemente a la edificación.

Obras como:

1) Las de adecuación de los espacios libres o patios que formen parte de la propia finca o sean colindantes con la misma.

2) Las que fueran requeridas en razón de los valores arquitectónicos, históricos y ambientales de los edificios de vivienda.

2. Obtener o mejorar las condiciones de habitabilidad de las viviendas. Es requisito necesario que el edificio cuente con suficiente adecuación estructural y funcional. Se exceptúan de este requisito las condiciones de accesibilidad por minusvalía.

Se consideran obras para la adecuación de habitabilidad las que tengan por finalidad la supresión de barreras arquitectónicas para facilitar su acceso y uso por personas con minusvalías que afecten a su movilidad.

3. Ampliar el espacio habitable de la vivienda siempre que la superficie útil resultante no exceda de 90 m², o de 120 m² si se destina a familias numerosas.

4. Derribar edificaciones que queden fuera de ordenación por determinación del planeamiento urbanístico.

5. Crear nuevas viviendas como resultado de segregar o dividir las existentes. En Áreas de Rehabilitación Preferente, crear nuevas viviendas como resultado de agregar, segregar o dividir las existentes, sin incrementar el volumen de la envolvente de la edificación existente ni su superficie construida.

6. Sólo podrán incluirse como actuaciones protegibles de rehabilitación aquellas cuyo presupuesto protegible no exceda de las siguientes cuantías por metro cuadrado de superficie útil:

a) 1,3 veces el módulo ponderado vigente en el momento de la solicitud de calificación provisional por metro cuadrado de superficie útil de vivienda.

b) 0,52 veces el módulo ponderado vigente en el momento de la solicitud de calificación provisional por metro cuadrado de superficie útil de anejos y otros locales.

Únicamente podrán recibir calificación como actuaciones protegibles de rehabilitación aquellas cuyo presupuesto protegible correspondiente a viviendas, sin incluir los locales, dividido por el número de viviendas resultante tras la actuación, dé como resultado una cantidad igual o superior a 4.000 euros por vivienda.

7. A efectos de su calificación como protegibles, las actuaciones protegibles en materia de rehabilitación sólo podrán realizarse en inmuebles que reúnan las *siguientes condiciones*:

1. Antigüedad superior a quince años con respecto a la fecha de finalización de la construcción.

2. Adaptación a lo que disponga el planeamiento urbanístico. Cuando se trate de edificaciones fuera de ordenación, se exigirá que el planeamiento no prevea su sustitución por otras destinadas a usos distintos.

8. Organización espacial y características constructivas que garanticen que las obras de rehabilitación permitan cumplir condiciones de habitabilidad en las viviendas.

9. Las obras de rehabilitación protegida deberán ejecutarse en un plazo máximo de treinta y seis meses a partir de la fecha de otorgamiento de la cédula de calificación provisional.

Los criterios que regirán para la determinación de estas áreas serán:

a) Ubicarse en zonas consolidadas por la edificación hace más de 50 años que cuenten con planeamiento urbanístico adecuado, que podrá ser un Plan Especial de Protección y/o Reforma Interior o, si se trata de municipios menores de 3.000 habitantes, el propio plan general municipal, siempre que las determinaciones del mismo para estas áreas estén pormenorizadas de un modo equivalente al de los citados planes especiales.

b) Contar con ordenanza municipal específica de apoyo a la rehabilitación en vigor.

Podrán ser declarados Áreas de Rehabilitación Preferente los centros históricos y conjuntos edificados en los que esté en vigor un Plan Especial de Protección y/o Reforma Interior que afecte a centros históricos o conjuntos continuos de edificaciones en los que más del 70% de los edificios tenga una antigüedad superior a 50 años. Este porcentaje se elevará al 90% de los edificios cuando se trate de conjuntos dispersos de edificaciones tradicionales rurales. La declaración de Áreas de Rehabilitación Preferente requerirá, en su caso, informe previo de la Oficina de Rehabilitación en cuyo ámbito queden ubicadas. Será necesario, asimismo, que exista una ordenanza municipal de ayudas específicas a la rehabilitación de estas áreas, con una dotación presupuestaria no inferior al 2% del módulo ponderado aplicable por habitante del área y año.

Se reconocen como áreas de rehabilitación preferente los centros históricos de Pamplona en todo el ámbito de su casco antiguo, y los de Tudela, Viana, Estella, Cintruénigo, Corella, Tafalla, y Puente de la Reina, así como aquellos que sean objeto de declaración específica por parte del Departamento de Medio Ambiente, Ordenación del Territorio y Vivienda, en el marco de sus respectivos planes especiales.

Características ayudas:

SUBVENCIONES:

Cuantía: Porcentaje sobre el presupuesto protegible, con un máximo de presupuesto subvencionable por m² de: 784,53 euros
Supresión de barreras promovidas por comunidades de vecinos Años edificio => Más de 50 / Más de 15
Con total supresión de barreras, edificios sin ascensor: 45% 45%
Con total supresión de barreras, edificios con ascensor: 40% 37%
Edificios sin ascensor, sin llegar a la total adaptación a la normativa de barreras: 35% 33%
Adquisición de superficies de locales necesarios para la instalación del ascensor o supresión de barreras, subvención complementaria sobre el precio real de compra, con un máximo de 965,57 euros/m² 45% 45%
Supresión de barreras. Minusválidos (o familiares) con ingresos inferiores a 2,5 veces el IPREM: 40% 40%
Promotores o cónyuges mayores de 65 años, con ingresos inferiores a 2,5 veces el IPREM: 40% 40%
Áreas de Rehabilitación Preferente: (Promotores-usuarios con ingresos inferiores a 3,5 veces el IPREM) 40% 40% En Proyectos de Intervención Global, dentro de las A. R. Preferente (ingresos inferiores a 3,5 veces el IPREM 50% 50%
Familias numerosas. Si son de categoría general, percibirán una subvención adicional de: 3% 3% Si son de categoría especial, percibirán una subvención adicional de: 6% 6%
Promotores para arrendamiento:
En Área de Rehabilitación Preferente y renta mensual inferior a 7,5 euro/m². 40% 0%
Subvención máxima, por m² útil, hasta un máximo de 120 m²: 313,81 euros 0%

En edificios con renta mensual inferior a 5,77 euros/m², y viviendas adjudicadas en convocatoria pública con baremo, o por la bolsa de alquiler, o con contrato de alquiler anterior al 9 de mayo de 1985: 22% 11%

Subvención máxima, por m² útil, hasta un máximo de 120 m²: 168,98 euros 84,49 euros

En edificios con renta mensual inferior a 5,77 euros/m² no adjudicados según condiciones del punto anterior: 14% 7%

Subvención máxima, por m² útil, hasta un máximo de 120 m²: 144,84 euros 144,84 euros

Subvención para adquisición de vivienda y posterior rehabilitación Promotor-usuario; según renta (ver cuadro inferior)

Promociones para alquiler de renta inferior a 7,5 euro/m². Subvención del 12% de compra más presupuesto protegible de rehabilitación.

Subvención para rehabilitación de vivienda usada para la integración social, con presupuesto superior a 4.000 euros e inferior al 50% precio compra: 50% del coste de rehabilitación necesaria.

Subvención para demoliciones en áreas preferente por estar fuera de ordenación o mejora habitabilidad: 25% módulo ponderados × superf. construida que se suprima si la actuación es en centro histórico declarado de área preferente. 20% edificaciones de más de 50 años en centros históricos no declarados área preferente
Subvención para viviendas situadas en zonas afectadas por catástrofes naturales: importe de los honorarios facultativos, que devenguen el proyecto y la dirección de las obras, cuando los ingresos no excedan de 3,5 veces IPREM.

SUBVENCIONES ORDINARIAS SEGÚN INGRESOS PROMOTORES-USUARIOS				
Más de 50	22%	22%	18%	14%
Entre 15 y 50 años	11%	11%	9%	7%
Adquisición rehabilitación	14%	10%	6%	6%

PRÉSTAMOS CUALIFICADOS:

Características:

• Las cuantías de los préstamos podrán alcanzar la totalidad del presupuesto protegible, excluido el importe de la subvención.

• Los plazos de amortización abarcarán un mínimo de cinco y un máximo de treinta y cinco años, con un máximo de treinta meses de carencia.

• Los promotores de las actuaciones protegibles podrán solicitar préstamos cualificados de las entidades de crédito cuando el presupuesto protegible que corresponda financiar al solicitante, descontada la subvención, exceda de 6.000 euros por vivienda.

• La disposición de los préstamos podrá someterse a un calendario pactado con la entidad prestamista. El período de amortización deberá iniciarse antes de, o coincidiendo con, la fecha de calificación definitiva, salvo pacto en contrario entre prestatario y prestamista. Los promotores deberán efectuar la primera disposición del préstamo autorizado y concedido en un plazo no superior a seis meses a partir del día siguiente al de su formalización. Entre cada uno de los restantes actos de disposición no podrán transcurrir más de cuatro meses, salvo que medie justa causa. Si no se dispone del préstamo cualificado en los plazos establecidos sin que medie causa justificada, se podrá declarar su caducidad conforme a la legislación reguladora del procedimiento administrativo. Los préstamos cualificados podrán solicitarse desde el momento de la calificación provisional del expediente hasta seis meses después de la fecha de calificación definitiva que conste en la diligencia de final de obra.

• Los préstamos destinados a la adquisición de edificios o viviendas para su posterior rehabilitación podrán alcanzar una cuantía equivalente al 104% del módulo ponderado aplicable vigente en la fecha del otorgamiento de la cédula de calificación provisional de rehabilitación por metro cuadrado útil de vivienda, y al 41,6% del citado módulo por metro cuadrado útil de anejos.

6. OTRAS ACTUACIONES PROTEGIBLES

A) FOMENTO DEL ALQUILER DE VIVIENDA USADA

Intervención del Gobierno de Navarra en el mercado de alquiler de vivienda usada.

• El Gobierno de Navarra fomentará la integración en el mercado inmobiliario de viviendas usadas en alquiler conforme a lo dispuesto en el presente Capítulo.

• Actuaciones de alquiler de viviendas destinadas a domicilio habitual y permanente de los inquilinos. Quedan excluidos los arrendamientos de temporada, y cualesquiera otros de plazo inferior al establecido para alquiler de vivienda.

Arrendamiento intermediado a través de sociedad instrumental.

• La Sociedad pública VINSA u otra Sociedad instrumental a la que el Gobierno de Navarra encomiende esta tarea gestionará viviendas en alquiler conforme a los siguientes criterios:

a) Podrán acceder a esta bolsa de alquiler las viviendas usadas con cédula de habitabilidad que hayan permanecido vacías durante más de un año antes de la correspondiente solicitud. Asimismo, podrán acceder a esta bolsa de alquiler las viviendas protegidas que los propietarios de las mismas ofrezcan a la Sociedad instrumental. El propietario cederá la vivienda a la Sociedad instrumental durante un período de al menos cinco años y seis meses a fin de que ésta la arriende a personas físicas.

b) Transcurrido el plazo establecido, la Sociedad instrumental devolverá la vivienda a su propietario en el mismo estado en que la recibió y libre de inquilinos, excepto cuando el propietario manifieste su conformidad respecto a la aceptación del inquilino.

c) La Sociedad instrumental abonará al propietario el precio que con él haya pactado de alquiler de la vivienda durante el período de 5 años y 6 meses, o durante el período mínimo a que obligue la legislación sobre arrendamientos urbanos incrementado en seis meses, asumiendo el pago de la contribución territorial urbana. El precio no podrá superar el que resulte de las tasaciones sobre precios de mercado que efectúe o supervise el Departamento de Medio Ambiente, Ordenación del Territorio y Vivienda cuando se trate de viviendas libres, ni el precio máximo legal en el caso de las viviendas protegidas.

d) La Sociedad instrumental arrendará la vivienda a precio no superior al establecido para viviendas de Protección Oficial a solicitantes con ingresos familiares ponderados inferiores a 3,5 veces el IPREM y cuyas partes generales de bases imponibles, sumadas a sus rentas exentas, superen los 3.000 euros anuales, y que cuenten con dos años de antigüedad en el empadronamiento en cualquier municipio de Navarra, que cumplan los requisitos establecidos para acceder a viviendas protegidas.

e) El Gobierno de Navarra subvencionará a los inquilinos con ingresos familiares ponderados inferiores a 1,7 veces el IPREM, conforme a los siguientes porcentajes respecto a la renta:

Ingresos familiares ponderados entre 1,4 y 1,7 veces el IPREM: 25%.

Ingresos familiares ponderados entre 1 y 1,4 veces el IPREM: 50%.

Ingresos familiares ponderados menores que el IPREM: 75%.

Las subvenciones se renovarán anualmente por un procedimiento análogo al establecido para las promociones de arrendamiento de viviendas de Protección Oficial de régimen especial. La subvención podrá ser renovada por un período máximo de cinco años a partir de la fecha del primer contrato de arrendamiento que se tramite a través de VINSA.

• El Gobierno de Navarra abonará a la Sociedad instrumental las cantidades que se prevean en la encomienda de gestión para compensar la diferencia entre el precio de mercado y el máximo establecido para las viviendas de alquiler de Protección Oficial en régimen general, así como las cantidades descontadas a los arrendatarios por los siguientes conceptos:

a) La subvención que, en su caso, les corresponda.

b) El importe de las reparaciones precisas para entregar la vivienda al propietario en el estado en que la cedió o, en su caso, el coste del correspondiente seguro.

• Si el arrendatario abandona la vivienda antes de transcurrir cinco años, el propietario podrá optar entre recuperar el uso de la vivienda en las condiciones físicas en que la entregó en un plazo no superior a tres meses a partir de la recepción de la oportuna comunicación, o bien volver a cederla a VINSA por otro período de cinco años y seis meses.

• El propietario podrá encomendar a la Sociedad instrumental obras de rehabilitación, reparación, mantenimiento o mejora de la vivienda por importe superior a 12.000 euros, de modo que la vivienda alcance los niveles medios de calidad técnicamente aceptados. En este caso, la cesión a favor de la Sociedad instrumental deberá prolongarse durante al menos diez años y seis meses a partir del final de la obra de rehabilitación, cuya ejecución no excederá de un año. La Sociedad descontará el importe de la rehabilitación de los pagos al propietario.

B) FOMENTO DEL BIOCLIMATISMO

Requisitos para las ayudas a la arquitectura bioclimática:

1. El Gobierno de Navarra fomentará la aplicación de los principios de la arquitectura bioclimática en la edificación residencial, con arreglo a las disponibilidades presupuestarias y a la normativa aplicable.

2. La obtención de ayudas a la arquitectura residencial bioclimática requiere el cumplimiento de las siguientes condiciones:

a) Que el edificio a subvencionar esté acogido al régimen de viviendas de Protección Oficial o de Precio Tasado.

b) Que se construya:

1) En suelo originariamente público y en cuya adjudicación se hayan tenido en cuenta condicionantes bioclimáticos, a partir del estudio técnico que previamente a la adjudicación haya llevado a cabo el Gobierno de Navarra o el promotor público cedente de suelo.

2) En suelo originariamente público cedido directamente a empresas instrumentales.

3) En los casos citados en los apartados b.2) y b.3) de la Ley Foral Navarra 14/2000, el Departamento de Medio Ambiente, Ordenación del Territorio y Vivienda determinará los requisitos técnicos exigibles al promotor, de modo que sean cumplimentados para la calificación provisional del expediente.

c) Que en el proyecto que se presente a calificación provisional se ponga de manifiesto que el coste imputable a la mejora bioclimática respecto de las condiciones de obligado cumplimiento iguala o excede el importe de la subvención. Los costes subvencionables son los correspondientes a los siguientes conceptos:

1) Medidas de aislamiento térmico superiores a lo que establece la normativa básica obligatoria.

2) Sobrecostes por colocación de dobles ventanas o de acristalamientos de dos lunas separadas por cámara de aire de espesor igual o superior a 12 milímetros respecto de los acristalamientos de dos lunas separados por cámaras de menos espesor.

3) Sobrecostes derivados de la introducción de carpinterías exteriores con rotura de puente térmico.

4) Instalación de colectores de energía solar para calentamiento de agua caliente sanitaria y/o calefacción.

5) Preinstalación dentro del edificio para el mismo fin del apartado anterior

6) Colocación de persianas con lamas que incorporen aislamiento térmico.

7) Colocación de persianas de lamas orientables para lograr un oscurecimiento pleno.

8) Instalación de miradores orientados para la captación de energía solar.

9) Instalación de sensores de movimiento de iluminación de elementos comunes.

d) Si el importe del exceso de coste no supera la cuantía máxima determinada, en la cédula de calificación provisional se fijará una cuantía de subvención inferior, en proporción al exceso, que se percibirá tras la calificación definitiva de las viviendas.

Ayudas a la arquitectura residencial bioclimática:

Los solicitantes que cumplan los requisitos previstos en el apartado anterior, podrán acceder a una subvención, no deducible del precio de venta o adjudicación, equivalente al 5% del módulo ponderado aplicable en el momento de la solicitud de calificación provisional por cada metro cuadrado útil de vivienda, sin computar los anejos.

Asimismo, el Gobierno de Navarra subvencionará, con por cada metro cuadrado útil de vivienda, las actuaciones en edificios residenciales en Navarra que lleven a cabo Sociedades instrumentales para sufragar el exceso de coste por la incorporación de unidades de obra dirigidas al fomento del bioclimatismo. El otorgamiento de estas subvenciones requerirá la previa aprobación del correspondiente proyecto que contemple las medidas bioclimáticas y valore su sobrecoste, que no será inferior al importe de la subvención.

Las subvenciones previstas en este número se abonarán una vez finalizada la construcción de las viviendas.

Se podrá anticipar el cobro del 50% del importe de la subvención.

C) APARTAMENTOS EN ALQUILER PARA PERSONAS MAYORES DE 65 AÑOS O PARA PERSONAS MINUSVÁLIDAS

Características generales:

• Estos apartamentos protegidos se calificarán como viviendas de Protección Oficial de régimen especial o de régimen general, y estarán sujetos a las normas aplicables al régimen correspondiente.

La superficie útil de estos apartamentos se computará conforme a lo dispuesto en la normativa aplicable con carácter general a las viviendas protegidas, añadiendo a la superficie de las viviendas la par-te proporcional que corresponda de superficies de cocinas, comedores, salas y estancias de uso común ubicadas fuera de la superficie privativa de los apartamentos. Estos últimos deberán reunir las condiciones mínimas de diseño establecidas para las viviendas de Protección Oficial.

Se reserva la totalidad de las viviendas a las personas que pertenezcan a los colectivos citados o a unidades familiares en las que al menos uno de sus miembros pertenezca a los mismos.

• No podrán participar en el proceso de selección de solicitudes de apartamentos protegidos para personas mayores de 65 años o minusválidas quienes sean propietarios o titulares de derechos reales de uso y disfrute de una vivienda de menos de 50 años de antigüedad a la que pueda accederse desde la acera o vía pública sin subir escalones.

Características de las ayudas:

• Los edificios que se construyan para destinarlos en régimen de alquiler a personas mayores de 65 años o con minusvalías cuyas viviendas se califiquen en los regímenes especial o general de Protección Oficial podrán ser objeto de las siguientes ayudas:

a) Financiación cualificada, en las condiciones fijadas para cada caso, en función del acogimiento, bien al régimen general, bien al especial, aplicada a la superficie útil prevista.

b) Subsidiación del tipo de interés, de tal modo que prestatario abone el 4% TAE anual en régimen general durante los quince primeros años del período de amortización, y el 3% durante 20 años en caso de régimen especial.

c) Subvención al promotor. El importe de la subvención equivaldrá al 25% del precio máximo a que hubieran podido venderse las viviendas en el momento de solicitar la calificación provisional en régimen especial. Si la promoción se acoge al régimen general, el porcentaje será del 15% de dicho precio.

Asimismo, se otorgará subvención al arrendatario en promociones acogidas al régimen especial, en las condiciones establecidas para dicho régimen.

En promociones de régimen general, la subvención equivaldrá al 25% de la renta a abonar por el arrendatario, siempre que sus ingresos familiares ponderados no excedan de 1,7 veces el IPREM. Para acceder a estas subvenciones se requiere que el arrendatario no sea titular del dominio de otra vivienda, a menos que tenga impedido legalmente su disfrute durante los cuatro años anteriores a la fecha de solicitud de la subvención.

Cuando el promotor renuncie a la subsidiación del préstamo, el importe de la subvención será del 8% del precio máximo al que hubieran podido venderse los apartamentos en el momento de la solicitud de la calificación provisional en caso de régimen especial, o del 4% en caso de régimen general.

El Departamento de Bienestar Social, Deporte y Juventud podrá subvencionar específicamente los honorarios de redacción de proyecto y dirección de obra, de conformidad con su propia normativa.

La tramitación y obtención de estas ayudas se regirá por las normas correspondientes, bien al régimen especial, o bien al general de Protección Oficial, dependiendo de la opción que haya adoptado el promotor, con la siguiente salvedad: las subvenciones al arrendatario de apartamentos para mayores de 65 años de régimen general se tramitarán por el procedimiento establecido para las subvenciones al arrendamiento de viviendas de Protección Oficial de régimen especial.

Requisitos:

1. Que el edificio que se construya se destine a arrendamiento o cesión de uso. En la declaración de obra nueva en construcción y división en propiedad horizontal, que deberá ser inscrita en el Registro, se asumirá la obligación de destinar el edificio a alquiler durante el plazo de vigencia del régimen de protección al que se halle sometido el edificio. Este requisito será aplicable a la obtención de la cédula de calificación definitiva.

2. Que los ingresos familiares ponderados de los usuarios sean inferiores a 2,5 veces el IPREM si las viviendas se acogen al régimen especial, o a 5,5 veces el IPREM si se acogen al régimen general.

D) OTROS ALOJAMIENTOS Y SERVICIOS

Apartamentos con servicios comunes:

Los adquirentes de apartamentos en promociones dotadas de servicios comunes para mayores de 65 años y para personas con minusvalías cuyos ingresos familiares ponderados no superen 3,5 veces el IPREM podrán acogerse a subvenciones por importe equivalente al 20% del precio máximo al que hubieran podido venderse si se hubiesen calificado como viviendas de Protección Oficial de régimen general, aplicado a los metros cuadrados de superficie útil de apartamento más la parte proporcional de los destinados a los servicios comunes que el Departamento de Medio Ambiente, Ordenación del Territorio y Vivienda haya considerado justificadamente adecuados a la entidad de los servicios a prestar y a las necesidades de los destinatarios.

Las condiciones técnicas y constructivas exigibles a estas promociones de apartamentos dotados de servicios comunes serán las aplicables a las viviendas de Protección Oficial de régimen general. Los servicios comunes deberán cumplir la normativa básica sobre prevención de incendios y demás riesgos aplicable a las edificaciones residenciales.

Se podrán incluir en el concepto de servicios comunes los de cocina o preparación de alimentos, comedor, biblioteca, sala de reuniones, área de esparcimiento, dispensario, aparcamiento y otros, en la medida en que el Departamento de Medio Ambiente, Ordenación del Territorio y Vivienda las considere adecuadas y proporcionadas.

Otras prestaciones residenciales:

Las promociones de viviendas de Protección Oficial de régimen especial, residencias y apartamentos tutelados para mayores de 65 años o minusválidos y las promociones para Alquiler Joven podrán ampliar o modificar su objeto para dirigirlo hacia otras prestaciones residenciales destinadas a personas con ingresos familiares ponderados inferiores a 2,5 veces el IPREM, siempre que se cumplan las siguientes tres condiciones:

1. Que hayan transcurrido más de 5 años a partir de la calificación definitiva del expediente.

2. Que se mantenga el carácter principalmente residencial de la promoción.

3. Que el proyecto de ampliación o modificación sea aprobado por el Departamento de Medio Ambiente, Ordenación del Territorio y Vivienda.

7. PLAN ANTICRISIS. MEDIDAS URGENTES

El Gobierno de Navarra ha impulsado un conjunto de medidas destinadas ayudar a los ciudadanos a la rehabilitación de viviendas, así como a facilitar el acceso a la compra de vivienda, con la creación de una nueva modalidad de vivienda libre de precio limitado. Todas las medidas se recogen en la Ley de Medidas Urgentes en materia de Urbanismo y Vivienda, aprobada por el Parlamento foral el 28 de mayo de 2009.

La Ley contempla un incremento significativo de las subvenciones para rehabilitación, crea un nuevo tipo de ayudas para la reforma de cocinas y baños, así como para el cambio de puertas interiores, pavimentos y suelos.

Se concederán también ayudas para la reforma de fachadas y tejados, por introducir medidas de ahorro energético en los nuevos edificios y para la instalación de domótica en viviendas de nueva construcción.

Con las siguientes medidas, el Gobierno de Navarra pretende ayudar a los ciudadanos, generar empleo y reactivar el sector de la construcción:

1. *Ayuda extraordinaria de hasta 3.000 euros para la reforma de cocinas, baños, puertas y suelos.*

• El Gobierno de Navarra ha creado una nueva modalidad de ayudas para los ciudadanos que realicen pequeñas reformas en el interior de sus domicilios. El presupuesto de las obras deberá ser como mínimo de 4.000 euros, sin IVA, y la subvención ascenderá a un 20% del presupuesto, con un máximo de 3.000 euros por vivienda.

• Pueden beneficiarse de esta ayuda extraordinaria, los propietarios de viviendas situadas en Navarra con una antigüedad de al menos 12 años, y que constituyan el domicilio. Las ayudas se conceden con independencia del nivel de renta de los solicitantes.

• Las ayudas se concederán a las reformas realizadas a partir del 15 de junio de 2009 y hasta el 31 de diciembre de 2011.

El Departamento de Vivienda establecerá un procedimiento abreviado de concesión de estas subvenciones. Los ciudadanos deberán acudir a la Oficina de Rehabilitación de Vivienda que les corresponda en función de la ubicación de la vivienda y comunicar el tipo de obra que va a realizar para obtener la conformidad, tanto de las características de las obras como del presupuesto. Una vez realizada la obra, deberá presentar las facturas en una Oficina de Rehabilitación de Vivienda para percibir la ayuda, cuyo pago se realizará en aproximadamente 3 meses.

2. *Nueva vivienda libre de precio limitado.*

• El Gobierno de Navarra ha creado una nueva tipología de vivienda libre de precio limitado para facilitar el acceso a la vivienda a las rentas medias. El precio de esta nueva vivienda será de 2.310 euros, sin IVA, por metro cuadrado en Pamplona y Comarca, y de 1.980 euros, sin IVA, por metro cuadrado en el resto de Navarra. Así, el precio de una vivienda de precio limitado con una superficie de 80 m² , garaje de 12 m² y trastero de 6 m² asciende a 233.328,48 euros en Pamplona y su Comarca. El precio de una vivienda de estas características en el resto de Navarra será de 194.945,44 euros.

• Esta nueva tipología libre dará derecho a una deducción adicional de 5 puntos en el IRPF durante 10 años.

• El nuevo tipo de vivienda entrará en vigor el 15 de junio de 2009 y concluirá el 31 de diciembre de 2011.

• Los ciudadanos deberán acudir a las promotoras inmobiliarias para conocer la oferta de viviendas libres de precio limitado. Su certificación se realizará por el Departamento de Vivienda.

3. *Incremento de la deducción fiscal por la compra de vivienda protegida y de precio limitado.*

El Gobierno de Navarra ha incrementado en 5 puntos las deducciones fiscales existentes por vivienda para aquellos que adquieran una vivienda protegida (VPO O VPT) o una vivienda de precio libre limitado (VLL). Esta medida, tiene por objeto ayudar a las familias con rentas medias y bajas en la compra de su vivienda, así como reactivar el mercado.

Pueden beneficiarse de esta ampliación de la deducción todos los contribuyentes navarros antes del 31 de diciembre de 2011.

Se incrementa la deducción fiscal por vivienda habitual en el IRPF, en un 5%, de forma que las nuevas deducciones serán las siguientes:

General: 20%. Familias con dos hijos: 23%. Familias numerosas: 35%.

El 5% de deducción adicional se aplicará durante 10 años, es decir, durante el año de adquisición y los nueve siguientes. Transcurrido este plazo, las deducciones volverán a ser las ordinarias (General: 15%. Familias con dos hijos: 18%. Familias numerosas: 30%).

Los beneficiarios de esta medida no tienen que realizar ningún trámite. Hacienda Foral de Navarra aplicará automáticamente la nueva deducción fiscal a los compradores de las viviendas protegidas y de precio libre limitado.

4. *Incremento de las subvenciones por rehabilitación.*

El Gobierno de Navarra ha incrementado las subvenciones para la rehabilitación de viviendas en hasta 14 puntos, en función del nivel de renta. La subvención cubrirá entre el 16% y el 50% del presupuesto protegible de las obras.

Ayudas nuevas son las siguientes:

• Para unidades familiares con ingresos de hasta 2,5 veces el IPREM (Indicador Público de Renta de Efectos Múltiples): la subvención será del 25% del presupuesto protegible en edificios de más de 12 años y menos de 50; del 30% en edificios de 50 años o más; del 40% en edificios que se encuentren en Áreas de Rehabilitación Preferente o cuando beneficien a personas con minusvalía motriz, eliminando barreras arquitectónicas, o cuando el solicitante o el cónyuge tengan 65 años o más; y del 50% cuando se trate de proyectos de intervención global en áreas de rehabilitación preferente.

• Para ingresos familiares de entre 2,5 y 5,5 veces el IPREM: la subvención será del 20% del presupuesto protegible en edificios de más de 12 años y menos de 50; del 25% en edificios de 50 años o más; del 40% en edificios que se encuentren en Áreas de Rehabilitación Preferente o cuando beneficien a personas con minusvalía motriz, eliminando barreras arquitectónicas, o cuando el solicitante o el cónyuge tengan 65 años o más; y del 50% cuando se trate de proyectos de intervención global en áreas de rehabilitación preferente.

• Para ingresos familiares de entre 5,5 y 7,5 veces el IPREM: la subvención será del 16% del presupuesto protegible en edificios de más de 12 años y menos de 50; del 20% en edificios de 50 años o más; del 30% en edificios que se encuentren en Áreas de Rehabilitación Preferente o cuando beneficien a personas con minusvalía motriz, eliminando barreras arquitectónicas, o cuando el solicitante o el cónyuge tengan 65 años o más; y del 40% cuando se trate de proyectos de intervención global en áreas de rehabilitación preferente.

• Todos estos porcentajes se incrementarán en 3 puntos en el caso de familias numerosas de carácter general y 6 puntos en las de categoría especial. Cuando las obras de rehabilitación incluyan mejora de la eficiencia energética, aumentando el aislamiento térmico, la subvención se incrementará en 5 puntos más.

Composición familiar	2,5 IPREM	5,5 IPREM	7,5 IPREM
1 persona	20.652,48	45.435,46	61.957,45
2 personas	24.782,98	54.522,55	74.384,94
3 personas	26.553,19	58.417,02	79.659,57
4 personas	28.162,48	61.957,45	84.487,43
5 personas	29.979,41	65.954,70	89.938,23
6 personas	32.046,96	70.503,30	96.140,87
7 personas	34.420,80	75.725,77	103.262,41
8 personas	37.174,47	81.783,83	111.523,40

5. *Ayudas a la rehabilitación de la envolvente térmica en edificios.*

• El Gobierno de Navarra concederá ayudas de hasta 5.000 euros por vivienda para la rehabilitación de fachadas, tejados, y porches con objeto de aumentar los niveles de aislamiento térmico de los edificios.

• En concreto las ayudas cubrirán el 40% del presupuesto protegible por vivienda, con un máximo de 5.000 euros.

• Pueden beneficiarse de estas subvenciones las comunidades de propietarios que promuevan expedientes de rehabilitación de obras de mejora de eficiencia energética. Para la concesión de las ayudas no existe límite de renta.

• Para iniciar el expediente, los interesados tienen que acudir a la oficina de rehabilitación que les corresponda según la ubicación del edificio que se pretenda rehabilitar. Una vez terminadas las obras, se presentarán las facturas en dicha oficina para percibir las ayudas, cuyo pago se realizará en el plazo de 3 meses.

5. *Ampliación a 10 años del plazo de la cuenta vivienda.*

• Pueden beneficiarse de esta medida todos los contribuyentes. Asimismo, aquellos cuya cuenta vivienda terminaba en el año 2008 y utilizaron fondos para otros fines distintos de la compra de vivienda, pueden reengancharse al nuevo plazo de 10 años. Para ello, deberán reponer el dinero que dispusieron en la cuenta vivienda en el plazo de 3 meses desde la entrada en vigor de la ley (es decir, antes del 14 de septiembre de 2009).

• Se amplía en dos años el plazo de la cuenta vivienda, que pasa de 8 a 10 años, tanto para las aportaciones a cuenta como para la adquisición de vivienda.

• Los beneficiarios de esta medida no tienen que realizar ningún trámite. Hacienda Foral de Navarra aplicará automáticamente el nuevo plazo tanto para las cuentas vivienda ya constituidas como para las de nueva creación.

6. *Recuperación de la cuenta vivienda cuando fracasa la compra por causas excepcionales.*

• El Gobierno de Navarra mantendrá el derecho a las deducciones de la cuenta vivienda a aquellos ciudadanos que utilicen los fondos de dicha cuenta para la compra de una vivienda y esta operación no se realice, siempre que sea por causas excepcionales. Con esta medida, se pretende que el contribuyente no tenga perjuicios fiscales cuando no pueda realizar la compra de vivienda.

• La medida se aplicará a todos los contribuyentes titulares de cuenta vivienda que se vean abocados a la resolución de la compra de una vivienda por causas excepcionales.

• Con esta medida, los ciudadanos que destinen cantidades depositadas en una cuenta vivienda para la compra de vivienda pero que tengan que resolver el contrato por causas excepcionales, podrán seguir gozando de la deducción fiscal y no perderán las de años anteriores. Para ello, deberán reintegrar las cantidades dispuestas en la misma cuenta o en una nueva, en caso de haber cancelado la anterior.

• Las causas excepcionales se regularán por Orden Foral del Consejero de Economía y Hacienda y estarán relacionadas con la imposibilidad de adquirir la vivienda por causas ajenas al comprador: desempleo, no obtención de financiación, etc.

• El titular de la cuenta vivienda deberá comunicar la rescisión del contrato suscrito con el vendedor o con el promotor de la vivienda a Hacienda Foral de Navarra, así como acreditar las causas excepcionales que han motivado dicha rescisión y el reintegro de las cantidades dispuestas en la cuenta vivienda.

7. *Ayudas a la eficiencia energética en viviendas protegidas.*

• El Gobierno concederá ayudas de hasta 3.600 euros por vivienda por introducir medidas de ahorro energético en los nuevos edificios de viviendas protegidas.

En concreto, las ayudas serán de 40 euros por metro cuadrado de vivienda para aquellas que obtengan la calificación energética «b» y 20 euros por metro cuadrado para viviendas con calificación energética «c».

• A los promotores de viviendas protegidas cuyos proyectos obtengan una calificación energética de la clase «A», «B» o «C», según lo establecido en el Real Decreto 47/2007, de 19 de enero, por el que se aprueba el procedimiento básico para la certificación de eficiencia energética de edificios de nueva construcción.

• La subvención se abonará con carácter general una vez que las viviendas obtengan la calificación energética. No obstante, se podrá adelantar el 50% de las ayudas previa presentación de aval o contrato de seguro con la calificación energética provisional.

8. *Ayudas por instalación de domótica.*

• El Gobierno de Navarra concederá a los promotores de viviendas de nueva construcción ayudas por la introducción de instalaciones de domótica.

• En concreto, las ayudas cubrirán el 40% del presupuesto, hasta un máximo de 1.500 euros por vivienda.

9. *Avales para la compra de vivienda protegida*

• El Gobierno de Navarra, a través de la sociedad pública Nafinco, avala un 10% del préstamo concedido con garantía hipotecaria para la compra de vivienda protegida. Con esta medida, se facilita que las entidades financieras concedan préstamos hipotecarios de hasta el 90% del valor de tasación de la vivienda, en lugar del 80% habitual.

- En total, se han previsto avales por un montante global de 39 millones de euros, que cubrirán un 10% del préstamo hipotecario, comprometiéndose las entidades financieras firmantes del Acuerdo con el Gobierno a reservar depósitos por valor de 390 millones de euros para ello.

Asimismo, dichas entidades financieras se comprometen a poner a disposición de los ciudadanos 235 millones de euros para facilitarles la compra de las nuevas viviendas de precio libre limitado. Es decir, en su conjunto se movilizarán 625 millones de euros en préstamos hipotecarios para los ciudadanos.

- Esta medida va dirigida a los ciudadanos que adquieran una vivienda protegida (VPO) o una vivienda de precio tasado (VPT).

- La medida está en vigor desde el 10 de marzo de 2009 y hasta finalizar el crédito bancario comprometido, que asciende a 390 millones de euros.

- Los interesados únicamente tienen que acudir a alguna de las entidades financieras firmantes de Acuerdo con el Gobierno. Las entidades son las siguientes: Caja Navarra, Caja Rural, BBVA, Caja Laboral, Banco Santander, Banco Popular, Banco Guipuzcoano, IberCaja, Bankinter y Kutxa.

En la entidad financiera, el interesado deberá cumplimentar el impreso de solicitud, la declaración responsable y la documentación económico financiera que le solicite la entidad. Una vez aprobada la operación por la entidad financiera, se procederá a la firma de la póliza correspondiente.

- La entidad financiera concederá un préstamo por el 90% del valor de tasación de la vivienda, constituyendo una hipoteca por dicho importe. El Gobierno de Navarra, a través de Nafinco y sin más trámite para los ciudadanos, avalará el tramo comprendido entre el 80 y el 90% del importe. Nafinco cobra el 0,25% de constitución del aval, y un 0,25% anual de comisión de mantenimiento.

10. *Plan Extraordinario de rehabilitación de viviendas y eficiencia energética.*

• El Gobierno de Navarra ha puesto en marcha un plan que incrementa las deducciones fiscales en la Declaración de la Renta en hasta un 5%, de forma que se presta una ayuda económica a las familias que se animen a rehabilitar sus casas, al tiempo que se contribuye a reactivar el sector. Las nuevas deducciones llegan hasta el 35% en caso de familias numerosas y obras que impliquen mejora de la eficiencia energética. Además, el Departamento de Vivienda concederá más de 20 millones de euros en ayudas directas a la Rehabilitación.

• Las nuevas deducciones son las siguientes:

General: 18%. Familias: 21%. Familias numerosas: 33%.

Si las obras incluyen, mejora de eficiencia energética:

General: 20%. Familias: 23%. Familias numerosas: 35%.

Pueden acogerse a las nuevas deducciones fiscales los propietarios de viviendas situadas en Navarra utilizadas como residencia habitual. Los requisitos son:

A. Vivienda de más de 15 años y obra de más de 4.000 euros (no suntuosa ni de mantenimiento). Por ejemplo, instalación de ascensor, obras en fachada, arreglo del tejado, cimientos, instalación de calefacción, aumento del aislamiento térmico…

B. Vivienda con obras de rehabilitación en estructura, fachadas o cubiertas cuyo coste supere el 25% del valor de mercado o del de adquisición si se compró en los dos últimos años, siempre descontando el valor del suelo.

• La aplicación del aumento de la deducción será automática en el caso de obras de rehabilitación en estructura, fachadas o cubiertas cuyo coste supere el 25% del valor del mercado de la vivienda. En el caso de las obras en viviendas de más de 15 años y más de 4.000 euros de coste, el Departamento de Vivienda del Gobierno de Navarra, encargado de aprobar dicho proyecto de rehabilitación, emitirá el certificado correspondiente para la aplicación de las nuevas deducciones.

11. *Ampliación del plazo para reinversión en vivienda habitual.*

• Con esta medida, el Gobierno amplía de 2 a 4 años el plazo de aplicación de la exención fiscal por reinversión, para que las familias que hayan adquirido una vivienda con la expectativa de vender posteriormente su residencia habitual, puedan hacerlo sin que se vean perjudicados fiscalmente. Es decir, quienes compren una nueva vivienda habitual, quedarán exentos del incremento de plusvalía que suponga la venta de su vivienda anterior si ésta se realiza en los cuatro años siguientes, en lugar de los dos años de plazo que figuraba hasta la fecha.

• Esta medida permite a las familias que deciden cambiar su vivienda habitual seguir disfrutando de la ventaja fiscal correspondiente, permitiendo un plazo para la venta de la vivienda anterior más dilatado. Con ello, se pretende evitar que la ralentización del mercado inmobiliario cause un mayor quebranto patrimonial a este grupo de familias, lo que previsiblemente favorecerá a su vez un mayor dinamismo del mercado de la vivienda.

• La aplicación de los nuevos plazos es automática.

18. Programa de Vivienda del Plan Director 2006/2009 del País Vasco

Decreto 39/2008, de 4 de marzo, sobre régimen jurídico de viviendas de protección pública y medidas financieras en materia de vivienda y suelo

CONCEPTOS BÁSICOS

I. ACTUACIONES PROTEGIDAS

1. Programa de viviendas protegidas.

2. Promociones de viviendas de protección pública.

3. Programa de ayuda a vivienda libre usada.

4. Programa de vivienda vacía.

5. Medidas financieras.

6. Alojamientos dotacionales.

7. Programa de Rehabilitación.

8. Actuaciones en materia de suelo. Derecho de realojo.

II. INGRESOS FAMILIARES

En términos generales, para poder inscribirse en el Registro de Solicitantes de Vivienda-Etxebide, hay que moverse dentro de unos límites mínimos y máximos de ingresos anuales. Hay que justificar una cifra mínima de ingresos que no puede ser inferior a 3.000 euros anuales. No se puede superar el tope máximo de 45.500 euros anuales.

Se tendrán en cuenta como perceptores de ingresos computables a todas aquellas personas que formen parte de la unidad convivencial que vayan a ser cotitulares de la vivienda de protección pública. En el caso del «Programa de Alquiler de Vivienda de Protección Pública», se computarán los ingresos de todas las personas que, tengan su residencia efectiva en la vivienda arrendada, todas las cuales deberán figurar además como arrendatarias en el correspondiente contrato.

Ahora bien, dentro de estos límites y, en función del régimen de acceso que elijas, varían los baremos de ingresos mínimos o máximos que en cada caso debes acreditar.

Los límites máximos de ingresos anuales ponderados serán los siguientes:

a) Para alquiler de viviendas de protección oficial de régimen especial: desde 3.000 a 22.000 euros.

b) Para compra de viviendas de protección oficial de régimen especial: desde 9.000 a 22.000 euros.

c) Para alquiler de viviendas de protección oficial de régimen general y de alojamientos dotacionales: desde 3.000 a 35.000 euros.

d) Para compra de viviendas de protección oficial de régimen general: desde 9.000 a 35.000 euros.

e) Para compra y alquiler de viviendas tasadas autonómicas: desde 12.000 a 45.500 euros.

En el caso de discapacitados con movilidad reducida de carácter permanente, así definidos en la Orden que regule las circunstancias de necesidad de vivienda, o de discapacitados psíquicos, declarados como tales en base a lo dispuesto en los capítulos 15 y 16 del anexo 1.A del Real Decreto 1971/1999, de 23 de diciembre, de procedimiento para el reconocimiento, declaración y calificación del grado de minusvalía, no se exigirá acreditar ingresos mínimos en régimen de alquiler, y para el acceso en régimen de propiedad plena o derecho de superficie, bastará con acreditar ingresos mínimos de 3.000 euros.

Asimismo no se exigirá el cumplimiento del requisito de ingresos mínimos a aquellas mujeres que acrediten la condición de víctimas de violencia de género, tal y como se exige en la Orden de 4 de octubre de 2006, del Consejero de Vivienda y Asuntos Sociales, sobre medidas de acción positiva en materia de vivienda para mujeres víctimas de violencia de género.

III. SUPERFICIES MÁXIMAS Y MÍNIMAS DE LAS VIVIENDAS

Viviendas:

La superficie útil mínima será de 60 m² y la máxima de 120 m².

Las superficies útiles máximas computables para cada tipo de vivienda según su número de dormitorios serán las siguientes:

Vivienda de:	Superficie útil máxima (m²):
Un dormitorio	60
Dos dormitorios	70
Tres dormitorios	90
Cuatro o más dormitorios	120

En el caso de vivienda de dos dormitorios adaptada, a personas de movilidad reducida, la superficie útil máxima podrá ser de 90 m². En el caso de vivienda adaptada de tres dormitorios, la superficie útil máxima podrá ser de 120 m².

La dotación de viviendas destinadas a unidades convivenciales o familias numerosas de 5 o más miembros, con superficie entre 90 y 120 m², será como máximo del 3% de las viviendas de la promoción, o fracción en el caso de resultar un número inferior a una.

Igualmente podrá ascender a 120 m² la superficie útil de las viviendas construidas en Áreas de Rehabilitación Integrada.

Trasteros:

La máxima superficie útil computable de trastero por cada vivienda será de 13,50 m², sin necesidad de relacionarla con la superficie de la vivienda.

Garajes:

La superficie útil de cada plaza de garaje será la suma de la comprendida dentro del perímetro que define la misma más la parte proporcional que le corresponda de carriles de rodadura y rampas de acceso interiores, hasta un máximo computable de 30 m².

IV. PRECIOS MÁXIMOS DE LAS VIVIENDAS PROTEGIDAS

Los precios máximos en transmisiones de viviendas de protección oficial, se calcularán multiplicando el metro cuadrado de superficie útil de la vivienda o anejo de que se trate por una cantidad a determinar mediante Orden del Consejero de Vivienda y Asuntos Sociales en función del tipo de vivienda y de su ubicación en la Comunidad Autónoma del País Vasco.

Junto a la regla de fijación de precio por aplicación de una cantidad a la superficie útil, a través de Orden podrán fijarse otros criterios, complementarios del que se acaba de señalar, vinculados a la ubicación geográfica, calidad constructiva, funcionalidad y sostenibilidad medioambiental de las viviendas para la fijación definitiva del precio.

Las Órdenes anuales de precios regularán las rentas máximas aplicables a los contratos de arrendamiento.

Con carácter general, el precio máximo de venta de todas las viviendas de protección oficial será el vigente en el momento de presentación a visado del contrato de compraventa, salvo en los casos de primera transmisión que será el reflejado en la calificación provisional.

1. PRECIOS MÁXIMOS en primeras, segundas y posteriores transmisiones.

A) Viviendas de Protección Oficial de régimen general: El precio máximo de la vivienda dependerá del municipio donde se ubique:

Municipios incluidos en el anexo I (detallados en punto de ámbitos territoriales) Precio base: 1.384,32 euros/m² útil.

Municipios incluidos en el anexo II (detallados en punto de ámbitos territoriales) Precio base: 1.339,36 euros/m² útil.

Resto de municipios. Precio base: 1.209,90 euros/m² útil.

El precio máximo por m² útil de los anejos resultará de aplicar el porcentaje 0,4 al precio base.

B) Viviendas de Protección Oficial de Régimen Tasado:

Municipios incluidos en el anexo I. Precio base: 2.353,32 euros/m² útil.

Municipios incluidos en el anexo II. Precio base: 2.276,90 euros/m² útil.

Resto de municipios. Precio base: 2.055,30 euros/m² útil.

El precio máximo por m² útil de los anejos resultará de aplicar el porcentaje 0,25 al precio base.

Los precios máximos de las viviendas tanto de protección oficial de régimen general como de régimen tasado se determinarán del siguiente modo:

Los primeros 45,00 m² útiles de la vivienda.

Precio base multiplicado por un índice de 1,15.

— Desde los 45,01 hasta los 60,00 m² útiles de la vivienda. Precio base multiplicado por un índice de 1,10.

— Desde los 60,01 hasta los 75,00 m² útiles de la vivienda. Precio base multiplicado por un índice de 1.

A partir de los 75,01 m² útiles de la vivienda hasta los 90,00 m². Precio base multiplicado por un índice de 0,4.

En el supuesto de que la vivienda disponga, por las circunstancias previstas reglamentariamente, de más de 90,00 m², se aplicará desde los 90,01 m² el precio base multiplicado por el índice de 1.

En las viviendas de protección oficial de régimen general y de régimen tasado, en baja densidad, adicionalmente, se podrá incrementar el precio máximo de la vivienda calculado según lo dispuesto en la letra anterior en un 10%.

C) Viviendas Sociales:

a) Promoción pública. Precio máximo: 636,22 euros/m² útil.

b) Promoción privada. Precio máximo: 845,74 euros/m² útil.

c) El precio máximo por m² útil de los anejos resultará de aplicar el porcentaje 0,46 al precio máximo de la vivienda.

2. RENTA MÁXIMA ANUAL: se establecerá según los ingresos anuales de la unidad convivencial arrendataria.

A) Viviendas de Protección Oficial de régimen general:

— Unidades convivenciales con ingresos hasta 21.000 euros: 4% del valor imputable en venta de la vivienda y anejos.

— Unidades convivenciales con ingresos superiores a 21.000 euros y hasta 27.100 euros: 5% del valor imputable en venta de la vivienda y anejos.

— Unidades convivenciales con ingresos superiores a 27.100,00 euros y hasta 33.000 euros: 6% del valor imputable en venta de la vivienda y anejos.

— Unidades convivenciales con ingresos superiores a 33.000 euros: 7% del valor imputable en venta de la vivienda y anejos.

B) Viviendas de Protección Oficial de Régimen Tasado:

— Unidades convivenciales con ingresos hasta 21.000 euros: 2,5% del valor imputable en venta de la vivienda y anejos.

— Unidades convivenciales con ingresos superiores a 21.000 euros y hasta 27.100 euros: 3% del valor imputable en venta de la vivienda y anejos.

— Unidades convivenciales con ingresos superiores a 27.100,00 euros y hasta 33.000 euros: 3,5% del valor imputable en venta de la vivienda y anejos.

— Unidades convivenciales con ingresos superiores a 33.000 euros: 4% del valor imputable en venta de la vivienda y anejos.

C) Viviendas Sociales:

— Unidades convivenciales con ingresos hasta 3.000 euros: 2% del valor imputable en venta de la vivienda y anejos.

— Unidades convivenciales con ingresos superiores a 3.000,00 euros y hasta 9.000,00 euros: 3% del valor imputable en venta de la vivienda y anejos.

— Unidades convivenciales con ingresos superiores a 9.000,00 euros y hasta 15.100 euros: 4,5% del valor imputable en venta de la vivienda y anejos.

— Unidades convivenciales con ingresos superiores a 15.100,00 euros y hasta 18.100 euros: 6% del valor imputable en venta de la vivienda y anejos.

— Unidades convivenciales con ingresos superiores a 18.100,00 euros y hasta 21.000 euros: 7,5% del valor imputable en venta de la vivienda y anejos.

— Unidades convivenciales con ingresos superiores a 21.000 euros y hasta 24.100,00 euros: 9% del valor imputable en venta de la vivienda y anejos.

— Unidades convivenciales con ingresos superiores a 24.100 euros y hasta 28.846,00 euros: 11% del valor imputable en venta de la vivienda y anejos.

— Unidades convivenciales con ingresos superiores a 28.846,00 euros: 12% del valor imputable en venta de la vivienda y anejos.

V. EL MÓDULO BÁSICO ESTATAL (MBE)

El Módulo Básico Estatal (MBE) es la cuantía en euros por metro cuadrado de superficie útil, que sirve como referencia para la determinación de los precios máximos de venta, adjudicación y renta de las viviendas objeto de las ayudas previstas en este Real Decreto, así como de los presupuestos protegidos máximos de las actuaciones de rehabilitación de viviendas y edificios, y en áreas de rehabilitación integral y renovación urbana.

El MBE será establecido por acuerdo del Consejo de Ministros en el mes de diciembre de cada año y será publicado en el Boletín Oficial del Estado.

Para el año 2009 se fija en 758 euros.

VI. ÁMBITOS TERRITORIALES DE PRECIO MÁXIMO SUPERIOR (ATPMS)

1. Para la aplicación de los precios máximos de venta y renta, los municipios que conforman el País Vasco, se incluyen en los siguientes ámbitos territoriales.

• Municipios cuyo precio base de venta en viviendas de protección oficial de régimen general asciende a 1.384,32 euros y en viviendas de protección oficial de régimen tasado asciende a 2.353,32 euros por metro cuadrado de superficie útil (ANEXO I).

ÁLAVA: Vitoria-Gasteiz.

BIZKAIA: Amorebieta-Etxano, Barakaldo, Basauri, Berango, Bilbao, Durango, Erandio, Galdakao, Gernika-Lumo, Getxo, Leioa, Portugalete, Santurtzi, Sestao, Sopelana.

GIPUZKOA: Andoain, Mondragón, Astigarraga, Donostia-San Sebastián, Errenteria, Hernani, Hondarribia, Irun, Lasarte-Oria, Lezo, Oiartzun, Pasaia, Tolosa, Zarautz.

• Municipios cuyo precio base de venta en viviendas de protección oficial de régimen general asciende a 1.339,36 euros y en viviendas de protección oficial de régimen tasado asciende a 2.276,90 euros por metro cuadrado de superficie útil (ANEXO II).

ÁLAVA: Salvatierra, Amurrio, Llodio, Oyón-Oion.

BIZKAIA: Abadiño, Abanto y Ciérvana-Abanto, Zierbena, Alonsotegi, Arrankudiaga, Arrigorriaga, Bakio, Balmaseda, Barrika,, Bermeo, Berriz, Derio, Elorrio, Ermua, Etxebarri, Gorliz, Güeñes, Igorre, Iurreta, Larrabetzu, Lekeitio, Lemoa, Lemoiz, Lezama, Loiu, Markina-Xemein, Mungia, Muskiz, Ondarroa, Urduña-Orduña, Ortuella, Plentzia, Sondika, Ugao-Miraballes, Urduliz, Valle de Trápaga-Trapagaran, Zaldibar, Zalla, Zamudio, Zaratamo, Zeberio, Zierbena, Ziortza-Bolibar.

GIPUZKOA: Aretxabaleta, Azkoitia, Azpeitia, Beasain, Bergara, Deba, Eibar, Elgoibar, Eskoriatza, Getaria, Ibarra, Lazkao, Legazpi, Oñati, Ordizia, Orio, Soraluze-Placencia de las Armas, Urnieta, Urretxu, Usurbil, Villabona, Zestoa, Zizurkil, Zumaia, Zumarraga.

VII. TIPOLOGÍAS Y CARACTERÍSTICAS DE LOS DIFERENTES ACTUACIONES

1. VIVIENDAS PROTEGIDAS

Están divididas en dos grandes grupos, en función de la entidad que las gestiona.

1. Viviendas gestionadas por el Gobierno Vasco, las cuales componen el grupo de VIVIENDAS DE PROTECCIÓN OFICIAL, dentro de las cuales se hallan encuadradas las:

Las viviendas de protección de régimen general (VPO).

Las viviendas de protección de régimen especial o viviendas sociales (VS).

Las viviendas de régimen tasado de regulación autonómica (VPOT)

2. Viviendas gestionadas por los Ayuntamientos, las cuales componen el grupo de VIVIENDAS TASADAS MUNICIPALES (VTM), las cuales, a su vez, pueden ser:

VTM de Régimen General.

VTM de Régimen Especial.

La ordenanza local regula:

1. Las características de la citada vivienda y sus anexos.

2. Los regímenes de protección municipal que establezcan y, en su caso, las modalidades del régimen general y del régimen especial, siendo éste el de las viviendas que podrán sustituir a las viviendas de protección oficial de régimen tasado.

3. Los destinatarios y el procedimiento para su adjudicación, en el que deberán respetarse necesariamente los principios de publicidad, libre concurrencia y no discriminación.

Excepcionalmente podrá acordarse la exclusión de un cupo de viviendas de cada promoción para atender por parte de las administraciones locales necesidades sociales a través del alquiler tutelado o cesión en precario, todo ello sin perjuicio de los expedientes de realojo, que estarán excluidos del citado cupo.

Por lo tanto tendrán la consideración de VIVIENDAS DE PROTECCIÓN PÚBLICA (VPP), LAS VIVIENDAS DE PROTECCIÓN OFICIAL (VPO) y las VIVIENDAS TASADAS MUNICIPALES (VTM).

Características generales:

• Ser promovidas de forma pública por los entes públicos territoriales, o de forma privada de acuerdo a las características técnicas que se establezcan en las ordenanzas de diseño que se aprueben según la orden de ámbito autonómico u ordenanza municipal correspondiente.

• Ser objeto de transmisión, bien en régimen de plena propiedad, derecho de superficie o en régimen de alquiler, a un precio protegido (detallado en apartado de Precios máximos de las viviendas protegidas).

• Adjudicarse, mediante un procedimiento basado en los principios de publicidad, libre concurrencia, transparencia y no discriminación, entre destinatarios previamente inscritos en un registro público, autonómico o local, de demandantes de vivienda, en el caso de vivienda de protección oficial, o los previstos específicamente en la correspondiente ordenanza municipal. Del total de viviendas a adjudicar se debe establecer cupo de viviendas adaptadas para personas con movilidad reducida de carácter permanente. Otros cupos que se establecen son los siguientes: En Régimen de compra: Jóvenes entre 25 y 35 años y en Régimen de arrendamiento:

Jóvenes menores de 25 años, personas que se encuentren en situaciones sociales de especial protección: Familias monoparentales con hijos a su cargo.

Mujeres víctimas de la violencia de género.

Separados y divorciados.

Personas mayores de 70 años.

Personas que acrediten la condición de discapacidad psíquica.

• Permitirse su acceso a unidades convivenciales en las que todos sus miembros carezcan de vivienda en propiedad, nuda propiedad, derecho de superficie o usufructo durante el número de años anteriores a la adjudicación y con las excepciones que la reglamentación autonómica o municipal aplicable determine en cada caso.

• Ser adjudicadas a beneficiarios que acrediten encontrarse empadronados en alguno de los municipios de la Comunidad Autónoma del País Vasco, en los términos, plazos y condiciones determinados en el presente Decreto, respecto a las viviendas de protección oficial, o en las correspondientes ordenanzas locales respecto las viviendas tasadas municipales.

• Destinarse a domicilio habitual y permanente de los titulares de la propiedad, derecho de superficie o arrendatarios. A estos efectos, se entenderá por domicilio habitual y permanente aquel que satisfaga de manera directa e inmediata las necesidades de vivienda de sus ocupantes, y que además, se trate del domicilio legal, por ser el lugar de ejercicio de derechos y de cumplimiento de obligaciones.

En todo caso, salvo regulación expresa en contrario, se presumirá que una determinada vivienda ha dejado de ser domicilio habitual, cuando permanezca desocupada durante más de 3 meses de manera continuada, salvo causa justificada que permita acreditar que en dicha vivienda sigue constituyendo tal domicilio habitual y permanente.

• Estar sujetas de manera permanente a un precio máximo de transmisión, y al ejercicio de los derechos de tanteo o retracto a favor en primer lugar de la administración actuante y, en todo caso, subsidiariamente a favor de la Administración general de la Comunidad Autónoma.

• La superficie sólo superará los 90 m² excepcionalmente, no superando, en ningún caso los 120 m².

• Las viviendas y locales que sean objeto de calificación definitiva, mantendrán permanentemente la misma, y por lo tanto, su naturaleza de protección oficial.

• Las viviendas de protección oficial no podrán ser descalificadas, salvo el supuesto de viviendas sometidas a cualquier régimen de protección oficial destinadas a realojos, que podrán ser descalificadas a petición de las personas realojadas o sus causahabientes, una vez transcurridos 20 años a contar desde la fecha de su calificación definitiva.

Se establecen plazos especiales de duración del régimen legal para viviendas calificadas al amparo de normas anteriores reguladoras del régimen jurídico de las viviendas de protección oficial:

— Solicitud de calificación provisional entre 14 de agosto de 1996 y 29 de marzo de 2008, plazo concluye transcurridos 20 años a contar desde fecha de calificación definitiva. El régimen se prorrogará, hasta la amortización de las medidas financieras concedidas.

— Solicitud de calificación provisional con anterioridad a 14 de agosto de 1996, plazo pasa a ser de 20 años a contar desde fecha de calificación definitiva. El régimen se prorrogará, hasta la amortización de las medidas financieras concedidas. No obstante, con respecto a estas viviendas el plazo de duración del régimen de protección seguirá siendo de 30 años en el caso de viviendas de protección oficial cuyo régimen de uso sea el arrendamiento y en el caso de viviendas de protección oficial de promoción pública transmitidas en régimen de propiedad plena.

2. PROMOCIONES DE VIVIENDAS DE PROTECCIÓN PÚBLICA

La promoción de viviendas de protección pública puede ser pública o privada. Será PROMOCIÓN PÚBLICA la acometida por los entes públicos territoriales. Será PROMOCIÓN PRIVADA la acometida por las demás personas físicas o jurídicas, incluidas las promociones concertadas cuyo régimen jurídico y forma de adjudicación se regulan en el artículo siguiente.

A efectos estadísticos se computarán de manera separada las promociones impulsadas por cada una de las Administraciones Públicas o sus entes públicos territoriales.

A) PROMOCIÓN CONCERTADA CON PROMOTORES PRIVADOS

Características generales

• Cuando una promoción privada haya sido impulsada por la Administración de la Comunidad Autónoma del País Vasco mediante la constitución a favor del promotor de un derecho de superficie sobre suelo propiedad de dicha Administración o la concesión a aquel de los beneficios que se establezcan en la correspondiente convocatoria pública o convenio, en su caso, tendrá la consideración de promoción concertada.

• La adjudicación de las promociones concertadas se llevará a cabo por el procedimiento de licitación abierto y la forma de adjudicación de concurso. Será la Dirección competente dentro del Departamento de Vivienda y Asuntos Sociales, en materia de Planificación y Procesos Operativos de Vivienda quien realizará convocatoria pública para la presentación de propuestas de promoción concertada de viviendas de protección oficial.

• El Departamento podrá determinar la identidad del beneficiario mediante adjudicación directa, en el supuesto de que el adjudicatario sea una entidad de carácter asistencial o social sin ánimo de lucro, tales como fundaciones, mutualidades, cooperativas y otras de similar naturaleza y fines, siempre que su objeto social guarde relación con la promoción de viviendas en régimen de protección oficial, determinándose los beneficios mediante Convenio a suscribir entre el promotor y el Departamento de Vivienda y Asuntos Sociales.

• Cada convocatoria se realizará con la debida publicidad mediante su inserción en el «Boletín Oficial del País Vasco» y en uno de los periódicos de mayor difusión del Territorio Histórico en el que se proyecte la promoción.

• A estas convocatorias podrán presentarse las personas naturales y jurídicas, españolas o extranjeras que, teniendo plena capacidad de obrar y constituidas de acuerdo a las normas reguladoras de sus respectivos regímenes jurídicos, cumplan los requisitos exigidos.

• Los beneficios previstos estarán sujetos al régimen general de garantías y reintegros de las subvenciones con cargo a los presupuestos generales de la Comunidad Autónoma.

A) PROMOCIÓN CONCERTADA CON SOCIEDADES PÚBLICAS

Características generales:

• El Departamento de Vivienda y Asuntos Sociales podrá adjudicar directamente, la constitución de un derecho de superficie sobre suelo propiedad de la Administración de la Comunidad Autónoma del País Vasco, o la concesión de ayudas, a Entidades de Derecho Público, o Sociedades del sector público en cuyo capital participe de modo mayoritario la Administración de la Comunidad Autónoma del País Vasco.

• Dicha adjudicación directa se realizará a través de convenios de colaboración o contratos-programa.

Podrán igualmente recibir ayudas públicas para la adquisición de suelo y su urbanización las Entidades o Sociedades a las que se refiere el apartado este artículo que hayan adquirido o vayan a adquirir suelo con destino a la edificación de viviendas sujetas a algún régimen de protección oficial. En este caso será necesario que en el Convenio o Contrato Programa a suscribir la beneficiaria de las ayudas se comprometa a ceder a favor de la Administración Pública subvencionante la nuda propiedad de los terrenos, conservando el derecho de superficie sobre los mismos por un plazo máximo de 75 años.

Requisitos de acceso:

1. El acceso a viviendas de protección oficial por parte de PERSONAS FÍSICAS requerirá la previa acreditación de los requisitos que a continuación se especifican por parte de éstas o de su unidad convivencial.

2. El acceso en propiedad a viviendas de protección oficial por parte de PERSONAS JURÍDICAS será posible únicamente en los supuestos en los que dichas viviendas vayan a destinarse a su **arrendamiento** o cuando se trate de una entidad sin ánimo de lucro que realice **programas de actuación social**.

3. Ser mayor de edad o emancipado.

4. Tener necesidad de vivienda. Para acceder a una vivienda de protección oficial en derecho de superficie, todos los miembros de la unidad convivencial deberán carecer de vivienda en propiedad, nuda propiedad, derecho de superficie o usufructo durante los dos años inmediatamente anteriores a las siguientes fechas:

— La fecha de calificación provisional en el supuesto de primera transmisión o cesión en arrendamiento de vivienda de protección oficial.

— La fecha de presentación a visado del contrato de compraventa en segundas y posteriores transmisiones de viviendas de protección oficial o del contrato de arrendamiento, para posteriores arrendamientos.

— Se deberá continuar en dicha situación hasta el momento de elevar a escritura pública la compraventa o formalizar el contrato de arrendamiento. No obstante, podrán establecerse y desarrollarse excepciones al requisito de necesidad de vivienda.

5. Estar empadronado en el País Vasco, por lo menos uno de los futuros titulares de la vivienda. El domicilio del empadronamiento es el de residencia efectiva, entendiéndose como domicilio habitual y permanente.

6. Cumplir con los ingresos máximos y mínimos detallados en apartado de Precios Máximos de Vivienda.

7. En el supuesto de permutas entre titulares de viviendas de protección oficial no se exigirá la acreditación del cumplimiento de los requisitos señalados en el presente artículo.

8. Podrá excepcionarse del cumplimiento de cualquiera de estos requisitos a miembros de colectivos en situaciones de especial necesidad, siempre que dicha necesidad esté relacionada con la vivienda y sea acreditada por la institución competente en la protección de los derechos de esos colectivos.

9. En el supuesto de que el arrendatario de una vivienda cuyo contrato tenga su origen en una actuación pública, resulte adjudicatario de otra vivienda de protección oficial en régimen de compra o arrendamiento, con carácter previo a la firma del correspondiente contrato

deberá acreditar el pleno pago de todas las cantidades que pudiese adeudar en concepto de rentas por la vivienda ocupada en régimen de arrendamiento.

3. VIVIENDA LIBRE USADA

Se considera vivienda libre usada aquella que tenga como transmitente a persona distinta a su promotor o que aun siéndolo tenga lugar una vez terminada la edificación y tras su utilización ininterrumpida por plazo de dos años por su propietario, titulares de derechos reales de goce o disfrute o arrendatarios sin opción de compra, siempre que, además el adquirente sea persona distinta de la que utilizó la vivienda durante el referido plazo.

No se considerarán viviendas libres usadas a los efectos de la presente Orden cuando su transmitente sea una Administración Pública o Administración Institucional, incluidas Sociedades Públicas y Organismos Autónomos o sociedades mercantiles participadas mayoritariamente por cualquiera de las anteriores.

Estas viviendas han de cumplir determinadas condiciones respecto a precio, valor de tasación, tamaño…

Características generales:

• La vivienda debe de ubicarse: a) en Municipios que tengan una población inferior a 3.000 habitantes y b) en Áreas de Rehabilitación Integrada (ARIs) situadas en municipios de más de 3.000 habitantes, entendiendo como tales las Áreas de Rehabilitación Integrada declaradas y las Áreas Degradadas reconocidas.

• Con independencia de la superficie real de las viviendas libres usadas que reúnan las condiciones para ser objeto de subvención, sólo se subvencionará la adquisición de un máximo de 90 m² de la superficie útil de las viviendas libres usadas o sus anejos vinculados, establecidos con carácter general para las viviendas de protección oficial, excepto para las viviendas a adquirir por familias numerosas en cuyo caso la superficie útil subvencionable de la vivienda podrá ascender a 120 m². En cualquier caso el precio total de venta de las viviendas no podrá superar los límites máximos.

• La superficie mínima no será inferior a 36 m².

• Para la determinación de la superficie de las viviendas y anejos vinculados, en caso de contradicción entre los documentos presentados, se tomará la superficie útil comprobada que se refleje en el informe de tasación validado por los servicios técnicos de la Delegación Territorial correspondiente.

• Tanto el valor de tasación como el precio de venta de la vivienda y anejos, están limitados. Éstos son los precios máximos por m² y el precio máximo total establecido para cada municipio:

1.985 EUR./m², y precio máximo 170.000 EUR, en Municipios que tengan una población inferior a 3.000 habitantes.

2.295 EUR./m², y precio máximo 210.335 EUR. en Municipios en Áreas de Rehabilitación Integrada (ARIs) situadas en municipios de más de 3.000 habitantes, entendiendo como tales las Áreas de Rehabilitación Integrada declaradas y las Áreas Degradadas reconocidas.

536 EUR./m² Anejos vinculados a la vivienda.

• No disponer actualmente de vivienda en propiedad, en derecho de superficie o en usufructo (existen algunas excepciones a esta norma expropiación de la vivienda, condiciones mínimas de habitabilidad, minusvalía, etc.).

Excepcionalmente, la carencia de vivienda en las familias numerosas quedará acreditada si, tratándose de una sola vivienda, ésta no dispone de una superficie útil mínima de 15 m² por cada miembro.

• Ninguna de las personas que vayan a convivir en la vivienda no deben haber sido en los dos últimos años propietarios o titulares de un derecho de superficie o de usufructo de cualquier otra vivienda, o adjudicatarios de vivienda de protección oficial.

• Los ingresos ponderados máximos de quienes sean titulares de la vivienda no deben superar los 33.000 euros.

4. VIVIENDA VACÍA

Características:

En el anterior Plan Director 2002-2005, se decide promover la captación de viviendas vacías, para su incorporación al mercado de alquiler protegido. Esta decisión se lleva a la práctica a mediados de 2003, con el lanzamiento del «Programa Bizigune», en lo que supone una iniciativa pionera en el contexto estatal, y con unos resultados que se valoran de forma muy positiva.

Con el nuevo Plan Director 2006-2009 se contempla la necesidad de potenciar el Programa Bizigune, ya que tiene la virtud de aunar dos de las ideas estratégicas que hace propias este plan: por una parte, fomenta el alquiler protegido de vivienda para colectivos con necesidad de vivienda y niveles de ingresos medios-bajos; y, por otra parte, contribuye a la sostenibilidad medioambiental y urbanística, ya que permite la ocupación de viviendas que anteriormente se encontraban vacías, tras el oportuno proceso de rehabilitación que en su caso fuera preciso.

Para su incorporación y participación en el «Programa de Vivienda Vacía» las viviendas habrán de cumplir las siguientes condiciones mínimas:

a) Que la renta de mercado tasada por la sociedad pública de Gestión de Viviendas en Alquiler / Etxebizitza Alokairuetarako Sozietate Publikoa, S.A., no sea superior a 750 euros al mes. A dicha cuantía podrá incrementarse el correspondiente IPC anual.

La citada renta de mercado podrá ser actualizada mediante Orden del Consejero de Vivienda y Asuntos Sociales.

b) Que no haya estado ocupada o arrendada a lo largo o durante los nueve meses anteriores a la firma del contrato de inclusión en el Programa de Vivienda Vacía.

A estos efectos no tendrán la consideración de ocupadas las siguientes:

1. Viviendas que hayan estado ya incorporadas al programa de vivienda vacía y vayan a ser reincorporadas.

2. Viviendas que queden vacías como consecuencia del ingreso de sus titulares en alguno de los servicios sociales residenciales para la tercera edad. Habrá de aportarse certificación acreditativa de dicho ingreso.

3. Viviendas que, sobre circunstancias de necesidad de vivienda, hayan de ser puestas a disposición de la Comunidad Autónoma del País Vasco para su incorporación al Programa de Vivienda Vacía.

c) Que sea una vivienda libre y, por lo tanto, no calificada como vivienda de protección pública, y disponible para su uso.

La gestión se encomienda a la Sociedad Pública de Gestión de Viviendas en Alquiler / Etxebizitza Alokairuetarako Sozietate Publikoa, S.A., tendrá una vigencia anual prorrogándose automáticamente en tanto no se proceda a su revocación por parte del Departamento de Vivienda y Asuntos Sociales.

Bizigune ofrece a los propietarios de vivienda vacías garantía absoluta del cumplimiento del contrato de arrendamiento, especialmente en lo relativo a pago de rentas y conservación de la vivienda.

Si fuese necesario hacer una reforma en la vivienda, se puede adelantar el importe de ésta, que se descontará posteriormente de la renta mensual a cobrar por el propietario.

Los gastos de comunidad, IBI y otros impuestos los abonará el propietario. Éste participará y asistirá a las reuniones de la comunidad de vecinos.

Los gastos de suministros: agua, luz, calefacción, etc., corresponden al inquilino.

Una renuncia supondrá la baja automática como solicitante de Bizigune. Si se produjese una segunda renuncia, en cualquier opción de vivienda protegida, causaría baja en Etxebide.

Requisitos de acceso:

1. Para ser adjudicatario de una vivienda es necesario estar inscrito en el registro de Etxebide.

2. Para cada vivienda admitida en el programa se iniciará un procedimiento de adjudicación único, que tendrá en cuenta los siguientes parámetros:

— Ubicación de la vivienda en alguno de los municipios donde el solicitante demanda vivienda.

— Máximo ajuste entre las características de la vivienda y el número de miembros de la unidad convivencial.

— Correlación entre ingresos de la unidad convivencial y renta tasada de la vivienda.

— Antigüedad en Etxebide.

Por último, si se produjera un empate se resolvería mediante un sorteo celebrado ante notario.

3. Para arrendar una vivienda vacía: No tener vivienda en propiedad, ni haberla tenido en los dos últimos años.

No haber sido adjudicatario de vivienda protegida en los dos últimos años.

Estar empadronado con un año de antigüedad.

Tener unos ingresos anuales entre 3.000 y 21.100 euros.

La renta inicial será como máximo el 30% de los ingresos de la unidad convivencial, sin superar nunca la renta tasada de la vivienda. La renta será revisada anualmente.

5. MEDIDAS FINANCIERAS

A) FINANCIACIÓN CUALIFICADA: PRÉSTAMOS CUALIFICADOS

DESCUENTOS BANCARIOS.

B) AYUDAS ECONÓMICAS DIRECTAS: SUBSIDIACIÓN TOTAL O PARCIAL DEL TIPO DE INTERÉS

SUBVENCIONES A FONDO PERDIDO.

A) FINANCIACIÓN CUALIFICADA

PRÉSTAMOS CUALIFICADOS: Los préstamos cualificados tendrán las siguientes características, con independencia de las cuantías y plazos de carencia y amortización que, en cada caso, se establecen para las diferentes actuaciones protegidas:

1. Serán concedidos por establecimientos de crédito que hayan suscrito Convenio de Colaboración Financiera con la Administración de la Comunidad Autónoma del País Vasco.

2. Será necesaria la autorización previa e individualizada de cada préstamo por parte del Departamento de Vivienda y Asuntos Sociales con carácter previo a la formalización en escritura pública o póliza intervenida del citado préstamo.

3. El tipo de interés efectivo anual inicial de los préstamos a conceder será fijado por Decreto del Gobierno Vasco.

4. Las cuotas comprensivas de amortización e intereses del establecimiento de crédito serán constantes (sistema francés), y se devengarán mensualmente, con independencia de su sistema de pago.

DESCUENTOS BANCARIOS de certificaciones de obra de establecimientos de crédito. Son aquellas operaciones en las que un establecimiento de crédito anticipa al constructor el importe de una certificación de obra mediante la cesión de su derecho de cobro.

B) AYUDAS ECONÓMICAS DIRECTAS

SUBSIDIACIONES Y SUBVENCIONES: El sistema de SUBSIDIACIÓN de tipos de interés presentará la siguiente operativa:

a) El cálculo de mensualidades para el beneficiario de amortización del principal e intereses, se realizará por el sistema de amortización francés (amortización progresiva con intereses vencidos) al tipo de interés subsidiado en cada caso, y con pagos mensuales constantes.

b) La mensualidad así calculada surge de la agregación de dos componentes: pago de intereses producidos en el período, de un lado, y la amortización progresiva de parte del préstamo recibido, de otro.

c) Los intereses de cada período para el establecimiento de crédito, se determinarán sobre el capital pendiente de amortizar (capital vivo), calculados al tipo de interés vigente en cada período.

d) La subsidiación de intereses por parte del Gobierno Vasco consistirá en el pago a cada Establecimiento de Crédito de la diferencia existente en cada período de liquidación mensual entre los intereses devengados por el capital pendiente de amortizar al tipo de Convenio (el tipo fijo inicial del primer año o el tipo variable revisable) y los intereses liquidados, al tipo efectivo subsidiado, al beneficiario.

e) En el caso de líneas de descuento de certificaciones de obras la operativa es exactamente la misma por la financiación concedida, con liquidaciones mensuales de intereses, durante la vida temporal de la línea, no realizándose en ningún caso descuentos al «tirón» o descuento anticipado de intereses.

El período de duración de la subsidiación será el determinado para cada figura protegible en la presente norma.

El Gobierno vasco subsidiará también los tipos de interés derivados de préstamos, que reuniendo las características pudieran concertar personas jurídicas mercantiles participadas por la Administración General de la Comunidad Autónoma cuyo objeto social coincida con sus políticas públicas de vivienda de protección oficial con entidades de crédito en condiciones distintas de las acordadas en los convenios.

a) En el supuesto de que el tipo de interés acordado fuese mayor que el contemplado en el convenio en vigor suscrito por los establecimientos de crédito con la Administración de la Comunidad Autónoma del País Vasco, se subsidiará la diferencia entre este último y el tipo de interés efectivo anual subsidiado.

b) En el caso de que fuese menor, se subsidiará la diferencia que el acordado alcance respecto el tipo de interés efectivo anual subsidiado.

Las subvenciones son compatibles con otro tipo de ayudas que puedan establecerse por la Administración de la Comunidad de Autónoma del País Vasco o por otras Administraciones e Instituciones, siempre que la cuantía total de las subvenciones otorgadas no exceda del coste total de la actuación.

Las medidas financieras previstas en el presente Decreto serán de aplicación a las actuaciones que a continuación se enumeran, cuando se realicen en el ámbito territorial de la Comunidad Autónoma del País Vasco.

a) La promoción para cesión en arrendamiento, venta o uso propio de viviendas de nueva construcción calificadas como viviendas de protección pública, así como la promoción de vivienda libre para su puesta en arrendamiento protegido.

b) La adquisición de vivienda de protección pública y de otras viviendas con destino a residencia habitual y permanente del adquirente (viviendas libres usadas) y el alquiler de vivienda usada (ayudas al arrendatario).

c) El arrendamiento protegido de vivienda, la compra de viviendas con destino a su arrendamiento protegido, así como la cesión de vivienda para su puesta en arrendamiento protegido.

d) La rehabilitación del patrimonio urbanizado y edificado y las actuaciones de rehabilitación cuyo objetivo sea la promoción de viviendas para su posterior cesión en propiedad o en arrendamiento.

e) La urbanización de suelo para su inmediata edificación, incluyendo en su caso, la previa adquisición onerosa del mismo, así como la adquisición onerosa de suelo para formación de patrimonios públicos de suelo dependientes de cualquier Administración Pública, en ambos casos con destino preferente a la promoción de vivienda de protección pública.

f) Puesta en alquiler de viviendas vacías.

g) La promoción y construcción de alojamientos dotacionales.

h) La ejecución de proyectos piloto para la rehabilitación y puesta en arrendamiento de viviendas en las zonas rurales que sirvan de soporte a programas públicos de fomento del medio rural.

Características de las actuaciones objeto de ayudas:

A) LA PROMOCIÓN PARA CESIÓN EN ARRENDAMIENTO, VENTA O USO PROPIO DE VIVIENDAS DE NUEVA CONSTRUCCIÓN CALIFICADAS COMO VIVIENDAS DE PROTECCIÓN PÚBLICA, ASÍ COMO LA PROMOCIÓN DE VIVIENDA LIBRE PARA SU PUESTA EN ARRENDAMIENTO PROTEGIDO

I. PROMOCIÓN DE VIVIENDAS DE PROTECCIÓN OFICIAL DE RÉGIMEN GENERAL PARA VENTA

Incluye la promoción de viviendas de protección oficial de régimen general para venta mediante nueva construcción o por la rehabilitación de viviendas existentes.

PRÉSTAMOS CUALIFICADOS: En el caso de la promoción de viviendas de protección oficial de régimen general para su cesión en venta o uso propio, la cuantía máxima de financiación cualificada será del 80% del precio de venta de las viviendas que, con independencia de su tipología, resulte de aplicar los precios de venta de las viviendas de protección oficial de régimen general.

Respecto de los anejos, la financiación cualificada será del 60% del precio de venta que, con independencia de su tipología, resulte de aplicar los precios de venta de los anejos de protección oficial de régimen general, en el caso de que estén vinculados, y del 30% si no estuvieran vinculados. En este caso la financiación se extenderá, como máximo, a un número de anejos igual al de viviendas que existan en el edificio, unidad edificatoria o promoción donde se encuentren ubicados.

El plazo de amortización del préstamo cualificado será de 20 años, con 3 años adicionales de carencia opcional. El préstamo podrá ser garantizado con hipoteca, y en su caso, con las garantías que pudieran exigir al prestatario los Establecimientos de Crédito.

Los promotores podrán disponer de hasta el 100% del total del préstamo concedido en función del desarrollo de la inversión y del ritmo de ejecución de las obras.

Los promotores deberán formalizar el préstamo en un plazo no superior a 6 meses desde la calificación provisional (salvo que hayan optado previamente por el descuento bancario) o licencia de obra en los casos en que no sea necesaria la calificación, y realizar la primera disposición del préstamo en un plazo no superior a 6 meses desde la formalización.

El período de carencia finalizará en la fecha de otorgamiento de la calificación definitiva.

DESCUENTOS BANCARIOS: Además de los préstamos al promotor, los Establecimientos de Crédito y los promotores podrán convenir operaciones de descuento bancario, en beneficio de los constructores adjudicatarios de obra, de las certificaciones de obra que se presenten para su descuento por los citados constructores, en las condiciones pactadas en el Convenio suscrito con los Establecimientos de Crédito.

Operaciones de descuento bancario, son aquellas en las que un Establecimiento de Crédito anticipa al constructor el importe de una certificación de obra mediante la cesión de su derecho de cobro. La forma de pago de los intereses generados por dicha operación, que serán abonados por el promotor, será fijada en el correspondiente Convenio financiero suscrito con los Establecimientos de Crédito.

La cuantía máxima de la línea de descuento será la misma que la establecida como cuantía máxima del préstamo hipotecario, y su plazo máximo de duración será de 3 años desde su formalización.

A la finalización de la obra de edificación se formalizará préstamo hipotecario entre el promotor y el Establecimiento de Crédito. Este préstamo hipotecario estará sujeto a los mismos requisitos y limitaciones que los citados para los préstamos cualificados en el artículo anterior. El plazo máximo de amortización se contará a partir de la fecha de formalización de la primera operación de descuento.

El plazo de carencia máxima se contará a partir de la fecha de formalización de la primera operación de descuento.

El tipo de interés del préstamo cualificado será el que estuviera en vigor en el momento de aprobación del préstamo.

En el supuesto en que convivan la operación de descuento y el préstamo al promotor, la suma de los importes dispuestos en ambas, menos las amortizaciones realizadas en el préstamo al promotor, no podrá rebasar el importe máximo de financiación establecido.

SUBVENCIONES: Se podrán conceder subvenciones por asistencia técnica y costes vinculados a la urbanización para la promoción concertada o convenida de viviendas de protección oficial de régimen general.

La subvención podrá alcanzar hasta el 100% del coste total de la **asistencia técnica**, considerando como tal los costes de redacción del proyecto de edificación y proyecto de urbanización, y de la dirección e inspección de la obra y hasta el 100% de los **costes de urbanización**, en todo caso IVA y otros impuestos excluidos. Ambos conceptos con un límite de 3.000 euros máximo por vivienda.

En Áreas de Rehabilitación Integrada se incrementarán estas ayudas hasta el máximo de los 5.500 euros por vivienda.

II. PROMOCIÓN DE VIVIENDAS PARA ARRENDAMIENTO PROTE-GIDO

Incluye la promoción de viviendas, bien directamente para destino a arrendamiento protegido o bien para su posterior enajenación a un tercero que sea el que destine las viviendas a arrendamiento protegido, durante un plazo mínimo de 15 o de 50 años, a contar en ambos casos desde la fecha de presentación del primer contrato arrendamiento a visado. Durante dicho plazo no podrá cambiarse el uso de la vivienda.

PRÉSTAMOS CUALIFICADOS: Será el resultado de descontar al precio máximo de venta de viviendas y anejos, según lo previsto en la normativa reguladora de los precios máximos de vivienda de protección oficial, el importe de las subvenciones a fondo perdido que puedan obtenerse en aplicación de la presente Orden.

En el caso de promoción de viviendas de protección oficial de régimen especial la cuantía del préstamo cualificado podrá ser del 100% del precio máximo en venta de viviendas y anejos previsto en la normativa reguladora para tales viviendas.

El plazo de amortización del préstamo cualificado será de 20 años, con 3 años adicionales de carencia opcional, en operaciones de promoción para arrendamiento protegido de 15 años como mínimo.

El plazo de amortización del préstamo cualificado será de 30 años, con 3 años adicionales de carencia opcional, en operaciones de promoción para arrendamiento protegido de 50 años como mínimo.

El préstamo podrá ser garantizado con hipoteca, y en su caso, con las garantías que pudieran exigir al prestatario los Establecimientos de Crédito.

Los promotores podrán disponer de hasta el 100% del total del préstamo concedido en función del desarrollo de la inversión y del ritmo de ejecución de las obras.

Los promotores deberán formalizar el préstamo en un plazo no superior a 6 meses desde la calificación provisional (salvo que hayan optado previamente por el descuento bancario) o licencia de obra en los casos en que no sea necesaria la calificación, y realizar la primera disposición del préstamo en un plazo no superior a 6 meses desde la formalización.

El período de carencia finalizará en la fecha de otorgamiento de la calificación definitiva o licencia de primera ocupación en los casos en que no sea necesaria la calificación.

Cuando no proceda la subsidiación del tipo de interés, la amortización de los préstamos se efectuará en cada caso al tipo de interés al que fueron concedidos y autorizados administrativamente, según lo establecido en el Convenio suscrito con los Establecimientos de Crédito.

Las cuotas comprensivas de la amortización e intereses del Establecimiento de Crédito serán constantes y se devengarán mensualmente, con independencia de su pago.

DESCUENTO BANCARIO: La cuantía máxima de la línea de descuento será la misma que la establecida como cuantía máxima del préstamo hipotecario, y su plazo máximo de duración será de 3 años desde su formalización.

SUBSIDIACIÓN DEL TIPO DE INTERÉS: En el supuesto de promoción de viviendas sociales para su posterior enajenación a un tercero que sea el que destine las viviendas a arrendamiento protegido, con renta de viviendas de protección oficial de régimen especial, el tipo de interés subsidiado será del 0% a lo largo de toda la vida del préstamo cualificado con el límite máximo de 20 años.

En el supuesto de promoción de viviendas para su destino a arrendamiento a 15 años como mínimo, con rentas de viviendas de protección oficial de régimen especial o que no superen el 75% de las previstas para viviendas de protección oficial de régimen general (opción que deberá hacerse de modo excluyente), el tipo de interés subsidiado será del 1%

efectivo anual (0,99% nominal con vencimientos mensuales) a lo largo de toda la vida del préstamo cualificado con el límite máximo de 20 años.

Dicha subsidiación se extenderá, en el caso de préstamos cualificados tanto durante el período de carencia como durante el de amortización, y en el supuesto de líneas de descuento de certificaciones de obra durante toda su vigencia, siempre que se mantenga el destino de las viviendas y se cumplan las condiciones señaladas en la normativa.

SUBVENCIONES a la Asistencia técnica y costes vinculados a la urbanización para la promoción de viviendas de protección oficial para arrendamiento. Esta subvención podrá alcanzar hasta el 100% del coste total de la asistencia técnica, considerando como tal los costes de redacción del proyecto de edificación y proyecto de urbanización, y de la dirección e inspección de la obra. Asimismo, podrá alcanzar hasta el 100% de los costes de urbanización en todo caso IVA y otros impuestos excluidos. Ambos conceptos con un límite de 3.000 euros máximo por vivienda.

En Áreas de Rehabilitación Integrada se incrementarán las ayudas hasta el máximo de los 5.500 euros por vivienda.

A la Promoción de vivienda para su destino a arrendamiento protegido:

1. Rentas de viviendas de protección oficial de régimen general: en alquiler a 15 años como mínimo: ayuda directa de 10.000 euros por vivienda.

En alquiler a 50 años como mínimo: ayuda directa de 20.000 euros por vivienda.

2. Rentas de viviendas de protección oficial de régimen especial o que no superen el 75% de las previstas para viviendas de protección oficial de régimen general: en alquiler a 15 años como mínimo: ayuda directa de 18.000 euros por vivienda.

En alquiler a 50 años como mínimo: ayuda directa de 40.000 euros por vivienda.

Promoción de viviendas sociales para su posterior enajenación a un tercero que sea el que destine las viviendas a arrendamiento protegido, con rentas de viviendas de protección oficial de régimen especial, por un plazo mínimo de 15 años: ayuda directa de 24.000 euros por vivienda.

III. ADQUISICIÓN DE VIVIENDAS PARA SU PUESTA EN ARRENDAMIENTO

Se entenderá como actuación protegible, la adquisición de viviendas, para su puesta en arrendamiento protegido, durante un plazo mínimo de 15 o de 50 años, a contar desde la presentación del primer contrato de arrendamiento a visado. Durante dicho plazo no podrá cambiarse el uso de la vivienda.

PRÉSTAMO CUALIFICADO: Será el resultado de descontar al precio máximo de venta de viviendas y anejos, según lo previsto en la normativa reguladora de los precios máximos de vivienda de protección oficial, el importe de las subvenciones a fondo perdido que puedan obtenerse en aplicación de la presente Orden.

Las características del préstamo serán las descritas arriba EXCEPTO en lo que se refiere al límite de disposición que será de hasta el 100%.

SUBSIDIACIÓN DEL TIPO DE INTERÉS: En el supuesto de adquisición de viviendas para su destino a arrendamiento a 15 años como mínimo, con renta de viviendas de protección oficial de régimen especial o que no superen el 75% de las previstas para viviendas de protección oficial de régimen general (opción que deberá hacerse de modo excluyente), el tipo de interés subsidiado será del 1% efectivo anual (0,99% nominal con vencimientos mensuales) a lo largo de toda la vida del préstamo cualificado con el límite máximo de 20 años.

Dicha subsidiación se extenderá, en el caso de préstamos cualificados tanto durante el período de carencia como durante el de amortización, y en el su puesto de líneas de descuento de certificaciones de obra durante toda su vigencia, siempre que se mantenga el destino de las viviendas y se cumplan las condiciones señaladas en la normativa.

SUBVENCIONES: Los incentivos a la adquisición de vivienda para su puesta en arrendamiento protegido ascenderán a:

a) Adquisición de vivienda para su puesta en arrendamiento protegido, excepto la adquisición de viviendas sociales:

Renta de viviendas de protección oficial de régimen general: en alquiler a 15 años, como mínimo: 10.000 euros por vivienda.

En alquiler a 50 años, como mínimo: 20.000 euros por vivienda.

Renta de viviendas de protección oficial de régimen especial, o que no superen el 75% de las previstas para viviendas de protección oficial de régimen general. en alquiler a 15 años, como mínimo: 18.000 euros por vivienda.

En alquiler a 50 años, como mínimo: 40.000 euros por vivienda.

b) Adquisición de viviendas sociales para su puesta en arrendamiento protegido con renta de viviendas de protección oficial de régimen especial:

En alquiler a 15 años como mínimo: 18.000 euros por vivienda.

En alquiler a 50 años como mínimo: 20.000 euros por vivienda.

B) LA ADQUISICIÓN DE VIVIENDA DE PROTECCIÓN PÚBLICA Y DE OTRAS VIVIENDAS CON DESTINO A RESIDENCIA HABITUAL Y PERMANENTE DEL ADQUIRENTE (VIVIENDAS LIBRES USADAS)

I. AYUDAS A LA ADQUISICIÓN DE VIVIENDAS DE PROTECCIÓN OFICIAL DE RÉGIMEN GENERAL Y DE RÉGIMEN ESPECIAL

Tanto en primera como en segundas y posteriores transmisiones la financiación cualificada será la consistente en PRÉSTAMO CUALIFICADO: La cuantía máxima de préstamo será el precio de venta de la vivienda y anejos vinculados. El préstamo tiene una duración de 20, 25, 30, o 35 años, incluidos 3 años de carencia opcional. Los préstamos se concertarán con aquellos Establecimientos de Crédito que hayan suscrito convenio financiero específico con la Administración de la Comunidad Autónoma del País Vasco, y que por tal motivo ostenten la cualidad de Entidades colaboradoras. El tipo de interés efectivo anual inicial de los préstamos a conceder será el fijado por Decreto del Gobierno Vasco, o normativa que lo sustituya. El tipo de interés a partir del primer año es variable y se revisará en los términos regulados en el convenio de colaboración financiera. Las cuotas comprensivas de amortización e intereses del establecimiento de crédito serán constantes (sistema francés), y se devengaran mensualmente, con independencia de su pago.

II. AYUDAS COMPRA DE VIVIENDA LIBRE USADA

Sólo se obtendrán ayudas para la compra de una única vivienda.

No debe estar fuera de ordenación y habrá de satisfacer condiciones mínimas de habitabilidad (de lo contrario, las ayudas se condicionan a la rehabilitación de la vivienda).

En cualquier caso, en el momento en que se solicita las ayudas no ha de estar todavía firmada la escritura pública de compraventa.

Las ayudas consisten en una SUBVENCIÓN a fondo perdido. La cuantía de la subvención se calculará sobre el valor de tasación, salvo que el precio de venta sea menor, en cuyo caso se calculará según éste, siendo los porcentajes los siguientes:

— Con carácter general, el 5%.

— Para viviendas situadas en ARIS y Áreas Degradadas que sean adquiridas por unidades convivenciales integradas por menores de 35 años, el 6%.

— Para viviendas adquiridas por Familias Numerosas, el 6%, más 600 euros por cada hijo a partir del tercero, incluido éste.

En todo caso, dicha cuantía no podrá exceder de los siguientes topes máximos en función de los ingresos ponderados:

Ingresos ponderados	Tope general	Tope viviendas en ARI o para menores de 35 años	Tope en vivienda para Familia Numerosas
Hasta 21.000 euros	7.935 euros	9.015 euros	10.098 euros
Desde 21.001 hasta 33.000 euros	3.606 euros	4.329 euros	4.684 euros

Nadie podrá ser beneficiario de medidas financieras para la adquisición de vivienda libre usada si ya ha sido resultado beneficiario de dichas ayudas financieras en los últimos diez años.

C) AYUDAS A LA PUESTA EN ALQUILER DE VIVIENDAS VACÍAS

La reforma de la vivienda para hacer posible su habitabilidad durante el tiempo que dure la cesión o, alternativamente, el importe de ayuda económica que se establezca con destino a la reforma directa por parte del cedente y con la misma finalidad.

El coste de esta reforma o el importe de la ayuda para la misma no podrá ser superior a 18.000,00 euros por vivienda (dieciocho mil euros).

Un canon o renta periódica o, en su caso, un importe capitalizado, a calcular en función de los precios medios de mercado sin que, en ningún caso se supere la renta de mercado tasada por Visesa.

En este caso podrá tenerse en cuenta el importe de la rehabilitación efectuada.

Las ayudas previstas en el presente Decreto serán compatibles con cualesquiera otras que pudieran concederse para la misma finalidad.

En el caso de concurrencia con otras ayudas, el conjunto de las mismas no podrá superar el coste de las actuaciones subvencionadas. En caso contrario se procederá, previa sustanciación de los trámites oportunos, a la minoración de la ayuda concedida en la cantidad que corresponda.

D) PROMOCIÓN Y CONSTRUCCIÓN DE ALOJAMIENTOS DOTACIONALES

Se entenderá como actuación protegible la promoción por parte de una persona jurídica de carácter público de forma directa o indirecta de alojamientos dotacionales, en suelo de titularidad pública.

Estos alojamientos se destinarán a su uso temporal para colectivos de especial necesidad y reunirán los requisitos establecidos tanto en la Disposición Adicional Novena de la Ley 2/2006, de Suelo y Urbanismo, y desarrollados en su respectiva normativa como en la Disposición Adicional Tercera y Cuarta del Decreto 39/2008 sobre el régimen jurídico de viviendas de protección pública y medidas financieras en materia de vivienda y suelo (Desarrollados en el punto 6).

A los solos efectos de lo establecido serán objeto de tratamiento diferenciado aquellos alojamientos dotacionales que basen su régimen de financiación en una aportación económica anticipada a cargo del usuario con derecho de devolución en el momento de la cesación de su uso.

1. Alojamientos dotacionales tipo A: de aquellos otros alojamientos dotacionales que no se financian en base a dicha aportación económica anticipada por parte del futuro usuario.

2. Alojamientos dotacionales tipo B: Los pagos anticipados de mensualidades vinculados al aseguramiento del pago del arrendamiento o del régimen de uso de los alojamientos no tendrán la consideración de aportación económica anticipada a los efectos de lo dispuesto en este artículo.

PRÉSTAMO CUALIFICADO: La financiación cualificada será del 100% del coste de construcción de los alojamientos y de los gastos correspondientes a honorarios técnicos relativos tanto a la redacción del proyecto como a la dirección e inspección de las obras, todo ello con un límite máximo de 75.000 euros por alojamiento.

No serán objeto de financiación los costes de construcción de los anejos ni los gastos correspondientes al IVA o cualquier otro impuesto.

El plazo máximo de amortización será de 30 años, más 3 años de carencia opcional.

Las cuotas comprensivas de la amortización e intereses del Establecimiento de Crédito serán constantes y se devengarán mensualmente, con independencia de su pago.

SUBSIDIACIÓN DEL TIPO DE INTERÉS: En los supuestos de promoción de alojamientos dotacionales de tipo B el tipo de interés subsidiado será del 0% a lo largo de los diez primeros años de la vida del préstamo cualificado y del 1% efectivo anual (0,99% nominal con vencimientos mensuales) durante los años 11 al 20.

SUBVENCIONES: Las subvenciones para la promoción de alojamientos dotacionales ascenderán como máximo a:

a) Promoción de alojamientos tipo A: 3.000 euros por alojamiento.

b) Promoción de alojamientos tipo B: 40.000 euros por alojamiento.

E) REHABILITACIÓN Y PUESTA EN ARRENDAMIENTO DE VIVIENDAS DE TITULARIDAD PÚBLICA EN MEDIOS RURALES

Se entenderá como actuación protegible la promoción mediante rehabilitación de viviendas de titularidad pública en suelo igualmente de titularidad pública sito en zonas rurales con destino a arrendamiento protegido, durante un plazo mínimo de 15 años, a contar desde la fecha de presentación del primer contrato arrendamiento a visado. Durante dicho plazo no podrá cambiarse el uso de la vivienda.

A los efectos de esta Orden se considerarán zonas rurales los municipios con población inferior a 3.000 habitantes.

SUBVENCIONES: Se podrán conceder subvenciones por los siguientes conceptos:

Ejecución de obras de rehabilitación del inmueble, hasta 600 euros/m² construido. Gastos de asistencia técnica y honorarios de redacción del proyecto y dirección e inspección de obra, hasta 3.000 euros por vivienda.

En todo caso quedan excluidos el IVA y cualquier otro impuesto.

Requisitos de acceso de ayudas de las actuaciones:

Con carácter general:

1. En todos los casos se deberá acompañar estudio económico de la promoción o actuación de la que se trate, con detalle de las superficies útiles de todos los elementos comprendidos en el Proyecto.

2. En todos los casos se deberá acompañar la documentación acreditativa de hallarse al corriente de las obligaciones tributarias.

3. En todos los casos habrá de presentarse declaración jurada de que la persona o entidad solicitante no se encuentra sancionada administrativa o penalmente con la pérdida de la posibilidad de obtención de subvenciones o ayudas públicas y que no se haya incursa en prohibición legal alguna que le inhabilite para ello.

1. Para las PROMOCIONES: acreditación de la titularidad del suelo o de cualquier otro título que le faculte para promover.

2. PROMOCIÓN DE ALOJAMIENTOS DOTACIONALES Y DE REHABI-LITACIÓN Y PUESTA EN ARRENDAMIENTO DE VIVIENDAS PÚBLICAS EN MEDIOS RURALES (dicha titularidad habrá de ser pública)

Documentación acreditativa del carácter dotacional de la parcela y se presentará un presupuesto donde se especifique el régimen de cánones aprobado por el usuario.

El acceso a los alojamientos se produce por meses, por un plazo máximo de un año, susceptible de ser prorrogado anualmente, por idéntico período anual, en cuatro ocasiones, o según el régimen dispuesto en la ordenanza municipal, en su caso.

3. ARRENDAMIENTO PROTEGIDO: compromiso de destinar las viviendas a arrendamiento protegido de acuerdo con las condiciones establecidas en la normativa vigente, especificando la renta máxima que habrá de ser abonada por el arrendatario, así como el plazo mínimo que estarán en arrendamiento.

Se deben suscribir contratos de arrendamiento de 5 años de duración máxima.

4. ADQUISICIÓN DE VIVIENDAS PARA PUESTA EN ARRENDAMIEN-TO PROTEGIDO, el contrato de compraventa o documento de adjudicación. En el supuesto de promoción de viviendas para su posterior enajenación a un tercero que sea el que las destine a arrendamiento protegido, compromiso de enajenar las viviendas a una entidad que las destine a su arrendamiento protegido durante los plazos mínimos previstos.

5. REHABILITACIÓN Y PUESTA EN ARRENDAMIENTO DE VIVIENDAS PÚBLICAS EN MEDIO RURAL se deberá aportar el Proyecto de Rehabilitación.

6. ADQUISICIÓN DE VIVIENDAS DE PROTECCIÓN.

• Para percibir préstamo cualificado serán exigibles todos los requisitos para ser beneficiario de vivienda de protección oficial, a excepción del requisito relativo a la residencia. Únicamente se obtendrá préstamo cualificado para la adquisición a título oneroso de una sola vivienda.

• El adquirente de vivienda será persona física.

• Sólo se concederá cuando la vivienda se destine a domicilio habitual y permanente de la persona adquirente.

• El documento privado de transmisión de la vivienda debe obtener necesariamente el visado favorable de la Delegación Territorial del Departamento de Vivienda y Asuntos Sociales.

• Nadie podrá ser beneficiario de medidas financieras para adquisición de vivienda de protección oficial de régimen general y de régimen especial si ya ha resultado beneficiario de dichas ayudas financieras en los últimos diez años.

• No han de transcurrir más de 6 meses desde la obtención de la calificación definitiva, o desde el visado del contrato de compraventa, en el caso de que éste fuera posterior a la calificación definitiva, para la formalización del préstamo cualificado en el Establecimiento de Crédito.

7. VIVIENDA USADA.

• Nadie podrá ser beneficiario de medidas financieras para adquisición de vivienda libre usada si ya ha resultado beneficiario de dichas ayudas financieras en los últimos diez años.

• Para percibir la subvención a fondo perdido hay que formalizar escritura pública de compraventa. Ante la Delegación Territorial hay que entregar una copia simple de la misma en el plazo de tres meses desde la notificación del reconocimiento de las medidas financieras.

• Asimismo, la vivienda objeto de esta ayuda no puede ser transmitida (cesión inter. vivos) en el plazo de diez años desde la formalización de la escritura. Por ello, se presentar en el Registro de la Propiedad la resolución de concesión de las ayudas, para que se proceda a la inscripción de esta limitación.

Acreditado ante la Delegación Territorial que se ha realizado la inscripción registral y presentada la escritura pública de compraventa, se procederá a ordenar el pago de la subvención.

• La vivienda debe destinarse a residencia habitual y permanente de la persona adquirente por lo que hay que presentar un certificado municipal de residencia (tres meses desde el reconocimiento de la ayuda).

5. ALOJAMIENTOS DOTACIONALES DE RÉGIMEN AUTONÓMICO

Características:

• Los alojamientos dotacionales de régimen autonómico se sujetarán a las siguientes determinaciones:

PROMOCIÓN: Pueden ser promovidos:

— Directamente por la Administración pública.

— Indirectamente en régimen de concesión administrativa.

• El objeto de la concesión puede ser la construcción y/o la gestión de los alojamientos dotacionales.

• La construcción debe recaer, al menos, en una parcela urbanística independientemente, que debe ser de dominio y uso público.

• Es incompatible con cualquier tipo de edificabilidad urbanística.

• La determinación del concesionario de obra y gestión de los alojamientos rotacionales y de los aparcamientos de vehículos bajo rasante puede ser conjunta o independiente y recaer en distintas personas o empresas.

• El concesionario puede hipotecar la concesión administrativa en orden a financiar la promoción de la edificación y/o la gestión de los alojamientos rotacionales, según lo dispuesto en la legislación administrativa básica en materia de contratación del sector público.

• Los alojamientos se han de entregar a los usuarios con los electrodomésticos y el mobiliario básico instalado necesario para ocuparlos.

• Deben de cumplir las siguientes normas de superficie y diseño:

1. La superficie útil de cada unidad de alojamiento no podrá ser inferior a 25 m² útiles ni superior a 60 m² útiles.

2. Tendrán como mínimo una dependencia que resuelva los usos de comer, cocinar y dormir, más un cuarto de aseo independiente con ducha.

3. Se garantizará el acceso a usuarios en sillas de ruedas a la totalidad de los elementos comunes y unidades de alojamiento.

4. Se reservará una unidad de alojamiento adaptada para usuarios en sillas de ruedas de cada 50 unidades o fracción en el caso de que el número de unidades de alojamiento sea superior a 25 unidades.

5. Todas las instalaciones, salvo las de telecomunicaciones, serán comunitarias, sin contadores individuales, por lo que se repartirán por unidades estos gastos junto con los del mantenimiento ordinario del inmueble.

6. En la edificación se podrá disponer de zonas comunes de uso y acceso restringido desde el interior de los inmuebles para los siguientes fines:

— Instalaciones y usos de servicio (cocina, lavado, secado de ropa, etc.), y de estancia que no sean resueltos en la propia unidad de alojamiento.

— Cuartos y equipos de control y mantenimiento del inmueble.

7. El edificio o su entorno urbano inmediato deberán ser capaces de resolver la dotación de aparcamiento de vehículos en la proporción de una plaza por cada unidad de alojamiento.

8. Se preverá un local para aparcamiento y guarda de bicicletas.

Requisitos de acceso:

1. No disponer de otra vivienda ni en propiedad ni por cualquier título que suponga su uso.

2. La determinación del usuario de una unidad de alojamiento dotacional y de una unidad de aparcamiento puede ser también conjunta o independiente y recaer en distintas personas o empresas.

3. En cuanto al procedimiento de adjudicación y de acceso son los señalados para las viviendas de protección pública. El acceso se producirá por meses, por un plazo máximo de un año, susceptible de ser prorrogado anualmente en cuatro ocasiones.

4. Los usuarios deben abonar un canon mensual, determinado en el momento de adjudicación de la concesión, por partida de alzada.

6. PROGRAMA DE REHABILITACIÓN

Características:

ACTUACIONES: Las actuaciones de rehabilitación que se refieran a unidades edificatorias que tengan como uso principal el de vivienda sólo tendrán la consideración de actuaciones protegidas cuando se verifiquen las siguientes condiciones:

a) Que los edificios o viviendas a rehabilitar tengan una antigüedad superior a 10 años, excepto:

— Cuando se trate de adaptación de las viviendas para uso de discapacitados.

— Cuando se trate de la instalación de gas natural (o en aquellos municipios donde no exista gas natural de instalación de energía alternativa primaria igualmente limpia) en el edificio y en las viviendas.

— Cuando las obras sean necesarias para adaptar las instalaciones a la normativa técnica aplicable vigente, existiendo orden administrativa de ejecución de obras.

b) En las unidades edificatorias que no se encuentren adecuadas urbanísticamente o en los edificios que no se encuentren adecuados estructural o constructivamente, no se protegerá la realización de obras que no incluyan las necesarias para la consecución de las citadas condiciones. En particular, cuando el edificio tenga 50 o más años de antigüedad, no se concederán ayudas financieras para obras que no incluyan las exigidas o recomendadas en el informe preceptivo redactado por técnico competente, que resulte de la Inspección Técnica del Edificio a la que obliga el conforme a los modelos oficiales que se aprueben.

c) En aquellas actuaciones de rehabilitación que tengan por objeto la adecuación urbanística, o la adecuación estructural y constructiva de los edificios, y las viviendas no reúnan las condiciones de habitabilidad, se exigirá que el edificio posea una organización espacial y unas características constructivas que garanticen la posibilidad de alcanzar dicha adecuación de habitabilidad.

En todo caso la financiación para la adecuación urbanística y/o para la adecuación estructural y constructiva de los edificios donde se ubiquen viviendas que no reúnan las condiciones de habitabilidad citadas, estará condicionada a que en el plazo de dos años se acometan las obras necesarias para alcanzar las citadas condiciones:

d) Los edificios a rehabilitar se deberán encontrar adecuados urbanísticamente, y sin limitaciones que impidan el uso previsto o la obtención de licencia municipal.

e) Que el edificio a rehabilitar no se deberá encontrar en estado de ruina, demolido parcialmente o vaciado en su interior, o que las actuaciones incluyan la demolición de fachadas o su vaciado total.

No obstante, los titulares de actuaciones de rehabilitación que conlleven obras de vaciado en los edificios de viviendas que a continuación se detallan, podrán acceder a las medidas financieras establecidas, en los siguientes casos: edificios sitos en el medio rural cuya tipología constructiva responda a la edificación tradicional; edificios de construcción tradicional, cuyo origen haya sido de carácter agrícola o rural o que correspondan a tipologías arquitectónicas populares de carácter gremial; edificios sitos en Áreas de Rehabilitación Integradas para los que los Planes Especiales de Rehabilitación planteen obras de sustitución o reedificación.

f) Intervenciones de ampliación del espacio habitable de la vivienda mediante obras de nueva construcción. Dichas intervenciones de ampliación deberán contar con la preceptiva licencia municipal, y las viviendas resultantes tras la realización de las mismas habrán de cumplir con las condiciones de habitabilidad.

Se exigirá que den como resultado una superficie útil total de la vivienda que no exceda de 90 m², o de la superficie máxima establecida en el régimen de protección oficial al que se acogieron las viviendas en el momento de su construcción, a excepción de:

— edificios sitos en el medio rural cuya tipología constructiva responda la edificación tradicional;

— edificios de construcción tradicional, cuyo origen haya sido de carácter agrícola o rural o que correspondan a tipologías arquitectónicas populares de carácter gremial.

El cerramiento de terrazas no se considerará actuación protegible de rehabilitación.

El conjunto de las actuaciones protegidas de rehabilitación deberá verificar las especificaciones que para cada actuación recoja la presente norma y lo estipulado, en su caso, en el Plan Especial de Rehabilitación y en la normativa aplicable vigente.

En todos los casos, deberán contar con la correspondiente licencia municipal de obras.

Se considerará actuación protegible la habilitación de locales como vivienda, siempre y cuando lo contemple la normativa municipal correspondiente, y la habilitación de lugar a una sola vivienda por local.

Las obras de adecuación se considerarán, del tipo 2, de adecuación de las condiciones de habitabilidad de las viviendas. En este caso, la vivienda resultante se deberá calificar como vivienda de protección pública y su precio máximo de venta no podrá superar el 1,7 del precio de venta de las viviendas de protección oficial de régimen general.

ÁMBITO DE LAS ACTUACIONES: Los titulares de una actuación protegida de rehabilitación podrán acceder cuando efectúen las intervenciones en un edificio cuyo destino principal sea el de vivienda, entendiendo como tal aquel que, una vez efectuada la actuación de rehabilitación, disponga como mínimo de las dos terceras partes de su superficie útil, sin tener en cuenta la planta baja, destinada al uso de vivienda.

Asimismo tendrán la misma consideración las intervenciones de rehabilitación que se realicen en las viviendas ubicadas en los citados edificios.

Este requisito no será exigible cuando las actuaciones de rehabilitación consistan en intervenciones en elementos privativos de las viviendas en edificios ya adecuados urbanística, estructural y constructivamente.

La financiación cualificada se extenderá a la adecuación de la urbanización y acabado de los terrenos no edificados, que constituyan una unidad edificatoria con una construcción cuyo destino principal sea el de vivienda.

También se extenderá la financiación a los trasteros y garajes siempre que estén vinculados a las viviendas objeto de la actuación. Se entenderá que la vinculación está suficientemente acreditada cuando así conste en el Registro de la Propiedad. En los casos en los que no exista vinculación registral la financiación se extenderá únicamente a los garajes y siempre que se acredite que el titular de la vivienda lo es también del garaje, que el garaje está situado en las inmediaciones de la vivienda y que el destino es efectivamente el de garaje para uso propio de cualquiera de los miembros de la unidad convivencial.

Los locales participarán de la financiación cualificada y subvenciones, siempre que se trate de intervenciones en elementos comunes de la edificación y participen con la cuota correspondiente en el pago de las mismas.

En actuaciones de Rehabilitación Integrada también se financiarán intervenciones en elementos privativos de los citados locales, cuando el destino de los locales sea cultural, asociativo, asistencial, sanitario, religioso, deportivo, administrativo público.

Asimismo, se financiarán y subvencionarán los supuestos de rehabilitación del local para usos propios del objeto social de una entidad sin ánimo de lucro declarada de utilidad pública.

TIPOS DE OBRAS PROTEGIBLES:

Obras TIPO 1: Obras de adecuación estructural y constructiva.

Obras TIPO 2: Obras de adecuación de las condiciones de habitabilidad de las viviendas: obras o instalaciones relacionadas con la resistencia, solidez, firmeza y estabilidad del edificio y obras de adecuación estructural y constructiva para la mejora de la eficiencia energética.

Obras TIPO 3: Obras de adecuación a las viviendas y sus accesos a la normativa vigente sobre discapacitados: obras o instalaciones que supongan la supresión de barreras arquitectónicas a discapacitados físicos o la adaptación para discapacitados sensoriales.

Requisitos de acceso:

1. Las actuaciones protegidas de rehabilitación podrán ser realizadas por las personas físicas o jurídicas, privadas o públicas, que ostenten la condición de propietario, arrendatario, usufructuario o cualquier otro título de disfrute sobre los bienes inmuebles a rehabilitar, constituyéndose, a los efectos de tramitación y acceso a la financiación cualificada establecida en esta norma, en titulares de la rehabilitación.

2. Cuando se trate de intervenciones en elementos comunes, la tramitación de las ayudas deberá efectuarse por quien represente a la Comunidad de Propietarios.

3. En aquellas actuaciones de rehabilitación cuyo titular no sea el propietario, será precisa la presentación de la autorización de la persona propietaria, así como el acuerdo sobre quién costeará las obras de rehabilitación.

4. La sustitución del titular de la rehabilitación, una vez dictada resolución administrativa, se efectuará previa revocación de la resolución que reconozca las medidas financieras al anterior titular.

5. Para la concesión de ayudas a los titulares individuales de actuaciones protegidas de rehabilitación, tanto en el supuesto de rehabilitación de elementos comunes como en el de rehabilitación de elementos privativos, se tendrán en cuenta sus ingresos ponderados, atendiendo a los siguientes criterios:

a) Con carácter general se aplicarán los mismos criterios que los establecidos en el Decreto vigente que regule el régimen de viviendas de protección oficial y medidas financieras en materia de vivienda.

b) En situaciones de copropiedad sobre una vivienda o edificio a rehabilitar, se tendrán en cuenta los ingresos ponderados de todos los copropietarios, que serán considerados como titulares de la actuación protegida de rehabilitación. No obstante, la Delegación Territorial correspondiente podrá no tener en cuenta este extremo cuando concurran especiales circunstancias que lo justifiquen, siempre que así sea solicitado por los interesados y acreditado quién vaya a ser el titular de la rehabilitación, en función de circunstancias tales como la utilización de las viviendas por uno de los copropietarios, tamaño de las cuotas de propiedad, u otras del mismo tenor que puedan apreciarse.

No se extenderá la financiación cualificada a los titulares de actuaciones protegidas de rehabilitación cuyos ingresos anuales ponderados excedan de 33.000,00 euros, salvo que se trate de rehabilitación de locales comerciales, en cuyo caso no se exigirá el requisito de ingresos.

Cuando los titulares de los inmuebles sean Entidades sin ánimo de lucro expresamente declaradas de utilidad pública, o Administraciones públicas, no se exigirá la acreditación de ingresos.

6. La financiación cualificada en las actuaciones de rehabilitación en edificios destinados principalmente a vivienda se obtendrá por los titulares de la actuación en relación a la rehabilitación de una sola vivienda.

7. La citada vivienda debe constituir su domicilio habitual y permanente, o lo deberá constituir en el período máximo de tres meses desde la certificación final de las obras.

8. No se exigirá el requisito de que la vivienda a rehabilitar constituya el domicilio habitual y permanente a aquellos propietarios, titulares de la actuación protegida de rehabilitación, que sin tener la condición de promotores tengan la vivienda cedida en arrendamiento o en precario, en el supuesto exclusivo de entidades sin ánimo de lucro declaradas de utilidad pública o Administraciones Públicas.

9. Tampoco se exigirá dicho requisito en el supuesto en que teniendo vacía la vivienda, en los términos de la normativa que regula la vivienda vacía, los titulares de una rehabilitación con un presupuesto mínimo de 18.000 euros se comprometan a su incorporación al «Programa de Vivienda Vacía-Bizigune» en el plazo máximo de tres meses desde la certificación final de las obras de rehabilitación. En estos casos, las obras de rehabilitación ejecutadas deberán permitir que la vivienda se pueda incorporar al «Programa de Vivienda Vacía-Bizigune» sin necesidad de realizar reformas u obras adicionales.

10. Que el titular de la rehabilitación sea persona física, Administración pública o entidades sin ánimo de lucro declaradas de utilidad pública.

11. Los titulares de la rehabilitación deberán pertenecer a unidades convivenciales cuyos ingresos anuales ponderados no excedan de 21.000,00 euros.

12. No podrán concurrir a la presente convocatoria de ayudas las personas físicas o jurídicas sancionadas penal o administrativamente con la pérdida de la posibilidad de obtención de subvenciones o ayudas públicas, ni las incursas en prohibición legal que les inhabilite para ello, con inclusión de las que se hayan producido por discriminación de sexo

13. Para poder ser considerado como presupuesto protegible el coste de la actuación habrá de ser superior a 1.000 euros por vivienda, excepto para las obras del Grupo 3, en las que no se establece límite.

14. El límite máximo del presupuesto protegible será equivalente al valor de la vivienda, trastero y garaje, aplicando a su superficie útil el precio de vivienda de protección oficial de régimen general. Asimismo, la suma

de los presupuestos máximos protegibles durante 5 años para una misma vivienda no podrá ser superior a dicho límite.

15. La superficie máxima computable para la determinación del límite máximo del presupuesto protegible será, para cada vivienda, de 90 m² útiles con independencia de que, en su caso, la superficie real exceda de esa cifra. En el caso de familias numerosas o unidades convivenciales de 5 o más miembros, la superficie máxima computable podrá ser de hasta 120 m² útiles. La superficie de los garajes y trasteros vinculados a la vivienda será tenida en cuenta para la determinación del límite máximo del presupuesto protegible, computándose una superficie máxima total de 30 m² útiles.

16. Cuando las actuaciones protegidas de rehabilitación afecten o se refieran a locales, el presupuesto máximo protegible será el equivalente a la multiplicación de su superficie útil por el precio de la vivienda de protección oficial de régimen general. En estos casos, la superficie máxima computable será siempre de 90 m².

17. En Áreas de Rehabilitación Integrada, no se tendrá en cuenta la superficie máxima computable para la determinación del límite máximo del presupuesto protegible, establecida en el apartado anterior. Todo ello sin perjuicio de la obligación de respetar lo dispuesto en el correspondiente Plan Especial de Rehabilitación.

Características de las ayudas:

• Los titulares de las actuaciones de rehabilitación de las viviendas y locales comerciales podrán acceder a los PRÉSTAMOS CUALIFICADOS concedidos por los Establecimientos de Crédito, siempre que así se haya reconocido mediante resolución del órgano administrativo correspondiente.

• Junto con la resolución, los titulares de la promoción deberán presentar ante el Establecimiento de Crédito la documentación que ésta considere conveniente, fundamentalmente en relación al establecimiento de garantías. Tendrán las siguientes características:

a) La cuantía del crédito podrá alcanzar la totalidad del presupuesto protegible, deduciéndose en su caso la totalidad de las subvenciones a fondo perdido concedidas por ésta u otras Administraciones.

b) El plazo de amortización podrá establecerse entre 5 y 15 años, con un período de carencia de 3 años como máximo.

En los Convenios de Colaboración financiera con los Establecimientos de Crédito podrán establecerse estipulaciones sobre el plazo de amortización y de carencia de los préstamos que se concedan para financiar actuaciones protegidas de rehabilitación.

c) El préstamo podrá ser garantizado con hipoteca y/o, en su caso, con las garantías exigidas a los prestatarios por las Entidades de Crédito.

• La aprobación y formalización de los préstamos podrá llevarse a cabo desde la notificación de la resolución administrativa de reconocimiento de la actuación protegida y en cualquier caso, no podrá producirse con posterioridad al transcurso de 6 meses contados a partir de la fecha de certificación final de obra.

• Con la formalización, se podrá disponer de hasta un máximo del 50% del préstamo. El resto se acomodará al ritmo de ejecución de las obras y se realizarán mediante la presentación ante el Establecimiento de Crédito de las correspondientes certificaciones de obras, previamente conformadas por la Delegación Territorial correspondiente.

• Una vez ejecutadas las obras, se deberá presentar ante la Delegación Territorial correspondiente la certificación final de obra, cuyo contenido podrá dar lugar a la modificación del préstamo, o a su revocación en caso de que se verifique que no se han ejecutado las obras.

• En el caso de que no se realicen las obras, así como en cualquier otro supuesto de incumplimiento que diera lugar a la revocación de las ayudas, no será de aplicación el tipo de interés efectivo inicial de convenio conforme al cual el préstamo fue autorizado, estando facultados los Establecimientos de Crédito para la modificación de dicho tipo.

SUBVENCIONES: El Gobierno Vasco concederá a través del Departamento de Vivienda y Asuntos Sociales una subvención personal a fondo perdido en las actuaciones protegidas de rehabilitación en función del presupuesto protegible, del tipo de obra, y de los niveles de renta y composición familiar del titular. Asimismo las subvenciones se determinarán en función del tipo de rehabilitación, según se trate de Rehabilitación Integrada o de Rehabilitación Aislada. Las subvenciones se calcularán aplicando los porcentajes al presupuesto protegible.

Ingresos ponderados	Núm. de miembros unidad familiar	Obras 1 y 2	Obras 3	Obras 4
HASTA 9.000 EUROS	3 O MENOS	R. Integrada:35% R. Aislada: 20%	R. Integrada: 40% R. Aislada: 25%	R. Integrada:15% R. Aislada: 7%
	MÁS DE 3	R. Integrada:40% R. Aislada: 25%	R. Integrada: 45% R. Aislada: 30%	R. Integrada:20% R. Aislada: 10%
DE 9.000 A 15.000 EUROS	3 O MENOS	R. Integrada:30% R. Aislada: 15%	R. Integrada: 35% R. Aislada: 20%	R. Integrada:10% R. Aislada: 5%
	MÁS DE 3	R. Integrada:35% R. Aislada: 20%	R. Integrada: 40% R. Aislada: 25%	R. Integrada:15% R. Aislada: 7%
DESDE 15.001 EUROS HASTA 21.000 EUROS	3 O MENOS	R. Integrada:25% R. Aislada: 10%	R. Integrada: 30% R. Aislada: 15%	R. Integrada:5% R. Aislada: 2%
	MÁS DE 3	R. Integrada:30% R. Aislada: 15%	R. Integrada: 35% R. Aislada: 20%	R. Integrada:10% R. Aislada: 5%

La subvención obtenida para las obras 4 para la rehabilitación integrada se debe sumar a la obtenida por otros conceptos para la estimación de la subvención total.

Para las entidades sin ánimo de lucro expresamente declaradas de utilidad pública, Administraciones públicas o adscritos al Programa de Vivienda Vacías, las cuantías son las siguientes:

Obras 1 y 2	Obras 3	Obras 4
R. Integrada: 35%	R. Integrada: 40%	R. Integrada: 15%
R. Aislada: 20%	R. Aislada: 25%	R. Aislada: 7%

Obras 1 y 2	Obras 3	Obras 4
R. Integrada: 5.500 euros	R. Integrada: 5.940 euros	R. Integrada: 2.200 euros
R. Aislada: 3.850 euros	R. Aislada: 4.180 euros	R. Aislada: 1.100 euros

Se establecen los siguientes topes máximos para cualquier actuación.

Los porcentajes de la subvención previstos, se incrementarán en un 5% cuando los titulares de las actuaciones de rehabilitación protegida sean unidades convivenciales de 5 o más miembros, o familias numerosas.

La cuantía de las subvenciones concedidas por el Gobierno Vasco para la rehabilitación de locales en edificios destinados principalmente a vivienda, sitos en Áreas de Rehabilitación Integrada, se obtendrán multiplicando el presupuesto protegible, sin incluir las partidas de adecuación de acabados, por el 5%, a excepción de aquellos supuestos en los que el beneficiario de la subvención sea una entidad sin ánimo de lucro expresamente declarada de utilidad pública, que destine el local para usos propios del objeto social de la entidad, en cuyo caso la cuantía de la subvención a fondo perdido se elevará al 50%, e incluirá las partidas de adecuación de acabados siempre que éstas se realicen como remate de las de los tipos 1, 2 y 3.

El tope máximo de subvención en estos casos será de 12.000,00 euros, y la entidad deberá acreditar su condición y el destino del local mediante la presentación de sus estatutos, resolución acordando la inscripción en el registro correspondiente y declaración jurada sobre el destino del local.

En los supuestos de rehabilitación de elementos comunes de un inmueble se concederá directamente a la Comunidad de Propietarios una subvención del 5% del presupuesto protegible, con un tope máximo de 2.000 euros, siempre que se trate de obras de los tipos 1, 2 y 3 en los términos del art. 9.2 de esta Orden.

La subvención se elevará al 10%, con un tope máximo de 3.000 euros, cuando se trate de rehabilitación integrada en los mismos supuestos.

Las ayudas directas a la Comunidad de Propietarios serán compatibles con las que pudieran corresponder a cada uno de los propietarios o titulares en los términos de este artículo.

No se abonarán subvenciones a fondo perdido a percibir por los titulares de rehabilitación en cuantías inferiores a 60,00 euros.

Las ayudas previstas en la presente orden serán compatibles con cualesquiera otras que pudieran concederse para la misma finalidad. En el caso de concurrencia con otras ayudas, el conjunto de las mismas no podrá superar el coste de las actuaciones subvencionadas.

Obligaciones de los beneficiarios:

1. Justificar el cumplimiento de los requisitos y condiciones que determinen la concesión de la ayuda, arriba descritos.

2. Utilizar la ayuda para el concreto destino para el que ha sido concedida.

3. Comunicar a la entidad concedente la obtención de subvenciones o ayudas, ingresos o recursos para la misma finalidad.

4. Facilitar a la Oficina de Control Económico y al Tribunal Vasco de Cuentas Públicas la información que les sea requerida en el ejercicio de sus funciones respecto de las subvenciones recibidas con cargo a esta convocatoria.

5. Comunicar a la entidad concedente la modificación de cualquier circunstancia tanto objetiva como subjetiva que hubiese sido tenida en cuenta para la concesión de la ayuda.

6. En el supuesto de que la persona beneficiaria de la ayuda incumpliese cualquiera de las condiciones y requisitos, o incurriese en alguno de los supuestos previstos en el art. 53.1 del Decreto Legislativo 1/1997, de 11 de noviembre, procederá, previa la tramitación administrativa oportuna, la declaración de la pérdida del derecho a la ayuda concedida, así como en su caso el reintegro de las cantidades hechas efectivas, incrementadas en los intereses de demora desde su pago.

7. ACTUACIONES EN MATERIA DE SUELO. DERECHO DE REALOJO

Características:

• El realojo consiste en la puesta a disposición de los ocupantes legales afectados por las actuaciones de expropiación, de viviendas de protección oficial, de acuerdo con las necesidades de vivienda, los ingresos económicos y la composición familiar de dichos afectados y en el mismo régimen de tenencia (propiedad o arrendamiento) con el que ocupaban su residencial habitual.

• El derecho del realojo se debe llevar a efecto en las actuaciones urbanísticas realizadas por al Administración de Comunidad Autónoma o por las Administraciones locales en los siguientes supuestos:

1. cuando actúen como organismos expropiantes;

2. cuando sean beneficiarios de la expropiación;

3. cuando sean la Administración actuante; o

4. cuando en virtud de convenio, les corresponda el realojo.

• El régimen de propiedad será pleno con independencia del régimen de la promoción afectada en la que se lleve a efecto el realojo.

• Por acuerdo entre la persona afectada y la Administración de la Comunidad Autónoma del País Vasco, este derecho de realojo podrá ser materializado en distinto régimen de tenencia con el que aquél ocupaba su residencia habitual de la siguiente forma:

• El acceso en régimen de alquiler podrá ser sustituido, a petición del interesado, en régimen de propiedad siempre y cuando se acrediten unos ingresos anuales ponderados mínimos de 3.000 euros.

• El acceso en régimen de propiedad podrá ser sustituido, en todo caso y a petición del interesado, por el acceso en régimen de alquiler.

• El régimen de tenencia de la vivienda de realojo, tanto en arrendamiento como en propiedad, podrá ser sometido, a petición de los servicios sociales competentes, a la condición resolutoria de cumplimiento de los términos señalados en programas de inserción social en que las personas afectadas se encuentren inmersas, circunstancia que se hará constar en el contrato de acceso correspondiente.

• El cumplimiento de dicha condición resolutoria se acreditará mediante procedimiento específico instado por parte de los servicios sociales, en el que se dará audiencia a la persona afectada y podrá tener por consecuencia el paso de esta última a la situación de precarista.

Requisitos de acceso:

1. Podrán optar al realojo, aquellas personas que sean ocupantes legales de las viviendas afectadas por la actuación urbanística siempre que las mismas tengan la consideración de vivienda habitual. Se entenderá por ocu-

pante legal a aquella persona empadronada en una vivienda y que resida efectivamente en la misma por cualquier título, incluido el precario.

2. El cómputo de ingresos económicos ponderados se realizará conforme se establece en la presente normativa, si bien el período impositivo de referencia será el que, vencido el plazo de presentación de la declaración del Impuesto sobre la Renta de las Personas Físicas, sea inmediatamente anterior a la fecha de suscripción del acta de ocupación o de aprobación definitiva por la Administración actuante del proyecto de tasación conjunta, proyecto de compensación o proyecto de reparcelación.

Esto no obstante, en aquellos casos en que se suspenda el procedimiento expropiatorio, el período impositivo a considerar será el inmediatamente anterior a la fecha de levantamiento de la suspensión por la Administración.

A petición del interesado se tomará como referencia de ingresos la media de los tres años anteriores a la fecha de suscripción del acta de ocupación o de aprobación definitiva por la administración actuante del proyecto de tasación conjunta o proyecto de reparcelación, siempre y cuando haya una diferencia de dicha media superior al 25% con relación al último ejercicio fiscal.

3. Los realojos se han de realizar en función de las circunstancias económicas y de necesidad de vivienda de las personas afectadas.

4. Personas afectadas cuyo acceso se promueva en el régimen de arrendamiento: podrán acceder en régimen de alquiler a una vivienda con una renta anual de entre el 1% hasta el 6% del precio máximo de venta de la promoción de que se trate de acuerdo con el régimen general de adjudicación en arrendamiento que establezca la normativa.

5. Personas afectadas cuyo acceso se promueva en el régimen de propiedad con ingresos ponderados, obtenidos bien individualmente bien integrados en unidades convivenciales, hasta 21.000,00 euros: podrán acceder en régimen de propiedad a una vivienda cuyo precio no superará el precio máximo de las viviendas sociales de promoción privada ni podrá ser inferior a 1,5 veces el precio máximo de los anejos de vivienda social.

Personas afectadas cuyo acceso se promueva en el régimen de propiedad con ingresos ponderados, obtenidos bien individualmente bien integrados en unidades convivenciales, superiores 21.000,00 euros: podrán acceder en régimen de propiedad a un precio superior al establecido como máximo legal para las viviendas sociales de promoción privada, en virtud de lo dispuesto en este Decreto. El precio resultante de la vivienda de realojo deberá ser proporcional al exceso de ingresos que ostente la persona o unidad convivencial afectada respecto del límite de ingresos fijado en la normativa protectora.

El precio concreto de venta o alquiler de la vivienda de realojo se determinará de modo proporcional a los ingresos de la persona afectada o la unidad convivencial.

6. Las referencias a los precios máximos aplicables efectuadas en los apartados anteriores se entenderán:

a) Cuando la vivienda se encuentre en construcción, al establecido en la calificación provisional.

b) En los demás casos, al vigente en el momento inmediatamente anterior a la fecha de suscripción del acta de ocupación o de aprobación definitiva por la Administración actuante del proyecto de tasación conjunta, proyecto de compensación o proyecto de reparcelación.

7. El acceso a los anejos vinculados a las aludidas viviendas se realizará a los precios máximos establecidos por la normativa protectora. Excepcionalmente, previa renuncia del titular o titulares del derecho al realojo, podrán desvincularse los anejos.

Las adjudicaciones de viviendas protegidas en orden a garantizar el derecho al realojo de las unidades convivenciales ocupantes legales de vivienda que deban ser desalojadas, se instruirán, tramitarán y resolverán por las Delegaciones Territoriales con preferencia sobre los procedimientos ordinarios de adjudicación.

En el caso de actuación directa mediante expropiación, la Dirección de Suelo y Urbanismo, dará traslado a la Dirección de Planificación y Procesos Operativos de Vivienda y a la Delegación Territorial correspondiente de la relación de titulares de bienes y derechos incluidos en cada expediente expropiatorio, y tras la suscripción del acta de ocupación comunicará al ocupante legal afectado la obligación de presentación, en el plazo de 15 días, de la documentación correspondiente ante la Delegación Territorial correspondiente. En el caso, de haberse asumido el realojo mediante convenio y/o acuerdo, la Administración pública territorial y /o sociedad urbanística pública se debe de presentar la documentación en la delegación territorial en el plazo de 15 días.

19. Plan Autonómico de Vivienda de la Comunidad Valencia 2009-2012

Decreto 66/2009

1. ACTUACIONES PROTEGIDAS

1. Posibilitar la oferta de vivienda a precios asequibles.

2. Estimular la demanda de vivienda, tanto el acceso en propiedad como en alquiler.

3. Apoyar la actividad de rehabilitación de edificios y la rehabilitación en determinadas zonas y ámbitos urbanos.

4. Fomentar la mejora de la calidad de la edificación y de la eficiencia energética de las viviendas.

2. SUPERFICIES MÁXIMAS Y MÍNIMAS DE LAS VIVIENDAS

La superficie mínima construida se establece en 40 m².

La superficie útil máxima de las viviendas acogidas al Plan de Vivienda 2009-2012 será la siguiente:

— 90 m² útiles para las viviendas de régimen general y de régimen especial.

— 120 m² útiles para las viviendas de régimen concertado y las viviendas usadas.

— Como medida excepcional y durante 1 año desde la entrada en vigor de este decreto, la superficie útil máxima de las viviendas protegidas de nueva construcción, no podrá exceder de los siguientes límites:

— 120 m² las viviendas de régimen general.

— 150 m² las viviendas de régimen concertado y las viviendas usadas.

No obstante a los efectos de la financiación convenida solo serán computables los 90 m² útiles.

La superficie máxima imputable para determinar el precio de venta de los garajes y los trasteros no podrá superar los 25 m², en el caso del garaje, y los 8 m², en el caso del trastero.

3. PRECIOS MÁXIMOS DE VENTA DE LAS VIVIENDAS DE PROTECCIÓN OFICIAL

Los precios máximos por m² de superficie para las viviendas acogidas al Plan de Vivienda 2009-2012 en la Comunitat Valenciana se determinarán multiplicando el Módulo Básico Estatal por los coeficientes correspondientes a los distintos ámbitos territoriales, ATPMS A (Valencia), ATPMS A (Castellón y Alicante), ATPMS B, ATPMS C-1, ATPMS C-2 y Zona A.

4. EL MÓDULO BÁSICO ESTATAL (MBE)

El Módulo Básico Estatal (MBE) es la cuantía en euros por metro cuadrado de superficie útil, que sirve como referencia para la determinación de los precios máximos de venta, adjudicación y renta de las viviendas objeto de las ayudas previstas en el Real Decreto 2066/2008, así como de los presupuestos protegidos máximos de las actuaciones de rehabilitación de viviendas y edificios, y en áreas de rehabilitación integral y renovación urbana.

El MBE será establecido por acuerdo del Consejo de Ministros en el mes de diciembre de cada año y será publicado en el Boletín Oficial del Estado.

Para el año 2009 se fija en 758 euros (838,8 euros para Canarias)

TIPOLOGÍAS Y CARACTERÍSTICAS DE LOS DIFERENTES TIPOS DE VIVIENDAS

A) COMPRA

1. VIVIENDA PROTEGIDA DE RÉGIMEN ESPECIAL

Características:

• El precio máximo de referencia por metro cuadrado útil será:

ATPMS A: Valencia: Módulo Básico Estatal * 2,25

ATPMS A: Castellón y Alicante: Modulo Básico Estatal * 2,10

ATPMS B: Módulo Básico Estatal * 1,95

ATPMS C-1: Módulo Básico Estatal * 1,72

ATPMS C-2: Módulo Básico Estatal * 1,72

Zona A: Módulo Básico Estatal * 1,50

• El régimen de protección de las viviendas será de **30 años** desde la fecha de la calificación definitiva.

— Durante todo el período de protección se deben mantener las condiciones de uso y limitación de precio máximo de transmisión establecidos.

Requisitos de acceso:

1. Ingresos familiares no superiores a 2,5 veces el IPREM.

2. No ser titular de una vivienda protegida (salvo en caso de ocupación temporal de la vivienda por motivo de realojo), ni de una libre cuyo valor, según el Impuesto sobre Transmisiones Patrimoniales, exceda del 40% del precio de la vivienda que se pretende adquirir (60% para personas mayores de 65 años, personas con discapacidad, mujeres víctimas de violencia de género, víctimas del terrorismo, familias numerosas que necesiten cambiar de vivienda por el aumento en el número de miembros o en caso de traslado de domicilio a otra localidad cuando se trate de familias con ingresos inferiores a 1,5 veces el IPREM).

3. La actuación debe haber sido calificada como protegida por la CA.

4. La vivienda debe destinarse como residencia habitual del adjudicatario y ocuparse dentro de los plazos establecidos.

5. Los adquirentes tienen que estar inscritos como demandantes de vivienda protegida.

Características de la ayuda:

PRÉSTAMO CONVENIDO:

Amortización: 25 años o más con cuotas constantes.

Garantía: Hipoteca.

Cuantía Máxima: 80% del precio de adquisición (vivienda + garaje + trastero vinculados).

Tipo de interés para el año 2009: Puede ser fijo o variable.

Interés fijo: Pendiente de publicación.

Interés variable: Euribor a 12 meses publicado por el Banco de España en el *BOE* el mes anterior al de la fecha de formalización del préstamo más un diferencial de entre 25 y 125 puntos básicos.

Este tipo de interés se revisará cada 12 meses teniendo como referencia el Euribor a 12 meses publicado por el Banco de España el mes anterior a la fecha de formalización.

Cuotas: Interés fijo: Constantes durante toda la vida del préstamo.

Interés variable: Constantes durante toda la vida del préstamo, dentro de cada uno de los períodos de amortización a los cuales les corresponde un mismo tipo de interés.

Comisiones: Exentas.

SUBSIDIOS A LOS PRÉSTAMOS: Cantidad anual por cada 10.000 euros de préstamo convenido.

— **100 euros** los 10 primeros años.

— **155 euros** los 5 primeros años en caso de:

— Familias numerosas.

— Familias monoparentales con hijos.

— Familias que incluyan o tengan a su cargo personas dependientes o con discapacidad oficialmente reconocida.

Esta subsidiación se concederá por un período de 5 años y podrá ser ampliada por otro período de la misma duración.

La ampliación se tiene que solicitar dentro del 5.º año del primer período y los solicitantes tienen que acreditar que siguen cumpliendo las condiciones para la concesión de la ayuda.

AYUDA ESTATAL DIRECTA A LA ENTRADA (AEDE):

a) En general: **8.000 euros**.

b) Jóvenes (cuando aporten la mayor parte de los ingresos familiares): **9.000 euros**.

c) Familias numerosas, familias monoparentales y familias que incluyan o tengan a su cargo personas dependientes o con discapacidad oficialmente reconocida: **12.000 euros**.

d) Mujeres víctimas de violencia de género, víctimas del terrorismo y personas separadas o divorciadas que estén al corriente en el pago de pensiones alimenticias o compensatorias: **11.000 euros**.

Estas cuantías no son acumulables entre sí, y corresponderá únicamente la más favorable de todas las posibles.

Cuando las viviendas estén situadas en las zonas ATPMS A, ATPMS B y ATPMS C, las cuantías relacionadas antes se tienen que incrementar respectivamente en **1.200 euros, 600 euros** o **300 euros.**

AYUDA DE LA GENERALITAT VALENCIANA CON CARGO A SUS PRESUPUESTOS:

a) En general: **7.500 euros**.

b) Jóvenes (cuando aporten la mayor parte de los ingresos familiares): **10.500 euros**.

c) Familias numerosas, familias monoparentales y familias que incluyan o tengan a su cargo personas dependientes o con discapacidad oficialmente reconocida: **9.500 euros**.

Las familias numerosas de más de 3 hijos recibirán un incremento en la ayuda de **1.000 euros** por hijo.

d) Mujeres víctimas de violencia de género, víctimas del terrorismo y personas separadas o divorciadas que estén al corriente en el pago de pensiones alimenticias o compensatorias: **8.500 euros**.

Estas cuantías no son acumulables entre sí, y corresponderá únicamente la más favorable de todas las posibles.

Cuando las viviendas estén situadas en las zonas ATPMS A, ATPMS B y ATPMS C, las cuantías relacionadas antes se tienen que incrementar respectivamente en 1.200 euros, 600 euros o 300 euros.

En cualquier caso el importe de las ayudas percibidas no pueden superar el total del precio de la vivienda, en cuyo caso se tendrá que reducir el importe del préstamo o la cuantía del cheque de acceso a la vivienda según preferencia del comprador.

La subvención al adquirente de la vivienda se podrá abonar mediante pago directo al adquirente o mediante pago al promotor, cuando éste descuente dicho precio del importe de la vivienda.

Requisitos de acceso a la ayuda:

1. Los ingresos tienen que ser igual o menor a 2,5 veces el IPREM.

2. Tiene que ser el 1.er acceso a la propiedad del solicitante (se entiende que reúnen la condición de 1.er acceso a la propiedad los adquirentes que no tengan o no hayan tenido con anterioridad ninguna vivienda en propiedad o que siendo titular de alguna no disfruten de un derecho real de uso o disfrute sobre ella o el valor de la misma de acuerdo con la normativa del ITP no supere el 25% del precio máximo de venta de la vivienda que adquirieren), se asimila a esta condición a las personas separadas cuando la vivienda se le hubiera adjudicado al otro cónyuge.

3. Los solicitantes no pueden haber recibido anteriormente financiación al amparo de algún Plan de Vivienda durante los 10 años anteriores a la solicitud actual de ayudas (no será necesario cumplir esta condición cuando se adquiera la vivienda como consecuencia del incremento de miembros de la unidad familiar en caso de familias numerosas y se necesite una vivienda con mayor superficie que la que se tenía, tampoco cuando se necesite una vivienda adaptada a la situación de discapacidad sobrevenida de algún miembro de la unidad familiar ni por último cuando no se disponga

de los derechos de uso y disfrute de la vivienda por pérdida de titularidad de la vivienda debida a la extinción del condominio por divorcio o separación cuando la vivienda se le adjudica a la otra parte).

4. Los solicitantes tienen que acreditar un mínimo de ingresos para poder acceder a estas ayudas, se entiende que hay desproporción de ingresos cuando la suma de los rendimientos netos procedentes del trabajo o de actividades profesionales de los miembros de la unidad familiar sea inferior a la catorceava parte de la cuantía máxima del préstamo convenido.

2. VIVIENDA PROTEGIDA DE RÉGIMEN GENERAL

Características:

• El precio máximo de referencia por metro cuadrado útil será:

ATPMS A: Valencia: **Módulo Básico Estatal * 2,40**

ATPMS A: Castellón y Alicante: **Módulo Básico Estatal * 2,24**

ATPMS B: **Módulo Básico Estatal * 2,08**

ATPMS C-1: **Módulo Básico Estatal * 1,84**

ATPMS C-2: **Módulo Básico Estatal * 1,84**

Zona A: **Módulo Básico Estatal * 1,60**

• El régimen de protección de las viviendas será de **30 años** desde la fecha de la calificación definitiva.

— Durante todo el período de protección se deben mantener las condiciones de uso y limitación de precio máximo de transmisión establecidos.

— La actuación debe haber sido calificada como protegida por la CA.

— La vivienda debe destinarse como residencia habitual del adjudicatario y ocuparse dentro de los plazos establecidos.

Requisitos de acceso:

1. Ingresos familiares no superiores a 6,5 veces el IPREM.

2. No ser titular de una vivienda protegida, ni de una libre cuyo valor, según el Impuesto sobre Transmisiones Patrimoniales, exceda del 40% del precio de la vivienda que se pretende adquirir (60% para personas mayores de 65 años, personas con discapacidad, mujeres víctimas de violencia de género, víctimas del terrorismo, familias numerosas que necesiten cambiar de vivienda por el aumento en el número de miembros o en caso de traslado de domicilio a otra localidad cuando se trate de familias con ingresos inferiores a 1,5 veces el IPREM).

3. Los adquirentes deberán estar inscritos como demandantes de vivienda protegida.

Características de la ayuda:

PRÉSTAMO CONVENIDO:

Amortización: 25 años o más con cuotas constantes.

Garantía: Hipoteca.

Cuantía Máxima: 80% del precio de adquisición (vivienda + garaje + trastero vinculados).

Tipo de interés para el año 2009: Puede ser fijo o variable.

Interés fijo: Pendiente de publicación.

Interés variable: Euribor a 12 meses publicado por el Banco de España en el *BOE* el mes anterior al de la fecha de formalización del préstamo más un diferencial de entre 25 y 125 puntos básicos.

Este tipo de interés se revisará cada 12 meses teniendo como referencia el Euribor a 12 meses publicado por el Banco de España el mes anterior a la fecha de formalización.

Cuotas: Interés fijo: Constantes durante toda la vida del préstamo.

Interés variable: Constantes durante toda la vida del préstamo, dentro de cada uno de los períodos de amortización a los cuales les corresponde un mismo tipo de interés.

Comisiones: Exentas.

SUBSIDIOS A LOS PRÉSTAMOS: Cantidad anual por cada 10.000 euros de préstamo durante 5 años, renovables 5 más (la ampliación se tiene que solicitar dentro del 5.º año del primer período y los solicitantes tienen que acreditar que siguen cumpliendo las condiciones para la concesión de la ayuda; se entenderá que cumplen las condiciones cuando la media de los ingresos correspondientes a los dos años anteriores a la revisión no excedan en más o menos un 20% de las acreditadas inicialmente):

— **100 euros** para ingresos menores o iguales a 2,5 veces el IPREM los 10 primeros años (**155 euros** para familias numerosas, monoparentales con hijos y familias que incluyan personas dependientes o con discapacidad reconocida oficialmente durante los 5 primeros años).

— **80 euros** para ingresos entre 2,5 y 3,5 veces el IPREM los 5 primeros años (**113 euros** para familias numerosas, monoparentales con hijos y familias que incluyan personas dependientes o con discapacidad reconocida oficialmente durante los 5 primeros años).

— **60 euros** anuales a familias con ingresos familiares entre 3,5 y 4,5 veces el IPREM (**93 euros** para familias numerosas, monoparentales con hijos y familias que incluyan personas dependientes o con discapacidad reconocida oficialmente durante los 5 primeros años).

AYUDA ESTATAL DIRECTA A LA ENTRADA (AEDE):

ADQUIRENTES CON INGRESOS MENORES O IGUALES A 2,5 VECES EL IPREM:

a) En general: **8.000 euros.**

b) Jóvenes de hasta 35 años: **9.000 euros.**

c) Familias numerosas, familias monoparentales y familias que incluyan o tengan a su cargo personas dependientes o con discapacidad oficialmente reconocida: **12.000 euros.**

d) Mujeres víctimas de violencia de género, víctimas del terrorismo y personas separadas o divorciadas que estén al corriente en el pago de pensiones alimenticias o compensatorias: **11.000 euros.**

Estas cuantías no son acumulables entre sí, y corresponderá únicamente la más favorable de todas las posibles.

Cuando las viviendas estén situadas en las zonas A, B o C, las cuantías relacionadas antes se tienen que incrementar respectivamente en **1.200 euros, 600 euros** o **300 euros.**

AYUDA DE LA GENERALITAT VALENCIANA CON CARGO A SUS PRESUPUESTOS:

ADQUIRENTES CON INGRESOS MENORES O IGUALES A 2,5 VECES EL IPREM:

a) En general: **7.500 euros.**

b) Jóvenes (cuando aporten la mayor parte de los ingresos familiares): **10.500 euros.**

c) Familias numerosas, familias monoparentales y familias que incluyan o tengan a su cargo personas dependientes o con discapacidad oficialmente reconocida: **9.500 euros.**

Las familias numerosas de más de 3 hijos recibirán un incremento en la ayuda de **1.000 euros** por hijo.

d) Mujeres víctimas de violencia de género, víctimas del terrorismo y personas separadas o divorciadas que estén al corriente en el pago de pensiones alimenticias o compensatorias: **8.500 euros.**

Estas cuantías no son acumulables entre sí, y corresponderá únicamente la más favorable de todas las posibles.

Cuando las viviendas estén situadas en las zonas ATPMS A, ATPMS B y ATPMS C, las cuantías relacionadas antes se tienen que incrementar respectivamente en **1.200 euros, 600 euros** o **300 euros.**

En cualquier caso el importe de las ayudas percibidas no pueden superar el total del precio de la vivienda, en cuyo caso se tendrá que reducir el importe del préstamo o la cuantía del cheque de acceso a la vivienda según preferencia del comprador.

La subvención al adquirente de la vivienda se podrá abonar mediante pago directo al adquirente o mediante pago al promotor, cuando éste descuente dicho precio del importe de la vivienda.

Requisitos de acceso a la ayuda:

1. Los ingresos tienen que ser igual o menor a 2,5 veces el IPREM.

2. Tiene que ser el 1.er acceso a la propiedad del solicitante (se entiende que reúnen la condición de 1.er acceso a la propiedad los adquirentes que no tengan o no hayan tenido con anterioridad ninguna vivienda en propiedad o que siendo titular de alguna no disfruten de un derecho real de uso o disfrute sobre ella o el valor de la misma de acuerdo con la normativa del ITP no supere el 25% del precio máximo de venta de la vivienda que adquirieren), se asimila a esta condición a las personas separadas cuando la vivienda se le hubiera adjudicado al otro cónyuge.

3. Los solicitantes no pueden haber recibido anteriormente financiación al amparo de algún Plan de Vivienda durante los 10 años anteriores a la solicitud actual de ayudas (no será necesario cumplir esta condición cuando se adquiera la vivienda como consecuencia del incremento de miembros de la unidad familiar en caso de familias numerosas y se necesite una vivienda con mayor superficie que la que se tenía, tampoco cuando se necesite una vivienda adaptada a la situación de discapacidad sobrevenida de algún miembro de la unidad familiar ni por último cuando no se disponga de los derechos de uso y disfrute de la vivienda por pérdida de titularidad de la vivienda debida a la extinción del condominio por divorcio o separación cuando la vivienda se le adjudica a la otra parte).

4. Los solicitantes tienen que acreditar un mínimo de ingresos para poder acceder a estas ayudas, se entiende que hay desproporción de ingresos cuando la suma de los rendimientos netos procedentes del trabajo o de actividades profesionales de los miembros de la unidad familiar sea inferior a la catorceava parte de la cuantía máxima del préstamo convenido.

ADQUIRENTES CON INGRESOS ENTRE 2,5 VECES Y 3,5 VECES EL IPREM:

a) En general: **7.000 euros.**

b) Jóvenes de hasta 35 años: **8.000 euros.**

c) Familias numerosas, familias monoparentales y familias que incluyan o tengan a su cargo personas dependientes o con discapacidad oficialmente reconocida: **10.000 euros**.

d) Mujeres víctimas de violencia de género, víctimas del terrorismo y personas separadas o divorciadas que estén al corriente en el pago de pensiones alimenticias o compensatorias: **9.000 euros**.

Estas cuantías no son acumulables entre sí, y corresponderá únicamente la más favorable de todas las posibles.

Cuando las viviendas estén situadas en las zonas A, B o C, las cuantías relacionadas antes se tienen que incrementar respectivamente en **1.200 euros, 600 euros** o **300 euros**.

AYUDA DE LA GENERALITAT VALENCIANA CON CARGO A SUS PRESUPUESTOS:

ADQUIRENTES CON INGRESOS ENTRE 2,5 Y 3,5 VECES EL IPREM:

a) En general: **5.000 euros**.

b) Jóvenes (cuando aporten la mayor parte de los ingresos familiares): **8.000 euros**.

c) Familias numerosas, familias monoparentales y familias que incluyan o tengan a su cargo personas dependientes o con discapacidad oficialmente reconocida: **7.000 euros**.

Las familias numerosas de más de 3 hijos recibirán un incremento en la ayuda de **1.000 euros** por hijo.

d) Mujeres víctimas de violencia de género, víctimas del terrorismo y personas separadas o divorciadas que estén al corriente en el pago de pensiones alimenticias o compensatorias: **6.000 euros**.

Estas cuantías no son acumulables entre sí, y corresponderá únicamente la más favorable de todas las posibles.

Cuando las viviendas estén situadas en las zonas ATPMS A, ATPMS B y ATPMS C, las cuantías relacionadas antes se tienen que incrementar respectivamente en **1.200 euros, 600 euros** o **300 euros**.

En cualquier caso el importe de las ayudas percibidas no pueden superar el total del precio de la vivienda, en cuyo caso se tendrá que reducir el importe del préstamo o la cuantía del cheque de acceso a la vivienda según preferencia del comprador.

La subvención al adquirente de la vivienda se podrá abonar mediante pago directo al adquirente o mediante pago al promotor, cuando éste descuente dicho precio del importe de la vivienda.

Requisitos de acceso a la ayuda:

1. Los ingresos familiares tienen que ser menores o iguales a 3,5 veces el IPREM.

2. Tiene que ser el 1.er acceso a la propiedad del solicitante (se entiende que reúnen la condición de 1.er acceso a la propiedad los adquirentes que no tengan o no hayan tenido con anterioridad ninguna vivienda en propiedad o que siendo titular de alguna no disfruten de un derecho real de uso o disfrute sobre ella o el valor de la misma de acuerdo con la normativa del ITP no supere el 25% del precio máximo de venta de la vivienda que adquirieren).

3. Los solicitantes no pueden haber recibido anteriormente financiación al amparo de algún Plan de Vivienda durante los 10 años anteriores a la solicitud actual de ayudas (no será necesario cumplir esta condición cuando se adquiera la vivienda como consecuencia del incremento de miembros de la unidad familiar en caso de familias numerosas y se necesite una vivienda con mayor superficie que la que se tenía, tampoco cuando se necesite una vivienda adaptada a la situación de discapacidad sobrevenida de algún miembro de la unidad familiar ni por último cuando no se disponga de los derechos de uso y disfrute de la vivienda por pérdida de titularidad de la vivienda debida a la extinción del condominio por divorcio o separación cuando la vivienda se le adjudica a la otra parte).

ADQUIRENTES CON INGRESOS ENTRE 3,5 VECES Y 4,5 VECES EL IPREM:

a) En general: **5.000 euros.**

b) Jóvenes de hasta 35 años: **6.000 euros.**

c) Familias numerosas, familias monoparentales y familias que incluyan o tengan a su cargo personas dependientes o con discapacidad oficialmente reconocida: **8.000 euros**.

d) Mujeres víctimas de violencia de género, víctimas del terrorismo y personas separadas o divorciadas que estén al corriente en el pago de pensiones alimenticias o compensatorias: **7.000 euros**.

Estas cuantías no son acumulables entre sí, y corresponderá únicamente la más favorable de todas las posibles.

Cuando las viviendas estén situadas en las zonas A, B o C, las cuantías relacionadas antes se tienen que incrementar respectivamente en **1.200 euros, 600 euros** o **300 euros**.

AYUDA DE LA GENERALITAT VALENCIANA CON CARGO A SUS PRESUPUESTOS:

ADQUIRENTES CON INGRESOS ENTRE 3,5 Y 4,5 VECES EL IPREM:

a) En general: **2.500 euros**.

b) Jóvenes (cuando aporten la mayor parte de los ingresos familiares): **5.500 euros**.

c) Familias numerosas, familias monoparentales y familias que incluyan o tengan a su cargo personas dependientes o con discapacidad oficialmente reconocida: **4.500 euros**.

Las familias numerosas de más de 3 hijos recibirán un incremento en la ayuda de **1.000 euros** por hijo.

d) Mujeres víctimas de violencia de género, víctimas del terrorismo y personas separadas o divorciadas que estén al corriente en el pago de pensiones alimenticias o compensatorias: **3.500 euros**.

Estas cuantías no son acumulables entre sí, y corresponderá únicamente la más favorable de todas las posibles.

Cuando las viviendas estén situadas en las zonas ATPMS A, ATPMS B y ATPMS C, las cuantías relacionadas antes se tienen que incrementar respectivamente en **1.200 euros, 600 euros** o **300 euros**.

En cualquier caso el importe de las ayudas percibidas no pueden superar el total del precio de la vivienda, en cuyo caso se tendrá que reducir el importe del préstamo o la cuantía del cheque de acceso a la vivienda según preferencia del comprador.

La subvención al adquirente de la vivienda se podrá abonar mediante pago directo al adquirente o mediante pago al promotor, cuando éste descuente dicho precio del importe de la vivienda.

Requisitos de acceso a la ayuda:

1. Los ingresos familiares tienen que ser menores o iguales a 4,5 veces el IPREM.

2. Tiene que ser el 1.er acceso a la propiedad del solicitante (se entiende que reúnen la condición de 1.er acceso a la propiedad los adquirentes que no tengan o no hayan tenido con anterioridad ninguna vivienda en propiedad o que siendo titular de alguna no disfruten de un derecho real de uso o disfrute sobre ella o el valor de la misma de acuerdo con la normativa del ITP no supere el 25% del precio máximo de venta de la vivienda que adquirieren).

3. Los solicitantes no pueden haber recibido anteriormente financiación al amparo de algún Plan de Vivienda durante los 10 años anteriores a la solicitud actual de ayudas (no será necesario cumplir esta condición cuando se adquiera la vivienda como consecuencia del incremento de miembros de la unidad familiar en caso de familias numerosas y se necesite una vivienda con mayor superficie que la que se tenía, tampoco cuando se necesite una vivienda adaptada a la situación de discapacidad sobrevenida de algún miembro de la unidad familiar ni por último cuando no se disponga de los derechos de uso y disfrute de la vivienda por pérdida de titularidad de la vivienda debida a la extinción del condominio por divorcio o separación cuando la vivienda se le adjudica a la otra parte).

3. VIVIENDA PROTEGIDA DE RÉGIMEN CONCERTADO

Características:

• El precio máximo de referencia por metro cuadrado útil será:

ATPMS A: Valencia: **Módulo Básico Estatal * 3,06**

ATPMS A: Castellón y Alicante: **Modulo Básico Estatal * 2,88**

ATPMS B: **Módulo Básico Estatal * 2,52**

ATPMS C-1: **Módulo Básico Estatal * 2,25**

ATPMS C-2: **Módulo Básico Estatal * 2,16**

Zona A: **Módulo Básico Estatal * 1,80**

• El régimen de protección de las viviendas será de **15 años** desde la fecha de la calificación definitiva.

— Durante todo el período de protección se deben mantener las condiciones de uso y limitación de precio máximo de transmisión establecidos.

— La actuación debe haber sido calificada como protegida por la CA.

— La vivienda debe destinarse como residencia habitual del adjudicatario y ocuparse dentro de los plazos establecidos.

— Los adquirentes tienen que estar inscritos como demandantes de vivienda pública.

Requisitos de acceso:

1. Ingresos familiares no superiores a 7 veces el IPREM (como medida coyuntural y hasta el 31 de diciembre de 2009).

2. No ser titular del pleno dominio o de un derecho real de uso y disfrute sobre alguna otra vivienda protegida.

3. No ser titular de una vivienda libre cuando el valor de la misma, calculado de acuerdo con la normativa del ITP, supere el 40% del precio total de la vivienda o el 60% en caso de:

— Familias numerosas que necesiten adquirir una vivienda más amplia por haber incrementado su número de miembros.

— Personas mayores de 65 años.

— Personas con discapacidad.

— Personas víctimas de violencia de género o del terrorismo.

4. Los solicitantes tienen que acreditar un mínimo de ingresos para poder acceder a estas ayudas, se entiende que hay desproporción de ingresos

cuando la suma de los rendimientos netos procedentes del trabajo o de actividades profesionales de los miembros de la unidad familiar sea inferior a la catorceava parte de la cuantía máxima del préstamo convenido.

Características de la ayuda:

PRÉSTAMO CONVENIDO:

Amortización: 25 años o más con cuotas constantes.

Garantía: Hipoteca.

Cuantía Máxima: 80% del precio de adquisición (vivienda + garaje + trastero vinculados).

Tipo de interés para el año 2009: Puede ser fijo o variable.

Interés fijo: Pendiente de publicación.

Interés variable: Euribor a 12 meses publicado por el Banco de España en el *BOE* el mes anterior al de la fecha de formalización del préstamo más un diferencial de entre 25 y 125 puntos básicos.

Este tipo de interés se revisará cada 12 meses teniendo como referencia el Euribor a 12 meses publicado por el Banco de España el mes anterior a la fecha de formalización.

Cuotas: Interés fijo: Constantes durante toda la vida del préstamo.

Interés variable: Constantes durante toda la vida del préstamo, dentro de cada uno de los períodos de amortización a los cuales les corresponde un mismo tipo de interés.

Comisiones: Exentas.

AYUDA DE LA GENERALITAT VALENCIANA CON CARGO A SUS PRE-SUPUESTOS:

ADQUIRENTES CON INGRESOS MENORES O IGUALES A 2,5 VECES EL IPREM:

a) En general: **7.500 euros**.

b) Jóvenes (cuando aporten la mayor parte de los ingresos familiares): **10.500 euros**.

c) Familias numerosas, familias monoparentales y familias que incluyan o tengan a su cargo personas dependientes o con discapacidad oficialmente reconocida: **9.500 euros**.

Las familias numerosas de más de 3 hijos recibirán un incremento en la ayuda de **1.000 euros** por hijo.

d) Mujeres víctimas de violencia de género, víctimas del terrorismo y personas separadas o divorciadas que estén al corriente en el pago de pensiones alimenticias o compensatorias: **8.500 euros**.

Estas cuantías no son acumulables entre sí, y corresponderá únicamente la más favorable de todas las posibles.

Cuando las viviendas estén situadas en las zonas ATPMS A, ATPMS B y ATPMS C, las cuantías relacionadas antes se tienen que incrementar respectivamente en **1.200 euros, 600 euros** o **300 euros.**

En cualquier caso el importe de las ayudas percibidas no pueden superar el total del precio de la vivienda, en cuyo caso se tendrá que reducir el importe del préstamo o la cuantía del cheque de acceso a la vivienda según preferencia del comprador.

La subvención al adquirente de la vivienda se podrá abonar mediante pago directo al adquirente o mediante pago al promotor, cuando éste descuente dicho precio del importe de la vivienda.

ADQUIRENTES CON INGRESOS ENTRE 2,5 Y 3,5 VECES EL IPREM:

a) En general: **5.000 euros**.

b) Jóvenes (cuando aporten la mayor parte de los ingresos familiares): **8.000 euros**.

c) Familias numerosas, familias monoparentales y familias que incluyan o tengan a su cargo personas dependientes o con discapacidad oficialmente reconocida: **7.000 euros**.

Las familias numerosas de más de 3 hijos recibirán un incremento en la ayuda de **1.000 euros** por hijo.

d) Mujeres víctimas de violencia de género, víctimas del terrorismo y personas separadas o divorciadas que estén al corriente en el pago de pensiones alimenticias o compensatorias: **6.000 euros.**

Estas cuantías no son acumulables entre sí, y corresponderá únicamente la más favorable de todas las posibles.

Cuando las viviendas estén situadas en las zonas ATPMS A, ATPMS B y ATPMS C, las cuantías relacionadas antes se tienen que incrementar respectivamente en **1.200 euros, 600 euros o 300 euros.**

En cualquier caso el importe de las ayudas percibidas no pueden superar el total del precio de la vivienda, en cuyo caso se tendrá que reducir el importe del préstamo o la cuantía del cheque de acceso a la vivienda según preferencia del comprador.

La subvención al adquirente de la vivienda se podrá abonar mediante pago directo al adquirente o mediante pago al promotor, cuando éste descuente dicho precio del importe de la vivienda.

ADQUIRENTES CON INGRESOS ENTRE 3,5 Y 4,5 VECES EL IPREM:

a) En general: **2.500 euros.**

b) Jóvenes (cuando aporten la mayor parte de los ingresos familiares): **5.500 euros.**

c) Familias numerosas, familias monoparentales y familias que incluyan o tengan a su cargo personas dependientes o con discapacidad oficialmente reconocida: **4.500 euros.**

Las familias numerosas de más de 3 hijos recibirán un incremento en la ayuda de **1.000 euros** por hijo.

d) Mujeres víctimas de violencia de género, víctimas del terrorismo y personas separadas o divorciadas que estén al corriente en el pago de pensiones alimenticias o compensatorias: **3.500 euros.**

Estas cuantías no son acumulables entre sí, y corresponderá únicamente la más favorable de todas las posibles.

Cuando las viviendas estén situadas en las zonas ATPMS A, ATPMS B y ATPMS C, las cuantías relacionadas antes se tienen que incrementar respectivamente en **1.200 euros, 600 euros** o **300 euros.**

En cualquier caso el importe de las ayudas percibidas no pueden superar el total del precio de la vivienda, en cuyo caso se tendrá que reducir el importe del préstamo o la cuantía del cheque de acceso a la vivienda según preferencia del comprador.

La subvención al adquirente de la vivienda se podrá abonar mediante pago directo al adquirente o mediante pago al promotor, cuando éste descuente dicho precio del importe de la vivienda.

Los adquirentes de viviendas protegidas de nueva construcción de régimen concertado podrán acceder a estas ayudas sin la necesidad de disponer de un préstamo convenido.

B) COMPRA DE VIVIENDA USADA:

Características:

Se consideran viviendas usada:

a) Viviendas protegidas en segunda o posteriores transmisiones.

b) Viviendas protegidas que se hubieran destinado a arrendamiento puestas a la venta una vez terminado de régimen de uso anterior.

c) Viviendas de hasta 120 m² útiles destinadas a familias numerosas cuando haya transcurrido 1 año desde la fecha de la calificación definitiva y siga desocupada.

d) Viviendas libres de nueva construcción cuando haya transcurrido 1 año desde la fecha del final de la obra hasta la fecha de la compra.

e) Viviendas rurales usadas, de hasta 120 m² útiles y situadas en municipios o núcleos de población que no superen los 2.000 habitantes.

Precio de la vivienda usada:

1. El precio de venta de las viviendas usadas que se hayan acogido a la financiación del Plan de Vivienda 2009-2012 estará limitado en las segun-

das y posteriores transmisiones durante un período de 15 años, contado desde la firma de la Escritura de Compraventa y del Préstamo Hipotecario. A tal efecto el precio será el que esté vigente en el momento de la transmisión para vivienda usada en la misma localidad.

2. El precio de adquisición por m² útil de vivienda, dependiendo de la zona donde se encuentran ubicadas las viviendas, no puede superar los siguientes límites:

ATPMS A: Valencia: **Módulo Básico Estatal * 3,04**

ATPMS A: Castellón y Alicante: **Modulo Básico Estatal * 2,88**

ATPMS B: **Módulo Básico Estatal * 2,52**

ATPMS C-1: **Módulo Básico Estatal * 2,08**

ATPMS C-2: **Módulo Básico Estatal * 2,00**

Zona A: **Módulo Básico Estatal * 1,60**

Requisitos de acceso a las ayudas:

1. Los ingresos familiares ponderados tienen que ser inferiores a 6,5 veces el IPREM.

2. No ser titular de una vivienda protegida, ni de una libre cuyo valor, según el Impuesto sobre Transmisiones Patrimoniales, exceda del 40% del precio de la vivienda que se pretende adquirir (60% para personas mayores, mujeres víctimas de violencia de género, víctimas del terrorismo, familias numerosas o monoparentales con hijos, personas con discapacidad y separadas o divorciadas).

3. Estar inscrito en un registro público de demandantes de vivienda.

4. La actuación debe haber sido calificada como protegida por la CA.

5. La vivienda debe destinarse como residencia habitual del adjudicatario.

Características de la ayuda:

PRÉSTAMO CONVENIDO:

Amortización: 25 años o más con cuotas constantes.

Garantía: Hipoteca.

Cuantía Máxima: 80% del precio de adquisición (vivienda + garaje + trastero vinculados).

Tipo de interés para el año 2009: Puede ser fijo o variable.

Interés fijo: Pendiente de publicación.

Interés variable: Euribor a 12 meses publicado por el Banco de España en el *BOE* el mes anterior al de la fecha de formalización del préstamo más un diferencial de entre 25 y 125 puntos básicos.

Este tipo de interés se revisará cada 12 meses teniendo como referencia el Euribor a 12 meses publicado por el Banco de España el mes anterior a la fecha de formalización.

Cuotas: Interés fijo: Constantes durante toda la vida del préstamo.

Interés variable: Constantes durante toda la vida del préstamo, dentro de cada uno de los períodos de amortización a los cuales les corresponde un mismo tipo de interés.

Comisiones: Exentas.

SUBSIDIOS A LOS PRÉSTAMOS: Cantidad anual por cada 10.000 euros de préstamo durante 5 años, renovables 5 más (la ampliación se tiene que solicitar dentro del 5.º año del primer período y los solicitantes tienen que acreditar que siguen cumpliendo las condiciones para la concesión de la ayuda; se entenderá que cumplen las condiciones cuando la media de los ingresos correspondientes a los dos años anteriores a la revisión no excedan en más o menos un 20% de las acreditadas inicialmente):

— **100 euros** para ingresos menores o iguales a 2,5 veces el IPREM los 10 primeros años (**155 euros** para familias numerosas, monoparentales con hijos y familias que incluyan personas dependientes o con discapacidad reconocida oficialmente durante los 5 primeros años).

— **80 euros** para ingresos entre 2,5 y 3,5 veces el IPREM los 5 primeros años (**113 euros** para familias numerosas, monoparentales con hijos y familias que incluyan personas dependientes o con discapacidad reconocida oficialmente durante los 5 primeros años).

— **60 euros** anuales a familias con ingresos familiares entre 3,5 y 4,5 veces el IPREM (**93 euros** para familias numerosas, monoparentales con hijos y familias que incluyan personas dependientes o con discapacidad reconocida oficialmente durante los 5 primeros años).

AYUDA ESTATAL DIRECTA A LA ENTRADA (AEDE):

ADQUIRENTES CON INGRESOS MENORES O IGUALES A 2,5 VECES EL IPREM:

a) En general: **8.000 euros**.

b) Jóvenes de hasta 35 años: **9.000 euros**.

c) Familias numerosas, familias monoparentales y familias que incluyan o tengan a su cargo personas dependientes o con discapacidad oficialmente reconocida: **12.000 euros**.

d) Mujeres víctimas de violencia de género, víctimas del terrorismo y personas separadas o divorciadas que estén al corriente en el pago de pensiones alimenticias o compensatorias: **11.000 euros**.

Estas cuantías no son acumulables entre sí, y corresponderá únicamente la más favorable de todas las posibles.

Cuando las viviendas estén situadas en las zonas A, B o C, las cuantías relacionadas antes se tienen que incrementar respectivamente en **1.200 euros, 600 euros** o **300 euros**.

AYUDA DE LA GENERALITAT VALENCIANA CON CARGO A SUS PRESUPUESTOS:

ADQUIRENTES CON INGRESOS MENORES O IGUALES A 2,5 VECES EL IPREM:

a) En general: **7.500 euros**.

b) Jóvenes (cuando aporten la mayor parte de los ingresos familiares): **10.500 euros**.

c) Familias numerosas, familias monoparentales y familias que incluyan o tengan a su cargo personas dependientes o con discapacidad oficialmente reconocida: **9.500 euros**.

Las familias numerosas de más de 3 hijos recibirán un incremento en la ayuda de **1.000 euros** por hijo.

d) Mujeres víctimas de violencia de género, víctimas del terrorismo y personas separadas o divorciadas que estén al corriente en el pago de pensiones alimenticias o compensatorias: **8.500 euros**.

Estas cuantías no son acumulables entre sí, y corresponderá únicamente la más favorable de todas las posibles.

Cuando las viviendas estén situadas en las zonas ATPMS A, ATPMS B y ATPMS C, las cuantías relacionadas antes se tienen que incrementar respectivamente en **1.200 euros, 600 euros** o **300 euros.**

En cualquier caso el importe de las ayudas percibidas no pueden superar el total del precio de la vivienda, en cuyo caso se tendrá que reducir el importe del préstamo o la cuantía del cheque de acceso a la vivienda según preferencia del comprador.

La subvención al adquirente de la vivienda se podrá abonar mediante pago directo al adquirente o mediante pago al promotor, cuando éste descuente dicho precio del importe de la vivienda.

Requisitos de acceso a la ayuda:

1. Los ingresos tienen que ser igual o menor a 2,5 veces el IPREM.

2. El contrato de compraventa tiene que haber sido visado por la CA. Entre las firmas del contrato y la solicitud del visado no debe pasar más de 4 meses.

3. Tiene que ser el 1.er acceso a la propiedad del solicitante (se entiende que reúnen la condición de 1.er acceso a la propiedad los adquirentes que no tengan o no hayan tenido con anterioridad ninguna vivienda en propiedad o que siendo titular de alguna no disfruten de un derecho real de uso

o disfrute sobre ella o el valor de la misma de acuerdo con la normativa del ITP no supere el 25% del precio máximo de venta de la vivienda que adquirieren), se asimila a esta condición a las personas separadas cuando la vivienda se le hubiera adjudicado al otro cónyuge.

4. Los solicitantes no pueden haber recibido anteriormente financiación al amparo de algún Plan de Vivienda durante los 10 años anteriores a la solicitud actual de ayudas (no será necesario cumplir esta condición cuando se adquiera la vivienda como consecuencia del incremento de miembros de la unidad familiar en caso de familias numerosas y se necesite una vivienda con mayor superficie que la que se tenía, tampoco cuando se necesite una vivienda adaptada a la situación de discapacidad sobrevenida de algún miembro de la unidad familiar ni por último cuando no se disponga de los derechos de uso y disfrute de la vivienda por pérdida de titularidad de la vivienda debida a la extinción del condominio por divorcio o separación cuando la vivienda se le adjudica a la otra parte).

5. Los solicitantes tienen que acreditar un mínimo de ingresos para poder acceder a estas ayudas, se entiende que hay desproporción de ingresos cuando la suma de los rendimientos netos procedentes del trabajo o de actividades profesionales de los miembros de la unidad familiar sea inferior a la catorceava parte de la cuantía máxima del préstamo convenido.

ADQUIRENTES CON INGRESOS ENTRE 2,5 VECES Y 3,5 VECES EL IPREM:

a) En general: **7.000 euros**.

b) Jóvenes de hasta 35 años: **8.000 euros**.

c) Familias numerosas, familias monoparentales y familias que incluyan o tengan a su cargo personas dependientes o con discapacidad oficialmente reconocida: **10.000 euros**.

d) Mujeres víctimas de violencia de género, víctimas del terrorismo y personas separadas o divorciadas que estén al corriente en el pago de pensiones alimenticias o compensatorias: **9.000 euros**.

Estas cuantías no son acumulables entre sí, y corresponderá únicamente la más favorable de todas las posibles.

Cuando las viviendas estén situadas en las zonas A, B o C, las cuantías relacionadas antes se tienen que incrementar respectivamente en **1.200 euros, 600 euros** o **300 euros**.

AYUDA DE LA GENERALITAT VALENCIANA CON CARGO A SUS PRESUPUESTOS:

ADQUIRENTES CON INGRESOS ENTRE 2,5 Y 3,5 VECES EL IPREM:

a) En general: **5.000 euros**.

b) Jóvenes (cuando aporten la mayor parte de los ingresos familiares): **8.000 euros**.

c) Familias numerosas, familias monoparentales y familias que incluyan o tengan a su cargo personas dependientes o con discapacidad oficialmente reconocida: **7.000 euros**.

Las familias numerosas de más de 3 hijos recibirán un incremento en la ayuda de **1.000 euros** por hijo.

d) Mujeres víctimas de violencia de género, víctimas del terrorismo y personas separadas o divorciadas que estén al corriente en el pago de pensiones alimenticias o compensatorias: **6.000 euros**.

Estas cuantías no son acumulables entre sí, y corresponderá únicamente la más favorable de todas las posibles.

Cuando las viviendas estén situadas en las zonas ATPMS A, ATPMS B y ATPMS C, las cuantías relacionadas antes se tienen que incrementar respectivamente en **1.200 euros, 600 euros** o **300 euros.**

En cualquier caso el importe de las ayudas percibidas no pueden superar el total del precio de la vivienda, en cuyo caso se tendrá que reducir el importe del préstamo o la cuantía del cheque de acceso a la vivienda según preferencia del comprador.

La subvención al adquirente de la vivienda se podrá abonar mediante pago directo al adquirente o mediante pago al promotor, cuando éste descuente dicho precio del importe de la vivienda.

Requisitos de acceso a la ayuda:

1. Los ingresos familiares tienen que ser menores o iguales a 3,5 veces el IPREM.

2. El contrato de compraventa tiene que haber sido visado por la CA. Entre las firmas del contrato y la solicitud del visado no debe pasar más de 4 meses.

3. Tiene que ser el 1.er acceso a la propiedad del solicitante (se entiende que reúnen la condición de 1.er acceso a la propiedad los adquirentes que no tengan o no hayan tenido con anterioridad ninguna vivienda en propiedad o que siendo titular de alguna no disfruten de un derecho real de uso o disfrute sobre ella o el valor de la misma de acuerdo con la normativa del ITP no supere el 25% del precio máximo de venta de la vivienda que adquirieren), se asimila a esta condición a las personas separadas cuando la vivienda se le hubiera adjudicado al otro cónyuge.

4. Los solicitantes no pueden haber recibido anteriormente financiación al amparo de algún Plan de Vivienda durante los 10 años anteriores a la solicitud actual de ayudas (no será necesario cumplir esta condición cuando se adquiera la vivienda como consecuencia del incremento de miembros de la unidad familiar en caso de familias numerosas y se necesite una vivienda con mayor superficie que la que se tenía, tampoco cuando se necesite una vivienda adaptada a la situación de discapacidad sobrevenida de algún miembro de la unidad familiar ni por último cuando no se disponga de los derechos de uso y disfrute de la vivienda por pérdida de titularidad de la vivienda debida a la extinción del condominio por divorcio o separación cuando la vivienda se le adjudica a la otra parte).

ADQUIRENTES CON INGRESOS ENTRE 3,5 VECES Y 4,5 VECES EL IPREM:

a) En general: **5.000 euros**.

b) Jóvenes de hasta 35 años: **6.000 euros**.

c) Familias numerosas, familias monoparentales y familias que incluyan o tengan a su cargo personas dependientes o con discapacidad oficialmente reconocida: **8.000 euros**.

d) Mujeres víctimas de violencia de género, víctimas del terrorismo y personas separadas o divorciadas que estén al corriente en el pago de pensiones alimenticias o compensatorias: **7.000 euros**.

Estas cuantías no son acumulables entre sí, y corresponderá únicamente la más favorable de todas las posibles.

Cuando las viviendas estén situadas en las zonas A, B o C, las cuantías relacionadas antes se tienen que incrementar respectivamente en **1.200 euros, 600 euros** o **300 euros**.

AYUDA DE LA GENERALITAT VALENCIANA CON CARGO A SUS PRESUPUESTOS:

ADQUIRENTES CON INGRESOS ENTRE 3,5 Y 4,5 VECES EL IPREM:

a) En general: **2.500 euros**.

b) Jóvenes (cuando aporten la mayor parte de los ingresos familiares): **5.500 euros**.

c) Familias numerosas, familias monoparentales y familias que incluyan o tengan a su cargo personas dependientes o con discapacidad oficialmente reconocida: **4.500 euros**.

Las familias numerosas de más de 3 hijos recibirán un incremento en la ayuda de **1.000 euros** por hijo.

d) Mujeres víctimas de violencia de género, víctimas del terrorismo y personas separadas o divorciadas que estén al corriente en el pago de pensiones alimenticias o compensatorias: **3.500 euros**.

Estas cuantías no son acumulables entre sí, y corresponderá únicamente la más favorable de todas las posibles.

Cuando las viviendas estén situadas en las zonas ATPMS A, ATPMS B y ATPMS C, las cuantías relacionadas antes se tienen que incrementar respectivamente en **1.200 euros, 600 euros** o **300 euros**.

En cualquier caso el importe de las ayudas percibidas no pueden superar el total del precio de la vivienda, en cuyo caso se tendrá que reducir el importe del préstamo o la cuantía del cheque de acceso a la vivienda según preferencia del comprador.

La subvención al adquirente de la vivienda se podrá abonar mediante pago directo al adquirente o mediante pago al promotor, cuando éste descuente dicho precio del importe de la vivienda.

Requisitos de acceso a la ayuda:

1. Los ingresos familiares tienen que ser menores o iguales a 4,5 veces el IPREM.

2. El contrato de compraventa tiene que haber sido visado por la CA. Entre las firmas del contrato y la solicitud del visado no debe pasar más de 4 meses.

3. Tiene que ser el 1.er acceso a la propiedad del solicitante (se entiende que reúnen la condición de 1.er acceso a la propiedad los adquirentes que no tengan o no hayan tenido con anterioridad ninguna vivienda en propiedad o que siendo titular de alguna no disfruten de un derecho real de uso o disfrute sobre ella o el valor de la misma de acuerdo con la normativa del ITP no supere el 25% del precio máximo de venta de la vivienda que adquirieren), se asimila a esta condición a las personas separadas cuando la vivienda se le hubiera adjudicado al otro cónyuge.

4. Los solicitantes no pueden haber recibido anteriormente financiación al amparo de algún Plan de Vivienda durante los 10 años anteriores a la solicitud actual de ayudas (no será necesario cumplir esta condición cuando se adquiera la vivienda como consecuencia del incremento de miembros de la unidad familiar en caso de familias numerosas y se necesite una vivienda con mayor superficie que la que se tenía, tampoco cuando se necesite una vivienda adaptada a la situación de discapacidad sobrevenida de algún miembro de la unidad familiar ni por último cuando no se disponga de los derechos de uso y disfrute de la vivienda por pérdida de titularidad de la vivienda debida a la extinción del condominio por divorcio o separación cuando la vivienda se le adjudica a la otra parte).

C) ALQUILER:

1. VIVIENDA DE ALQUILER DE RÉGIMEN ESPECIAL

Características:

— Las viviendas pueden estar vinculadas al régimen de alquiler durante 10 o 25 años.

• La vinculación al régimen de protección será el mismo que el plazo establecido para la amortización del préstamo obtenido para su promoción, o en caso de no existir ese préstamo serán 25 años a partir de la fecha de la concesión de la calificación definitiva.

• La renta anual máxima inicial de las viviendas con protección oficial de régimen especial destinadas al arrendamiento equivale a un porcentaje del 4% en las viviendas que se destinan al régimen de alquiler durante 10 años y del 3,5% en el caso de las viviendas que se destinan durante 25 años sobre el siguiente precio:

VIVIENDA DE ALQUILER DE RÉGIMEN ESPECIAL A 25 AÑOS:

ATPMS A: Valencia: Módulo Básico Estatal * 2,25 - **4,97 euros m² útil de vivienda y 2,98 euros m² útil de garaje y trastero.**

ATPMS A: Castellón y Alicante: Modulo Básico Estatal * 2,10 - **4,64 euros m² útil de vivienda y 2,78 euros m² útil de garaje y trastero.**

ATPMS B: Módulo Básico Estatal * 1,95 - **4,31 euros m² útil de vivienda y 2,58 euros m² útil de garaje y trastero.**

ATPMS C-1: Módulo Básico Estatal * 1,72 - **3,80 euros m² útil de vivienda y 2,28 euros m² útil de garaje y trastero.**

ATPMS C-2: Módulo Básico Estatal * 1,72 - **3,80 euros m² útil de vivienda y 2,28 euros m² útil de garaje y trastero.**

Zona A: Módulo Básico Estatal * 1,50 - **3,31 euros m² útil de vivienda y 1,98 euros m² útil de garaje y trastero.**

VIVIENDA DE ALQUILER DE RÉGIMEN ESPECIAL A 10 AÑOS:

ATPMS A: Valencia: Módulo Básico Estatal * 2,25 - **5,68 euros m² útil de vivienda y 3,40 euros m² útil de garaje y trastero.**

ATPMS A: Castellón y Alicante: Modulo Básico Estatal * 2,10 - **5,30 euros m² útil de vivienda y 3,18 euros m² útil de garaje y trastero.**

ATPMS B: Módulo Básico Estatal * 1,95 - **4,92 euros m² útil de vivienda y 2,95 euros m² útil de garaje y trastero.**

ATPMS C-1: Módulo Básico Estatal * 1,72 - **4,34 euros m² útil de vivienda y 2,60 euros m² útil de garaje y trastero**.

ATPMS C-2: Módulo Básico Estatal * 1,72 - **4,34 euros m² útil de vivienda y 2,60 euros m² útil de garaje y trastero**.

Zona A: Módulo Básico Estatal * 1,50 - **3,79 euros m² útil de vivienda y 2,27 euros m² útil de garaje y trastero**.

Requisitos de acceso:

1. Ingresos familiares no superiores a 2,5 veces el IPREM.

2. No ser titular del pleno dominio o de un derecho real de uso y disfrute sobre alguna otra vivienda.

3. Estar inscrito en un registro público de demandantes de vivienda.

4. La actuación debe haber sido calificada como protegida por la CA.

5. La vivienda debe destinarse como residencia habitual del adjudicatario y ocuparse dentro de los plazos establecidos.

2. VIVIENDA DE ALQUILER DE RÉGIMEN GENERAL

Características:

• La vinculación al régimen de alquiler puede ser durante 10 o 25 años.

• La vinculación al régimen de protección será el mismo que el plazo establecido para la amortización del préstamo obtenido para su promoción, o en caso de no existir ese préstamo serán 25 años a partir de la fecha de la concesión de la calificación definitiva.

• La renta anual máxima inicial de las viviendas con protección oficial de régimen general destinadas al arrendamiento equivale a un porcentaje del 4,5% en las viviendas que se destinan al régimen de alquiler durante 10 años y del 3,5% en el caso de las viviendas que se destinan durante 25 años sobre el siguiente precio:

VIVIENDA DE ALQUILER DE RÉGIMEN GENERAL A 25 AÑOS:

ATPMS A: Valencia: Módulo Básico Estatal * 2,40 - **5,30 euros m² útil de vivienda y 3,18 euros m² útil de garaje y trastero.**

ATPMS A: Castellón y Alicante: Modulo Básico Estatal * 2,24 - **4,95 euros m² útil de vivienda y 2,97 euros m² útil de garaje y trastero.**

ATPMS B: Módulo Básico Estatal * 2,08 - **4,59 euros m² útil de vivienda y 2,75 euros m² útil de garaje y trastero.**

ATPMS C-1: Módulo Básico Estatal * 1,84 - **4,06 euros m² útil de vivienda y 2,43 euros m² útil de garaje y trastero.**

ATPMS C-2: Módulo Básico Estatal * 1,84 - **4,06 euros m² útil de vivienda y 2,43 euros m² útil de garaje y trastero.**

Zona A: Módulo Básico Estatal * 1,60 - **3,53 euros m² útil de vivienda y 2,11 euros m² útil de garaje y trastero.**

VIVIENDA DE ALQUILER DE RÉGIMEN GENERAL A 10 AÑOS:

ATPMS A: Valencia: Módulo Básico Estatal * 2,40 - **6,82 euros m² útil de vivienda y 4,09 euros m² útil de garaje y trastero.**

ATPMS A: Castellón y Alicante: Modulo Básico Estatal * 2,24 - **6,36 euros m² útil de vivienda y 3,81 euros m² útil de garaje y trastero.**

ATPMS B: Módulo Básico Estatal * 2,08 - **5,91 euros m² útil de vivienda y 3,54 euros m² útil de garaje y trastero.**

ATPMS C-1: Módulo Básico Estatal * 1,84 - **5,23 euros m² útil de vivienda y 3,13 euros m² útil de garaje y trastero.**

ATPMS C-2: Módulo Básico Estatal * 1,84 - **5,23 euros m² útil de vivienda y 3,13 euros m² útil de garaje y trastero.**

Zona A: Módulo Básico Estatal * 1,60 - **4,54 euros m² útil de vivienda y 2,72 euros m² útil de garaje y trastero.**

Requisitos de acceso:

1. Ingresos familiares no superiores a 4,5 veces el IPREM.

2. No ser titular del pleno dominio o de un derecho real de uso y disfrute sobre ninguna otra vivienda.

3. Estar inscrito en un registro público de demandantes de vivienda.

4. La actuación debe haber sido calificada como protegida por la CA.

5. La vivienda debe destinarse como residencia habitual del adjudicatario y ocuparse dentro de los plazos establecidos.

3. VIVIENDA DE ALQUILER DE RÉGIMEN CONCERTADO

Características:

• La vinculación al régimen de alquiler puede ser durante 10 o 25 años.

• La vinculación al régimen de protección será el mismo que el plazo establecido para la amortización del préstamo obtenido para su promoción, o en caso de no existir ese préstamo serán 25 años a partir de la fecha de la concesión de la calificación definitiva.

• La renta anual máxima inicial de las viviendas con protección oficial de régimen general destinadas al arrendamiento equivale a un porcentaje del 4,5% en las viviendas que se destinan al régimen de alquiler durante 10 años y del 3,5% en el caso de las viviendas que se destinan durante 25 años sobre el siguiente precio:

VIVIENDA DE ALQUILER DE RÉGIMEN CONCERTADO A 25 AÑOS:

ATPMS A: Valencia: Módulo Básico Estatal * 3,06 - **6,76 euros m² útil de vivienda y 4,05 euros m² útil de garaje y trastero.**

ATPMS A: Castellón y Alicante: Modulo Básico Estatal * 2,88 - **6,36 euros m² útil de vivienda y 3,81 euros m² útil de garaje y trastero.**

ATPMS B: Módulo Básico Estatal * 2,52 - **5,57 euros m² útil de vivienda y 3,34 euros m² útil de garaje y trastero.**

ATPMS C-1: Módulo Básico Estatal * 2,25 - **4,97 euros m² útil de vivienda y 2,98 euros m² útil de garaje y trastero.**

ATPMS C-2: Módulo Básico Estatal * 2,16 - **4,77 euros m² útil de vivienda y 2,86 euros m² útil de garaje y trastero.**

Zona A: Módulo Básico Estatal * 1,80 - **3,97 euros m² útil de vivienda y 2,38 euros m² útil de garaje y trastero.**

VIVIENDA DE ALQUILER DE RÉGIMEN CONCERTADO A 10 AÑOS:

ATPMS A: Valencia: Módulo Básico Estatal * 3,06 - **8,69 euros m² útil de vivienda y 5,21 euros m² útil de garaje y trastero.**

ATPMS A: Castellón y Alicante: Modulo Básico Estatal * 2,88 - **8,18 euros m² útil de vivienda y 4,90 euros m² útil de garaje y trastero.**

ATPMS B: Módulo Básico Estatal * 2,52 - **7,16 euros m² útil de vivienda y 4,29 euros m² útil de garaje y trastero.**

ATPMS C-1: Módulo Básico Estatal * 2,25 - **6,39 euros m² útil de vivienda y 3,83 euros m² útil de garaje y trastero.**

ATPMS C-2: Módulo Básico Estatal * 2,16 - **6,13 euros m² útil de vivienda y 3,67 euros m² útil de garaje y trastero.**

Zona A: Módulo Básico Estatal * 1,80 - **5,11 euros m² útil de vivienda y 3,06 euros m² útil de garaje y trastero.**

Requisitos de acceso:

1. Ingresos familiares no superiores a 6,5 veces el IPREM.

2. No ser titular del pleno dominio o de un derecho real de uso y disfrute sobre alguna otra vivienda.

3. Estar inscrito en un registro público de demandantes de vivienda.

4. La actuación debe haber sido calificada como protegida por la CA.

5. La vivienda debe destinarse como residencia habitual del adjudicatario y ocuparse dentro de los plazos establecidos.

4. VIVIENDA DE ALQUILER CON OPCIÓN DE COMPRA A 10 AÑOS

— Las viviendas protegidas puestas en régimen de arrendamiento durante 10 años podrán ser objeto de un contrato de arrendamiento a 10 años con opción de compra.

— Las personas arrendatarias pueden ejercer la opción de compra de la vivienda arrendada una vez transcurridos 10 años desde la fecha de la calificación definitiva y siempre que lo hayan ocupado ininterrumpidamente como mínimo 5 años.

— El precio máximo de venta de estas viviendas es el que resulte de aplicar un coeficiente del 1,7% sobre el precio máximo de venta fijado en la calificación provisional, incrementado este con el IPC del período transcurrido.

— El promotor tendrá que descontar del precio de venta el 50% de las rentas cobradas del arrendatario durante el período de alquiler.

— Las personas adquirentes con ingresos inferiores a 4,5 veces el IPREM, y que reúnan las condiciones de primer acceso a la vivienda, pueden acceder a las mismas ayudas que el adquirente de una vivienda usada.

AYUDAS AL ALQUILER PARA EL INQUILINO:

Características:

— El solicitante debe ser titular de un contrato de arrendamiento formalizado de acuerdo con la Ley 29/1994 de Arrendamientos Urbanos.

— La vivienda tiene que ser ocupada como domicilio habitual y permanente.

— La unidad familiar tiene que tener unos ingresos anuales ponderados no superiores a 2,5 veces el IPREM.

— En ningún caso se concederán ayudas al alquiler cuando el contrato se haya firmado entre personas que tengan relación de parentesco hasta el segundo grado de consanguinidad o afinidad (padres, hijos y nietos).

— Estas ayudas son incompatibles con la percepción de la RBE.

— La duración mínima del contrato de alquiler tiene que ser de 1 año.

— El pago de la renta se tiene que efectuar mediante transferencia o domiciliación bancaria.

Características de la ayuda:

— La cuantía máxima anual será del 40% de la renta a satisfacer por el inquilino con un máximo de **3.200 euros**.

— La duración máxima de la ayuda será de 2 años, siempre que se mantengan las condiciones que dieron origen a esa ayuda.

— No se podrá volver a obtener esta ayuda hasta que hayan transcurrido 5 años desde la primera concesión.

D) PROMOTORES:

1. PROMOCIONES DE VIVIENDAS PROTEGIDAS EN ALQUILER

Características de la ayuda:

PRÉSTAMO CONVENIDO:

Amortización: 25 años o más con cuotas constantes.

Garantía: Hipoteca.

Cuantía Máxima: 80% del precio de adquisición (vivienda + garaje + trastero vinculados).

Tipo de interés para el año 2009: Puede ser fijo o variable

Interés fijo: Pendiente de publicación.

Interés variable: Euribor a 12 meses publicado por el Banco de España en el *BOE* el mes anterior al de la fecha de formalización del préstamo más un diferencial de entre 25 y 125 puntos básicos.

Este tipo de interés se revisará cada 12 meses teniendo como referencia el Euribor a 12 meses publicado por el Banco de España el mes anterior a la fecha de formalización.

Cuotas: Interés fijo: Constantes durante toda la vida del préstamo.

Interés variable: Constantes durante toda la vida del préstamo, dentro de cada uno de los períodos de amortización a los cuales les corresponde un mismo tipo de interés.

Comisiones: Exentas.

El período de carencia en el pago de intereses finalizará en la fecha de la calificación definitiva, con un límite de 4 años (10 años con el consentimiento de la CA).

FINANCIACIÓN DE VIVIENDAS PROTEGIDAS EN RÉGIMEN DE ALQUILER A 25 AÑOS:

SUBSIDIOS a los préstamos. Cantidad anual por cada 10.000 euros de préstamo durante 25 años:

— **350 euros** para Viviendas de Régimen Especial a 25 años: Plazo máximo de amortización del préstamo y duración de la subsidiación de 25 años.

— **250 euros** para Viviendas de Régimen General a 25 años: Plazo máximo de amortización del préstamo y duración de la subsidiación de 25 años.

— **250 euros** para Viviendas de Régimen Concertado a 25 años: Plazo máximo de amortización del préstamo y duración de la subsidiación de 25 años.

SUBVENCIÓN por cada m² útil de vivienda calificada por los promotores como de régimen especial o general a 25 años:

VIVIENDAS DE RÉGIMEN ESPECIAL A 25 AÑOS:

ATPMS A: Valencia: **410 euros**

ATPMS A: Castellón y Alicante: **410 euros**

ATPMS B: **380 euros**

ATPMS C-1: **365 euros**

ATPMS C-2: **365 euros**

Zona A: **350 euros**

VIVIENDAS DE RÉGIMEN GENERAL A 25 AÑOS:

ATPMS A: Valencia: **310 euros**

ATPMS A: Castellón y Alicante: **310 euros**

ATPMS B: **280 euros**

ATPMS C-1: **265 euros**

ATPMS C-2: **265 euros**

Zona A: **250 euros**

Requisitos de acceso ayuda:

Haber obtenido el préstamo convenido.

FINANCIACIÓN DE VIVIENDAS PROTEGIDAS EN RÉGIMEN DE ALQUILER A 10 AÑOS:

SUBSIDIOS a los préstamos. Cantidad anual por cada 10.000 euros de préstamo durante 10 años:

— **350 euros** para Viviendas de Régimen Especial a 10 años: Plazo máximo de amortización del préstamo y duración de la subsidiación de 10 años.

— **250 euros** para Viviendas de Régimen General a 10 años: Plazo máximo de amortización del préstamo y duración de la subsidiación de 10 años.

— **100 euros** para Viviendas de Régimen Concertado a 10 años: Plazo máximo de amortización del préstamo y duración de la subsidiación de 10 años.

SUBVENCIÓN por cada m² útil de vivienda calificada por los promotores como de régimen especial o general a 10 años:

VIVIENDAS DE RÉGIMEN ESPECIAL A 10 AÑOS:

ATPMS A: Valencia: **410 euros**

ATPMS A: Castellón y Alicante: **410 euros**

ATPMS B: **380 euros**

ATPMS C-1: **365 euros**

ATPMS C-2: **365 euros**

Zona A: **350 euros**

VIVIENDAS DE RÉGIMEN GENERAL A 10 AÑOS:

ATPMS A: Valencia: **310 euros**

ATPMS A: Castellón y Alicante: **310 euros**

ATPMS B: **280 euros**

ATPMS C-1: **265 euros**

ATPMS C-2: **265 euros**

Zona A: **250 euros**

Requisitos de acceso ayuda:

Haber obtenido el préstamo convenido.

AYUDA DE LA GENERALITAT VALENCIANA CON CARGO A SUS PRE-SUPUESTOS:

Características:

— La pueden percibir los promotores de vivienda protegida de alquiler de régimen especial.

— También la pueden percibir los promotores de vivienda protegida de alquiler de régimen general cuando el importe de la renta anual a percibir sea el equivalente al de la misma vivienda si se hubiera calificado como de régimen especial.

— La cuantía de la subvención por vivienda (calculada por m² útil de vivienda) será:

PERÍODO DE AMORTIZACIÓN DEL PRÉSTAMO DE 10 AÑOS: **50 euros/m² útil**.

PERÍODO DE AMORTIZACIÓN DEL PRÉSTAMO DE 25 AÑOS: **100 euros/m² útil**.

— Los promotores de viviendas de alquiler con opción a compra pueden recibir (además de las ayudas mencionadas anteriormente para la financiación de viviendas en régimen de alquiler a 10 años), una subvención de **90 euros/m² útil** por el primer contrato de opción de compra de la vivienda siempre que cuando el inquilino ejercite esa opción se le descuente el 50% de las cantidades abonadas en concepto de arrendamiento.

2. PROMOCIÓN DE ALOJAMIENTOS PROTEGIDOS

Características:

• Son construcciones de uso residencial colectivo o de uso de alojamiento comunitario temporal para alojar a colectivos con necesidades especiales de alojamiento de carácter transitorio y necesidades de servicios o tutela

— Los alojamientos protegidos para otros colectivos específicos se destinarán a albergar a personas de la comunidad universitaria, o investigadores y científicos.

— Tienen que tener unas superficies útiles mínimas de 15 m² por persona con un máximo de 45 m² por alojamiento. No obstante un 25% del total de los alojamientos pueden tener una superficie útil máxima de 90 m², con el fin de poder alojar a unidades familiares o grupos de personas que requieran una superficie mayor a la determinada con carácter general.

— Se tienen que ajustar a las Rentas máximas según zonas para el alquiler de Régimen Especial a 25 años cuando se destinen a colectivos especialmente vulnerables.

— Cuando se destinen a otros colectivos específicos se ajustarán a las Rentas máximas para el alquiler de Régimen General.

— Se imputará un 30% de la superficie destinada a servicios comunes o asistenciales cuyo precio máximo de referencia por m² de superficie útil será el del régimen correspondiente.

— La promoción puede ser pública o privada.

— Los promotores de estos alojamientos pueden acogerse a las ayudas a la promoción de viviendas de alquiler de régimen especial a 25 años cuando se trate de alojamientos destinados a colectivos especialmente vulnerables.

— Los promotores de estos alojamientos pueden acogerse a las ayudas a la promoción de viviendas de alquiler de régimen general cuando se trate de alojamientos destinados a colectivos específicos.

Características de la ayuda:

PRÉSTAMO CONVENIDO:

Amortización: 25 años o más con cuotas constantes.

Garantía: Hipoteca.

Cuantía Máxima: 80% del precio de adquisición (vivienda + garaje + trastero vinculados).

Tipo de interés para el año 2009: Puede ser fijo o variable.

Interés fijo: Pendiente de publicación.

Interés variable: Euribor a 12 meses publicado por el Banco de España en el *BOE* el mes anterior al de la fecha de formalización del préstamo más un diferencial de entre 25 y 125 puntos básicos.

Este tipo de interés se revisará cada 12 meses teniendo como referencia el Euribor a 12 meses publicado por el Banco de España el mes anterior a la fecha de formalización.

Cuotas: Interés fijo: Constantes durante toda la vida del préstamo.

Interés variable: Constantes durante toda la vida del préstamo, dentro de cada uno de los períodos de amortización a los cuales les corresponde un mismo tipo de interés.

Comisiones: Exentas.

El período de carencia en el pago de intereses finalizará en la fecha de la calificación definitiva, con un límite de 4 años (10 años con el consentimiento de la CA).

SUBSIDIOS a los préstamos. Cantidad anual por cada 10.000 euros de préstamo durante 25 años:

— **350 euros** para Viviendas de Régimen Especial a 25 años: Plazo máximo de amortización del préstamo y duración de la subsidiación de 25 años.

— **250 euros** para Viviendas de Régimen General a 25 años: Plazo máximo de amortización del préstamo y duración de la subsidiación de 25 años.

— **250 euros** para Viviendas de Régimen General a 10 años: Plazo máximo de amortización del préstamo y duración de la subsidiación de 10 años.

SUBVENCIÓN por cada m² útil de la vivienda calificada.

ALOJAMIENTOS PROTEGIDOS PARA COLECTIVOS ESPECIALMENTE VULNERABLES:

500 euros/m².

ALOJAMIENTOS PROTEGIDOS PARA COLECTIVOS ESPECÍFICOS:

320 euros/m².

AYUDA DE LA GENERALITAT VALENCIANA CON CARGO A SUS PRESUPUESTOS:

— La cuantía de la subvención por vivienda (calculada por m² útil de vivienda) será:

PERÍODO DE AMORTIZACIÓN DEL PRÉSTAMO DE 10 AÑOS: **50 euros/m² útil**.

PERÍODO DE AMORTIZACIÓN DEL PRÉSTAMO DE 25 AÑOS: **100 euros/m² útil**.

3. AYUDAS PARA ADQUISICIÓN DE VIVIENDAS USADAS DESTINADAS A ARRENDAMIENTO

— Las entidades sin ánimo de lucro y empresas públicas que adquirieran viviendas usadas para arrendar que cumplan los requisitos establecidos para la adquisición protegida de este tipo de viviendas podrán optar a las subvenciones que otorga la Generalitat para los promotores de vivienda en arrendamiento.

— Para obtener esta subvención las viviendas así adquiridas se tienen que ofertar en las condiciones de precio y plazos establecidas para las viviendas protegidas en arrendamiento de régimen especial.

— La cuantía de la subvención por vivienda (calculada por m² útil de vivienda) será:

PERÍODO DE AMORTIZACIÓN DEL PRÉSTAMO DE 10 AÑOS: **50 euros/m² útil**.

PERÍODO DE AMORTIZACIÓN DEL PRÉSTAMO DE 25 AÑOS: **100 euros/m² útil**.

4. AYUDAS PARA LA MEJORA DE LA CALIDAD Y DE LA EFICIENCIA ENERGÉTICA

— Estas ayudas las concederá la Generalitat conforme al nivel del perfil de calidad o la calificación energética obtenida por las viviendas con protección pública de nueva construcción:

a) Perfil alto de ahorro de energía y alto de sostenibilidad - **1.000 euros por vivienda**.

b) Uno de los perfiles alto y el otro perfil muy alto - **2.000 euros por vivienda**.

c) Perfil muy alto de ahorro de energía y muy alto de sostenibilidad - **3.000 euros por vivienda.**